Frislant
NOVA
OCEANUS
Acores Insulæ
AT
Flandricæ
LAN
I. Canariæ
Fortunatæ
MAR
TICUS
DEL
I. de C. Verde
NORT
GUIANA
BRASI
DION
LIS
Patagones
AMERICA
noviter delineata
Auct. Henrico Hondio
1631

LITERATURA HISPANOAMERICANA

Enrique Anderson Imbert
UNIVERSITY OF MICHIGAN

Eugenio Florit
BARNARD COLLEGE

HOLT, RINEHART AND WINSTON, INC. NEW YORK

LITERATURA HISPANOAMERICANA

Antología e introducción histórica

Library of Congress Catalog Card Number: 60-6295

90123 4 1413 12111 098

SBN 03-016845-7

Printed in the United States of America

Prefacio

Esta antología ha sido preparada especialmente para los estudiantes de literatura hispanoamericana en los Estados Unidos. Sin embargo, creemos que también ha de ser útil en los países de lengua española. No es un mero texto escolar, sino un repertorio de literatura. Claro está que al elegir sus materiales hemos tenido en cuenta las necesidades pedagógicas; pero en ningún momento hemos rebajado nuestro criterio de selección. Al contrario, nos hemos esforzado en mantener la más alta calidad literaria posible.

Creemos ofrecer un cuadro bastante completo: desde Colón, el primer europeo que describió en castellano sus impresiones del Nuevo Mundo, hasta escritores que nacieron de 1900 a 1915. Cuadro de cuatro siglos y medio de literatura al que hemos puesto como marco una introducción sobre las civilizaciones prehispánicas—maya, azteca, inca—y un apéndice sobre la literatura juvenil que, por ahora, sería prematuro incorporar en esta obra.

La organización de los textos escogidos sigue un orden rigurosamente histórico; y, en efecto, nuestra antología lleva una mínima historia dentro. Cada capítulo, un período. Cada período, caracterizado según los estilos de sus escritores más notables. Cada escritor, presentado con una semblanza crítica.

Figuran todos los países, todas las tendencias, todos los períodos, pero no todos los géneros, ni siquiera todos los autores importantes. No hemos escatimado espacio a la poesía, al cuento, al ensayo, a la crónica, pero en cambio la novela y el teatro han quedado fuera. Por su extensión, no cabrían en forma completa; y publicar sólo un episodio novelesco o una escena dramática apenas ayudaría al lector a comprender el sentido de la obra original. Para obviar de algún modo esta limitación damos al final una lista complementaria de las más notables novelas y piezas teatrales. Creemos que los profesores, en cuyas manos ponemos esta colección, estimarán las muchas posibilidades que aquí se les ofrece de combinar, de acuerdo con sus propios programas de estudio, la asignación de lecturas suplementarias a los estudiantes.

En los pocos casos en que un escritor desarrolla su tema complaciéndose en largas digresiones nos hemos visto obligados a practicar algunos cortes en el texto. No es una mutilación, sin embargo, pues hemos salvado la unidad profunda de su pensamiento. Unos puntos suspensivos entre corchetes [. . .] indicarán siempre tales cortes.

Lo que sigue al nombre de cada escritor es el título original de su obra. A veces, sobre todo al reproducir páginas de cronistas de Indias, hemos agregado por nuestra cuenta otro titulillo—compuesto en un tipo especial de letra— que acentúa el contenido de un núcleo de acción. En esos textos de los siglos XVI y XVII hemos modernizado la ortografía y modificado levemente la puntuación y el uso de algunas partículas gramaticales, como la copulativa « y », de manera que el lector no tropiece con dificultades innecesarias.

Nos ha parecido superfluo preparar un vocabulario: quien desconozca una palabra puede recurrir a los diccionarios corrientes. En cambio hemos anotado palabras y giros poco comunes y también nombres relacionados con la geografía y la historia de la cultura.

Agradecemos a los editores y escritores que nos han permitido usar sus libros y al señor Frédéric Ernst que con tanta paciencia como discreción ha colaborado en la realización de esta empresa.

Extendemos también nuestra gratitud al Fondo de Cultura Económica de México. Los textos conteniendo juicios o referencias a las obras y los autores que figuran en esta antología han sido extraídos de la *Historia de la literatura hispanoamericana* del Profesor Anderson Imbert, que fué publicada por el Fondo de Cultura Económica, Breviario No. 89 (segunda edición, 1957), y se hace con especial autorización de esta Editorial mexicana.

E. A. I.
E. F.

Contenido

LITERATURA HISPANOAMERICANA

Introducción

LAS LITERATURAS INDÍGENAS

Una gran variedad de pueblos indígenas existían desparramados por lo que hoy llamamos América. Algunos, de altas culturas; otros, de culturas muy rudimentarias. De las culturas más avanzadas surgieron, ya en nuestra era, por lo menos tres grandes focos de civilización: civilización maya, en lo que va hoy de Honduras y Guatemala al Yucatán; civilización incásica en los Andes, donde hoy se encuentran el Perú, Bolivia y Ecuador; y civilización azteca, en el territorio central y meridional de México. Aunque, en el orden técnico, las civilizaciones maya, incásica y azteca desconocían la rueda y el arco arquitectónico y apenas domesticaban los animales para aliviar el trabajo del hombre, en el orden artístico nos han dejado admirables monumentos: pirámides, templos, palacios, cerámica, esculturas y pinturas entre las que hay verdaderas obras maestras, comparables a las del viejo mundo. Se dedicaron a bellas industrias, como las del tejido, el arte plumario, la orfebrería con metales y piedras preciosas, el decorado policromo y las tallas de madera. Fabricaron papel y lo estamparon con símbolos magníficamente dibujados y coloreados. Organizaron escuelas de estudios superiores. Tuvieron deporte, teatro ritual, música, danza, canciones . . . Es lógico suponer, por lo tanto, que en tales civilizaciones había quienes hablaban con refinamiento. En el uso artístico de la palabra debió de haber géneros de gran prestigio, pero se han perdido porque eran orales. Los indios no representaban los sonidos del habla con signos convencionales. Sólo los mayas intentaron el tránsito de los ideogramas a los símbolos de tipo fonético. Sus caracteres abstractos no han sido descifrados, y el arqueólogo suele verse en aprietos cuando quiere deslindar la escritura de la mera decoración. Lo que suele llamarse « literaturas indígenas » en realidad son transcripciones indirectas que, ya en tiempo de la conquista y la colonización, quedaron fijadas gracias a las letras del alfabeto latino. Esas literaturas recogían tanto vivas tradiciones orales como interpretaciones de viejas escrituras ideográficas, y aunque valorarlas no es asunto de una antología como la presente, sí podemos ofrecer una sucinta noticia de ellas.

De los centenares de idiomas que se hablaban los más cultos fueron el quechua del Perú incásico, el maya-quiché y el nahuatl de los aztecas. Poco sabemos de la elaboración artística de esas lenguas, sin embargo.

En la civilización incásica la palabra era capaz de dignas funciones expresivas, pero no había escritura. Los archivos de « quipus » — cordeles de colores, anudados — hacían las veces de libros mnemotécnicos pero no podían sustituir la sutileza del lenguaje gráfico. Las primeras versiones escritas del culto artístico de la palabra son las que, con alfabeto latino, propusieron los españoles o los mestizos de la colonia. Tanto el Inca Garcilaso de la Vega como el indio Felipe Guamán Poma de Ayala fueron de los primeros en transcribir algunas de las poesías del Incario.

La cultura maya tuvo libros con figuras jeroglíficas, pero casi todos fueron destruídos por el celo religioso de los españoles o por las inclemencias del tiempo. Sólo tres códices se han salvado, y su tema parece limitarse al calendario, los números y los ritos. Las tradiciones más próximas a lo que entendemos por literatura se trasmitieron oralmente. Del viejo tronco de esa cultura maya procedían las tribus quiché, cakchiquel y otras que habitaban Guatemala cuando llegaron los españoles. Probablemente entre 1554 y 1558 un indio, educado por españoles, se puso a escribir, en su lengua quiché pero con ayuda de nuestro alfabeto, una recopilación de las creencias cosmogónicas y recuerdos históricos y legendarios de su pueblo. Como su propósito fué suplir la pérdida del Libro del Consejo o Popol Vuh — libro que algunos estudiosos suponen que era de jeroglíficos y, otros, de pinturas que una larga tradición oral interpretaba — a esa transcripción se la llama *Popol Vuh.* Se ha perdido el manuscrito original: sólo conservamos la copia y traducción al castellano hechas por el Padre Francisco Ximénez (España-Guatemala; 1666-1729). Hay otras narraciones más o menos literarias escritas por indios quichés, todas igualmente indirectas, como la *Historia Quiché* (1580) de Juan de Torres, la traducción al castellano del *Título de los Señores Totonicapan* (1554), etc. El pueblo cakchiquel, por su parte, atesoraba sus propias memorias, y a principios del siglo XVII varios indios acometieron la tarea de recopilarlas, sirviéndose de la escritura latina, en manuscritos que hoy se conocen con el nombre de *Memorial de Sololá.* Los *Libros de Chilam Balam* — repartidos en varios pueblos de Yucatán — también fueron escritos después de la conquista adaptando al alfabeto latino la fonología de la lengua maya. Provienen de libros pictográficos o de tradiciones orales; pero las copias que hoy se conservan no son las originales del siglo XVI, sino copias de copias. El contenido es muy variado: religión, historia, medicina, astronomía, miscelánea.

Veamos ahora lo que hay en el área de la civilización del valle de México. Los « libros de papel » que vió Bernal Díaz del Castillo en México representaban con figuras y pinturas las tradiciones artísticas indígenas, pero no eran libros literarios. Algo parecido a lo que hoy llamamos, con palabras europeas, « poesía », « narración », « oratoria », « cantos épicos », « anécdotas », « historia heroica », « mitos », etc., sin duda debió de existir en el habla nahuatl; pero nunca fué fijado por escrito y, por lo tanto, se ha perdido. Los misioneros españoles fueron los primeros en recoger esa actividad lingüística de valor artístico. La oían a los indios y luego la transcribían con letras del alfabeto latino. Sólo conservamos, pues, y en esa forma, algunos aspectos de las lenguas indígenas de México recogidos por Fray Pedro de Gante, Motolinía, Olmos, Sahagún y otros como Fernando de Alva Ixtlilxochitl, que tantos y tan preciosos datos reunió en sus obras históricas. Al pasar el nahuatl al castellano quedó adulterado, sin contar la deformación ideal que impuso la actitud antológica de los misioneros y aun la interpolación de nociones cristianas. Las tradiciones recogidas por los españoles no eran muy antiguas: se remontaban a la última parte del siglo XV. La lengua nahuatl fué la más importante de todas las que se hablaron en aquella región: sus centros eran Tenochtitlán, Tetzcoco, Cuautitlán y otros. Y este imperio lingüístico se había incorporado formas de los huastecos y de los otomíes.

Hasta aquí los vestigios de las civilizaciones americanas anteriores a la conquista. Lo que, después de la conquista, se escribe en lenguas indígenas escapa a los límites de esta obra. Es tema de etnografía o, si se quiere, de una historia de la literatura separada lingüísticamente de la nuestra. Lo cual no significa que no reconozcamos la influencia que los modos aborígenes de vivir y de sentir la vida han tenido en nuestra cultura hispanoamericana. Después de todo la población india y mestiza es tan numerosa — en algunos países en mayoría a la de blancos — que forzosamente ha intervenido en el proceso de la expresión hispánica. Son siluetas e imágenes indígenas que se proyectan en la pantalla de la lengua española dándole un carácter peculiar.

Aunque el propósito de esta historia y antología es ofrecer al estudiante un panorama de la literatura hispanoamericana desde 1492 — descubrimiento y conquista — hasta el presente, a sus compiladores les ha parecido oportuno completar dicho panorama ofreciendo algunos textos que, a su manera, puedan representar ciertas manifestaciones de los pueblos primitivos de nuestra América.

Cierto es que, careciendo dichos pueblos de palabra escrita, tales manifestaciones — según llevamos dicho — no entraron en la corriente « literaria » sino cuando fueron trasladadas a nuestro idioma por ciertos escribas más o menos anónimos del siglo XVI o — como en el caso de Fernando de Alva — por un escritor que supo rastrear en su folklore y tradiciones e incorporar mucho de ello en historias y crónicas. De todos modos, creemos que la presentación de algunos textos primitivos servirá de introducción a esta obra. Muchos de sus temas, nombres y leyendas forman parte de la literatura de algunos de los pueblos hispanoamericanos que, como el Perú, Bolivia, Ecuador, México y casi toda Centroamérica, cuentan con un rico tesoro de tradición indígena.

En primer lugar, el *Popol Vuh*, obra de gran interés. De ella hemos escogido dos fragmentos: el primero, relacionado con los intentos de los dioses de formar hombres que pudiesen honrarlos y darles alabanzas, y el segundo, que trata de la concepción de los gemelos Hunahpú e Ixbalanqué en el seno de la virgen Ixquic.

Además de ello, incluímos el texto de algunos poemas de la altiplanicie mexicana, como el « Canto de los Grandes Reyes », o el de los Pájaros, y un fragmento de los cantos elegíacos de Netzahualcoyotl, el rey-poeta del siglo XV y, por último dos ejemplos de poesía quechua: un himno sagrado y una canción amorosa. Estas selecciones darán al lector una muestra, aunque muy ligera, de lo que fué la expresión poética de los pueblos de nuestro continente antes de la conquista.

Popol Vuh

LA MUERTE DE LOS MUÑECOS DE PALO

En seguida fueron aniquilados, destruídos y deshechos los muñecos de palo, y recibieron la muerte.

Una inundación fué producida por el Corazón del Cielo; un gran diluvio se formó, que cayó sobre las cabezas de los muñecos de palo.

De tzité[1] se hizo la carne del hombre, pero cuando la mujer fué labrada por el Creador y el Formador, se hizo de espadaña[2] la carne de la mujer. Estos materiales quisieron el Creador y el Formador que entraran en su composición.

Pero no pensaban, no hablaban con su Creador, su Formador, que los habían hecho, que los habían creado. Y por esta razón fueron muertos, fueron anegados. Una resina abundante vino del cielo. El llamado *Xecotcovach* llegó y les vació los ojos; *Camalotz* vino a cortarles la cabeza; y vino *Cotzbalam* y les devoró las carnes. El *Tucumbalam*[3] llegó también y les quebró y magulló los huesos y los nervios, les molió y desmoronó los huesos.

Y esto fué para castigarlos porque no habían pensado en su madre, ni en su padre, el Corazón del Cielo, llamado Huracán. Y por este motivo se obscureció la faz de la tierra y comenzó una lluvia negra, una lluvia de día, una lluvia de noche.

Llegaron entonces los animales pequeños, los animales grandes, y los palos y las piedras les golpearon las caras. Y se pusieron todos a hablar; sus tinajas, sus comales,[4] sus platos, sus ollas, sus perros, sus piedras de moler, todos se levantaron y les golpearon las caras.

— Mucho mal nos hacíais; nos comíais, y nosotros ahora os morderemos —, les dijeron sus perros y aves de corral.[5]

Y las piedras de moler:

— Éramos atormentadas por vosotros; cada día, cada día, de noche, al amanecer, todo el tiempo hacían *holi*, *holi*, *huqui*, *huqui*[6] nuestras caras, a causa de vosotros. Este era el tributo que os pagábamos. Pero ahora que habéis dejado de ser hombres probaréis nuestras fuerzas. Moleremos y reduciremos a polvo vuestras carnes —, les dijeron sus piedras de moler.

Y he aquí que sus perros hablaron y les dijeron:

— ¿Por qué no nos dabais nuestra comida? Nosotros sólo estábamos mirando y vosotros nos perseguíais y nos echábais fuera. Siempre teníais listo un palo para pegarnos mientras comíais. Así era como nos tratábais. Nosotros no podíamos hablar. Quizás no os diéramos muerte ahora; pero ¿por qué no reflexionábais, por qué no pensábais en vosotros mismos? Ahora nosotros os destruiremos, ahora probaréis vosotros los dientes que hay en nuestra boca: os devoraremos —, dijeron los perros, y luego les destrozaron las caras.

Y sus comales, sus ollas les hablaron así:

[Las notas que siguen están tomadas, aunque algo simplificadas, de la edición hecha por Adrián Recinos, que es la de la Biblioteca Americana].

1. Tzité. Planta cuyas semillas usan los indios en sus hechicerías. 2. El nombre quiché *zibaque* se usa corrientemente en Guatemala para designar esta planta, muy usada en la fabricación de esteras. 3. Es difícil interpretar los nombres de estos enemigos del hombre. Ximénez dice que *Xecotcovach* era un pájaro, probablemente un águila (*cot*) o gavilán. El *Camalotz* era evidentemente el gran vampiro. *Camatotz*, murciélago de muerte, que decapita al joven héroe Hunahpú en la segunda parte de la obra. *Cotzbalam* puede interpretarse como el tigre echado que acecha a su presa. *Tucumbalam* es el nombre de la danta o tapir. 4. *comatli* en lengua mexicana, *xot* en quiché, plato grande, semejante a un disco de barro, que se usa para cocer las tortillas de maíz. 5. Estos perros no eran los que hoy existen en América, sino una variedad que los cronistas españoles llaman perros mudos, porque no ladraban. Sus aves de corral eran el pavo, el faisán y la gallina de monte. 6. Estas palabras son una imitación del ruido que hace la piedra durante la molienda del maíz. 7. La idea de un diluvio antiguo y la creencia de otro que sería el fin del mundo, semejante al que se describe aquí, existía todavía entre los indios de Guatemala en los años subsiguientes a la conquista española, según dice el Padre Las Casas en su *Apologética Historia*, capítulo CCXXXV, en donde se hace referencia a la venganza de las cosas que sirven al hombre. 8. Según los *Anales de Cuauhtitlán*, en la cuarta edad de la tierra « se ahogaron muchas personas y arrojaron a los montes a otras y se convirtieron en monos. » 9. *Cuchumaquic*, sangre reunida: *Ixquic*, sangre pequeña o de mujer. 10. Era solamente la cabeza de Hun-Hunahpú. Este pasaje recuerda el mito mexicano del nacimiento de Huitzilopochtli, según lo refiere Sahagún (libro III, capítulo I de su Historia).

— Dolor y sufrimiento nos causábais. Nuestra boca y nuestras caras estaban tiznadas, siempre estábamos puestos sobre el fuego y nos quemábais como si no sintiéramos dolor. Ahora probaréis vosotros, os quemaremos —, dijeron sus ollas, y todas les destrozaron las caras. Las piedras del hogar, que estaban amontonadas, se arrojaron directamente desde el fuego contra sus cabezas para hacerlos sufrir.[7]

A toda prisa corrían, desesperados (los hombres de palo); querían subirse sobre las casas y las casas se caían y los arrojaban al suelo; querían subirse sobre los árboles y los árboles los lanzaban a lo lejos; querían entrar a las cavernas y las cavernas los rechazaban.

Así fué la ruina de los hombres que habían sido creados y formados, de los hombres hechos para ser destruídos y aniquilados: a todos les fueron destrozadas las bocas y las caras.

Y dicen que la descendencia de aquéllos son los monos que existen ahora en los bosques; éstos son la muestra de aquéllos, porque de palo fué hecha su carne por el Creador y Formador.[8]

Y por esta razón el mono se parece al hombre, es la muestra de una generación de hombres creados, de hombres formados que eran solamente muñecos y hechos solamente de madera.

(Primera parte, capítulo III).

HISTORIA DE IXQUIC

[En los capítulos anteriores se narra cómo los hermanos Hunahpú que habitaban sobre la tierra fueron invitados por los hermanos Camé, Señores de Xibalbá, a bajar a jugar con ellos a la pelota. En Xibalbá, que para los quichés era la región subterránea habitada por los enemigos del hombre, los hermanos Hunahpú fueron vencidos por sus rivales, y sacrificados. Antes de enterrarlos cortaron la cabeza a Hun-Hunahpú y la colgaron de un árbol, que pronto se cubrió de frutos milagrosos. Esta es la historia que Ixquic oyó, según se cuenta en el capítulo cuyo texto reproducimos.]

Esta es la historia de una doncella, hija de un Señor llamado Cuchumaquic.

Llegaron [estas noticias] a oídos de una doncella, hija de un Señor. El nombre del padre era *Cuchumaquic* y el de la doncella *Ixquic.*[9] Cuando ésta oyó la historia de los frutos del árbol, que fué contada por su padre, se quedó admirada de oírla.

— ¿Por qué no he de ir a ver ese árbol que cuentan? — exclamó la joven. — Ciertamente deben ser sabrosos los frutos de que oigo hablar.

A continuación se puso en camino ella sola y llegó al pie del árbol que estaba sembrado en Pucbal-Chah.

— ¡Ah! — exclamó — ¿qué frutos son los que produce este árbol? ¿No es admirable ver cómo se ha cubierto de frutos? ¿Me he de morir, me perderé si corto uno de estos frutos? — dijo la doncella.

Habló entonces la calavera que estaba entre las ramas del árbol y dijo:

— ¿Qué es lo que quieres? Estos objetos redondos que cubren las ramas del árbol no son más que calaveras.

Así dijo la cabeza de Hun-Hunahpú dirigiéndose a la joven.

— ¿Por ventura los deseas? — agregó.

— Sí los deseo — contestó la doncella.

— Muy bien — dijo la calavera. — Extiende hacia acá tu mano derecha.

— Bien — replicó la joven, y levantado su mano derecha, la extendió en dirección a la calavera.

En este instante la calavera lanzó un chisguete de saliva que fué a caer directamente en la palma de la mano de la doncella. Miróse ésta rápidamente y con atención la palma de la mano, pero la saliva de la calavera ya no estaba en su mano.

— En mi saliva y mi baba te he dado mi descendencia — dijo la voz en el árbol —. Ahora mi cabeza ya no tiene nada encima, no es más que una calavera despojada de la carne. Así es la cabeza de los grandes príncipes, la carne es lo único que les da una hermosa apariencia. Y cuando mueren, espántanse los hombres a causa de los huesos. Así es también la naturaleza de los hijos, que son como la saliva y la baba, ya sean hijos de un Señor, de un hombre sabio o de un orador. Su condición no se pierde cuando se van, sino se hereda; no se extingue ni desaparece la imagen del Señor, del hombre sabio o del orador, sino que la dejan a sus hijas y a los hijos que engendran. Esto mismo he hecho yo contigo. Sube, pues, a la superficie de la tierra, que no morirás. Confía en mi palabra que así será — dijo la cabeza de Hun-Hunahpú y de Vucub-Hunahpú.[10]

Y todo lo que tan acertadamente hicieron fué por mandado de Huracán, Chipi-Caculhá y Raxa-Caculhá.

Volvióse en seguida a su casa la doncella después que le fueron hechas todas estas advertencias, habiendo concebido inmediatamente los hijos en su vientre por la sola virtud de la saliva. Y así fueron engendrados Hunahpú e Ixbalanqué.

Llegó, pues, la joven a su casa y después de haberse cumplido seis meses fué advertido su estado por su padre, el llamado Cuchumaquic. Al instante fué descubierto el secreto de la joven por el padre, al observar que estaba embarazada.

Reuniéronse entonces en consejo todos los Señores Hun-Camé y Vucub-Camé con Cuchumaquic.

—Mi hija está preñada, Señores; ha sido deshonrada — exclamó el Cuchumaquic cuando compareció ante los Señores.

— Está bien — dijeron éstos —. Oblígala a declarar la verdad, y si se niega a hablar, castígala; que la lleven a sacrificar lejos de aquí.

— Muy bien, respetables señores — contestó. A continuación interrogó a su hija:

— ¿De quién es el hijo que tienes en el vientre, hija mía?

Y ella contestó:

— No tengo hijo, señor padre, aún no he conocido varón.

— Está bien — replicó —. Positivamente eres una ramera. Llevadla a sacrificar, señores Ahpop Achih; traedme el corazón dentro de una jícara y volved hoy mismo ante los Señores — les dijo a los buhos.

Los cuatro mensajeros tomaron la jícara y se marcharon llevando en sus brazos a la joven y llevando también el cuchillo de pedernal para sacrificarla.

Y ella les dijo:

— No es posible que me matéis, ¡oh mensajeros!, porque no es una deshonra lo que llevo en el vientre, sino que se engendró solo cuando fuí a admirar la cabeza de Hun-Hunahpú que estaba en Pucbal-Chah. Así, pues, no debéis sacrificarme, ¡oh mensajeros! — dijo la joven dirigiéndose a ellos.

— ¿Y qué pondremos en lugar de tu corazón? Se nos ha dicho por tu padre: « Traedme el corazón, volved ante los Señores, cumplid vuestro deber y atended juntos a la obra, traedlo pronto en la jícara, poned el corazón en el fondo de la jícara. » ¿Acaso no se nos habló así? ¿Qué le daremos entre la jícara? Nosotros bien quisiéramos que no murieras — dijeron los mensajeros.

— Muy bien, pero este corazón no les pertenece a ellos. Tampoco debe ser aquí vuestra morada, ni debéis tolerar que os obliguen a matar a los hombres. Después serán ciertamente vuestros los verdaderos criminales y míos serán en seguida Hun-Camé y Vucub-Camé. Así, pues, la sangre y sólo la sangre será de ellos y estará en su presencia. Tampoco puede ser que este corazón sea quemado ante ellos.[11] Recoged el producto de este árbol — dijo la doncella.

El jugo rojo brotó del árbol, cayó en la jícara y en seguida se hizo una bola resplandeciente que tomó la forma de un corazón hecho con la savia que corría de aquel árbol encarnado. Semejante a la sangre brotaba la savia del árbol, imitando la verdadera sangre. Luego se coaguló allí dentro la sangre, o sea la savia del árbol rojo, y se cubrió de una capa muy encendida como de sangre al coagularse dentro de la jícara, mientras que el árbol resplandecía por obra de la doncella. Llamábase *Arbol rojo de grana*,[12] pero (desde entonces) tomó el nombre de la Sangre porque a su savia se le llama la Sangre.[13]

— Allá en la tierra seréis amados y tendréis vuestro sustento — dijo la joven a los buhos.

— Está bien, niña. Nosotros nos iremos allá, subiremos a servirte; tú, sigue tu camino mientras nosotros vamos a presentar la savia en lugar de tu corazón ante los Señores — dijeron los mensajeros.

Cuando llegaron a presencia de los Señores, estaban todos aguardando.

— ¿Se ha terminado eso? — preguntó Hun-Camé.

— Todo está concluído, Señores. Aquí está el corazón en el fondo de la jícara.

11. Aunque no se había mencionado antes, Ixquic sabía muy bien que los Señores deseaban su corazón para quemarlo. Esta era una antigua costumbre de los mayas.

12. *Chuh Cakché* es el árbol que los mexicanos llamaban *ezquahuitl*, árbol de sangre, y los europeos conocen también con el nombre de sangre, Sangre de Dragón, una planta tropical cuya savia tiene el color y la densidad de la sangre.

13. Se repiten aquí las palabras examinadas en la nota anterior, pero en sentido ligeramente diferente. *Quic* es sangre, savia y resina de árbol, especialmente la del caucho o goma elástica que los antiguos mayas y chiqués usaban a veces como incienso. La pelota con que jugaban se llamaba también *quic*. El nombre de la heroína de este episodio era asimismo *Ixquic*, la de la sangre femenina, o la de la goma elástica.

1. del Manuscrito de la Biblioteca Nacional de México, f. 20. Entre los cantos recogidos en Tenochtitlán, Tezcoco y Tacuba. Conmemora a los reyes más famosos. El Moteuczoma mencionado es el primero de ese nombre.

2. el texto agrega « rey de Tlacopan. » Más que hecho por ese rey, hay que pensarlo hecho para él. Es un juego de palabras en que se repiten para llenar el verso las palabras con que se expresaba el ritmo: titi toto, etc., que pueden asimilarse al nombre de nuestras notas musicales: do, re, mi, etc.

— Muy bien. Veamos — exclamó Hun-Camé. Y cogiéndolo con los dedos lo levantó, se rompió la corteza y comenzó a derramarse la sangre de vivo color rojo.

— Atizad bien el fuego y ponedlo sobre las brasas — dijo Hun-Camé.

En seguida lo arrojaron al fuego y comenzaron a sentir el olor los de Xibalbá, y levantándose todos se acercaron y ciertamente sentían muy dulce la fragancia de la sangre.

Y mientras ellos se quedaban pensativos, se marcharon los buhos, los servidores de la doncella, remontaron el vuelo en bandada desde el abismo hacia la tierra y los cuatro se convirtieron en sus servidores.

Así fueron vencidos los Señores de Xibalbá. Por la doncella fueron engañados todos.

(Segunda parte, Capítulo III, de *Popol Vuh. Las antiguas historias del Quiché*, 1953).

POESÍA NAHUATL

LOS GRANDES REYES[1]

Moteuczomatzin, Nezahualcoyotzin, Totoquihuatzin:
vosotros entretejisteis, vosotros enlazasteis los órdenes de nobleza,
por un breve instante venid a visitar la ciudad en que reinasteis.

Perduran los Águilas, perduran los Tigres:
de igual modo perduran y están aposentados en la ciudad de México.

Entre alaridos fueron terribles, fueron terribles:
bellas y variadas flores conquistaron, fueron poderosos:
ya se fueron, ya no están aquí.

Los Águilas nacen, los Tigres rugen en México,
donde tú mismo reinas, oh Moteuczoma.

Aquí se enlazan en baile, aquí se entretejen los Águilas,
aquí muestran su rostro los Tigres.

Con sartales floridos de Águilas estuvo bien firme la ciudad:
en los jardines de los Tigres se fueron formando los príncipes
Moteuczomatzin y Cahualtzin, Totoquihuatzin y aquel Yoyontzin:
¡con nuestras flechas y con nuestros escudos
se yergue y perdura la ciudad!

CANTO DE LOS PÁJAROS, DE TOTOQUIHUATZIN[2]

Estoy tañendo el tamboril: gozaos amigos míos.
Decid: Totototo tiquiti tiquiti.

Las flores benignas digan en casa de Totoquihuatzin:
Toti quiti toti totototo tiquiti tiquiti.

Gócese alegre la tierra: totiquiti toti.
Toti quiti toti totototo tiquiti tiquiti.

Es de piedras finas mi corazón: totototo,
son de oro las flores con que me aderezo:
variadas flores son mis flores que algún día daré en homenaje:
Totiquiti toti, etc. Oh qué canto: Tiquiti tiquiti.

Ea, en tu corazón entona el canto: Totototototo.
Aquí ofrezco vergeles de rosas y libros pintados:
Totiquiti toti — que algún día daré en homenaje.
Totiquiti totiquiti tiquiti tiquiti.

(De *Poesía indígena,* México, Biblioteca del estudiante universitario, 1940).

CANTO DE NETZAHUALCOYOTL

Quien vió la casa y corte del anciano Tezozómoc y lo florido y poderoso que estaba su tiránico imperio, y ahora lo ve tan marchito y seco, sin duda creería que siempre se mantendría en su ser y esplendor, siendo burla y engaño lo que el mundo ofrece, pues todo se ha de acabar y consumir.

Lastimosa cosa es considerar la prosperidad que hubo durante el gobierno de aquel caduco monarca, que semejante al árbol, anunciado de codicia y ambición se levantó y señoreó sobre los débiles y humildes; prados y flores le ofreció en sus campos la primavera por mucho tiempo que gozó de ellos; mas, al fin, carcomido y seco, vino el huracán de la muerte, y arrancándolo de cuajo, lo rindió, y hecho pedazos cayó al suelo.

Ni fué menos lo que sucedió a aquel antiguo rey Cozaztli, pues ni quedó memoria de su casa y linaje.

¿Quién, pues, habrá, por duro que sea, que notando esto no se deshaga en lágrimas, puesto que la abundancia de las ricas y variadas recreaciones viene a ser como ramilletes de flores, que pasan de mano en mano, y al fin, todas se marchitan y deshojan en la presente vida?

(De *Episodios de la Vida de Netzahualcoyotl.* por J. Ignacio Dávila Garibi. Biblioteca Enciclopédica Popular. México, 1947).

POESÍA QUECHUA

HIMNO DE MANCO CAPAC

Viracocha,
poderoso cimiento del mundo,
Tú dispones:
« Sea éste varón,
sea ésta mujer. »
Señor de la fuente sagrada,
Tú gobiernas
hasta al granizo.
¿Dónde estás
— como si no fuera
yo hijo tuyo —
arriba,
abajo,
en el intermedio
o en tu asiento de supremo juez?
Óyeme,
Tú que permaneces
en el océano del cielo
y que también vives
en los mares de la tierra,
gobierno del mundo,
creador del hombre.
Los señores y los príncipes
con sus torpes ojos
quieren verte.
Mas cuando yo pueda ver,
y conocer, y alejarme,
y comprender,
Tú me verás
y sabrás de mí.
El Sol y la Luna,
el día y la noche,
el tiempo de la abundancia
y del frío, están regidos
y al sitio dispuesto
y medido

llegarán.
Tú, que me mandaste
el cetro real,
óyeme
antes de que caiga
rendido o muerto.

(Primer himno transcrito en *Relación de antigüedades deste Reyno del Perú,* por Juan de Santacruz Pachakuti Yanki Salkamaywa, en *La poesía quechua,* Jesús Lara, México, 1947).

CANCIÓN DE AUSENCIA

¿La desventura, reina,
nos separa?
¿La adversidad, infanta,
nos aleja?

Si fueras flor de chincherkoma,
hermosa mía,
en mi sien y en el vaso de mi corazón
te llevaría.

Pero eres un engaño, igual
que el espejo del agua.
Igual que el espejo del agua, ante mis ojos
te desvaneces.

¿Te vas, amada, sin que nuestro amor
haya durado un día?

He aquí que nos separa
tu madre desleal
para siempre.
He aquí que la enemistad de tu padre
nos sume en la desgracia.

Mas, mi reina, tal vez nos encontraremos [pronto
si dios, gran amo, lo permite.
Acaso el mismo dios tenga que unirnos
después.

Cómo el recuerdo
de tus ojos reidores
me embelesa.
Cómo el recuerdo
de tus ojos traviesos
me enferma de nostalgia.
Basta ya, mi rey, basta ya.
¿Permitirás
que mis lágrimas lleguen a colmar
tu corazón?

Derramando la lluvia de mis lágrimas
sobre las kantutas
y en cada quebrada,
te espero, hermosa mía.

(De *Primera Nueva Crónica y Buen Gobierno* de Felipe Guamán Poma de Ayala, en *La poesía quechua,* Jesús Lara, México, 1947).

I

1492-1556

MARCO HISTÓRICO: *Descubrimiento, exploración, conquista y colonización bajo los Reyes Católicos y Carlos V.*

TENDENCIAS CULTURALES: *El primer Renacimiento. De los géneros arcaizantes, de apariencia medieval (crónicas, teatro misionero), a la importación de ideas (erasmismo) y formas (poesía italianizante).*

CRISTÓBAL COLÓN
FRAY BARTOLOMÉ DE LAS CASAS
HERNÁN CORTÉS
BERNAL DÍAZ DEL CASTILLO
ALVAR NÚÑEZ CABEZA DE VACA
PEDRO CIEZA DE LEÓN
FRAY GASPAR DE CARVAJAL
JUAN DE CASTELLANOS
FRANCISCO DE TERRAZAS
ANTONIO DE SAAVEDRA GUZMÁN

A la literatura española de estos años suele considerársela como un primer Renacimiento. Se la caracteriza por sus importaciones de formas e ideas, especialmente desde Italia. Conquistadores y misioneros trajeron esa literatura al nuevo mundo. Al ponerse a escribir en América, pues, los españoles siguieron las líneas culturales dominantes en España. Hubo casos aislados de erasmistas. Pero, en general, lo que se produjo en esta primera etapa de la colonización ofrece, a primera vista, un aspecto medieval. Los libros que circulaban y se imprimían eran en su mayoría eclesiásticos y educacionales. Apartando lo que se hizo en lengua indígena y en latín — aquí sólo nos concierne la literatura de lengua española —, dos géneros, de apariencia medieval, son los que, al contacto con la nueva realidad americana, adquieren fuerza creadora: la crónica y el teatro.

Las crónicas. Repetimos: los hombres que llegaron al nuevo mundo estaban impulsados por las fuerzas espirituales del Renacimiento, pero sus cabezas tenían todavía marco medieval. Venían de España, donde el Renacimiento no abandonó el legado medieval; venían del pueblo, lento en sus cambios; y aunque vinieran de las clases cultas, no eran contemplativos y creadores de belleza, sino hombres de acción. Sus crónicas no tienen la composición, la unidad, la congruencia, el orgullo artístico e intelectual de las creaciones del Renacimiento. Mas a pesar de su aparente medievalismo, los cronistas dieron a sus páginas una nueva clase de vitalidad, de emoción anticonvencional, sea porque espontáneamente y casi sin educación escribían lo que habían vivido o porque, por cultos que fueran, dejaron que las maravillas del nuevo mundo los penetraran y exaltaran.

El primer cronista fué, naturalmente, CRISTÓBAL COLÓN (1451-1506). No describía por afán de describir, según harán algunos de los conquistadores que vengan. Inventariaba: inventario de riquezas (más futuras que presentes). Pero Colón observaba pormenores; y aun hoy, al leerlo, sentimos a veces el placer estético que siempre nos comunican los testigos de algo remoto y asombroso. Colaboramos imaginativamente con él y acaban por parecernos rasgos de estilo esas escuetas notas sobre la bella desnudez de los indios, la mansedumbre de sus gestos y de su risa, el aire tibio de las islas verdes y la vida minúscula del grillo o de la yerba. Sus impresiones de la apariencia y costumbres de los indios son más numerosas, atentas y agudas que las del escenario natural.

Cristóbal Colón

DIARIO DE VIAJE

PRIMERA VISIÓN DEL NUEVO MUNDO

Viernes 12 de octubre. — Yo, porque nos tuviesen mucha amistad — porque conocí que era gente que mejor se libraría y convertiría a nuestra santa fe con amor que por fuerza —, les dí a algunos de ellos unos bonetes colorados[1] y unas cuentas de vidrios, que se ponían al pescuezo, y otras cosas muchas de poco valor, con que hubieron mucho placer; y quedaron tanto nuestros que era maravilla. Los cuales después venían a las barcas de los navíos, adonde nosotros estábamos, nadando, y nos traían papagayos e hilo de algodón en ovillos, y azagayas,[2] y otras cosas muchas, y nos las trocaban por otras cosas que nosotros les dábamos, como cuentecillas de vidrio y cascabeles. En fin, todo lo tomaban, y daban de aquello que tenían, de buena voluntad. Mas me pareció que era gente muy pobre de todo. Ellos andaban todos desnudos como su madre los parió, y también las mujeres, aunque no ví más de una, harto moza. Y todos los que yo ví eran mancebos, que ninguno ví que pasase de edad de treinta años, muy bien hechos, de muy hermosos y lindos cuerpos y muy buenas caras; los cabellos, gruesos casi como cerdas de cola de caballos, y cortos; los cabellos traen por encima de las cejas, salvo unos pocos detrás, que traen largos, que jamás cortan. [. . .] Ellos no traen armas ni las conocen, porque les mostré espadas y las tomaban por el filo, y se cortaban, con ignorancia. No tienen algún hierro. Sus azagayas son unas varas sin hierro, y algunas de ellas tienen al cabo un diente de pez, y otras de otras cosas. Ellos todos a una mano son de buena estatura de grandeza, y buenos gestos, bien hechos. Ellos deben ser buenos servidores y de buen ingenio, que veo que muy presto dicen todo lo que les decía, y creo que ligeramente se harían cristianos [. . .]

Sábado 13 de octubre. — Todos de buena estatura, gente muy hermosa; los cabellos no crespos, salvo correntíos y gruesos, y todos de la frente y cabeza muy ancha, y los ojos muy hermosos y no pequeños, y, ninguno negro, salvo de la color de los canarios. [. . .] Esta isla[3] es bien grande, y muy llana, y de árboles muy verdes, y muchas aguas, y una laguna en medio muy grande, sin ninguna montaña, y toda ella verde que es placer de mirarla; y esta gente, harto mansa.

Domingo 14 de octubre. — Ví luego dos o tres [poblaciones] y la gente, que venían todos a la playa llamándonos y dando gracias a Dios. Los unos nos traían agua; otros, otras cosas de comer; otros, cuando veían que yo no curaba de ir a tierra, se echaban a la mar nadando y venían. Y entendíamos que nos preguntaban si éramos venidos del cielo. Y vino uno viejo en el batel[4] dentro. Y otros, a voces grandes, llamaban a todos, hombres y mujeres: « ¡Venid a ver los hombres que vinieron del cielo; traedles de comer y de beber! » Vinieron muchos y muchas mujeres,

1. El bonete colorado fué durante siglos, y por el mar Mediterráneo, el cubrecabezas clásico del marinero. 2. saetas, armas arrojadizas. 3. Esta primera isla americana descubierta por Colón — la de Guanahani — pertenece al archipiélago de las Bahamas. Colón la llamó San Salvador. 4. embarcación que llevaban los navíos.

cada uno con algo, dando gracias a Dios, echándose al suelo, y levantaban las manos al cielo, y después a voces nos llamaban que fuésemos a tierra. [. . .] Y después, junto con la dicha isleta, están huertas de árboles, las más hermosas que yo ví, y tan verdes con sus hojas como las de Castilla en el mes de abril y de mayo, y mucha agua.

Lunes 15 de octubre. — Son estas islas muy verdes y fértiles, y de aires muy dulces. Y puede haber muchas cosas que yo no sé, porque no me quiero detener por calar y andar muchas islas para hallar oro.

Domingo 28 de octubre. — [Colón] acercóse a la isla de Cuba y tomó la tierra más cercana. Aquí dice el Almirante que nunca cosa tan hermosa vió; todo el río cercado de árboles verdes y graciosísimos, diversos de los nuestros, cubiertos de flores y otros de frutos, aves muchas y pajaritos que cantaban con gran dulzura, la hierba grande como en el Andalucía por abril y mayo . . . Saltó el Almirante en su barca y salió a tierra; hallaron dos casas que creyó ser de pescadores; hallólas vacías de gente [. . .]

Lunes 24 de diciembre. — Crean Vuestras Altezas que en el mundo todo no puede haber mejor gente ni más mansa. [. . .] Todos de muy singularísimo trato, amorosos y habla dulce . . .

(Fragmentos del Diario de Viaje de Cristóbal Colón, que transcribió el Padre Las Casas en su *Historia de las Indias*)

La controversia sobre el indio. Si, como el mismo Colón dice, los indios creyeron que esos hombres blancos habían llegado del cielo, muy pronto debieron de desengañarse. Los españoles se volcaron con tanta violencia y franqueza que en seguida la conquista adquirió una calidad humana, demasiado humana. Empezó el trasplante de la cultura europea, la servidumbre del indio, el mestizaje y la plasmación de una sociedad original. La conquista fué una empresa militar y al mismo tiempo un asombroso esfuerzo para hacer prevalecer los preceptos cristianos. Teólogos y juristas habían asesorado a los Reyes Católicos para que declararan la libertad de los nativos; pero también para que autorizaran los repartimientos de indios, en que se les hacía trabajar por la fuerza. Los frailes dominicos que habían llegado en 1510 a la Isla Española (hoy Santo Domingo y Haití) protestaron contra tales repartimientos. Así, a los pocos años, en la primera colonia fundada en América, surgió una de las lecciones morales más profundas en la historia: hombres de la nación conquistadora discutieron los derechos de la propia conquista.

Esos religiosos defendieron al indio de la rapacidad militar y ganaron a la cruzada al más indómito cronista de América: BARTOLOMÉ DE LAS CASAS (1474-1566). En su larga y agitada vida este andaluz desaforado defendió el principio de que sólo era legítimo evangelizar pacíficamente a los indios. Quienes los habían despojado y sometido debían devolverles sus bienes si querían salvar sus propias almas. Mientras tanto, Las Casas fué escribiendo una galería de escenas y retratos que figuran entre los más curiosos de la época. No era escritor: era un paladín que escribía. Y aunque su prosa corría como un ancho, lento e interminable río, abierto en mil digresiones y fatigoso por tanta piedra, de vez en cuando el lector ve deslizarse por su superficie la gracia de una frase evocadora. El ardor de la cólera cuando cuenta las iniquidades de los conquistadores, la finura intelectual de su ironía cuando quita a la codicia su hipócrita máscara cristiana, la acometida polémica contra otros cronistas u otros doctrinarios y la sagacidad con que asocia lo físico y lo psicológico en sus retratos revelan un Las Casas escritor. La indignación le dictaba sermones: no es lo mejor que escribió. Pero le dictaba también episodios de novela de aventuras en los que los españoles cumplían papel de villanos y los indios el de « gentes de la Edad Dorada, que tanto por los poetas e historiadores fué alabada »; y aquí sí que podemos disfrutar su literatura. Su *Historia de las Indias* comenzó a escribirse en 1527 y duró hasta poco antes de su muerte. Su *Brevísima relación de la destrucción de las Indias* se publicó en 1552. Tienen más rigor histórico de lo que sus impugnadores han dicho. Pero Las Casas vale no porque fuera el primero en enunciar las ideas que lo apasionaban (procedían de un cristianismo tradicional), las defendió con lógica y valentía y las encendió de amor y de pasión, planteando los problemas en una realidad nueva y vasta.

Aunque Las Casas se movía de un lado a otro, Santo Domingo fué su centro, porque era también el centro cultural del nuevo mundo. Allí se habían establecido los primeros conventos y escuelas, allí se escribieron los primeros libros didácticos y allí se inició la expansión colonizadora.

Fray Bartolomé de Las Casas

HISTORIA DE LAS INDIAS

LA REBELIÓN DE ENRIQUILLO

Por este tiempo [fines de 1518] cosas acaecieron notables en esta isla Española, y una fué que, como los indios de ella se iban acabando y no cesasen por eso de los trabajar y angustiar los españoles que los tenían, uno de ellos, llamado Valenzuela [. . .], mozo harto liviano que sucedió en la inicua y tiránica posesión de ellos a su padre, tenía un repartimiento cuyo cacique y señor se llamaba Enriquillo.

[Enriquillo] había sido criado, siendo niño, en el monasterio de San Francisco, que hubo en una villa de españoles llamada la Vera Paz, y la provincia, según la lengua de los indios, Xaraguá [. . .], donde tuvo su reino el rey Behechio [. . .] que fué uno de los cinco reyes de esta isla y el principal, de que mucho en el primer libro y segundo hemos hablado.

[A Enriquillo] los frailes habían enseñado a leer y escribir y en costumbres asaz bien doctrinado, y él de su inclinación no perdía nada, y supo bien hablar nuestra lengua, por lo cual siempre mostró por sus obras haber con los religiosos aprovechado. [. . .] Este cacique y señor de aquella provincia del Baoruco, salido de la doctrina de los religiosos y hecho hombre, casóse con una señora india, mujer de buen linaje y noble, llamada doña Lucía, como cristianos, en haz[1] de la Santa Madre Iglesia. Era Enrique alto y gentil hombre de cuerpo bien proporcionado y dispuesto; la cara no tenía ni hermosa ni fea, pero teníala de hombre grave y severo. Servía con sus indios al dicho mancebo Valenzuela como si se lo debiera, como dicen, de fuero, sufriendo su injusta servidumbre y agravios que cada día recibía con paciencia. Entre los pocos y pobres bienes que tenía poseía una yegua; ésta la tomó contra su voluntad el mozo tirano a quien servía; después de esto, no contento con aquel robo y fuerza, procuró de violar el matrimonio del cacique y forzarle la mujer, y como el cacique lo sintiese, porque se quejó a él mismo diciéndole que por qué le hacía aquel agravio y afrenta, dicen que le dió de palos para que se cumpliese el proverbio: agraviado y aporreado. Fuése a quejar de sus agravios al teniente de gobernador que en aquella villa residía, llamado Pedro de Vadillo; halló en él el abrigo que siempre hallaron en las justicias de estas Indias y ministros del rey los indios; éste fué que lo amenazó que le haría y acontecería si más venía

1. en el seno de.

a él con quejas de Valenzuela, y aún dijeron que lo echó en la cárcel o en el cepo. El triste, no hallando remedio en aquel ministro de justicia, después que le soltaron, acordó de venir a esta ciudad de Santo Domingo a quejarse a la Audiencia de las injurias y denuestos recibidos, con harta pobreza, cansancio y hambre, por no tener dinero ni de qué haberlo. El Audiencia le dió su carta de favor, pero remitiéndolo al dicho teniente Vadillo sin otro remedio; y éste fué también el consuelo que las Audiencias y aun también el Consejo del rey, que reside en Castilla, daban a los agraviados y míseros: remitirlos, conviene a saber, a los agraviantes y sus propios enemigos. Tornado a la villa, que estaba a 30 leguas, presentó sus papeles, y la justicia que halló en Vadillo fué, según se dijo, tratándolo de palabra y con amenazas, peor que de primero; pues sabido por su amo Valenzuela, no fueron menores los malos tratamientos y asombramientos: que lo había de azotar y matar y hacer y acontecer, y aun, según yo no dudo, por la costumbre muy envejecida y el menosprecio en que los indios fueron siempre tenidos, señores y súbditos, y la libertad y duro señorío que los españoles sobre ellos tuvieron para los afligir, sin temor de Dios y de la justicia, que le daría de palos o bofetadas antes que darle de cenar, para consuelo y descanso de su camino. Sufrió las nuevas injurias y baldones el cacique Enriquillo (llamábanlo así los que lo conocieron niño, cuando estaba con los padres de San Francisco, y de allí nació nombrarlo comúnmente por este nombre diminutivo), sufriólas, digo, y disimuló; y habida licencia de su amo, que con más justa razón pudiera ser señor suyo el indio, porque acabado el tiempo que eran ciertos meses del año que se remudaban las cuadrillas para venir a servir, y el cacique era el que iba y venía y los traía y el que si faltaba un indio que no viniese, lo había él de llorar y padecer, con cárcel e injurias y aun palos y bofetadas y otras angustias y denuestos, vuelto a su tiempo, confiado en su justicia y en su tierra, que era áspera, donde no podían subir caballos, y en sus fuerzas y de sus pocos indios que tenía, determinó de no ir a servir más a su enemigo, ni enviarle indio suyo, y por consiguiente, en su tierra se defender; y esto llamaron los españoles, y llaman hoy, « alzarse y ser rebelde Enrique, y rebeldes y alzados los indios », que con verdad hablando, no es otra cosa que huir de sus crueles enemigos, que los matan y consumen, como huye la vaca o buey de la carnicería; el cual, como no fuese ni llevase indios para el servicio de Valenzuela en el tiempo establecido, estimando el Valenzuela que por los agravios recibidos estaría enojado y alborotado, y como ellos decían, alzado, fué con once hombres a traerlo por fuerza y sobre ello maltratarlo. Llegado allá, hallólo a él y a su gente no descuidado, sino con armas, que fueron lanzas, por hierros clavos y huesos de pescados, y arcos y flechas y piedras y lo demás de que pudieron armarse; saliéronle al encuentro, y el cacique Enriquillo delante, y dijo a Valenzuela que se tornase, porque no había de ir con él, ni de sus indios nadie, y como el mozo Valenzuela lo tuviese como esclavo y en mayor menosprecio que si fuera estiércol de la plaza, como todos los españoles han tenido siempre y tienen a estas gentes por más que menospreciadas, comenzó a decirle de perro y con todas las injuriosas palabras que se le ofrecieron denostarle, y arremete a él y a los indios que estaban con él, los cuales dan en ellos y con tanta prisa, que le mataron uno o dos de sus españoles y descalabraron a todos los más y los otros volvieron las espaldas. No quiso Enrique que los siguiesen, sino que los dejasen ir, y dijo a Valenzuela: — Agradeced, Valenzuela, que no os mato; andad, id y no volváis más acá; guardáos.

Tornóse Valenzuela con los suyos a San Juan de la Maguana, más que de paso, y su soberbia lastimada, puesto que no curada. Suénase luego por toda la isla que Enriquillo es alzado; provéese por el Audiencia que vaya gente a subyugarlo; juntáronse 70 ó 80 españoles y vanlo a buscar, los cuales, después de muy cansados y hambrientos de muchos días, halláronlo en cierto monte; salió a ellos, mató ciertos e hirió a otros, y todos desbaratados y humillados acordaron con harta tristeza y afrenta suya de tornarse. Cunde toda la isla la fama y victorias de Enriquillo; húyense muchos indios del servicio y opresión de los españoles y vanse al refugio y bandera de Enriquillo, como a castillo roquero inexpugnable, a salvarse, de la manera que acudieron a David, que andaba huyendo de la tiranía de Saúl, todos los que estaban en angustias y los opresos de deudas y en amargura de sus ánimos, como parece en el primer libro de los Reyes, cap. 22 [. . .]; bien así, por esta semejanza se allegaron a Enriquillo de toda la isla cerca de 300 hombres, sometiéndose a su capitanía, no teniendo él, a lo que sentí yo, ni aun ciento. Enseñábalos él cómo habían de pelear contra los españoles, si ellos viniesen, para defenderse; nunca permitió que algunos de los que a él se venían saliese a hacer saltos[2] ni matar español alguno, sino solamente pretendió defender a sí y a los suyos de los españoles, que muchas veces vinieron a subyugarlo y ofenderlo. Cuán justa guerra contra los españoles él y ellos tuviesen y se le sometiesen y lo eligiesen por señor y rey los indios que a él venían y los demás de toda la isla lo pudieran justamente hacer, claro lo muestra la historia de los Macabeos en la Escritura divina y las de España que narran los hechos del infante D. Pelayo, que no sólo tuvieron justa guerra de natural defensión, pero pudieron proceder a hacer venganza y castigo de las injurias y daños y muertes y disminución de sus gentes y usurpación de sus tierras recibidas, de la misma manera y con el mismo derecho. Cuanto a lo que toca al derecho natural y de las gentes (dejado aparte lo que concierne a nuestra santa fe, que es otro título añadido a la defensión natural en los cristianos), tuvieron justo y justísimo título Enrique y los indios pocos que en esta isla habían quedado de las crueles manos y horribles tiranías de los españoles, para los perseguir, destruir y punir y asolar como a capitales hostes[3] y enemigos, destruidores de todas sus tan grandes repúblicas, como en esta isla había, lo cual hacían y podían hacer con autoridad del derecho natural y de las gentes, y la guerra propiamente se suele decir no guerra, sino defensión natural. [. . .] *(Libro III, Cap. CXXV).*

[. . .] En muchas veces que se hicieron en la isla armadas para ir contra él, que por él fueron desbaratadas, cobraron muchas armas y siempre los indios que se alzaban a él trabajaban de hurtar a sus amos armas todas las que podían; y por dondequiera que andaban fué extraña la vigilancia y diligencia y solicitud que tuvo en guardarse a sí y a los que con él estaban; como si toda su vida fuera capitán en Italia. Tenía sus guardas y espías en los puertos y lugares por donde sabía que podían los españoles venir a buscarle. Sabido por los espías y guardas que tenía en el campo que había españoles en la tierra, tomaba todas las mujeres y niños y viejos y enfermos, si los había, y todos los que no eran para pelear, con 50 hombres de guerra que siempre tenía consigo, y llevábalos 10 ó 12 leguas de allí, en lugares que tenía secretos en aquellas sierras, donde había hechas labranzas y tenía de comer, dejando un capitán, sobrino suyo, tamaño como un codo, pero muy esforzado, con toda la gente de guerra para esperar a los españoles; los cuales llegados, peleaban contra ellos los indios como leones; venía luego de refresco Enrique con sus 50 hombres y daba en ellos por la parte que le parecía, por manera que los lastimaba, hería y mataba, y ninguna, de muchas veces que fueron muchos españoles contra él, hubo que no los desbaratase, llevando siempre la victoria. Acaeció una vez desbaratar muchos de ellos y meterse 71 ó 72 en unas cuevas de piedra o peñas, escondiéndose de los indios que iban en el alcance, y entendiendo que estaban allí, quieren los indios allegar leña para poner fuego y quemarlos. Mandó Enrique: « No quiero que se quemen, sino tomadles las armas y dejadlos; váyanse », y así lo hicieron, donde se proveyó bien de espadas y lanzas y ballestas, puesto que de éstas no sabían usar. De estos 70 españoles se metió fraile uno en el monasterio de Santo Domingo, de la ciudad de Santo Domingo, por voto que había hecho, viéndose en aquella angustia, no creyendo de se escapar, y de él hube lo que de este caso yo aquí escribo. [. . .] Extendióse cada día más la fama de las victorias y diligencia, esfuerzo y ardides de guerra de Enrique y de su gente por toda esta isla, porque, como se dijo, vez ninguna vinieron contra él los españoles que no volviesen descalabrados; por manera que toda la isla estaba admirada y turbada, y cuando se hacía armada contra él no todos iban de buena gana, y no fueran, si por el Audiencia con penas no fueran forzados. En esto pasaron trece y catorce años, en lo cual se gastaron de la Caja del rey más de 80 ó 100.000 castellanos.[4] Ofreciose un religioso de la orden de San Francisco, siervo de Dios, extranjero, [. . .] llamado fray Remigio, y creo que fué uno de los que a Enrique criaron, a ir a hablarlo y asegurarlo, viendo que por fuerza no era posible ganarlo. Lleváronlo en un navío y echáronlo en tierra en lugar donde poco más o menos podían creer que Enrique o su gente estaba; y porque en viendo venir navío por la mar luego creía que venía gente española a buscarlo, para lo cual ponía suma vigilancia en saber dónde desembarcaban y enviaba cuadrillas de gente suya para indagarlo, llegó cierta cuadrilla de ellos donde aquel padre fray Remigio había desembarcado. Desde que lo vieron, dijéronle si venía por mandado de los españoles a espiarlos. Respondió que no, sino que venía a

2. asaltar. 3. enemigos. 4. moneda castellana de oro de la Edad Media. 5. ademanes. 6. avanzando contra el viento. 7. adquiría autoridad.

hablar a Enrique para decirle que fuese amigo de los españoles y que no recibiría daño y que no anduviese huyendo y trabajado como andaba, y porque los quería bien se había movido a venir a ellos y ponerse a aquellos trabajos. Dijéronle que debía de mentir, porque los españoles eran malos y siempre les habían mentido y ninguna fe ni verdad les habían guardado, y que él los debía de querer engañar, como los demás, y que estaban por matarlo. Vióse el santo fraile harto atribulado, pero como Enrique les había prohibido de que no matasen ningún español, sino en el conflicto cuando peleasen, no lo hicieron, pero desnudáronle todos sus hábitos, hasta quedar en sus paños menores, y dejáronlo y repartieron los hábitos entre sí a pedazos. Rogábales mucho que hiciesen saber a Enrique cómo era venido uno de los padres de San Francisco, y que él holgaría de verlo; que lo llevasen adonde él estaba. Dejáronlo allí y fuéronlo a decir a Enrique, el cual, así como lo supo, vino luego a él y mostró por meneos[5] y por palabras haberle mucho pesado de lo que aquellos indios habían hecho, y díjole que lo perdonase, aunque había sido contra su voluntad y que no estuviese enojado; manera que tienen los indios común de consolar los que ven que están con alguna pena fatigados. El padre le rogó y encareció que fuese amigo de los españoles y sería bien tratado desde en adelante. Respondió Enrique que no deseaba más otra cosa, pero que ya sabía quién eran los españoles y cómo habían muerto a su padre y abuelo y a todos los señores y gentes de aquel reino de Xaraguá, y toda la isla despoblado. Y, refiriendo los daños y agravios que de Valenzuela había recibido, dijo que por no ser por él o por ellos muerto, como sus padres, se había huído a su tierra, donde estaba, y que ni él ni los suyos hacían mal a nadie, sino defenderse contra los que venían a cautivarlos y matarlos, y que para vivir la vida que hasta entonces habían vivido en servidumbre, donde sabía que habían todos de perecer como sus pasados, no había de ver más español para conversarlo. Pidióle el padre que le mandase dar sus hábitos. Díjole que los habían rompido los indios y repartido entre sí a pedazos, de lo cual le pesaba en el ánima, y porque el navío que lo había traído andaba por allí a vista barloventeando,[6] hiciéronle señales, y acercándose a tierra con su barca, Enrique besó la mano al padre y despidióse de él casi llorando, y los marineros recibieron al padre y cubriéronlo con sus capas y volviéronlo a esta ciudad y a su casa donde no le faltaron hábitos aunque no de seda sino de los que tenían según su pobreza. *(Libro III Cap. CXXVI).*

Cobraron ánimo algunos de los indios pocos que en la isla había, viendo que Enrique prevalecía[7] y levantóse un indio que llamaban el Ciguayo y debía ser del linaje de los ciguayos, generación señalada que vivía y poblaba las sierras que hacían la Vega Real, aguas vertientes a la mar del Norte, la costa más arriba de esta isla, de quien mucho tratamos arriba, en el primer libro. Este Ciguayo era hombre valiente, aunque en cueros como los otros. Alcanzó una lanza con su hierro de Castilla; y creo que una espada (no supe a qué español servía). Dejó al que lo oprimía; llegó a sí obra de 10 ó 12 indios, y con ellos comienza a hacer saltos en españoles, en las minas y en las estancias o haciendas del campo, donde andaban dos y cuatro y así pocos juntos, y mataba a todos los que hallaba, de tal manera que puso pavor y espanto y extraño miedo en toda la isla. Ninguno pensaba estar seguro ni aún en los pueblos de tierra dentro, sino con temor del Ciguayo todos vivían. Finalmente, juntáronse cierta cuadrilla de españoles y siguiéronlo muchos días; y hallado, dan en él; él da en ellos como un rabioso perro, de la manera que si estuviera armado de hierro desde los pies a la cabeza; y peleando todos reciamente, retrájose el Ciguayo en una quebrada, y allí peleando, un español lo atravesó con una media lanza y atravesado peleaba como un Héctor; finalmente, desangrándose y perdiendo las fuerzas, llegaron todos los españoles y allí lo fenecieron; huyeron todos sus compañeros en tanto que con él lo habían, que tuvieron poco que hacer con él.

Muerto el Ciguayo, levantóse otro indiazo, valiente de cuerpo y de fuerzas, llamado Tamayo, y comienza, con otra cuadrilla que juntó, a proseguir las obras del Ciguayo, salteando a los que estaban fuera de los pueblos. Este hizo mucho daño y causó grande miedo y escándalo en esta isla; mató muchos y algunas mujeres españolas y cuantos hallaba solos en las estancias, que no dejaba persona a vida, y toda su codicia era tomar o robar armas, lanzas y espadas y también la ropa que podía. [. . .] Entendiendo Enrique las obras que el Ciguayo hizo y Tamayo hacía, estimando prudentemente lo que en la verdad era, conviene a saber, que los españoles creerían que por su mandado todo era hecho, pesábale mucho de ello; y esto yo lo sé muy de cierto, según que abajo en el siguiente libro, si place a

Dios, más largo lo diré. Y acaeció tener Enrique consigo, entre los otros, un indio llamado Romero, sobrino del dicho Tamayo, el cual acordó enviarlo a buscar al Tamayo que andaba hacia los pueblos del Puerto Real y Lares de Guahaba, cerca de cien leguas de allí, y que le rogase que se viniese para él porque estuviese más seguro, porque un día que otro no le acaeciese lo que al Ciguayo acaeció, que los españoles hasta tomarlo lo siguiesen; y que él lo trataría bien y haría capitán de parte de su gente y todos juntos estando serían más fuertes para se defender. El cual, finalmente, persuadido por el sobrino que era harto cuerdo, se vino con muchas lanzas y espadas y ropa, que había robado, para Enrique. Recibiólo Enrique con muy grande alegría, y así estorbó Enrique grandes daños que Tamayo hiciera por esta isla, de donde se manifiesta bien la bondad de Enrique y no menos la discreción y prudencia que tuvo y de que usó, para impedir un hombre a los españoles tan nocivo que no les hiciese mal, trayéndolo a su compañía por aquella vía. Casi cada año se hacía armada y junta de españoles para ir contra Enrique, donde se gastaron del rey y de los vecinos muchos millares de castellanos; entre otras se hizo una de 150 españoles, y quizá más, cuyo capitán fué un vecino de la villa que llamaban el Bonao, llamado Hernando de San Miguel, de los muy antiguos de esta isla y del tiempo del primer Almirante. Este había venido a esta isla muy muchacho, y como se había criado en grandes trabajos, en las crudas guerras e injustas que en ella contra estas gentes se hicieron, así andaba por las sierras y sobre las peñas descalzo como calzado; fuera de esto, era hombre de bien e hidalgo, natural de Ledesma o Salamanca. Este anduvo muchos días tras Enrique, pero nunca lo pudo hallar descuidado, y según estimo, si no me he olvidado, tampoco se allegaron a reñir en batalla. Un día halláronse los unos de los otros tan cercanos que, ninguno pudiendo dañar al otro, se hablaron y oyeron las palabras los unos de los otros; esto se pudo así hacer porque los unos estaban en un pico de una sierra y los otros en el pico de otra, muy altas y muy juntas, salvo que las dividía una quebrada o arroyo muy profundo que parecía tener de hondo sobre 500 estados.[8] Sintiéndose tan cercanos los unos de los otros, pidiéronse treguas y seguro para hablarse. Concedidas de ambas partes, para que ninguno tirase al otro con que le dañase, dijo el capitán de los españoles que pareciese allí Enrique para le hablar. Pareció Enrique, y díjole el capitán que la vida que tenía y la que hacía tener a los españoles de la isla era trabajosa y no buena; que sería mejor estar y vivir en paz y sosiego. Respondió Enrique que así le parecía a él y que era cosa que él mucho deseaba muchos días había y que no quedaba por él, sino por ellos. Replicó el capitán que él traía mandamiento y poder de la Real Audiencia, que mandaba en la ciudad de Santo Domingo por el rey, para tratar y asentar las paces con él y con su gente, que los dejaría vivir en su libertad en una parte de la isla, donde quisiese y escogiese, sin tener los españoles que hacer con ellos, con tanto que ni él ni ellos dañasen a ninguno ni hiciesen cosas que no debiesen y que les diese el oro todo que habían tomado a los españoles que viniendo de tierra firme mataron. Mostróle, aunque así apartado, la provisión que de la Audiencia llevaba. Dijo Enrique que le placía hacer las paces y tener amistad con todos los españoles y de no hacer mal a nadie y de darles todo el oro que tenía, con que lo que se le promete se le guarde. Tratando del cómo y cuándo se verían, concertaron allí que tal día el capitán fuese con solos ocho hombres y Enrique con otros ocho, no más, a la costa de la mar, señalando cierta parte; y así, con este concierto, se apartaron. Enrique provee luego de cumplir su palabra y envía gente que haga en el dicho lugar una gran ramada de árboles y ramas y en ella un aparador, donde pusieron todas las piezas de oro, que parecía casa real. El capitán dispone también de hacer lo mismo, y para celebrar las paces con mayor alegría y regocijo, aunque indiscretamente, mandó al navío que por allí cerca andaba, viniese a ponerse frontero y junto a tierra del dicho lugar concertado y él viniese por la costa de la mar con un tamborino[9] y gente con él, muy alegres y regocijados. Enrique, que ya estaba con sus ocho hombres y mucha comida en la ramada esperando, viendo que el navío se acercaba y que venía el capitán con más gente, y que con tamborino, tañendo y haciendo estruendo venían los españoles, pareciéndole que había excedido de lo asentado y temiendo no le hubiesen urdido alguna celada, acordó de negarse y así escondióse en el monte con su gente, que debía tener para su guarda, y mandó a los ocho indios que, cuando llegasen los españoles, les

8. medida, tomada de la estatura regular del hombre para apreciar alturas y profundidades, equivalente a unos siete pies. 9. tamboril, tambor pequeño. 10. = coronado, moneda castellana de los siglos XIII al XVI, de poco valor.

dijesen que no pudo venir a verse con ellos porque se había sentido un poco malo y que les diesen la comida que les tenía aparejada y todo el oro y les sirviesen muy bien y en todo los agradasen. Llegados el capitán y los suyos, preguntó por Enrique. Respondiéronle los ocho lo que Enrique les había mandado. Quedó harto pesante de su indiscreción el capitán (o si no la conoció, quizá), por no haber hallado a Enrique, porque tenía por cierto, y no se engañaba, que allí la pendencia y escándalo y miedo de la isla se acababa, puesto que, aunque no se acabó del todo, al menos suspendióse hasta que después, como placiendo a Dios en el libro siguiente se dirá, por cierta ocasión del todo fué acabada. Así que los ocho les dieron de comer y les sirvieron con mucha solicitud, como los indios suelen, y entregándoles todo el oro sin faltar un cornado.[10] El capitán les dió las gracias y díjoles que dijesen a Enrique cómo le había pesado de no haberle visto y abrazado, y que le pesaba de su mal puesto que bien conoció que de industria se había quedado, y que fuesen amigos y que no hiciese daño y que tampoco lo recibiría desde adelante. Los españoles se embarcaron y se vinieron a la ciudad, y los indios se fueron donde estaba su amo. Desde aquel día no hubo más cuidado en la isla de seguir a Enrique, ni de ninguna de las partes se recreció algún daño hasta que del todo se asentaron las paces, que duró este intervalo cuatro o cinco años. *(Libro III, Cap. CXXVII).*

(Fray Bartolomé de las Casas, *Historia de las Indias*, México, Biblioteca Americana, 1951)

Sin duda eran de extraordinario temple viril aquellos muchachos salidos del montón que se abrieron paso por montañas, ríos, selvas, desiertos y mares desconocidos y en todas partes levantaron los pilares para que se apoyara el Imperio de España. Exploraron las Antillas, descubrieron el Océano Pacífico y el Río de la Plata, se apoderaron de México y del Perú, marcharon de Florida al Mississippi, pelearon con los araucanos de Chile, fundaron ciudades en Nueva Granada, colonizaron la Argentina y el Paraguay, navegaron el Amazonas . . . De esas expediciones surgieron los cronistas: soldados y misioneros, conscientes de la importancia de sus hazañas, escribían lo que veían y el placer de contar solía mejorarles la prosa inculta. GONZALO FERNÁNDEZ DE OVIEDO, FRANCISCO DE JEREZ, FRAY TORIBIO DE BENAVENTE, llamado MOTOLINÍA, FRAY BERNARDINO DE SAHAGÚN, JIMÉNEZ DE QUESADA, AGUSTÍN DE ZÁRATE, PEDRO GUTIÉRREZ DE SANTACLARA y veinte más han dejado no sólo los documentos para el conocimiento histórico del siglo XVI, sino las confidencias para el conocimiento literario de sus almas.

No todos los cronistas tuvieron algo propio que decir. Desde el punto de vista de una historia literaria sólo unos pocos testimonios nos asombran. Ante todo, el de dos hombres de veras originales, asociados en la misma empresa: Hernán Cortés y Bernal Díaz del Castillo.

HERNÁN CORTÉS (1485-1547) relata con frialdad, y se le adivina la súbita animación del rostro cuando habla, no tanto de lo que él hace, sino de lo que él ve en sus paseos por la ciudad y el mercado. Fué el primer soldado que descubrió la grandeza de una civilización indígena. Era militar, y su fin era la conquista; pero mientras iba dominando por la persuasión, la intriga, la habilidad política, la mentira y la brutalidad, supo apreciar el valor de la organización social de los aztecas. Cortés vió las formas ideales de una cultura indígena. Sólo que, después de contemplarlas, las destruyó. Tenía — como todos sus compañeros — un alma ordenada por las nociones jerárquicas de la Iglesia y del Imperio. La obediencia a la Iglesia y al Imperio dió a su alma una dureza de espada, y con su filo cortó los lazos que antes su admiración había anudado. A la· primera señal de desacato hubo un « nosotros los españoles » contra « ellos los indios » que disminuyó el resplandor moral de sus cartas, aunque no el valor de su prosa evocadora. Cortés avanza impávido, amable con quien se le somete; tremendo con el rebelde. Y al contar no entorpece la visión de los indios con el bulto de su propia persona. Al contrario. Si simpatizamos con los indios a lo largo de la crónica es en parte porque Cortés nos los muestra con simpatía. Los vemos asustados, sin saber qué hacer, recurriendo a la diplomacia o a la conspiración, a veces escandalizados, a veces despectivos, decididos de todos modos a librarse de esos españoles que, con su caballo, su pólvora y su coraza, no retroceden ante nada. La sobriedad de sus *Cartas* no fué un rasgo de su temperamento, sino de su habilidad. Fué un caudillo irascible al que se le hinchaban las venas de la sien — nos dice Bernal — en sus frecuentes discusiones. Pero, como los caudillos, sabía dominarse y dominar con frías palabras. Y en sus *Cartas* se nos muestra así, frío, con la frialdad de quien compone la propia figura para causar impresión. Era un César, más parecido a César Borgia que a Julio César. « Era algo poeta », conocía bien el latín y platicaba con muy buena retórica, dice de él Bernal.

Hernán Cortés

CARTA DE RELACIÓN

EL ESPAÑOL EN TENOCHTITLÁN

[. . .] Pasada esta puente, nos salió a recibir aquel señor Moctezuma con hasta doscientos señores, todos descalzos y vestidos de otra librea o manera de ropa, asimismo bien rica a su uso, y más que la de los otros. Venían en dos procesiones, muy arrimados a las paredes de la calle, que es muy ancha y muy hermosa y derecha, que de un cabo se parece el otro, y tiene dos tercios de legua, y de la una parte y de la otra muy buenas y grandes casas, así de aposentamientos como de mezquitas.[1] Moctezuma venía por medio de la calle con dos señores, el uno a la mano derecha y el otro a la izquierda; de los cuales el uno era aquel señor grande que dije que me había salido a hablar en las andas,[2] y el otro era el hermano del dicho Moctezuma, señor de aquella ciudad de Iztapalapa, de donde yo aquel día había partido[3]; todos tres vestidos de una manera, excepto el Moctezuma, que iba calzado, y los otros dos señores descalzos. Cada uno le llevaba de su brazo; y como nos juntamos, yo me apeé, y le fuí a abrazar solo: y aquellos dos señores que con él iban me detuvieron con las manos para que no le tocase; y ellos y él hicieron asimismo ceremonia de besar la tierra. Hecha, mandó aquel su hermano que venía con él que se quedase conmigo y me llevase por el brazo, y él con el otro se iba adelante de mí poquito trecho. Después de me haber él hablado, vinieron asimismo a me hablar todos los otros señores que iban en dos procesiones, en orden uno en pos de otro, y luego se tornaban a su procesión. Al tiempo que yo llegué a hablar al dicho Moctezuma, quitéme un collar que llevaba de margaritas[4] y diamantes de vidrio, y se lo eché al cuello; y después de haber andado la calle adelante, vino un servidor suyo con dos collares de camarones, envueltos en un paño, que eran hechos de huesos de caracoles

1. Cortés, como Pizarro y otros escritores de la época, llaman mezquitas a los templos indígenas. 2. según ha referido con anterioridad. 3. Eran Cacamatzin y Cuitlahuac. 4. perlas. 5. medida que indica el reverso de la pulgada. 6. Los aztecas habían bajado del norte como invasores y conquistado a los toltecas y otros pueblos de la altiplanicie. 7. Referencia al mito de Quetzalcoatl. 8. Pontinchán, Pontonchán, en Tabasco. Hoy se llama este pueblo Victoria. 9. Tenochtitlán. 10. lanza corta que era insignia de los capitanes de infantería.

colorados, que ellos tienen en mucho; y de cada collar colgaban ocho camarones de oro, de mucha perfección, tan largos casi como un geme[5]. Como se los trajeron, se volvió a mí y me los echó al cuello, y tornó a seguir por la calle en la forma ya dicha, hasta llegar a una muy grande y hermosa casa, que él tenía para nos aposentar, bien aderezada. Allí me tomó por la mano y me llevó a una gran sala, que estaba frontera de un patio por donde entramos. Allí me hizo sentar en un estrado muy rico que para él lo tenía mandado hacer, y me dijo que le esperase allí, y él se fué. Dende a poco rato, ya que toda la gente de mi compañía estaba aposentada, volvió con muchas y diversas joyas de oro y plata, y plumajes, y con hasta cinco o seis mil piezas de ropa de algodón, muy ricas y de diversas maneras tejidas y labradas. Después de me la haber dado, se sentó en otro estrado, que luego le hicieron allí junto con el otro donde yo estaba; y sentado, propuso en esta manera:

— Muchos días hace que por nuestras escrituras tenemos de nuestros antepasados noticia que ni yo ni todos los que en esta tierra habitamos no somos naturales de ella, sino extranjeros y venidos a ella de partes muy extrañas[6]; y tenemos asimismo que a estas partes trajo nuestra generación un señor, cuyos vasallos todos eran, el cual se volvió a su naturaleza.[7] Después tornó a venir dende en mucho tiempo, y tanto, que ya estaban casados los que habían quedado con las mujeres naturales de la tierra, y tenían mucha generación y hechos pueblos donde vivían; y queriéndolos llevar consigo, no quisieron ir, ni menos recibirle por señor; y así, se volvió. Y siempre hemos tenido que de los que de él descendiesen habían de venir a sojuzgar esta tierra y a nosotros, como a sus vasallos. Según de la parte que vos decís que venís, que es a donde sale el sol, y las cosas que decís de este gran señor o rey que acá os envió, creemos y tenemos por cierto él ser nuestro señor natural; en especial que nos decís que él hace muchos días que tiene noticia de nosotros. Por tanto vos sed cierto que os obedeceremos y tendremos por señor en lugar de ese gran señor que decís, y que en ello no habrá falta ni engaño alguno; y bien podéis en toda la tierra, digo que en la que yo en mi señorío poseo, mandar a vuestra voluntad, porque será obedecido y hecho, y todo lo que nosotros tenemos es para lo que vos de ello quisierais disponer. Y pues estáis en vuestra naturaleza y en vuestra casa, holgad y descansad del trabajo del camino y guerras que habéis tenido; que muy bien sé todos los que se os han ofrecido de Puntunchán[8] acá, y bien sé que los de Cempoal y de Tlascaltecal os han dicho muchos males de mí. No creáis más de lo que por vuestros ojos veáis, en especial de aquellos que son mis enemigos, y algunos de ellos eran mis vasallos, y hánseme rebelado con vuestra venida, y por se favorecer con vos lo dicen. Los cuales sé que también os han dicho que yo tenía las casas con las paredes de oro, y que las esteras de mis estrados y otras cosas de mi servicio eran asimismo de oro, y que yo era y me hacía dios, y otras muchas cosas. Las casas ya las veis que son de piedra y cal y tierra.

Entonces alzó las vestiduras y me mostró el cuerpo, diciendo a mí:

— Véisme aquí que soy de carne y hueso como vos y como cada uno, y que soy mortal y palpable.

Y asiéndose él con sus manos de los brazos y del cuerpo:

— Ved cómo os han mentido. Verdad es que yo tengo algunas cosas de oro que me han quedado de mis abuelos: todo lo que yo tuviere tenéis cada vez que vos lo quisiérais. Yo me voy a otras casas, donde vivo; aquí seréis proveído de todas las cosas necesarias para vos y vuestra gente; y no recibáis pena alguna, pues estáis en vuestra casa y naturaleza.

Yo le repondí a todo lo que me dijo, satisfaciendo a aquello que me pareció que convenía, en especial en hacerle creer que vuestra majestad era a quien ellos esperaban, y con eso se despidió. E ido, fuimos muy bien proveídos de muchas gallinas y pan y frutas y otras cosas necesarias, especialmente para el servicio del aposento. De esta manera estuve seis días, muy bien proveído de todo lo necesario, y visitado de muchos de aquellos señores. [. . .]

[. . .] Esta gran ciudad de Temixtitan[9] está fundada en esta laguna salada, y desde la Tierra-Firme hasta el cuerpo de la dicha ciudad, por cualquiera parte que quisieren entrar a ella, hay dos leguas. Tiene cuatro entradas, todas de calzada hecha a mano, tan ancha como dos lanzas jinetas.[10] Es tan grande la ciudad como Sevilla y Córdoba. Son las calles de ella, digo las principales, muy anchas y muy derechas, y algunas de éstas y todas las demás son la mitad de tierra, y por la otra mitad es agua, por la cual andan en sus canoas. Todas las calles de trecho a trecho están abiertas por donde atraviesa el agua de las unas a las otras, y en todas estas aberturas, que algunas son muy anchas, hay sus puentes de muy anchas y muy grandes vigas juntas y recias y bien labradas; y tales, que por muchas de ellas pueden pasar diez de caballo juntos a la par. Viendo que si los naturales de esta ciudad quisiesen hacer alguna traición, tenían para ello mucho aparejo,[11] por ser la dicha ciudad edificada de la manera que digo, y que quitadas las puentes de las entradas y salidas, nos podrían dejar morir de hambre sin que pudiésemos salir a la tierra, luego que entré en la dicha ciudad dí mucha prisa a hacer cuatro bergantines, y los hice en muy breve tiempo, tales que podían echar trescientos hombres en la tierra y llevar los caballos cada vez que quisiésemos. Tiene esta ciudad muchas plazas, donde hay continuos mercados y trato de comprar y vender. Tiene otra plaza tan grande como dos veces la de la ciudad de Salamanca, toda cercada de portales alrededor, donde hay cotidianamente arriba de sesenta mil ánimas comprando y vendiendo; donde hay todos los géneros de mercaderías que en todas las tierras se hallan, así de mantenimientos como de vituallas, joyas de oro y de plata, de plomo, de latón, de cobre, de estaño, de piedras, de huesos, de conchas, de caracoles y de plumas. Véndese tal piedra labrada y por labrar, adobes, ladrillos, madera labrada y por labrar de diversas maneras. Hay calles de caza donde venden todo linaje de aves que hay en la tierra, así como gallinas, perdices, codornices, lavancos, dorales, zarcetas, tórtolas, palomas, pajarillos en cañuela, papagayos, búharos, águilas, halcones, gavilanes y cernícalos, y de algunas aves de éstas de rapiña venden los cueros con su pluma y cabezas y pico y uñas. Venden conejos, liebres, venados y perros pequeños, que crían para comer. Hay calles de herbolarios, donde hay todas las raíces y yerbas medicinales que en la tierra se hallan. Hay casas como de boticarios donde se venden las medicinas hechas, así potables como ungüentos y emplastos. Hay casas como de barberos, donde lavan y rapan las cabezas. Hay casas donde dan de comer y beber por precio. Hay hombres como los que llaman en Castilla ganapanes, para traer cargas. Hay mucha leña, carbón, braseros de barro y esteras de muchas maneras para camas, y otras más delgadas para asiento y para esterar salas y cámaras. [. . .] Finalmente, que en los dichos mercados se venden todas cuantas cosas se hallan en la tierra, que demás de las que he dicho, son tantas y de tantas calidades, que por la prolijidad y por no me ocurrir tantas a la memoria, y aun por no saber poner los nombres, no las expreso. Cada género de mercadería se vende en su calle, sin que entremetan otra mercadería ninguna, y en esto tienen mucho orden. Todo lo venden por cuenta y medida, excepto que hasta ahora no se ha visto vender cosa alguna por peso. Hay en esta gran plaza una muy buena casa[12] como de audiencia, donde están siempre sentados diez o doce personas, que son jueces y libran todos los casos y cosas que en el dicho mercado acaecen, y mandan castigar los delincuentes. Hay en la dicha plaza otras personas que andan continuo entre la gente mirando lo que se vende y las medidas con que miden los que venden, y se ha visto quebrar alguna que estaba falsa. [. . .]

En lo del servicio de Moctezuma y de las cosas de admiración que tenía por grandeza y estado, hay tanto que escribir, que certifico a vuestra alteza que yo no sé por dónde pueda acabar de decir alguna parte de ellas. Porque, como ya he dicho, ¿qué más grandeza puede ser que un señor bárbaro como éste tuviese contrahechas de oro y plata y piedras y plumas todas las cosas que debajo del cielo hay en su señorío, tan al natural lo de oro y plata, que no hay platero en el mundo que mejor lo hiciese; y lo de las piedras, que no baste juicio comprender con qué instrumentos se hiciese tan perfecto; y lo de pluma, que ni de cera ni en ningún broslado[13] se podría hacer tan maravillosamente? El señorío de tierras que este Moctezuma tenía, no se ha podido alcanzar cuánto era, porque a ninguna parte, doscientas leguas de un cabo a otro de aquella su gran ciudad, enviaba sus mensajeros, que no fuese cumplido su mandato, aunque había algunas provincias en medio de estas tierras, con quien él tenía guerra. Pero lo que se alcanzó, y yo de él pude comprender, era su señorío casi tanto como España . . . Tenía, así fuera de la ciudad como dentro, muchas casas de placer, y cada una de su manera de pasatiempo, tan bien labradas cuanto se podría decir, y cuales requerían ser para un gran príncipe y señor. Tenía dentro de la ciudad sus casas de aposentamiento, tales y tan maravillosas que me parecería casi imposible poder decir la bondad y grandeza de ellas. Y por tanto no me pondré en expresar cosa de ellas, mas de que en España no hay su semejable. Tenía una casa poco menos buena que ésta, donde tenía un muy hermoso jardín con

11. preparación. 12. La llamaban Tecpancalli. 13. bordado. 14. enfermaban. 15. percha donde se ponían las aves de cetrería.

ciertos miradores que salían sobre él, y los mármoles y losas de ellos eran de jaspe, muy bien obradas. Había en esta casa aposentamientos para se aposentar dos muy grandes príncipes con todo su servicio. En esta casa tenía diez estanques de agua, donde tenía todos los linajes de aves de agua que en estas partes se hallan, que son muchos y diversos, todas domésticas; y para las aves que se crían en la mar eran los estanques de agua salada, y para las de ríos, lagunas de agua dulce; la cual agua vaciaban de cierto a cierto tiempo por la limpieza, y la tornaban a henchir por sus caños. A cada género de aves se daba aquel mantenimiento que era propio a su natural y con que ellas en el campo se mantenían. De forma que a las que comían pescado se lo daban, y las que gusanos, gusanos, y las que maíz, maíz, y las que otras semillas más menudas, por consiguiente se las daban. Certifico a vuestra alteza que a las aves que solamente comían pescado se les daba cada día diez arrobas de él, que se toma en la laguna salada. Había para tener cargo de estas aves trescientos hombres, que en ninguna otra cosa entendían. Había otros hombres que solamente entendían en curar las aves que adolecían[14]. Sobre cada alberca y estanque de estas aves había sus corredores y miradores muy gentilmente labrados, donde el dicho Moctezuma se venía a recrear y a las ver. Tenía en esta casa un cuarto en que tenía hombres, mujeres y niños, blancos de su nacimiento en el rostro y cuerpo y cabellos y cejas y pestañas. Tenía otra casa muy hermosa, donde tenía un gran patio losado de muy gentiles losas, todo él hecho a manera de un juego de ajedrez. Unas casas eran hondas cuanto estado y medio, y tan grandes como seis pies en cuadra; y la mitad de cada una de estas casas era cubierta el soterrado de losas, y la mitad que quedaba por cubrir tenía encima una red de palo muy bien hecha. En cada una de estas casas había un ave de rapiña, comenzando de cernícalo hasta a águila, todas cuantas se hallan en España, y muchas más raleas que allá no se han visto. Y de cada una de estas raleas había mucha cantidad. En lo cubierto de cada una de estas casas había un palo, como alcándara,[15] y otro fuera debajo de la red, que en el uno estaban de noche y cuando llovía, y en el otro se podían salir al sol y al aire a curarse. A todas estas aves daban todos los días de comer gallinas, y no otro mantenimiento. Había en esta casa ciertas salas grandes, bajas, todas llenas de jaulas grandes, de muy gruesos maderos, muy bien labrados y encajados, y en todas o en las más había leones, tigres, lobos, zorras y gatos de diversas maneras, y de todos en cantidad; a los cuales daban de comer gallinas cuantas les bastaban. Para estos animales y aves había otros trescientos hombres, que tenían cargo de ellos. Tenía otra casa donde tenía muchos hombres y mujeres monstruos, en que había enanos, corcovados y contrahechos, y otros con otras deformidades, y cada manera de monstruos en su cuarto por sí; y también había para éstos personas dedicadas a tener cargo de ellos. Las otras cosas de placer que tenía en su ciudad dejo de decir, por ser muchas y de muchas calidades.

La manera de su servicio era que todos los días luego en amaneciendo eran en su casa de seiscientos señores y personas principales, los cuales se sentaban, y otros andaban por unas salas y corredores que había en la dicha casa, y allí estaban hablando y pasando tiempo, sin entrar donde su persona estaba. Y los servidores de éstos y personas de quien se acompañaban henchían dos o tres grandes patios y la calle, que era muy grande. Estos estaban sin salir de allí todo el día hasta la noche. Al tiempo que traían de comer a Moctezuma, asimismo lo traían a todos aquellos señores tan cumplidamente cuanto a su persona, y también a los servidores y gentes de éstos les daban sus raciones. Había cotidianamente la dispensa y botillería abierta para todos aquellos que quisiesen comer y beber. La manera de como les daban de comer es que venían trescientos o cuatrocientos mancebos con el manjar, que era sin cuento, porque todas las veces que comía y cenaba le traían de todas las maneras de manjares, así de carnes como de pescados y frutas y yerbas que en toda la tierra se podían haber. Y porque la tierra es fría, traían debajo de cada plato y escudilla de manjar un braserico con brasa, porque no se enfriase. Poníanle todos los manjares juntos en una gran sala en que él comía, que casi toda se henchía; la cual estaba toda muy bien esterada y muy limpia, y él estaba asentado en una almohada de cuero pequeña muy bien hecha. Al tiempo que comían estaban allí desviados de él cinco o seis señores ancianos, a los cuales él daba de lo que comía. Estaba en pie uno de aquellos servidores que le ponía y alzaba los manjares, y pedía a los otros que estaban más afuera lo que era necesario para el servicio. Al principio y al fin de la comida y cena siempre le daban agua a manos, y con la toalla que una vez se limpiaba nunca se limpiaba más, ni tampoco los platos y escudillas en que le traían una vez el manjar se los tornaban a traer, sino siempre nuevos, y así hacían de los brasericos. Vestíase todos los días cuatro maneras de vestiduras, todas nuevas, y nunca más se las vestía otra vez. Todos los señores que entraban en su casa no entraban calzados, y cuando iban delante de él algunos que él enviaba a llamar, llevaban la cabeza y ojos inclinados, y el cuerpo muy humillado, y hablando con él no le miraban a la cara; lo cual hacían por mucho acatamiento y reverencia. Y sé que lo hacían por respeto, porque ciertos señores reprendían a los españoles, diciendo que cuando hablaban conmigo estaban exentos,[16] mirándome la cara, que parecía desacatamiento y poca vergüenza. Cuando salía fuera el dicho Moctezuma, que era pocas veces, todos los que iban con él y los que topaba por las calles le volvían el rostro, y en ninguna manera le miraban, y todos los demás se postraban hasta que él pasaba. Llevaba siempre delante de sí un señor de aquellos con tres varas delgadas altas, que creo se hacía porque se supiese que iba allí su persona. Cuando lo descendía de las andas, tomába la una en la mano y llevábala hasta donde iba. Eran tantas y tan diversas las maneras y ceremonias que este señor tenía en su servicio, que era necesario más espacio del que yo al presente tengo para las relatar, y aún mejor memoria para las retener, porque ninguno de los soldanes[17] ni otro ningún señor infiel de los que hasta ahora se tiene noticia, no creo que tantas ni tales ceremonias en su servicio tengan. [. . .]

(De la « Segunda carta de relación » en *Historiadores primitivos de Indias*, Madrid, Biblioteca de Autores Españoles, tomo 22, 1946)

Bernal Díaz del Castillo (1495 o 96-1584), que fué uno de sus soldados, reconoció el valor, la eficacia y la dignidad de Cortés, pero agregó a la noción de héroe la noción de masa. No disminuye a Cortés: lo rodea de su gente, lo humaniza, lo hace mover y hablar con los gestos del común, y así surge otra historia de la conquista de Nueva España, no la verdadera, pero la más colorida. La *Verdadera historia de la conquista de la Nueva España* es una de las crónicas más apasionantes que se hayan escrito en español, y acaso la más apasionadamente discutida. El lector se sorprende ante el contraste entre el valor extraordinario de la narración y la pobreza de materiales con que está hecha. Bernal no estaba educado para escribir, y tampoco fué soldado con hazañas heroicas que contar. Era hombre oscuro, que nunca se distinguió en nada, pero tan ambicioso que gracias a esos dos defectos — no ser escritor, no ser héroe — logró una obra genial. Bernal, hombre del vulgo, democratiza la historiografía y durante su larga vejez escribe sobre lo que nadie mejor que él puede saber. « Y digo otra vez que yo, yo y yo, dígolo tantas veces, que yo soy el más antiguo [conquistador], y lo he servido como muy buen soldado a Su Majestad. » Y la fuerza con que ese « yo » golpea a lo largo de la *Verdadera historia* produce un sonido nuevo al que debemos acostumbrar el oído para saber gustarlo; porque no es el yo heroico, sino el yo descontentadizo, resentido, codicioso, vano y maldiciente de un plebeyo inteligente que lo dice todo en una catarata de recuerdos menudos. Escribe con el aliento de todo un grupo, y por ser cronista de muchedumbres el « yo » se le hace « nosotros. » Bernal no selecciona, no adorna, no organiza, no disimula. Y porque le faltaba el sentido de la forma literaria nos dió la más informe y completa de las crónicas de México. La forma literaria que sí maneja, y bien, es la del relato: revive el pasado minuto por minuto, y lo describe confundiendo lo esencial con lo accidental, como en una vivaz conversación. De un tirón nos arranca de la silla y nos mete en el siglo XVI: y vemos qué fué el pueblo español en sus primeras jornadas de América. Las Casas es el cronista que defiende

16. libres, desembarazados. 17. sultanes.

1. el cabo Catoche, en el extremo NE. de la península de Yucatán. 2. andadura de dos soles: dos jornadas.

al indio de la rapacidad del español; y Bernal es el cronista de la propia rapacidad. Y justamente por eso se ve cuán exagerado fué Las Casas en sus acusaciones y cuán injustos los que, aprovechándose de su *Brevísima relación de la destrucción de las Indias*, fundaron la leyenda negra de España; porque en Bernal no todo es codicia: había también impulsos ideales de gloria, cristianismo, lealtad al rey, teoría del Imperio . . . Lo caballeresco, en fin. Y, en efecto, es el único cronista que se atreve a citar novelas de caballería, que, como se sabe, constituían la lectura favorita a fines del siglo XV y principios del XVI.

Bernal Díaz del Castillo

HISTORIA VERDADERA DE LA CONQUISTA DE LA NUEVA ESPAÑA

Cómo Cortés supo de dos españoles que estaban en poder de indios en la punta de Catoche[1] y de lo que sobre ello se hizo

Como Cortés en todo ponía gran diligencia, me mandó llamar a mí y a un vizcaíno que se decía Martín Ramos, y nos preguntó qué sentíamos de aquellas palabras que nos hubieron dicho los indios de Campeche cuando vinimos con Francisco Hernández de Córdoba, que decían: *Castilan, castilan*, según lo he dicho en el capítulo [III] que de ello trata; y nosotros se lo tornamos a contar según y de la manera que lo habíamos visto y oído. Y dijo que ha pensado muchas veces en ello, y que por ventura estarían algunos españoles en aquella tierra, y dijo: « Paréceme que será bien preguntar a estos caciques de Cozumel si saben alguna nueva de ello. » Con Melchorejo, el de la punta de Catoche, que entendía ya poca cosa de la lengua de Castilla y sabía muy bien la de Cozumel, se lo preguntó a todos los principales. Todos a una dijeron que habían conocido ciertos españoles, y daban señas de ellos: que en la tierra adentro, andadura de dos soles,[2] estaban y los tenían por esclavos unos caciques, y que allí en Cozumel había indios mercaderes que les hablaron pocos días había. De lo cual todos nos alegramos con aquellas nuevas. Díjoles Cortés que luego los fuesen a llamar con cartas, que en su lengua llaman *amales*; y dió a los caciques y a los indios que fueron con las cartas, camisas, y los halagó, y les dijo que cuando volviesen les daría más cuentas. El cacique dijo a Cortés que enviase rescate para los amos con quien estaban, que los tenían por esclavos, por que los dejasen venir. Así se hizo, que se les dió a los mensajeros de todo género de cuentas. Luego mandó apercibir dos navíos, los de menos porte, que el uno era poco mayor que bergantín, con veinte ballesteros y escopeteros, y por capitán de ellos a Diego de Ordaz, y mandó que estuviese en la costa de la punta de Catoche aguardando ocho días con el navío mayor, y entre tanto que iban y venían con la respuesta de las cartas, con el navío pequeño volviesen a dar la respuesta a Cortés de lo que hacían, porque está aquella tierra de la punta de Catoche obra de cuatro leguas, y se parece la una tierra desde la otra. Escrita la carta, decía en ella: « Señores y hermanos: Aquí, en Cozumel, he sabido que estáis en poder de un cacique detenidos, y os pido por merced que luego os vengáis aquí, a Cozumel, que para ello envío un navío con soldados, si los hubiéseis menester, y rescate para dar a esos indios con quienes estáis; y lleva el navío de plazo ocho días para os aguardar; veníos con toda brevedad; de mí seréis bien mirados y aprovechados. Yo quedo en esta isla con quinientos soldados y once navíos; en ellos voy, mediante Dios, la vía de un pueblo que se dice Tabasco o Potonchan. »

Luego se embarcaron en los navíos con las cartas y los dos indios mercaderes de Cozumel que las llevaban, y en tres horas atravesaron el golfete y echaron en tierra los mensajeros con las cartas y rescates; y en dos días las dieron a un español que se decía Jerónimo de Aguilar, que entonces supimos que así se llamaba, y de aquí en adelante así le nombraré. Después que las hubo leído, y recibido el rescate de las cuentas que le enviamos, él se holgó con ello, y lo llevó a su amo el cacique para que le diese licencia, la cual luego se la dió [para] que se fuese a donde quisiese. Caminó Aguilar a donde estaba su compañero, que se decía Gonzalo Guerrero, en otro pueblo, cinco leguas de allí, y como le leyó las cartas, Gonzalo Guerrero le respondió:

— Hermano Aguilar: Yo soy casado y tengo tres hijos, y tiénenme por cacique y capitán cuando hay guerras; ídos con Dios, que yo tengo labrada la cara y horadadas las orejas. ¡Qué dirán de mí desde que me vean esos españoles ir de esta manera! Y ya veis estos mis hijitos cuán bonicos son. Por vida vuestra que me déis de esas cuentas verdes que traéis para ellos, y diré que mis hermanos me las envían de mi tierra.

Asimismo la india mujer del Gonzalo habló a Aguilar en su lengua, muy enojada, y le dijo:

— Mira con qué viene este esclavo a llamar a mi marido; ídos vos y no curéis de más pláticas.

Aguilar tornó a hablar a Gonzalo que mirase que era cristiano, que por una india no se perdiese el ánima, y si por mujer e hijos lo hacía, que la llevase consigo si no los quería dejar. Por más que le dijo y amonestó, no quiso venir. Parece ser [que] aquel Gonzalo Guerrero era hombre de mar, natural de Palos. Desde que Jerónimo de Aguilar vió que no quería venir, se vino luego con los dos indios mensajeros adonde había estado el navío aguardándole. [Cuando] llegó no le halló, que ya era ido, porque ya se habían pasado los ocho días y aun uno más, que llevó de plazo el Ordaz para que aguardase; porque desde que Aguilar no venía, se volvió a Cozumel sin llevar recado a lo que había venido. Y [como] Aguilar vió que no estaba allí el navío, quedó muy triste y se volvió a su amo, al pueblo donde antes solía vivir. Y dejaré esto y diré que cuando Cortés vió volver a Ordaz sin recado ni nueva de los españoles ni de los indios mensajeros, estaba tan enojado y dijo con palabras soberbias a Ordaz que había creído que otro mejor recado trajera que no venirse así, sin los españoles ni nuevas de ellos, porque ciertamente estaban en aquella tierra. [. . .] *(Capítulo XXVII).*

Cómo el español que estaba en poder de indios [que] se llamaba Jerómino de Aguilar, supo cómo habíamos arribado a Cozumel, y se vino a nosotros, y lo que más pasó

Cuando tuvo noticia cierta el español que estaba en poder de indios, que habíamos vuelto a Cozumel con los navíos, se alegró en gran manera y dió gracias a Dios, y mucha prisa en venirse él y los dos indios que le llevaron las cartas y rescate, a embarcarse en una canoa. Como la pagó bien, en cuentas verdes del rescate que le enviamos, luego la halló alquilada con seis indios remeros con ella; y dan tal prisa en remar, que en espacio de poco tiempo pasaron el golfete que hay de una tierra a la otra, que serían cuatro leguas, sin tener contraste de la mar. Llegados a la costa de Cozumel, ya que estaban desembarcando, dijeron a Cortés unos soldados que iban a cazar — porque había en aquella isla puercos de la tierra — que había venido una canoa grande allí, junto del pueblo, y que venía de la punta de Catoche. Mandó Cortés a Andrés de Tapia y a otros dos soldados que fuesen a ver qué cosa nueva era venir allí junto a nosotros indios sin temor ninguno, con canoas grandes. Y luego fueron. Desde que los indios que venían en la canoa que traían a Aguilar vieron los españoles, tuvieron temor y queríanse tornar a embarcar y hacer a lo largo con la canoa. Aguilar les dijo en su lengua que no tuviesen miedo, que eran sus hermanos. Andrés de Tapia, como los vió que eran indios — porque Aguilar ni más ni menos era que indio —, luego mandó a decir a Cortés con un español que siete indios de Cozumel son los que allí llegaron en la canoa. Después que hubieron saltado en tierra, en español, mal mascado y peor pronunciado, dijo: « Dios y Santa María y Sevilla. » Y luego le fué a abrazar a Tapia; y otro soldado, de los que habían ido con Tapia a ver qué cosa era, fué a mucha prisa a demandar albricias a Cortés, cómo era español el que venía en la canoa, de que todos nos

3. cutara, chancleta, zapato basto y sin tacón. 4. Libro de Horas, libro que contiene el Oficio de Nuestra Señora y otras devociones. 5. calzones anchos, largos y mal hechos. 6. órdenes de Evangelio: la segunda de las cuatro órdenes menores (ostiario, lector, exorcista y acólito). 7. grupo de islotes al norte de la bahía de Campeche, cerca de la costa de Yucatán. 8. una de las tribus que habitaban esa región. 9. labio grueso. 10. pueblo que desapareció. Figura en el mapa incluído en el tomo I de la *Historia antigua de México y de su conquista*, del P. Francisco J. Clavijero, México, 1844. 11. ciudad a la orilla del río del mismo nombre, entre Yucatán y Veracruz.

alegramos. Luego se vino Tapia con el español adonde estaba Cortés. Antes que llegasen ciertos soldados preguntaban a Tapia: « ¿Qué es del español? », aunque iba junto con él, porque le tenían por indio propio, porque de suyo era moreno y tresquilado a manera de indio esclavo, y traía un remo al hombro, una cotara[3] vieja calzada y la otra atada en la cintura, y una manta vieja muy ruin, y un braguero peor, con que cubría sus vergüenzas, y traía atada en la manta un bulto que eran Horas[4] muy viejas. Pues desde que Cortés los vió de aquella manera también picó, como los demás soldados, que preguntó a Tapia que qué era del español. El español, como le entendió, se puso en cuclillas, como hacen los indios, y dijo: « Yo soy. » Luego le mandó dar de vestir, camisa y jubón y zaragüelles,[5] y caperuza y alpargatas, que otros vestidos no había, y le preguntó de su vida, y cómo se llamaba, y cuándo vino a aquella tierra. El dijo, aunque no bien pronunciado, que se decía Jerónimo de Aguilar, y que era natural de Ecija, y que tenía órdenes de Evangelio[6]; que hacía ocho años que se había perdido él y otros quince hombres y dos mujeres que iban desde el Darien a la isla de Santo Domingo, cuando hubo unas diferencias y pleitos de un Enciso y Valdivia. Dijo que llevaban diez mil pesos de oro y los procesos de los unos contra los otros, y que el navío en que iban dió en los Alacranes,[7] que no pudo navegar; y que en el batel del mismo navío se metieron él y sus compañeros y dos mujeres, creyendo tomar la isla de Cuba o Jamaica, y que las corrientes eran muy grandes, que les echó en aquella tierra; y que los calachiones[8] de aquella comarca los repartieron entre sí, y que habían sacrificado a los ídolos muchos de sus compañeros, y de ellos se habían muerto de dolencia, y las mujeres, que poco tiempo pasado había, que de trabajo también se murieron, porque las hacían moler. Y que a él tenían para sacrificar, y una noche se huyó y se fué a aquel cacique con quien estaba. Ya no se me acuerda el nombre, que allí le nombró. Y que no habían quedado de todos sino él y un Gonzalo Guerrero. Y dijo que le fué a llamar y no quiso venir, y dió muchas gracias a Dios por todo.

Le dijo Cortés que de él sería bien mirado y gratificado, y le preguntó por la tierra y pueblos. Aguilar dijo que, como lo tenían por esclavo, no sabía sino servir de traer leña y agua y en cavar los maizales, que no había salido sino hasta cuatro leguas, que le llevaron con una carga, y que no la pudo llevar y cayó malo de ello; y que ha entendido que hay muchos pueblos. Luego le preguntó por Gonzalo Guerrero, y dijo que estaba casado y tenía tres hijos, y que tenía labrada la cara y horadadas las orejas y el bezo[9] de abajo, y que era hombre de la mar, de Palos, y que los indios le tienen por esforzado; y que hacía poco más de un año cuando vinieron a la punta de Catoche un capitán con tres navíos (parece ser que fueron cuando vinimos los de Francisco Hernández de Córdoba), que él fué inventor que nos diesen la guerra que nos dieron, y que vino él allí juntamente con un cacique de un gran pueblo. [. . .] Después que Cortés lo oyó, dijo: « En verdad que le querría haber a las manos, porque jamás será bueno. » Y dejarlo he. Diré cómo los caciques de Cozumel, desde que vieron a Aguilar que hablaba su lengua, le daban muy bien de comer, y Aguilar les aconsejaba que siempre tuviesen acato y reverencia a la santa imagen de Nuestra Señora y a la cruz, y que conocerían que por ello les venía mucho bien. Los caciques, por consejo de Aguilar, demandaron una carta de favor a Cortés para que si viniesen a aquel puerto otros españoles, que fuesen bien tratados y no les hiciesen agravios; la cual carta luego se la dió. Y después de despedidos, con muchos halagos y ofrecimientos, nos hicimos a la vela para el río de Grijalva. De esta manera que he dicho se hubo Aguilar, y no de otra, como lo escribe el cronista Gómara; y no me maravillo, pues lo que dice es por nuevas. Y volvamos a nuestra relación. *(Capítulo XXIX).*

Cómo doña Marina era cacica, e hija de grandes señores, y señora de pueblos y vasallos, y de la manera que fué traída a Tabasco

Antes que más meta la mano en lo del gran Moctezuma y su gran México y mexicanos, quiero decir lo de doña Marina, cómo desde su niñez fué gran señora y cacica de pueblos y vasallos. Es de esta manera: Que su padre y madre eran señores y caciques de un pueblo que se dice Painala,[10] y tenía otros pueblos sujetos a él, obra de ocho leguas de la villa de Guazacualco.[11] Murió el padre, quedando muy niña, y la madre se casó con otro cacique mancebo, y hubieron un hijo, y, según pareció, queríanlo bien al hijo que habían habido. Acordaron entre el padre y la madre de darle el cacicazgo después de sus días. Porque en ello no hubiese estorbo, dieron de noche a la niña doña Marina a unos indios de Xicalango,[12] porque no fuese vista, y echaron fama de que había muerto. En aquella sazón murió una hija de una india esclava suya y publicaron que era la heredera; por manera que los de Xicalango la dieron a los de Tabasco,[13] y los de Tabasco a Cortés. Conocí a su madre y a su hermano de madre, hijo de la vieja, que era ya hombre y mandaba juntamente con la madre a su pueblo, porque el marido postrero de la vieja ya era fallecido. Después de vueltos cristianos se llamó la vieja Marta y el hijo Lázaro. Esto lo sé muy bien, porque en el año de mil quinientos veinte y tres, después de conquistado México y otras provincias — y de que se había alzado Cristóbal de Olid en las Hibueras[14] — fué Cortés allí y pasó por Guazacualco. Fuimos con él aquel viaje toda la mayor parte de los vecinos de aquella villa, como diré en su tiempo y lugar; y como doña Marina, en todas las guerras de la Nueva España y Tlaxcala y México, fué tan excelente mujer y buena lengua,[15] como adelante diré, a esta causa la traía siempre Cortés consigo. En aquella sazón y viaje se casó con ella un hidalgo que se decía Juan Jaramillo, en un pueblo que se decía Orizaba, delante de ciertos testigos, que uno de ellos se decía Aranda, vecino que fué de Tabasco. Aquel contaba el casamiento, y no como lo dice el cronista Gómara. La doña Marina tenía mucho ser[16] y mandaba absolutamente entre los indios en toda la Nueva España.

Estando Cortés en la villa de Guazacualco, envió a llamar a todos los caciques de aquella provincia para hacerles un parlamento acerca de la santa doctrina, y sobre su buen tratamiento. Entonces vino la madre de doña Marina y su hermano de madre, Lázaro, con otros caciques. Días había que me había dicho la doña Marina que era de aquella provincia y señora de vasallos, y bien lo sabía el capitán Cortés y Aguilar, la lengua. Por manera que vino la madre y su hijo, el hermano, y se conocieron, que claramente era su hija, porque se le parecía mucho. Tuvieron miedo de ella, que creyeron que los enviaba (a) hallar para matarlos, y lloraban. Como así los vió llorar, la doña Marina les consoló y dijo que no hubiesen miedo; que cuando la traspusieron con los de Xicalango que no supieron lo que hacían, y se los perdonaba, — les dió muchas joyas de oro y ropa —; y que se volviesen a su pueblo; y que Dios la había hecho mucha merced en quitarla de adorar ídolos ahora y ser cristiana, y tener un hijo de su amo y señor Cortés, y ser casada con un caballero como era su marido Juan Jaramillo; que aunque la hicieran cacica de todas cuantas provincias había en la Nueva España, no lo sería; que en más tenía servir a su marido y a Cortés que cuanto en el mundo hay. Y todo esto que digo lo sé yo muy certificadamente. Esto me parece que quiere remedar lo que le acaeció con sus hermanos en Egipto a Josef, que vinieron en su poder cuando lo del trigo. Esto es lo que pasó, y no la relación que dieron a Gómara (también dice otras cosas que dejo por alto). Volviendo a nuestra materia, doña Marina sabía la lengua de Guazacualco, que es la propia de México, y sabía la de Tabasco, como Jerónimo Aguilar sabía la de Yucatán y Tabasco, que es toda una. Entendíanse bien, y Aguilar lo declaraba en castellano a Cortés. Fué gran principio para nuestra conquista, y así se nos hacían todas las cosas, loado sea Dios, muy prósperamente. He querido declarar esto porque sin ir doña Marina no podíamos entender la lengua de la Nueva España y México. [. . .] *(Capítulo XXXVII).*

Cómo acordamos de ir a México,
y antes que partiésemos dar todos
los navíos al través, y lo que más pasó,
y esto de dar con los navíos al través fué
por consejo y acuerdo de todos nosotros
los que éramos amigos de Cortés

Estando en Cempoal[17] como dicho tengo, platicando con Cortés en las cosas de la guerra y camino que teníamos por delante, de plática en plática le aconsejamos los que éramos sus amigos — y otros hubo contrarios — que no dejase navío ninguno en el puerto, sino que luego diese al través[18] con todos y no quedasen embarazos, por que entretanto que estábamos en la tierra adentro no se alzasen otras personas, como los pasados; y demás de esto, que tendríamos mucha

12. en la orilla sur de la laguna de Términos, cerca de Yucatán. 13. provincia entre la laguna de Términos y el istmo de Tehuantepec. 14. región de México, que se extendía hasta cerca de Guatemala, en la que se insurreccionó Cristóbal de Olid. 15. intérprete. 16. mucho ser: influencia, importancia. 17. Zempoalla (hoy Zempoala), donde Cortés se hizo de sus primeros aliados. 18. dar . . . al través: barrenar, destruir los navíos. 19. especie de red para pescar. 20. cabo de una « cuadrilla », o grupo armado. 21. remontado y de mal arte: ahuyentado y cauteloso. 22. mercado.

ayuda de los maestres y pilotos y marineros, que serían al pie de cien personas, y que mejor nos ayudarían a velar y a guerrear que no estar en el puerto. Según entendí, esta plática de dar con los navíos al través, que allí le propusimos, el mismo Cortés lo tenía ya concertado, sino quiso que saliese de nosotros, porque si algo le demandasen que pagase los navíos, que era por nuestro consejo y todos fuésemos en el pagar. Luego mandó a un Juan de Escalante — que era alguacil mayor y persona de mucho valor y gran amigo de Cortés y enemigo de Diego Velázquez, porque en la isla de Cuba no le dió buenos indios — que fuese a la villa y que de todos los navíos se sacasen todas las anclas y cables y velas y lo que dentro tenían de que se pudiesen aprovechar; y que diese con todos ellos al través, que no quedasen más de los bateles; y que los pilotos y maestres viejos y marineros que no eran para ir a la guerra, que se quedasen en la villa, y con dos chinchorros[19] que tuviesen cargo de pescar, que en aquel puerto siempre había pescado, aunque no mucho. Juan de Escalante lo hizo según y de la manera que le fué mandado, y luego se vino a Cempoal con una capitanía de hombres de la mar, que fueron los que sacó de los navíos, y salieron algunos de ellos muy buenos soldados.

Pues hecho esto, mandó Cortés llamar a todos los caciques de la serranía, de los pueblos nuestros confederados y rebelados al gran Moctezuma, y les dijo cómo habían de servir a los que quedaban en la Villa Rica y acabar de hacer la iglesia y fortalezas y casas. Allí, delante de ellos, tomó Cortés por la mano a Juan de Escalante, y les dijo: « Este es mi hermano. » Y lo que les mandase que lo hiciesen; y que si hubiesen menester favor y ayuda contra algunos indios mexicanos, que a él ocurriesen; que él iría en persona a ayudarles. Y todos los caciques se ofrecieron de buena voluntad de hacer lo que les mandase. Acuérdome que luego le sahumaron a Juan de Escalante con sus inciensos, aunque no quiso. Ya he dicho era persona muy bastante para cualquier cargo, y amigo de Cortés; y con aquella confianza le puso en aquella villa y puerto por capitán para, si algo enviase Diego Velázquez, que hubiere resistencia. [. . .]

Aquí es donde dice el cronista Gómara que, cuando Cortés mandó barrenar los navíos, no osaba publicar a los soldados que quería ir a México en busca del gran Moctezuma. No pasó como dice, pues ¿de qué condición somos los españoles para no ir adelante y estarnos en partes que no tengamos provecho y guerras? También dice el mismo Gómara que Pedro de Ircio quedó por capitán en la Vera Cruz. No le informaron bien. Juan de Escalante fué el que quedó por capitán y alguacil mayor de la Nueva España, que aún a Pedro de Ircio no le habían dado cargo ninguno, ni aun de cuadrillero.[20] *(Capítulo LVIII)*.

Cómo nos dieron guerra en México,
y los combates que nos daban,
y otras cosas que pasamos

[. . .] Cortés vió que en Tezcoco no nos habían hecho ningún recibimiento ni aun dado de comer, sino mal y por mal cabo, y que no hallamos principales con quien hablar, y lo vió todo remontado y de mal arte[21]; y venido a México lo mismo; y vió que no hacían *tiánguez*,[22] sino todo levantado; y oyó a Pedro de Alvarado de la manera y desconcierto con que les fué a dar guerra. Parece ser había dicho Cortés en el camino a los capitanes de Narváez, alabándose de sí mismo, el gran acato y mando que tenía, y que por los caminos le saldrían a recibir y hacer fiestas, y que darían oro, y que en México mandaba tan absolutamente así al gran Moctezuma como a todos sus capitanes, y que le darían muchos presentes de oro como solían. Viendo que todo estaba muy al contrario de sus pensamientos, que aun de comer no nos daban, estaba muy airado y soberbio con la mucha gente de españoles que traía, y muy triste y mohino. En este instante envió el gran Moctezuma dos de sus principales a rogar a nuestro Cortés que le fuese a ver, que le quería hablar: y la respuesta que les dió dijo: « Vaya para perro, que aun *tiánguez* no quiere hacer, ni de comer no nos manda dar. » Entonces como aquello le oyeron a Cortés nuestros capitanes, que fueron Juan Velázquez de León y Cristóbal de Olid y Alonso de Ávila y Francisco de Lugo, dijeron: « Señor, temple su ira, y mire cuánto bien y honra nos ha hecho este rey de estas tierras, que es tan bueno que si por él no fuese ya fuéramos muertos y nos habrían comido, y mire que hasta las hijas le ha dado. »

Como esto oyó Cortés, se indignó más de las palabras que le dijeron, como parecían reprensión, y dijo: « ¿Qué cumplimiento he yo de tener con un perro que se hacía con Narváez secretamente, y ahora veis que aun de comer no nos dan? » Y dijeron nuestros capitanes: « Esto nos parece que debe hacer, y es buen consejo.» Como Cortés tenía allí en México tantos españoles, así de los nuestros como de los de Narváez, no se le daba nada por cosa ninguna, y hablaba tan airado y descomedido. Por manera que tornó a hablar a los principales que dijesen a su señor Moctezuma que luego mande hacer *tiánguez* y mercados; si no, que hará y acontecerá. Los principales bien entendieron las palabras injuriosas que Cortés dijo de su señor y aun también la reprensión que nuestros capitanes dieron a Cortés sobre ello; porque bien los conocían que habían sido los que solían tener en guarda a su señor, y sabían que eran grandes servidores de su Moctezuma. Según y de la manera que lo entendieron se lo dijeron a Moctezuma, y de enojo, o porque ya estaba concertado que nos diesen guerra, no tardó un cuarto de hora que vino un soldado a gran prisa, muy mal herido. Venía de un pueblo que está junto a México que se dice Tacuba, y traía unas indias que eran de Cortés, y la una hija de Moctezuma, que parece ser las dejó a guardar allí al señor de Tacuba, que eran sus parientes del mismo señor, cuando fuimos a lo de Narváez. Dijo aquel soldado que estaba toda la ciudad y camino por donde venía lleno de gente de guerra, con todo género de armas, y que le quitaron las indias que traía y le dieron dos heridas, y que si no les soltara, que le tenían ya asido para meterle en una canoa y llevarle a sacrificar, y habían deshecho un puente.

Desde que aquello oyó Cortés y algunos de nosotros, ciertamente nos pesó mucho, porque bien entendido teníamos, los que solíamos batallar con indios, la mucha multitud que de ellos se suele juntar, y que por bien que peleásemos, y aunque más soldados trajésemos ahora, que habíamos de pasar gran riesgo de nuestras vidas, y hambres y trabajos, especialmente estando en tan fuerte ciudad. Pasemos adelante y digamos que luego Cortés mandó a un capitán que se decía Diego de Ordaz que fuese con cuatrocientos soldados — entre ellos los más ballesteros y escopeteros, y algunos de caballo — y que mirase qué era aquello que decía el soldado que había venido herido y trajo las nuevas; y que si viese que sin guerra y ruido se pudiese apaciguar, lo pacificase. Como fué Diego de Ordaz de la manera que le fué mandado con sus cuatrocientos soldados, aún no hubo bien llegado a media calle, por donde iba, cuando le salen tantos escuadrones mexicanos de guerra, y otros muchos que estaban en las azoteas, y le dieron tan grandes combates, que le mataron a las primeras arremetidas diez y ocho soldados, y a todos los más hirieron, y al mismo Diego de Ordaz le dieron heridas. Por manera que no pudo pasar un paso adelante, sino volverse poco a poco al aposento. Al retraer le mataron a otro buen soldado que se decía Lezcano, que con un montante[23] había hecho cosas de muy esforzado varón. En aquel instante, si muchos escuadrones salieron a Diego de Ordaz, muchos más vinieron a nuestros aposentos, y tiran tanta vara y piedras con ondas y flechas, que nos hirieron de aquella vez sobre cuarenta y seis de los nuestros, y doce murieron de las heridas.

Estaban tantos guerreros sobre nosotros, que Diego de Ordaz, que se venía retrayendo, no podía llegar a los aposentos por la mucha guerra que le daban, unos por detrás y otros por delante y otros desde las azoteas. Pues quizá no aprovechaba mucho nuestros tiros, ni escopetas, ni ballestas, ni lanzas, ni estocadas que les dábamos, ni nuestro buen pelear, que aunque les matábamos y heríamos muchos de ellos, por las puntas de las espadas y lanzas se nos metían; con todo esto cerraban sus escuadrones, y no perdían punto de su buen pelear, ni les podíamos apartar de nosotros. En fin, con los tiros y escopetas y ballestas y el mal que les hacíamos de estocadas, tuvo tiempo de entrar Ordaz en el aposento, que hasta entonces, y aunque quería, no podía pasar y con sus soldados bien heridos y catorce menos. Todavía no cesaban muchos escuadrones de darnos guerra y decirnos que éramos como mujeres; y nos llamaban de bellacos, y otros vituperios. Aun no ha sido nada todo el daño que nos han hecho hasta ahora a lo que después hicieron. Y es que tuvieron tanto atrevimiento, que unos dándonos guerra por unas partes y otros por otra, entraron a ponernos fuego en nuestros aposentos, que no nos podíamos valer con el humo y fuego, hasta que se puso remedio con derrocar sobre él mucha tierra y atajar otras salas por donde venía el fuego, que verdaderamente allí dentro creyeron de quemarnos vivos.

Duraron estos combates todo el día; y aun la noche estaban sobre nosotros tantos escuadrones de ellos, y tiraban varas y piedras y flechas a bulto y piedra perdida, que de lo del día y lo de entonces estaban todos aquellos patios y suelos

23. espadón que se esgrime con ambas manos. 24. montones, cantidad grande. 25. torres e ingenios: máquinas y artificios de guerra. 26. *cu* de Huichilobos: el gran templo de Huitzilopochtli. 27. Tezcatlipoca. 28. sacerdotes.

hechos parvas[24] de ellos. Pues nosotros aquella noche en curar heridos, y en poner remedio en los portillos que habían hecho, y en apercibirnos para otro día, en esto pasó. Pues desde que amaneció acordó nuestro capitán que con todos los nuestros y los de Narváez saliésemos a pelear con ellos, y que llevásemos tiros y escopetas y ballestas, y procurásemos de vencerlos; al menos que sintiesen más nuestras fuerzas y esfuerzo mejor que el del día pasado. Y digo que si nosotros teníamos hecho aquel concierto, que los mexicanos tenían concertado lo mismo. Peleábamos muy bien; mas ellos estaban tan fuertes y tenían tantos escuadrones — que se remudaban de rato en rato — que aunque estuvieran allí diez mil Héctores troyanos y tantos Roldanes, no les pudieran entrar; porque saberlo ahora yo aquí decir cómo pasó y vimos el tesón en el pelear, digo que no lo sé escribir; porque ni aprovechaban tiros, ni escopetas, ni ballestas, ni apechugar con ellos, ni matarles treinta ni cuarenta de cada vez que arremetíamos, que tan enteros y con más vigor peleaban que al principio. Si algunas veces les íbamos ganando alguna poca de tierra, o parte de calle, hacían que se retraían: [mas] era para que les siguiésemos por apartarnos de nuestra fuerza y aposento, para dar más a su salvo en nosotros, creyendo que no volveríamos con las vidas a los aposentos, porque al retraer nos hacían mucho mal. Pues para pasar a quemarles las casas, ya he dicho en el capítulo que de ello habla que de casa a casa tenían una puente de madera levadiza; alzábanla y no podíamos pasar sino por agua muy honda. Pues desde las azoteas, los cantos y piedras y varas no lo podíamos sufrir. Por manera que nos maltrataban y herían muchos de los nuestros.

No sé yo para qué lo escribo así tan tibiamente, porque unos tres o cuatro soldados que se habían hallado en Italia, que allí estaban con nosotros, juraron muchas veces a Dios que guerras tan bravosas jamás habían visto en algunas que se habían hallado entre cristianos y contra la artillería del rey de Francia, ni del gran turco; ni gente como aquellos indios, con tanto ánimo cerrar los escuadrones vieron. [. . .]. Diré cómo con harto trabajo nos retrajimos a nuestros aposentos, y todavía muchos escuadrones de guerreros sobre nosotros, con grandes gritos y silbos y trompetillas y atambores, llamándonos de bellacos y para poco, que no osábamos atenderles todo el día en batalla, sino volvernos retrayendo. [. . .]

Desde que amaneció, después de encomendarnos a Dios, salimos de nuestros aposentos con nuestras torres — que me parece a mí que en otras partes donde me he hallado en guerras, en cosas que han sido menester, las llaman burros y mantas — y con los tiros y escopetas y ballestas delante, y los de caballo haciendo algunas arremetidas. Como he dicho, aunque les matábamos muchos de ellos no aprovechaba cosa para hacerles volver las espaldas, sino que si muy bravamente habían peleado los dos días pasados, muy más fuertes y con mayores fuerzas y escuadrones estaban este día. Y todavía determinamos, aunque a todos costase la vida, de ir con nuestras torres e ingenios[25] hasta el gran cu de Huichilobos.[26] [. . .]

Por manera que fuimos hasta el gran *cu* de sus ídolos, y luego, de repente, suben en él más de cuatro mil mexicanos, sin otras capitanías que en ellos estaban, con grandes lanzas y piedra y vara, y se ponen en defensa y nos resistieron la subida un buen rato, que no bastaban las torres ni los tiros ni ballestas ni escopetas, ni los de caballo, porque aunque querían arremeter los caballos había unas losas muy grandes empedrando todo el patio, que se iban los caballos pies y manos, y eran tan lisas, que caían. Como desde las gradas del alto *cu* nos defendían el paso, y a un lado y a otro teníamos tantos contrarios, aunque nuestros tiros llevaban diez o quince de ellos, y a estocadas y arremetidas matábamos otros muchos, cargaba tanta gente, que no les podíamos subir al alto *cu*. Con gran concierto tornamos a porfiar, sin llevar las torres, porque ya estaban desbaratadas, y les subimos arriba. Aquí se mostró Cortés muy varón, como siempre lo fué. ¡Oh, qué pelear y fuerte batalla que aquí tuvimos! Era cosa de notar vernos a todos corriendo sangre y llenos de heridas, y otros muertos. Quiso Nuestro Señor que llegamos adonde solíamos tener la imagen de Nuestra Señora, y no la hallamos, que pareció, según supimos, que el gran Moctezuma tenía devoción en ella, y la mandó guardar. Pusimos fuego a sus ídolos, y se quemó un buen pedazo de la sala con los ídolos Uichilobos y Tezcatepuca.[27] Entonces nos ayudaron muy bien los tlaxcaltecas. Pues ya hecho esto, estando que estábamos unos peleando y otros poniendo el fuego, como dicho tengo, ver los *papas*[28] que estaban en este gran *cu*, y sobre tres o cuatro mil indios, todos principales, ya que bajábamos, cuál nos hacían venir rodando seis gradas y aun diez abajo, y hay tanto que decir de otros escuadrones que estaban en los pretiles y concavidades del gran *cu*, tirándonos tanta vara y flecha, que así a unos escuadrones como a los otros no podíamos hacer cara. Acordamos con mucho trabajo y riesgo de nuestras personas de volvernos a nuestros aposentos, los castillos deshechos, y todos heridos, y diez y seis muertos, y los indios siempre apestándonos, y otros escuadrones por las espaldas, que quien no nos vió, aunque aquí más claro lo diga, yo no lo sé significar. [. . .]

Dejemos su gran tesón y porfía, que siempre a la contina tenían de estar sobre nuestros aposentos, como he dicho, y digamos que aquella noche se nos fué en curar heridos y enterrar los muertos y en aderezar para salir otro día a pelear y en poner fuerzas y mamparos a las paredes que habían derrocado y a otros portillos que habían hecho, y tomar consejo cómo y de qué manera podríamos pelear sin que recibiésemos tantos daños ni muertes; y en todo lo que platicamos no hallábamos remedio ninguno. Pues también quiero decir las maldiciones que los de Narváez echaban a Cortés, y las palabras que decían, que renegaban de él y de la tierra, y aun de Diego Velázquez que acá les envió, que bien pacíficos estaban en sus casas en la isla de Cuba, y estaban embelesados y sin sentido.

Volvamos a nuestra plática; que fué acordado de demandarles paces para salir de México. Desde que amaneció vienen muchos más escuadrones de guerreros. Vienen muy de hecho y nos cercan por todas partes los aposentos, y si mucha piedra y flecha tiraban de antes, muchas más espesas y con mayores alaridos y silbos vinieron este día; y otros escuadrones por otras partes procuraban de entrarnos, que no aprovechaban tiros ni escopetas, aunque les hacían harto mal. Viendo todo esto acordó Cortés que el gran Moctezuma les hablase desde una azotea, y les dijese que cesasen las guerras, y que nos queríamos ir de su ciudad. Cuando al gran Moctezuma se lo fueron a decir de parte de Cortés, dicen que dijo con gran dolor: « ¿Qué quiere ya de mí Malinche[29] que yo no deseo vivir ni oírle, pues en tal estado por su causa mi ventura me ha traído? » Y no quiso venir. Aun dicen que dijo que ya no le quería ver ni oír a él ni a sus falsas palabras ni promesas y mentiras. Fué el padre de la Merced y Cristóbal de Olid, y le hablaron con mucho acato y palabras muy amorosas. Y dijo: « Yo tengo creído que no aprovecharé cosa ninguna para que cese la guerra, porque ya tienen alzado otro señor y han propuesto de no os dejar salir de aquí con la vida; y así creo que todos vosotros habréis de morir. »

Volvamos a los grandes combates que nos daban. Que Moctezuma se puso a pretil de una azotea con muchos de nuestros soldados que le guardaban, y les comenzó a hablar con palabras muy amorosas que dejasen la guerra y que nos iríamos de México. Muchos principales y capitanes mexicanos bien le conocieron, y luego mandaron que callasen sus gentes y no tirasen varas ni piedras ni flechas. Cuatro de ellos se llegaron en parte que Moctezuma les podía hablar, y ellos a él, y llorando le dijeron: « ¡Oh señor y nuestro gran señor, y cómo nos pesa de todo vuestro mal y daño y de vuestros hijos y parientes! Os hacemos saber que ya hemos levantado a un vuestro pariente por señor. » Y allí le nombró cómo se llamaba, que se decía Coadlavaca, señor de Iztapalapa, que no fué Guatemuz[30] el que luego fué señor. Y más dijeron: que la guerra la habían de acabar, y que tenían prometido a sus ídolos de no dejarla hasta que todos nosotros muriésemos, y que rogaban cada día a su Uichilobos y a Tezcatepuca que le guardase libre y sano de nuestro poder; y como saliese como deseaban, que no le dejarían de tener muy mejor que de antes por señor, y que les perdonase. No hubieron bien acabado el razonamiento, cuando en aquella sazón tiran tanta piedra y vara, que los nuestros que le arrodeaban, desde que vieron que entre tanto que hablaba con ellos no daban guerra, se descuidaron un momento de rodelarle de presto; y le dieron tres pedradas, una en la cabeza, otra en un brazo y otra en una pierna; y puesto que le rogaban se curase y comiese y le decían sobre ello buenas palabras, no quiso, antes cuando no nos catamos vinieron a decir que era muerto. Cortés lloró por él, y todos nuestros capitanes y soldados, y hombres hubo entre nosotros, de los que le conocíamos y tratábamos, de que fué tan llorado como si fuera nuestro padre, y no nos hemos de maravillar de ello viendo que tan bueno era. Decían que hacía diez y siete años que reinaba, y que fué el mejor rey que en México había habido, y que por su persona había

29. nombre con el que los indios conocían a Cortés, derivado del nombre de doña Marina, Malintzin, compañera e intérprete de aquél. 30. el cronista escribe unas veces Guatemuz, otras Guatimuz. Es el emperador Guauhtémoc. 31. franquicias. 32. asido y engarrafado: agarrado fuertemente. 33. ocurrir, suceder.

vencido tres desafíos que tuvo sobre las tierras que sojuzgó. Y pasemos adelante. *(Capítulo CXXVI).*

De las cosas que aquí van declaradas
cerca de los méritos que tenemos
los verdaderos conquistadores,
las cuales serán apacibles de oírlas

Ya he recontado los soldados que pasamos con Cortés y donde murieron. Si bien se quiere tener noticia de nuestras personas, éramos todos los demás hijosdalgo (aunque algunos no pueden ser de tan claros linajes, porque vista cosa es que en este mundo no nacen todos los hombres iguales, así en generosidad como en virtudes). Dejando esta plática aparte, además de nuestras antiguas noblezas, con heroicos hechos y grandes hazañas que en las guerras hicimos; peleando de día y de noche; sirviendo a nuestro rey y señor; descubriendo estas tierras hasta ganar esta Nueva España y gran ciudad de México y otras muchas provincias a nuestra costa — estando tan apartados de Castilla, ni tener otro socorro ninguno, salvo el de Nuestro Señor Jesucristo, que es el socorro y ayuda verdadera — nos ilustramos mucho más que antes. Si miramos las escrituras antiguas que de ello hablan, si son así como dicen, en los tiempos pasados fueron ensalzados y puestos en grande estado muchos caballeros, así en España como en otras partes, sirviendo como en aquella sazón sirvieron en las guerras y por otros servicios que eran aceptos a los reyes que en aquella sazón reinaban. También he notado que algunos de aquellos caballeros que entonces subieron a tener títulos de estados y de ilustres no iban a las tales guerras, ni entraban en las batallas sin que primero les pagasen sueldos y salarios; y no embargante que se los pagaban, les dieron villas y castillos y grandes tierras perpetuos y privilegios con franquezas[31] las cuales tienen sus descendientes. Además de esto, cuando el rey don Jaime de Aragón conquistó y ganó de los moros mucha parte de sus reinos, los repartió a los caballeros y soldados que se hallaron en ganarlo, y desde aquellos tiempos tienen sus blasones y son valerosos. También cuando se ganó Granada, y del tiempo del Gran Capitán a Nápoles, y también el principe de Orange en lo de Nápoles, dieron tierras y señoríos a los que les ayudaron en las guerras y batallas.

He traído esto aquí a la memoria para que se vean nuestros muchos y buenos y notables servicios que hicimos al rey nuestro señor y a toda la cristiandad, y se pongan en una balanza y medida cada cosa en su cantidad, y hallarán que somos dignos y merecedores de ser puestos y remunerados como [los] caballeros por mí atrás dichos. Aunque entre los valerosos soldados que en estas hojas pasadas he puesto por memoria hubo otros muchos esforzados y valerosos compañeros, todos me tenían a mí en reputación de buen soldado. Volviendo a mi materia, miren los curiosos lectores con atención ésta mi relación y verán en cuántas batallas y reencuentros de guerra muy peligrosos me he hallado desde que vine a descubrir [*Tachado en el original*: y cuán lleno de heridas he estado]. Dos veces estuve asido y engarrafado[32] de muchos indios mexicanos, con quienes en aquella sazón estaba peleando, para llevarme a sacrificar, como en aquel instante llevaron otros muchos compañeros míos; sin [contar] otros grandes peligros y trabajos y hambre y sed e infinitas fatigas que suelen recrecer[33] a los que semejantes descubrimientos van a hacer en tierras nuevas, lo cual hallarán escrito parte por parte en esta mi relación. [. . .] *(Capítulo CCVII).*

(De la *Historia verdadera de la conquista de la Nueva España*, México, editorial P. Robredo, 1933)

La conquista y colonización de América es demasiado compleja para juzgarla: ni leyenda negra de monstruos, ni leyenda blanca de santos. Fué un violento choque de civilizaciones; y si el español no pudo respetar la de los indios, por lo menos hizo un esfuerzo para comprenderla. Ningún otro pueblo lo hizo. España, sobre todo por obra de sus frailes, mostró un género nuevo de curiosidad intelectual. Los frailes querían cristianizar a los indios; es decir, querían que dejaran de ser indios. Pero para conseguir este cambio profundo en la personalidad de los pueblos del nuevo mundo tenían que entrar dentro de ella. Por eso, antes de cristianizar, los frailes se indianizan a sí mismos. Comenzaron por aprender los idiomas indígenas para catequizar mejor. Formaron gramáticas y vocabularios; escribieron en lengua nativa.

El pasado indígena — costumbres, tradiciones — apareció a la vista de Europa gracias a que estos frailes habían viajado no tanto al nuevo mundo sino a las almas de los pobladores del nuevo mundo. Baste recordar aquí nuevamente a FRAY BERNARDINO DE SAHAGÚN y a FRAY TORIBIO DE BENAVENTE, llamado MOTOLINÍA.

Del contacto de europeos con indios sólo conservamos las impresiones de los europeos; sin embargo, los indios descubrían al blanco al mismo tiempo que eran descubiertos por él. ¿Cómo lo veían? No lo sabemos. Generalmente el blanco se les aparecía desfigurado por un complicado aparato de civilización. Pero en el caso de ÁLVAR NÚÑEZ CABEZA DE VACA (1490?-1559?) vemos, por primera vez, al hombre de Europa y al hombre de América frente a frente, desnudos. Y podemos imaginarnos cómo los indios veían, de igual a igual, a ese prójimo español, exhausto y desamparado. Los *Naufragios* apenas tienen interés para el historiador, aunque mucho para el etnógrafo, por sus curiosas noticias que dan sobre las costumbres de los indios; y aquí está su mérito. Su amenidad no depende—como el de otras crónicas — ni de las hazañas heroicas, ni de las conquistas referidas, ni del fondo de opulentas civilizaciones indígenas, sino pura y exclusivamente de su calidad narrativa. Cabeza de Vaca salió de España en 1527. Naufragó una y otra vez hasta que las barcas se dispersaron con un « sálvese quien pueda. » Llegó a tierra, con un puñado de españoles. Hambre, luchas con indios, penurias, enfermedades . . . Poco a poco se van muriendo. Al final quedan cuatro: él, Dorantes, Castillo y el negro Estebanico. Cautivo de los indios, maltratado por unos, idolatrado por otros, Cabeza de Vaca recorrió a pie una tremenda masa continental (desde el golfo de México hasta el golfo de California). Nueve años de cautiverio lo convirtieron — de aspecto al menos — en otro indio. Ya no conserva sino un orgullo: ser hombre. Anda desnudo como nació, comiendo lo que los indios comen, viviendo y hablando como ellos; y diferente sólo en su fe cristiana. Cuando en 1536 tropezó con unos españoles a caballo cuenta que « recibieron gran alteración de verme tan extrañamente vestido y en compañía de indios. Estuviéronme mirando mucho espacio de tiempo, tan atónitos que ni me hablaban ni acertaban a preguntarme nada. » Cabeza de Vaca sabe contar. Centra su relato en el « yo », y sin perder de vista al lector (es uno de los cronistas que escriben para el lector) va evocando sus aventuras en un estilo rápido, rico en detalles reveladores, emocionante, flúido como una conversación y, sin embargo, de dignidad literaria.

1. al otro día, al día siguiente.

Alvar Núñez Cabeza de Vaca

NAUFRAGIOS

Cómo los indios nos trajeron de comer

Otro día,[1] saliendo el sol, que era la hora que los indios nos habían dicho, vinieron a nosotros — como lo habían prometido — y nos trajeron mucho pescado y de unas raíces que ellos comen, y son como nueces, algunas mayores o menores. La mayor parte de ellas se sacan de bajo del agua y con mucho trabajo. A la tarde volvieron, y nos trajeron más pescado y de las mismas raíces. Hicieron venir sus mujeres e hijos para que nos viesen; y así se volvieron ricos de cascabeles y cuentas que les dimos. Otros días nos tornaron a visitar con lo mismo que esas otras veces. Como nosotros veíamos que estábamos proveídos de pescado y de raíces y de agua y de las otras cosas que pedimos, acordamos de tornarnos a embarcar y seguir nuestro camino. Desenterramos la barca de la arena en que estaba metida. Fué menester que nos desnudásemos todos y pasásemos gran trabajo para echarla al agua (porque nosotros estábamos tales, que otras cosas muy más livianas bastaban para ponernos en él). Así embarcados, a dos tiros de ballesta dentro en la mar nos dió tal golpe de agua, que nos mojó a todos. Como íbamos desnudos, y el frío que hacía era muy grande, soltamos los remos de las manos, y a otro golpe que la mar nos dió, trastornó la barca. El veedor y otros dos se asieron de ella para escaparse; mas sucedió muy al revés, que la barca los tomó debajo y se ahogaron. Como la costa es muy brava, el mar de un tumbo echó a todos los otros, envueltos en las olas y medio ahogados, en la costa de la misma isla, sin que faltasen más de los tres que la barca había tomado debajo. Los que quedamos escapados, desnudos como nacimos, y perdido todo lo que traíamos; aunque todo valía poco, pero entonces valía mucho. Y como entonces era por noviembre, y el frío muy grande, y nosotros tales, que con poca dificultad se nos podía contar los huesos, estábamos hechos propia figura de la muerte. De mí sé decir que desde el mes de mayo pasado yo no había comido otra cosa sino maíz tostado, y algunas veces me ví en necesidad de comerlo crudo; porque, aunque se mataron los caballos entre tanto que las barcas se hacían, yo nunca pude comer de ellos, y no fueron diez veces las que comí pescado. Esto digo por excusar razones, porque pueda cada uno ver qué tales estaríamos. Sobre todo lo dicho, había sobrevenido viento norte, de suerte que más estábamos cerca de la muerte que de la vida. Plugo a nuestro Señor que buscando los tizones del fuego que allí habíamos hecho, hallamos lumbre, con que hicimos grandes fuegos; y así estuvimos pidiendo a nuestro Señor misericordia y perdón de nuestros pecados, derramando muchas lágrimas, habiendo cada uno lástima, no sólo de sí, mas de todos los otros, que en el mismo estado veían. A hora de puesto el sol, los indios, creyendo que no nos habíamos ido, nos volvieron a buscar y a traernos de comer; mas, cuando ellos nos vieron así en tan diferente hábito del primero, y en manera tan extraña, espantáronse tanto, que se volvieron atrás. Yo salí a ellos y llamélos, y vinieron muy espantados. Híceles entender por señas cómo se nos había hundido una barca, y se habían ahogado tres de nosotros; y allí, en su presencia, ellos mismos vieron dos muertos; y los que quedábamos íbamos aquel camino. Los indios, de ver el desastre que nos había venido y el desastre en que estábamos, con tanta desventura y miseria, se sentaron entre nosotros, y con gran dolor y lástima que hubieron de vernos en tanta fortuna comenzaron todos a llorar recio, y tan de verdad, que lejos de allí se podía oír. Esto les duró más de media hora; y, cierto, ver que estos hombres tan sin razón y tan crudos, a manera de brutos, se dolían tanto de nosotros, hizo que en mí y en otros de la compañía creciese más la pasión y la consideración de nuestra desdicha. Sosegado ya este llanto, yo pregunté a los cristianos, y dije que, si a ellos parecía, rogaría a aquellos indios que nos llevasen a sus casas. Algunos de ellos que habían estado en la Nueva España respondieron que no se debía hablar en ello, porque si a sus casas nos llevaban, nos sacrificarían a sus ídolos. Mas, visto que otro remedio no había, y que por cualquier otro camino estaba más cerca y más cierta la muerte, no curé de lo que decían, antes rogué a los indios que nos llevasen a sus casas. Ellos mostraron que habían gran placer de ello, y que esperásemos un poco, que ellos harían lo que queríamos. Luego treinta de ellos se cargaron de leña, y se fueron a sus casas, que estaban lejos de allí, y quedamos con los otros hasta cerca de la noche, que nos tomaron, y llevándonos asidos y con mucha prisa, fuimos a sus casas. Por el gran frío que hacía, y temiendo que en el camino alguno no muriese o desmayase, proveyeron que hubiese cuatro o cinco fuegos muy grandes puestos a trechos, y en cada uno de ellos nos calentaban. Desde que veían que habíamos tomado alguna fuerza y calor, nos llevaban hasta el otro tan aprisa, que casi los pies no nos dejaban poner en el suelo. De esta manera fuimos hasta sus casas, donde hallamos que tenían hecha una casa para nosotros, y muchos fuegos en ella. Desde a una hora que habíamos llegado, comenzaron a bailar y hacer grande fiesta (que duró toda la noche), aunque para nosotros no había placer, fiesta ni sueño, esperando cuándo nos habían de sacrificar. A la mañana nos tornaron a dar pescado y raíces, y hacer tan buen tratamiento, que nos aseguramos algo, y perdimos algo el miedo del sacrificio. *(Capítulo XII).*

De cómo nos huimos

Después de habernos mudado, desde a dos días nos encomendamos a Dios nuestro Señor y nos fuimos huyendo, confiando que, aunque era ya tarde y las tunas se acababan, con los frutos que quedarían en el campo podríamos andar buena parte de tierra. Yendo aquel día nuestro camino con harto temor que los indios nos habían de seguir, vimos unos humos, y yendo a ellos, después de vísperas llegamos allá, donde vimos un indio que, como vió que íbamos a él, huyó sin querernos aguardar. Nosotros enviamos al negro tras de él y como vió que iba solo, aguardólo. El negro le dijo que íbamos a buscar aquella gente que hacía aquellos humos. Él respondió que cerca de allí estaban las casas, y que nos guiaría allá; y así, lo fuimos siguiendo; y él corrió a dar aviso de cómo íbamos. A puesta del sol vimos las casas, y dos tiros de ballesta antes que llegásemos a ellas hallamos cuatro indios que nos esperaban, y nos recibieron bien. Dijímosles en lengua de mariames[2] que íbamos a buscarlos. Ellos mostraron que se holgaban con nuestra compañía; y así, nos llevaron a sus casas, y a Dorantes y al negro aposentaron en casa de un físico, y a mí y a Castillo en casa de otro. Estos tienen otra lengua y llámanse avavares,[3] y son aquellos que solían llevar los arcos a los nuestros e iban a contratar con ellos. Aunque son de otra nación y lengua, entienden la lengua de aquellos con quienes antes estábamos, y aquel mismo día habían llegado allí con sus casas. Luego el pueblo nos ofreció muchas tunas, porque ellos tenían noticia de nosotros y cómo curábamos, y de las maravillas que nuestro Señor con nosotros obraba, que, aunque no hubiera otras, harto grandes eran abrirnos caminos por tierra tan despoblada, y darnos gente por donde muchos tiempos no la había, y librarnos de tantos peligros, y no permitir que nos matasen, y sustentarnos con tanta hambre, y poner aquellas gentes en corazón que nos tratasen bien, como adelante diremos. *(Capítulo XX).*

De cómo curamos aquí unos dolientes

Aquella misma noche que llegamos vinieron unos indios a Castillo, y dijéronle que estaban muy malos de la cabeza, rogándole que los curase. Después que los hubo santiguado y encomendado a Dios, en aquel punto los indios dijeron que todo el mal se les había quitado; y fueron a sus casas y trajeron muchas tunas y un pedazo de carne de venado; cosa que no sabíamos qué cosa era. Como esto entre ellos se publicó, vinieron otros muchos enfermos en aquella noche a que los sanase. Cada uno traía un pedazo de venado; y tantos eran, que no sabíamos a dónde poner la carne. Dimos muchas gracias a Dios porque cada día iba creciendo su misericordia y mercedes. Después que se acabaron las curas comenzaron a bailar y hacer sus areitos[4] y fiestas, hasta otro día que el sol salió. Duró la fiesta tres días por haber nosotros venido, y al cabo de ellos les preguntamos por la tierra de adelante, y por la gente que en ella hallaríamos, y los mantenimientos que en ella había. Respondiéronnos que por toda aquella tierra había muchas tunas, mas que ya eran acabadas, y que ninguna gente había, porque todos eran idos a sus casas, con

2. nombre de una tribu de indios de la región. 3. idem. 4. cantos y danzas de los antiguos indios de las Antillas y de la América Central, que Cabeza de Vaca atribuye a estos indios. 5. yeros, fruto de una yerba de ese nombre. 6. Véase nota núm. 2.

haber ya cogido las tunas; y que la tierra era muy fría y en ella había muy pocos cueros. Nosotros viendo esto, que ya el invierno y tiempo frío entraba, acordamos de pasarlo con estos. A cabo de cinco días que allí habíamos llegado, se partieron a buscar otras tunas adonde había otra gente de otras naciones y lenguas. Andadas cinco jornadas con muy grande hambre, porque en el camino no había tunas ni otra fruta ninguna, allegamos a un río, donde asentamos nuestras casas. Después de asentadas, fuimos a buscar una fruta de unos árboles, que es como hieros[5]. Como por toda esta tierra no hay caminos, yo me detuve más en buscarla; la gente se volvió, y yo quedé solo, y viniendo a buscarlos aquella noche me perdí, y plugo a Dios que hallé un árbol ardiendo, y al fuego de él pasé aquel frío aquella noche. A la mañana yo me cargué de leña y tomé dos tizones, y volví a buscarlos, y anduve de esta manera cinco días, siempre con mi lumbre y carga de leña, porque si el fuego se me matase en parte donde no tuviese leña, como en muchas partes no la había, tuviese de hacer otros tizones y no me quedase sin lumbre, porque para el frío yo no tenía otro remedio, por andar desnudo como nací; y para las noches yo tenía este remedio, que me iba a las matas del monte, que estaba cerca de los ríos, y paraba en ellas antes que el sol se pusiese, y en la tierra hacía un hoyo y en él echaba mucha leña, que se cría en muchos árboles, de que por allí hay muy gran cantidad, y juntaba mucha leña de la que estaba caída y seca de los árboles, y al derredor de aquel hoyo hacía cuatro fuegos en cruz, y yo tenía cargo y cuidado de rehacer el fuego de rato en rato, y hacía unas gavillas de paja larga que por allí hay, con que me cubría en aquel hoyo, y de esta manera me amparaba del frío de las noches. Una de ellas el fuego cayó en la paja con que yo estaba cubierto, y estando yo durmiendo en el hoyo comenzó a arder muy recio, y por mucha prisa que yo me dí a salir, todavía saqué señal en los cabellos del peligro en que había estado. En todo este tiempo no comí bocado ni hallé cosa que pudiese comer; y como traía los pies descalzos, corrióme de ellos mucha sangre. Dios usó conmigo de misericordia, que en todo este tiempo no ventó el norte, porque de otra manera ningún remedio había de yo vivir. A cabo de cinco días llegué a una ribera de un río, donde yo hallé a mis indios, que ellos y los cristianos me contaban ya por muerto, y siempre creían que alguna víbora me había mordido. Todos hubieron gran placer de verme, principalmente los cristianos, y me dijeron que hasta entonces habían caminado con mucha hambre, que esta era la causa que no me habían buscado. Aquella noche me dieron las tunas que tenían, y otro día partimos de allí, y fuimos donde hallamos muchas tunas, con que todos satisficieron su gran hambre, y nosotros dimos muchas gracias a nuestro Señor porque nunca nos faltaba su remedio. *(Capítulo XXI)*.

Cómo otro día nos trajeron otros enfermos

Otro día de mañana vinieron allí muchos indios y traían cinco enfermos que estaban tullidos y muy malos, y venían en busca de Castillo que los curase. Cada uno de los enfermos ofreció sus arcos y flechas, y él los recibió, y a puesta del sol los santiguó y encomendó a Dios nuestro Señor, y todos le suplicamos con la mejor manera que podíamos les enviase salud, pues él veía que no había otro remedio para que aquella gente nos ayudase, y saliésemos de tan miserable vida [. . .] Y como por toda la tierra no se hablase sino de los misterios que Dios nuestro Señor con nosotros obraba, venían de muchas partes a buscarnos para que los curásemos. A cabo de dos días que allí llegaron, vinieron a nosotros unos indios de los susolas[6] y rogaron a Castillo que fuese a curar un herido y otros enfermos. Dijeron que entre ellos quedaba uno que estaba muy al cabo. Castillo era médico muy temeroso, principalmente cuando las curas eran muy temerosas y peligrosas, y creía que sus pecados habían de estorbar que no todas veces sucediese bien el curar. Los indios me dijeron que yo fuese a curarlos, porque ellos me querían bien [. . .] y así hube de irme con ellos, y fueron conmigo Dorantes y Estebanico. Cuando llegué cerca de los ranchos que ellos tenían, yo ví el enfermo que íbamos a curar que estaba muerto, porque estaba mucha gente al derredor de él llorando y su casa deshecha, que es señal que el dueño estaba muerto. Así, cuando yo llegué hallé el indio los ojos vueltos y sin ningún pulso, y con todas señales de muerto, según a mí me pareció, y lo mismo dijo Dorantes. Yo le quité una estera que tenía encima, con que estaba cubierto, y lo mejor que pude supliqué a nuestro Señor fuese servido de dar salud a aquel y a todos los otros que de ella tenían necesidad. Después de santiguado y soplado muchas veces, me trajeron su arco y me lo dieron, y una sera de tunas molidas, y lleváronme a curar otros muchos que estaban malos de modorra, y me dieron otras dos seras de tunas, las cuales dí a nuestros indios, que con nosotros habían venido. Hecho esto nos volvimos a nuestro aposento, y nuestros indios, a quienes dí las tunas, se quedaron allá; y a la noche se volvieron a sus casas, y dijeron que aquel que estaba muerto y yo había curado en presencia de ellos, se había levantado bueno y se había paseado, y comido y hablado con ellos, y que todos cuantos había curado quedaban sanos y muy alegres. Esto causó gran admiración y espanto, y en toda la tierra no se hablaba en otra cosa. [. . .] *(Capítulo XXII)*.

(De « Naufragios de Álvar Núñez Cabeza de Vaca, y relación de la jornada que hizo a la Florida con el adelantado Pánfilo de Narváez », en *Historiadores primitivos de Indias*, Madrid, Biblioteca de Autores Españoles, tomo 22, 1946)

La conquista del imperio azteca y de los territorios vecinos ya se había cumplido; y los conquistadores buscaron otro México. El Paraíso, el Dorado, la Ciudad de los Césares, el reino de las Amazonas, todo, en fin, lo que no encontraron en las campañas del norte, ahora, febrilmente, se buscaba al sur. Exploraciones marítimas habían tocado ya sus bordes (Vespucci, Magallanes, Solís, Caboto); pero fué después de 1530 cuando exploraciones terrestres abrieron el interior misterioso de la América del Sur a la visión geográfica de la época. Francisco Pizarro descubrió en el Perú — como Cortés en México — una estupenda civilización: la de los Incas. Y aparecieron nuevas riquezas de la tierra conquistada y nuevas crónicas de los conquistadores. Es posible que España no hubiera comprendido hasta entonces el valor de su propia empresa imperial. Pero las grandes riquezas que produjo la conquista del Perú y las crónicas que iban informando sobre la creciente extensión de las posesiones territoriales debieron de abrir los ojos de Carlos V: quizá empezara a sospechar que América era algo más que un obstáculo al viaje hacia Oriente. Los cronistas que más contribuyeron a formar una imagen de la historia del Incario fueron CIEZA DE LEÓN, AGUSTÍN DE ZÁRATE Y SARMIENTO DE GAMBOA. PEDRO CIEZA DE LEÓN (1520?-1554?), con su genio improvisador, describió en su *Crónica del Perú* las peleas intestinas de los españoles y en *Señorío de los Incas* se refirió al Imperio. Nos da el escenario de la civilización incásica y relata la historia y las costumbres de su pueblo.

Pedro Cieza de León

LA CRÓNICA DEL PERÚ

De la ciudad de Panamá y de su fundación, y por qué se trata de ella primero que de otra alguna

Antes de comenzar a tratar las cosas de este reino del Perú, quisiera dar noticia de lo que tengo entendido del origen y principio que tuvieron las gentes de estas Indias o Nuevo Mundo, especialmente los naturales del Perú, según ellos dicen que lo oyeron a sus antiguos, aunque ello es un secreto que sólo Dios puede saber lo cierto de ello. Mas, como mi intención

1. golfo en el fondo del de Darién. 2. corregimiento de Panamá, en la actual provincia de Colón. 3. enfermiza, capaz de ocasionar enfermedades: malsana. 4. granjas. 5. además de esto. 6. Uruto es un lugar del Perú, en el departamento de Huancavelica.

principal es, en esta primera parte, figurar la tierra del Perú y contar las fundaciones de las ciudades que en él hay, los ritos y ceremonias de los indios de este reino, dejaré su origen y principio (digo lo que ellos cuentan y podemos presumir) para la segunda parte, donde lo trataré copiosamente. Y pues, como digo, en esta parte he de tratar de la fundación de muchas ciudades, considero yo que si, en los tiempos antiguos, por haber Elisa Dido fundado a Cartago y dádole nombre y república, y Rómulo a Roma, y Alejandro a Alejandría, los cuales por razón de estas fundaciones hay de ellos perpetua memoria y fama, cuánto mas y con más razón se perpetuará en los siglos por venir la gloria y fama de Su Majestad. Pues en su real nombre se han fundado en este gran reino del Perú tantas ciudades y tan ricas, donde Su Majestad a las repúblicas ha dado leyes con que quieta y pacíficamente vivan. Y porque, antes de las ciudades que se poblaron y fundaron en el Perú, se fundó y pobló la ciudad de Panamá en la provincia de Tierra-Firme, llamada Castilla del Oro, comienzo por ella, aunque hay otras en este reino de más calidad. Pero hágolo porque al tiempo que él se comenzó a conquistar salieron de ella los capitanes que fueron a descubrir al Perú, y los primeros caballos y lenguas y otras cosas pertenecientes para las conquistas. Por esto hago principio en esta ciudad, y después entraré por el puerto de Uraba[1] que cae en la provincia de Cartagena, no muy lejos del gran río del Darién, donde daré razón de los pueblos de indios, y las ciudades de españoles que hay desde allí hasta la villa de Plata y asiento de Potosí, que son los fines del Perú por la parte del sur, donde a mi ver hay más de mil y doscientas leguas de camino; lo cual yo anduve todo por tierra, y traté, ví y supe las cosas que en esta historia trato; las cuales he mirado con grande estudio y diligencia, para escribir con aquella verdad que debo, sin mezcla de cosa siniestra. Digo pues que la ciudad de Panamá es fundada junto a la mar del Sur y diez y ocho leguas del Nombre de Dios,[2] que está poblado junto a la mar del Norte. Tiene poco circuito donde está situada, por causa de una palude o laguna que por la una parte la ciñe; la cual, por los malos vapores que de esta laguna salen, se tiene por enferma.[3] Está trazada y edificada de levante a poniente, en tal manera, que saliendo el sol no hay quien pueda andar por ninguna calle de ella, porque no hace sombra ninguna. Y esto siéntese tanto porque hace grandísimo calor, y porque el sol es tan enfermo, que si un hombre acostumbra andar por él, aunque no sea sino pocas horas, le dará tales enfermedades que muera; que así ha acontecido a muchos. Media legua de la mar había buenos sitios y sanos, y adonde pudieran al principio poblar esta ciudad. Mas, como las casas tienen gran precio, porque cuestan mucho a hacerse, aunque ven el notorio daño que todos reciben en vivir en tan mal sitio, no se ha mudado; y principalmente porque los antiguos conquistadores son ya todos muertos, y los vecinos que ahora hay son contratantes, y no piensan estar en ella más tiempo de cuanto puedan hacerse ricos; y así, idos unos, vienen otros; y pocos o ninguno miran por el bien público. Cerca de esta ciudad corre un río que nace de unas sierras. Tiene asimismo muchos términos y corren otros muchos ríos, donde en algunos de ellos tienen los españoles sus estancias y granjerías,[4] y han plantado muchas cosas de España, como son naranjos, cidras, higueras. Sin esto[5] hay otras frutas de la tierra, que son piñas olorosas y plátanos, muchos y buenos guayabas, caimitos, aguacates y otras frutas de las que suele haber de la misma tierra. Por los campos hay grandes hatos de vacas, porque la tierra es dispuesta para que se críen en ella. Los ríos llevan mucho oro; y así, luego que se fundó esta ciudad se sacó mucha cantidad. Es bien proveída de mantenimiento, por tener refresco de entrambas mares; digo de entrambas mares, entiéndase la del Norte, por donde vienen las naos de España a Nombre de Dios; y la mar del Sur, por donde se navega de Panamá a todos los puertos del Perú. En el término de esta ciudad no se da trigo ni cebada. Los señores de las estancias cogen mucho maíz, y del Perú y de España traen siempre harina. En todos los ríos hay pescado, y en la mar lo pescan bueno, aunque diferente de lo que se cría en la mar de España; por la costa, junto a las casas de la ciudad, hallan entre la arena unas almejas muy menudas que llaman chucha, de la cual hay gran cantidad; y creo yo que al principio de la población de esta ciudad, por causa de estas almejas se quedó la ciudad en aquesta parte poblada, porque con ellas estaban seguros de no pasar hambre los españoles. En los ríos hay gran cantidad de lagartos, que son tan grandes y fieros, que es admiración verlos; en el río del Cenu he yo visto muchos y muy grandes, y comido hartos huevos de los que ponen en las playas; un lagarto de estos hallamos en seco en el río que dicen de San Jorge, yendo a descubrir con el capitán Alonso de Cáceres las provincias de Urute,[6] tan grande y disforme, que tenía más de veinte y cinco pies en largo, y allí le matamos con las lanzas, y era cosa grande la braveza que tenía; y después de muerto lo comimos, con el hambre que llevábamos; es mala carne y de un olor muy enhastioso[7]; estos lagartos o caimanes han comido a muchos españoles y caballos e indios, pasando de una parte a otra, atravesando estos ríos. En el término de esta ciudad hay poca gente de los naturales, porque todos se han consumido por malos tratamientos que recibieron de los españoles, y con enfermedades que tuvieron. Toda la más de esta ciudad está poblada, como ya dije, de muchos y muy honrados mercaderes de todas partes; tratan en ella y en el Nombre de Dios; porque el trato es tan grande, que casi se puede comparar con la ciudad de Venecia; porque muchas veces acaece venir navíos por la mar del Sur a desembarcar a esta ciudad, cargados de oro y plata; y por la mar del Norte es muy grande el número de las flotas que allegan al Nombre de Dios, de las cuales gran parte de las mercaderías vienen a este reino por el río que llaman de Chagre,[8] en barcos, y del que está cinco leguas de Panamá los traen en grandes y muchas recuas que los mercaderes tienen para este efecto. Junto a la ciudad hace la mar un ancón[9] grande, donde cerca de él surgen las naos, y con la marea entran en el puerto, que es muy bueno para pequeños navíos. Esta ciudad de Panamá fundó y pobló Pedrarias de Ávila, gobernador que fué de Tierra-Firme en nombre del invictísimo césar don Cárlos Augusto, rey de España, nuestro señor, año del Señor de 1520; y está en casi ocho grados de la Equinoccial a la parte del norte; tiene un buen puerto, donde entran las naos con la menguante hasta quedar en seco. El flujo y reflujo de esta mar es grande, y mengua tanto, que queda la playa más de media legua descubierta del agua, y con la creciente se torna a henchir; y quedar tanto creo yo que lo causa tener poco fondo, pues quedan las naos de baja mar en tres brazas, y cuando la mar es crecida están en siete. Y pues en este capítulo he tratado de la ciudad de Panamá y de su asiento, en el siguiente diré los puertos y ríos que hay por la costa hasta llegar a Chile; porque será gran claridad para esta obra. *(Capítulo II)*.

De cómo, queriéndose volver cristiano un cacique comarcano de la villa de Ancerma, veía visiblemente a los demonios, que con espantos le querían quitar de su buen propósito

En el capítulo pasado escribí la manera cómo se volvió cristiano un indio en el pueblo de Lampaz; aquí diré otro extraño caso, para que los fieles glorifiquen al nombre de Dios, que tantas mercedes nos hace, y los malos e incrédulos teman y reconozcan las obras del Señor. Y es, que siendo gobernador de la provincia de Popayán el adelantado Belalcázar,[10] en la villa de Ancerma, donde era su teniente un Gómez Hernández, sucedió que a casi cuatro leguas de esta villa está un pueblo llamado Pirsa, y el señor natural de él, teniendo un hermano mancebo de buen parecer que se llama Tamaracunga, e inspirando Dios en él, deseaba volverse cristiano y quería venir al pueblo de los cristianos a recibir bautismo. Y los demonios, que no les debía agradar el tal deseo, pesándoles de perder lo que tenían por tan ganado, espantaban a este Tamaracunga de tal manera, que lo asombraban, y permitiéndolo Dios, los demonios, en figura de unas aves hediondas llamadas auras,[11] se ponían donde el Cacique sólo las podía ver; el cual, como se sintió tan perseguido del demonio, envió a toda prisa a llamar a un cristiano que estaba cerca de allí; el cual fué luego donde estaba el Cacique, y sabida su intención, lo signó con la señal de la cruz, y los demonios lo espantaban más que primero, viéndolos solamente el indio en figuras horribles. El cristiano veía que caían piedras por el aire y silbaban; y viniendo del pueblo de los cristianos un hermano de un Juan Pacheco [. . .] se juntó con el otro, y veían que el Tamaracunga estaba muy desmayado y maltratado de los demonios; tanto, que en presencia de los cristianos lo traían por el aire de una parte a otra, y él quejándose, y los demonios silbaban y daban alaridos. Y algunas veces estando el Cacique sentado y teniendo delante un vaso para beber, veían los dos cristianos cómo se alzaba el vaso con el vino en el aire y desde a un poco aparecía sin el vino, y al cabo de un rato veían caer el vino en el vaso, y el Cacique tapábase con mantas

7. enfadoso. 8. río de Panamá que desagua en el mar Caribe. 9. ensenada. 10. Sebastián de Benalcázar (1495-1551), conquistador español. Estuvo con Pizarro en el Perú, y fundó la ciudad de Quito. Tomó parte, con Jiménez de Quesada y Nicolás Federmann, en la conquista del Nuevo Reino de Granada. Fundó también la ciudad de Guyaquil. 11. aves de rapiña, que se alimentan de carnes muertas. 12. ornamento sagrado que se usa en los ritos cristianos. Es una banda estrecha de seda que se cuelga del cuello del sacerdote.

el rostro y todo el cuerpo por no ver las malas visiones que tenía delante; y estando así, sin tirarse [la] ropa ni destapar la cara, le ponían barro en la boca, como que lo querían ahogar.

En fin, los dos cristianos, que nunca dejaban de rezar, acordaron de volverse a la villa y llevar al Cacique para que luego se bautizase, y vinieron con ellos y con el Cacique pasados de doscientos indios [. . .]. Yendo con los cristianos, llegaron a unos malos pasos donde los demonios tomaron al indio por el aire para despeñarlo, y él daba voces diciendo: « Váleme, cristianos, váleme »; los cuales luego fueron a él y le tomaron en medio, y los indios ninguno osaba hablar, cuanto más ayudar a éste [. . .]. Como los dos cristianos viesen que no era Dios servido de que los demonios dejasen a aquel indio, y que por los riscos lo querían despeñar, tomáronlo en medio, y atando una cuerda a los cintos, rezando y pidiendo a Dios los oyese, caminaron con el indio en medio, de la manera ya dicha, llevando tres cruces en las manos, pero todavía los derribaron algunas veces, y con trabajo grande llegaron a una subida, donde se vieron en mayor aprieto. Y como estuviesen cerca de la villa, enviaron a Juan Pacheco un indio para que viniese a socorrerlos, el cual fué luego allá, y como se juntó con ellos, los demonios arrojaban piedras por los aires, y de esta suerte llegaron a la villa, y se fueron derechos con el Cacique a las casas de este Juan Pacheco, donde se juntaron todos los más de los cristianos que estaban en el pueblo, y todos veían caer piedras pequeñas de lo alto de la casa y oían silbos. Y como los indios cuando van a la guerra dicen: « Hu, hu, hu », así oían que lo decían los demonios muy deprisa y recio.

Todos comenzaron a suplicar a nuestro Señor que, para gloria suya y salud del ánima de aquel infiel, no permitiese que los demonios tuviesen poder de matarlo; porque ellos por lo que andaban, según las palabras que el Cacique les oía, era porque no se volviese cristiano. Como tirasen muchas piedras, salieron para ir a la iglesia; en la cual, por ser de paja, no había Sacramento, y algunos cristianos dicen que oyeron pasos por la misma iglesia antes [de] que se abriese, y como la abrieron y entraron dentro, el indio Tamaracunga dicen que decía que veía los demonios con fieras cataduras, las cabezas abajo y los pies arriba. Y entrado un fraile llamado fray Juan de Santa María, de la orden de Nuestra Señora de la Merced, a bautizarle, los demonios en su presencia y de todos los cristianos, sin verlos más que sólo el indio, lo tomaron y lo tuvieron por el aire, poniéndolo como ellos estaban, la cabeza abajo y los pies arriba. Y los cristianos diciendo a grandes voces: « Jesucristo, Jesucristo sea con nosotros », y signándose con la cruz, arremetieron al indio y lo tomaron, poniéndole luego una estola,[12] y le echaron agua bendita; pero todavía se oían aullidos y silbidos dentro en la iglesia, y Tamaracunga los veía visiblemente, y fueron a él y le dieron tantos bofetones, que le arrojaron lejos de allí un sombrero que tenía puesto en los ojos por no verlos, y en el rostro le echaban saliva podrida y hedionda.

Todo esto pasó de noche, y venido el día, el fraile se vistió para decir misa, y en el punto que se comenzó, en aquel no se oyó cosa ninguna, ni los demonios osaron pasar ni el cacique recibió más daño. [Cuando] la misa santísima se acabó, el Tamaracunga pidió por su boca agua del bautismo, y luego hizo lo mismo su mujer e hijo, y después de ya bautizado dijo que, pues ya era cristiano, que lo dejasen andar solo para ver si los demonios tenían poder sobre él. Los cristianos lo dejaron ir, quedando todos rogando a nuestro Señor y suplicándole que para ensalzamiento de su sante fe, y para que los indios infieles se convirtiesen, no permitiese que el demonio tuviese más poder sobre aquel que ya era cristiano. Y en esto salió Tamaracunga con gran alegría diciendo: « Cristiano soy »; y alabando en su lengua a Dios, dió dos o tres vueltas por la iglesia, y no vió ni sintió más los demonios; antes fué a su casa alegre y contento, obrando el poder de Dios; y fué este caso tan notado en los indios, que muchos se volvieron cristianos y se volverán cada día. Esto pasó en el año de 1549. *(Capítulo CXVIII)*.

(De la *Crónica del Perú*, en *Historiadores primitivos de Indias*, Madrid, Biblioteca de Autores españoles, tomo 26, 1947)

La inquietud descubridora era tal que de pronto, en el valle donde hoy se levanta Bogotá, tropezaron tres expediciones salidas de puntos opuestos: las de Jiménez de Quesada, Benalcázar y Federmann. A esta región colombiana la leyenda de El Dorado atribuía fantásticas riquezas: un cacique — se decía — acostumbraba bañarse con el cuerpo desnudo cubierto con polvos de oro; le rodeaban tesoros mayores a los de México y del Perú. Había muchas otras leyendas: la fuente de la juventud eterna, la sierra de plata, la del país de la canela . . . Esta última atrajo a Orellana en su exploración del Amazonas. Cuando se desilusionaron de la canela, se ilusionaron con la leyenda de ciertas mujeres que vivían apartadas de los hombres: las amazonas. El cronista del viaje de Orellana fué FRAY GASPAR DE CARVAJAL (1504-1584). Su *Relación del nuevo descubrimiento del famoso río Grande de las Amazonas* cuenta sin adornos, sin énfasis, sus impresiones de 1541-1542. Esos escritos valen por la experiencia vivida, real, directa, fiel, no por su estilo. Y, como observó Gonzalo Fernández de Oviedo, el fraile Carvajal « debe ser creído en virtud de aquellos dos flechazos, de los cuales el uno le quitó o quebró el ojo. » Títulos honoríficos de esa literatura, pues, son el hecho de que los ojos estén allí, mirando la realidad que se describe, flechados por esa misma realidad. Carvajal es un observador realista. Pero el mito de las amazonas era tan obsesionante que Carvajal cree que son amazonas esas mujeres que pelean junto con sus hombres y las describe como capitanes de « la buena tierra y señorío de las Amazonas. » Nos dejó observaciones sobre el carácter de los indios, en la paz y en la guerra, con sus instrumentos musicales y bailes y también con sus armas y piraguas.

Fray Gaspar de Carvajal

DESCUBRIMIENTO DEL RÍO GRANDE DE LAS AMAZONAS

« *La buena tierra y señorío de las Amazonas* »

De esta manera íbamos caminando, buscando algún apacible asiento para festejar y regocijar la fiesta del glorioso y bienaventurado San Juan Bautista,[1] y quiso Dios que en doblando una punta que el río hacía, vimos la costa adelante muchos y muy grandes pueblos que estaban blanqueando. Aquí dimos de golpe en la buena tierra y señorío de las amazonas. Estos pueblos estaban avisados y sabían de nuestra ida, de cuya causa nos salieron a recibir al camino por el agua no con buena intención. Y como llegaron cerca, el capitán quisiera traerlos de paz y así los comenzó a llamar y hablar, pero ellos se reían y hacían burla de nosotros y se nos acercaban y nos decían que anduviésemos, que allí abajo nos aguardaban y que allí nos habían de tomar a todos y llevarnos a las amazonas. Y con esto se fueron a dar la nueva de lo que habían visto. Nosotros no dejamos de caminar y acercar a los pueblos y antes que llegásemos, como a media legua, había por la lengua del agua a trechos muchos escuadrones de indios, y como nosotros íbamos andando, ellos se iban acercando y juntando a sus poblaciones. Estaba en medio de este pueblo muy gran copia de gente hecho un escuadrón. El capitán mandó que fuesen los bergantines a cabordar[2] donde estaba aquella gente para buscar comida y así fué que, comenzándonos a llegar a tierra, los indios comienzan a defender su pueblo y a flecharnos, y como la gente era mucha, parecía que llovía flechas, pero, aunque con algunos tiros de los arcabuces y ballestas se les hacía algún daño, andaban unos peleando y otros bailando. Aquí estuvimos en

1. San Juan Bautista: el 24 de junio. 2. abordar, atracar a la orilla.

poco de perdernos todos, porque como había tantas flechas, nuestros compañeros tenían harto que hacer en ampararse de ellas sin poder remar, a causa de lo cual nos hicieron daño, que antes que saltásemos en tierra nos hirieron a cinco, de los cuales yo fuí uno, que me dieron un flechazo por una ijada que me llegó a lo hueco, y si no fuera por los hábitos, allí quedara. [. . .] Quiero que sepan cuál fué la causa por donde estos indios se defendían de tal manera. Han de saber que ellos son sujetos y tributarios a las amazonas y, sabida nuestra venida, les van a pedir socorro y vinieron hasta diez o doce, que éstas vimos nosotros, que andaban peleando delante de todos los indios, como por capitanes, y peleaban ellas tan animosamente que los indios no osaban volver las espaldas, y al que las volvía, delante de nosotros le mataban a palos, y ésta es la causa por donde los indios se defendían tanto. Estas mujeres son muy altas y blancas y tienen el cabello muy largo y entrenzado y revuelto a la cabeza: son muy membrudas, andaban desnudas en cueros y tapadas sus vergüenzas, con sus arcos y flechas en las manos, haciendo tanta guerra como diez indios, y en verdad que hubo muchas de éstas que metieron un palmo de flecha por uno de los bergantines y otras menos, que parecían nuestros bergantines puerco espín [. . .]

En este asiento ya dicho, el capitán tomó al indio que se había tomado arriba, porque ya lo entendía por un vocabulario que había hecho, y le preguntó de dónde era natural, y el indio dijo que de aquel pueblo donde le habían tomado. [. . .] El capitán le tornó a preguntar qué mujeres eran aquellas que nos habían salido a dar guerra, y el indio dijo que eran unas mujeres que residían la tierra adentro cuatro o cinco jornadas de la costa del río. [. . .] El capitán le tornó a preguntar que si estas mujeres eran casadas y tenían marido; el indio dijo que no. El capitán le tornó a preguntar que de qué manera vivían; el indio dijo que, como dicho había, estaban la tierra adentro y que él había estado allá muchas veces y había visto su trato y vivienda, que, como su vasallo, iba a llevar el tributo cuando el señor lo enviaba. El capitán preguntó que si estas mujeres eran muchas; el indio dijo que sí y que él sabía por nombre setenta pueblos y que en algunos había estado, y contólos delante de los que allí estábamos. El capitán le dijo que si estos pueblos eran de paja; el indio dijo que no, sino de piedra y con sus puertas, y que de un pueblo a otro iban caminos cercados de una parte y de otra y a trechos por ellos puertas donde estaban guardas para cobrar derechos de los que entran. El capitán le preguntó que si estos pueblos eran muy grandes; el indio dijo que sí. Y el capitán le preguntó que si estas mujeres parían; él dijo que sí, y el capitán dijo que cómo, no siendo casadas ni residiendo hombres entre ellas, se preñaban; el indio respondió que estas mujeres participaban con hombres a ciertos tiempos y que cuando les viene aquella gana, de una cierta provincia que confina junto a ellas, de un muy gran señor, que son blancos, excepto que no tienen barbas, vienen a tener parte con ellas, y el capitán no pudo entender si venían de su voluntad o por guerra, y que están con ellas cierto tiempo y después se van. Las que quedan preñadas, si paren hijo dicen que lo matan o lo envían a sus padres, y si hembra que la crían con muy gran regocijo, y dicen que todas estas mujeres tienen una por señora principal a quien obedecen, que se llama Coroni.

(De *Relación del nuevo descubrimiento del Río Grande de las Amazonas*. México, Biblioteca Americana, 1955)

Literatura renacentista. Si en las crónicas y en el teatro misionero hemos notado rasgos medievales, hubo otras actividades que acentuaron lo renacentista. Actividades no siempre literarias, pero inspiradas en libros, como la Utopía que intenta Vasco de Quiroga (1470-1565) en México, reflejo de la *Utopía* de Thomas More. Utópico fué, en cierta medida, el erasmismo, que tocó unas pocas cabezas en el Nuevo Mundo. Pero también hubo actividades puramente literarias. Las pocas letras que se tuvieran ya bastaban para escribir. Era casi un impulso colectivo. Conservamos nombres de escritores, si bien se ha perdido casi todo lo que escribieron. Lázaro Bejarano debió de ser de los primeros en traer a América, en 1535, los versos al itálico modo. Antes se componían versos octosílabos, hexasílabos y de arte mayor.

JUAN DE CASTELLANOS (1522-1607) llegó a América todavía adolescente, y en América se hizo humanista y escritor. Estaba ya compenetrado con el espíritu del Renacimiento, y en sus discusiones con Jiménez de Quesada sobre la versificación castellana tomó partido por los nuevos metros de la escuela itálica. Sus nada elegíacas *Elegías de varones ilustres de Indias* (1589) constituyen uno de los poemas más largos que se hayan escrito en el mundo; y, desde luego, el mayor en la lengua castellana. Arrancó desde el Descubrimiento (así, fueron los suyos los primeros versos dedicados a Colón). Castellanos escribió en la ancianidad, y con segura memoria, acerca de todo lo vivido desde Puerto Rico hasta Colombia en los diferentes tonos vitales de monaguillo, pescador de perlas, soldado, aventurero, gozador de indias y párroco. Si el lector es capaz de oír esos versos como quien oye llover, puede ocurrirle que, desatendida toda la armazón retórica, se le aparezca, animada y hasta colorida, una masa narrativa de innumerables episodios. Y en lo que Castellanos cuenta quizá advierta un amor a la tierra americana, una actitud criolla y realista que merecen nuestra simpatía.

Juan de Castellanos

ELEGÍAS DE VARONES ILUSTRES DE INDIAS

EL MORTAL ESPAÑOL

[. . .] Sufriendo pues aquestos naturales
no pocas sinrazones insufribles,
callaban por hallarse desiguales
en armas aceradas y terribles;
piensan que son los nuestros inmortales,
y que también serían invencibles;
deseaban saber lo cierto de esto
debajo de dañado presupuesto.

Quería ya pasar onceno año
con el millar y medio que se saca [1511],
cuando por remediar su grave daño
hicieron indios junta muy bellaca,[1]
do tomó cargo de este desengaño
Urayoán, cacique de Yaguaca,
jurando no cesar con pies ni manos
hasta saber si mueren los cristianos.

Estando con intento tan acedo[2]
a sus promesas esperando lance,
pasó por allí Diego de Salcedo
sin gente que le fuesen a su alcance;
Urayoán se le mostraba ledo,
sin muestra ni señal del duro trance,
haciéndole cumplida cortesía,
y dióle para ir gran compañía.

Partióse con los indios advertidos
el que sin advertencia sale fuera;
mostráronsele todos comedidos
al tiempo de pasar una ribera;
el cual por no mojarse los vestidos
sobre sus hombros va, que no debiera,
porque por ellos fué precipitado
en lo más peligroso de este vado.

Viéndolo vacilar en ese punto,
de más de dos o tres que esto hicieron,

1. en el sentido de sagaz, astuta. 2. agrio, áspero, desapacible. 3. Hemos de recordar que Sir Francis Drake (1540-1596), el famoso marino inglés, se hizo célebre por sus incursiones en las islas y tierra firme del Nuevo Mundo, y su nombre infundía terror en sus habitantes. 4. de Febo, el Sol. 5. río de la isla de Santo Domingo, que desemboca en la bahía de la capital. 6. cordel usado en marinería para asegurar cierto palo. 7. Apolo. Latona fué madre de Apolo y de Artemisa, a los que tuvo de Júpiter.

el golpe de los indios vino junto,
y una hora sumergido lo tuvieron,
hasta que conocieron ser difunto
y por hombre mortal lo conocieron,
aunque no lo tenían por tan cierto
que creyesen estar del todo muerto.

Y aun esperáronlo tercero día
por esperar al fin cuerpo ahogado,
hablábanle con grande cortesía
pidiéndole perdón de lo pasado,
hasta tanto que el cuerpo mal olía;
y cada cual quedó certificado
que no podía ser caso fingido
disimular un cuerpo corrompido.

Hecha de esta manera larga prueba
de que los españoles son mortales,
al vil Urayoán llegó la nueva
de parte de los indios desleales;
al mal Agueibaná también se lleva
y a los demás caciques principales;
convócanse los grandes de la tierra,
para hacer de veras esta guerra. [. . .]

(Fragmento del *Canto segundo de la Elejía VI*, « donde se trata la gran rebelión de los indios borinquenes, y cosas que pasaron durante la guerra »)

EL CAPITÁN FRANCIS DRAKE[3]

[Después de nueve octavas en las que el autor narra la destrucción de la isla portuguesa de Cabo Verde por Francis Drake, continúa:]

[. . .] Desde que ya se hicieron a la vela,
a la Española van vía derecha;
llegó después en una carabela
un portugués que vió la maldad hecha;
supo de cierto para donde vuela
el peligroso tiro de la flecha,
y con celo de buen cristiano quiso
a los de la Española dar aviso.

Sin rehusar borrasca ni zozobra
que pudiera tener en la carrera,
abrevia por hacer la buena obra
en nave confiada de ligera;
para poder llegar tiempo le sobra,
pues tres días llevó de delantera
y a los de la ciudad con lengua presta
les hizo su venida manifiesta.

A grandes voces dice que navega
un corsario feroz, sanguinolento;
que se dispongan para la refriega,
si vida y honra quieren y sustento,
porque si no lo hacen, se les llega
su total perdición y asolamiento.
« Cristiano celo dice que os recuerde,
vista la destrucción de Cabo Verde. »

Tal hay que le responde con gran ceño
amagando con lo que no merece,
y tal que con aspecto de risueño
de sus consejos sanos escarnece;
el otro le pregunta si fué sueño
aquesta furia que les encarece;
otro le recontaban por donaire,
diciendo ser ficción y cosa de aire. [. . .]

Cuando febeos[4] carros asomaban
en aquel hemisferio por oriente
y en las ondas del mar reverberaban
los rayos de su luz resplandeciente,
los de la ciudad vieron que estaban,
donde Ozama[5] desagua su corriente,
tendidos gallardetes y banderas,
insignias de ser gentes forasteras.

Suena de las bastardas[6] gran estruendo.
ocurren los vecinos a mirarlos,
bordos a mar y tierra van haciendo
para los divertir y desvelarlos,
en el interin que el furor horrendo
por tierra llega para saltearlos,
y cuando sientan el asalto cierto
meterse luego por el mismo puerto.

Más tardó que pensaba la ladrona
hueste para llegar donde quería,
pues al tiempo que el hijo de Latona[7]
casi por el cenit se les ponía,
por uno que los vido se pregona
el ímpetu de guerra que venía;
crecen las repentinas confusiones,
tumultos, alborotos, turbaciones.

Pesados accidentes los fatigan
sin atinar a cosa que convenga;
faltan sanos consejos que se sigan
para que lo que cumple se prevenga;
no saben qué se hagan ni qué digan,
ni tienen prisa ni tardanza luenga,
atónitos, pasmados y suspensos,
mostrando su color miedos intensos. [. . .]

Vieron luego peones y jinetes
a las ocho banderas ordenadas,
que siguen ochocientos coseletes,
guarnidas las cabezas con celadas;
vienen arcabuceros y mosquetes
y picas y otras armas enastadas;
vista la multitud y la pujanza,
atrás se vuelve la jineta lanza.

Muro tenían, pero mal entero
con (el) que la ciudad está cercada,
pues la parte que llaman Matadero
dicen que de él está desamparada;
el escuadrón inglés allí frontero
reparó con temores de celada;
que para se salvar gente menuda
aquesta dilación fué gran ayuda.

Pues ya con voces daban grandes priesas
por las calles y por los cementerios,
que huyan si no quieren ser opresas
de más que miserables cautiverios.
Huyen por las montañas las profesas
monjas de los sagrados monasterios,
sin velo, descubiertas las gargantas
y por espinas duras, blancas plantas.

Puestas en este trance riguroso,
atónitas, sin orden y turbadas,
dan tácitos clamores al Esposo
a quien ellas estaban consagradas;
sienten aquel gemido doloroso
las entrañas no menos lastimadas
de las honestas dueñas y doncellas
que con el mismo miedo van tras ellas.

Porque también huía la casada
sin esperar chapín, toca ni manto;
una descalza y otra destocada,
pero ninguna de ellas sin espanto;
va la recién parida y la preñada
acompañándolas acerbo llanto,
la voz supresa, por las espesuras
pues allí no pensaban ser seguras.

Sus galas, sus arreos, su decoro
dentro de sus moradas se les queda;
ropas con ricas bordaduras de oro,
vajillas y gran suma de moneda;
no dan las turbaciones de este lloro
a mano cosa que sacarse pueda;
que por huir de tan cruel canalla
salía cada cual como se halla.

Con manuales ropas se adereza
el roseo color ya como gualdas;[8]
una se ve caer y otra tropieza
con el impedimento de las faldas.
Oh, ¡cuántas veces vuelven la cabeza
pensando que ya van a sus espaldas,
y cuántas veces con mortal semblante
ruegan que esperen las que van delante!

Oh, ¡cuántas veces en aquella hora,
amedrentadas del furor insano,
la madre cuyo tierno niño llora
le tapaba la boca con la mano!
Y como mejor puede, lo mejora
no con canto sonoro ni lozano,
sino con unas lástimas extrañas
que rompieran las más duras entrañas.

« Cierra tu boca, pues (que) ves abierta
la mía sin concierto ni gobierno,
si no quieres que sea descubierta
por aquestos ministros del infierno,
que si los veo yo, quedaré muerta
y tú privado del amor materno;
básteme verme pobre y afligida,
y no sé si tu padre tiene vida. » [. . .]

Y cuando tales cosas van diciendo
de lástimas medidas a sus talles,
aumenta su dolor el son horrendo
de balas que batían ya las calles,
cuyos bramidos y mortal estruendo
retumban por cavernas y por valles;
los apolíneos[9] rayos no parecen,
que los violentos humos oscurecen.

Porque como los suyos viese junto
de la ciudad aquel que los envía,
y reparar allí, tuvo barrunto
que fuerza militar los detenía;
y así, mandó surgir y en ese punto
dando desde la mar combatería,
la parda bala gruesa retonante
pasa de la ciudad muy adelante.

Y aquellas que caían más cercanas,
rebramando con tiros más estrechos,

8. amarillos. La gualda es una yerba que da flores amarillas.
9. de Apolo, el Sol.

derriban capiteles y ventanas,
abaten las alturas de los techos,
almenas de las torres hacen llamas,
ensanchan los lugares más estrechos,
los altos edificios arruínan
y a los habitadores desatinan.

Este no sale de atemorizado,
aquél no ve cuál es mejor guarida,
y el miserable Bachiller Tostado,
a punto puesto para la huïda,
una bala le dió por un costado,
con que huyó de la presente vida:
sin más hablar allí quedó tendido,
cerrándole los ojos el olvido. [. . .]

(Fragmento del « Discurso del Capitán Francisco Drake », en la Tercera parte de las *Elejías de varones ilustres de Indias*, Edición de la « Editorial Sur-América » Caracas, 1932)

A México llegaron escritores españoles, como GUTIERRE DE CETINA. Sus contribuciones a América son insignificantes: apenas aludió dos veces a las nuevas tierras. Si, como se dice, escribió en México una obra teatral, se ha perdido, y si dejó rastro fué el de la importación del endecasílabo italiano. Acaso fué Gutierre de Cetina, huésped de México, quien enseñó al mexicano FRANCISCO DE TERRAZAS (1525?-1600?) con las melodías italianas. Escribió Terrazas buenos sonetos « al itálico modo », una epístola amatoria en tercetos y un inconcluso poema sobre el *Nuevo Mundo y conquista*, demasiado blando para su tema épico, que abre el ciclo cortesiano de la conquista de México.

Francisco de Terrazas

SONETO

Dejad las hebras de oro ensortijado
que el ánima me tienen enlazada,
y volved a la nieve no pisada
lo blanco de esas rosas matizado.

Dejad las perlas y el coral preciado
de que esa boca está tan adornada;
y al cielo — de quien sois tan envidiada —
volved los soles que le habéis robado.

La gracia y discreción que muestra ha sido
del gran saber del celestial maestro,
volvédselo a la angélica natura;

y todo aquesto así restituído,
veréis que lo que os queda es propio vuestro:
ser áspera, crüel, ingrata y dura.

(En *Poetas novohispanos*, México, 1942)

En México, en el mismo círculo de poesía culta en que se movía Terrazas, hay que poner a Antonio de Saavedra Guzmán (nació antes de 1570). Su poema épico *El Peregrino Indiano* (1599) continuó el ciclo de la conquista de México, abierto por Terrazas. Es una especie de diario rimado de las operaciones militares de Hernán Cortés, desde su partida de Cuba hasta la conquista de la ciudad de México. Pero el tono épico a veces se dulcifica con la retórica del amor, según se podrá apreciar en las octavas que siguen.

Antonio de Saavedra Guzmán

TIRANO AMOR . . .

Tirano Amor, crüel, dí ¿qué pretendes
mostrando tu furor en un rendido,
pues con tanto rigor mi vida ofendes
con tu liga y veneno enfurecido?
¡Cuán poco a poco atormentarme entiendes,
seguro que en tu red me ves metido!
Mas, ¡ay! que ya la acerba y viva llama
el cuerpo, el corazón, el alma inflama.

¡Oh Amor, quién tus engaños alcanzase
y quién tus varios fines entendiese,
para que de tus daños escapase
y tus fueros injustos previniese!
¡Quién tu rigor y fuerza contrastase
y tu furiosa flecha resistiese,
defendiendo el furor de aquesas manos
y tus redes y lazos inhumanos!

¡Oh hiel envuelta en miel emponzoñada,
oh tósigo mortal, oh dulce muerte,
oh mal de muerte, oh muerte regalada
y dicha que en desdicha se convierte!
¡Oh vida de la vida desastrada,
oh inquietud de la felice suerte,
oh brasa envuelta en hielo, oh vario efecto,
confusión del estado más perfecto!

¡Traidor, pérfido, espera! No me aquejes,
pues me ves justamente entretenido:
razón será que un solo punto dejes
libres mi entendimiento y mi sentido;
suspenso quedaré, hasta que alejes
tu mano, que tan fiera me ha herido:
no es justo, injusto Amor, que me persigas
en tal tiempo con ansias y fatigas.

(De *El peregrino indiano,* [1599] Canto XVIII. En « Poetas novohispanos », México, 1942)

NOTICIA COMPLEMENTARIA

Dijimos que dos géneros de actividad artística son los que, al primer contacto con la nueva realidad americana, adquirieron fuerza creadora, si bien reteniendo una apariencia arcaizante, medieval: la crónica y el teatro. Ya examinamos la crónica. Sobre el teatro sólo hay referencias indirectas. Los conquistadores celebraban las fiestas a su modo: autos sacramentales, loas, entremeses, mojigangas, etc. Muchas piezas eran de procedencia peninsular. Pero el teatro misionero para catequizar espectacularmente a los indios debió de haber sido originalísimo. Con el propósito de propagar la fe cristiana los misioneros adaptaron a las formas teatrales de la Edad Media el incipiente arte dramático de los indios: fiestas florales o « mitotes », ceremonias rituales, cantos, danzas, pantomimas, improvisaciones cómicas que imitaban movimientos de animales o de humanos contrahechos, etc. La Iglesia daba sentido teológico a esos espectáculos a veces preparados en lenguas indígenas. Los cronistas españoles abundan en noticias sobre ese teatro, desde 1535 en adelante; entre ellos Motolinía nos ha dejado una graciosa descripción del auto de la caída de Adán y Eva, representado por los indios en su propia lengua (Tlaxcala, 1538). La combinación de naturaleza y escenografía es impresionante. A veces es tanta la gente, que se desploma el tablado. El espectáculo suele terminar con el bautizo de grandes masas de indios. Las necesidades de este tipo de representación influyen en la arquitectura mexicana de las « capillas abiertas », especie de teatro al aire libre con capacidad para el inmenso público. El espectáculo era tan populoso que desbordaba del atrio de la Iglesia y salía por las calles. Eran escenas de historia sacra o de alegorías sacras, con incidentes cómicos y aun con desfiles militares. En el área incásica también hubo fiestas así. En Lima desde 1546, en Potosí desde 1555 se representaban piezas teatrales, unas en quechua, otras en castellano.

La mezcla de lo indio con lo español produjo, pues, un original tipo dramático. El público no era mero público: participaba del espectáculo con danzas y simulacros. Desgraciadamente el teatro misionero languideció y desapareció en la segunda mitad del siglo XVI. La Iglesia misma lo ahogó, al depurarlo de su profanidad inicial.

II

1556-1598

MARCO HISTÓRICO: *Colonización bajo Felipe II. Se quiebra el poder imperial español y el empuje de la conquista empieza a perder su vitalidad. Se consolidan, entretanto, las instituciones.*

TENDENCIAS CULTURALES: *Segundo Renacimiento y Contrarreforma. La crónica se orienta también hacia el verso. Poesía tradicional e italianizante. Teatro de molde europeo.*

P. JOSÉ DE ACOSTA
JUAN SUÁREZ DE PERALTA
RUY DÍAZ DE GUZMÁN
ALONSO DE ERCILLA Y ZÚÑIGA
INCA GARCILASO DE LA VEGA

España se cierra sobre sí misma, se incorpora las formas poéticas antes importadas y busca fórmulas nacionales: es el período del segundo Renacimiento y de la Contrarreforma. En las colonias se vive de prestado. Es natural. Y el préstamo es grande. Mucho mayor del que se ha creído porque, a pesar de las manifiestas prohibiciones de reyes e inquisidores, los libros de imaginación circularon por el Nuevo Mundo con asombrosa abundancia: poetas latinos, italianos, españoles; novelas caballerescas, pastoriles, picarescas, sentimentales; comedias; escritos erasmistas; historias, leyendas, alegorías, amenidades didácticas . . .

Los escritores que mencionamos en el capítulo anterior fueron casi todos españoles. Unos vinieron educados literariamente, a otros les nació la vocación en América, pero todos tenían un alma española, plegada a las formas culturales europeas. En este segundo capítulo veremos mestizos que escriben, y sus almas — enriquecidas por la visión de dos mundos históricos — empiezan a revelarnos experiencias de una sociedad nueva que Europa no conocía: la sociedad de marco occidental pero con vivas tradiciones indígenas. Algunos escriben en lenguas indígenas, y escapan a esta antología. Entre los que lo hacen en español hay acentos de protesta o de amor a las propias tradiciones. Sin embargo, la afición literaria de mestizos e indios nacía del ejemplo de los europeos, pues las rudimentarias manifestaciones artísticas de los pueblos indígenas no tuvieron prestigio formal.

Cronistas. Un nuevo grupo de conquistadores y misioneros produjo un nuevo grupo de crónicas. Algunas de ellas repitieron cosas ya escritas o, a lo más, a lo ya conocido añadieron noticias recientes; otras observaron por primera vez regiones últimamente conquistadas. Algunas crónicas son de pobre estilo, útiles sólo para el historiador; otras, de alto vuelo. En general, hubo más conciencia artística, es decir, literatura; y, en efecto, algunas crónicas se incorporan a la mejor literatura de la época, sea en prosa, como la del Inca Garcilaso, sea en verso, como la de Alonso de Ercilla.

Puesto que tales crónicas surgieron a lo largo de las rutas de América, vamos a examinarlas siguiendo esas mismas rutas: México, el Perú, Río de la Plata, Chile ... Pero antes apartemos aquí, porque ni por su carácter ni por su geografía puede clasificarse con los demás cronistas, al padre JOSÉ DE ACOSTA (1539-1616). « Dejarme he de ir por el hilo de la razón, aunque sea delgado — decía —, hasta que del todo se me desaparezca de los ojos. » Place, en un jesuíta de la Contrarreforma, encontrar tanta curiosidad por las causas de la creación; y, sobre todo, tanta independencia de juicio ante las autoridades. Se rió de Aristóteles; y aun la autoridad de la Biblia está dispuesto a discutir, y la discute, al querer explicarse los problemas de la naturaleza americana. En 1590, al cumplirse el siglo del descubrimiento, se publicó su *Historia natural y moral de las Indias.* Pero no es una historia; o, mejor, no es lo histórico lo que allí vale más. Lo interesante de la *Historia* de Acosta es su actitud antihistórica. A fuerza de pensar en lo que ha visto, Acosta llega a no asombrarse de la diversidad del hombre en América. El indio no era tan distinto al europeo: se le ve la luz espiritual del hombre universal, hasta las costumbres conservadas de una cuna común. Por otra parte — agrega — « es notorio que aun en España y en Italia se hallan manadas de hombres, que si no es el gesto y figura, no tienen otra cosa de hombres. » La *Historia* de Acosta, como su título indica, es « natural » (los primeros cuatro libros) y « moral » (los tres libros restantes). En la primera parte se estudian los objetos de lo que hoy llamamos ciencias físicas y naturales. En la segunda parte se estudian los problemas de la cultura: religión, historia, política, educación, etc. Damos selecciones de ambas partes.

P. José de Acosta

HISTORIA NATURAL Y MORAL DE LAS INDIAS

Por qué razón no se puede averiguar bien el origen de los indios

Pero cosa es mejor de hacer desechar lo que es falso del origen de los indios, que determinar la verdad; porque ni hay escritura entre los indios ni memoriales[1] ciertos de sus primeros fundadores; y por otra parte, en los libros de los que usaron letras tampoco hay rastro del Nuevo Mundo, pues ni hombres ni tierra, ni aún cielo les pareció a muchos de los antiguos que había en estas partes, y así no puede escapar de ser tenido por hombre temerario y muy arrogante el que se atreviere a prometer lo cierto del primer origen de los indios y de los primeros hombres que poblaron las Indias. Mas así a bulto y por discreción podemos colegir de todo el discurso arriba hecho [en los capítulos anteriores ha estudiado el autor varios aspectos de la cuestión], que el linaje[2] de los hombres se vino pasando poco a poco hasta llegar al Nuevo Orbe, ayundando a esto la continuidad o vecindad de las tierras, y a tiempos alguna navegación, y que este fué el orden de venir y no hacer armada de propósito ni suceder algún grande naufragio. Aunque también pudo haber en parte algo de esto, porque siendo estas regiones larguísimas y

1. libro o cuaderno de apuntes. 2. raza. 3. organización y reglamentación interna de un Estado. 4. barbarie. 5. « en el mundo de acá. » Acosta estaba en España cuando escribió su libro. « Acá », pues, significa « el viejo mundo », en oposición a « allá », o sea « el nuevo mundo. » Téngase esto en cuenta para la comprensión del párrafo. 6. extraña, singular. 7. llamas.

habiendo en ellas innumerables naciones, bien podemos creer que unos de una suerte y otros de otra se vinieron en fin a poblar. Mas al fin, en lo que me resumo es que el continuarse la tierra de Indias con esas otras del mundo, a lo menos estar muy cercanas, ha sido la más principal y más verdadera razón de poblarse las Indias; y tengo para mí que el Nuevo Orbe e Indias Occidentales, no ha muchos millares de años que las habitan hombres, y que los primeros que entraron en ellas, más eran hombres salvajes y cazadores que gente de república y pulida; y que aquéllos aportaron el Nuevo Mundo por haberse perdido de su tierra o por hallarse estrechos y necesitados de buscar nueva tierra, y que hallándola, comenzaron poco a poco a poblarla, no teniendo más ley que un poco de luz natural, y esa muy oscurecida, y, cuando mucho, algunas costumbres que les quedaron de su patria primera. Aunque no es cosa increíble de pensar que aunque hubiesen salido de tierras de policía[3] y bien gobernadas, se les olvidase todo con el largo tiempo y poco uso; pues es notorio que aun en España y en Italia, se hallan manadas de hombres que si no es en el gesto y figura, no tienen otra cosa de hombres; así que por este camino vino a haber una barbaridad[4] infinita en el Nuevo Mundo. *(Libro primero, capítulo 24).*

Cómo sea posible haber en Indias animales que no hay en otra parte del mundo

Mayor dificultad hace averiguar qué principio tuvieron diversos animales que se hallan en Indias, y no se hallan en el mundo de acá.[5] Porque si allá los produjo el Creador, no hay para qué recurrir al Arca de Noé, ni aún hubiera para qué salvar entonces todas las especies de aves y animales, si habían de criarse después de nuevo; ni tampoco parece que con la creación de los seis días, dejara Dios el mundo acabado y perfecto, si restaban nuevas especies de animales por formar, mayormente animales perfectos, y de no menor excelencia que esos otros conocidos. Pues si decimos que todas estas especies de animales se conservaron en el Arca de Noé, síguese que [así] como esos otros animales fueron a Indias de este mundo de acá, así también éstos, que no se hallan en otras partes del mundo. Y siendo esto así, pregunto ¿cómo no quedó su especie de ellos por acá? ¿cómo sólo se halla donde es peregrina[6] y extranjera? Cierto es cuestión que me ha tenido perplejo mucho tiempo. Digo por ejemplo, si los carneros del Perú,[7] y los que llaman pacos y guanacos, no se hallan en otra región del mundo, ¿quién los llevó al Perú o cómo fueron, pues no quedó rastro de ellos en todo el mundo? Y si no fueron de otra región, ¿cómo se formaron y produjeron allí? ¿Por ventura hizo Dios nueva formación de animales? Lo que digo de estos guanacos y pacos, diré de mil diferencias de pájaros y aves, y animales del monte que jamás han sido conocidas ni de nombre ni de figura, ni hay memoria de ellos en latinos y griegos, ni en naciones ningunas de este mundo de acá. Si no es que digamos que aunque todos los animales salieron del arca, [. . .] por instinto natural y providencia del cielo, diversos géneros se fueron a diversas regiones, y en algunas de ellas se hallaron tan bien, que no quisieron salir de ellas, o si salieron, no se conservaron, o por tiempo vinieron a fenecer, como sucede en muchas cosas. Y si bien se mira esto, no es caso propio de Indias, sino general de muchas regiones y provincias de Asia, Europa y África, de las cuales se lee haber en ellas castas de animales que no se hallan en otras, y si se hallan, se sabe haber sido llevadas de allí. Pues como estos animales, salieron del arca, *verbi gratia*, elefantes, que sólo se hallan en la India Oriental, y de allá se han comunicado a otras partes, del mismo modo diremos de estos animales del Perú, y de los demás de Indias, que no se hallan en otra parte del mundo. También es de considerar si los tales animales difieren específica y esencialmente de todos los otros, o si es su diferencia accidental, que pudo ser causada de diversos accidentes, como en el linaje de los hombres ser unos blancos y otros negros; unos gigantes y otros enanos. Así *verbi gratia*, en el linaje de los simios, ser unos sin cola y otros con cola, y en el linaje de los carneros, ser unos rasos y otros lanudos; unos grandes y recios y de cuello muy largo como los del Perú; otros pequeños y de pocas fuerzas, y de cuellos cortos, como los de Castilla. Mas por decir lo más cierto, quien por esta vía de poner sólo diferencias accidentales pretendiere salvar la propagación de los animales de Indias y reducirlos a las de Europa, tomará carga, que mal podrá salir con ella. Porque si hemos de juzgar de las especies de los animales por sus propiedades, son tan diversas que quererlas reducir a especies conocidas de Europa, será llamar al huevo castaña. *(Libro cuarto, capítulo 36).*

Que es falsa la opinión de los que tienen a los indios por hombres faltos de entendimiento

Habiendo tratado lo que toca a la religión que usaban los indios, pretendo en este libro escribir de sus costumbres y policía y gobierno, para dos fines. El uno, deshacer la falsa opinión que comunmente se tiene de ellos, como de gente bruta, y bestial y sin entendimiento, o tan corto que apenas merece ese nombre. Del cual engaño se sigue hacerles muchos y muy notables agravios, sirviéndose de ellos poco menos que de animales y despreciando cualquier género de respeto que se les tenga. Que es tan vulgar y tan pernicioso engaño, como saben bien los que con algún celo y consideración han andado entre ellos, y visto y sabido sus secretos y avisos, y juntamente el poco caso que de todos ellos hacen los que piensan que saben mucho, que son de ordinario los más necios y más confiados de sí. Esta tan perjudicial opinión no veo medio con que pueda mejor deshacerse que con dar a entender el orden y modo de proceder que éstos tenían cuando vivían en su ley; en la cual, aunque tenían muchas cosas de bárbaros y sin fundamento, [. . .] había también otras muchas cosas dignas de admiración, por las cuales se deja bien comprender que tienen natural capacidad para ser bien enseñados, y aun en gran parte hacen ventaja a muchas de nuestras repúblicas. Y no es de maravillar que se mezclasen yerros graves, pues en los más estirados de los legisladores y filósofos se hallan, aunque entren Licurgo y Platón en ellos. Y en las más sabias repúblicas, como fueron la romana y la ateniense, vemos ignorancias dignas de risa, que cierto que si las repúblicas de los mexicanos y de los incas se refirieran en tiempo de romanos o griegos, fueran sus leyes y gobierno estimados. Mas como sin saber nada de esto entramos por la espada sin oirles ni entenderles, no nos parece que merecen reputación las cosas de los indios, sino como de caza habida en el monte y traída para nuestro servicio y antojo. Los hombres más curiosos y sabios que han penetrado y alcanzado sus secretos, su estilo y gobierno antiguo, muy de otra suerte los juzgan, maravillándose que hubiese tanto orden y razón entre ellos. De estos autores es uno Polo Ondegardo,[8] a quien comúnmente sigo en las cosas del Perú; y en las materias de México, Juan de Tovar,[9] prebendado que fué de la Iglesia de México y ahora es religioso de nuestra Compañía de Jesús; el cual, por orden del Virrey D. Martín Enríquez,[10] hizo diligente y copiosa averiguación de las historias antiguas de aquella nación, sin otros autores graves que por escrito o de palabra me han bastantemente informado de todo lo que voy refiriendo. El otro fin que puede conseguirse con la noticia de las leyes y costumbres, y policía de los indios, es ayudarlos y regirlos por ellas mismas, pues en lo que no contradicen la ley de Cristo y de su Santa Iglesia, deben ser gobernados conforme a sus fueros, que son como sus leyes municipales, por cuya ignorancia se han cometido yerros de no poca importancia, no sabiendo los que juzgan ni los que rigen por dónde han de juzgar y regir sus súbditos; que además de ser agravio y sinrazón que se les hace, es un gran daño, por tenernos aborrecidos como a hombres que en todo, así en lo bueno como en lo malo, les somos y hemos siempre sido contrarios. *(Libro sexto, capítulo 1).*

De los bailes y fiestas de los indios

Porque es parte de buen gobierno tener la república sus recreaciones y pasatiempos, cuando conviene, es bien digamos algo de los que cuanto a esto usaron los indios, mayormente los mexicanos. Ningún linaje de hombres que vivan en común se ha descubierto que no tenga su modo de entretenimiento y recreación, con juegos o bailes, o ejercicios de gusto. En el Perú ví un género de pelea, hecha en juego, que se encendía con tanta porfía de los bandos, que venía a ser bien peligrosa su « puella », que así lo llamaban. Ví también mil diferencias de danzas en que imitaban diversos oficios, como de ovejeros, labradores, de pescadores, de monteros; ordinariamente eran todas con sonido, y paso y compás, muy espacioso y flemático. Otras danzas había de enmascarados, que llaman « guacones », y las máscaras y su gesto eran del puro demonio. También danzaban unos hombres sobre los hombros de los otros, al modo que en Portugal

8. Polo Ondegardo (murió en 1575), jurista, autor de unas informaciones acerca de la religión y gobierno de los Incas. 9. Juan de Tovar (1543-1623), jesuita, autor de una crónica de México. 10. Martín Enríquez (siglo XVI) fué el cuarto virrey de Nueva España desde 1568 a 1580, y luego del Perú. 11. sepulcros de los antiguos indios, principalmente de Bolivia y del Perú, en que se encuentran a menudo objetos de valor. 12. pundonor.

llevan las « pelas », que ellos llaman. De estas danzas, la mayor parte era superstición y género de idolatría, porque así veneraban sus ídolos y guacas[11]; por lo cual han procurado los prelados evitarles lo más que pudieren semejantes danzas, aunque por ser mucha parte de ellas pura recreación, les dejan que todavía dancen y bailen a su modo. Tañen diversos instrumentos para estas danzas: unas como flautillas o canutillos; otros como atambores; otros como caracoles; lo más ordinario es en voz, cantar todos, yendo uno o dos diciendo sus poesías y acudiendo los demás a responder con el pie de la copla. Algunos de estos romances eran muy artificiosos, y contenían historia; otros eran llenos de superstición; otros eran puros disparates. Los nuestros, que andan entre ellos, han probado ponerles las cosas de nuestra santa fe en su modo de canto, y es cosa grande el provecho que se halla, porque con el gusto del canto y tonada, están días enteros oyendo y repitiendo sin cansarse. También han puesto en su lengua composiciones y tonadas nuestras, como de octavas, y canciones de romances, de redondillas, y es maravilla cuán bien las toman los indios, y cuánto gustan. Es cierto gran medio éste y muy necesario, para esta gente. En el Perú llamaban estos bailes, comúnmente « taqui »; en otras provincias de indios se llamaban « areytos » [en las Antillas]; en México se dicen « mitotes. » En ninguna parte hubo tanta curiosidad de juegos y bailes como en la Nueva España, donde hoy día se ven indios volteadores, que admiran, sobre una cuerda; otros sobre un palo alto derecho, puestos de pies, danzan y hacen mil mudanzas; otros con las plantas de los pies, y con las corvas, menean y echan en alto, y revuelven un tronco pesadísimo, que no parece cosa creíble, si no es viéndolo; hacen otras mil pruebas de gran sutileza, en trepar, saltar, voltear, llevar grandísimo peso, sufrir golpes, que bastan a quebrantar hierro, de todo lo cual se ven pruebas harto donosas. Mas el ejercicio de recreación más tenido de los mexicanos es el solemne mitote, que es un baile que tenían por tan autorizado, que entraban a veces en él los reyes. [. . .] Hacíase este baile o mitote de ordinario en los patios de los templos y de las casas reales, que eran los más espaciosos. Ponían en medio del patio dos instrumentos: uno de hechura de atambor, y otro de forma de barril, hecho de una pieza, hueco por dentro y puesto como sobre una figura de hombre o de animal, o de una columna. Estaban ambos templados de suerte que hacían entre sí buena consonancia. Hacían con ellos diversos sones, y eran muchos y varios los cantares; todos iban cantando y bailando al son, con tanto concierto, que no discrepaba el uno del otro, yendo todos a una, así en las voces como en el mover los pies con tal destreza, que era de ver. En estos bailes se hacían dos ruedas de gente: en medio, donde estaban los instrumentos, se ponían los ancianos y señores y gente más grave, y allí casi a pie quedo, bailaban y cantaban. Alrededor de éstos bien desviados, salían de dos en dos los demás, bailando en coro con más ligereza, y haciendo diversas mudanzas y ciertos saltos a propósito, y entre sí venían a hacer una rueda muy ancha y espaciosa. Sacaban en estos bailes las ropas más preciosas que tenían, y diversas joyas, según que cada uno podía. Tenían en esto gran punto,[12] y así desde niños se enseñaban a este género de danzas. Aunque muchas de estas danzas se hacían en honra de sus ídolos, pero no era eso de su institución, sino como está dicho, un género de recreación y regocijos para el pueblo, y así no es bien quitárselas a los indios, sino procurar no se mezcle superstición alguna. En Tepotzotlán, que es un pueblo siete leguas de México, ví hacer el baile o mitote que he dicho, en el patio de la iglesia, y me pareció bien ocupar y entretener los indios, días de fiestas, pues tienen necesidad de alguna recreación, y en aquella que es pública y sin perjuicio de nadie, hay menos inconvenientes que en otras que podrían hacer a sus solas, si les quitasen éstas. Y generalmente es digno de admitir que lo que se pudiere dejar a los indios de sus costumbres y usos (no habiendo mezcla de sus errores antiguos), es bien dejarlo, y, conforme al consejo de San Gregorio, Papa, procurar que sus fiestas y regocijos se encaminen al honor de Dios y de los santos cuyas fiestas celebran. [. . .] *(Libro sexto, capítulo 28).*

(De la *Historia Natural y Moral de las Indias,* México, Fondo de Cultura Económica, 1940)

De los cronistas mexicanos nacidos en estos años el más notable es JUAN SUÁREZ DE PERALTA (n. entre 1537 y 1545; m. después de 1590). Se advierte en él la molicie del señorito que disfruta de ventajas heredadas. Este criollo — que decía de sí mismo no tener sino « una poca de gramática, aunque mucha afición de leer historias y tratar con personas doctas » — fué uno de los primeros en escribir en México. Hacia 1589 escribió el *Tratado del descubrimiento de las Indias*, que es uno de los mejores cuadros de la vida criolla en la Nueva España del siglo XVI. De los cuarenta y cuatro capítulos, los primeros diecisiete se refieren al « origen y principios de las Indias e Indios » y a la conquista de México. Su idea del pasado indígena — no original, puesto que sigue a Sahagún, Durán, Motolinía y otros — interesa como una muestra de qué es lo que los primeros criollos creían tener detrás de sí, en la historia de su tierra. Los restantes veintisiete capítulos tratan de los años en que su familia se estableció en México. Su padre había sido un conquistador, cuñado de Hernán Cortés. Se conoce lo que Suárez vió y vivió porque, al contarlo, su estilo se hace visual y vivaz. La serie de episodios que remata en el ajusticiamiento de los Ávila, por ejemplo, no carece de vigor novelesco. Gustaba de las anécdotas y las condimentaba con ironía. Ya se advierte cómo el espíritu del hijo del conquistador es diferente al del conquistador; más: cómo el espíritu del criollo es diferente al del español. Suárez de Peralta está orgulloso de que no ha habido ni podrá haber hasta el día del juicio final « otro México y su tierra. » Puesto que ésa es su patria, la quisiera en permanente gala.

Juan Suárez de Peralta

TRATADO DEL DESCUBRIMIENTO Y CONQUISTA

[Para que el lector pueda comprender mejor el episodio que reproducimos daremos algunos antecedentes, que tomamos de los capítulos XXVIII-XXXI. En la primavera de 1563 llegó a México don Martín Cortés, segundo marqués del Valle. (El primer marqués del Valle había sido su padre, el conquistador Hernán Cortés). Los hijos de los conquistadores se alegraron tanto con su venida que empezaron a derrochar sus haciendas en grandes recibimientos y regalos. « Estábamos todos que de contentos no cabíamos. » « Con la llegada del marqués a México no se trataba de otra cosa si no era de fiestas y galas, y así las había más que jamás hubo. De aquí quedaron muchos empeñados, y los mercaderes hechos señores de las haciendas de todos los más caballeros, porque como se adeudaron y no podían pagar los plazos, daban las rentas, que creo hoy día hay empeñadas haciendas de aquel tiempo. Fué con grandísimo exceso el gasto que hubo en aquella sazón. » Se dió aviso al rey Felipe II y éste, poco conforme con la holgada posición en que vivían los conquistadores y sus hijos, ordenó al virrey de México, don Luis de Velasco, que en adelante suspendiese los derechos de la tercera generación — es decir, de los nietos de los compañeros de Hernán Cortés — a la posesión de los indios en encomiendas. Apenas se conoció esta orden, los descendientes de los conquistadores se agitaron y protestaron diciendo « que antes perderían las vidas que consentir tal, y verles quitar lo que sus padres habían ganado y dejar a sus hijos pobres. Sintiéronlo mucho, y como el demonio halló puerta abierta para hacer de las suyas, no faltó quien dijo: ¡Cuerpo de Dios! Nosotros somos gallinas; pues el rey nos quiere quitar el comer y las haciendas, quitémosle a él el reino, y alcémonos con la tierra y démosla al marqués, pues es suya, y su padre y los nuestros la ganaron a su costa, y no veamos esta lástima! »

Comenzó la conspiración. Entre los primeros conspiradores estaban los hermanos Alonso de Ávila y Gil González de Ávila. Ya hablaban de repartirse

1. magistrados. 2. Martín Cortés, segundo marqués del Valle. No se confunda con el otro Martín Cortés, hijo del Conquistador y de doña Marina. 3. sitio a la entrada de los pueblos y ciudades donde se exponía a los reos a la vergüenza pública. 4. letrero o cartel.

el poder y la tierra. Comunicaron el proyecto al marqués del Valle. Descubierto el plan, las autoridades, en nombre del rey, apresaron primero al marqués del Valle y en seguida a los hermanos Ávila, como se cuenta a continuación.]

Prisión de Alonso de Ávila y de su hermano

Diósele otro mandamiento a un caballero que se llamaba Manuel de Villegas, el cual era alcalde ordinario, para que fuera a prender a Alonso de Ávila Alvarado, y a su hermano Gil González; y fué a las casas de Alonso de Ávila, donde le halló, y a su hermano que acababa de venir de su pueblo, y aún no tenía quitadas las espuelas, que calzadas las llevó a la cárcel. A todos llevaban delante de los oidores,[1] y de allí los mandaban llevar a la prisión que habían de tener. Al marqués[2] le metieron en unos aposentos muy fuertes de la casa real y con muchas guardas, y a Alonso de Ávila y a su hermano en la cárcel de corte; a los hermanos en otra parte de las casas reales muy guardados y en prisiones; sólo el marqués no se le echaron, mas tuvo muchas guardas, y eran cuatro caballeros los que guardaban las puertas donde él estaba, que ni aun paje entraba donde le tenían. Vióse el pobre caballero muy afligido, y la tierra muy alborotada.

Sentencia contra los hermanos Alonso de Ávila y Gil González. — Notifican las sentencias

Al fin se hallaron testigos, y hecha la información y concluso el pleito y para sentenciarle, los sentenciaron a cortar las cabezas, y puestas en la picota,[3] y pérdida de todos sus bienes, y las casas sembradas de sal y derribadas por el suelo, y en medio un padrón[4] en él escrito con letras grandes su delito, y que aquél se estuviese para siempre jamás, que nadie fuese osado a quitarle ni borrarle letra so pena de muerte; y que el pregón dijese: « Ésta es la justicia que manda hacer Su Majestad y la real audiencia de México, en su nombre, a estos hombres, por traidores contra la corona real, etc. » Y así proseguía el pregón. Fuéronles a notificar la sentencia; ya se entenderá cómo se debió recibir. Dicen [que] Alonso de Ávila, en acabándosela de leer, se dió una palmada en la frente, y dijo:

— ¿Es posible esto?

Dijéronle:

— Sí, señor; y lo que conviene es que os pongáis bien con Dios y le supliquéis perdone vuestros pecados.

Y él respondió:

— ¿No hay otro remedio?

— No.

Y entonces empezáronle a destilar las lágrimas de los ojos por el rostro abajo, que le tenía muy lindo, y él, [que] le cuidaba con mucho cuidado, era muy blanco y muy gentil hombre, y muy galán, tanto que le llamaban *dama*, porque ninguna por mucho que lo fuese tenía tanta cuenta de pulirse y andar en orden; el que más bien se traía era él y con más criados, y podía, porque era muy rico; y cierto que era de los más lucidos caballeros que había en México.

Lo que dijo Alonso de Ávila

Desde a un poco después que la barba y rostro tenía bañados en lágrimas, dió un gran suspiro y dijo:

— ¡Ay, hijos míos, y mi querida mujer! ¿Ha de ser posible que esto suceda en quien pensaba daros descanso y mucha honra, después de Dios, y que haya dado la fortuna vuelta tan contraria que la cabeza y rostro regalado, vosotros habéis de ver en la picota, al agua y al sereno, como se ven las de los muy bajos e infames que la justicia castiga por hechos atroces y feos? ¿Esta es la honra, hijos míos, que de mí esperábais ver? ¡Inhabilitados de las preeminencias de caballeros! Mucho mejor os estuviera ser hijos de un muy bajo padre, que jamás supo de honra.

Estas y otras palabras de grandísima lástima, decía. Halláronse con él unos frailes y le dijeron:

— Señor, no es tiempo de eso, acudid a vuestra alma; suplicad a Dios se duela de vuestros pecados y os perdone, que él remediará lo uno y lo otro.

Y dieron orden para suplicar de aquella sentencia, y así se hizo, que suplicaron de ella, y fuéles recibida la suplicación, y al fin se confirmó en revista, pasadas las horas que se dieron de término, que fueron pocas. Lo que se dilató una sentencia de la otra, no quiso Alonso de Ávila comer bocado ni dormir, sino encomendándose a Dios muy de veras, y su hermano lo mismo. Ellos confesaron el delito, y que habían tratado de lo que eran acusados, y condenaron al marqués y a otros, como consta por sus confesiones.

Que trata de cómo se hizo justicia de Alonso de Ávila, y su hermano, y de lo que más sucedió

No se vió jamás día de tanta confusión y que mayor tristeza en general hubiese de todos, hombres y mujeres, como el que vieron cuando a aquellos dos caballeros sacaron a ajusticiar: porque eran muy queridos y de los más principales y ricos, y que no hacían mal a nadie, sino antes daban y honraban su patria; especialmente Alonso de Ávila, que de ordinario tenía casa de señor, y el trato de ella, y había con muchas veras procurado título de sus pueblos, y si algo fué causa de su perdición o a lo menos ayudó, fué que era tocado de la vanidad, mas sin perjuicio de nadie, sino estimación que tenía en sí, por ser, como era, tan rico y tan gentil hombre, y emparentado con todo lo bueno del lugar. ¡Y todo sujeto a una de las mayores desventuras que ha tenido otro en el mundo! Pues en un momento perdió lo que en este se puede estimar, que es vida y honra y hacienda; y en la muerte igual a los muy bajos salteadores, que se pusiese su cabeza en la picota, donde los tales se suelen poner, y allí se estuviese al aire y sereno a vista de todos los que le querían ver. No se niegue que fué uno de los mayores espectáculos que los hombres han visto, que le ví yo en el trono referido, y después la cabeza en la picota, atravesado un largo clavo desde la coronilla de ella e hincado, metido por aquel regalado casco, atravesando los sesos y carne delicada.

Aquel cabello que con tanto cuidado se enrizaba y hacía copete[5] para hermosearse, en aquel público lugar donde le daba la lluvia sin reparo de sombrero emplumado, ni gorra aderezada con piezas de oro, como era costumbre suya traerla, y llevaba cuando le prendieron; aquellos bigotes que con tanta curiosidad se los retorcía y componía, ¡todo ya caído!: que me acaeció detener el caballo, pasando por la plaza donde estaba la horca y en ella las cabezas de estos caballeros, y ponérmelas a ver con tantas lágrimas de mis ojos, que no sé yo en vida haber llorado tanto, por sólo considerar lo que el mundo había mostrado en aquello que veía presente, que no me parecía ser cosa cierta ni haber pasado, sino sueño y muy profundo, como cuando un hombre está fuera de todo su sentido. Y lo estaba sin duda, porque no había diez días que le hablé y le ví, con sus lacayos y tantos pajes, en un hermoso caballo blanco, con una gualdrapa de terciopelo bordada, y él tan galán, que aunque lo era de ordinario, lo andaba aquellos días mucho, con la ocasión del hijo que le había nacido al marqués; y hablé con él y traté de unos partidos de juego de pelota que se jugaba en su casa, sobre cuerda, y ¡verle de aquella manera hoy! Cierto, en este punto, me estoy enterneciendo con lo que la memoria me representa.

Lo que hicieron los dos hermanos cuando les notificaron las sentencias

Después de haberles notificado a Alonso de Ávila Alvarado y a su hermano Gil González las sentencias en revista, y mandado ejecutar, vieran andar los hombres y las mujeres por las calles, todos espantados y escandalizados que no lo podían creer; que fué necesario mandar la audiencia saliese mucha gente a caballo y de a pie, todos armados en uso de pepear,[6] y la artillería puesta a punto; y así se hizo, que no quedó caballero, ni el que no lo era, que todos salieron armados y se recogieron en la plaza grande, frontero de las casas reales y de la cárcel, y tomaron todas las bocas de las calles, y de esta manera aseguraron el temor, que le tenían grande. Los pobres caballeros, confesados y rectificados en sus dichos, y siendo ya como a las seis y más de la tarde, habiendo hecho un muy alto tablado en medio de la plaza grande (enfrente de la cárcel como una carrera de caballo), la cual estaba llena de gente toda, y era tanta que creo debía de haber más de cien mil ánimas (y es poco), y todos llorando, los que podían, con lienzos[7] en los ojos enjugando las lágrimas. Pusieron gente de a caballo desde el tablado hasta la puerta de la cárcel, de una parte y de otra, y luego gente de a pie, todos armados, delante de los caballos, y hecha una calzada ancha que podían caber más de seis hombres de a caballo: y sin atravesar ánima nacida. Y andaba por medio el capitán general don Francisco de Velasco, hermano del buen virrey don Luis, con sus deudos, a caballo todos, y yo iba con él, y nos pusimos a la puerta de la cárcel

5. cabello levantado sobre la frente. 6. en México, rebuscar, recoger. Aquí, en el sentido de estar alerta. 7. pañuelos. 8. tigrecillos, tigres pequeños. 9. de « ruar », pasear por la calle = rúa.

para ir con aquellos caballeros en guârda, los cuales bajaron con sus cadenas en los pies.

Cómo salieron los hermanos a ajusticiarles

Llevaba Alonso de Ávila unas calzas muy ricas al uso, y un jubón de raso, y una ropa de damasco aforrada en pieles de tiguerillos[8] (que es un aforro muy lindo y muy hidalgo), una gorra aderezada con piezas de oro y plumas, y una cadena de oro al cuello revuelta, una toquilla leonada con un relicario, y encima un rosario de Nuestra Señora, de unas cuentecitas blancas del palo de naranjo, que se lo había enviado una monja en que rezase aquellos días que estaba afligido. Con este vestido le prendieron, que acababa de comer, y estaba en una recámara donde tenía sus armas y jaeces, como tienen todos los caballeros en México, y allí le prendieron, y sin ponerse sayo ni capa le llevaron; y le prendió el mayor amigo que tenía, y su compadre, que era Manuel de Villegas, que en aquella sazón era alcalde ordinario. Salió caballero en una mula, y a los lados frailes de la orden del señor Santo Domingo que le iban ayudando a morir, y él no parecía sino que iba ruando[9] por las calles. Iba su hermano con un vestido de camino, de color verdoso el paño, y sus botas, y como acababa de llegar de su pueblo. Sacaron primero a Gil González y luego a su hermano, y de esta suerte los llevaron derechos al tablado, sin traerlos por las calles acostumbradas: fué [tal] la grita de llanto que se dió, de la gente que los miraba, que era grima oírlos, cuando los vieron salir de la cárcel. Llegaron al tablado y se apearon y subieron a él, donde se reconciliaron y rectificaron en los dichos que habían dicho: y ya que estaban puestos con Dios, hicieron a Gil González que se tendiese en el tablado, habiendo el verdugo apercibídose, y se tendió como un cordero, y luego le cortó la cabeza el verdugo, el cual no estaba bien industriado y fué haciéndole padecer un rato, que fué otra lástima, y no poca.

Oración que hizo Alonso de Ávila
antes que le cortaran la cabeza.
Lo que le dijo el obispo de Filipinas.
Crueldad del verdugo.

Después de cortada, con la grita y lloros, y sollozos, volvió la cabeza Alonso de Ávila, y como vió a su hermano descabezado dió un muy gran suspiro, que realmente no creyó hasta entonces que había de morir, y como le vió así, hincóse de rodillas y tornó a reconciliarse; alzó una mano, blanca más que de dama, y empezó a retorcerse los bigotes diciendo los salmos penitenciales, y llegado al del *Miserere*, empezó a desatar los cordones del cuello, muy despacio, y dijo, vueltos los ojos hacia su casa:

— ¡Ay, hijos míos, y mi querida mujer, y cuáles os dejo!

Y entonces Fray Domingo de Salazar, obispo que es ahora de Filipinas, le dijo:

— No es tiempo éste, señor, que haga vuesa merced eso, sino mire por su ánima, que yo espero en Nuestro Señor, de aquí se irá derecho a gozar de él, y yo le prometo de decirle mañana una misa, que es día de mi padre Santo Domingo.

Entonces prosiguió en sus salmos, y el fraile se volvió al pueblo y dijo:

— Señores, encomienden a Dios a estos caballeros, que ellos dicen que mueren justamente.

Y se volvió a Alonso de Ávila y le dijo:

— ¿No lo dice vuesa merced así?

Y él dijo que sí, y se hincó de rodillas, bajándose el cuello del jubón y camisa: y era de ver lo que temía la muerte. Atáronle los ojos con una venda, y ya que iba a tenderse, alzó la mano, y se descubrió, y dijo de secreto al fraile ciertas palabras; y luego le tornaron a vendar, y se puso como se había de poner, y el cruel verdugo le dió tres golpes, como quien corta la cabeza a un carnero, que a cada golpe que le daba ponía la gente los gritos en el cielo. De esta manera acabaron estos desdichados caballeros, dejando la tierra muy lastimada y confusa si morían con culpa o sin ella. *(Capítulo XXXII-XXXIV)*.

(Del *Tratado del descubrimiento de las Indias y su conquista . . . y del suceso del marqués del Valle*, etc. México, Imprenta Universitaria, 1945)

En el Perú podríamos agregar nuevos nombres a los que mencionamos en el capítulo anterior. Los hubo españoles y criollos. Sus libros representan la sociedad inmediata a la conquista, con las heridas de la guerra civil todavía no cicatrizadas. Los cronistas indios y mestizos, por su parte, nos dieron otra apreciación de las cosas. FELIPE GUAMÁN POMA DE AYALA (Perú; ¿1526?-m. después de 1613), por ejemplo, en *El primer Nueva Crónica y Buen Gobierno* relató las grandezas del pasado incaico y los sufrimientos del indio durante la colonia y transcribió poemas que se cantaban o recitaban en aquella época. El más genial de los mestizos escritores es el INCA GARCILASO DE LA VEGA (Perú; 1539-1616). Descendía de la nobleza incaica y castellana; pero, además, por parte de padre, de una familia ilustre también en la historia de las letras. La fusión en su conciencia de esos diversos mundos raciales y culturales fué el punto de partida de su vida de escritor. A los veintiún años de edad fué a España: no volvería más al Perú. En 1590 publicó una nueva traducción de los *Dialoghi D'Amore* del neoplatónico León Hebreo, emprendida con el deleite de sentirse penetrado por el espíritu de orden y armonía del Renacimiento. Amigo de uno de los veteranos que acompañaron a Hernando de Soto en su expedición a la Florida (1539-1542) decidió poner en letras lo que le oyó: es *La Florida del Inca* (1605). Sus propios gustos literarios intervinieron en el relato de su amigo, como no podía menos de ser, y se advierten influencias de todo lo que leía. Mientras « ponía en limpio » *La Florida* escribía los *Comentarios reales*, su más insigne obra: la primera parte se publicó en 1609; la segunda, terminada cuatro años más tarde, se publicaría después de su muerte con el título de *Historia general del Perú* (1617). El Inca decía escribir para indios y españoles « porque de ambas naciones tengo prendas »; « decir que escribo encarecidamente por loar la nación, porque soy indio, cierto es engaño. » La parte historiográfica del Inca es verosímil. Investigaciones recientes suelen confirmar a Garcilaso en su orden de las conquistas incaicas y en la exactitud geográfica e histórica. Muchos de los elementos legendarios que usa el Inca fueron críticamente sopesados por él mismo: « y aunque algunas cosas de las dichas y otras que se dirán parezcan fabulosas, me pareció no dejar de escribirlas, por no quitar los fundamentos sobre los que los indios se fundan para las cosas mayores y mejores que de su imperio cuentan. » Era Garcilaso un humanista que, por conocer la cultura incaica, proyectaba sobre ella el anhelo, tan renacentista, de encontrar la edad dorada. Cede a las aspiraciones utópicas de su época sin que por eso desmerezca su directo conocimiento de la realidad peruana. Algunas de sus idealizaciones del régimen incaico eran comunes al pensamiento de los humanistas españoles: comunidad de bienes, adoctrinamiento de bárbaros, patriarcalismo benévolo de príncipes filósofos . . . Insistía en su condición de mestizo: « por ser nombre impuesto por nuestros padres y por su significación, me lo llamo a boca llena, y me honro con él. » En el capítulo XV del Libro I de la primera parte cuenta cómo en su niñez oyó a su madre, tíos y ancianos la cosmogonía incásica: pasaje famoso por su emocionada evocación y por la vivacidad de la prosa, en la que no sólo se oye el diálogo, sino que se ven los movimientos de quienes hablan. El Inca cuenta con placer. El equilibrio de la sintaxis corresponde al equilibrio de un pensamiento que claramente procede con simetrías y construcciones ordenadas. En el vaivén pendular entre lengua sencilla y lengua complicada, el estilo del Inca se dirige hacia la sencillez. Pero, natural y todo, el Inca construye su sintaxis sin dejar miembros sueltos o mal articulados. « Mi lengua materna, que es la del Inca; . . . la ajena, que es la castellana », dice. El castellano fué su lengua, tanto o más (creemos que más) que la de su madre india. Había en él una contemplación de su propia obra como objeto artístico. Y el placer de sentirse en un punto de mira valioso y original por su condición de hombre que domina un rico paisaje cultural, asomado desde lo alto de su condición de mestizo a las dos vertientes históricas: la india, la europea. La importancia artística de sus *Comentarios* se beneficia de ese interés personal por llamar la atención sobre su perspectiva privilegiada.

Repare el lector en que dos de los episodios que a continuación reproducimos recuerdan situaciones tratadas en obras maestras de la literatura española del siglo de oro: la historia del Inca Llora Sangre y del Príncipe Viracocha en *La vida es sueño*, de Calderón; y la historia de Don Rodrigo Nuño y los galeotes del Perú en *Don Quijote*, de Cervantes. En vista de este especial interés literario, ofrecemos anchos episodios en la versión refundida y modernizada por el filólogo Ángel Rosenblat.

Inca Garcilaso de la Vega

COMENTARIOS REALES DE LOS INCAS

PROEMIO AL LECTOR

Aunque ha habido españoles curiosos que han escrito las repúblicas del Nuevo Mundo, como la de México y la del Perú, y las de otros reinos de aquella gentilidad, no ha sido con la relación entera que de ellos se pudiera dar, que lo he notado particularmente en las cosas que del Perú he visto escritas, de las cuales, como natural de la ciudad del Cuzco, que fué otra Roma en aquel imperio, tengo más larga y clara noticia que la que hasta ahora los escritores han dado. Verdad es que tocan muchas cosas de las muy grandes que aquella república tuvo; pero escríbenlas tan cortamente, que aun las muy notorias para mí (de la manera que las dicen) las entiendo mal. Por lo cual, forzado del amor natural a la patria, me ofrecí al trabajo de escribir estos Comentarios, donde clara y distintamente se verán las cosas que en aquella república había antes de los españoles, así en los ritos de su vana religión, como en el gobierno que en paz y en guerra sus reyes tuvieron, y todo lo demás que de aquellos indios se puede decir, desde lo más ínfimo del ejercicio de los vasallos, hasta lo más alto de la corona real. Escribimos solamente del imperio de los Incas, sin entrar en otras monarquías, porque no tengo la noticia de ellas que de ésta. En el discurso de la historia protestamos la verdad de ella, y que no diremos cosa grande, que no sea autorizándola con los mismos historiadores españoles que la tocaron en parte o en todo; que mi intención no es contradecirles, sino servirles de comento y glosa, y de intérprete en muchos vocablos indios, que como estranjeros en aquella lengua interpretaron fuera de la propiedad de ella, según que largamente se verá en el discurso de la Historia, la cual ofrezco a la piedad del que la leyere, no con pretensión de otro interés más que de servir a la república cristiana, para que se den gracias a Nuestro Señor Jesucristo y a la Virgen María su Madre, por cuyos méritos e intercesión se dignó la Eterna Majestad sacar del abismo de la idolatría tantas y tan grandes naciones, y reducirlas al gremio de su iglesia católica romana, Madre y Señora nuestra. Espero que se recibirá con la misma intención que yo la ofrezco, porque es la correspondencia que mi voluntad merece, aunque la obra no la merezca. Otros dos libros se quedan escribiendo de los sucesos que entre los españoles en aquella mi tierra pasaron, hasta el año de 1560 que yo salí de ella: deseamos verlos ya acabados, para hacer de ellos la misma ofrenda que de éstos. Nuestro Señor, etc.

EL ORIGEN DE LOS INCAS REYES DEL PERÚ

[. . .] Después de haber dado muchas trazas,[1] y tomado muchos caminos para entrar a dar cuenta del origen y principio de los Incas, reyes naturales que fueron del Perú, me pareció que la mejor traza y el camino más fácil y llano, era contar lo que en mis niñeces oí muchas veces a mi madre y a sus hermanos y tíos, y a otros sus mayores, acerca de este origen y principio; porque todo lo que por otras vías se dice de él, viene a reducirse en lo mismo que nosotros diremos, y será mejor que se sepa por las propias palabras que los Incas lo cuentan, que no por las de otros autores estraños. Es así que residiendo mi madre en el Cuzco, su patria, venían a visitarla casi cada semana los pocos parientes y parientas que de las crueldades y tiranías de Atahualpa (como en su vida contaremos) escaparon; en las cuales visitas, siempre sus más ordinarias pláticas, eran tratar del origen de sus reyes, de la majestad de ellos, de la grandeza de su imperio, de sus conquistas y hazañas, del gobierno que en paz y en guerra tenían, de las leyes que tan en provecho y en favor de sus vasallos ordenaban. En suma, no dejaban cosa de las prósperas que entre ellos hubiese acaecido que no la trajesen a cuenta.

De las grandezas y prosperidades pasadas venían a las cosas presentes: lloraban sus reyes muertos, enajenado su imperio, y acabada su república, etc. Estas y otras semejantes pláticas tenían los Incas y Pallas en sus visitas, y con la memoria del bien perdido, siempre acababan su conversación en lágrimas y llanto, diciendo: trocósenos el reinar en vasallaje, etc. En estas pláticas yo como muchacho entraba y salía muchas veces donde ellos estaban, y me holgaba de las oír, como huelgan los tales de oír fábulas. Pasando pues días, meses y años, siendo ya yo de diez y seis o diez y siete años, acaeció que estando mis parientes un día en esta su conversación hablando de sus reyes y antiguallas,[2] al más anciano de ellos, que era el que daba cuenta de ellas, le dije: Inca, tío, pues no hay escritura entre vosotros, que es la que guarda la memoria de las cosas pasadas, ¿qué noticias tenéis del origen y principios de nuestros reyes? porque allá los españoles, y las otras naciones sus comarcanas, como tiene historias divinas y humanas saben por ellas cuando empezaron a reinar sus reyes y los ajenos, y el trocarse unos imperios en otros, hasta saber cuantos mil años ha que Dios crió el cielo y la tierra; que todo esto y mucho más saben por sus libros. Empero vosotros que carecéis de ellos, ¿qué memorias tenéis de vuestras antiguallas? ¿quién fué el primero de vuestros Incas? ¿cómo se llamó? ¿qué origen tuvo su linaje? ¿de qué manera empezó a reinar? ¿con qué gente y armas conquistó este grande imperio? ¿qué origen tuvieron nuestras hazañas?

El Inca, como que holgándose de haber oído las preguntas, por gusto que recibía de dar cuenta de ellas, se volvió a mí (que ya otras muchas veces lo había oído, mas ninguna con la atención que entonces) y me dijo: sobrino, yo te las diré de muy buena gana, a ti te conviene oírlas y guardarlas en el corazón (es frase de ellos por decir en la memoria). Sabrás que en los siglos antiguos toda esta región de tierra que ves, eran unos grandes montes de breñales, y las gentes en aquellos tiempos vivían como fieras y animales brutos, sin religión ni policía, sin pueblo ni casa, sin cultivar ni sembrar la tierra, sin vestir ni cubrir sus carnes, porque no sabían labrar algodón ni lana para hacer de vestir. Vivían de dos en dos, y de tres en tres, como acertaban a juntarse en las cuevas y resquicios de peñas y cavernas de la tierra: comían como bestias yerbas de campo y raíces de árboles, y la fruta inculta que ellos daban de suyo, y carne humana. Cubrían sus carnes con hojas y cortezas de árboles, y pieles de animales; otros andaban en cueros. En suma vivían como venados y salvaginas,[3] y aún en las mujeres se habían como los brutos, porque no supieron tenerlas propias y conocidas.[4]

Adviértase, porque no enfade el repetir tantas veces estas palabras « Nuestro Padre el Sol », que era lenguaje de los Incas, y manera de veneración y acatamiento decirlas siempre que nombraban al sol, porque se preciaban de descender de él,

1. medios. 2. antigüedades, objetos de antigüedad remota. 3. animales montaraces. 4. Tal vez semejante discurso del tío al sobrino se refiera a esa antiquísima edad prehistórica; pero aun así, es dificil que tal estado de salvajismo hubiera existido en esa región, donde es probable que se impuso desde antiguo una civilización importada. (Nota de Horacio H. Urteaga a la edición que seguimos, página 55, tomo 1, Lima, 1941-46).

y al que no era Inca, no le era licito tomarlas en la boca, que fuera blasfemia, y lo apedrearan. Dijo el Inca: nuestro padre el sol, viendo los hombres tales, como te he dicho, se apiadó y hubo lástima de ellos, y envió del cielo a la tierra un hijo y una hija de los suyos para que los doctrinasen en el conocimiento de nuestro padre el sol, para que lo adorasen y tuviesen por su dios, y para que les diesen preceptos y leyes en que viviesen como hombres en razón y urbanidad; para que habitasen en casas y pueblos poblados, supiesen labrar las tierras, cultivar las plantas y mieses, criar los ganados y gozar de ellos y de los frutos de la tierra como hombres racionales, y no como bestias. Con esta orden y mandato puso nuestro padre el sol estos dos hijos en la laguna Titicaca, que está ochenta leguas de aquí, y les dijo que fuesen por do quisiesen, y doquiera que parasen a comer o a dormir, procurasen hincar en el suelo una varilla de oro, de media vara de largo y dos dedos de grueso, que les dió para señal y muestra que donde aquella barra se les hundiese, con un solo golpe que con ella diesen en tierra, allí quería el sol nuestro padre que parasen e hiciesen su asiento y corte. A lo último les dijo: cuando hayáis reducido esas gentes a nuestro servicio, los mantendréis en razón y justicia, con piedad, clemencia y mansedumbre haciendo en todo oficio de padre piadoso para con sus hijos tiernos y amados, a imitación y semejanza mía, que a todo el mundo hago bien, que les doy mi luz y claridad para que vean y hagan sus haciendas, y les caliento cuando han frío, y crío sus pastos y sementeras; hago fructificar sus árboles y multiplico sus ganados; lluevo y sereno a sus tiempos, y tengo cuidado de dar una vuelta cada día al mundo por ver las necesidades que en la tierra se ofrecen, para las proveer y socorrer, como sustentador y bienhechor de las gentes; quiero que vosotros imitéis este ejemplo como hijos míos, enviados a la tierra sólo para la doctrina y beneficio de esos hombres, que viven como bestias. Y desde luego os constituyo y nombro por reyes y señores de todas las gentes que así doctrináredes con vuestras buenas razones, obras y gobierno. Habiendo declarado su voluntad nuestro padre el sol a sus dos hijos, los despidió de sí. Ellos salieron de Titicaca, y caminaron al Septentrión, y por todo el camino, doquiera que paraban, tentaban hincar la barra de oro y nunca se les hundió. Así entraron en una venta o dormitorio pequeño, que está siete o ocho leguas al Mediodía de esta ciudad, que hoy llaman Pacarec Tampu, que quiere decir venta, o dormida, que amanece. Púsole este nombre el Inca, porque salió de aquella dormida al tiempo que amanecía. Es uno de los pueblos que este príncipe mandó poblar después, y sus moradores se jactan hoy grandemente del nombre, porque lo impuso nuestro Inca: de allí llegaron él y su mujer, nuestra reina, a este valle del Cuzco, que entonces todo él estaba hecho montaña brava. *(Libro I, capítulo XV).*

PROTESTACIÓN DEL AUTOR SOBRE LA HISTORIA

Ya que hemos puesto la primera piedra de nuestro edificio (aunque fabulosa) en el origen de los Incas, reyes del Perú, será razón pasemos adelante en la conquista y reducción de los indios, extendiendo algo más la relación sumaria que me dió aquel Inca, con la relación de otros muchos Incas e indios, naturales de los pueblos que este primer Inca Manco Cápac mandó poblar, y redujo a su imperio, con los cuales me crié y comuniqué hasta los veinte años. En este tiempo tuve noticia de todo lo que vamos escribiendo, porque en mis niñeces me contaban sus historias, como se cuentan las fábulas a los niños. Después, en edad más crecida, me dieron larga noticia de sus leyes y gobierno; cotejando el nuevo gobierno de los españoles con el de los Incas: dividiendo en particular los delitos y las penas, y el rigor de ellas: decíanme cómo procedían sus reyes en paz y en guerra, de qué manera trataban a sus vasallos, y cómo eran servidos de ellos. Además de esto, me contaban, como a propio hijo, toda su idolatría, sus ritos, ceremonias y sacrificios; sus fiestas principales y no principales, y cómo las celebraban; decíanme sus abusos y supersticiones, sus agüeros malos y buenos, así los que miraban en sus sacrificios como fuera de ellos. En suma, digo que me dieron noticia de todo lo que tuvieron en su república, que si entonces lo escribiera, fuera más copiosa esta historia. Además de habérmelo dicho los indios, alcancé y ví por mis ojos mucha parte de aquella idolatría, sus fiestas y supersticiones, que aún en mis tiempos, hasta los doce o trece años de mi edad, no se habían acabado del todo. Yo nací ocho años después que los españoles ganaron mi tierra, y como lo he dicho, me crié en ella hasta los veinte años, y así ví muchas cosas de las que hacían los indios en aquella su gentilidad, las cuales contaré, diciendo que las ví. Sin la relación que mis parientes me dieron de las cosas dichas, y sin lo que yo ví, he habido otras muchas relaciones de las conquistas y hechos de aquellos reyes; porque luego que propuse escribir esta historia, escribí a los condiscípulos de escuela y gramática, encargándoles que cada uno me ayudase con la relación que pudiese haber de las particulares conquistas que los Incas hicieron de las provincias de sus madres; porque cada provincia tiene sus cuentas y nudos[5] con sus historias, anales y la tradición de ellas; y por esto retiene mejor lo que en ella pasó que lo que pasó en la ajena. Los condiscípulos, tomando de veras lo que les pedí, cada cual de ellos dió cuenta de mi intención a su madre y parientes; los cuales, sabiendo que un indio, hijo de su tierra, quería escribir los sucesos de ella, sacaron de sus archivos las relaciones que tenían de sus historias, y me las enviaron; y así tuve la noticia de los hechos y conquistas de cada Inca, que es la misma que los historiadores españoles tuvieron, sino que ésta será más larga, como lo advertiremos en muchas partes de ella. Y porque todos los hechos de este primer Inca son principios y fundamento de la historia que hemos de escribir, nos valdrá mucho decirlos aquí, a lo menos los más importantes, porque no los repitamos adelante en las vidas y hechos de cada uno de los Incas sus descendientes; porque todos ellos generalmente, así los reyes como los no reyes, se preciaron de imitar en todo y por todo la condición, obras y costumbres de este primer príncipe Manco Cápac; y dichas sus cosas, habremos dicho las de todos ellos. Iremos con atención de decir las hazañas más historiales, dejando otras muchas por impertinentes y prolijas; y aunque algunas cosas de las dichas, y otras que se dirán, parezcan fabulosas, me pareció no dejar de escribirlas, por no quitar los fundamentos sobre que los indios se fundan para las cosas mayores y mejores que de su imperio cuentan; porque en fin de estos principios fabulosos procedieron las grandezas que en realidad de verdad posee hoy España; por lo cual se me permitirá decir lo que conviniere para la mejor noticia que se pueda dar de los principios, medios y fines de aquella monarquía; que yo protesto decir llanamente la relación que mamé en la leche, y la que después acá he habido, pedida a los propios míos, y prometo que la afición de ellos no sea parte para dejar de decir la verdad del hecho, sin quitar de lo malo ni añadir a lo bueno que tuvieron; que bien sé que la gentilidad es un mar de errores, y no escribiré novedades que no se hayan oído, sino las mismas cosas que los historiadores españoles han escrito de aquella tierra, y de los reyes de ella, y alegaré las mismas palabras de ellos donde conviniere, para que se vea que no finjo ficciones en favor de mis parientes, sino que digo lo mismo que los españoles dijeron; sólo serviré de comento para declarar y ampliar muchas cosas que ellos asomaron a decir, y las dejaron imperfectas, por haberles faltado relación entera. Otras muchas se añadirán que faltan de sus historias, y pasaron en hecho de verdad, y algunas se quitarán, que sobran, por falsa relación que tuvieron, por no saberla pedir el español con distinción de tiempos y edades, y división de provincias y naciones, o por no entender al indio que se la daba, o por no entender el uno al otro, por la dificultad del lenguaje; que el español que piensa que sabe más de él, ignora de diez partes las nueve, por las muchas cosas que un mismo vocablo significa, y por las diferentes pronunciaciones que una misma dicción tiene para muy diferentes significaciones, como se verá adelante en algunos vocablos que será forzoso traerlos a cuenta.

Además de esto, en todo lo que de esta república, antes destruida que conocida, dijere, será contando llanamente lo que en su antigüedad tuvo de su idolatría, ritos, sacrificios y ceremonias, y en su gobierno, leyes y costumbres, en paz y en guerra, sin comparar cosa alguna de éstas a otras semejantes que en las historias divinas y humanas se hallan, ni al gobierno de nuestros tiempos, porque toda comparación es odiosa. El que las leyere podrá cotejarlas a su gusto, que muchas hallará semejantes a las antiguas, así de la Santa Escritura, como de las profanas y fábulas de la gentilidad antigua: muchas leyes y costumbres verá que [se] parecen a las de nuestro siglo; otras muchas oirá en todo contrarias: de mi parte he hecho lo que he podido, no habiendo podido lo que he deseado. Al discreto lector suplico reciba mi ánimo, que es de darle gusto y contento, aunque [ni] las fuerzas, ni la habilidad de un indio, nacido entre los indios, criado entre armas y caballos pueden llegar allá. *(Libro I, capítulo XIX).*

5. referencia a los *quipus*, el sistema de hilos con nudos que les servía a los incas para recordar y hacer sus cálculos. 6. de rastrear, inquirir, indagar por conjeturas. 7. Las citas de Cieza de León son de su obra *Crónica del Perú.* 8. Agustín de Zárate, *Historia del descubrimiento y conquista del reino del Perú.* 9. ídolos.

RASTREARON LOS INCAS AL VERDADERO DIOS NUESTRO SEÑOR

Además de adorar al sol por dios visible, a quien ofrecieron sacrificios e hicieron grandes fiestas (como en otro lugar diremos) los reyes Incas, y sus amautas, que eran los filósofos, rastrearon[6] con lumbre natural al verdadero Dios y Señor nuestro que crió el cielo y la tierra, como delante veremos en argumentos y sentencias que algunos de ellos dijeron de la divina Majestad al cual llamaron *Pachacamac*: es nombre compuesto de *Pacha*, que es mundo universo; y de *Cámac*, participio de presente del verbo *cama*, que es animar; el cual verbo se deduce del nombre *cama*, que es ánima. *Pachacamac* quiere decir el que da ánima al mundo universo, y en toda su propia y entera significación, quiere decir lo que hace al universo lo que el ánima con el cuerpo. Pedro de Cieza, capítulo sesenta y dos[7] dice así: el nombre de este demonio, quería decir hacedor del mundo, porque *cama* quiere decir hacedor, y *pacha* mundo, etc. Por ser español no sabía la lengua tan bien como yo, que soy indio Inca. Tenían este nombre en gran veneración, que no le osaban tomar en la boca, y cuando les era forzoso el tomarlo era haciendo afectos y muestras de mucho acatamiento, encogiendo los hombros, inclinando la cabeza y todo el cuerpo, alzando los ojos al cielo, y bajándolos al suelo, levantando las manos abiertas en derecho de los hombros, dando besos al aire; que entre los Incas y sus vasallos eran ostentaciones de suma adoración y reverencia, con las cuales demostraciones nombraban al Pachacamac, y adoraban al sol, y reverenciaban al rey y no más, pero esto también era por sus grados más o menos; a los de la sangre real acataban con parte de estas ceremonias, y a los otros superiores, como eran los caciques, con otras muy diferentes e inferiores. Tuvieron al Pachacamac en mayor veneración interior que al sol, que como hemos dicho, no osaban tomar su nombre en la boca y al sol le nombran a cada paso. Preguntado quién era el Pachacamac decían que era el que daba vida al universo y le sustentaba, pero que no le conocían porque no le habían visto, y que por esto no le hacían templos ni le ofrecían sacrificios; mas que lo adoraban en su corazón (esto es, mentalmente), y le tenían por dios no conocido. Agustín de Zárate, libro segundo, capítulo quinto,[8] escribiendo lo que el P. Fr. Vicente de Valverde dijo al rey Atahualpa, que Cristo nuestro Señor había criado el mundo, dice que respondió el Inca que él no sabía nada de aquello, ni que nadie criase nada sino el sol, a quien ellos tenían por dios, y a la tierra por madre y a sus huacas,[9] y que Pachacamac había criado todo lo que allí había, etc.; de donde consta claro que aquellos indios le tenían por hacedor de todas las cosas.

Esta verdad que voy diciendo que los indios rastrearon con este nombre, la testificó el demonio, mal que le pesó, aunque en su favor, como padre de mentiras, diciendo verdad disfrazada con mentira, o mentira disfrazada con verdad; que luego que vió predicar nuestro santo evangelio, y vió que se bautizaban los indios, dijo a algunos familiares suyos en el valle, que hoy llaman Pachacamac (por el famoso templo que allí edificaron a este Dios no conocido), que el Dios que los españoles predicaban y él era todo uno; como lo escribe Pedro Cieza de León en la demarcación del Perú, capítulo setenta y dos; y el R. P. Fr. Gerónimo Román en la « República de las Indias Occidentales », libro primero, capítulo quinto, dice lo mismo hablando ambos de este mismo Pachacamac; aunque por no saber la propia significación del vocablo se lo atribuyeron al demonio. El cual en decir que el Dios de los cristianos y el Pachacamac era todo uno, dijo verdad; porque la intención de aquellos indios fué dar este nombre al sumo Dios que da vida y ser al universo, como lo significa el mismo nombre; y en decir que él era el Pachacamac mintió, porque la intención de los indios nunca fué dar este nombre al demonio, que no le llamaron sino *Cupay*, que quiere decir diablo; y para nombrarle escupían primero, en señal de maldición y abominación; y al Pachacamac nombraban con la adoración y demonstraciones que hemos dicho. Empero como este enemigo tenía tanto poder entre aquellos infieles, hacíase dios entrándose en todo aquello que los indios veneraban y acataban por cosa sagrada. Hablaba en sus oráculos y templos, y en los rincones de sus casas y en otras partes, diciéndoles que era el Pachacamac, y que era todas las demás cosas a que los indios atribuían deidad que ellos imaginaban; que si entendieran que era el demonio las quemaran entonces, como ahora lo hacen por la misericordia del Señor que quiso comunicárseles.

Los indios no saben de suyo, o no osan dar la relación de estas cosas con la propia significación y declaración de los vocablos, viendo que los cristianos españoles las abominan todas por cosas del demonio; y los españoles tampoco advierten en pedir noticia de ellas con llaneza, antes las confirman por cosas diabólicas, como las imaginan; y también lo causa el no saber de fundamento la lengua general de los Incas para ver y entender la deducción y composición, y propia significación de las semejantes dicciones; y por esto en sus historias dan otro nombre a Dios, que es Ticiviracocha, que yo no sé qué signifique, ni ellos tampoco. Este es el nombre Pachacamac, que los historiadores españoles tanto abominan, por no entender la significación del vocablo, y por otra parte tienen razón, porque el demonio hablaba en aquel riquísimo templo, haciéndose dios debajo de este nombre, tomándolo para sí. Pero si a mí que soy indio cristiano católico por la infinita misericordia, me preguntasen ahora, ¿cómo se llama Dios en tu lengua? Diría: Pachacamac, porque en aquel general lenguaje del Perú no hay otro nombre para nombrar a Dios sino éste; y todos los demás que los historiadores dicen son generalmente impropios, porque o no son del general lenguaje, o son corruptos con el lenguaje de algunas provincias particulares, o nuevamente compuestos por los españoles. [. . .] *(Libro II, capítulo II)*.

LA POESÍA DE LOS INCAS AMAUTAS

No les faltó habilidad a los amautas, que eran los filósofos, para componer comedias y tragedias, que en días y fiestas solemnes representaban delante de sus reyes y de los señores que asistían en la corte. Los representantes no eran viles, sino Incas y gente noble, hijos de curacas, y los mismos curacas y capitanes hasta maestres de campo; porque los autos de las tragedias se representasen al propio; cuyos argumentos siempre eran de hechos militares, de triunfos y victorias, de las hazañas y grandezas de los reyes pasados, y de otros heroicos varones. Los argumentos de las comedias eran de agricultura, de hacienda, de cosas caseras y familiares. Los representantes, luego que se acababa la comedia, se sentaban en sus lugares conforme a su calidad y oficios. No hacían entremeses deshonestos, viles y bajos: todo era de cosas graves y honestas, con sentencias y donaires permitidos en tal lugar. A los que se aventajaban en la gracia del representar les daban joyas y favores de mucha estima.

De la poesía alcanzaron otra poca porque supieron hacer versos cortos y largos con medida de sílabas: en ellos ponían sus cantares amorosos con tonadas diferentes, como se ha dicho. También componían en verso las hazañas de sus reyes, y de otros famosos Incas, y curacas principales, y los enseñaban a sus descendientes por tradición para que se acordasen de los buenos hechos de sus pasados y los imitasen; los versos eran pocos porque la memoria los guardase; empero muy compendiosos, como cifras. No usaron de consonante en los versos, todos eran sueltos. Por la mayor parte semejaban a la natural compostura española que llaman redondillas. Una canción amorosa compuesta en cuatro versos me ofrece la memoria; por ellos se verá el artificio de la compostura y la significación abreviada compendiosa de lo que en su rusticidad querían decir. Los versos amorosos hacían cortos porque fuesen más fáciles de tañer en la flauta. Holgara poner también la tonada en puntos de canto de órgano para que se viera lo uno y lo otro, mas la impertinencia me excusa del trabajo.

La canción es la que se sigue y su traducción en castellano:

Caylla llapi		Al cántico
Puñunqui	*quiere*	Dormirás
Chaupituta	*decir*	Media noche
Samusac		Yo vendré

Y más propiamente dijera, *veniré*, sin el pronombre yo, haciendo tres sílabas del verbo, como las hace el indio que no nombra a la persona, sino que la incluye en el verbo por la medida del verso. Otras muchas maneras de versos alcanzaron los Incas poetas, a los cuales llamaban *harávec*, que en propia significación quiere decir inventador. En los papeles del P. Blas Valera[10] hallé otros versos que él llama spondaicos, todos son de a cuatro sílabas, a diferencia de estos otros que son de a cuatro y a tres. Escríbelos en indio y en latín; son en materia de astrología. Los incas poetas los compusieron filosofando las causas segundas que Dios puso en la región del aire para los truenos, relámpagos y rayos, y para el granizar, nevar y llover, todo lo cual dan a entender en los versos, como se verá. Hiciéronlos conforme a una fábula que tuvieron, que es la que se sigue. Dicen que el Hacedor puso en el

10. El P. Blas Valera (1540-1596), autor de una historia del imperio inca, en manuscrito que Garcilaso pudo consultar, y que parece perdido desde entonces.

cielo una doncella, hija de un rey, que tiene un cántaro lleno de agua para derramarla cuando la tierra la ha menester, y que un hermano de ella le quiebra a sus tiempos, y que del golpe se causan los truenos, relámpagos y rayos. Dicen que el hombre los causa porque son hechos de hombres feroces, y no de mujeres tiernas. Dicen que el granizar, llover y nevar lo hace la doncella, porque son hechos de más suavidad y blandura, y de tanto provecho: dicen que un Inca poeta y astrólogo hizo y dijo los versos loando las excelencias y virtudes de la dama, y que Dios se las había dado para que con ellas hiciese bien a las criaturas de la tierra.

La fábula y los versos, dice el P. Blas Valera, que halló en los nudos y cuentas de unos anales antiguos que estaban en hilos de diversos colores, y que la tradición de los versos y de la fábula se la dijeron los indios contadores que tenían cargo de los nudos y cuentas historiales, y que, admirado de que los amautas hubiesen alcanzado tanto, escribió los versos y los tomó de memoria para dar cuenta de ellos. Yo me acuerdo haber oído esta fábula en mis niñeces, con otras muchas que me contaban mis parientes; pero como niño y muchacho no les pedí la significación, ni ellos me la dieron. Para los que no entienden indio ni latín, me atreví a traducir los versos en castellano, arrimándome más a la significación de la lengua que mamé en la leche, que no a la ajena latina, porque lo poco que de ella sé lo aprendí en el mayor fuego de las guerras de mi tierra, entre armas y caballos, pólvora y arcabuces, de que supe más que de letras. El P. Blas Valera imitó en su latín las cuatro sílabas del lenguaje indio en cada verso; y está muy bien imitado. Yo salí de ellas, porque en castellano no se pueden guardar; que habiendo de declarar por entero la significación de las palabras indias, en unas son menester más sílabas y en otras menos. *Ñusta*, quiere decir doncella de sangre real y no se interpreta con menos; que, para decir doncella de las comunes, dicen *tazque*; *china* llaman a la doncella muchacha de servicio. *Illac pántac* es verbo; incluye en su significación la de tres verbos, que son tronar, relampaguear y caer rayos; y así los puso en dos versos el P. M. Blas Valera, porque el verso anterior, que es *cunuñunun*, significa hacer estruendo, y no lo puso aquel autor por declarar las tres significaciones del verbo *illac pántac*; *unu*, es agua; *pára*, es llover; *chichi*, es granizar; *riti*, nevar; *Pachacámac* quiere decir el que hace con el universo lo que el alma con el cuerpo. *Viracocha* es nombre de un dios moderno que adoraban, cuya historia veremos adelante muy a la larga. *Chura* quiere decir poner. *Cama* es dar alma, vida, ser y sustancia. Conforme a esto diremos lo menos mal que supiéremos, sin salir de la propia significación del lenguaje indio; los versos son los que se siguen en las tres lenguas:

Cumac Ñusta	Pulchra Nimpha	Hermosa doncella,
Torallâyquim	Frater tuus	aquese tu hermano,
Puyñuy quita	Urnam tuam	el tu cantarillo
Paquir cayan	Nunc infrigit	lo está quebrantando,
Hina mántara	Cujus ictus	y de aquesta causa
Cunuñunun	Tonat fulget	truena y relampaguea;
Illac pántac	Fulminatque	también caen rayos.
Camri Ñusta	Sed tu Nimpha	Tu, real doncella,
Unuy quita	Tuam limpham	tus muy lindas aguas
Para munqui	Fundens pluis	nos darás lloviendo,
May ñimpiri	Interdumque	también a las veces
Chichi munqui	Grandinem, seu	granizar nos has,
Riti munqui	Nivem mittis	nevarás asimismo,
Pacha rúrac	Mundi Factor	el Hacedor del mundo,
Pachacámac	Pachacamac	el Dios que le anima,
Viracocha	Viracocha	el gran Viracocha
Cay hinápac	Ad hoc munus	para aqueste oficio
Churasunqui	Te sufficit	ya te colocaron
Camasunqui.	Ac praefecit.	y te dieron alma.

Esto puse aquí por enriquecer mi pobre historia, porque cierto sin lisonja alguna, se puede decir que todo lo que el P. Blas Valera tenía escrito, eran perlas y piedras preciosas: no mereció mi tierra verse adornada de ellas. [. . .]

Dícenme que en estos tiempos se dan mucho

los mestizos a componer en indio estos versos, y otros de muchas maneras, así a lo divino, como a lo humano. Dios les dé su gracia para que le sirvan en todo.

Tan tasada y tan cortamente como se ha visto sabían los Incas del Perú las ciencias que hemos dicho; aunque si tuvieran letras, las pasaran adelante poco a poco con la herencia de unos a otros, como hicieron los primeros filósofos y astrólogos. Sólo en la filosofía moral se estremaron, así en la enseñanza de ella, como en usar las leyes y costumbres que guardaron; no sólo entre los vasallos, cómo se debían tratar unos a otros conforme a la ley natural; mas también cómo debían obedecer, servir y adorar al rey y a los superiores, y cómo debía el rey gobernar y beneficiar a los curacas[11] y a los demás vasallos y súbditos inferiores. En el ejercicio de esta ciencia se desvelaron tanto, que ningún encarecimiento llega a ponerla en su punto, porque la esperiencia de ella les hacía pasar adelante perfeccionándola de día en día, y de bien en mejor, la cual experiencia les faltó en las demás ciencias; porque no podían manejarlas tan materialmente como la moral, ni ellos se daban a tanta especulación como aquéllas requieren; porque se contentaban con la vida y ley natural, como gente que de su naturaleza era más inclinada a no hacer mal que a saber bien. Mas con todo eso Pedro Cieza de León, capítulo treinta y ocho, hablando de los Incas y de su gobierno, dice: hicieron tan grandes cosas, y tuvieron tan buena gobernación, que pocos en el mundo les hicieron ventaja, etc. Y el P. M. Acosta libro sexto, capítulo primero[12] dice lo que se sigue en favor de los Incas y de los mexicanos [. . .] *(véase el texto referido en la correspondiente selección del P. Acosta)* cuya autoridad, pues es tan grande, valdrá para todo lo que hasta aquí hemos dicho, y adelante diremos, de los Incas, sus leyes y gobierno y habilidad; que una de ellas fué que supieron componer en prosa, tan bien como en verso, fábulas breves y compendiosas, por vía de poesía para encerrar en ellas doctrina moral, o para guardar alguna tradición de su idolatría o de los hechos famosos de sus reyes, o de otros grandes varones: muchas de las cuales quieren los españoles que no sean fábulas sino historias verdaderas, porque tienen alguna semejanza de verdad. De otras muchas hacen burla, por parecerles que son mentiras mal compuestas, porque no entienden la alegoría de ellas. Otras muchas hubo torpísimas, como algunas que hemos referido. Quizá en el discurso de la historia se nos ofrecerán algunas de las buenas que declararemos. *(Libro II, capítulo XXVII).*

HISTORIA DEL INCA LLORA SANGRE Y DEL PRÍNCIPE VIRACOCHA[13]

Muerto el Rey Inca Roca, su hijo Yáhuar Huácac tomó la corona del Imperio. Lo gobernó con justicia, piedad y mansedumbre, acariciando a sus vasallos, haciéndoles todo el bien que podía. Deseó sustentarse en la prosperidad que sus padres y abuelos le dejaron, sin pretender conquistas ni pendencia con nadie, por el mal agüero de su nombre y los pronósticos que cada día echaban sobre él.

Dicen los indios que cuando niño, de tres o cuatro años, lloró sangre. Otros dicen que nació llorando sangre, y esto tienen por más cierto. Por eso le llamaron Yáhuar Huácac, que quiere decir El que llora sangre. Y como los indios fueron tan dados a hechicerías, lo tuvieron por agüero y pronóstico infeliz, y temieron en su príncipe alguna gran desdicha o maldición de su Padre el Sol.

Temeroso de algún mal suceso, el Inca Yáhuar Huácac vivió algunos años en paz y quietud, sin osar tentar la fortuna. Y por no estar ocioso, visitó sus reinos una, dos y tres veces. Procuraba ilustrarlos con edificios magníficos, y trataba a los vasallos con mayor afición y ternura que sus antepasados, que eran muestras y efectos del temor. Empero, al cabo de nueve o diez años, por no mostrarse tan pusilánime que quedase señalado entre todos los Incas por no haber aumentado su Imperio, acordó enviar un ejército de veinte mil hombres de guerra al sudoeste del Cuzco, y eligió por capitán general a su hermano Inca Maita, y nombró cuatro Incas experimentados para maeses de campo. No se atrevió a hacer la conquista por su persona, aunque lo deseó mucho, porque su mal agüero lo traía sobre olas tan dudosas y tempestuosas, que de donde le arrojaban las del deseo lo retiraban las del temor. Por estos miedos nombró a su hermano y a los capitanes, los cuales hicieron la conquista con brevedad y buena dicha.

11. caciques. 12. P. José de Acosta, *Historia natural y moral de las Indias.* 13. Fragmentos de los capítulos XX-XXIV del Libro IV, y de los capítulos XVII-XXII del Libro V de la Primera Parte de los *Comentarios reales*, refundidos y modernizados por Ángel Rosenblat en *Letras*, Buenos Aires, 1944, núm. 2.

El Inca cobró nuevo ánimo con el buen suceso de la jornada pasada, y acordó hacer otra conquista, de más honra y fama, que era reducir a su Imperio unas grandes provincias que habían quedado por ganar en el distrito de Collasuyo, pobladas de mucha gente valiente y belicosa, por lo cual los Incas pasados no habían emprendido aquella conquista por fuerza de armas, sino que esperaban que de suyo se fuesen domesticando y cultivando, y aficionándose al imperio y señorío de los Incas.

En los cuidados de la conquista de aquellas provincias andaba el Inca Yáhuar Huácac muy congojado, metido entre miedos y esperanzas, que unas veces se prometía buenos sucesos y otras veces desconfiaba de ellos por su mal agüero, por el cual no osaba acometer ninguna empresa de guerra. Andando, pues, rodeado de estas pasiones y congojas, volvió los ojos a otros cuidados que dentro, en su casa, se criaban, que días había le daban pena y dolor, que fué la condición áspera de su hijo, el primogénito, heredero que había de ser de sus reinos, el cual desde niño se había mostrado mal acondicionado, porque maltrataba a los muchachos de su edad que con él andaban y mostraba indicios de aspereza y crueldad. Aunque el Inca hacía diligencias para corregirle, y esperaba que con la edad, cobrando más juicio, iría perdiendo la braveza de su mala condición, parecía salirle vana esta confianza, porque con la edad antes crecía que menguaba la ferocidad de su ánimo. Lo cual para el Inca, su padre, era de grandísimo tormento, porque como todos sus antepasados se habían preciado de su afabilidad y mansedumbre, le era muy penoso ver al príncipe de contraria condición. Procuró remediarla con persuasiones y con ejemplos de sus mayores, y también con reprensiones y disfavores. Mas todo le aprovechaba poco o nada, porque la mala inclinación en el grande y poderoso pocas veces o nunca suele admitir corrección. Y así, en este príncipe, cuanta triaca aplicaban a su mala inclinación, toda la convertía en la misma ponzoña. Por lo cual el Inca, su padre, acordó desfavorecerlo del todo y apartarlo de sí, con el propósito, si no aprovechaba el remedio del disfavor para enmendar su condición, [de] desheredarlo, y elegir otro de sus hijos que fuese como sus mayores, aunque la costumbre de desheredar a los hijos no existía entre los Reyes Incas.

Así mandó echarlo de su casa y de la corte cuando el príncipe tenía ya diez y nueve años, y que lo llevasen a las hermosas y grandes dehesas de Chita, a más de una legua al levante de la ciudad. Allí había mucho ganado del Sol, y el Inca mandó que su hijo lo apacentase con los pastores que tenían aquel cuidado. El príncipe, no pudiendo hacer otra cosa, aceptó el destierro y el disfavor que le daban en castigo de su ánimo bravo y belicoso, y llanamente se puso a hacer el oficio de pastor con los demás ganaderos, y guardó el ganado del Sol, que ser del Sol era consuelo para el triste Inca. Este oficio hizo aquel desfavorecido príncipe por espacio de tres años y más.

Habiendo desterrado el Inca Yáhuar Huácac a su hijo primogénito, le pareció dejar del todo las guerras y conquistas de nuevas provincias y atender solamente al gobierno y quietud de su reino, sin perder a su hijo de vista, para procurar la mejora de su condición o buscar otros remedios, aunque todos los que se le ofrecían le parecían violentos e inseguros, por la novedad y grandeza del caso, que era deshacer la deidad de los Incas, divinos hijos del Sol, y porque los vasallos no consentirían aquel castigo ni cualquiera otro que quisiese hacer en el príncipe.

Con esta congoja y cuidado, que le quitaba todo descanso y reposo, anduvo el Inca más de tres años. En este tiempo envió a visitar dos veces el reino a cuatro parientes suyos, y mandó que se hiciesen las obras que conviniesen al honor del Inca y al beneficio común de los vasallos, como era hacer nuevas acequias, depósitos y casas reales, fuentes, puentes y calzadas, y otras obras semejantes. Mas él no osó salir de la corte, donde entendía en celebrar las fiestas del Sol y en hacer justicia a sus vasallos.

Al fin de aquel largo tiempo, un día, poco después de mediodía, entró el príncipe en la casa de su padre, donde menos le esperaban, solo y sin compañía, como hombre desfavorecido del Rey. Al cual envió decir que estaba allí y que tenía necesidad de darle cierta embajada. El Inca respondió con mucho enojo que se fuese luego donde le había mandado residir, si no quería que lo castigase con pena de muerte por inobediente al mandato real, pues sabía que a nadie era lícito quebrantarlo. El príncipe respondió que él no había venido allí para quebrantar su mandamiento, sino por obedecer a otro tan gran Inca como él, el cual le enviaba a decir ciertas cosas que le importaba mucho saber; que si las quería oír le diese licencia para entrar a decírselas, y si no, que con volver a quien le había enviado y darle cuenta de lo que había pasado, habría cumplido con él.

El Inca mandó que entrase por ver qué disparates eran aquéllos, y saber quién le enviaba recaudos con el hijo desterrado y privado de su gracia. Quiso averiguar qué novedades eran aquéllas, para castigarlas. El príncipe, puesto ante su padre, le dijo:

— Señor, sabrás que estando yo recostado hoy a mediodía (no sabré certificarte si despierto o dormido) debajo de una gran peña de las que hay en los pastos de Chita, donde por tu mandato apaciento las ovejas de Nuestro Padre el Sol, se me puso delante un hombre extraño en hábito, y en figura diferente de la nuestra, porque tenía barbas de más de un palmo y el vestido largo y suelto, que le cubría hasta los pies. Traía atado por el pescuezo un animal no conocido. El cual me dijo: « Sobrino, yo soy hijo del Sol y hermano del Inca Manco Cápac y de la Coya Mama Ocllo Huaco, su mujer y hermana, los primeros de tus antepasados, por lo cual soy hermano de tu padre y de todos vosotros. Me llamo Viracocha Inca y vengo de parte del Sol, Nuestro Padre, a darte aviso para que se lo des al Inca, mi hermano, de que la mayor parte de las provincias de Chinchasuyo sujetas a su imperio, y otras no sujetas, están rebeladas y juntan mucha gente para venir con poderoso ejército a derribarle de su trono y destruir nuestra imperial ciudad del Cuzco. Ve al Inca, mi hermano, y dile de mi parte que se aperciba y prevenga y mire por lo que le conviene acerca de este caso. Y en particular te digo a ti que en cualquier adversidad que te suceda no temas que yo te falte, que en todas ellas te socorreré como a mi carne y sangre. Por tanto, no dejes de acometer ninguna hazaña, por grande que sea, que convenga a la majestad de tu sangre y a la grandeza de tu Imperio, que yo seré siempre en tu favor y amparo, y te buscaré los socorros que hubieres menester. » Dichas estas palabras, se me desapareció el Inca Viracocha, y yo tomé el camino para darte cuenta de lo que me mandó que te dijese.

El Inca Yáhuar Huácac, con la pasión y enojo que contra su hijo tenía, no quiso creerle; antes le dijo que era un loco soberbio, que los disparates que andaba imaginando venía a decir que eran revelaciones de su padre el Sol; que se fuese luego a Chita y no saliese de allí jamás, so pena de su ira.

Con esto se volvió el príncipe a guardar sus ovejas, más desfavorecido de su padre que antes. Los hermanos y tíos del Inca, como eran tan agoreros y supersticiosos, principalmente en cosas de sueños, tomaron de otra manera las palabras del príncipe, y dijeron al Inca que no era de menospreciar el mensaje y aviso del Inca Viracocha, su hermano, habiendo dicho que era hijo del Sol y que venía de su parte, y que no era de creer que el príncipe fingiese aquellas razones en desacato del Sol, que fuera sacrilegio el imaginarlas, cuanto más decirlas delante del Rey. Por tanto sería bien se examinasen una a una las palabras del príncipe, y sobre ellas se hiciesen sacrificios al Sol y se tomasen sus agüeros, para ver si les pronosticaban bien o mal, y se hiciesen las diligencias necesarias a negocio tan grave, porque dejarlo así desamparado parecía menospreciar al Sol, padre común, que enviaba aquel aviso, y al Inca Viracocha, su hijo, que lo había traído, y era amontonar para adelante errores sobre errores.

El Inca, con el odio que tenía a la mala condición de su hijo, no quiso admitir los consejos que sus parientes le daban, antes dijo que no se había de hacer caso del dicho de un loco furioso, que en lugar de enmendar y corregir la aspereza de su mala condición para merecer la gracia de su padre, venía con nuevos disparates, por los cuales merecía que lo privaran del principado y herencia del reino, como lo pensaba hacer muy presto, y elegir uno de sus hermanos que por su clemencia, piedad y mansedumbre mereciese el nombre de hijo del Sol. Que no era razón que un loco, por ser iracundo y vengativo, destruyese con el cuchillo de la crueldad lo que todos los Incas pasados, con mansedumbre y beneficios, habían reducido a su imperio; que mirasen que aquello era de más importancia que las palabras desatinadas de un furioso; que si no hubiera autorizado su atrevimiento con decir que la embajada era de un hijo del Sol, hubiera mandado que le cortaran la cabeza por haber quebrantado el destierro que le había dado. Por tanto les mandaba que no tratasen de aquel caso, sino que se le pusiese perpetuo silencio, porque le causaba mucho enojo que le trajeran a la memoria cosa alguna del príncipe. Los Incas callaron, aunque en sus ánimos no dejaron de temer algún mal suceso, porque estos indios fueron muy agoreros, y particularmente miraron mucho en sueños, y más si los sueños acertaban a ser del Rey o del príncipe heredero o del sumo sacerdote.

Tres meses después del sueño del príncipe Viracocha Inca, que así le llamaron los suyos en adelante, vino nueva, aunque incierta, del levantamiento de las provincias de Chinchasuyo. Esta nueva vino sin autor, y la fama la trajo confusa y oculta. Aunque la nueva conformaba con el sueño del príncipe, el Rey no hizo caso de ella, porque le pareció que eran hablillas de camino y un recordar el sueño pasado, que parecía ya olvidado. Pocos días después se volvió a refrescar la misma nueva, aunque todavía incierta y dudosa, porque los enemigos habían cerrado los caminos con grandísima diligencia para que antes los viesen en el Cuzco que supiesen de su ida. La tercera nueva llegó ya muy certificada, diciendo que las naciones llamadas Chanca, Uramarca, Huillca, Utusulla, Hancohuallo y otras se habían rebelado, habían matado a los gobernadores y ministros regios, y marchaban contra la ciudad con más de cuarenta mil hombres de guerra.

Estas naciones se habían reducido al imperio del Rey Inca Roca más por el terror de las armas que por el amor de su gobierno. Viendo, pues, al Inca Yáhuar Huácac tan poco belicoso, antes acobardado con el mal agüero de su nombre y escandalizado y embarazado con la aspereza de la condición de su hijo, y habiéndose divulgado entre estos indios algo del nuevo enojo que el Rey había tenido con su hijo, aunque no se dijo la causa, y los grandes disfavores que le hacía, les pareció bastante ocasión para mostrar el mal ánimo que al Inca tenían y el odio contra su imperio y dominio. Y así, con la mayor brevedad y secreto que pudieron, se convocaron unos a otros, y entre todos levantaron un poderoso ejército, eligieron por capitán general a Hancohuallo, curaca de los Chancas, que era un indio valeroso, y caminaron en demanda de la imperial ciudad del Cuzco.

El Inca Yáhuar Huácac se halló confuso con la certificación de la venida de los enemigos, porque nunca había creído que tal pudiera ser, porque nunca se había rebelado provincia alguna de cuantas se habían conquistado desde el primer Inca Manco Cápac. Por esta seguridad, y por el odio que tenía al príncipe, su hijo, que dió el pronóstico de aquella rebelión, no había querido darle crédito ni tomar los consejos de sus parientes, porque la pasión le cegaba el entendimiento. Viéndose, pues, ahora anegado porque no tenía tiempo para convocar gente con que salir al encuentro de los enemigos ni fortaleza en la ciudad para defenderse de ellos, decidió retirarse hacia Collasuyo, donde esperaba estar seguro, por la nobleza y lealtad de los vasallos. Con esta determinación se dirigió, con los pocos Incas que pudieron seguirle, a la angostura de Muina, que está cinco leguas al sur de la ciudad.

La ciudad del Cuzco quedó desamparada, sin capitán ni caudillo, y todos procuraban huir por donde entendían mejor salvar las vidas. Algunos de los que iban huyendo se encontraron con el príncipe Viracocha Inca y le dieron nuevas de la rebelión y de la retirada de su padre. El príncipe sintió grandemente saber que su padre hubiese desamparado la ciudad, y mandó a los que le habían dado la nueva y a algunos de los pastores que consigo tenía que fuesen a la ciudad y dijesen a todos los indios, en la ciudad o por los caminos, que procurasen ir en pos del Inca, su señor, con las armas que tuviesen, porque él pensaba hacer lo mismo, y que pasasen la palabra de unos en otros.

Dada esta orden, el príncipe fué en busca de su padre por unos atajos, sin querer entrar en la ciudad, y lo alcanzó en la angostura de Muina. Y lleno de polvo y sudor, con una lanza en la mano, se puso delante del Rey, y con semblante triste y grave le dijo:

— Inca ¿cómo se permite que por una nueva, falsa o verdadera, de unos pocos vasallos rebelados desampares tu casa y corte, y vuelvas las espaldas a los enemigos aún no vistos? ¿Cómo se sufre que dejes entregada la casa del Sol, tu Padre, para que los enemigos la huellen con sus pies calzados y hagan en ella las abominaciones que tus antepasados les quitaron, de sacrificios de hombres, mujeres y niños, y otras grandes bestialidades y sacrilegios? ¿Qué cuenta daremos de las vírgenes dedicadas al Sol, con observancia de perpetua virginidad, si las dejamos desamparadas para que los enemigos brutos y bestiales hagan de ellas lo que quisieren? ¿Qué honra habremos ganado de haber permitido estas maldades por salvar la vida? Yo no la quiero, y así vuelvo a ponerme delante de los enemigos para que me la quiten antes que entren en el Cuzco, porque no quiero ver las abominaciones que los bárbaros harán en aquella imperial y sagrada ciudad, que el Sol y sus hijos fundaron. Los que me quisieren seguir que vengan en pos de mí, que yo les mostraré cómo se trueca vida vergonzosa en muerte honrada.

Habiendo dicho con dolor y sentimiento estas razones, el príncipe volvió hacia la ciudad sin querer tomar refresco alguno de comida y bebida. Los Incas de la sangre real, que habían salido con el Rey, que serían más de cuatro mil hombres, se volvieron todos con el príncipe, que no quedaron con su padre sino los viejos inútiles. Por los caminos y atajos encontraron mucha gente que salía huyendo de la ciudad, y se llamaron los unos a los otros con la nueva de que el príncipe

Inca Viracocha volvía a defender la ciudad y la casa de su Padre el Sol. Con esta nueva volvieron todos los que huían. El príncipe mostraba tanto ánimo y esfuerzo que lo comunicaba a todos los suyos.

Viracocha Inca salío al encuentro de los enemigos para ponerse entre ellos y la ciudad, porque su intención era morir peleando antes que los contrarios entrasen en el Cuzco, porque bien veía que no tenía fuerzas contra ellos. A media legua al norte de la ciudad, en un llano grande, paró a esperar a los suyos y recoger a los fugitivos. De los unos y de los otros juntó más de ocho mil hombres de guerra, todos Incas, determinados a morir delante de su príncipe. Allí recibió la noticia de que los enemigos estaban a nueve o diez leguas de la ciudad, y que pasaban ya el gran río Apurímac. Al día siguiente de esta mala nueva llegó otra buena, de un socorro de casi veinte mil hombres de las naciones Quechua, Cotapampa, Cotanera, Aimara y otras.

Los Incas se esforzaron mucho al saber que les venía tan gran socorro en tiempo de tanta necesidad, y lo atribuyeron a la promesa del fantasma Inca Viracocha cuando se le apareció en sueños al príncipe, con lo cual cobraron tanto ánimo que daban por suya la victoria. El príncipe aguardó el socorro, que fueron doce mil hombres de guerra, y los curacas quechuas le dijeron que otros cinco mil hombres venían dos jornadas atrás. Después de haberlo consultado con sus parientes, decidió esperar allí a los enemigos y mandó que los nuevos cinco mil hombres se emboscasen en unos cerrillos y quebradas, y estuviesen dispuestos para irrumpir en el mayor hervor de la batalla. Dos días después de llegar el socorro, asomó por lo alto de la cuesta de Rimactampu la vanguardia enemiga.

El príncipe envió mensajeros a los enemigos, que estaban en Sacsahuana, con requerimientos de paz y amistad y perdón de lo pasado. Mas los chancas no los quisieron escuchar, por parecerles que la victoria era de ellos. El príncipe volvió a enviar otros y luego otros. Los chancas sólo recibieron a los últimos, a los cuales dijeron: « Mañana se verá quién merece ser Rey y quién puede perdonar. »

Los unos y los otros estuvieron bien prevenidos toda la noche, y luego, cuando fué de día, armaron sus escuadrones, y con grandísima vocería y ruido de trompetas fueron a enfrentarse. El Inca Viracocha quiso ir delante de todos, y fué el primero que tiró a los enemigos el arma que llevaba. Luego se trabó una bravísima pelea, matándose unos a otros cruelmente, hasta mediodía. A esta hora asomaron los cinco mil indios emboscados, y con gran ímpetu y alarido dieron en los enemigos por el lado derecho. Los chancas se retiraron muchos pasos atrás, pero esforzándose unos a otros volvieron a cobrar lo perdido y a pelear con grandísimo enojo. La pelea duró dos horas más, sin reconocerse ventaja, pero entonces comenzaron a aflojar los chancas, porque a todas horas sentían que entraba nueva gente en la batalla. Y era que los fugitivos y los vecinos de la ciudad y de los pueblos comarcanos acudían a morir con su príncipe, y entraban de cincuenta en cincuenta y de ciento en ciento, dando grandísimos alaridos. Los Incas decían que las piedras y las matas de aquellos campos se convertían en hombres y venían a pelear en servicio del príncipe, porque el Sol y el Dios Viracocha así lo mandaban. Y cuando vieron flaquear a los enemigos, repitieron el nombre de Viracocha, porque así lo mandó el príncipe, y cargaron con gran ímpetu y quedaron dueños del campo. Los enemigos huyeron.

La batalla había durado más de ocho horas, y fué tan reñida y sangrienta que los indios llamaron desde entonces aquel llano Yahuarpampa, o Campo de Sangre. El príncipe persiguió a los enemigos, pero luego mandó recoger la gente. Recorrió todo el campo, hizo curar los heridos y retirar los muertos. Dió libertad a los prisioneros para que se volviesen a sus tierras, diciéndoles que los perdonaba a todos. Sólo retuvo a los dos maeses de campo enemigos y al general Hancohuallo, que quedó herido, y al cual mandó curar con mucho cuidado. Luego envió tres mensajeros: uno a la casa del Sol, otro a las vírgenes escogidas y otro al Inca, su padre, dándole cuenta de todo lo que había pasado y suplicándole que no se moviese de donde estaba hasta que él volviese.

Despachados los mensajeros, mandó elegir seis mil hombres de guerra, y dos días después de la batalla salió con ellos en seguimiento de los enemigos, no para maltratarlos, sino para hacerles sentir el temor de lo que podía acarrearles su delito. Recorrió en breve tiempo todas las provincias rebeladas, perdonó a todos, y mandó que se tuviese gran cuidado con las viudas y huérfanos de la batalla de Yahuarpampa. Y entonces volvió al Cuzco. Los indios todos, así los leales como los rebelados, quedaron admirados de ver la piedad y mansedumbre del príncipe, tan en contra de la aspereza de su condición. Empero, decían que su Dios el Sol le había mandado que mudase de condición y fuese como sus antepasados. El deseo de honra y fama puede tanto en los ánimos generosos que hace que truequen las bravas y malas inclinaciones por las contrarias, como lo hizo este príncipe para dejar el buen nombre que dejó entre los suyos.

El Inca Viracocha entró en el Cuzco a pie, por mostrarse más soldado que Rey, y descendió la cuesta de Carmenca rodeado de su gente de guerra y de sus parientes. Fué recibido con grandísima alegría y aclamaciones de la multitud. Los Incas viejos salieron a adorarle por hijo del Sol. Su madre y las mujeres más cercanas al príncipe, con otra gran multitud de princesas de la sangre real, salieron a recibirle con cantares de fiesta y regocijo. Unas le abrazaban, otras le enjugaban el sudor de la cara, otras le quitaban el polvo del camino, otras le echaban flores y hierbas olorosas. Así llegó hasta la casa del Sol, donde entró descalzo a darle las gracias de la victoria. Luego fué a visitar las vírgenes mujeres del Sol, y hechas estas dos visitas se dirigió a la angostura de Muina a ver a su padre.

El Inca Yáhuar Huácac recibió al príncipe, su hijo, no con el regocijo, alegría y contento que se esperaba de hazaña tan grande y victoria tan desconfiada, sino con semblante grave y melancólico, que antes mostraba pesar que placer. En aquel acto público pasaron entre ellos pocas palabras, mas después, en secreto, hablaron muy largo. Por conjeturas se entiende que debió de ser acerca de cuál de ellos había de reinar, si el padre o el hijo. De la plática salió resuelto que el padre no volviese al Cuzco, por haberlo desamparado. El Inca Yáhuar Huácac dió lugar a la determinación de su hijo porque sintió inclinada a su deseo toda la corte, y particularmente porque no pudo más. Con este acuerdo trazaron una casa real, entre la angostura de Muina y Quespicancha, en un sitio ameno, con todas las delicias que se pudieron imaginar de huertas y jardines y entretenimientos reales de caza y pesquería. Hecho el trazado de la casa, el príncipe volvió a la ciudad y dejó la borla amarilla para tomar la colorada. Con todo, no consintió nunca que su padre se quitase la suya, que de las insignias se hace poco caudal cuando falta la realidad del imperio y domino. Acabada la casa, le puso todos los criados y el servicio necesario, tan cumplido que nada le faltó al Inca Yáhuar Huácac, salvo el reinar. En esta vida solitaria vivió este pobre Rey lo que le quedó de vida, desposeído por su propio hijo y desterrado en el campo, como poco antes tuvo él al mismo hijo. Esta desdicha decían los indios que había pronosticado el mal agüero de haber llorado sangre en su niñez.

El Inca Viracocha quedó en tanta reputación entre los suyos, así por su sueño como por la victoria pasada, que en vida lo adoraron por nuevo Dios, enviado por el Sol para reparo de los de su sangre. Y así le hacían la veneración y acatamiento con mayores ostentaciones de adoración que a los pasados. Para mayor estima de su sueño, y para perpetuarlo en la memoria de las gentes, mandó hacer, en un pueblo llamado Cacha, un templo de extraña labor, a honor y reverencia del fantasma Viracocha. Y quedó tan ufano y glorioso de sus hazañas y de la nueva adoración que los indios le hacían, que, no contento con la obra famosa del templo, hizo otra galana y vistosa, no menos mordaz contra su padre que aguda en su favor, aunque dicen los indios que no la hizo sino después de la muerte de su padre. Y fué que en una peña altísima, en el paraje donde su padre paró cuando salió del Cuzco, mandó pintar dos cóndores: el uno con las alas cerradas y la cabeza baja y encogida, como se ponen las aves, por fieras que sean, cuando se quieren esconder, con el rostro hacia Collasuyo y las espaldas al Cuzco; el otro con el rostro vuelto a la ciudad y feroz, con las alas abiertas, como que iba volando a hacer alguna presa. Esta pintura vivía en todo su ser el año de mil y quinientos y ochenta.

TUVO NUEVAS HUAYNA CAPAC DE LOS ESPAÑOLES QUE ANDABAN EN LA COSTA

[A] Huayna Capac, [. . .] estando en los reales palacios de Tumipampa, que fueron de los más soberbios que hubo en el Perú, le llegaron nuevas que gentes extrañas, y nunca jamás vistas en aquella tierra, andaban en un navío por la costa de su imperio procurando saber qué tierra era aquélla; la cual novedad despertó a Huayna Capac a nuevos cuidados para inquirir y saber qué gente era aquélla y de dónde podía venir. Es de saber que aquel navío era de Vasco Núñez de Balboa, primer descubridor de la mar del Sur, y aquellos españoles fueron los que (como al principio dijimos) impusieron el nombre Perú a aquel imperio, que (fué) el año mil quinientos quince, y el descubrimiento de la mar del Sur fué dos años antes. Un historiador dice que aquel navío y aquellos españoles eran don Francisco Pizarro y sus trece compañeros, que dice fueron los primeros descubridores del Perú. En lo cual se engañó, que por decir primeros ganadores dijo primeros descubridores; y también se engañó en el tiempo, porque de lo uno a lo otro pasaron diez y seis años, si no fueron más; porque el primer descubrimiento del Perú, y la imposición de este nombre fué el año de mil quinientos quince; y don Francisco Pizarro y sus cuatro hermanos y don Diego de Almagro, entraron en el Perú para ganar el año de mil quinientos y treinta y uno, y Huayna Capac murió ocho años antes, que fué el de mil quinientos y veinte y tres, habiendo reinado cuarenta y dos años según lo testifica el P. Blas Valera en sus rotos y destrozados papeles, donde escribía grandes antiguallas de aquellos reyes, que fué muy gran inquiridor de ellas.

Aquellos ocho años que Huayna Capac vivió después de la nueva de los primeros descubridores, los gastó en gobernar su imperio en toda paz y quietud. No quiso hacer nuevas conquistas, por estar a la mira de lo que por la mar viniese; porque la nueva de aquel navío le dió mucho cuidado, imaginando en un antiguo oráculo que aquellos Incas tenían, que pasados tantos reyes habían de ir gentes extrañas y nunca vistas, y quitarles el reino, y destruir su república y su idolatría: cumplíase el plazo en este Inca, como adelante veremos. Asimismo es de saber, que tres años antes que aquel navío fuese a la costa del Perú, acaeció en el Cuzco un portento y mal agüero, que escandalizó mucho a Huayna Capac, y atemorizó en extremo a todo su imperio, y fué, que celebrándose la fiesta solemne que cada año hacían a su dios el Sol, vieron venir por el aire un águila real, que ellos llaman anca, que la iban persiguiendo cinco o seis cernícalos y otros tantos halconcillos, de los que por ser tan lindos han traído muchos a España, y en ella les llaman aletos, y en el Perú huamán. Los cuales, trocándose ya los unos, ya los otros, caían sobre el águila, que no la dejaban volar, sino que la mataban a golpes. Ella, no pudiendo defenderse, se dejó caer en medio de la plaza mayor de aquella ciudad, entre los Incas, para que la socorriesen. Ellos la tomaron y vieron que estaba enferma, cubierta de caspa, como sarna, y casi pelada de las plumas menores. Diéronle de comer y procuraron regalarla; mas nada le aprovechó, que dentro de pocos días se murió sin poderse levantar del suelo. El Inca y los suyos lo tomaron por mal agüero; en cuya interpretación dijeron muchas cosas los adivinos que para semejantes casos tenían elegidos; y todas eran amenazas de la pérdida de su imperio, de la destrucción de su república y de su idolatría: sin esto[14] hubo grandes terremotos y temblores de tierra, que aunque el Perú es apasionado[15] de esta plaga, notaron que los temblores eran mayores que los ordinarios y que caían muchos cerros altos. De los indios de la costa supieron que la mar con sus crecientes y menguantes salía muchas veces de sus términos comunes; vieron que en el aire se aparecían muchas cometas muy espantosas y temerosas. Entre estos miedos y asombros, vieron que una noche muy clara y serena tenía la luna tres cercos muy grandes. El primero era de color de sangre. El segundo, que estaba más afuera, era de un color negro que tiraba a verde. El tercero parecía que era de humo. Un adivino o mágico, que los indios llaman Llayca, habiendo visto y contemplado los cercos que la luna tenía, entró donde Huayna Capac estaba, y con un semblante muy triste y lloroso, que casi no podía hablar, le dijo: sólo, señor, sabrás que tu madre la Luna, como madre piadosa te avisa que el Pachacamac, criador y sustentador del mundo, amenaza a tu sangre real y a tu imperio con grandes plagas que ha de enviar sobre los tuyos; porque el primer cerco que tu madre tiene de color de sangre, significa que después que tú hayas ido a descansar con tu padre el Sol, habrá cruel guerra entre tus descendientes, y mucho derramamiento de tu real sangre. De manera que en pocos años se acabará toda; de lo cual quisiera reventar llorando. El segundo cerco negro nos amenaza que de las guerras y mortandad de los tuyos se causará la destrucción de nuestra religión y república y la enajenación de tu imperio, y todo se convertirá en humo, como lo significa el cerco tercero que parece de humo. El Inca recibió mucha alteración; mas por no mostrar flaqueza, dijo al mágico: anda, tú debes de haber soñado esta noche esas burlerías, y dices que son revelaciones de mi madre. Respondió el mágico: para que me creas Inca, podrás salir a ver las señales de tu madre por tus propios ojos, y mandarás que vengan los demás adivinos, y sabrás lo que dicen de estos agüeros. El Inca salió de su aposento, y habiendo visto las señales, mandó llamar a todos los mágicos que en su corte había; y uno de ellos, que era de la nación Yauyu, a quien los demás reconocían ventaja, que también había mirado y considerado los

14. además de esto. 15. propenso. 16. Fragmentos de los capítulos VIII y IX del Libro VI de la Segunda Parte de los *Comentarios reales* refundidos y modernizados por Rosenblat. 17. Todo esto se refiere a las famosas guerras civiles entre los Pizarro y los Almagro, a las que puso fin don Pedro de Lagasca.

cercos, le dijo lo mismo que el primero. Huayna Capac, porque los suyos no perdiesen el ánimo con tan tristes pronósticos, aunque conformaban con el que tenía en su pecho, hizo muestras de no creerlos, y dijo a los adivinos: si no me lo dice el mismo Pachacamac, yo no pienso dar crédito a vuestros dichos; porque no es de imaginar que el Sol mi padre aborrezca tanto su propia sangre, que permita la total destrucción de sus hijos. Con esto despidió a los adivinos; empero considerando lo que le habían dicho, que era tan propio del oráculo antiguo que de sus antecesores tenía, y juntando lo uno y lo otro con las novedades y prodigios que cada día aparecían en los cuatro elementos; y que sobre lo dicho se aumentaba la ida del navío con la gente nunca vista ni oída, vivía Huayna Capac con recelo, temor y congoja. Estaba apercibido siempre de un buen ejército escogido de la gente más veterana y práctica que en las guarniciones de aquellas provincias había. Mandó hacer muchos sacrificios al sol, y que los agoreros y hechiceros, cada cual en sus provincias, consultasen a sus familiares demonios, particularmente al gran Pachacamac y al diablo Rímac, que daba respuestas a lo que le preguntaban, que supiesen de él lo que de bien o de mal pronosticaban aquellas cosas tan nuevas que en la mar y en los demás elementos se habían visto. De Rímac y de las otras partes le trajeron respuestas oscuras y confusas, que ni dejaban de prometer algún bien, ni dejaban de amenazar mucho mal; y los más de los hechiceros daban malos agüeros, con que todo el imperio estaba temeroso de alguna grande adversidad: mas como en los primeros tres o cuatro años no hubiese novedad alguna de las que temían, volvieron a su antigua quietud, y en ella vivieron algunos años hasta la muerte de Huayna Capac. La relación de los pronósticos que hemos dicho, además de la fama común que hay de ellos por todo aquel imperio, la dieron en particular dos capitanes de la guardia de Huayna Capac, que cada uno de ellos llegó a tener más de ochenta años: ambos se bautizaron; el más antiguo se llamó don Juan Pechuta; tomó por sobrenombre el nombre que tenía antes del bautismo, como lo han hecho todos los indios generalmente; el otro se llamaba Chauca Rimachi; el nombre cristiano ha borrado de la memoria el olvido. Estos capitanes, cuando contaban estos pronósticos y los sucesos de aquellos tiempos se derretían en lágrimas llorando, que era menester divertirles de la plática para que dejasen de llorar. El testamento y la muerte de Huayna Capac, y todo lo demás que después de ella sucedió, diremos de relación de aquel Inca viejo que había nombre Cusi Hualpa y mucha parte de ello, particularmente las crueldades que Atahualpa en los de la sangre real hizo, diré de relación de mi madre, y de un hermano suyo que se llamó don Fernando Hualpa Tupac Inca Yupanqui, que entonces eran niños de menos de diez años, y se hallaron en la furia de aquellos dos años y medio que duraron, hasta que los españoles entraron en la tierra [...] *(Libro IX, capítulo XIV)*.

DON RODRIGO NIÑO Y LOS GALEOTES DEL PERÚ[16]

Después que el Presidente Gasca hubo pacificado el Perú de la rebelión de Gonzalo Pizarro[17], llegó a la Ciudad de los Reyes una carta de Hernando Niño, regidor de Toledo, para su hijo Rodrigo, que había sido siempre fiel al bando del Virrey. Su padre le mandaba que una vez desocupado de las guerras, volviese a España a tomar posesión de un mayorazgo que un pariente le dejaba en herencia.

Al Presidente y a sus ministros les pareció que este caballero, que tan leal se había mostrado en el servicio de Su Majestad en la guerra pasada, haría buen oficio en llevar a España ochenta y seis soldados de Gonzalo Pizarro condenados a galeras, y así se lo mandaron, poniéndole por delante que haría gran servicio a Su Majestad y que se le gratificaría en España con lo demás que había servido en el Perú.

Rodrigo Niño lo aceptó, aunque contra su voluntad, porque no hubiera querido ir a España ocupado con gente condenada a galeras. Mas como la esperanza del premio vence cualquier dificultad, preparó sus armas para ir como capitán de aquella gente. Y así salió de la Ciudad de los Reyes con los ochenta y seis españoles condenados, entre los cuales iban seis ministriles de Gonzalo Pizarro.

Con buen suceso y próspero tiempo, llegó Rodrigo Niño a Panamá, que por todo aquel viaje, por ser distrito del Perú, las justicias de cada pueblo le ayudaban a guardar y mirar por los galeotes, y ellos venían pacíficos y humildes, porque en aquella jurisdicción habían ofendido a la Majestad Real. Pero pasando de Panamá, dieron en huirse algunos de ellos, por no remar en galeras, y la causa fué la poca o ninguna guardia que traían, que no se la dieron por parecerles a los ministros reales que bastaba la autoridad de Rodrigo Niño, y también porque era dificultoso hallar quien quisiese dejar el Perú para ir de guardián de galeotes.

Con estas dificultades y pesadumbres, llegó Rodrigo Niño cerca de las islas de Santo Domingo y Cuba, donde le salió al encuentro un navío francés, corsario de aquellos mares. Rodrigo Niño, viendo que no llevaba armas ni gente para defenderse, y que los suyos antes le serían contrarios, acordó usar de una maña soldadesca discreta y graciosa. Se armó de punta en blanco de su coselete y celada, con muchas plumas, y una partesana[18] en la mano. Se arrimó al árbol mayor del navío, mandó que los marineros y la demás gente se encubriese y que solos los ministriles se pusiesen sobre la popa y tocasen los instrumentos cuando viesen al enemigo cerca. Y ordenó que no cambiasen el rumbo del viaje ni hiciesen caso del enemigo. Los corsarios iban muy confiados en tomar el navío, mas cuando oyeron la música real, y vieron que no aparecía gente a bordo, imaginaron que aquel navío era de algún gran señor desterrado por un grave delito cometido contra su Rey, o desposeído de su estado por alguna trampa de las que hay en el mundo, por lo cual se hubiese hecho corsario. Con esta imaginación no osaron acometer a Rodrigo Niño, y lo dejaron seguir su viaje. Todo esto se supo después, cuando el Presidente pasó por aquellas islas, de regreso a España, y el mismo corsario lo había dicho en los puertos. El Presidente holgó mucho por haber elegido tal persona para traer los galeotes a España.

Rodrigo Niño siguió su viaje y llegó a la Habana, donde se le huyó buena parte de sus galeotes. Otros pocos se habían huído en Cartagena, y lo mismo hicieron en las islas de la Tercera[19]. Cuando entraron por la barra de Sanlúcar ya no venían más que dieciocho, y de allí al Arenal de Sevilla se huyeron diez y siete. De ochenta y seis que le entregaron, desembarcó con uno solo, para llevarlo a la Casa de la Contratación, donde los había de entregar todos. Rodrigo Niño entró en Sevilla con su galeote por el postigo del Carbón, puerta por donde pasa poca gente.

Estando ya en medio de la calle, y viendo que no aparecía nadie, Rodrigo Niño echó mano del galeote por los cabezones de la camisa, y con la daga en la mano le dijo:

— Por vida del Emperador, que estoy por daros veinte puñaladas; y no lo hago por no ensuciar las manos en matar un hombre tan vil y bajo como vos, que habiendo sido soldado en el Perú no os desdeñéis de remar en una galera. ¡Hi de tal! ¿No pudierais haberos huído, como lo han hecho los otros ochenta y cinco que venían con vos? Andad con todos los diablos donde nunca más os vea yo, que más quiero ir solo, que tan mal acompañado.

Diciendo esto, le dió tres o cuatro puñadas y le soltó. Y Rodrigo Niño se fué a la Casa de la Contratación a dar cuenta de la buena guarda que había hecho de sus galeotes, diciendo en su descargo que se habían huído porque no había tenido medios para retener a tantos forzados, los cuales le habían hecho merced en no haberle muerto, como hubieran podido, para irse más a su salvo. Los jueces de la Contratación quedaron confusos por entonces, hasta averiguar la verdad de aquel hecho.

El postrer galeote, usando de su vileza, en el primer bodegón donde entró contó a otros lo que Rodrigo Niño le había dicho, y lo que había hecho con él. Y ellos lo descubrieron a otros y a otros, y de mano en mano llegó el cuento hasta los jueces de la Contratación, los cuales prendieron a Rodrigo Niño. El fiscal lo acusó rigurosamente de haber dado libertad a ochenta y seis esclavos de Su Majestad, y pidió que se le condenase a pagar una cantidad de dinero por cada uno.

El pleito se prolongó, y Rodrigo Niño fué condenado a servir seis años de jinete en Orán, con otros dos compañeros a su costa, y la prohibición de volver a Indias. Rodrigo Niño apeló de la sentencia ante el Príncipe Maximiliano de Austria, que asistía en el gobierno de España por ausencia de Su Majestad Imperial. Su Alteza oyó largamente a los padrinos de Rodrigo Niño, que le contaron cuán mal lo habían tratado en el Perú los tiranos porque no había querido ser de ellos, y el ardid que usó con el corsario, y todo lo que le sucedió con los galeotes, hasta el que él echó de sí, y las palabras que le dijo. El Príncipe lo oyó todo con buen semblante, y pareciéndole que la culpa había sido más de los que no le dieron las guardas, y que los galeotes habían sido comedidos en no haberle matado para huirse, consintió en ver a Rodrigo Niño. Y cuando lo tuvo delante, le dijo:

— ¿Sois vos el que se encargó de traer ochenta y seis galeotes, y se os huyeron todos, y uno sólo

18. especie de alabarda. 19. una de las islas Azores.

que os quedó lo echasteis de vos, con muy buenas puñadas que le disteis?

Rodrigo Niño respondió:

— Serenísimo Príncipe, yo no pude hacer más, porque no me dieron guardas que me ayudaran a traer los galeotes, que cuál ha sido mi ánimo en el servicio de Su Majestad es notorio a todo el mundo. Y el galeote que eché de mí fué de lástima, por parecerme que aquel solo había de servir y trabajar por todos los que se me habían huído. Y no quería yo sus maldiciones por haberlo traído a galeras, ni pagarle tan mal por haberme sido más leal que todos sus compañeros. Suplico a Vuestra Alteza mande que me castiguen estos delitos, si lo son.

El Príncipe le dijo:

— Yo los castigaré como ellos merecen. Vos lo hicisteis como caballero; yo os absuelvo de la sentencia, y os doy por libre, y que podáis volver al Perú cuando queráis.

Rodrigo Niño le besó las manos, y años después se volvió al Perú, donde largamente contaba todo lo que se ha dicho, y entre sus cuentos decía: « En toda España no hallé hombre que me hablase una buena palabra, ni de favor, si no fué el buen Príncipe Maximiliano de Austria, que me trató como Príncipe. »

(De *Comentarios reales de los Incas*)

La prosperidad no era un bien igualmente repartido en todas las colonias. En México, en el Perú, hubo un rápido florecimiento, y a principios del siglo XVII ofrecen, como se ha visto, un cuadro cultural bastante rico. En otras partes hay declinación — como en Santo Domingo —; en otras — como en el Paraguay y el Río de la Plata — se vive duramente. De esta última región ha de surgir un cronista que, si bien tardío, muestra en su vida algo de la rudeza de los primeros tiempos: el mestizo RUIZ DÍAZ DE GUZMÁN (Paraguay; 1554?-1629). Desgraciadamente no nos ha dejado la crónica de sus propias jornadas de conquistador. Su obra, conocida como *La Argentina manuscrita*, terminada para 1612, nos ha llegado incompleta en varios manuscritos — ninguno de los cuales es el original — con variantes textuales. Arranca de los hechos del descubrimiento y conquista de las provincias rioplatenses y se interrumpe justamente en los años en que él se entremezcla con los hombres cuya historia ha escrito. Recoge leyendas porque cree en ellas; y, por creer, suele imprimir un aire fabuloso aun a episodios reales como, por ejemplo, el episodio de la Maldonada y la leona, reminiscente del de Ándrocles y el león.

Ruy Díaz de Guzmán

LA ARGENTINA

LA MALDONADA Y LA LEONA

En este tiempo padecían en Buenos Aires cruel hambre. Faltándoles totalmente la ración, comían sapos, culebras y las carnes podridas que hallaban en los campos; de tal manera que los escrementos de los unos comían los otros, viniendo a tanto extremo de hambre como en tiempo que Tito y Vespasiano tuvieron cercada a Jerusalén: comieron carne humana; así le sucedió a esta mísera gente, porque los vivos se sustentaban de la carne de los que morían, y aun de los ahorcados por justicia, sin dejarle más de los huesos, y tal vez hubo hermano que sacó la asadura y entrañas a otro que estaba muerto para sustentarse con ellas. Finalmente murió casi toda la gente, donde sucedió que una mujer española, no pudiendo sobrellevar tan grande necesidad, fué constreñida a salirse del real, e irse a los indios, para poder sustentar la vida. Tomado la costa arriba, llegó cerca de la Punta Gorda en el monte grande. Por ser ya tarde, buscó adonde albergarse. Topando con una cueva que hacía la barranca de la misma costa, entró en ella, y repentinamente topó con una fiera leona que estaba en doloroso parto, que vista por la afligida mujer quedó ésta muerta y desmayada, y volviendo en sí, se tendía a sus pies con humildad. La leona, que vió la presa, acometió a hacerla pedazos; pero usando de su real naturaleza, se apiadó de ella, y desechando la ferocidad y furia con que la había acometido, con muestras halagüeñas llegó así a la que ya hacía poco caso de su vida. Ella, cobrando algún aliento, la ayudó en el parto en que actualmente estaba, y venido a luz parió dos leoncillos; en cuya compañía estuvo algunos días sustentada de la leona con la carne que traía de los animales; con que quedó bien agradecida del hospedaje, por el oficio de comadre que usó. Y acaeció que un día corriendo los indios aquella costa, toparon con ella una mañana al tiempo que salía a la playa a satisfacer la sed en el río donde la sorprendieron y llevaron a su pueblo, tomándola uno de ellos por mujer, de cuyo suceso y de lo demás que pasó haré relación adelante. *(Capítulo XII).*

[. . .] En este tiempo sucedió una cosa admirable, que por serlo la diré, y fué que habiendo salido a correr la tierra un capitán en aquellos pueblos comarcanos, halló en uno de ellos, y trajo, a aquella mujer española de que hice mención arriba, que por la hambre se fué a poder de los indios. Así que Francisco Ruiz Galán la vió, ordenó a que fuese echada a las fieras, para que la despedazasen y comiesen. Puesto en ejecución su mandato, llevaron a la pobre mujer, la ataron muy bien a un árbol, y la dejaron como una legua fuera del pueblo, donde acudieron aquella noche a la presa gran número de fieras para devorarla. Entre ellas vino la leona a quien esta mujer había ayudado en su parto, y habiéndola conocido la defendió de las demás que allí estaban, y querían despedazarla. Quedándose en su compañía, la guardó aquella noche, el otro día y la noche siguiente, hasta que al tercero fueron allá unos soldados por orden de su capitán a ver el efecto que había surtido dejar allí aquella mujer. Hallándola viva, y la leona a sus pies con sus dos leoncillos — que sin acometerlos se apartó algún tanto dando lugar a que llegasen — quedaron admirados del instinto y humanidad de aquella fiera. Desatada la mujer por los soldados la llevaron consigo, quedando la leona dando muy fieros bramidos, mostrando sentimiento y soledad de su bienhechora, y haciendo ver por otra parte su real ánimo y gratitud, y la humanidad que no tuvieron los hombres. De esta manera quedó libre la que ofrecieron a la muerte, echándola a las fieras. Esta mujer yo conocí, y la llamaban la Maldonada, que más bien se la podía llamar Biendonada; pues por este suceso se ve no haber merecido el castigo a que la expusieron, pues la necesidad había sido causa a que desamparase a los suyos, y se metiese entre aquellos bárbaros. Algunos atribuyen esta sentencia tan rigorosa al capitán Alvarado, y no a Francisco Ruiz, mas cualquiera que haya sido, el caso sucedió como queda dicho, y no carece de crueldad casi inaudita. *(Capítulo XIII).*

(De *La Argentina*, Buenos Aires, Colección Estrada, 1943)

Literatura épica. Algunas crónicas hicieron literatura. También hubo literatura que hizo crónica. Por ejemplo: la de ALONSO DE ERCILLA Y ZÚÑIGA (1534-1594). Un grupo de hombres que bajaron del Perú a Chile chocaron allí con las tribus aguerridas de los araucanos; y surgió así el primer poema épico de América: *La Araucana.* Cortesano de Felipe II, Ercilla ya tenía una buena educación literaria cuando, a los 21 años, llegó al Nuevo Mundo. Y lo que vió e imaginó en Chile se exaltó en las octavas reales de su poema. Sin duda es una crónica, pero muy diferente a todas las mencionadas hasta aquí, pues lo que más vale en ella es su visión estética. *La Araucana* surgió en la evolución del género épico como un ejemplar de rara pluma. Fué la primera obra en que el poeta aparece como actor de la epopeya que describe; por lo tanto, fué la primera obra que confirió dignidad épica a acontecimientos todavía en curso; fué la primera obra que inmortalizó con una epopeya la fundación de un país moderno; fué la primera obra de real calidad poética que versó sobre América; también fué la primera obra en que el autor, cogido en medio de un conflicto entre ideales de verdad e ideales de poesía, se lamenta de la pobreza del tema indio y de la monotonía del tema guerrero y nos revela el íntimo proceso de su creación artística. Ercilla llegó de España con una mente ya formada por la literatura renacentista, por la teología y por las discusiones jurídicas sobre la conquista del nuevo mundo. Mientras peleaba, escribía. La poesía manaba de su alma de español del Renacimiento, lector de Virgilio y de Ariosto, soldado del reino católico de Felipe II, enemigo del indio, no por codicia, sino porque el indio era enemigo de su fe. América fué poetizada, sin embargo, con una precisión descriptiva extraordinaria: narración de episodios épicos, semblanza de caracteres, metáforas sorprendentes en percepciones nuevas. Cuando se fatigaba de América, Ercilla solía escaparse con escenas de amor, profecías, apariciones sobrenaturales, sueños líricos, mitologías embellecedoras, viajes imaginarios. Se afloja así la unidad de construcción épica, pero en cambio *La Araucana* se convierte en uno de los poemas más complejos de la literatura de la edad de oro. Las tres partes de *La Araucana* aparecieron, sucesivamente, en 1569, 1578 y 1589; y por primera vez España sintió que América tenía ya literatura. Hubo continuaciones, imitaciones y emulaciones; y el poema se incorporó a la gran literatura de todos los tiempos. En América, sobre todo, la influencia de *La Araucana* fué profunda y larga, y no se confinó a la poesía épica. Pero, en la dirección del poema épico, surgieron entre otros *El arauco domado* (1596) del chileno PEDRO DE OÑA; *Purén indómito* de HERNANDO ÁLVAREZ DE TOLEDO; *Argentina* (1602) de MARTÍN DEL BARCO CENTENERA; *Elegías de varones ilustres de Indias* de JUAN DE CASTELLANOS; el *Espejo de paciencia* (1608) de SILVESTRE DE BALBOA, escrito en Cuba sobre un tema insular; *Armas antárticas* de JUAN DE MIRAMONTES Y ZUÁZOLA; y los que se inspiran en la conquista de México, o sea, los poemas de Terrazas, Lasso de la Vega y Saavedra Guzmán. Si pensamos en *La Araucana* todos los demás poemas (con excepción del de Oña) nos parecerán mediocres.

Alonso de Ercilla y Zúñiga

LA ARAUCANA

Prólogo del autor.

Si pensara que el trabajo que he puesto en esta obra me había de quitar tan poco el miedo de publicarla, sé cierto de mí que no tuviera ánimo para llevarla a cabo. Pero considerando ser la historia verdadera y de cosas de guerra, a las cuales hay tantos aficionados, me he resuelto en imprimirla, ayudando a ello las importunaciones de muchos testigos que en lo de más de ello se hallaron, y el agravio que algunos españoles recibirían quedando sus hazañas en perpetuo silencio, faltando quien las escriba; no por ser ellas pequeñas, pero porque la tierra es tan remota y apartada y la postrera que los españoles han pisado por la parte del Perú, que no se puede tener de ella casi noticia, y por el mal aparejo y poco tiempo que para escribir hay con la ocupación de la guerra, que no da lugar a ello; y así el que pude hurtar le gasté en este libro, el cual porque fuese más cierto y verdadero se hizo en la misma guerra y en los mismos pasos y sitios, escribiendo muchas veces en cuero por falta de papel, y en pedazos de cartas, algunos tan pequeños que apenas cabían seis versos, que no me costó después poco trabajo juntarlos; y por esto, y por la humildad con que va a la obra, como criada en tan pobres pañales, acompañándola el celo y la intención con que se hizo, espero que será parte para poder sufrir quien la leyere las faltas que lleva. Y si a alguno le pareciere que me muestro algo inclinado a la parte de los araucanos, tratando sus cosas y valentías más extendidamente de lo que para bárbaros se requiere; si queremos mirar su crianza, costumbres, modos de guerra y ejercicio de ella, veremos que muchos no les han hecho ventaja, y que son pocos los que con tal constancia y firmeza han defendido su tierra contra tan fieros enemigos como son los españoles. Y cierto es cosa de admiración que, no poseyendo los araucanos más de veinte leguas de término, sin tener en todo él pueblo formado, ni muro, ni casa fuerte para su reparo, ni armas, a lo menos defensivas, que la prolija guerra y los españoles les han gastado y consumido, y en tierra no áspera, rodeada de tres pueblos españoles y dos plazas fuertes en medio de ella, con puro valor y porfiada determinación hayan redimido y sustentado su libertad, derramando en sacrificio de ella tanta sangre así suya como de españoles, que con verdad se puede decir haber pocos lugares que no estén de ella teñidos y poblados de huesos; no faltando a los muertos quien les suceda en llevar su opinión adelante; pues los hijos, ganosos de la venganza de sus muertos padres, con la natural rabia que los mueve y el valor que de ellos heredaron, acelerando el curso de los años, antes de tiempo tomando las armas, se ofrecen al rigor de la guerra; y es tanta la falta de gente por la mucha que ha muerto en esta demanda, que, para hacer más cuerpo y henchir los escuadrones, vienen también las mujeres a la guerra, y peleando algunas veces como varones, se entregan con grande ánimo a la muerte. Todo esto he querido traer para prueba y en abono del valor de estas gentes, digno de mayor loor del que yo le podré dar con mis versos. Y pues, como dije arriba, hay ahora en España cantidad de personas que se hallaron en muchas cosas de las que aquí escribo, a ellos remito la defensa de mi obra en esta parte, y a los que la leyeren se la encomiendo.

CAUPOLICÁN

La gente nuestra ingrata se hallaba
en la prosperidad que arriba cuento,
y en otro mayor bien que me olvidaba,
hallado en pocas cosas, que es contento;
de tal manera en él se descuidaba,
cierta señal de triste acaecimiento,
que en un hora perdió el honor y estado
que en mil años de afán había ganado.

Por dioses, como dije, eran tenidos
de los Indios los nuestros; pero olieron
que de mujer y hombre eran nacidos,
y todas sus flaquezas entendieron,
viéndolos a miserias sometidos
el error ignorante conocieron,
ardiendo en viva rabia avergonzados
por verse de mortales conquistados.

No queriendo a más plazo diferirlo,
entre ellos comenzó luego a tratarse,
que para en breve tiempo concluirlo
y dar el modo y orden de vengarse,
se junten a consulta a decidirlo:
do venga la sentencia a pronunciarse
dura, ejemplar, cruel, irrevocable,
horrenda a todo el mundo, y espantable.

Iban ya los caciques ocupando
los campos con la gente que marchaba:
y no fué menester general bando,
que el deseo de la guerra los llamaba
sin promesas ni pagas, deseando
el esperado tiempo que tardaba
para el decreto y áspero castigo
con muerte y destrucción del enemigo.

1. cedro, referencia a los famosos del Líbano.

De algunos que en la junta se hallaron
es bien que haya memoria de sus nombres,
que siendo incultos bárbaros ganaron
con no poca razón claros renombres,
pues en tan breve término alcanzaron
grandes victorias de notables hombres,
que dellas darán fe los que vivieren,
y los muertos allá donde estuvieren. [. . .]

[siguen 17 octavas en que se narran los pormenores de la junta, y sus discusiones, interrumpidas por el discurso del anciano]

Colocolo, el cacique más anciano,
a razonar así tomó la mano:

« Caciques del estado defensores,
codicia del mandar no me convida
a pesarme de veros pretensores
de cosa que a mí tanto era debida;
porque según mi edad, ya veis, señores,
que estoy al otro mundo de partida;
mas el amor que siempre os he mostrado
a bien aconsejaros me ha incitado.

« ¿Por qué cargos honrosos pretendemos,
y ser en opinión grande tenidos,
pues que negar al mundo no podemos
haber sido sujetos y vencidos?
Y en esto averiguarnos no queremos
estando aun de españoles oprimidos:
mejor fuera esta furia ejecutalla
contra el fiero enemigo en la batalla.

« ¿Qué furor es el vuestro, ¡oh Araucanos!
que a perdición os lleva sin sentillo?
¿contra vuestras entrañas tenéis manos,
y no contra el tirano en resistillo?
¿Teniendo tan a golpe a los cristianos
volvéis contra vosotros el cuchillo?
Si gana de morir os ha movido,
no sea en tan bajo estado y abatido.

« Volved las armas y ánimo furioso
a los pechos de aquéllos que os han puesto
en dura sujeción con afrentoso
partido, a todo el mundo manifiesto:
lanzad de vos el yugo vergonzoso:
mostrad vuestro valor y fuerza en esto:
no derraméis la sangre del estado
que para redimir nos ha quedado.

« No me pesa de ver la lozanía
de vuestro corazón, antes me esfuerza;
mas temo que esta vuestra valentía
por mal gobierno el buen camino tuerza,
que vuelta entre nosotros la porfía,
degolléis vuestra patria con su fuerza:
cortad, pues, si ha de ser desa manera,
esta vieja garganta la primera.

« Que esta flaca persona atormentada
de golpes de fortuna, no procura
sino el agudo filo de una espada,
pues no la acaba tanta desventura:
aquella vida es bien afortunada
que la temprana muerte la asegura:
pero a vuestro bien público atendiendo,
quiero decir en esto lo que entiendo.

« Pares sois en valor y fortaleza:
el cielo os igualó en el nacimiento:
de linaje, de estado y de riqueza
hizo a todos igual repartimiento;
y en singular por ánimo y destreza
podéis tener del mundo el regimiento:
que este precioso don no agradecido
nos ha el presente término traído.

« En la virtud de vuestro brazo espero
que puede en breve tiempo remediarse;
mas ha de haber un capitán primero,
que todos por él quieran gobernarse;
este será quien más un gran madero
sustentare en el hombro sin pararse;
y pues que sois iguales en la suerte,
procure cada cual ser el más fuerte. »

Ningún hombre dejó de estar atento
oyendo del anciano las razones;
y puesto ya silencio al parlamento
hubo entre ellos diversas opiniones:
al fin de general consentimiento
siguiendo las mejores intenciones,
por todos los caciques acordado
lo propuesto del viejo fué aceptado. [. . .]

Pues el madero súbito traído
no me atrevo a decir lo que pesaba:
era un macizo líbano[1] fornido
que con dificultad se rodeaba:
Paycabí le aferró menos sufrido,
y en los valientes hombros le afirmaba;
seis horas lo sostuvo aquel membrudo;
pero llegar a siete jamás pudo.

Cayocupil al tronco aguija presto
de ser el más valiente confiado,
y encima de los altos hombros puesto
lo deja a las cinco horas de cansado;
Gualemo lo probó, joven dispuesto,
mas no pasó de allí; y esto acabado,
Angol el grueso leño tomó luego;
duró seis horas largas en el juego.

Purén tras él lo trujo medio día
y el esforzado Ongolmo más de medio,
y en cuatro horas y media Lebopía,
que de sufrirle más no hubo remedio;
Lemolemo siete horas le traía,
el cual jamás en todo este comedio
dejó de andar acá y allá saltando
hasta que ya el vigor le fué faltando.

Elicura a la prueba se previene,
y en sustentar el líbano trabaja:
a nueve horas dejarle le conviene,
que no pudiera más si fuera paja:
Tucapelo catorce lo sostiene,
encareciendo a todos la ventaja;
pero en esto Lincoya apercibido
mudó en un gran silencio aquel ruïdo.

De los hombros el manto derribando
las terribles espaldas descubría,
y el duro y grave leño levantando,
sobre el fornido asiento le ponía:
corre ligero aquí y allá mostrando
que poco aquella carga le impedía:
era de sol a sol el día pasado,
y el peso sustentaba aún no cansado.

Venía aprisa la noche aborrecida
por la ausencia del sol; pero Diana
les daba claridad con su salida,
mostrándose a tal tiempo más lozana:
Lincoya con la carga no convida,
aunque ya despuntaba la mañana,
hasta que llegó el sol al medio cielo
que dió con ella entonces en el suelo.

No se vió allí persona en tanta gente
que no quedase atónita de espanto,
creyendo no haber hombre tan potente
que la pesada carga sufra tanto;
la ventaja le daban juntamente
con el gobierno, mando, y todo cuanto
a digno general era debido
hasta allí justamente merecido.

Ufano andaba el bárbaro contento
de haberse más que todos señalado,
cuando Caupolicán a aquel asiento
sin gente a la ligera había llegado:
tenía un ojo sin luz de nacimiento
como un fino granate colorado,
pero lo que en la vista le faltaba,
en la fuerza y esfuerzo le sobraba.

Era este noble mozo de alto hecho,
varón de autoridad, grave y severo,
amigo de guardar todo derecho,
áspero, riguroso y justiciero:
de cuerpo grande y relevado pecho:
hábil, diestro, fortísimo y ligero,
sabio, astuto, sagaz, determinado,
y en cosas de repente reportado.

Fué con alegre muestra recibido,
aunque no sé si todos se alegraron:
el caso en esta suma referido
por su término y puntos le contaron.
Viendo que Apolo[2] ya se había escondido
en el profundo mar, determinaron
que la prueba de aquél se dilatase
hasta que la esperada luz llegase.

Pasábase la noche en gran porfía,
que causó esta venida entre la gente;
cuál se atiene a Lincoya, y cuál decía
que es el Caupolicano el más valiente:
apuestas en favor y contra había:
otros, sin apostar, dudosamente
hacia el oriente vueltos aguardaban
si los Febeos[3] caballos asomaban.

Ya la rosada aurora comenzaba
las nubes a bordar de mil labores,
y a la usada labranza despertaba
la miserable gente y labradores:
ya a los marchitos campos restauraba
la frescura perdida y sus colores,
aclarando aquel valle la luz nueva,
cuando Caupolicán viene a la prueba.

Con un desdén y muestra confiada
asiendo el tronco duro y nudoso
como si fuera vara delicada,
se le pone en el hombro poderoso:
la gente enmudeció maravillada
de ver el fuerte cuerpo tan nervoso:
el color a Lincoya se le muda,
poniendo en su victoria mucha duda.

2. el sol. 3. de Febo, el sol. 4. la aurora. 5. el hijo del Sol.

El bárbaro sagaz despacio andaba;
y a toda prisa entraba el claro día;
el sol las largas sombras acortaba;
mas él nunca decrece en su porfía;
al ocaso la luz se retiraba;
ni por eso flaqueza en él había;
las estrellas se muestran claramente,
y no muestra cansancio aquel valiente.

Salió la luna clara a ver la fiesta
del tenebroso albergue húmedo y frío,
desocupando el campo y la floresta
de un negro velo lóbrego y sombrío:
Caupolicán no afloja de su apuesta;
antes con nueva fuerza y mayor brío
se mueve y representa de manera
como si peso alguno no trajera.

Por entre dos altísimos ejidos
la esposa de Titón[4] ya parecía,
los dorados cabellos esparcidos
que de la fresca helada sacudía,
con que a los mustios prados florecidos
con el húmedo humor reverdecía
y quedaba engastado así en las flores
cual perlas entre piedras de colores.

El carro de Faetón[5] sale corriendo
del mar por el camino acostumbrado:
sus sombras van los montes recogiendo
de la vista del sol y el esforzado
varón el grave peso sosteniendo,
acá y allá se mueve no cansado,
aunque otra vez la nueva sombra espesa
tornaba a aparecer corriendo apriesa.

La luna su salida provechosa
por un espacio largo dilataba:
al fin turbia, encendida y perezosa
de rostro y luz escasa se mostraba;
paróse al medio curso más hermosa
a ver la extraña prueba en qué paraba;
y viéndole en el punto y ser primero,
se derribó en el ártico hemisfero.

Y el bárbaro en el hombro la gran viga
sin muestra de mudanza y pesadumbre,
venciendo con esfuerzo la fatiga,
y creciendo la fuerza por costumbre.
Apolo en seguimiento de su amiga
tendido hacia los rayos de su lumbre;
y el hijo de Leocán en el semblante
más firme que al principio y más constante.

Era salido el sol, cuando el enorme
peso de las espaldas despedía,
y un salto dió en lanzándole disforme,
mostrando que aún más ánimo tenía:
el circunstante pueblo en voz conforme
pronunció la sentencia y le decía:
sobre tan firmes hombros descargamos
el peso y grande carga que tomamos.

El nuevo juego y pleito definido,
con las más ceremonias que supieron,
por sumo capitán fué recibido,
y a su gobernación se sometieron:
creció en reputación; fué tan temido
y en opinión tan grande le tuvieron,
que ausentes muchas leguas dél temblaban,
y casi como a rey le respetaban. [. . .]

(Del Canto II, octavas 6-10; 28-59)

EPISODIO DE TEGUALDA

La negra noche a más andar cubriendo
la tierra, que la luz desamparaba,
se fué toda la gente recogiendo,
según y en el lugar que le tocaba:
la guardia y centinelas repartiendo,
que el tiempo estrecho a nadie reservaba,
me cupo el cuarto de la prima en suerte
en un bajo recuesto junto al Fuerte.

Donde con el trabajo de aquel día,
y no me haber en quince desarmado,
el importuno sueño me afligía,
hallándome molido y quebrantado:
mas con nuevo ejercicio resistía
paseándome de éste y de aquel lado,
sin parar un momento, tal estaba
que de mis propios pies no me fiaba.

No el manjar de sustancia vaporoso,
ni vino muchas veces trasegado,
ni el hábito y costumbre de reposo
me había el grave sueño acarreado;
que bizcocho magrísimo y mohoso,
por medida de escasa mano dado
y el agua llovediza desabrida
era el mantenimiento de mi vida.

Y a veces la ración se convertía
en dos tasados puños de cebada,
que cocida con yerbas nos servía
por la falta de sal, la agua salada;
la regalada cama en que dormía
era la húmeda tierra empantanada,
armado siempre, y siempre en ordenanza,
la pluma ora tomando, ora la lanza.

Andando pues así con el molesto
sueño que me aquejaba porfiando,
y en gran silencio el encargado puesto
de un canto al otro canto paseando,
ví que estaba el un lado del recuesto
lleno de cuerpos muertos blanqueando,
que nuestros arcabuces aquel día
habían hecho gran riza y batería.[6]

No mucho después desto, yo que estaba
con ojo alerta y con atento oído,
sentí de rato en rato que sonaba
hacia los cuerpos muertos un ruïdo,
que siempre al acabar se remataba
con un triste suspiro sostenido,
y tornaba a sentirse, pareciendo
que iba de cuerpo en cuerpo discurriendo.

La noche era tan lóbrega y oscura
que divisar lo cierto no podía;
y así por ver el fin de esta aventura
(aunque más por cumplir lo que debía)
me vine agazapando en la verdura
hacia la parte que el rumor se oía,
donde ví entre los muertos ir oculto
andando a cuatro pies un negro bulto.

Yo de aquella visión mal satisfecho,
con un temor que ahora aun no lo niego,
la espada en mano y la rodela en pecho
llamando a Dios, sobre él aguijé luego:
mas el bulto se puso en pié derecho
y con medrosa voz y humilde ruego
dijo: « señor, señor, merced te pido,
que soy mujer y nunca te he ofendido.

« Si mi dolor y desventura extraña
a lástima y piedad no te inclinaren,
y tu sangrienta espada y fiera saña
de los términos lícitos pasaren:
¿qué gloria adquirirás de tal hazaña,
cuando los cielos justos publicaren
que se empleó en una mujer tu espada,
viuda, mísera, triste y desdichada?

« Ruégote, pues, señor, si por ventura,
o desventura como fué la mía,
con amor verdadero y con fe pura
amaste tiernamente en algún día,
me dejes dar a un muerto sepultura
que yace entre esta muerta compañía:
mira que aquel que niega lo que es justo,
lo malo aprueba ya, y se hace injusto.

« No quieras impedir obra tan pía,
que aun en bárbara guerra se concede,
que es especie y señal de tiranía
usar de todo aquello que se puede:
deja buscar su cuerpo a esta alma mía,
después furioso con rigor procede,
que ya el dolor me ha puesto en tal extremo,
que más la vida que la muerte temo.

« Que no sé mal que ya dañarme pueda,
no hay bien mayor que no le haber tenido,
acábese y fenezca lo que queda,
pues que mi dulce amigo ha fenecido:
que aunque el cielo cruel no me conceda
morir mi cuerpo con el suyo unido,
no estorbará, por más que me persiga,
que mi afligido espíritu le siga. »

En esto con instancia me rogaba
que su dolor de un golpe rematase;
mas yo, que en duda y confusión estaba,
aun teniendo temor que me engañase,
del verdadero indicio no fiaba
hasta que un poco más me asegurase,
sospechando que fuese algún espía
que a saber cómo estábamos venía.

Bien que estuve dudoso; pero luego,
aunque la noche el rostro le encubría,
en su poco temor y gran sosiego
ví que verdad en todo me decía,
y que el pérfido amor ingrato y ciego
en busca del martirio la traía,
el cual en la primera arremetida
queriendo señalarse, dió la vida.

Movido pues a compasión de vella
firme en su casto y amoroso intento,
de allí salido, me volví con ella
a mi lugar y señalado asiento,
donde yo le rogué que su querella,
con ánimo seguro y sufrimiento,
desde el principio al cabo me contase,
y desfogando la ansia descansase.

6. estrago y batida. 7. alboroto.

Ella dijo: « ¡ay de mí! que es imposible
tener jamás descanso hasta la muerte,
que es sin remedio mi pasión terrible
y más que todo sufrimiento, fuerte;
mas aunque me será cosa insufrible,
diré el discurso de mi amarga suerte,
quizá que mi dolor, según es grave,
podrá ser que esforzándole me acabe.

« Yo soy Tegualda, hija desdichada
del Cacique Brancol desventurado;
de muchos por hermosa en vano amada,
libre un tiempo de amor y de cuidado;
pero muy presto la fortuna airada
de ver mi libertad y alegre estado,
turbó de tal manera mi alegría
que al fin muero del mal que no temía.

« De muchos fuí pedida en casamiento,
y a todos igualmente despreciaba,
de lo cual mi buen padre descontento,
que yo aceptase alguno me rogaba;
pero con franco y libre pensamiento
de su importuno ruego me excusaba:
que era pensar mudarme desvarío,
y martillar sin fruto en hierro frio. [. . .]

Aquí acabó su historia, y comenzaba
un llanto tal que el monte enternecía,
con un ansia y dolor que me obligaba
a tenerle en el duelo compañía:
que ya el asegurarle no bastaba
de cuánto prometer yo le podía,
sólo pedía la muerte y sacrificio
por último remedio y beneficio.

En gran congoja y confusión me viera
si don Simón Pereira, que a otro lado
hacía también la guardia, no viniera
a decirme que el tiempo era acabado:
y espantado también de lo que oyera,
que un poco desde aparte había escuchado,
me ayudó a consolarla, haciendo ciertas
con nuevo ofrecimiento mis ofertas.

Ya el presuroso cielo volteando,
en el mar las estrellas trastornaba;
y el crucero las horas señalando,
entre el sur y sudoeste declinaba:
en mitad del silencio y noche, cuando
visto cuanto la oferta la obligaba,
reprimiendo Tegualda su lamento
la llevamos a nuestro alojamiento.

Donde en honesta guarda y compañía
de mujeres casadas quedó, en tanto
que el esperado ya vecino día
quitase de la noche el negro manto:
entretanto también razón sería,
pues que todos descansan, y yo canto,
dejarla hasta mañana en este estado,
que de reposo estoy necesitado.

(Del Canto XX, octavas 21-37; 76-79; 80 al fin)

UNA BATALLA

— Como el airado viento repentino
que en lóbrego turbión con gran estruendo
el polvoroso campo y el camino
va con violencia indómita barriendo,
y en ancho y presuroso remolino,
todo lo coge, lleva y va esparciendo,
y arranca aquel furioso movimiento
los arraigados troncos de su asiento;

Con tal facilidad, arrebatados
de aquel furor y bárbara violencia,
iban los españoles fatigados
sin poderse poner en resistencia.
Algunos, del honor importunados,
vuelven haciendo rostro y apariencia;
mas otra ola de gente que llegaba
con más presteza y daño los llevaba.

Así los iban siempre maltratando
siguiendo el hado y próspera fortuna,
el rabioso furor ejecutando
en los rendidos, sin clemencia alguna,
por el tendido valle resonando
la trulla[7] y grita bárbara importuna,
que, arrebatada del ligero viento,
llevó presto la nueva a nuestro asiento.

En esto por la parte del poniente
con gran presteza y no menor ruïdo
Juan Remón arribó con mucha gente,
que el aviso primero había tenido;
y en furioso tropel gallardamente,
alzando un ferocísimo alarido,
embistió la enemiga gente airada,
en la victoria y sangre ya cebada.

Mas un cerrado muro y baluarte
de duras puntas al romper hallaron,
que con estrago de una y otra parte,
hecho un hermoso choque repararon,
unos pasados van de parte a parte,
otros muy lejos del arzón volaron,
otros heridos, otros estropeados,
otros de los caballos tropellados.

No es bien pasar tan presto ¡oh pluma mía!
las memorables cosas señaladas
y los crudos efectos deste día
de valerosas lanzas y de espadas;
que aunque ingenio mayor no bastaría
a poderlas llevar continuadas
es justo que celebre alguna parte
de muchas en que puedes emplearte.

El gallardo Lincoya, que arrogante
el primer escuadrón iba guiando,
con muestra airada y con feroz semblante
el firme y largo paso apresurando,
cala la gruesa pica en un instante,
y el cuento entre la tierra y pie afirmando
recibe en el crüel hierro fornido
el cuerpo de Hernán Pérez atrevido.

Por el lado derecho encaminado
hizo el agudo hierro gran herida,
pasando el escaupil[8] doble estofado,[9]
y una cota de malla muy tejida:
el ancho y duro hierro ensangrentado
abrió por las espaldas la salida,
quedando el cuerpo ya descolorido
fuera de las arzones suspendido.

Tucapelo gallardo, que al camino
salió al valiente Osorio, que corriendo
venía con mayor ánimo que tino,
los herrados talones sacudiendo,
mostrando el cuerpo, al tiempo que convino
le dió lado, y la maza revolviendo,
con tanta fuerza le cargó la mano,
que no le dejó miembro y hueso sano.

A Cáceres, que un poco atrás venía,
de otro golpe también le puso en tierra,
el cual con gran esfuerzo y valentía
la adarga embraza y de la espada afierra,
y contra la enemiga compañía
se puso él solo a mantener la guerra
haciendo rostro y pie con tal denuedo
que a los más atrevidos puso miedo.

Y aunque con gran esfuerzo se sustenta,
la fuerza contra tantos no bastaba,
que ya la espesa turba alharaquienta[10]
en confuso montón le rodeaba:
pero en esta sazón, más de cincuenta
caballos que Reinoso gobernaba,
que de refresco a tiempo había llegado,
vinieron a romper por aquel lado.

Tan recio se embistió, que aunque hallaron
de gruesas astas un tejido muro,
el cerrado escuadrón aportillaron,
probando más de diez el suelo duro;
y al esforzado Cáceres cobraron,
que cercado de gente, mal seguro,
con ánimo feroz se sustentaba,
y matando la muerte dilataba.

Don Miguel y don Pedro de Avendaño,
Escobar, Juan Jufré, Cortés y Aranda,
sin mirar el peligro y riesgo estraño,
sustentan todo el peso de su banda.
También hacen efecto y mucho daño
Losanda, Peña, Córdoba, Miranda,
Bernal, Lasarte, Castañeda, Ulloa,
Martín Ruiz y Juan López de Gamboa.

Pero muy presto la araucana gente
en la española sangre ya cebada,[11]
los hizo revolver forzosamente,
y seguir la carrera comenzada.
Tras esto otra escuadra de repente
en ellos se estrelló desatinada;
mas sin ganar un paso de camino,
volver rostros y riendas les convino.

Y aunque a veces, con súbita represa
Juan Remón y los otros revolvían,
luego con nueva pérdida y más priesa
la primera derrota proseguían:
y en una polvorosa nube espesa
envueltos unos y otros ya venían,
cuando fué nuestro campo descubierto
en orden de batalla y buen concierto.

Iban los araucanos tan cebados
que por las picas nuestras se metieron;
pero vueltos en sí, más reportados,
el ímpetu y la furia detuvieron:
y corregidos luego y ordenados
la campaña al través se retrajeron
al pie de un cerro a la derecha mano,
cerca de una laguna y gran pantano.

Donde de nuestro cuerno arremetimos
un gran tropel a pie de gente armada,
que con presteza al arribar les dimos
espesa carga y súbita rociada:
y al cieno retirados, nos metimos
tras ellos, por venir espada a espada,
probando allí las fuerzas y el denuedo
con rostro firme y ánimo a pie quedo.

8. sayo acolchado con algodón que usaban los indios para defenderse de las flechas. 9. adornado. 10. haciendo demostraciones.

11. encarnizada, ensañada; dícese de la fiera que por haber probado sangre humana, es más temible.

Jamás los alemanes combatieron
así de firme a firme y frente a frente;
ni mano a mano dando recibieron
golpes sin descansar a manteniente,
como el un bando y otro, que vinieron
a estar así en el cieno estrechamente
que echar atrás un paso no podían,
y dando aprisa, aprisa recibían.

Quién, el húmedo cieno a la cintura,
con dos y tres a veces peleaba;
quién por mostrar mayor desenvoltura,
queriéndose mover, más se atascaba;
quién, probando las fuerzas y ventura,
al vecino enemigo se aferraba,
mordiéndole y cegándole con lodo,
buscando de vencer cualquiera modo.

La furia del herirse y golpearse,
andaba igual, y en duda la fortuna,
sin muestra ni señal de declararse
mínima de ventaja en parte alguna:
ya parecían aquéllos mejorarse;
ya ganaban aquéstos la laguna;
y la sangre de todos derramada
tornaba la agua turbia, colorada. [. . .]

(Del Canto XII, octavas 13-32, de *La Araucana*, edición de la Real Academia Española, Madrid, 1866.)

NOTICIA COMPLEMENTARIA

Antes de cerrar este período histórico, de 1556 a 1598, debemos completar el cuadro literario con unas pocas noticias.

A pesar de las difíciles circunstancias en que se vivía, las colonias americanas se esforzaron por seguir a España en el movimiento de las letras. Por eso, al lado de los romances y coplas y villancicos populares surgió una literatura pretensiosa: diálogos, versiones y versos latinos (como los de Francisco Cervantes de Salazar), sonetos italianizantes, petrarquescos, al modo de Garcilaso y Gutierre de Cetina (como los de Francisco de Terrazas, ya famoso en 1577), poemas épicos (como los de toda la descendencia literaria de Ercilla) y versos muy siglo xv al modo de Jorge Manrique (como los de Pedro Trejo, quien se ensayó en todos los géneros y maneras y aun innovó metros y estrofas). Había tantos certámenes de poesía que González de Eslava dice en uno de sus *Coloquios:* « hay más poetas que estiércol. » Escritores, pues, hubo a montones, si bien insignificantes. Escribir era un irresistible prurito colectivo. En esos tiempos también se compusieron sátiras, como, sobre todo, las de Mateo Rosas de Oquendo.

La actividad teatral fué también notable. Ya dijimos que el primer teatro misionario fué desapareciendo en la segunda mitad del siglo xvi. La depuración que la Iglesia hizo de sus elementos profanos, el cambio en las costumbres, el crecimiento de las ciudades, los gustos humanistas y universitarios abrieron el camino a un teatro de molde europeo. La tradición latinista de los colegios fué traída a México y Lima por los jesuítas: diálogos alegóricos sobre temas sagrados, tragedias en cinco actos en latín o parte en latín representadas por los colegiales ante un claustro muy reducido. Poco ha quedado de este teatro escolar. Además del teatro misionero y del escolar había otro para españoles y criollos. Asistían éstos a solemnidades eclesiásticas, procesiones, festejos, recepciones de virreyes o fastos notables, bailes y piezas litúrgicas — pasos, entremeses, loas, autos y aun comedias y tragedias con tema bíblico o alegórico — que se presentaban en tablados cada vez más profanos. Este teatro sufrió por la competencia del teatro renacentista de la metrópoli. Competencia por el repertorio y aun por la presencia de compañías de actores que venían de España. Del teatro criollo poco se ha salvado. El mejor conocido es el de HERNÁN GONZÁLEZ DE ESLAVA (España-México; 1534-1601), autor de dieciséis coloquios, ocho loas, cuatro entremeses y poesías sueltas.

III

1598-1701

MARCO HISTÓRICO: *Las colonias bajo la decadencia de los últimos Austrias: Felipe III, Felipe IV y Carlos II. Pérdida de posesiones en América.*

TENDENCIAS CULTURALES: *Del Renacimiento al Barroco. Plenitud literaria. Escritores nacidos en América.*

JUAN RODRÍGUEZ FREILE
FRANCISCO NÚÑEZ DE PINEDA Y BASCUÑÁN
BERNARDO DE BALBUENA
FRAY DIEGO DE HOJEDA
PEDRO DE OÑA
JACINTO DE EVIA
HERNANDO DOMÍNGUEZ CAMARGO
JUAN DEL VALLE CAVIEDES
CARLOS DE SIGÜENZA Y GÓNGORA
SOR JUANA INÉS DE LA CRUZ
SOR FRANCISCA JOSEFA DEL CASTILLO Y GUEVARA (LA MADRE CASTILLO)

A pesar de la decadencia política y económica nuevos bríos enriquecieron extraordinariamente la literatura española. En los primeros años del siglo XVII — con la obra genial de Cervantes y de Lope de Vega — se recorta el período de apogeo renacentista. Ambos comienzan a vivir en una época de esplendor y pasan sus últimos años en la decadencia española. La crisis nacional se revela en un estilo, si no nuevo, por lo menos ahora concentrado y dominante, al que se llama Barroco. Los autores barrocos se encontraron en el tope de una gran literatura y, al mismo tiempo, asomados al vacío, pues España había dado espaldas a la cultura bullente, vital, del resto de Europa. Amargura, angustia, resentimiento, desengaño, miedo, pesimismo y al mismo tiempo orgullo patriótico; resignación a no vivir ni pensar al compás del mundo y, sin embargo, ganas de asombrar al mundo con un lenguaje de suma afectación . . . En este período las colonias, como siempre, recibieron lo que España les daba. Apenas publicados, el *Quijote* y el *Guzmán de Alfarache* se embarcaron para América. Inmediatamente también vinieron las comedias de Lope de Vega. Y a veces vinieron los mismos escritores como Mateo Alemán a México (1608) y Tirso de Molina a Santo Domingo (1616). Renacimiento, Barroco... Es significativo que este siglo esté tan limpiamente cortado por dos genios literarios, ambos nacidos en América: el renacentista INCA GARCILASO DE LA VEGA y la barroca SOR JUANA INÉS DE LA CRUZ.

Bosquejos novelísticos. Los decretos reales que desde 1531 prohibieron la circulación de novelas no se cumplieron, pero había, además de los legales, otros impedimentos físicos y psicológicos que desanimaban a los posibles novelistas. Comoquiera que fuera, lo cierto es que no se escribieron novelas en el nuevo mundo. Sólo podemos hablar, pues, de virtudes novelísticas en las crónicas e historias de la época.

JUAN RODRÍGUEZ FREILE (Colombia; 1566-1640?), criollo de Bogotá, hijo de conquistador, compuso *El Carnero* (1636-38), crónica de su patria, desde la conquista en adelante, con guerras, costumbres, episodios, datos. Se proponía ser veraz; y describía el mal para moralizar. Pero, afortunadamente, era imaginativo. « Si es verdad que pintores y poetas tienen igual potestad, con ellos se han de entender los cronistas », decía. Lo que escriba no será fingido, como hacen « los que escriben libros de caballerías ». Pero a su propia obra — « doncella huérfana » — la adornará con « ropas y joyas prestadas », con « las más graciosas flores ». Estos adornos en la composición de *El Carnero* son lo más ameno: anécdotas, chismes, digresiones, reflexiones, reminiscencias de la literatura, sermones, cuentos llenos de picardías, aventuras, amores y adulterios, crímenes y venganzas, intrigas, emboscadas, brujerías. Y así, en esta crónica escandalosa, pasa colorida y bulliciosa, como en un escenario, la vida bogotana. Al contar usa los trucos del drama y de la novela de la literatura de su tiempo. Su estilo tosco pero sabroso se encrespa a veces gracias a procedimientos barrocos, con gran consumo de puertas secretas, cartas interceptadas, pañuelos mensajeros, disfraces, fugas y duelos. Tenía sentido humorístico, dinamismo narrativo, diálogos vivos. Libro originalísimo, *El Carnero* nos da, en prosa impávida y sin afeites, pasajes que tienen valor de novela.

Juan Rodríguez Freile

EL CARNERO

APARICIÓN DE « EL DORADO »

[. . .] Paréceme que algún curioso me apunte con el dedo y me pregunta que de dónde supe estas antigüedades, pues tengo dicho que entre estos naturales no hubo quien escribiese, ni cronistas. Respondo presto, por no detenerme en esto, que *nací en esta ciudad de Santafé*, y al tiempo que escribo esto me hallo en edad de setenta años, que los cumplo la noche que estoy escribiendo este capítulo, y que son los 25 de abril y día del señor San Marcos, del dicho año de 1636. Mis padres fueron de los primeros conquistadores y pobladores de este Nuevo Reino. Fué mi padre soldado de Pedro Ursúa, aquel a quien Lope de Aguirre[1] mató después en el Marañón[2], aunque no se halló con él en este Reino sino mucho antes, en las jornadas de Tairona, Valle de Upar y Río del Hacha, Pamplona y otras partes.

Yo, en mi mocedad, pasé de este Reino a los de Castilla, [en] donde estuve seis años. Volví a él y he corrido mucha parte de él. Entre los muchos amigos que tuve fué uno don Juan, Cacique y señor de Guatavita[3], sobrino de aquel que hallaron los conquistadores en la silla al tiempo que conquistaron este Reino; el cual sucedió luego a su tío y me contó estas antigüedades y las siguientes.

Díjome que al tiempo que los españoles entraron por Vélez[4] al descubrimiento de este Reino y su conquista, él estaba en el ayuno para la sucesión del señorío de su tío; porque entre ellos heredaban los sobrinos hijos de hermana, y se guarda esa costumbre hasta hoy día; y que cuando entró en este ayuno ya él conocía mujeres; el cual ayuno y ceremonias eran como sigue.

1. Lope de Aguirre (1518-1561), aventurero español de la época de la conquista, célebre por sus crímenes. 2. río del Perú. 3. una de las ciudades y provincias de la Nueva Granada. 4. provincia de la Nueva Granada. 5. narigueras de oro. 6. trompas hechas con un caracol. 7. Benalcázar, que con Jiménez de Quesada y Federmann realizó la conquista del Nuevo Reino de Granada.

Era costumbre entre estos naturales, que el que había de ser sucesor y heredero del señorío o cacicazgo de su tío, a quien heredaba, había de ayunar seis años, metido en una cueva que tenían dedicada y señalada para esto, y que en todo este tiempo no había de tener parte con mujeres, ni comer carne, sal ni ají, y otras cosas que les vedaban; y entre ellas que durante el ayuno no habían de ver el sol; sólo de noche tenían licencia para salir de la cueva y ver la luna y estrellas y recogerse antes que el sol los viese; y cumplido este ayuno y ceremonias, se metían en posesión del cacicazgo o señorío, y la primera jornada que habían de haber era ir a la gran laguna de Guanavita a ofrecer y sacrificar al demonio, que tenían por su dios y señor.

La ceremonia que en esto había era que en aquella laguna se hacía una gran balsa de juncos, aderezábanla y adornábanla todo lo más vistoso que podían; metían en ella cuatro braseros encendidos en que desde luego quemaban mucho moque, que es el sahumerio de estos naturales, y trementina con otros muchos y diversos perfumes.

Estaba a este tiempo toda la laguna en redondo, con ser muy grande y hondable de tal manera que puede navegar en ella un navío de alto bordo, la cual estaba toda coronada de infinidad de indios e indias, con mucha plumería, chagualas[5] y coronas de oro, con infinitos fuegos a la redonda, y luego que en la balsa comenzaba el sahumerio, lo encendían en tierra, en tal manera, que el humo impedía la luz del día.

A este tiempo desnudaban al heredero en carnes vivas y lo untaban con una tierra pegajosa y lo espolvoreaban con oro en polvo y molido, de tal manera que iba cubierto todo de este metal. Metíanle en la balsa, en la cual iba parado, y a los pies le ponían un gran montón de oro y esmeraldas para que ofreciese a su dios. Entraban con él en la balsa cuatro caciques, los más principales, sus sujetos, muy aderezados de plumería, coronas de oro, brazales y chaguales y orejeras de oro, también desnudos, y cada cual llevaba su ofrecimiento.

En partiendo la balsa de tierra comenzaban los instrumentos, cornetas, fotutos[6] y otros instrumentos, y con esto una gran vocería que atronaba montes y valles, y duraba hasta que la balsa llegaba al medio de la laguna, de donde, con una bandera, se hacía señal para el silencio.

Hacía el indio dorado su ofrecimiento echando todo el oro que llevaba a los pies en el medio de la laguna, y los demás caciques que iban con él y le acompañaban, hacían lo propio; lo cual acabado, abatían la bandera, que en todo el tiempo que gastaban en el ofrecimiento la tenían levantada, y partiendo la balsa a tierra comenzaba la grita, gaitas y fotutos con muy largos corros de bailes y danzas a su modo; con la cual ceremonia recibían al nuevo electo y quedaba reconocido por señor y príncipe.

De esta ceremonia se tomó aquel nombre tan celebrado del *Dorado*, que tántas vidas ha costado, y haciendas. En el Perú fué donde sonó primero este nombre dorado; y fué el caso que habiendo ganado a Quito, donde Sebastián de Benalcázar[7] andando en aquellas guerras o conquistas topó con un indio de este Reino de los de Bogotá, el cual le dijo que cuando querían en su tierra hacer su rey, lo llevaban a una laguna muy grande y allí lo doraban todo, o le cubrían de oro, y con muchas fiestas lo hacían rey. De aquí vino a decir el don Sebastián « vamos a buscar este indio dorado ».

De aquí corrió la voz a Castilla y a las demás partes de Indias, y a Benalcázar le movió venirlo a buscar, como vino, y se halló en esta conquista y fundación de esta ciudad, como más largo lo cuenta el padre fray Pedro Simón en la quinta parte de sus *Noticias Historiales*, donde se podrá ver. [. . .]

(Del Capítulo II)

LAS BRUJERÍAS DE JUANA GARCÍA

[Para que el lector pueda comprender mejor la extraña historia de la bruja Juana García lo pondremos en antecedentes. Rodríguez Freile cuenta, en el capítulo VIII de *El Carnero*, que en « 1549 llegaron a la ciudad de Cartagena tres oidores a fundar otra Real Audiencia. » Uno murió en el camino. « Los otros dos oidores — Góngora y Galarza — prosiguieron su viaje y llegaron a esta ciudad de Santafé a fin de marzo del siguiente año de 1550; los cuales fundaron esta Real Audiencia con la solemnidad y requisitos necesarios ». Por un conflicto de autoridades, el rey envió a un licenciado « contra los dos oidores »: dicho licenciado « prosiguió contra los dos oidores con rigor, y los envió presos a España. Murieron en la mar ahogados, porque se perdió la nave *Capitana*, donde iban embarcados, con su general, soldados y marineros, sin que se escapase persona alguna, por haber sido de noche la desgracia y la tormenta, grande ».

Por la noche se perdió la *Capitana*. A la mañana siguiente amaneció puesto en la plaza de esta ciudad de Santa Fe de Bogotá, en las paredes del cabildo, un papel que decía:

« Esta noche, a tales horas, se perdió la *Capitana* en el paraje de la Bermuda, y se ahogaron Góngora y Galarza, y el general con toda la gente ».

Tomóse la razón del papel, con día, mes y año; y no se hizo diligencia de quién lo puso, aunque en la primera ocasión que vino gente de España se supo que el papel dijo puntualmente la verdad. En su lugar diré quién lo puso, con lo demás que sucedió.

* * *

[. . .] En las flotas que fueron y vinieron de Castilla después de la prisión de Montaño[8] pasó en una de ellas un vecino de esta ciudad, a emplear su dinero; era hombre casado, tenía una mujer moza y hermosa; y con la ausencia del marido no quiso malograr su hermosura, sino gozar de ella. Descuidóse e hizo una barriga, pensando poderla despedir con tiempo; pero antes del parto le tocó a la puerta la nueva de la llegada de la flota a la ciudad de Cartagena, con lo cual la pobre señora se alborotó e hizo sus diligencias para abortar la criatura, y ninguna le aprovechó.

Procuró tratar su negocio con Juana García, su madre, digo su comadre: ésta era una negra horra[9] que había subido a este Reino con el Adelantado don Alonso Luis de Lugo; tenía dos hijas, que en esta ciudad arrastraron hasta seda y oro, y aun trajeron arrastrados algunos hombres de ellas.

Esta negra era un poco voladora,[10] como se averiguó; la preñada consultó a su comadre y díjole su trabajo, y lo que quería hacer, y que le diese remedio para ello. Díjole la comadre: « ¿Quién os ha dicho que viene vuestro marido en esta flota? » Respondióle la señora que él propio se lo había dicho, que en la primera ocasión vendría sin falta. Respondióle la comadre: « Si eso es así, espera, no hagas nada, que quiero saber esta nueva de la flota, y sabré si viene vuestro marido en ella. Mañana volveré a veros y dar orden en lo que hemos de hacer; y con esto, queda con Dios. »

El día siguiente volvió la comadre, la cual la noche pasada había hecho apretada diligencia, y venía bien informada de la verdad. Díjole a la preñada:

« Señora comadre: yo he hecho mis diligencias en saber de mi compadre: verdad es que la flota está en Cartagena, pero no he hallado nueva de vuestro marido, ni hay quien diga que viene en ella. » La señora preñada se afligió mucho, y rogó a la comadre le diese remedio para echar aquella criatura, a lo cual le respondió:

« No hagáis tal hasta que sepamos la verdad, si viene o no. Lo que puedes hacer es . . . ¿veis aquel lebrillo[11] verde que está allí? » Dijo la señora: « Sí. »

« Pues, comadre, henchídmelo de agua y metedlo en vuestro aposento, y aderezad qué cenemos, que yo vendré a la noche y traeré a mis hijas, y nos holgaremos, y también prevendremos algún remedio para lo que me decís que queréis hacer. »

Con esto se despidió de su comadre, fué a su casa, previno a sus hijas, y en siendo noche juntamente con ellas se fué en casa de la señora preñada, la cual no se descuidó en hacer la diligencia del lebrillo de agua. También envió a llamar otras mozas vecinas suyas, que viniesen a holgarse con ella aquella noche. Juntáronse todas, y estando las mozas cantando y bailando, dijo la comadre preñada a su comadre:

« Mucho me duele la barriga: ¿queréis vérmela? » Respondió la comadre:

« Sí haré: tomad una lumbre de esas y vamos a vuestro aposento. » Tomó la vela y entráronse en él. Después que estuvieron dentro cerró la puerta y díjole:

« Comadre, allí está el lebrillo con el agua. » Respondióle:

« Pues tomad esa vela y mirad si veis algo en el agua. » Hízolo así, y estando mirando le dijo:

« Comadre, aquí veo una tierra que no conozco, y aquí está fulano, mi marido, sentado en una silla, y una mujer está junto a una mesa, y un sastre con las tijeras en las manos, que quiere cortar un vestido de grana. » Díjole la comadre:

« Pues esperad, que quiero yo también ver eso. » Llegóse junto al lebrillo y vió todo lo que le había dicho. Preguntóle la señora comadre:

« ¿Qué tierra es ésta? » Y respondióle:

« Es la isla Española de Santo Domingo. » En esto metió el sastre las tijeras y cortó una manga, y echósela en el hombro. Dijo la comadre a la preñada:

« ¿Queréis que le quite aquella manga a aquel sastre? » Respondióle:

« ¿Pues cómo se la habéis de quitar? » Respondióle:

8. referencia a un episodio relatado en el Capítulo VIII. 9. libre. 10. en el sentido de « bruja ».

11. vasija de boca ancha, barreño ancho para lavar.

« Como vos queráis, yo se la quitaré. » Dijo la señora:

« Pues quitádsela, comadre mía, por vida vuestra. » Apenas acabó la razón cuando le dijo:

« Pues vedla ahí, » y le dió la manga.

Estuviéronse un rato hasta ver cortar el vestido, lo cual hizo el sastre en un punto, y en el mismo desapareció todo, que no quedó más que el lebrillo y el agua. Dijo la comadre a la señora: « Ya habéis visto cuán despacio está vuestro marido, bien podéis despedir esa barriga, y aun hacer otra. » La señora preñada, muy contenta, echó la manga de grana en un baúl que tenía junto a su cama; y con esto se salieron a la sala, donde estaban holgándose las mozas; pusieron las mesas, cenaron altamente, con lo cual se fueron a sus casas.

Digamos un poquito. Conocida cosa es que el demonio fué el inventor de esta maraña, y que es sapientísimo sobre todos los hijos de los hombres; pero no les puede alcanzar el interior, porque esto es sólo para Dios. Por conjeturas alcanza él, y conforme los pasos que da el hombre, y a dónde se encamina. No reparo en lo que mostró en el agua a estas mujeres, porque a esto respondo que quien tuvo atrevimiento de tomar a Cristo, Señor nuestro, y llevarlo a un monte alto, y de él mostrarle todos los reinos del mundo, y la gloria de él, de lo cual no tenía Dios necesidad, porque todo lo tiene presente, que esta demostración sin duda fué fantástica; y lo propio sería lo que mostró a las mujeres en el lebrillo del agua. En lo que reparo es la brevedad con que dió la manga, pues apenas dijo la una: « pues quitádsela, comadre », cuando respondió la otra: « pues vedla ahí », y se la dió; también digo que bien sabía el demonio los pasos en que estas mujeres andaban, y estaría prevenido para todo. Y con esto vengamos al marido de esta señora, que fué quien descubrió toda esta volatería.

Llegado a la ciudad de Sevilla, al punto y cuando habían llegado parientes y amigos suyos, que iban de la isla Española de Santo Domingo, contáronle de las riquezas que había en ella, y aconsejáronle que emplease su dinero y que se fuese con ellos a la dicha isla. El hombre lo hizo así, fué a Santo Domingo y sucedióle bien; volvióse a Castilla y empleó; e hizo segundo viaje a la isla Española. En este segundo viaje fué cuando se cortó el vestido de grana; vendió sus mercaderías, volvió a España, y empleó su dinero; y con este empleo vino a este Nuevo Reino en tiempo que ya la criatura estaba grande y se criaba en casa con nombre de huérfano.

Recibiéronse muy bien marido y mujer, y por algunos días anduvieron muy contentos y conformes, hasta que ella comenzó a pedir una gala, y otra gala, y a vueltas de ellas se entremetían unos pellizcos de celos, de manera que el marido andaba enfadado y tenían malas comidas y peores cenas, porque la mujer de cuando en cuando le picaba con los amores que había tenido en la isla Española. Con lo cual el marido andaba sospechoso de que algún amigo suyo, de los que con él habían estado en la dicha isla, le hubiese dicho algo a su mujer. Al fin fué quebrantado de su condición, y regalando a la mujer, por ver si le podía sacar quién le hacía el daño. Al fin, estando cenando una noche los dos muy contentos, pidióle la mujer que le diese un faldellín de paño verde, guarnecido; el marido no salió bien a esto, poniéndole algunas excusas; a lo cual le respondió ella:

« A fe que si fuera para dárselo a la dama de Santo Domingo, como le disteis el vestido de grana, que no pusierais excusas. »

Con esto quedó el marido rendido y confirmado en su sospecha; y para poder mejor enterarse la regaló mucho, dióle el faldellín que le pidió y otras galitas, con que la traía muy contenta.

En fin, una tarde que se hallaron con gusto le dijo el marido a la mujer:

« Hermana, ¿no me diréis, por vida vuestra, quién os dijo que yo había vestido de grana a una dama en la isla Española? » Respondióle la mujer:

« ¿Pues queréislo negar? Decidme vos la verdad, que yo os diré quién me lo dijo. » Halló el marido lo que buscaba, y díjole:

« Señora, es verdad, porque un hombre ausente de su casa y en tierras ajenas, algún entretenimiento había de tener. Yo dí ese vestido a una dama. » Dijo ella:

« Pues decidme, cuando lo estaban cortando ¿qué faltó? » Respondióle:

« No faltó nada ». Respondió la mujer diciendo:

« ¡Qué amigo sois de negar las cosas! ¿No faltó una manga? » El marido hizo memoria, y dijo:

« Es verdad que al sastre se le olvidó de cortarla, y fué necesario sacar grana para ella. » Entonces le dijo la mujer:

« ¿Y si yo os muestro la manga que faltó, la conoceréis? » Díjole el marido:

« ¿Pues tenéisla vos? » Respondió ella:

« Sí, venid conmigo, y os la mostraré. » Fuéronse juntos a su aposento, y del asiento del baúl le sacó la manga, diciéndole:

« ¿Es ésta la manga que faltó? » Dijo el marido:

« Ésta es, mujer; pues yo juro a Dios que hemos de saber quién la trajo desde la isla Española a la ciudad de Santafé. »

Y con esto tomó la manga y fuese con ella al señor Obispo, que era Juez Inquisidor, e informóle del caso. Su Señoría apretó en la diligencia; hizo aparecer ante sí la mujer; tomóle la declaración; confesó llanamente todo lo que había pasado en el lebrillo del agua. Prendióse luego a la negra Juana García y a las hijas. Confesó todo el caso, y cómo ella había puesto el papel de la muerte de los dos Oidores.[12] Depuso de otras muchas mujeres, como constó de los autos.

Sustanciada la causa, el señor Obispo pronunció sentencia en ella contra todos los culpados. Corrió la voz de que eran muchas las que habían caído en la red, y tocaba en personas principales. En fin, el Adelantado don Gonzalo Jiménez de Quesada, el Capitán Zorro, el Capitán Céspedes, Juan Tafur, Juan Ruiz de Orejuela y otras personas principales acudieron al señor Obispo, suplicándole no se pusiese en ejecución la sentencia en el caso dada, y que considerase que la tierra era nueva y que era mancharla con lo proveído.

Tánto le apretaron a Su Señoría, que depuso el auto. Topó sólo con Juana García, que la penitenció poniéndola en Santo Domingo, a horas de la misa mayor, en un tablado, con un dogal al cuello y una vela encendida en la mano; a donde decía llorando: « Todas, todas lo hicimos, y yo sola lo pago! » Desterráronla a ella y a sus hijas, de este Reino.

En su confesión dijo que cuando fué a la Bermuda, donde se perdió la *Capitana*, se echó a volar desde el cerro que está a las espaldas de Nuestra Señora de las Nieves, donde está una de las cruces; y después, mucho tiempo adelante, le llamaban Juana García, o el cerro de Juana García. [. . .]

(Del Capítulo IX de *El Carnero, Conquista y descubrimiento del Nuevo Reino de Granada*, etc. Compuesto por Juan Rodríguez Freile. Bogotá, Biblioteca Popular de Literatura Colombiana, Tomo 31. Volúmen III, Cronistas, 1942.)

Francisco Núñez de Pineda y Bascuñán (Chile; 1607-1682) nos cuenta en *El cautiverio feliz o razón de las guerras dilatadas de Chile* sus propias experiencias como prisionero de los araucanos, durante siete meses. Entre esas experiencias de 1629 y el acto de contarlas, allá por 1650, se interpone el deseo de hacer literatura, de presentar a su padre don Álvaro como gran conquistador, de hacer méritos insistiendo en sus propias virtudes de capitán y de buen cristiano, de servir a la Iglesia, de denunciar las tropelías de los malos cristianos españoles en Indias, de describir extrañas costumbres. Sus memorias son casi novelescas. Por lo pronto es la primera crónica en que aparece un elemento esencialmente novelesco: el despertar el intéres del lector en la acción contada, el crearle una expectativa. El cacique Maulicán recogió a Pineda del campo de batalla, herido. Gran honor, tener cautivo nada menos que al hijo del temido don Álvaro. Convence a otros caciques para que no lo maten, y él promete a Pineda darle la libertad. Maulicán, protector de Pineda, lo lleva consigo en su viaje a Repocura. Intrigas. Escaramuzas. En cada población, fiestas con danzas, borracheras, aventuras. Llegan a Repocura; y ahora Maulicán se niega a entregar su cautivo a los otros caciques. Lo esconde, lo lleva de un lado a otro. Al final, Pineda vuelve a los brazos de su padre. También valen, novelescamente, sus observaciones psicológicas. Y aun la intención doctrinaria —la verdad del cristianismo, la bondad de los indios cuando los cristianos saben evangeli-

12. véase el comienzo de esta historia.

1. nombre de dos piezas de madera que forman la silla del caballo. 2. río de Chile, que fué por largo tiempo frontera del territorio de los araucanos. 3. medida itineraria de cien metros, o de ciento a ciento cincuenta varas. 4. valiente, robusto. 5. llevar de las bridas a una bestia, yendo a pie a su lado o delante de ella.

zarlos, los daños causados por los malos españoles, etc.— aparece, novelescamente, en forma de diálogos, en que los indios, con discursos elocuentes, denuncian la crueldad de españoles y españolas como « la razón de las guerras dilatadas de Chile. » Pineda ha leído letras humanas y divinas. Ha leído también novelas: picarescas, caballerescas, pastoriles. Y no siempre puede distinguirse entre el embellecimiento literario de escenas vividas y la pura invención de episodios. La literatura, pues, borda sobre el relato. En todo caso, el relato suele avanzar, no a impulsos de recuerdos reales, sino de motivos calculados especialmente por sus efectos librescos. Pineda, tan puntilloso en señalar el bien y el mal, lo justo y lo injusto, la virtud y el pecado, ilustra su tabla de valores con episodios de novela. Suele ahogar la narración con reflexiones religiosas, morales y políticas; pero, afortunadamente para el lector hedonista, la narración recobra al fin su fuego y nos da la alta y rápida llama de descripciones que están entre las mejores de las crónicas hispanoamericanas.

Francisco Núñez de Pineda y Bascuñán

CAUTIVERIO FELIZ

HACIA EL CAUTIVERIO

En medio de estas tribulaciones y congojas, me ví tres o cuatro veces fuera de la silla y sin el arrimo del caballo, y levantando las manos al cielo y los ojos del alma con afecto, cuando menos pensaba me volvía a hallar sobre él y apoderado del fuste[1]; porque la fuerza de la corriente era tan veloz y precipitada, que no sabré significar ni decir de la suerte que me sacó el caballo a la otra banda del río[2] [Bío-Bío], cuando a los demás que juntamente se echaron con nosotros, se los llevó más de tres cuadras[3] abajo de adonde salimos el otro soldado — mi compañero — y yo, con otro indio que se halló en un alentado[4] caballo.

Cuando me ví fuera de aquel tan conocido peligro de la vida (que aun en la sangrienta batalla no tuve tanto recelo ni temor a la muerte), no cesaba de dar infinitas gracias a nuestro Dios y Señor, por haberme sacado con bien de un rápido elemento, adonde con ser hijos del agua estos naturales, se ahogaron dos de ellos, y los demás salieron por una parte sus caballos y ellos por otra.

Cuando el soldado mi compañero consideró que estaban de nosotros más de treinta cuadras los indios el río abajo, después de haberme sacado de diestro[5] el caballo en que venía, de una grande barranca que amurallaba sus orillas, me dijo determinado: — Señor capitán, esta es buena ocasión de librarnos y de excusar experiencias de mayores riesgos, y pues se nos ha venido a las manos, no será razón que la perdamos; porque estos enemigos no pueden salir tan presto del peligro y riesgo en que se hallan, y en el entretanto podemos ganar tierra, de manera que por poca ventaja que les llevemos no se han de atrever a seguir nuestras pisadas, por el recelo que tienen de que los nuestros hayan venido en sus alcances hasta estas riberas, pues todavía son tierras nuestras.

Estando en estas pláticas, en que se pasó un gran cuarto de hora, vimos venir para nosotros un indio que había salido a nado, como los demás, sin su caballo por habérsele ahogado, a quien preguntamos por nuestros amos, si acaso los habían visto fuera del río: y nos respondió, que mi amo (el cacique Maulicán) juzgaba haberse ahogado, porque vió ir dos indios muertos la corriente abajo. Dióme grandísimo cuidado haberle oído tal razón, considerando pudiera haber algunas diferencias entre ellos por quién había de ser el dueño de mi persona, y entre estas controversias quitarme la vida, que era lo más factible, porque no quedasen agraviados los unos ni los otros. Con estas consideraciones fuimos el río abajo caminando en demanda de nuestros amos, por donde encontramos otro indio que nos dió razón de que iban saliendo algunos, y de que, mi amo había aportado[6] a una isla pequeña, adonde estaba disponiendo su caballo para arrojarse tras él a nado. Fuimos caminando con este aviso, y a poco trecho le divisamos en la isla con otros compañeros que habían aportado a ella; y habiendo echado sus caballos por delante, se arrojaron tras ellos. Luego que conocí el de mi amo, sacando fuerzas de flaqueza, le fuí a coger y se le tuve de diestro, y mi compañero con el de su amo hizo lo propio. Cuando el mío me vió con su caballo de diestro, me empezó a abrazar y decir muy regocijado: — Capitán, ya yo juzgué que te habías vuelto a tu tierra; seas muy bien parecido, que me has vuelto el alma al cuerpo; vuelve otra vez a abrazarme, y ten por infalible y cierto, que si hasta esta hora tenía voluntad y fervorosa resolución de rescatarte y mirar por tu vida, con esta acción que has hecho me has cautivado de tal suerte, que primero me has de ver morir a mí, que permitir padezcas algún daño. Y te doy mi palabra, a ley de quien soy, que has de volver a tu tierra a ver a tu padre y a los tuyos con mucho gusto.

(Libro I, cap. IX)

LA HIJA DE MAULICÁN

Estando durmiendo de la suerte que he dicho, en la montaña, adonde mis compañeros me dejaron, como a las tres o cuatro de la tarde llegó la chicuela hija de mi amo, a despertarme, que me traía una taleguilla de harina tostada, unas papas cocidas y un poco de mote de maíz[7] y porotos[8]; y luego que la ví, despertando de mi sueño algo espavorecido y asustado del repente con que me llamó, se empezó a reír de haberme visto alborotado.[9] Díjela como enfadado, que qué era lo que buscaba, que se fuese con Dios, porque no la viesen venir tantas veces sola a donde yo estaba, y que no fuese causa de que me viniese algún daño por el bien que me deseaba, dando que pensar a su padre para que juzgase o presumiese que no era leal en su casa; y que así, le suplicaba que no viniese a verme sola, sino que fuese con los muchachos mis camaradas; que yo le agradecía la voluntad y el amor que me mostraba, y el cuidado que ponía en regalarme; que por su vida no permitiese que por ella me viniese algún desabrimiento, y pusiese en peligro la vida que su padre me había prestado; que advirtiese que por donde juzgaba que me hacía algún favor y lisonja, me daba un gran pesar, porque siempre que la veía venir sola me temblaban las carnes, juzgando que ya la veían entrar o salir de donde yo estaba; que si fuese vieja y no de tan buen parecer como lo era, sobre muchacha, no tuviera tantos recelos, ni su vista me alborotara tanto. Estuvo a mis razones muy atenta la muchacha, y respondióme: ¿Pues yo había de venir, capitán, de manera que me pudiesen ver ni presumir que venía a donde tú estás? Créeme que cuando vengo extravío el camino y aguardo a que todos estén en alguna ocupación embarazados, como lo están ahora en la chacra[10] que están cavando y sembrando, y así no tienes que recelarte. Con todo eso, la dije, puedes venir tantas veces, que alguna entre otras no puedas excusar el que te vean: anda, vete por tu vida, y no vengas más acá, porque me tengo de esconder de ti en no viniendo acompañada y con mis camaradas. Habiéndole dicho estas razones con algún desabrimiento, puso la taleguilla de harina junto a mí, y lo demás que traía, y me dijo: — Capitán, si no quieres que yo vuelva más acá, y me echas de esa suerte, no volveré sola ni acompañada, que yo entendí que agradecieras lo que hago por ti más bien de lo que haces. Y [en] esto [se] fué volviendo las espaldas y retirándose aprisa.

(Libro II, cap. XVII)

UNA FIESTA

Aquella noche estaba dispuesto el baile y el regocijo que acostumbraban en sus cavas[11] y en el trabajo de sus sementeras, y por haberse el sol ya trastornado, se quedó con nosotros mi correspondiente; y el cacique Quilalebo, dueño del festejo, celebró su llegada con algo más de lo prevenido, porque verdaderamente era ostentativo y galante en sus acciones. Después de haber cenado espléndidamente, y bebido de la chicha[12] regalada del presente, nos fuimos al fogón

6. tomar puerto, arribar a salvo. 7. maíz cocido y pelado. 8. frijoles. 9. El cacique Maulicán guardaba oculto a su prisionero, temiendo un malón de las tribus vecinas, como en efecto se realizó, destinado a raptar al cautivo de raza blanca y sacrificarlo, según los usos y costumbres tradicionales. 10. huerto.
11. cuevas. 12. bebida alcohólica hecha de maíz fermentado.

(adonde el baile se había principiado), los caciques viejos y el de la Villarrica conmigo, quienes me rogaron que bailase con ellos, como lo hice por darles gusto; y en medio de este entretenimiento, cogió de la mano Quilalebo, mi nuevo amigo, a su hija, que estaba entre las demás bailando, y la trajo acompañada con las otras adonde nosotros estábamos, y la dijo, que me cogiese de la mano y bailase conmigo, porque ya me la tenía dada por mujer: los demás caciques se acomodaron con las otras que venían en su compañía, y empezaron a bailar con ellas de las manos, y a persuasiones del Quilalebo su padre y de los demás principales ancianos, hice lo propio, habiendo antes de estos brindádonos las mozas, que es lo que acostumbran las solteras cuando quieren que las correspondan los que no tienen mujeres, o cuando quieren hacer alguna lisonja a los caciques viejos; y de esta suerte suelen casarse en estas fiestas y bailes, que llaman ellos *gñapitun*.

En esta ocasión llegó la madre de esta muchacha al sitio en que nos hallábamos parados y en nuestra conversación metidos, y me brindó con un jarro de chicha clara y dulce, de las botijas que me había traído el cacique Lepumante, tratándome ya como a su yerno, significándome el gusto que tenía de que Quilalebo, su marido, me hubiese dado a su hija, porque ella era de las señoras principales de Valdivia, y aquella niña nieta de uno de los conquistadores antiguos, que me le nombró en aquella ocasión, y, como cosa que importaba poco (cuando ella estaba connaturalizada con aquellos bárbaros) no encomendé a la memoria su apellido. Hallé blanco en que decirla los inconvenientes que por entonces se me ofrecían para no empeñarme en el amor de su hija, repitiendo lo propio que poco antes acabé de significar a ella, con razones corteses y agradables; y como mujer de entendimiento, aunque abrutada en el lenguaje, traje y costumbres, me respondió, que le parecía muy ajustada mi razón, pero que no obstante lo propuesto, Quilalebo, su marido, tenía voluntad de que yo la festejase y bailase con ella de la mano, y cogiéndosela a la hija, me asió la buena vieja a mí de la otra; y en medio de las dos, mostrándome alegre y placentero, hice lo que los demás circunstantes en concurso común ejercitaban: y aunque corporalmente asistía, a más no poder, en medio de estos combates, el espíritu y el corazón estaban ante la presencia de Dios, solicitando su ayuda y eficaz auxilio, que comunica piadoso a quien con temor le ama, que es doctrina de San Pablo.

(Libro III, caps. XXXI y XXXII. Del *Cautiverio feliz*, en Escritores de Chile, I. Época colonial. Santiago, Imprenta Universitaria, 1932).

Teatro. A veces grandes talentos de España visitaban las colonias. Como hemos visto, vinieron Gutierre de Cetina, Juan de la Cueva, Mateo Alemán, Tirso de Molina. Fueron sólo visitas e influyeron muy vagamente. Hubo visitantes que escribieron sobre América, pero su puesto está en la historia literaria de España. En cambio, un escritor americano hizo una larga visita a España y, sin decir una sola palabra de América, como si se hubiera olvidado de ella, se entregó a España y dejó allí el sello de su genio: JUAN RUIZ DE ALARCÓN (México; 1580-1639).

Ya los españoles contemporáneos advirtieron cierta extrañeza en sus comedias, y los críticos han analizado después sus rasgos no típicos, no españoles de España. Alarcón había visto teatro en México antes de ir a la península. Desde 1597 tenía México « casa de comedias », o sea teatro público permanente, con edificio, compañías de actores y auditorios. Probablemente en ese período Alarcón ya había esbozado *La cueva de Salamanca*. Pero una vez en España quiso ser autor español. El Inca Garcilaso, por la naturaleza de su tema — la civilización incásica —, había insistido en su condición de mestizo. Alarcón, para su actividad teatral en el círculo de Lope, no necesitaba hablar de su condición de mexicano. Además, es posible que en la agresiva vida social de la España de aquel tiempo introducir temas mexicanos en las comedias hubiera sido un riesgo: los españoles se habrían burlado de esa deformidad estética con la misma crueldad con que se burlaron de la deformidad de su joroba. Porque Alarcón era corcovado; y se ha dicho que la amargura por este defecto le creó un resentimiento que en sus comedias se reviste de formas morales. Alarcón reflexiona sobre los valores que orientan o deben orientar la conducta. Esta preocupación moralizadora estaba sin duda tensa en su alma; pero también era una de las cuerdas resonantes de todo el teatro español de su época. Alarcón construye sus comedias con cuidado. Lope, Tirso escriben comedias por centenares; él, sólo dos docenas. Comedias de enredo, comedias heroicas . . . Lo mejor, comedias de caracteres, como *Las paredes oyen*, *Ganar amigos*, *La verdad sospechosa* (Corneille la adaptó en *Le Menteur*), que le dan un aire más inteligente y moderno. Estas comedias de caracteres a veces ocurren en situaciones maravillosas, como *La prueba de las promesas*; a veces se desnudan en una dialéctica chispeante, como en *No hay mal que por bien no venga* (*Don Domingo de don Blas*) (1623?). Con esta comedia cerró su carrera dramática. El carácter — no tipo — de Don Blas es de los pocos que, de toda la comedia del siglo de oro, hablan directamente a la inteligencia de un lector de hoy. Don Blas es tan anti-convencional que la agudeza de su dialéctica convierte a esta comedia en la menos convencional de su época.

Poesía. BERNARDO DE BALBUENA (1561 ó 62-1627) vivió exactamente en los mismos años de Góngora; y, como Góngora, sintió la necesidad de inventar una expresión afectada, ornamental y aristocrática. Pero, aunque gongorizó a ratos (« ¿en qué parte del mundo se han conocido poetas tan dignos de veneración », decía en 1604, como « el agudísimo don Luis de Góngora? »), el barroco de Balbuena fué independiente. La octava inicial con que Balbuena ofreció a una señora describirle la ciudad de México fueron ocho semillas de las que crecieron los capítulos de *La Grandeza mexicana* (1604). Cada verso del « argumento » servirá de epígrafe a un capítulo. Surgió así *La Grandeza mexicana* como un vivero: pero no con los grandes árboles de un bosque, sino más bien con las delicadas plantas de un jardín. Balbuena desea agradar. A la señora a quien dedica el poema, en primer lugar; pero también a la gente poderosa de México. Ha vivido como humilde cura de pueblo algunos años: en este momento de su vida, quizá descontento de su propia oscuridad, se pondrá a halagar la ciudad en que quisiera ocupar posiciones mejores. Había ya descripciones de México, en la prosa corriente de los cronistas, en los versos incidentales de poetas menores y en los diálogos latinos de Cervantes de Salazar. Ahora Balbuena nos dará una descripción al modo barroco, « cifrada » como él dice, esto es, construída inteligentemente en una pequeña unidad poética. Tenía el don épico — como lo prueba el *Bernardo* (1624), variación barroca a un tema de Ariosto—, pero en *La Grandeza mexicana* eludirá la epopeya de la conquista. No nos da la poesía de lo minúsculo, de lo humilde, de lo sencillo, sino la visión del lujo cortesano, de la « grandeza mexicana », que era sólo el aspecto exterior de la realidad mexicana. La claridad de construcción — es un rasgo renacentista: Balbuena escribe su epístola en tercetos endecasílabos con cuartetas al final de cada parte, siguiendo la tradición italiana de los poemas

1. Cólquide, famosa por su oro y por la expedición de los Argonautas. Faetonte es el hijo del sol. 2. diosa de las flores y los jardines. 3. la cabra que crió a Júpiter; uno de sus cuernos es el cuerno de la abundancia. 4. montaña de Tesalia, famosa en la poesía antigua. 5. río de Tesalia que riega el valle del Tempe, entre el Osa y el Olimpo.

caballerescos — hace más visible el valor de algunos momentos aislados de su invención artística. Renacentistas son también los temas del *Siglo de Oro en las selvas de Erífile* (1608), sólo que coloreados barrocamente: aquí volvió a describir la ciudad de México, pero envuelta en el aire de ensueño y de magia tan común en los episodios de las novelas pastoriles en boga.

Bernardo de Balbuena

LA GRANDEZA MEXICANA

PRIMAVERA INMORTAL

Los claros rayos de Faetonte altivo
sobre el oro de Colcos[1] resplandecen,
que al mundo helado y muerto vuelven vivo.

Brota el jazmín, las plantas reverdecen,
y con la bella Flora[2] y su guirnalda
los montes se coronan y enriquecen.

Siembra Amaltea[3] las rosas de su falda,
el aire fresco amores y alegría,
los collados jacintos y esmeralda.

Todo huele a verano, todo envía
suave respiración, y está compuesto
del ámbar nuevo que en sus flores cría.

Y aunque lo general del mundo es esto,
en este paraíso mexicano
su asiento y corte la frescura ha puesto.

Aquí, señora, el cielo de su mano
parece que escogió huertos pensiles,
y quiso él mismo ser el hortelano.

Todo el año es aquí mayos y abriles,
temple agradable, frío comedido,
cielo sereno y claro, aires sutiles.

Entre el monte Osa[4] y un collado erguido
del altísimo Olimpo, se dilata
cierto valle fresquísimo y florido,

donde Peneo,[5] con su hija ingrata,
más su hermosura aumentan y enriquecen
con hojas de laurel y ondas de plata.

Aquí las olorosas juncias crecen
al son de blancos cisnes, que en remansos
de frío cristal las alas humedecen.

Aquí entre yerba, flor, sombra y descansos,
las tembladoras olas entapizan
sombrías cuevas a los vientos mansos.

Las espumas de aljófares se erizan
sobre los granos de oro y el arena
en que sus olas hacen y deslizan.

En blancas conchas la corriente suena,
y allí entre el sauce, el álamo y carrizo
de ovas verdes se engarza una melena.

Aquí retoza el gamo, allí el erizo
de madroños y púrpura cargado
bastante prueba de su industria hizo.

Aquí suena un faisán, allí enredado
el ruiseñor en un copado aliso
el aire deja en suavidad bañado.

Al fin, aqueste humano paraíso,
tan celebrado en la elocuencia griega,
con menos causa que primor y aviso,

es el valle de Tempe en cuya vega
se cree que sin morir nació el verano,
y que otro ni le iguala ni le llega.

Bellísimo sin duda es este llano,
y aunque lo es mucho, es cifra, es suma, es tilde,
del florido contorno mexicano.

Ya esa fama de hoy más se borre y tilde,
que comparada a esta inmortal frescura,
su grandeza será grandeza humilde.

Aquí entre sierpes de cristal segura
la primavera sus tesoros goza,
sin que el tiempo le borre la hermosura.

Entre sus faldas el placer retoza,
y en las corrientes de los hielos claros,
que de espejos le sirven se remoza.

Florece aquí el laurel, sombra y reparos
del celestial rigor, grave corona
de doctas sienes y poetas raros;

y el presuroso almendro, que pregona
las nuevas del verano, y por traerlas
sus flores pone a riesgo y su persona;

el pino altivo reventando perlas
de transparente goma, y de las parras
frescas uvas y el gusto de cogerlas.

Al olor del jazmín ninfas bizarras,
y a la haya y el olmo entretejida
la amable yedra con vistosas garras.

El sangriento moral, triste acogida
de conciertos de amor, el sauce umbroso,
y la palma oriental nunca vencida;

el funesto ciprés, adorno hermoso
de los jardines, el derecho abeto,
sustento contra el mar tempestuoso;

el liso boj, pesado, duro y neto,
el taray junto al agua cristalina,
el roble bronco, el álamo perfeto;

con yertos ramos la nudosa encina,
el madroño con púrpura y corales,
el cedro alto que al cielo se avecina;

el nogal pardo, y ásperos servales,
y el que ciñe de Alcides[6] ambas sienes
manchado de los humos infernales;

el azahar nevado, que en rehenes
el verano nos da de su agriduce,
tibia esperanza de dudosos bienes;

entre amapolas rojas se trasluce
como granos de aljófar en la arena,
por el limpio cristal del agua duce;

la rosa a medio abrir de perlas llena,
el clavel fresco en carmesí bañado,
verde albahaca, sándalo y verbena;

el trébol amoroso y delicado,
la clicie o girasol siempre inquieta,
el jazmín tierno, el alhelí morado;

el lirio azul, la cárdena violeta,
alegre toronjil, tomillo agudo,
murta, fresco arrayán, blanca mosqueta;

romero en flor, que es la mejor que pudo
dar el campo en sus yerbas y sus flores,
cantuesos rojos y mastranzo rudo;

fresca retama hortense, dando olores
de ámbar a los jardines, con las castas
clavellinas manchadas de colores;

verdes helechos, manzanillas bastas,
junquillos amorosos, blando heno,
prados floridos, olorosas pastas;

el mastuerzo mordaz de enredos lleno,
con campanillas de oro salpicado,
común frescura en este sitio ameno;

y la blanca azucena, que olvidado
de industria se me había, entre tus sienes
de donde toma su color prestado;

jacintos y narcisos, que en rehenes
de tu venida a sus vergeles dieron
como esperanzas de floridos bienes;

alegres flores, que otro tiempo fueron
reyes del mundo, ninfas y pastores,
y en flor quedaron porque en flor se fueron;

aves de hermosísimos colores,
de vario canto y varia plumería,
calandrias, papagayos, ruiseñores,

que en sonora y suavísima armonía,
con el romper del agua y de los vientos,
templan la no aprendida melodía;

y en los fríos estanques con cimientos
de claros vidrios las nereidas tejen
bellos lazos, lascivos movimientos.

6. sobrenombre de Hércules, derivado de su abuelo, Alceo.

Unas en verde juncia se entretejen,
otras por los cristales que relumbran
vistosas vueltas tejen y destejen.

Las claras olas que en contorno alumbran,
como espejos quebrados alteradas,
con tembladores rayos nos deslumbran,

y con la blanca espuma aljofaradas
muestran por trasparentes vidrieras
las bellas ninfas de marfil labradas.

Juegan, retozan, saltan placenteras
sobre el blando cristal que se desliza
de mil trazas, posturas y maneras.

Una a golpes el agua crespa eriza,
otra con sesgo aliento se resbala,
otra cruza, otra vuelve, otra se enriza.

Otra, cuya beldad nadie la iguala,
con guirnaldas de flores y oro a vueltas
hace corros y alardes de su gala.

Esta hermosura, estas beldades sueltas
aquí se hallan y gozan todo el año
sin miedos, sobresaltos ni revueltas,

en un real jardín, que sin engaño
a los de Chipre vence en hermosura,
y al mundo en temple ameno y sitio extraño;

sombrío bosque, selva de frescura,
en quien de abril y mayo los pinceles
con flores pintan su inmortal verdura.

Al fin, ninfas, jardines y vergeles,
cristales, palmas, yedra, olmos, nogales,
almendros, pinos, álamos, laureles,

hayas, parras, ciprés, cedros, morales,
abeto, boj, taray, robles, encinas,
vides, madroños, nísperos, servales,

azahar, amapolas, clavellinas,
rosas, claveles, lirios, azucenas,
romeros, alhelís, mosqueta, endrinas,

sándalos, trébol, toronjil, verbenas,
jazmines, girasol, murta, retama,
arrayán, manzanillas de oro llenas,

tomillo, heno, mastuerzo que se enrama,
albahacas, junquillos y helechos,
y cuantas flores más abril derrama,

aquí con mil bellezas y provechos
las dió todas la mano soberana.
Éste es su sitio, y éstos sus barbechos,
y ésta la primavera mexicana.

(Capítulo VI de *La grandeza mexicana*, México, Biblioteca del estudiante universitario, Ediciones de la Universidad Nacional Autónoma, 1954).

EL SIGLO DE ORO

ROMANCE DE GRACILDO

Encrespados riscos de oro,
montañas de plata y nieve,
huecos peñascos que el aire
los ensancha y los reviene:
vellones de ámbar bruñido,
que aljófar y grana llueven,
realzando mil plumajes
de púrpura y rosicleres;
aquí se enriscan montañas,
allí se encaraman sierpes,
acullá nacen dragones
que se transforman en gentes.
Allí se desgaja un risco,
en quien parece se embebe
cuanta beldad y hermosura
el cielo en sus senos tiene:
acullá se empina y sube
otro con tales relieves,
que las sombras con las lumbres
vistosos brocados tejen.
Arrebólase un celaje,
otro se amortigua y muere,
éste se mancha de azul,
y aquél de un color ardiente.
De todo esto nace el día,
coronadas ambas sienes,
a quien le dice un pastor:
luz que de mi oriente vienes,
pues tus esmaltes hurtaste
de las mejillas que suelen
prestarte luz y hermosura
cuando así extremarte quieres:
dime, luz preciosa y clara,
así el tiempo te conserve,
¿la que mis gustos alumbra,
en cuál de tus rayos viene?

Por su horizonte pasaste,
mañana florida y verde,
y tus flores a sus rosas
pues te las dió se las debes:
entre esas yerbas y aljófar
que sobre esmeraldas viertes,
¿viene alguna de los ojos
que a los míos tantas deben?
Porque si un aljófar suyo
en los tuyos entremetes,
no es mucho que tu hermosura
tan a los extremos llegue.
En esto alteróse el aire,
y en un momento se vuelven
los que eran vislumbres de oro
en relámpagos crueles.
El rosicler y la grana
se destiñen y se pierden,
los encrespados se allanan,
los ámbares se oscurecen,
los pinjantes de las nubes
y sus bordados doseles
vueltos en paños de luto
se enturbian y entenebrecen.
Suena el aire, brama el viento,
y de los rayos que llueven
en las bóvedas del cielo
retumban entrambos ejes.
Forzado se entra Beraldo
en su aborrecido albergue,
por huir la tempestad
que vientos contrarios mueven;
y al retirarse forzado,
entre enemigas paredes
dice, mirando del tiempo
las tragedias y reveses:
Si mi gloria me han robado
tus mudanzas y vaivenes,
ellos me la volverán,
que el tiempo todo lo puede.

(De *El Siglo de Oro en las selvas de Erífile*, Égloga tercera. Madrid, 1821).

La poesía épica había alcanzado tanto prestigio en España, que surgieron poetas decididos a cantar no sólo las hazañas de conquistadores sino las de santos. Más aún: al lado de las epopeyas del príncipe, las epopeyas de Cristo. Desde el siglo XV ya empiezan a aparecer poemas sobre la pasión y muerte del héroe religioso. Pero es después del Concilio de Trento cuando el género épico religioso se llena con el viento de borrasca de la Contrarreforma. DIEGO DE HOJEDA (1571-1615) escribió en un convento de Lima un vasto poema sobre Cristo. En *La Christiada* de Hojeda hay un solo tema: « Canto al Hijo de Dios, humano y muerto. » Sus fuentes doctrinales fueron los Evangelios, trabajos de la Patrística, sermones castellanos, tratados religiosos, vidas de santos, ideas de San Agustín, Santo Tomás y aun de Suárez; pero la literatura vino a ayudar su pluma: Homero, Virgilio, Dante, Girolamo Vida, Tasso, Du Bartas, Hernández Blasco, Ariosto, Boiardo y también poetas españoles de fines del siglo XVI y los barrocos de principios del XVII. A pesar de las digresiones barrocas, la obra — dividida en doce libros — sigue un plan mucho más riguroso que el de otras epopeyas. Sin embargo, no es ese plan ni la elocuencia de los sermones ni mucho menos los arrebatos teocráticos lo que salva *La Christiada* para un lector de hoy. Por supuesto que en un poema de esa extensión, y con un tema tan universal y dedicado a públicos tan diferentes, encontraremos muchas maneras, muchos estilos, muchas reminiscencias de diversas fuentes culturales. Es como un museo: cada quien puede admirar lo que le gusta, la frase bíblica, la oratoria sagrada, la dulzura renacentista . . . Pero hay también, aquí y allá, muestras de un estilo adornado, colorido, metafórico, con el gusto por contrastes, enumeraciones y detalles preciosos; y acaso es esta dinámica barroca lo que más hiere nuestra fantasía.

1. Jesucristo. 2. Jerusalén. 3. entender: tener intención de hacer alguna cosa.

Diego de Hojeda

LA CHRISTIADA

LA ORACIÓN EN EL HUERTO

[. . .] Ya el Santo[1] ungido con virtud eterna
de gracia personal y unción divina,
todo abrasado en caridad interna,
al huerto sale: a padecer camina
el que la inmensa fábrica gobierna
que sobre el mundo temporal se empina;
a padecer camina, atormentado
de su mismo gravísimo cuidado.

El alma pura, el corazón suave
(que [al] sueño dulce de su cara esposa,
a quien ha dado de su amor la llave,
siempre en vigilia está, jamás reposa)
agora apenas en su pecho cabe,
con ansia reventando congojosa:
¡tanto un pavor y una tristeza estraña
le asombra el corazón y el pecho baña!

Con tardas huellas va, con paso lento,
de su amor y su pena combatido,
y su elevado y noble entendimiento
a su pasión y cruz y muerte asido:
la vista baja, el rostro macilento,
de lágrimas el suelo humedecido,
y el desalado suspirar, dan muestra
que a Dios teme su eterna y propia diestra.

La noche oscura con su negro manto
cubriendo estaba el asombrado cielo,
que por ver a su Dios resuelto en llanto
rasgar quisiera el tenebroso velo;
y vestido de luz, lleno de espanto,
bajar con humildad profunda al suelo,
a recoger las lágrimas que envía
de aquellos tiernos ojos y alma pía.

La húmeda esfera con preñez oculta
tempestuoso parto amenazaba,
y a la dura, infiel, bárbara, inculta
Salén[2] con enemigo horror miraba:
que al mundo etéreo alguna vez resulta
un no sé qué de saña y fuerza brava
para vengar de su Criador la ofensa,
cuando menos el hombre en ella piensa.

Con silbo ronco el espantado viento
al eco tristes voces infundía,
y el agua con lloroso movimiento
las piedras que tocaba enternecía:
el valle, a su confusa voz atento,
suspiros de sus cuevas despedía:
suspira el valle, duerme el hombre; quiso
el valle al hombre dar un blando aviso.

Del soplo agudo las robustas plantas
con lastimado golpe sacudidas,
temblando, de su Dios las huellas santas,
mustias besar quisieran condolidas:
tanto respeto, inclinaciones tantas
mostraban copas y almas abatidas,
que por ellas juzgara el hombre ingrato
qué debe al Dios que compra tan barato.

Hombre dormido, advierte que velando
brama el buey, ladra el perro, el ave pía,
y a su buen Dios con lástima mirando,
reverencia la noche, huye el día,
y en amigo tropel y unido bando
se desvela por Dios cuanto Dios cría,
esfera, nubes, plantas, valle y monte,
cuevas y arroyo, y todo su horizonte.

Mas ¡oh tú, Mente sacra, antigua ciencia
que el cerebro enriqueces soberano
de la infinita singular esencia,
y la ignorancia ves del seso humano!
la inaccesible luz de tu presencia
templa con generosa y blanda mano,
y la mina de intentos admirable
me muestra de aquel pecho inescrutable. [. . .]

El se levanta, pues, con tierno celo,
y en buscar sus discípulos entiende[3]:
velos tendidos en el duro suelo,
durmiendo, y con amor los reprehende:
vuélvese a la oración con presto vuelo,
y en ella triste, a Dios y al hombre atiende,
y vuelto a la oración, gimiendo clama,
y arde en santa, amorosa y viva llama.

Arde y suspira, y una muerte horrible
de bravo aspecto, de osamenta dura,
cuya fiera presencia y faz terrible
ser la muerte de Dios se le figura,
muerte de una grandeza inaccesible,
giganta de una altísima estatura,
muerte que ha de pasar se le presenta,
y con sola su vista le atormenta.

De espinas y de sangre coronada
cerebro y sienes, y cabello y frente,
la venerable cara maltratada
de injurias viles de atrevida gente:
la boca con vinagre aheleada,[4]
y del cuello un cordel grueso pendiente,
y otro en las manos, hórridos despojos,
al alma se le ofrece ante los ojos.

De burladora púrpura vestida,
y por mofa vestida se le ofrece,
y una caña por cetro recibida,
con que el rostro le hieren, aparece:
es muerte que en la cruz venció a la vida,
y así la cruz en ella resplandece;
crucificada viene: ¡Oh muerte fiera!
Dios te ve, Dios te teme y Dios te espera.

Trae clavados los pies y las espaldas
deshechas con azotes rigurosos,
de sangre llenas las tendidas faldas,
y a cuestas unos látigos furiosos;
y el amarillo gesto y manos gualdas,
a los pechos más bravos y animosos
pone pavor, y a Cristo se le pone;
que es la muerte que el Padre le dispone.

« La Muerte soy, le dice, soy la Muerte,
a que tú mismo la garganta diste,
¡oh de la eterna vida brazo fuerte!
cuando a carne mortal unido fuiste:
contigo lucharé, y podré vencerte
en la naturaleza que naciste
segunda vez de humana y virgen Madre,
si no en la esencia de tu inmenso Padre.

« Aquí me ves, a ti me represento
con vil corona y ásperos cordeles,
con grana infame y singular tormento
de duros clavos y asquerosas hieles;
cruz tengo sola, y sola te presento
cruz que abraces y des a tus fieles:
pesada cruz, tú la harás suave,
pues del gozo de Dios tienes la llave. »

Dijo la Muerte, y con mirar severo,
más que con dilatada arenga, dijo;
pintó de sí un retrato verdadero,
breve en palabras y en acción prolijo:
a su rostro mortal y aspecto fiero
del Padre Eterno el soberano Hijo
sudó, tembló, cayó en tierra asombrado;
que aun Dios teme a la muerte y al pecado.

En el polvo estampó la noble imagen
de su divino cuerpo casi frío;
bájase Dios porque los hombres bajen
su gran soberbia, su orgulloso brío.
Los serafines, buen Señor, atajen
con religioso amor, con dolor pío
de ver a Dios postrado, humildad tanta,
que enternece la tierra, el cielo espanta.

Humillado está Dios, y no le deja
la muerte horrenda, la feroz Sansona:
repite al Padre la segunda queja,
y su aflición y su demanda abona:
la voluntad humana se aconseja
con su grande pavor, y la persona
divina rige a la razón humana;
que es hombre Dios, y como tal se allana.

Y estando en la oración con luz interna,
ante los ojos de una ciencia clara,
aquella majestad de Dios eterna
con vivo resplandor se le declara:
el Rey que cielo y tierra y mar gobierna,
le muestra su hermosa y limpia cara,
y en ella sus grandezas no entendidas,
y en una perfeción cien mil unidas.

Aquel entendimiento levantado
con la divina esencia ve fecundo,
y en él, como en su causa, retratado
el mundo hecho, y el posible mundo.
De su Dios Padre allí se ve engendrado
verbo infinito y de saber profundo,
y por acción de amor inestimable
proceder el Espíritu inefable.

Las tres Personas mira y una esencia,
con solo un ser, con una bondad sola;
la eficaz y suave providencia
que deste mundo rige la gran bola,
y la infinita soberana ciencia,
do la ciencia más pura se acrisola,
que lo pasado alcanza y lo presente,
y lo que puede ser le está patente. [. . .]

(*La Christiada*, Libro primero)

4. con amargor de yel.

Pedro de Oña

Que la epopeya sonaba cada vez menos a hierro es patente en el *Arauco domado* de PEDRO DE OÑA (Chile; 1570-1643?). Este criollo, nacido en medio del paisaje y de los indios que Ercilla había tomado como tema de su poema, se decidió a imitar también a Ercilla; pero se alejó aun más que su modelo de esa realidad. Al publicar *El Arauco domado* en 1596 — el primer libro en verso de autor americano — mucha literatura había corrido bajo los puentes de *La Araucana*; y Oña, aunque inspirándose en Ercilla, no se propuso competir con él: « ¿Quién a cantar de Arauco se atreviera / después de la riquísima *Araucana*? » Oña fué a la epopeya pero con el ánimo encogido por la convicción de que ese arte estaba « tan adelgazado y en su punto », que — después de Ercilla — continuar más allá « no sería perfección sino corrupción. » Volvió a contar, pues, la misma materia heroica pero esforzando su estilo en los aspectos menos heroicos. Lo ercillano del *Arauco domado* no vale tanto como los pasajes voluptuosos, blandos y pictóricos que Oña estimaba como verdadera poesía. Sus batallas, sus retratos de soldados españoles o indios guerreros, su crónica, sus trucos retóricos para hacer entrar en el poema episodios posteriores (las « profecías » de Oña siguen aquí las que Ercilla puso en boca de Belona y Fitón), lo muestran siempre inferior. En cambio, Oña trajo a la epopeya araucana un nuevo espíritu, laxo en la voluntad, barroco en la lengua. Hasta la octava se modifica en su canto, más graciosa y leve, « de más suavidad », como dijo el mismo poeta. Y el tono de su voz es lírico, por lo menos más personal. Oña es más rico en metáforas que Ercilla no sólo porque las usa más sino porque a veces son más nuevas y sorprendentes. Además de las visiones clásicas — con animales, plantas y minerales —, Oña inventa metáforas en las que una de las significaciones apunta a cosas más bien vulgares. Tanto repara en los objetos, que éstos se animan aunque sean inanimados, se mueven aunque sean inmóviles, en una reventazón de impulsos: los gallardetes que flamean al viento quieren soltarse de sus asientos e irse por el aire; la luz pelea con las ramas de los árboles; el agua se adelanta gozosa a recibir el cuerpo desnudo de Fresia. Al final de su vida Oña apretó la lengua barroca que estaba repartida a lo largo del *Arauco domado* y nos dió otro poema histórico — *El vasauro*, 1635 —, entretejido, casi estrofa por estrofa, con todos los hilos conceptistas y culteranos de la época, notablemente con Góngora. En *El vasauro* cuenta, sin unidad, las hazañas de los Reyes Católicos y de los antepasados del virrey del Perú, de 1465 a 1492: el « vasauro » es el áureo vaso con que los reyes obsequiaron a Andrés de Cabrera. Todavía Ercilla influye en Oña; y todo el Renacimiento italiano y español. Pero, repetimos, Góngora está dominando aun a los poetas que le resisten, y Oña, que habló mal de Góngora, gongorizó en metáfora, sintaxis, cultismos, tanto en *El vasauro* como en *Ignacio de Cantabria* (1639), su última producción.

EL ARAUCO DOMADO

ESTRUENDO DE ARMAS

[. . .] Ya suena de las armas el estruendo,
ya toda Lima es tráfago y bullicio,
rumor confuso y áspero ejercicio.

Ya desde los balcones descogidas
tremolan con el aire las banderas,
y quiérenlo abrazar de mil maneras,
con verse de sus manos sacudidas;
mil aguas hacen cotas enlucidas,
rayos de fuego brotan las cimeras,
ya la pajiza pluma, y roja banda
jugando por cabeza y pechos anda.

Ya salen de las tiendas los brocados,
y sedas mil, distintas en colores,
ya sacan vistosísimas labores,
vestidos y jaeces recamados;
por otra parte petos acerados,
y adargas, ya de cuadros, ya de flores,
venablos, lanzas, picas, y ginetas,
mosquetes, arcabuces y escopetas.

Ya luchan con el viento los penachos,
encima de argentados morriones,
y mozos levantados fanfarrones
mirándose, retuercen los mostachos;
ya todos echan velas, y velachos,
en sobrevistas, galas, invenciones;
acero, plata, y oro por doquiera
espejos son si Apolo reverbera.

El bélico frisón[1] se lozanea
del ronco tarantántara,[2] incitado,
y el polvo con la pata levantado
el espumoso rostro polvorea;
en bello alarde a guisa de pelea
se representa el práctico soldado,
y el mílite bisoño se señala,
para llevar la joya de la gala. [. . .]

Ya Lima con soberbia, fausto y pompa
se hincha, se levanta, se engrandece,
y deshacer su fábrica parece,
o que de todo punto se corrompa;
al son de caja, pífano, y de trompa,
el aire, el mar, la tierra se ensordece,
y cuanto con sus términos encierra
es un tumulto, y máquinas de guerra.

El cano y turbio Rímac resonante,
que de vejez en urna se recuesta,
su ronca voz levanta sobrepuesta
con este son de guerra disonante;
mas aunque se desgañe no es bastante
para ganar el viejo lo que apuesta,
porque el murmullo y bélico ruido
le tiene su murmurio ensordecido. [. . .]

Lucidas van escuadras y cuarteles
con tan hermosos visos y colores,
cual suelen por abril estar las flores
en los amenos prados y vergeles:
ya están a recibirlas los bateles,
sonando dentro flautas y atambores,
cornetas, sacabuches y clarines,
a cuyo son se duermen los delfines.

Al pedregoso límite llegados
la tropa y el caudillo don García
con una religiosa compañía
de clérigos y frailes consagrados,
empiezan nuevamente los soldados
a descubrir la gala y bizarría
con otros vistosísimos arreos,
airosos y gallardos contorneos. [. . .]

Mas ya llegado el tiempo favorable,
confusamente fueron apiñados
el nuevo general con los soldados
en la Nereida margen agradable:
los barcos, por el agua deleznable
de mil pimpollos verdes coronados,
al término marítimo vinieron,
do a todos en sus vientres recibieron.

1. de Frisia, provincia de Holanda, cuyos caballos son muy estimados. 2. tarará, señal o toque de trompeta. 3. calma. 4. el Marqués de Cañete, Andrés Hurtado de Mendoza, virrey del Perú, que murió en 1560. El cuarto marqués fué García Hurtado de Mendoza, que hizo la guerra a los araucanos. 5. Diosa del mar, una de las hijas de Nereo y de Doris. 6. Era el más venerado de los vientos favorables entre los romanos. 7. Hijas de Tetis y el Océano, que con otras muchas de sus hermanas se conocen con el nombre de Nereidas.

Y la marina estéril renunciando
con algazara, júbilo y contento,
a descansada boga, y paso lento
se van las aguas líquidas cortando
cual garza, el vuelo raudo levantando
si ve de la borrasca el mal intento:
levanta agora el suyo don García,
por ver la tempestad que en Chile había.

Caminan pues al son de varios sones,
y al paso de chalupas entramadas,
que, de los bravos Césares preñadas,
los paren en soberbios galeones,
a do con salva espesa de cañones,
con festivales voces, y algaradas,
fueron del marinaje recibidos,
y de la dulce patria despedidos.

Cuán bien desde la tierra parecían
las flámulas tendidas por el viento,
y tantos gallardetes que contento
causaban con las ondas que hacían;
parece que con ansia pretendían
soltarse todos a una de su asiento,
por irse tras el aire libremente,
llevados del amor de su corriente.

Bien como si el arroyo cristalino
a su raudal entrega la ramilla
que estaba remirándole en su orilla,
sin ver por dónde, o cómo el agua vino,
veréis que por llevarla de camino,
él hace su poder por desasilla,
y ella según se tiende, y se recrea,
parece que otra cosa no desea.

Lo mismo hace el viento delicado
con todos los gallardos tremolantes
llevándolos tan sesgos y volantes
que no se mueven a uno ni otro lado:
pues vista la sazón por don Hurtado,
de aquellos instrumentos rebombantes
mandó que a recoger tocasen uno
para marchar a cuestas de Neptuno.

La gente con el tiro recogida
por bordos y jaretas derramada,
mira la dulce tierra y mar salada
deseando la señal de su partida;
pues no le fué más tiempo diferida,
que con caloma[3] el áncora levada,
y repitiendo el nombre de Cañete[4]
largó la capitana su trinquete.

Al punto comenzó la blanca vela
a recoger al céfiro en su seno,
y con el soplo de él hinchado y lleno
rompe el naval caballo por la tela;
el aire va sirviéndole de espuela,
el sólido timón en vez de freno
con que fogoso, rápido y lozano
seguramente corre el mar insano.

El cual agora está tranquilo y manso
alzando unas ampollas no de fuego,
que sin hacer espuma quiebran luego,
como si fuera el piélago remanso.
Parece Tetis[5] cama de descanso
cubierta con un plácido sosiego,
según que manifiesta su bonanza
sin rastro ni sospecha de mudanza.

Así del puerto sale nuestra flota
dejando boquiabiertos los Tritones
de ver los poderosos galeones
y su feliz y próspera derrota:
la baja tierra ya se ve remota,
ya rompen alta mar los espolones,
y a más andar Favonio[6] refrescando,
va recio las escotas estirando.

Sacaron las cabezas prestamente
alzando sierras de agua por sus bocas,
delfines velocísimos, y focas,
por ver y dar solaz a nuestra gente,
y el gran señor del húmedo tridente,
en cuya mano están las altas rocas,
con Doris, Arethusa y Melicerta,[7]
la sale a recibir hasta la puerta.

Sesgando van así las mansas olas
por medio de marinas potestades,
que muestran sus alegres voluntades
haciendo sobre el agua cabriolas;
y no las que refiero vienen solas,
porque otras mil incógnitas deidades
que en el cerúleo piélago se bañan,
las poderosas naves acompañan.

Pues vayan, como van, ganando tierra
por el salado mar, y blanca espuma,
que quiero adelantarme con la pluma
saltando desde aquí primero en tierra,
diré lo que sucede en paz, y en guerra,
haciendo de uno y otro breve suma,
mas porque estoy, señor, de aliento falto,
dejádmele tomar para este salto.

(Del Canto Primero)

BAÑO DE CAUPOLICÁN Y FRESIA

Entre una y otra sierra levantada,
que van a dar al cielo con las frentes,
y al suelo con sus fértiles vertientes,
la deleitosa vera está fundada.
Oh, quién tuviera pluma tan cortada,
y versos tan medidos y corrientes,
que hicieran el vestido deste valle
cortado a la medida de su talle.

En todo tiempo el rico y fértil prado
está de yerba y flores guarnecido,
las cuales muestran siempre su vestido
de trémulos aljófares bordado;
aquí veréis la rosa de encarnado;
allí, al clavel de púrpura teñido;
los turquesados lirios, las violas,
jazmines, azucenas, amapolas.

Acá y allá, con soplo fresco y blando,
los dos, Favonio y Céfiro,[8] las vuelven,
y ellas, en pago de esto, los envuelven
del suave olor que están de sí lanzando;
entre ellas, las abejas, susurrando,
que el dulce pasto en rubia miel resuelven,
ya de jacinto, ya de croco[9] y clicie,[10]
se llevan el cohollo y superficie.

Revuélvese el arroyo sinüoso,
hecho de puro vidrio una cadena,
por la floresta plácida y amena,
bajando desde el monte pedregoso,
y con murmurio grato sonoroso
despacha al hondo mar la rica vena,
cruzándola y haciendo en varios modos,
descansos, paradillas y recodos.

Vénse por ambas márgenes poblados
el mirto, el sauce, el álamo, el aliso,
el sauco, el fresno, el nardo, el cipariso,[11]
los pinos y los cedros encumbrados,
con otros frescos árboles copados
traspuestos del primero Paraíso,
por cuya hoja el viento en puntos graves,
el bajo lleva al tiple de las aves.

También se ve la yedra enamorada,
que, con su verde brazo retorcido,
ciñe lasciva el tronco mal pulido
de la derecha haya levantada,
y en conyugal amor se ve abrazada
la vid alegre al olmo envejecido,
por quien sus tiernos pámpanos prohija,
con que lo enlaza, encrespa y ensortija.

En corros andan juntas, y escondidas,
las Dríadas, Oréades, Napeas,[12]
y otras ignotas mil silvestres Deas
de Sátiros y Faunos perseguidas:
en álamos lampecies[13] convertidas,
y en verdes lauros Vírgenes Peneas,[14]
que son (por conocerse tan hermosas)
selváticas, esquivas, desdeñosas.

Por los frondosos, débiles ramillos,
que con el blando Céfiro bracean
en acordada música gorjean
mil coros de esmaltados pajarillos:
cuyos acentos dobles y sencillos,
sus puntos y sus cláusulas recrean
de tal manera al ánima, que atiende,
que se arrebata, eleva y se suspende.

Entre la verde juncia, en la ribera,
veréis al blanco cisne paseando,
y alguna vez en dulce voz mostrando
haberle ya llegado la postrera;
sublimes por el agua, el cuerpo fuera
veréis a los patillos ir nadando,
y cuando se os esconden y escabullen,
qué lejos los veréis de do zabullen.

Pues por el bosque espeso y enredado,
ya sale el jabalí cerdoso y fiero,
ya pasa el gamo tímido y ligero,
ya corren la corcilla y el venado,
ya se atraviesa el tigre variado,
ya penden sobre algún despeñadero
las saltadoras cabras montesinas,
con otras agradables salvajinas.

La fuente, que con saltos mal medidos
por la frisada, tosca y dura peña
en fugitivo golpe se despeña,
llevándose de paso los oídos;
en medio de los árboles floridos,
y crespos de la hojosa y verde greña
enfrena el curso oblicuo y espumoso,
haciéndose un estanque deleitoso.

8. Favonio, como Céfiro, es un viento suave y favorable. 9. planta parecida al azafrán. 10. nombre poético del girasol.
11. ciprés. 12. nombres de diversas ninfas de los bosques. 13. álamo blanco. De Lampecia, hija del Sol y de Neres, hermana de Faetón, a cuya muerte fué metamorfoseada en álamo blanco. 14. de Peneo, río de Tesalia, que pasa cerca del monte Olimpo. 15. Caupolicán. 16. ninfa que, desdeñosa de Apolo, fué convertida en laurel. 17. a quien el mármol de Paros debe tributo.

Por su cristal bruñido y transparente
las guijas y pizarras del arena,
sin recibir la vista mucha pena,
se pueden numerar distintamente;
los árboles se ven tan claramente
en la materia líquida y serena,
que no sabréis cuál es la rama viva,
si la que está debajo o la de arriba. [. . .]

Descienden al estanque juntamente,
que los está llamando su frescura,
y Apolo, que también los apresura,
por se mostrar entonces más ardiente.
El hijo de Leocán[15] gallardamente
descubre la corpórea compostura,
espalda y pechos anchos, muslo grueso,
proporcionada carne y fuerte hueso.

Desnudo, al agua súbito se arroja,
la cual con alboroto encanecido
al recibirle forma aquel ruido,
que el árbol, sacudiéndose la hoja;
el cuerpo en un instante se remoja,
y esgrime el brazo y músculo fornido;
supliendo con el arte y su destreza
el peso que le dió naturaleza.

Su regalada Fresia, que lo atiende,
y sola no se puede sufrir tanto,
con ademán airoso lanza el manto,
y la delgada túnica desprende;
las mismas aguas frígidas enciende,
al ofuscado bosque pone espanto,
y Febo de propósito se para,
para gozar mejor su vista rara.

Abrásase, mirándola, dudoso,
si fuese Dafne[16] en lauro convertida
de nuevo al ser humano renacida
según se siente de ella codicioso;
descúbrese un alegre objeto hermoso,
bastante causador de muerte y vida,
que el monte y valle, viéndolo se ufana,
creyendo que despunta la mañana.

Es el cabello, liso y ondeado;
su frente, cuello y mano son de nieve;
su boca de rubí, graciosa y breve;
la vista garza, el pecho relevado,
de torno el brazo, el vientre jaspeado,
columna a quien el Paro parias debe[17];
su tierno y albo pie por la verdura
al blanco cisne vence en la blancura.

Al agua sin parar saltó ligera,
huyendo de mirarla, con aviso
de no morir la muerte que Narciso,
si dentro la figura propia viera:
mostrósele la fuente placentera,
poniéndose en el temple que ella quiso;
y aún dicen que de gozo, al recibirla
se adelantó del término y orilla.

Va zabullendo, el cuerpo sumergido,
que muestra por debajo el agua pura
del cándido alabastro la blancura,
si tiene sobre sí cristal bruñido;
hasta que da en los pies de su querido,
adonde con el agua a la cintura
se enhiesta, sacudiéndose el cabello,
y echándole los brazos por el cuello. [. . .]

Alguna vez el nudo se desata,
y ella se finge esquiva y se escabulle;
mas el galán, siguiéndola, zabulle,
y por el pie nevado la arrebata.
El agua salta arriba vuelta en plata,
y abajo la menuda arena bulle,
la tórtola envidiosa, que los mira,
más triste por su pájaro suspira. [. . .]

(Canto Quinto de *El Arauco domado*, Santiago de Chile, 1917)

Sin espacio para más, sólo nos detendremos en otros pocos poetas barrocos. JACINTO DE EVIA (Ecuador; n. 1620) publicó en España un *Ramillete de varias flores poéticas recogidas y cultivadas en los primeros abriles de sus años* (1675), en el que se juntaban composiciones de su propia cosecha y otras de sus contemporáneos, el ecuatoriano Padre ANTONIO BASTIDAS y el colombiano HERNANDO DOMÍNGUEZ CAMARGO.

Había toda clase de versos: líricos, sagrados, heroicos, panegíricos, epigramáticos . . . Evia a veces se zambullía en la oscuridad barroca y a veces asomaba la cabeza a la superficie clara: de sus momentos más sencillos son los versos que reproducimos a continuación.

Jacinto de Evia

FLORES AMOROSAS

ESTRIBILLO

Cupido que rindes las almas,
decidle a Belisa, decidle por mí,
como vive mi amor todo en ella,
después que a sus ojos mi vida rendí.

GLOSA

Entre esperanza y temor
vive dudosa mi suerte,
el desdén me da la muerte,
pero la vida el amor;
y aunque es grande mi dolor
buscar alivio procura;
hallarálo mi ventura
si constante pido así:
Cupidillo que rindes . . .

Ansioso cual ciervo herido
del harpón de una beldad,
de su fuente a la piedad
amante me ha conducido:
mas mi dolor ha crecido
con el cristal que ha gustado,
y en voz amorosa al prado
mis tristes quejas le dí:
Cupidillo que rindes . . .

A un jilguero enamorado
mis penas dije constante,
por ver si hallo en un amante
remedios a mi cuidado;
compasivo me ha escuchado,
más que Belisa a quien ruego,
templando mi dulce fuego
con los gorjeos que oí:
Cupidillo que rindes . . .

La yedra en brazo amoroso,
del olmo los brazos goza;
la tortolilla retoza
con su consorte gustoso;
sólo yo vivo envidioso
por ver que una planta y ave
en unión vivan süave
cuando me lamento así:
Cupidillo que rindes . . .

(En *Ramillete de varias flores*, Alcalá de Henares, 1675)

Hernando Domínguez Camargo

El jesuíta HERNANDO DOMÍNGUEZ CAMARGO (Colombia; n. a principios del s. XVII, m. en 1656 ó 59) es uno de los de calidad. No malbarató los materiales preciosos que le dejó Góngora. Están a la vista, sin menoscabo. Pero no sólo heredó a Góngora, sino que fundió en crisol esos materiales, los volcó en nuevos moldes y les estampó su cuño. Las poesías de Domínguez Camargo que aparecen en el *Ramillete de varias flores poéticas* de Jacinto de Evia son más claras, más fáciles y de veras antológicas; pero su obra de más aliento fué el inconcluso *Poema heroico de San Ignacio de Loyola* (1666), donde la sintaxis, el vocabulario, las metáforas y las referencias cultas del estilo barroco se apretujan alrededor de la biografía del santo de su devoción. Adviértase, en la descripción del salto del arroyo de Chillo que reproducimos en seguida la fuerza barroca de la metáfora.

1. de *almohaza*, instrumento de hierro para limpiar las caballerias. 2. correa del arreo de los caballos. 3. árbol rosáceo, de flores blancas y rosadas.

A un salto, por donde
se despeña el arroyo
de Chillo

Corre arrogante un arroyo
por entre peñas y riscos,
que enjaezado de perlas
es un potro cristalino.

Es el pelo de su cuerpo
de aljófar, tan claro y limpio,
que, por cogerle los pelos,
le almohazan[1] verdes mirtos.
Cíñele el pecho un pretal[2]
de cascabeles tan ricos,
que si no son cisnes de oro,
son ruiseñores de vidrio.
Bátenle el ijar sudante
los acicates de espinos,
y es él tan arrebatado
que da a cada paso brincos.
Danle sofrenadas peñas,
para mitigar sus bríos,
y es hacer que labre espumas
de mil esponjosos grifos.
Estrellas suda de aljófar
en que se suda a sí mismo,
y atropellando sus olas,
da cristalinos relinchos.
Bufando cogollos de agua,
desbocado corre el río,
tan colérico, que arroja
a los jinetes alisos.[3]

Hace calle entre el espeso
vulgo de árboles vecino,
que irritan más con sus varas
al caballo al precipicio.
Un corcovo dió soberbio,
y a estrellarse ciego vino,
en las crestas de un escollo,
gallo de montes altivo.
Dió con la frente en sus puntas,
y de ancas en un abismo,
vertiendo, sesos de perlas,
por entre adelfas y pinos.
Escarmiento es de arroyuelos
que se alteran fugitivos,
porque así amansan las peñas
a los potros cristalinos.

(De *Ramillete de varias flores poéticas*, Alcalá de Henares, 1675)

Entre los numerosos autores de coplas y poesías populares, festivas, satíricas, repentistas, burlescas, que por aquellos tiempos escriben en el nuevo mundo baste mencionar al más importante de ellos: JUAN DEL VALLE CAVIEDES (1652?-1697?). Andaluz, llegó de niño a las sierras del Perú, se trasladó después a Lima, disipó su vida entre el juego y las mujeres, cayó en manos de médicos y contra sus médicos escribió redondillas, décimas y romances, en que no sólo cada epigrama, pero aun cada adjetivo, tiene un terrible poder agresivo. Sus versos de *Diente del Parnaso* (alusión a su estilo mordaz: « mordiscos de mi diente », decía) no se publicaron ni en vida ni en los años inmediatos a su muerte mas se conocían bien. Escribió ensayos dramáticos de construcción alegórica: el *Entremés del Amor Alcalde*, el *Baile del Amor Médico* y el *Baile del Amor Tahur*. Esta vena cómica — muy cerca de las agudezas de Quevedo — continuó por algún tiempo; pero se advierte que, en los últimos años, adquirió una actitud madura, reflexiva, y escribió sonetos y otras composiciones con emoción religiosa y tono de arrepentimiento y melancolía. No fué un vano imitador de los barrocos de España. Los conocía, y conocía los autores que los barrocos aprovechaban; pero tenía independencia intelectual, inspiración propia y un estilo conciso y chacotón. En su *Carta* a Sor Juana se enorgullecía de que su única universidad había sido su espíritu y de que había estudiado más en los hombres que en los libros. Su buen sentido, disconforme de las supersticiones de su época, es impresionante. Su poesía — satírica, pero también religiosa y lírica — es de lo más fresco del Perú colonial.

Juan del Valle Caviedes

SONETO

Para ser caballero de accidentes,
te has de vestir en voces y mesura,
sacando el pecho, drecha la estatura
hablando de hidalguías y parientes,

despreciando linajes entre dientes,
andando a espacio grave y con tersura,
y aunque venga o no venga, a la ventura
usarás de las cláusulas siguientes:

el punto, el garbo, la razón de estado,
etiquetas, usía, obligaciones,
continencias, vuecencias, mi criado,

mis méritos, mis tardas intenciones,
y caballero quedas entablado
desde la coronilla a los talones.

ROMANCE AMOROSO

En un laurel convertida
vió Apolo a su Dafne amada[1]:
¿quién pensara que en lo verde
murieran sus esperanzas?
Abrazado con el tronco
y cubierto con las ramas,
pegó la boca a los nudos
y a la corteza la cara.
Con mil almas le decía
a la que sin ella estaba:
— No para mí, para ti,
Dafne, ha sido la mudanza;
pues tanto vale el ser tronco
como ser ninfa tirana;
porque tanto favorece
un leño como una ingrata.
Sólo la forma ha perdido
en sus perfecciones raras;
pero en la materia toco
que la de un tronco es más blanda.
Primero piedad espero
en quien no escuche mis ansias,
moción es lo que está muerto,
que en ti estando como estabas.
Por lo menos grabaré
en tu tronco mis palabras
que en ti, ninfa, jamás pude
que quisieras escucharlas.
Desesperación ha sido
tu belleza malograda,
pues por agraviarme esquiva
hasta a ti misma te agravias.
Si hubiera sabido, ninfa,
tu venganza, en mi venganza
por quererte más te hubiera
querido con menos ansia.

DÉCIMAS

Coloquio que tuvo con la muerte un médico estando enfermo de riesgo

El mundo todo es testigo,
Muerte de mi corazón,
que no has tenido razón
de portarte así conmigo.
Repara que soy tu amigo,
y que de tus tiros tuertos
en mí tienes los aciertos;
excúsame la partida,
que por cada mes de vida
te daré treinta y un muertos.

¡Muerte! Si los labradores
deja siempre qué sembrar
¿cómo quieres agotar
la semilla de doctores?
Frutos te damos mayores;
pues, con purgas y con untos,
damos a tu hoz asuntos
para que llenes los trojes,
y por cada doctor cojes
diez fanegas de difuntos.

No seas desconocida
ni contigo uses rigores,
pues la muerte, sin doctores
no es muerte, que es media vida.

1. referencia al mito de Apolo y Dafne. 2. célebre médico griego. 3. piedra. 4. siguen ocho décimas en las que ridiculiza a varios médicos limeños de la época.

Pobre, ociosa y desvalida
quedarás en esta suerte,
sin que tu aljaba concierte,
siendo en tan grande mancilla
una pobre muertecilla
o Muerte de mala muerte.

Muerte sin médico es llano
que será, por lo que infiero,
mosquete sin mosquetero,
espada o puñal sin mano.
Este concepto no es vano:
porque aunque la muerte sea
tal, que todo cuanto vea
se lo lleve por delante,
que a nadie mata es constante
si el doctor no la menea.

¡Muerte injusta! Tú también
me tiras por la tetilla;
mas ya sé no es maravilla
pagar mal el servir bien.
Por Galeno[2] juro, a quien
venero, que si el rigor
no conviertes en amor
sanándome de repente,
y muero de este accidente,
que no he de ser más doctor.

Mira que en estos afanes,
si así a los médicos tratas,
han de andar después a gatas
los curas y sacristanes.
Porque soles ni desmanes,
la suegra y suegro peor,
fruta y nieve sin licor,
bala, estocadas y canto,[3]
no matan al año tanto
como el médico mejor. [. . .[4]]

(De *Obras de don Juan del Valle y Caviedes*, Lima, Clásicos peruanos, Vol. 1, 1947)

La influencia de Góngora fué en México anterior, mayor y mejor que en ninguna otra parte americana. Es posible que circularan en México copias manuscritas del *Polifemo* y de las *Soledades* antes que se publicaran en España. Comoquiera que sea Góngora entró en México alrededor del 1600, en los embarques de *Romanceros* y *Flores de poetas ilustres*. Ya vimos cómo en Balbuena hubo muestras de gongorismo, si bien tenues, pues su cultismo era personal e independiente. A lo largo del siglo XVII se multiplican los gongoristas mexicanos. La reciente revalidación de Góngora ha cambiado el juicio que antes se tenía sobre los numerosos gongoristas hispanoamericanos. Es indudable que casi todos se entretenían en edificar complicaciones formales, sin que al fondo de sus laberintos les esperara (como en Góngora) una bella sorpresa. Pero en esta literatura de esfuerzo desencaminado, también hay versos pulidos en los que se refleja el paisaje humano, social, histórico de México; versos que, en sí, son un paisaje literario contra el que se recortarán figuras mayores, como la de Sor Juana. Además no es Góngora el único « príncipe de los líricos » al que se venera. Se lee a Garcilaso, los Argensolas, Lope de Vega, Fray Luis de León, San Juan de la Cruz, Herrera, Calderón, Quevedo . . . En realidad Góngora fué el que cantaba más alto en una multitud de poetas. Y la poesía era la que alzaba la voz en el barroco. Los hispanoamericanos imitaban o hacían centones en los numerosos certámenes poéticos que se celebraban en fiestas religiosas o civiles. Algunos certámenes solían exigir la emulación a Góngora. En general, los certámenes documentan que hay grupos de poetas que se leen unos a otros: escriben para sí, ellos son su propio público. Es actividad de humanistas y eruditos que tienen el orgullo de pertenecer a una aristocracia en la que sólo se puede ingresar con ciertas contraseñas intrincadas. El género es lo de menos: puede ser un villancico o un poema épico de largo aliento. Lo que importa es que los signos sean extremados. Curioso: en esta poesía de corte culto irrumpen indigenismos y aun vocablos afroespañoles. Pero en el barroco lo popular no es espontáneo, sino artificioso: los negros serán « azabaches con alma. » Descripción y colección de certámenes de 1682 y 1683 es el *Triunfo parténico* de CARLOS DE SIGÜENZA Y GÓNGORA (México; 1645-1700). Escribió sobre temas aliterarios: astronomía, astrología, geografía, etnografía, matemáticas, historia, etc. Y cuando escribió versos nos dió lo peor del barroco. Era pariente de Luis de Góngora y Argote; y quizá por este parentesco lejano algunos críticos han querido estudiar si el Góngora mexicano se alejaba también del gongorismo. No hay cuestión. De lo que se alejaba era de la poesía. En la *Primavera indiana* (1662), su primer libro, hay más aciertos que en los que siguieron. Como historiador escribió páginas más perdurables; y acaso, en una historia de la literatura, su puesto sea el de cronista de hechos menores. La prosa de estas crónicas era ya la de la conversación; y el arte de contar se hace a veces tan eficaz (en la « Carta al Almirante don Andrés de Pez », por ejemplo), que el lector lee con placer. Esas páginas sobre el motín de los indios en junio de 1692 son interesantísimas. Sus virtudes narrativas se advierten mejor en los *Infortunios que Alonso Ramírez padeció en poder de ingleses piratas* (1690), que tienen un movimiento vivaz de novela. Alonso Ramírez es uno de esos criollos vitales, sufridos, viriles, que continuaron el impulso de los conquistadores españoles. Pero ya vive en otra época. Ramírez ha nacido en Puerto Rico, en 1662; y, sin darse cuenta clara de ello, vive hundido en la decadencia política de España. Justamente un siglo después de la derrota de la Armada es capturado por ingleses, « herejes piratas »; padece terribles humillaciones: la menor de todas, oír que los ingleses llaman a los españoles « cobardes y gallinas. » Cuando consigue la libertad, Ramírez y sus hombres navegan aterrorizados porque todo el mar les parece lleno de ingleses. España ya ha perdido el vigor de la acometida, y en América el criollo sufre ese menoscabo de la honra política.

Carlos de Sigüenza y Góngora

INFORTUNIOS DE ALONSO RAMÍREZ

[Los « Infortunios de Alonso Ramírez » pertenecen al grupo de las llamadas *Relaciones históricas* de Sigüenza y Góngora, y constan de VII Capítulos. Para la mejor comprensión de los fragmentos que ofrecemos en esta Antología, nos parece oportuno reproducir los títulos explicativos de aquéllos, que son como sigue: « I. Motivos que tuvo para salir de su patria. Ocupaciones y viajes que hizo por la Nueva España; su asistencia en México hasta pasar a las Filipinas. — II. Sale de Acapulco para Filipinas; dícese la derrota de este viaje y en lo que gastó el tiempo, hasta que lo apresaron los ingleses. — III. Pónense en compendio los robos y crueldades que hicieron estos piratas en mar y tierra hasta llegar a América. — IV. Danle libertad los piratas y trae a la memoria lo que toleró en su prisión. — V. Navega Alonso Ramírez y sus compañeros sin saber dónde estaban ni la parte a que iban; dícense los trabajos y sustos que padecieron hasta varar tierra. — VI. Sed, hambre, enfermedades, muertes con que fueron atribulados en esta costa; hallan inopinadamente gente católica y saben estar en tierra firme de Yucatán en la Septentrional América. — VII. Pasan a Tejozuco; de allí a Valladolid, donde experimentan molestias; llegan a Mérida; vuelve Alonso Ramírez a Valladolid y son aquéllas mayores. Causa porque vino a México y lo que de ello resulta. »

Al final de la relación, Alonso Ramírez es recibido por el Virrey, quien lo envía a don Carlos de Sigüenza y Góngora y éste, « compadecido de mis trabajos, no sólo formó esta Relación en que se contienen », sino que le favoreció y ayudó a que hiciese el viaje a Vera-Cruz.]

1. abrevadero, provisión de agua potable. 2. corsarios. 3. carga, gravamen. 4. clase de embarcación.

I

Motivos que tuvo para salir de su patria. Ocupaciones y viajes que hizo por la Nueva España; su asistencia en México hasta pasar a las Filipinas

Quiero que se entretenga el curioso que esto leyere por algunas horas, con las noticias de lo que a mí me causó tribulaciones de muerte por muchos años, y aunque de sucesos que sólo subsistieron en la idea de quien los finge, se suelen deducir máximas y aforismos que, entre lo deleitable de la narración que entretiene, cultiven la razón de quien en ello se ocupa, no será esto lo que yo aquí intente, sino solicitar lástimas que, aunque posteriores a mis trabajos, harán por lo menos tolerable su memoria, trayéndolas a compañía de las que me tenía a mí mismo cuando me aquejaban. No por esto estoy tan de parte de mi dolor, que quiera incurrir en la fea nota de pusilánime y así, omitiendo menudencias que a otros menos atribulados que yo lo estuve pudieran dar asunto de muchas quejas, diré lo primero que me ocurriere por ser en la serie de mis sucesos lo más notable.

Es mi nombre Alonso Ramírez y mi patria la ciudad de San Juan de Puerto Rico, cabeza de la isla, que en los tiempos de ahora con este nombre y con el de *Borriquen* en la antigüedad, entre el Seno Mexicano y el mar Atlántico divide términos. Hácenla célebre los refrescos que hallan en su deleitosa aguada[1] cuantos desde la antigua navegan sedientos a la Nueva España; la hermosura de su bahía, lo incontrastable del Morro que la defiende; las cortinas y baluartes coronados de artillería que la aseguran. Sirviendo, aun no tanto esto, que en otras partes de las Indias también se halla, cuanto el espíritu que a sus hijos les reparte el genio de aquella tierra sin escasez, a tenerla privilegiada de las hostilidades de corsantes.[2]

Empeño es éste en que pone a sus naturales su pundonor y fidelidad sin otro motivo, cuando es cierto que la riqueza que le dió nombre por los veneros de oro que en ella se hallan, hoy, por falta de sus originarios habitadores que los trabajen y por la vehemencia con que los huracanes procelosos rozaron los árboles de cacao que, a falta de oro, provisionaban de lo necesario a los que lo traficaban, y por el consiguiente al resto de los isleños se transformó en pobreza.

Entre los que ésta había tomado muy a su cargo fueron mis padres, y así era fuerza que hubiera sido, porque no lo merecían sus procederes; pero ya es pensión[3] de las Indias el que así sea. Llamóse mi padre Lucas de Villanueva, y aunque ignoro el lugar de su nacimiento, cónstame, porque varias veces se le oía, que era andaluz, y sé muy bien haber nacido mi madre en la misma ciudad de Puerto Rico, y es su nombre Ana Ramírez, a cuya cristiandad le debí en mi niñez lo que los pobres sólo le pueden dar a sus hijos, que son consejos para inclinarlos a la virtud.

Era mi padre carpintero de ribera, e impúsome (en cuanto permitía la edad) al propio ejercicio, pero reconociendo no ser continua la fábrica y temiéndome no vivir siempre, por esta causa, con las incomodidades que, aunque muchacho, me hacían fuerza, determiné hurtarle el cuerpo a mi misma patria para buscar en las ajenas más conveniencia.

Valíme de la ocasión que me ofreció para esto una urqueta[4] del Capitán Juan del Corcho, que salía de aquel puerto para el de La Habana, en que, corriendo el año de 1675, y siendo menos de trece los de mi edad, me recibieron por paje. No me pareció trabajosa la ocupación, considerándome en libertad y sin la pensión de cortar madera; pero confieso que, tal vez presagiando lo porvenir, dudaba si podría prometerme algo que fuese bueno, habiéndome valido de un corcho para principiar mi fortuna. Mas, ¿quién podrá negarme que dudé bien, advirtiendo consiguientes mis sucesos a aquel principio? Del puerto de La Habana, (célebre entre cuantos gozan las Islas de Barlovento, así por las conveniencias que le debió a la naturaleza que así lo hizo, como por las fortalezas con que el arte y el desvelo lo ha asegurado), pasamos al de San Juan de Ulúa en la tierra firme de Nueva España, de donde, apartándome de mi patrón, subí a la ciudad de la Puebla de los Ángeles, habiendo pasado no pocas incomodidades en el camino, así por la aspereza de las veredas que desde Salapa corren hasta Perote, como también por los fríos que, por no experimentados hasta allí, me parecieron intensos. Dicen los que la habitan ser aquella ciudad inmediata a México en la amplitud que coge, en el desembarazo de sus calles, en la magnificencia de sus templos y en cuantas otras cosas hay que la asemejan a aquélla; y ofreciéndoseme (por no haber visto hasta entonces otra mayor) que en ciudad tan grande me sería muy fácil el conseguir conveniencia grande, determiné, sin más discurso que éste, el quedarme en ella, aplicándome a servir a un carpintero para granjear el sustento, en el ínterin que se me ofrecía otro modo para ser rico.

En la demora de seis meses que allí perdí experimenté mayor hambre que en Puerto Rico, y abominando la resolución indiscreta de abandonar mi patria por tierra a donde no siempre se da acogida a la liberalidad generosa, haciendo mayor el número de unos arrieros, sin considerable trabajo me puse en México.

Lástima es grande el que no corran por el mundo grabadas a punta de diamante en láminas de oro, las grandezas magníficas de tan soberbia ciudad. Borróse de mi memoria lo que de la Puebla aprendí como grande, desde que pisé la calzada, en que por la parte de mediodía (a pesar de la gran laguna sobre que está fundada) se franquea a los forasteros. Y siendo uno de los primeros elogios de esta metrópoli la magnanimidad de los que la habitan, a que ayuda la abundancia de cuanto se necesita para pasar la vida con descanso que en ella se halla, atribuyo a fatalidad de mi estrella haber sido necesario ejercitar mi oficio para sustentarme. Ocupóme Cristóbal de Medina, maestro de alarife[5] y de arquitectura, con competente salario, en obras que le ocurrían, y se gastaría en ello cosa de un año.

El motivo que tuve para salir de México a la ciudad de Oaxaca, fué la noticia de que asistía en ella con el título y ejercicio honroso de regidor, D. Luis Ramírez, en quien, por parentesco que con mi madre tiene, afiancé, ya que no ascensos desproporcionados a los fundamentos tales cuales en que estribaran, por lo menos alguna mano para subir un poco; pero conseguí, después de un viaje de ochenta leguas, el que, negándome con muy malas palabras el parentesco, tuviese necesidad de valerme de los extraños por no poder sufrir despegos, sensibilísimos por no esperados, y así me apliqué a servir a un mercader trajinante que se llamaba Juan López. Ocupábase éste en permutar con los indios Mixes, Chontales y Cuicatecas, por géneros de Castilla que les faltaban, los que son propios de aquella tierra, y se reducen a algodón, mantas, vainillas, cacao y grana.[6] Lo que se experimenta en la fragosidad de la Sierra, que para conseguir esto se atraviesa y huella continuamente, no es otra cosa sino repetidos sustos de derrumbarse por lo acantilado de las veredas, profundidad horrorosa de las barrancas, aguas continuas, atolladeros penosos, a que se añaden, en los pequeños calidísimos valles que allí se hacen, muchos mosquitos, y en cualquier parte, sabandijas abominables a todo viviente por su mortal veneno.

Con todo esto atropella la gana de enriquecer y todo esto experimenté acompañando a mi amo, persuadido a que sería a medida del trabajo la recompensa. Hicimos viaje a Chiapa de Indios, y de allí a diferentes lugares de las provincias de Soconusco y de Guatemala, pero, siendo pensión de los sucesos humanos interpolarse con el día alegre de la prosperidad la noche pesada y triste del sinsabor, estando de vuelta para Oaxaca, enfermó mi amo en el pueblo de Talistaca, con tanto extremo, que se le administraron los Sacramentos para morir.

Sentía yo su trabajo y en igual contrapeso sentía el mío, gastando el tiempo en idear ocupaciones en que pasar la vida con más descanso; pero con la mejoría de Juan López se sosegó mi borrasca a que se siguió tranquilidad, aunque momentánea, supuesto que, en el siguiente viaje, sin que le valiese remedio alguno, acometiéndole el mismo achaque en el pueblo de Cuicatlan, le faltó la vida.

Cobré de sus herederos lo que quisieron darme por mi asistencia, y despechado de mí mesmo y de mi fortuna, me volví a México, y, queriendo entrar en aquesta ciudad con algunos reales, intenté trabajar en la Puebla para conseguirlos, pero no hallé acogida en maestro alguno, y, temiéndome de lo que experimenté de hambre cuando allí estuve, aceleré mi viaje.

Debíle a la aplicación que tuve al trabajo, cuando le asistí al maestro Cristóbal de Medina, por el discurso de un año y a la que volvieron a ver en mí cuantos me conocían, el que tratasen de avecindarme en México, y conseguílo mediante el matrimonio que contraje con Francisca Xavier, doncella, huérfana de doña María de Poblete, hermana del venerable señor doctor don Juan de Poblete, Deán de la iglesia metropolitana, quien, renunciando la mitra arzobispal de Manila, por morir como Fénix en su patrio nido, vivió para ejemplar de cuantos aspiraran a eternizar su memoria con la rectitud de sus procederes.

Sé muy bien que expresar su nombre es compendiar cuanto puede hallarse en la mayor nobleza y en la más sobresaliente virtud, y así

5. maestro de obras. 6. cochinilla. 7. pieza antigua de artillería. 8. viento este. 9. barcos indios y chinos. 10. dícese del indio chino que pasa a comerciar a Filipinas. 11. parte de la cubierta superior de una embarcación.

callo, aunque con repugnancia por no ser largo en mi narración, cuanto me está sugiriendo la gratitud.

Hallé en mi esposa mucha virtud y merecíle en mi asistencia cariñoso amor, pero fué esta dicha como soñada, teniendo solos once meses de duración, supuesto que en el primer parto le faltó la vida. Quedé casi sin ella a tan no esperado y sensible golpe, y, para errarlo todo me volví a la Puebla.

Acomodéme por oficial de Esteban Gutiérrez, maestro de carpintero, y sustentándose el tal mi maestro con escasez, ¿cómo lo pasaría el pobre de su oficial?

Desesperé entonces de poder ser algo, y hallándome en el tribunal de mi propia conciencia no sólo acusado, sino convencido de inútil, quise darme por pena de este delito la que se da en México a los que son delincuentes, que es enviarlos desterrados a las Filipinas. Pasé, pues, a ellas en el galeón Santa Rosa, que (a cargo del general Antonio Nieto, y de quien el Almirante Leandro Coello era piloto) salió del puerto de Acapulco para el de Cavite el año 1682.

Está este puerto en altura de 16 grados 40 minutos a la banda del Septentrión, y cuanto tiene de hermoso y seguro para las naos que en él se encierran, tiene de desacomodado y penoso para los que lo habitan, que son muy pocos, así por su mal temple y esterilidad del paraje, como por falta de agua dulce y aun del sustento, que siempre se le conduce de la comarca, y añadiéndose lo que se experimenta de calores intolerables, barrancas y precipicios por el camino, todo ello estimula a solicitar la salida del puerto.

III

Pónense en compendio los robos y crueldades que hicieron estos piratas en mar y tierra hasta llegar a la América

Sabiendo ser yo la persona a cuyo cargo venía la embarcación, cambiándome a la mayor de las suyas me recibió el Capitán con fingido agrado. Prometióme a las primeras palabras la libertad, si le noticiaba cuáles lugares de las islas eran más ricos, y si podría hallar en ellos gran resistencia. Respondíle no haber salido de Cavite, sino para la provincia de Ilocos, de donde venía, y que así no podía satisfacerle a lo que preguntaba. Instóme si en la isla de Caponiz, que a distancia de catorce leguas está Noroeste Sueste con Marivélez, podría aliñar sus embarcaciones, y si había gente que se lo estorbase; díjele no haber allí población alguna y que sabía de una bahía donde conseguiría fácilmente lo que deseaba. Era mi intento el que, si así lo hiciesen, los cogiesen desprevenidos, no sólo los naturales de ella, sino los españoles que asisten de presidio en aquella isla, y los apresasen. Como a las diez de la noche surgieron donde les pareció a propósito, y en estas y otras preguntas que se me hicieron se pasó la noche.

Antes de levarse pasaron a bordo de la Capitana mis veinticinco hombres. Gobernábala un inglés a quien nombraban Maestre Bel; tenía ochenta hombres, veinticuatro piezas de artillería y ocho pedreros[7] todos de bronce; era dueño de la segunda el Capitán Donkin; tenía setenta hombres, veinte piezas de artillería y ocho pedreros, y en una y otra había sobradísimo número de escopetas, alfanjes, hachas, arpeos, granadas y ollas llenas de varios ingredientes de olor pestífero.

Jamás alcancé, por diligencia que hice, el lugar donde se armaron para salir al mar; sólo sí supe habían pasado al del Sur por el estrecho de Mayre, y que imposibilitados de poder robar las costas del Perú y Chile, que era su intento, porque con ocasión de un tiempo que, entrándoles con notable vehemencia y tesón por el Leste[8] les duró once días, se apartaron de aquel meridiano más de quinientas leguas, y no siéndoles fácil volver a él, determinaron valerse de lo andado, pasando a robar a la India, que era más pingüe.

Supe, también, habían estado en islas Marianas, y que, batallando con tiempos desechos y muchos mares, montando los cabos del Engaño y del Boxeador, y habiendo antes apresado algunos juncos y champanes[9] de indios y chinos, llegaron a la boca de Marivélez, a donde dieron conmigo.

Puestas las proas de sus fragatas (llevaban la mía a remolque) para Caponiz, comenzaron con pistolas y alfanjes en las manos a examinarme de nuevo, y aun a atormentarme; amarráronme a mí y a un compañero mío al árbol mayor, y como no se les respondía a propósito acerca de los parajes donde podían hallar la plata y oro por que nos preguntaban, echando mano de Francisco de la Cruz, sangley[10] mestizo, mi compañero, con cruelísimos tratos de cuerda que le dieron, quedó desmayado en el combés[11] y casi sin vida; metiéronme a mí y a los míos en la bodega, desde donde percibí grandes voces y un trabucazo; pasado un rato y habiéndome hecho salir afuera, vide mucha sangre, y mostrándomela, dijeron ser de uno de los míos, a quien habían muerto, y que lo mismo sería de mí, si no respondía a propósito de lo que preguntaban; díjeles con humildad que hiciesen de mí lo que les pareciese, porque no tenía que añadir cosa alguna a mis primeras respuestas.

Cuidadoso, desde entonces, de saber quién era de mis compañeros el que habían muerto, hice diligencias por conseguirlo, y hallando cabal el número, me quedé confuso. Supe mucho después era sangre de un perro la que había visto, y no pasó del engaño.

No satisfechos de lo que yo había dicho, repreguntando con cariño a mi contramaestre, de quien por indio jamás se podía prometer cosa que buena fuese, supieron de él haber población y presidio en la isla de Caponiz, que yo había afirmado ser despoblada.

Con esta noticia, y mucho más, por haber visto estando ya sobre ella, ir por el largo de la costa dos hombres montados, a que se añadía la mentira de que nunca había salido de Cavite sino para Ilocos, y dar razón de la bahía de Caponiz, en que, aunque lo disimularon, me habían cogido, desenvainados los alfanjes con muy grandes voces y vituperios dieron en mí.

Jamás me recelé de la muerte con mayor susto que en este instante; pero conmutáronla en tantas patadas y pescozones que descargaron en mí, que me dejaron incapaz de movimiento por muchos días.

Surgieron en parte de donde no podían recelar insulto alguno de los isleños, y, dejando en tierra a los indios dueños de un junco, de que se habían apoderado el antecedente día al aciago y triste en que me cogieron, hicieron su derrota a Pulicondon, isla poblada de Cochinchinas, en la costa de Camboja, donde, tomado puerto, cambiaron a sus dos fragatas cuanto en la mía se halló, y le pegaron fuego.

Armadas las piraguas con suficientes hombres, fueron a tierra y hallaron los esperaban los moradores de ella sin repugnancia; propusiéronles no querían más que proveerse allí de lo necesario dándoles lado a sus navíos y rescatarles también frutos de la tierra, por lo que les faltaba.

O de miedo, o por otros motivos que yo no supe, asintieron a ello los pobres bárbaros; recibían ropa de la que traían hurtada, y correspondían con brea, grasa y carne salada de tortuga y con otras cosas.

Debe ser la falta que hay de abrigo en aquella isla o el deseo que tienen de lo que en otras partes se hace en extremo mucho, pues les forzaba la desnudez o curiosidad a cometer la más desvergonzada vileza que jamás ví.

Traían las madres a las hijas y los mismos maridos a sus mujeres, y se las entregaban con la recomendación de hermosas, a los ingleses, por el vilísimo precio de una manta o equivalente cosa.

Hízoseles tolerable la estada de cuatro meses en aquel paraje con conveniencia tan fea, pero, pareciéndoles no vivían mientras no hurtaban, estando sus navíos para navegar, se bastimentaron de cuanto pudieron para salir de allí.

Consultaron primero la paga que se les daría a los Pulicondones por el hospedaje, y remitiéndola al mismo día en que saliesen al mar, acometieron aquella madrugada a los que dormían incautos, y pasando a cuchillo aun a las que dejaban en cinta y poniendo fuego en lo más del pueblo, tremolando sus banderas y con grande regocijo, vinieron a bordo.

No me hallé presente a tan nefanda crueldad; pero, con temores de que en algún tiempo pasaría yo por lo mismo, desde la capitana, en que siempre estuve, oí el ruido de la escopetería y ví el incendio.

Si hubieran celebrado esta abominable victoria agotando frasqueras de aguardiente, como siempre usan, poco importara encomendarla al silencio; pero habiendo intervenido en ello lo que yo vide, ¿cómo pudiera dejar de expresarlo, si no es quedándome dolor y escrúpulo de no decirlo?

Entre los despojos con que vinieron del pueblo y fueron cuanto por sus mujeres y bastimentos les habían dado, estaba un brazo humano de los que perecieron en el incendio; de éste cortó cada uno una pequeña presa, y alabando el gusto de tan linda carne entre repetidas saludes le dieron fin.

Miraba yo con escándalo y congoja tan bestial acción, y llegándose a mí uno con un pedazo me instó con importunaciones molestas a que lo comiese. A la debida repulsa que yo le hice, me dijo: Que, siendo español, y por el consiguiente cobarde, bien podía, para igualarlos a ellos en el valor, no ser melindroso. No me instó más por responder a un brindis.

12. corchar, unir los cordones de un cable, torciéndolos. 13. alcanfor. 14. siameses. 15. cris, arma de hoja corta usada por los moros de la isla de Mindanao, en las Filipinas. 16. una de las luces que se colocan en los buques para iluminar la rosa del compás o aguja. 17. madrugón, adelantarse a otro. 18. Borneo.

Avistaron la costa de la tierra firme de Camboja al tercero día, y andando continuamente de un bordo a otro, apresaron un champan lleno de pimienta; hicieron con los que lo llevaban lo que conmigo, y sacándole la plata y cosas de valor que en él se llevaban sin hacer caso alguno de la pimienta, quitándole timón y velas y abriéndole un rumbo, lo dejaron ir al garete para que se perdiese.

Echada la gente de este champan en la tierra firme, y pasándose a la isla despoblada de Puliubi, en donde se hallan cocos y ñame con abundancia, con la seguridad de que no tenía yo ni los míos por dónde huir, nos sacaron de las embarcaciones para colchar[12] un cable. Era la materia de que se hizo bejuco verde, y quedamos casi sin uso de las manos por muchos días por acabarlo en pocos.

Fueron las presas que en este paraje hicieron de mucha monta, aunque no pasaran de tres, y de ellas pertenecía la una al rey de Siam, y las otras dos a los portugueses de Macán y Goa.

Iba en la primera un Embajador de aquel Rey para el Gobernador de Manila, y llevaba para éste un regalo de preseas de mucha estima, muchos frutos y géneros preciosos de aquella tierra.

Era el interés de la segunda mucho mayor, porque se reducía a solos tejidos de seda de la China en extremo ricos, y a cantidad de oro en piezas de filigrana que por vía de Goa se remitía a Europa.

Era la tercera del Virrey de Goa, e iba a cargo de un Embajador que enviaba al rey de Siam por este motivo.

Consiguió un genovés (no sé las circunstancias con que vino allí) no sólo la privanza con aquel rey, sino el que lo hiciese su lugarteniente en el principal de sus puertos.

Ensoberbecido éste con tanto cargo, les cortó las manos a dos caballeros portugueses que allí asistían, por leves causas.

Noticiado de ello el Virrey de Goa, enviaba a pedirle satisfacción y aun a solicitar se le entregase el genovés, para castigarle.

A empeño que parece no cabía en la esfera de lo asequible, correspondió el regalo que, para granjearle la voluntad al Rey, se le remitía.

Vide y toqué con mis manos una como torre o castillo, de vara en alto, de puro oro, sembrada de diamantes y otras preciosas piedras, y, aunque no de tanto valor, le igualaban en lo curioso muchas alhajas de plata, cantidad de canfora,[13] ámbar y almizcle, sin el resto de lo que para comerciar y vender en aquel reino había en la embarcación.

Desembarazada ésta y las dos primeras de lo que llevaban, les dieron fuego, y dejando así a portugueses como a sianes[14] y a ocho de los míos en aquella isla sin gente, tiraron la vuelta de las de Ciantan, habitadas de malayos, cuya vestimenta no pasa de la cintura, y cuyas armas son crises.[15]

Rescataron de ellos algunas cabras, cocos y aceite de éstos para la lantia[16] y otros refrescos, y dándoles un albazo[17] a los pobres bárbaros, después de matar algunos y de robarlos a todos, en demanda de la Isla de Tamburlán, viraron afuera.

Viven en ella Macazares, y sentidos los ingleses de no haber hallado allí lo que en otras partes, poniendo fuego a la población en ocasión que dormían sus habitadores, navegaron a la grande Isla de Borney,[18] y por haber barloventeado catorce días su costa occidental sin haber pillaje, se acercaron al puerto de Cicudana en la misma isla.

Hállanse en el territorio de este lugar muchas preciosas piedras, y en especial diamantes de rico fondo, y la codicia de rescatarlos y poseerlos, no muchos meses antes que allí llegásemos, estimuló a los ingleses que en la India viven, pidiesen al rey de Borney (valiéndose para eso del gobernador que en Cicudana tenía) les permitiese factoría en aquel paraje.

Pusiéronse los piratas a sondar en las piraguas la barra del río, no sólo para entrar en él con las embarcaciones mayores, sino para hacerse capaces de aquellos puestos.

Interrumpiéles este ejercicio un champan de los de la tierra, en que venía de parte de quien la gobernaba a reconocerlos.

Fué su respuesta ser de nación ingleses y que venían cargados de géneros nobles y exquisitos para contratar y rescatarles diamantes.

Como ya antes habían experimentado en los de esta nación amigable trato y vieron ricas muestras de lo que, en los navíos que apresaron en Puliubi, les pusieron luego a la vista, se les facilitó la licencia para comerciar.

Hiciéronle al gobernador un regalo considerable y consiguieron el que por el río subiesen al pueblo (que dista un cuarto de legua de la marina) cuando gustasen.

En tres días que allí estuvimos reconocieron estar indefenso y abierto por todas partes y proponiendo a los cicudanes no poder detenerse por mucho tiempo, y que así se recogiesen los diamantes en casa del Gobernador, donde se haría la feria, dejándonos aprisionados a bordo y con bastante guarda, subiendo al punto de medianoche por el río arriba muy bien armados, dieron de improviso en el pueblo, y fué la casa del gobernador la que primero avanzaron.

Saquearon cuantos diamantes y otras piedras preciosas ya estaban juntas, y lo propio consiguieron en otras muchas a que pegaron fuego, como también a algunas embarcaciones que allí se hallaron.

Oíase a bordo el clamor del pueblo y la escopetería, y fué la mortandad (como blasonaron después) muy considerable.

Cometida muy a su salvo tan execrable traición, trayendo preso al Gobernador y a otros principales, se vinieron a bordo con gran presteza, y con la misma se levaron, saliendo afuera.

No hubo pillaje que a éste se comparase por lo poco que ocupaba, y su excesivo precio. ¿Quién será el que sepa lo que importaba?

Vídele al capitán Bel tener a granel llena la copa de su sombrero de solos diamantes. Aportamos a la isla de Baturiñán dentro de seis días, y dejándola por inútil se dió fondo en la de Pulitiman, donde hicieron aguada y tomaron leña, y, poniendo en tierra (después de muy maltratados y muertos de hambre) al Gobernador y principales de Cicudana, viraron para la costa de Bengala por ser más cursada de embarcaciones, y en pocos días apresaron dos bien grandes de moros negros, cargadas de rasos, elefantes, garzas y sarampures, y habiéndolas desvalijado de lo más precioso, les dieron fuego, quitándoles entonces la vida a muchos de aquellos moros a sangre fría, y dándoles a los que quedaron las pequeñas lanchas que ellos mismos traían, para que se fuesen.

Hasta este tiempo no habían encontrado con navío alguno que se les pudiera oponer, y en este paraje, o por casualidad de la contingencia, o porque ya se tendría noticia de tan famosos ladrones en algunas partes, de donde creo había ya salido gente para castigarlos, se descubrieron cuatro navíos de guerra bien artillados, y todos de holandeses a lo que parecía.

Estaban éstos a Sotavento, y teniéndose de los piratas cuanto les fué posible, ayudados de la obscuridad de la noche, mudaron rumbo hasta dar en Pulilaor, y se rehicieron de bastimentos y de agua; pero, no teniéndose ya por seguros en parte alguna, y temerosos de perder las inestimables riquezas con que se hallaban, determinaron dejar aquel archipiélago.

Dudando si desembocarían por el estrecho de Sonda o de Sincapura,[19] eligieron éste por más cercano, aunque más prolijo y dificultoso, desechando el otro, aunque más breve y limpio, por más distante, o, lo más cierto, por más frecuentado de los muchos navíos que van y vienen de la nueva Batavia, como arriba dije.

Fiándose, pues, en un práctico de aquel estrecho que iba con ellos, ayudándoles la brisa y corrientes cuanto no es decible, con banderas holandesas y bien prevenidas las armas para cualquier caso, esperando una noche que fuese lóbrega, se entraron por él con desesperada resolución y lo corrieron casi hasta el fin sin encontrar sino una sola embarcación al segundo día.

Era ésta una fragata de treinta y tres codos de quilla, cargada de arroz y de una fruta que llaman « bonga »,[20] y al mismo tiempo de acometerla (por no perder la costumbre de robar, aun cuando huían) dejándola sola los que la llevavaban, y eran malayos, se echaron al mar y de allí salieron a tierra para salvar las vidas. [...]

En esta ocasión se desaparecieron cinco de los míos, y presumo que, valiéndose de la cercanía a la tierra, lograron la libertad con echarse a nado.

A los veinticinco días de navegación avistamos una isla (no sé su nombre) de que, por habitada de portugueses, según decían o presumían, nos apartamos, y desde allí se tiró la vuelta de la Nueva Holanda, tierra aun no bastantemente descubierta de los europeos, y poseída, a lo que parece, de gentes bárbaras; y al fin de más de tres meses dimos con ella.

Desembarcados en la costa los que se enviaron a tierra con las piraguas, hallaron rastros antiguos de haber estado gente en aquel paraje, pero, siendo allí los vientos contrarios y vehementes y el surgidero malo, solicitando lugar más cómodo, se consiguió en una isla de tierra llana, y hallando no sólo resguardo y abrigo a las embarcaciones, sino un arroyo de agua dulce, mucha tortuga y ninguna gente, se determinaron dar allí carena para volverse a sus casas. Ocupáronse ellos en hacer esto, y yo y los míos en remendarles las velas y en hacer carne.

A cosa de cuatro meses o poco más, estábamos ya para salir a viaje, y poniendo las proas a la isla de Madagascar, o de San Lorenzo, con Leste

19. Singapur. 20. la de una especie de palma de Filipinas.

a popa, llegamos a ella en veintiocho días. Rescatáronse de los negros que la habitaban muchas gallinas, cabras y vacas, y noticiados de que un navío inglés mercantil estaba para entrar en aquel puerto a contratar con los negros, determinaron esperarlo y así lo hicieron.

No era esto como yo infería de sus acciones y pláticas, sino por ver si lograban el apresarlo; pero reconociendo, cuando llegó a surgir, que venía muy bien artillado y con bastante gente, hubo de la una a la otra parte repetidas salvas y amistad recíproca.

Diéronle los mercaderes a los piratas aguardiente y vino, y retornáronles éstos de lo que traían hurtado, con abundancia.

Ya que no por fuerza (que era imposible) no omitía diligencia el Capitán Bel para hacerse dueño de aquel navío como pudiese; pero lo que tenía éste de ladrón y de codicioso, tenía el Capitán de los mercaderes de vigilante y sagaz, y así sin pasar jamás a bordo nuestro (aunque con grande instancia y con convites que le hicieron, y que él no admitía, lo procuraban), procedió en las acciones con gran recato. No fué menor el que pusieron Bel y Donkin para que no supiesen los mercaderes el ejercicio en que andaban, y, para conseguirlo con más seguridad nos mandaron a mí y a los míos, de quienes únicamente se recelaban, el que pena de la vida, no hablásemos con ellos palabra alguna y que dijésemos éramos marineros voluntarios suyos y que nos pagaban.

Contravinieron a este mandato dos de mis compañeros hablándole a un portugués que venía con ellos, y mostrándose piadosos en no quitarles la vida luego al instante los condenaron a recibir seis azotes de cada uno. Por ser ellos ciento cincuenta, llegaron los azotes a novecientos, y fué tal el rebenque y tan violento el impulso con que los daban, que amanecieron muertos los pobres al siguiente día.

Trataron de dejarme a mí y a los pocos compañeros que habían quedado en aquella isla; pero considerando la barbaridad de los negros moros que allí vivían, hincado de rodillas y besándoles los pies con gran rendimiento, después de reconvenirles con lo mucho que les había servido y ofreciéndome a asistirles en su viaje como si fuese esclavo, conseguí el que me llevasen consigo.

Propusiéronme entonces, como ya otras veces me lo habían dicho, el que jurase de acompañarlos siempre y me darían armas.

Agradecíles la merced, y haciendo refleja a las obligaciones con que nací, les respondí con afectada humildad el que más me acomodaba a servirlos a ellos que a pelear con otros, por ser grande el temor que les tenía a las balas, tratándome de español cobarde y gallina, y por eso, indigno de estar en su compañía que me honrara y valiera mucho, no me instaron más.

Despedidos de los mercaderes, y bien provisionados de bastimentos, salieron en demanda del Cabo de Buena Esperanza, en la costa de África, y después de dos meses de navegación, estando primero cinco días barloventándolo, lo montaron. Desde allí por espacio de un mes y medio se costeó un muy extendido pedazo de tierra firme, hasta llegar a una isla que nombran de Piedras, de donde, después de tomar agua y proveerse de leña, con las proas al Oeste y con brisas largas dimos en la costa del Brasil en veinticinco días.

En el tiempo de dos semanas en que fuimos al luengo de la costa y sus vueltas disminuyendo altura, en dos ocasiones echaron seis hombres a tierra en una canoa y, habiendo hablado con no sé qué portugueses y comprándoles algún refresco, se pasó adelante hasta llegar finalmente a un río dilatadísimo sobre cuya boca surgieron en cinco brazas, y presumo fué el de las Amazonas, si no me engaño.

VI

Sed, hambre, enfermedades, muertes con que fueron atribulados en esta costa; hallan inopinadamente gente católica y saben estar en tierra firme de Yucatán, en la Septentrional América.

Tendría de ámbito la peña que terminaba esta punta, como doscientos pasos y por todas partes la cercaba el mar, y aun tal vez por la violencia con que la hería se derramaba por toda ella con grande ímpetu.

No tenía árbol ni cosa alguna a cuyo abrigo pudiésemos repararnos contra el viento, que soplaba vehementísimo y destemplado; pero haciéndole a Dios Nuestro Señor repetidas súplicas y promesas, y persuadidos a que estábamos en parte donde jamás saldríamos, se pasó la noche.

Perseveró el viento, y por el consiguiente no se sosegó el mar hasta de allí a tres días; pero no obstante, después de haber amanecido, reconociendo su cercanía, nos cambiamos a tierra firme, que distaría de nosotros como cien pasos, y no pasaba de la cintura el agua donde más hondo.

Estando todos muertos de sed y no habiendo agua dulce en cuanto se pudo reconocer en algún espacio, posponiendo mi riesgo al alivio y conveniencia de aquellos míseros, determiné ir a bordo, y encomendándome con todo afecto a María Santísima de Guadalupe, me arrojé al mar y llegué al navío, de donde saqué un hacha para cortar y cuanto me pareció necesario para hacer fuego.

Hice segundo viaje y, a empellones, o por mejor decir, milagrosamente, puse un barrilete de agua en la misma playa, y no atreviéndome aquel día a tercer viaje, después que apagamos todos nuestra ardiente sed, hice que comenzasen los más fuertes a destrozar palmas de las muchas que allí había, para comer los cogollos, y, encendiendo candela, se pasó la noche.

Halláronse el día unos charcos de agua (aunque algo salobre) entre aquellas palmas, y mientras se congratulaban los compañeros por este hallazgo, acompañándome Juan de Casas, pasé al navío, de donde en el cayuco[21] que allí traíamos (siempre con riesgo por el mucho mar y la vehemencia del viento) sacamos a tierra el velacho,[22] las dos velas del trinquete y gavia y pedazos de otras.

Sacamos también escopetas, pólvora y municiones y cuanto nos pareció por entonces más necesario para cualquier accidente.

Dispuesta una barraca en que cómodamente cabíamos todos, no sabiendo a qué parte de la costa se había de caminar para buscar gente, elegí sin motivo especial la que corre al Sur. Yendo conmigo Juan de Casas, y después de haber caminado aquel día como cuatro leguas, matamos dos puercos monteses, y escrupulizando el que se perdiese aquella carne en tanta necesidad, cargamos con ellos para que los lograsen los compañeros.

Repetimos lo andado a la mañana siguiente hasta llegar a un río de agua salada, cuya ancha y profunda boca nos atajó los pasos, y aunque por haber descubierto unos ranchos antiquísimos hechos de paja, estábamos persuadidos a que dentro de breve se hallaría gente, con la imposibilidad de pasar adelante, después de cuatro días de trabajo, nos volvimos tristes.

Hallé a los compañeros con mucho mayores aflicciones que las que yo traía, porque los charcos de donde se proveían de agua se iban secando, y todos estaban tan hinchados que parecían hidrópicos.

Al segundo día de mi llegada se acabó el agua, y aunque por el término de cinco se hicieron cuantas diligencias nos dictó la necesidad para conseguirla, excedía a la de la mar, en la amargura, la que se hallaba.

A la noche del quinto día, postrados todos en tierra, y más con los afectos que con las voces, por sernos imposible el articularlas, le pedimos a la Santísima Virgen de Guadalupe el que, pues era fuente de aguas vivas para sus devotos, compadeciéndose de los que ya casi agonizábamos con la muerte, nos socorriese como a hijos, protestando no apartar jamás de nuestra memoria, para agradecérselo, beneficio tanto. Bien sabéis, Madre y Señora mía amantísima, el que así pasó.

Antes que se acabase la súplica, viniendo por el Sueste la turbonada, cayó un aguacero tan copioso sobre nosotros, que refrigerando los cuerpos y dejándonos en el cayuco y en cuantas vasijas allí teníamos provisión bastante, nos dió las vidas.

Era aquel sitio, no sólo estéril y falto de agua, sino muy enfermo, y aunque así lo reconocían los compañeros, temiendo morir en el camino, no había modo de convencerlos para que lo dejásemos; pero quiso Dios que lo que no recabaron mis súplicas, lo consiguieron los mosquitos (que también allí había) con su molestia, y ellos eran, sin duda alguna, los que en parte les habían causado las hinchazones que he dicho con sus picadas.

Treinta días se pasaron en aquel puesto comiendo chachalacas,[23] palmitos y algún marisco, y antes de salir de él, por no omitir diligencia, pasé al navío que hasta entonces no se había escatimado, y cargando con bala toda la artillería la disparé dos veces.

Fué mi intento el que, si acaso había gente la tierra adentro, podía ser que les moviese el estruendo a saber la causa, y que acudiendo allí se acabasen nuestros trabajos con su venida.

Con esta esperanza me mantuve hasta el siguiente día en cuya noche (no sé cómo), tomando fuego un cartucho de a diez que tenía en la mano, no sólo me la abrasó, sino que me maltrató un muslo, parte del pecho, toda la cara y me voló el cabello.

Curado como mejor se pudo con ungüento blanco, que en la caja de medicina que me dejó el Condestable se había hallado, y a la sub-

21. bote. 22. vela del mastelero de proa. 23. ave gallinácea de México. 24. aspecto, apariencia.

secuente mañana, dándoles a los compañeros el aliento, de que yo más que ellos necesitaba, salí de allí.

Quedóse (ojalá la pudiéramos haber traído con nosotros, aunque fuera a cuestas, por lo que en adelante diré), quedóse, digo, la fragata, que, en pago de lo mucho que yo y los míos servimos a los ingleses, nos dieron graciosamente.

Era (y no sé si todavía lo es) de treinta y tres codos de quilla y con tres aforros, los palos y vergas de excelentísimo pino, la fábrica toda de lindo galibo,[24] y tanto, que corría ochenta leguas por singladura con viento fresco; quedáronse en ella y en las playas nueve piezas de artillería de hierro con más de dos mil balas de a cuatro, de a seis y de a diez, y todas de plomo; cien quintales, por lo menos, de este metal, cincuenta barras de estaño; sesenta arrobas de hierro; ochenta barras de cobre del Japón; muchas tinajas de la China; siete colmillos de elefante; tres barriles de pólvora; cuarenta cañones de escopeta; diez llaves; una caja de medicinas y muchas herramientas de cirujano.

Bien provisionados de pólvora y municiones y no otra cosa, y cada uno de nosotros con escopeta, comenzamos a caminar por la misma marina la vuelta del Norte, pero con mucho espacio por la debilidad y flaqueza de los compañeros, y en llegar a un arroyo de agua dulce, pero bermeja, que distaría del primer sitio menos de cuatro leguas, se pasaron dos días.

La consideración de que a este paso sólo podíamos acercarnos a la muerte, y con mucha priesa, me obligó a que, valiéndome de las más suaves palabras que me dictó el cariño, les propusiese el que, pues ya no les podía faltar el agua, y como víamos acudía allí mucha volatería que les aseguraba el sustento, tuviesen a bien el que, acompañado de Juan de Casas, me adelantase hasta hallar poblado, de donde protestaba volvería cargado de refresco para sacarlos de allí.

Respondieron a esta proposición con tan lastimeras voces y copiosas lágrimas, que me las sacaron de lo más tierno del corazón en mayor raudal.

Abrazándose de mí, me pedían con mil amores y ternuras que no les desamparase, y que, pareciendo imposible en lo natural poder vivir el más robusto, ni aun cuatro días, siendo la demora tan corta, quisiese, como padre que era de todos, darles mi bendición en sus postreras boqueadas y que después prosiguiese, muy enhorabuena, a buscar el descanso que a ellos les negaba su infelicidad y desventura en tan extraños climas.

Convenciéronme sus lágrimas a que así lo hiciese; pero, pasados seis días sin que mejorasen, reconociendo el que yo me iba hinchando, y que mi falta les aceleraría la muerte, temiendo, ante todas cosas la mía, conseguí el que, aunque fuese muy a poco a poco, se prosiguiese el viaje.

Iba yo y Juan de Casas descubriendo lo que habían de caminar los que me seguían, y era el último, como más enfermo Francisco de la Cruz, sangley, a quien desde el trato de cuerda que le dieron los ingleses antes de llegar a Caponiz, le sobrevinieron mil males, siendo el que ahora le quitó la vida dos hinchazones en los pechos y otra en el medio de las espaldas que le llegaba al cerebro.

Habiendo caminado como una legua, hicimos alto, y siendo la llegada de cada uno según sus fuerzas, a más de las nueve de la noche no estaban juntos, porque este Francisco de la Cruz aun no había llegado.

En espera suya se pasó la noche, y, dándole orden a Juan de Casas que prosiguiera el camino antes que amaneciese, volví en su busca; hallélo a cosa de media legua, ya casi boqueando, pero en su sentido.

Deshecho en lágrimas, y con mal articuladas razones, porque me las embargaba el sentimiento, le dije lo que para que muriese conformándose con la voluntad de Dios y en gracia suya me pareció a propósito, y poco antes del mediodía rindió el espíritu.

Pasadas como dos horas hice un profundo hoyo en la misma arena, y pidiéndole a la Divina Majestad el descanso de su alma, lo sepulté, y levantando una cruz (hecha de dos toscos maderos) en aquel lugar, me volví a los míos.

Hallélos alojados delante de donde habían salido como otra legua, y a Antonio González, el otro sangley, casi moribundo y, no habiendo regalo que poder hacerle ni medicina alguna con que esforzarlo, estándolo consolando, o de triste, o de cansado, me quedé dormido, y dispertándome el cuidado a muy breve rato, lo hallé difunto.

Dímosle sepultura entre todos el siguiente día, y tomando por asunto una y otra muerte, los exhorté a que caminásemos cuanto más pudiésemos, persuadidos a que así sólo se salvarían las vidas.

Anduviéronse aquel día como tres leguas, y en los tres siguientes se granjearon quince, y fué la causa que con el ejercicio del caminar, al paso que se sudaba se resolvían las hinchazones y se nos aumentaban las fuerzas.

Hallóse aquí un río de agua salada muy poco ancho y en extremo hondo y, aunque retardó por todo un día un manglar muy espeso el llegar a él, reconocido después de sondarlo faltarle vado, con palmas que se cortaron se le hizo puente y se fué adelante, sin que el hallarme en esta ocasión con calentura me fuese estorbo.

Al segundo día que allí salimos, yendo yo y Juan de Casas precediendo a todos, atravesó por el camino que llevábamos un disforme oso, y no obstante el haberlo herido con la escopeta se vino para mí, y aunque me defendía yo con el mocho[25] como mejor podía, siendo pocas mis fuerzas y las suyas muchas, a no acudir a ayudarme mi compañero, me hubiera muerto; dejámoslo allí tendido, y se pasó de largo.

Después de cinco días de este suceso llegamos a una punta de piedra, de donde me parecía imposible pasar con vida por lo mucho que me había postrado la calentura, y ya entonces estaban notablemente recobrados todos, o por mejor decir, con salud perfecta.

Hecha mansión, y mientras entraban en el monte adentro a buscar comida, me recogí a un rancho, que con una manta que llevábamos, al abrigo de una peña me habían hecho, y quedó en guarda mi esclavo, Pedro.

Entre las muchas imaginaciones que me ofreció el desconsuelo en esta ocasión, fué la más molesta el que sin duda estaba en las costas de la Florida en la América, y que siendo cruelísimos en extremo sus habitadores, por último habíamos de rendir las vidas en sus sangrientas manos.

Interrumpióme estos discursos mi muchacho con grandes gritos, diciéndome que descubría gente por la costa y que venía desnuda.

Levantéme asustado, y tomando en la mano la escopeta, me salí fuera, y encubierto de la peña a cuyo abrigo estaba, reconocí dos hombres desnudos con cargas pequeñas a las espaldas y haciendo ademanes con la cabeza como quien busca algo; no me pesó de que viniesen sin armas, y por estar ya a tiro mío les salí al encuentro.

Turbados ellos mucho más sin comparación que lo que yo lo estaba, lo mismo fué verme que arrodillarse, y puestas las manos comenzaron a dar voces en castellano y a pedir cuartel.

Arrojé yo la escopeta y llegándome a ellos los abracé, y respondiéronme a las preguntas que inmediatamente les hice; dijéronme que eran católicos y que acompañando a su amo que venía atrás y se llamaba Juan González, y era vecino del pueblo de Tejosuco, andaban por aquellas playas buscando ámbar; dijeron también el que era aquella costa la que llamaban de Bacalal en la provincia de Yucatán.

Siguióse a estas noticias tan en extremo alegres, y más en ocasión en que la vehemencia de mi tristeza me ideaba muerto entre gentes bárbaras, el darle a Dios y a su santísima Madre repetidas gracias, y disparando tres veces, que era contraseña para que acudiesen los compañeros, con su venida, que fué inmediata y acelerada, fué común entre todos el regocijo.

No satisfechos de nosotros los yucatecos, dudando si seríamos de los piratas ingleses y franceses que por allí discurren, sacaron de lo que llevaban en sus mochilas para que comiésemos, y dándoles (no tanto por retorno, cuanto porque depusiesen el miedo que en ellos veíamos) dos de nuestras escopetas, no las quisieron.

A breve rato nos avistó su amo, porque venía siguiendo a sus indios con pasos lentos y, reconociendo el que quería volver aceleradamente atrás para meterse en lo más espeso del monte, donde no sería fácil el que lo hallásemos, quedando en rehenes uno de sus dos indios, fué el otro a persuasiones y súplicas nuestras, a asegurarlo.

Después de una larga plática que entre sí tuvieron, vino, aunque con sobresalto y recelo, según por el rostro se le advertía, y en sus palabras se denotaba, a nuestra presencia; y hablándole yo con grande benevolencia y cariño y haciéndole una relación pequeña de mis trabajos grandes, entregándole todas nuestras armas para que depusiese el miedo con que lo víamos, conseguí el que se quedase con nosotros aquella noche, para salir a la mañana siguiente donde quisiese llevarnos.

Díjonos, entre varios cosas que se parlaron, le agradeciésemos a Dios por merced muy suya, el que no me hubiesen visto sus indios primero, y a largo trecho, porque si teniéndonos por piratas se retiraran al monte para guarecerse en su espesura, jamás saldríamos de aquel paraje inculto y solitario, porque nos faltaba embarcación para conseguirlo.

(De « Los infortunios de Alonso Ramírez » en *Relaciones históricas*, México, Universidad Nacional Autónoma, 1940)

25. mango, culata de la escopeta.

La voz más viva, graciosa y entonada del período barroco hispanoamericano fué la de SOR JUANA INÉS DE LA CRUZ (México; 1648-1695). Es difícil estimarla. En parte porque el barroco es un estilo de difícil estimación; pero, principalmente, porque la fascinante vida de la monjita mexicana nos predispone a juzgar con simpatía cualquier cosa que escribiera. Toda la corte de México tuvo la seguridad de su genio; y también la Iglesia, que llegó a sobresaltarse por su fama. Cuando un obispo, con el seudónimo de « Sor Filotea », le dirigió una misiva exhortándola a apartarse de las letras profanas, Sor Juana escribió su *Respuesta a Sor Filotea de la Cruz* (1691), uno de los más admirables ensayos autobiográficos en lengua española. Cuenta allí su temprana vocación por el estudio, su incoercible curiosidad intelectual, las desventajas de su condición de mujer, sus esfuerzos para librarse de las impertinencias, prejuicios, incomprensiones y boberías con que las gentes traban a los mejores. La prosa es espléndida: fina, flexible, filosa. Y, sobre todo, de una extraordinaria eficacia en la defensa de su vocación espiritual. Su pensamiento es ortodoxo. No hay duda. Pero tiene un vigor casi racionalista y muchas de sus protestas de humildad llevan escondido, y a veces sin esconder, un tonillo irónico. Después de preguntarse: « ¿Por ventura soy más que una pobre monja, la más mínima criatura del mundo, y la más indigna de ocupar vuestra atención? », agrega que el reconocerlo así « no es afectada modestia ». Sí lo es. Sor Juana sabe que tiene razón, y expone su caso con hábil dialéctica. Para apreciar la libertad intelectual de Sor Juana hay que referirla al medio eclesiástico de su época. Dentro de la sociedad católica hay una copia de la total sociedad humana, con sus sumisos y rebelados. La rebelión de Sor Juana no es la del mundo: ya dijimos que era católica ortodoxa, temerosa de herejías y escándalos. Pero, en el seno de la Iglesia, su impulso fué de libertad, quizá estimulado por las inquietudes esparcidas por el siglo XVII; inquietudes de las que el *Discurso del método* de Descartes había sido una de las fuentes. (Además de estas inquietudes intelectuales, la reconcomía un desasosiego íntimo que no podemos explicar y, sin embargo, está manifiesto en su obra: no encontró nunca paz interior, y su final ascetismo, cuando renuncia definitivamente a la cultura para dedicarse a ejercicios piadosos, fué acaso menos religioso de lo que se piensa.) La autobiografía de su sed de saber que Sor Juana nos ofrece en su *Respuesta* ya tenía su correlato poético en el *Primero sueño*, silva de extremado estilo barroco, al modo de las *Soledades* de Góngora, donde Sor Juana cuenta el vuelo de su alma hacia el conocimiento. La *Respuesta* y el *Sueño* se prestan luces. Por la *Respuesta* nos enteramos de algunos aspectos de la génesis del *Sueño*. « Que yo nunca he escrito cosa alguna [en verso] por mi voluntad — dice —, sino por ruegos y preceptos ajenos; de tal manera que no me acuerdo haber escrito por mi gusto sino es un papelillo que llaman *El sueño*. » El *Sueño* — silva de casi un millar de versos — está construído con un pensamiento sistemático: el alma, gracias al sueño nocturno, se encumbra para alcanzar en un solo rapto la visión de todo lo creado y, fracasada, regresa para ahora, con más humildad, emprender el conocimiento conceptual, metódico, de lo simple a lo complejo, no sin dudas, contradicciones, escrúpulos y miedos, hasta que ella despierta y abre los ojos al mundo iluminado por el sol del nuevo día. La sinceridad con que Sor Juana vivía su tema carga de energía sus versos. Gongoriza: latinismos, neologismos, dislocaciones sintácticas, tropos y metáforas, alusiones mitológicas y cultismos de toda la literatura, ornamentos cromáticos, efectos musicales, charadas difíciles y deliberadas oscuridades . . . Pero en ese estilo de época destellan, con originalidad, bellezas parciales. El resto de su poesía fué circunstancial; pero gran poesía. Se refleja en ella su vida en el campo, en la ciudad y en el convento. No obstante no se pueden distinguir sus experiencias personales de las literarias. A veces habla no de lo que ha vivido sino de lo que ha comprendido en la vida ajena. No tomar, pues, sus temas como propios. Son las suyas poesías ricas en inteligencia: inteligencia de la vida, pero siempre inteligencia. Si amó, si fué amada, no lo sabemos; pero en sus excelentes poesías líricas encantan las amatorias. Con maestría — y feminidad — Sor Juana da vueltas al tema del amor: separación, celos, olvido, rencor, abandono, muerte . . . Fué maestra no sólo en esa cuerda sino en todas las que hizo sonar: religiosas y mundanas, herméticas y populares, conceptistas, sentimentales o costumbristas. Su escuela ha sido la gran poesía española, desde Garcilaso, pero emuló más a los barrocos seiscentistas. Sintetizó todas las corrientes apreciadas y practicadas en la primera mitad del siglo: tradicionales, renacentistas y barrocas, populares, cultas y vulgares; aquí una lira a lo San Juan, allá una silva a lo Góngora o una décima a lo Calderón o un romance a lo Lope o una jácara a lo Quevedo. Dió luces inesperadas a un estilo que en España se recogía crepuscularmente. La avidez de saber intelectual agudizó su mente; y en ese estado de agudeza mental, gozoso, entusiasmado, la monjita renovó la vitalidad del discreteo poético. En ella fué lozanía lo que en otros era marchitez. Jugar con la inteligencia era una aventura emocionante. El sentirse inteligente era ya una inquietud. El movimiento de los conceptos — en correlaciones muy variadas — era como un batir de alas de pájaro que se escapa de la jaula. En cuanto un hecho de su vida se ofrecía al verso era inmediatamente amplificado por un complicado razonar. Tan vital era ese razonar como el hecho razonado, así que los juegos barrocos no estorban la ascensión lírica. (Recuérdense por ejemplo los sonetos « Rosa divina que en gentil cultura », « Detente, sombra de mi bien esquivo. ») Barroco fué lo mejor que escribió (a lo mencionado arriba agréguense los sonetos « Este que ves, engaño colorido », « Diuturna enfermedad de la esperanza », las redondillas « Hombres necios que acusáis », etc.). Barrocos — en la órbita de Calderón — fueron sus tres autos sacramentales, *El cetro de José*, *El mártir del Sacramento* y, el más admirable, *El divino Narciso*, y también sus dos comedias, *Los empeños de una casa* y *Amor es más laberinto* (esta última, de 1688, en colaboración con Juan de Guevara). Escribió además dieciséis loas, dos sainetes y un sarao o fin de fiesta. La comedia *Los empeños de una casa* (Calderón había escrito una con el título *Los empeños de un acaso*) es complicada e ingeniosa, con fórmulas externas ya conocidas pero con sentimientos e ideas personales. La primera edición de los versos de Sor Juana se hizo en Madrid en 1689, con el título de « Inundación Castálida ».

1. el sol.

Sor Juana Inés de la Cruz

ROMANCE

Con que, en sentidos afectos,
prelude al dolor de
una ausencia

Ya que para despedirme,
dulce idolatrado dueño,
ni me da licencia el llanto
ni me da lugar el tiempo,

háblente los tristes rasgos,
entre lastimeros ecos,
de mi triste pluma, nunca
con más justa causa negros.

Y aun ésta te hablará torpe
con las lágrimas que vierto,
porque va borrando el agua
lo que va dictando el fuego.

Hablar me impiden mis ojos;
y es que se anticipan ellos,
viendo lo que he de decirte,
a decírtelo primero.

Oye la elocuencia muda
que hay en mi dolor, sirviendo
los suspiros, de palabras,
las lágrimas, de conceptos.

Mira la fiera borrasca
que pasa en el mar del pecho,
donde zozobran, turbados,
mis confusos pensamientos.

Mira cómo ya el vivir
me sirve de afán grosero;
que se avergüenza la vida
de durarme tanto tiempo.

Mira la muerte, que esquiva
huye porque la deseo;
que aun la muerte, si es buscada,
se quiere subir de precio.

Mira cómo el cuerpo amante,
rendido a tanto tormento,
siendo en lo demás cadáver,
sólo en el sentir es cuerpo.

Mira cómo el alma misma
aun teme, en su ser exento,
que quiera el dolor violar
la inmunidad de lo eterno.

En lágrimas y suspiros
alma y corazón a un tiempo,
aquél se convierte en agua,
y ésta se resuelve en viento.

Ya no me sirve de vida
esta vida que poseo,
sino de condición sola
necesaria al sentimiento.

Mas ¿por qué gasto razones
en contar mi pena, y dejo
de decir lo que es preciso,
por decir lo que estás viendo?

En fin te vas. ¡Ay de mí!
Dudosamente lo pienso,
pues si es verdad, no estoy viva,
y si viva, no lo creo.

¿Posible es que ha de haber día
tan infausto, tan funesto,
en que sin ver yo las tuyas
esparza sus luces Febo?[1]

¿Posible es que ha de llegar
el rigor a tan severo,
que no ha de darle tu vista
a mis pesares aliento?

¿Que no he de ver tu semblante,
que no he de escuchar tus ecos,
que no he de gozar tus brazos
ni me ha de animar tu aliento?

¡Ay, mi bien, ay, prenda mía
dulce fin de mis deseos!
¿Por qué me llevas el alma,
dejándome el sentimiento?

Mira que es contradicción
que no cabe en un sujeto,
tanta muerte en una vida
tanto dolor en un muerto.

Mas ya que es preciso, ¡ay triste!,
en mi infelice suceso,
ni vivir con la esperanza
ni morir con el tormento,

dame algún consuelo tú
en el dolor que padezco,
y quien en el suyo muere
viva siquiera en tu pecho.

No te olvides que te adoro,
y sírvante de recuerdo
las finezas que me debes,
si no las prendas que tengo.

Acuérdate que mi amor,
haciendo gala del riesgo,
sólo por atropellarlo
se alegraba de tenerlo.

Y si mi amor no es bastante,
el tuyo mismo te acuerdo,
que no es poco empeño haber
empezado ya en empeño.

Acuérdate, señor mío,
de tus nobles juramentos;
y lo que juró tu boca
no lo desmientan tus hechos.

Y perdona si en temer
mi agravio, mi bien, te ofendo,
que no es dolor el dolor
que se contiene en lo atento.

Y a Dios; que con el ahogo
que me embarga los alientos,
ni sé ya lo que te digo
ni lo que te escribo leo.

REDONDILLAS

En que describe racionalmente los efectos irracionales del Amor

Este amoroso tormento
que en mi corazón se ve,
sé que lo siento y no sé
la causa por que lo siento.

Siento una grave agonía
por lograr un devaneo
que empieza como deseo
y pára en melancolía.

Y cuando con más terneza
mi infeliz estado lloro
sé que estoy triste e ignoro
la causa de mi tristeza.

Siento un anhelo tirano
por la ocasión a que aspiro
y cuando cerca la miro
yo misma aparto la mano.

Porque, si acaso se ofrece,
después de tanto desvelo,
la desazona el recelo
o el susto la desvanece.

Y si alguna vez sin susto
consigo tal posesión,
cualquiera leve ocasión
me malogra todo el gusto.

Siento mal del mismo bien
con receloso temor,
y me obliga el mismo amor
tal vez a mostrar desdén.

Cualquier leve ocasión labra
en mi pecho, de manera,
que el que imposibles venciera
se irrita de una palabra.

Con poca causa ofendida
suelo, en mitad de mi amor,
negar un leve favor
a quien le diera la vida.

Ya sufrida, ya irritada,
con contrarias penas lucho:
que por él sufriré mucho,
y con él sufriré nada.

No sé en qué lógica cabe
el que tal cuestión se pruebe:
que por él lo grave es leve,
y con él lo leve es grave.

Sin bastantes fundamentos
forman mis tristes cuidados,
de conceptos engañados,
un monte de sentimientos.

2. famosa cortesana de Alejandría. 3. dama romana, ejemplo de fidelidad conyugal.

Y en aquel fiero conjunto
hallo, cuando se derriba,
que aquella máquina altiva
sólo estribaba en un punto.

Tal vez el dolor me engaña
y presumo, sin razón,
que no habrá satisfacción
que pueda templar mi saña;

y cuando a averiguar llego
el agravio porque riño
es como espanto de niño
que pára en burlas y juego.

Y aunque el desengaño toco,
con la misma pena lucho,
de ver que padezco mucho
padeciendo por tan poco.

A vengarse se abalanza
tal vez el alma ofendida;
y después, arrepentida,
toma de mí otra venganza.

Y si al desdén satisfago,
es con tan ambiguo error,
que yo pienso que es rigor
y se remata en halago.

Hasta el labio desatento
suele, equívoco, tal vez,
por usar de la altivez
encontrar el rendimiento.

Cuando por soñada culpa
con más enojo me incito,
yo le acrimino el delito
y le busco la disculpa.

No huyo el mal, ni busco el bien:
porque en mi confuso error,
ni me asegura el amor
ni me despecha el desdén.

En mi ciego devaneo,
bien hallada con mi engaño,
solicito el desengaño
y no encontrarlo deseo.

Si alguno mis quejas oye
más a decirlas me obliga,
porque me las contradiga,
que no porque las apoye.

Porque si con la pasión
algo contra mi amor digo,
es mi mayor enemigo
quien me concede razón.

Y si acaso en mi provecho
hallo la razón propicia,
me embaraza la injusticia
y ando cediendo el derecho.

Nunca hallo gusto cumplido,
porque entre alivio y dolor,
hallo culpa en el amor
y disculpa en el olvido.

Esto de mi pena dura
es algo de dolor fiero;
y mucho más no refiero
porque pasa de locura.

Si acaso me contradigo
en este confuso error,
aquél que tuviere amor
entenderá lo que digo.

Arguye de inconsecuencia el gusto y la censura
de los hombres, que en las mujeres
acusan lo que causan

Hombres necios que acusáis
a la mujer sin razón,
sin ver que sois la ocasión
de lo mismo que culpáis:

si con ansia sin igual
solicitáis su desdén,
¿por qué queréis que obren bien
si las incitáis al mal?

Combatís su resistencia
y luego, con gravedad,
decís que fué liviandad
lo que hizo la diligencia.

Parecer quiere el denuedo
de vuestro parecer loco,
al niño que pone el coco
y luego le tiene miedo.

Queréis, con presunción necia,
hallar a la que buscáis,
para pretendida, Thais,[2]
y en la posesión, Lucrecia.[3]

¿Qué humor puede ser más raro
que el que, falto de consejo,
él mismo empaña el espejo
y siente que no esté claro?

Con el favor y el desdén
tenéis condición igual,
quejándoos, si os tratan mal,
burlándoos, si os quieren bien.

Opinión, ninguna gana;
pues la que más se recata,
si no os admite, es ingrata,
y si os admite, es liviana.

Siempre tan necios andáis
que, con desigual nivel,
a una culpáis por crüel
y a otra por fácil culpáis.

¿Pues cómo ha de estar templada
la que vuestro amor pretende,
si la que es ingrata, ofende,
y la que es fácil, enfada?

Mas entre el enfado y pena
que vuestro gusto refiere,
bien haya la que no os quiere,
y quejaos en hora buena.

Dan vuestras amantes penas
a sus libertades alas,
y después de hacerlas malas
las queréis hallar muy buenas.

¿Cuál mayor culpa ha tenido,
en una pasión errada:
la que cae de rogada,
o el que ruega de caído?

¿O cuál es más de culpar,
aunque cualquiera mal haga:
la que peca por la paga,
o el que paga por pecar?

¿Pues para qué os espantáis
de la culpa que tenéis?
Queredlas cual las hacéis
o hacedlas cual las buscáis.

Dejad de solicitar,
y después, con más razón,
acusaréis la afición
de la que os fuere a rogar.

Bien con muchas armas fundo
que lidia vuestra arrogancia,
pues en promesa e instancia
juntáis diablo, carne y mundo.

SONETOS

Procura desmentir los elogios que a un retrato de la poetisa inscribió la verdad, que llama pasión

Éste, que ves, engaño colorido,
que del arte ostentando los primores,
con falsos silogismos de colores
es cauteloso engaño del sentido:

éste, en quien la lisonja ha pretendido
excusar de los años los horrores
y venciendo del tiempo los rigores
triunfar de la vejez y del olvido,

es un vano artificio del cuidado,
es una flor al viento delicada,
es un resguardo inútil para el hado:

es una necia diligencia errada,
es un afán caduco, y, bien mirado,
es cadáver, es polvo, es sombra, es nada.

Quéjase de la suerte: insinúa su aversión a los vicios y justifica su divertimiento a las Musas

¿En perseguirme, Mundo, qué interesas?
¿En qué te ofendo, cuando sólo intento
poner bellezas en mi entendimiento
y no mi entendimiento en las bellezas?

Yo no estimo tesoros ni riquezas;
y así, siempre me causa más contento
poner riquezas en mi pensamiento
que no mi pensamiento en las riquezas.

Y no estimo hermosura que, vencida,
es despojo civil de las edades,
ni riqueza me agrada fementida;

teniendo por mejor, en mis verdades,
consumir vanidades de la vida
que consumir la vida en vanidades.

En que la moral censura a una rosa,
y en ella a sus semejantes

Rosa divina que en gentil cultura
eres, con tu fragante sutileza,
magisterio purpúreo en la belleza,
enseñanza nevada a la hermosura.

Amago de la humana arquitectura,
ejemplo de la vana gentileza,
en cuyo sér unió naturaleza
la cuna alegre y triste sepultura.

¡Cuán altiva en tu pompa, presumida,
soberbia, el riesgo de morir desdeñas,
y luego, desmayada y encogida,

de tu caduco sér das mustias señas
con que, con docta muerte y necia vida,
viviendo engañas y muriendo enseñas!

Contiene una fantasía contenta
con amor decente

Detente, sombra de mi bien esquivo,
imagen del hechizo que más quiero,
bella ilusión por quien alegre muero,
dulce ficción por quien penosa vivo.

Si al imán de tus gracias, atractivo,
sirve mi pecho de obediente acero,
¿para qué me enamoras lisonjero,
si has de burlarme luego fugitivo?

Mas blasonar no puedes, satisfecho,
de que triunfa de mí tu tiranía:
que aunque dejas burlado el lazo estrecho

que tu sombra fantástica ceñía,
poco importa burlar brazos y pecho
si te labra prisión mi fantasía.

En que satisface un recelo con la retórica
del llanto

Esta tarde, mi bien, cuando te hablaba,
como en tu rostro y tus acciones vía
que con palabras no te persuadía,
que el corazón me vieses deseaba.

Y Amor, que mis intentos ayudaba,
venció lo que imposible parecía;
pues entre el llanto que el dolor vertía,
el corazón deshecho destilaba.

Baste ya de rigores, mi bien, baste;
no te atormenten más celos tiranos,
ni el vil recelo tu quietud contraste

con sombras necias, con indicios vanos,
pues ya en líquido humor viste y tocaste
mi corazón deshecho entre tus manos.

LIRAS

Que expresan sentimientos
de ausente

Amado dueño mío,
escucha un rato mis cansadas quejas,
pues del viento las fío,
que breve las conduzca a tus orejas,
si no se desvanece el triste acento
como mis esperanzas en el viento.

Óyeme con los ojos,
ya que están tan distantes los oídos,
y de ausentes enojos
en ecos, de mi pluma mis gemidos:
y ya que a ti no llega mi voz ruda,
óyeme sordo, pues me quejo muda.

Si del campo te agradas,
goza de sus frescuras venturosas,
sin que aquestas cansadas
lágrimas te detengan enfadosas;
que en él verás, si atento te entretienes,
ejemplo de mis males y mis bienes.

Si el arroyo parlero
ves, galán de las flores en el prado,
que, amante y lisonjero,
a cuantas mira intima su cuidado,
en su corriente mi dolor te avisa
que a costa de mi llanto tiene risa.

Si ves que triste llora
su esperanza marchita, en ramo verde,
tórtola gemidora,
en él y en ella mi dolor te acuerde,
que imitan con verdor y con lamento
él mi esperanza y ella mi tormento.

Si la flor delicada,
si la peña, que altiva no consiente
del tiempo ser hollada,
ambas me imitan, aunque variamente,
ya con fragilidad, ya con dureza,
mi dicha aquélla y ésta mi firmeza.

Si ves el ciervo herido
que baja por el monte, acelerado,
buscando, dolorido,
alivio al mal en un arroyo helado,
y sediento al cristal se precipita,
no en el alivio, en el dolor me imita.

Si la liebre encogida
huye medrosa de los galgos fieros,
y por salvar la vida
no deja estampa de los pies ligeros,
tal mi esperanza, en dudas y recelos
se ve acosada de villanos celos.

Si ves el cielo claro,
tal es la sencillez del alma mía;
y si, de luz avaro,
de tinieblas emboza el claro día,
es, con su oscuridad y su inclemencia,
imagen de mi vida en esta ausencia.

Así que, Fabio amado,
saber puedes mis males sin costarte
la noticia cuidado,
pues puedes de los campos informarte,
y pues yo a todo mi dolor ajusto,
saber mi pena sin dejar tu gusto.

Mas ¿cuándo ¡ay, gloria mía!,
mereceré gozar tu luz serena?
¿Cuándo llegará el día
que pongas dulce fin a tanta pena?
¿Cuándo veré tus ojos, dulce encanto,
y de los míos quitarás el llanto?

¿Cuándo tu voz sonora
herirá mis oídos, delicada,
y el alma que te adora,
de inundación de gozos anegada,
a recibirte con amante prisa
saldrá a los ojos desatada en risa?

¿Cuándo tu luz hermosa
revestirá de glorias mis sentidos?
¿Y cuándo yo, dichosa,
mis suspiros daré por bien perdidos,
teniendo en poco el precio de mi llanto,
¡que tanto ha de penar quien goza tanto?

¿Cuándo de tu apacible
rostro alegre veré el semblante afable,
y aquel bien indecible,
a toda humana pluma inexplicable,
que mal se ceñirá a lo definido
lo que no cabe en todo lo sentido?

Ven, pues, mi prenda amada;
que ya fallece mi cansada vida
de esta ausencia pesada;
ven, pues: que mientras tarda tu venida,
aunque me cueste su verdor enojos,
regaré mi esperanza con mis ojos.

PRIMERO SUEÑO

que así intituló y compuso la madre
Juana Inés de la Cruz,
imitando a Góngora

(FRAGMENTOS)

Piramidal, funesta, de la tierra
nacida sombra, al Cielo encaminaba
de vanos obeliscos punta altiva,
escalar pretendiendo las Estrellas;
si bien sus luces bellas
— exemptas siempre, siempre rutilantes —
la tenebrosa guerra
que con negros vapores le intimaba
la pavorosa sombra fugitiva
burlaban tan distantes,
que su atezado ceño
al superior convexo aun no llegaba
del orbe de la Diosa
que tres veces hermosa
con tres hermosos rostros ser ostenta[4];
quedando sólo dueño
del aire que empañaba
con el aliento denso que exhalaba;
y en la quietud contenta
de imperio silencioso,
sumisas sólo voces consentía
de las nocturnas aves,
tan obscuras, tan graves,
que aun el silencio no se interrumpía. [. . .]
El sueño todo, en fin, lo poseía;
todo, en fin, el silencio lo ocupaba:

4. Diana, o la Luna, de tres rostros, según Virgilio (*Eneida*, IV, 511): Luna en el cielo; Diana en la tierra; Proserpina en los infiernos. (Nota de A. Méndez Plancarte, como son casi todas las siguientes, que tomamos de la edición de la Biblioteca Americana). 5. referencia a la tiara papal; al Papa. 6. el sueño.

aun el ladrón dormía;
aun el amante no se desvelaba.
El conticinio casi ya pasado
iba y la sombra dimidiaba, cuando
de las diurnas tareas fatigados
y no sólo oprimidos
del afán ponderoso
del corporal trabajo, mas cansados
del deleite también (que también cansa
objeto continuado a los sentidos
aun siendo deleitoso:
que la Naturaleza siempre alterna
ya una, ya otra balanza,
distribuyendo varios ejercicios,
ya al ocio, ya al trabajo destinados,
en el fiel infïel con que gobierna
la aparatosa máquina del mundo) —;
así, pues, de profundo
sueño dulce los miembros ocupados,
quedaron los sentidos
del que ejercicio tienen ordinario
— trabajo, en fin, pero trabajo amado
si hay amable trabajo —,
si privados no, al menos suspendidos,
y cediendo al retrato del contrario
de la vida, que — lentamente armado —
cobarde embiste y vence perezoso
con armas soñolientas,
desde el cayado humilde al cetro altivo,
sin que haya distintivo
que el sayal de la púrpura discierna:
pues su nivel, en todos poderoso,
gradúa por exentas
a ningunas personas,
desde la de a quien tres forman coronas
soberana tiara,[5]
hasta la que pajiza vive choza;
desde la que el Danubio undoso dora,
a la que el junco humilde, humilde mora;
y con siempre igual vara
(como, en efecto, imagen poderosa
de la muerte) Morfeo[6]
el sayal mide igual con el brocado.
El alma, pues, suspensa
del exterior gobierno — en que ocupada
en material empleo,
o bien o mal da el día por gastado —,
solamente dispensa
remota, si del todo separada
no, a los de la muerte temporal opresos
lánguidos miembros, sosegados huesos,
los gajes del calor vegetativo,
el cuerpo siendo, en sosegada calma,
un cadáver con alma,
muerto a la vida y a la muerte vivo,
de lo segundo dando tardas señas
el del reloj humano
vital volante que, si no con mano,
con arterial concierto, unas pequeñas
muestras, pulsando, manifiesta lento
de su bien regulado movimiento. [. . .]

Mas mientras entre escollos zozobraba,
confusa la elección, sirtes tocando
de imposibles, en cuantos intentaba
rumbos seguir — no hallando
materia en que cebarse
el calor ya, pues su templada llama
(llama al fin, aunque más templada sea
que si su activa emplea
operación, consume, si no inflama)
sin poder excusarse
había lentamente
el manjar transformado
propia sustancia de la ajena haciendo;
y el que hervor resultaba bullicioso
de la unión entre el húmedo y ardiente,
en el maravilloso
natural vaso había ya cesado
(faltando el medio) y consiguientemente
los que de él ascendiendo
soporíferos, húmedos vapores
el trono racional embarazaban
(desde donde a los miembros derramaban
dulce entorpecimiento),
a los suaves ardores
del calor consumidos,
las cadenas del sueño desataban:
y la falta sintiendo de alimento
los miembros extenuados,
del descanso cansados,
ni del todo despiertos ni dormidos,
muestras de apetecer el movimiento
con tardos esperezos
ya daban, extendiendo
los nervios, poco a poco entumecidos,
y los cansados huesos,
(aun sin entero arbitrio de su dueño)
volviendo al otro lado —,
a cobrar empezaron los sentidos,
dulcemente impedidos
del natural beleño,
su operación, los ojos entreabriendo.
Y del cerebro, ya desocupado,
las fantasmas huyeron
y como de vapor leve formadas —
en fácil humo, en viento convertidas,
su forma resolvieron.

Así linterna mágica, pintadas
representa fingidas
en la blanca pared varias figuras,
de la sombra no menos ayudadas
que de la luz: que en trémulos reflejos
los competentes lejos
guardando de la docta perspectiva,
en sus ciertas mensuras,
de varias experiencias aprobadas,
la sombra fugitiva,
que en el mismo esplendor se desvanece,
cuerpo finge formado,
de todas dimensiones adornado,
cuando aun ser superficie no merece.
En tanto el Padre de la Luz ardiente
de acercarse al Oriente
ya el término prefijo conocía,
y al antípoda opuesto despedía
con transmontantes rayos;
que — de su luz en trémulos desmayos —
en el punto hace mismo su Occidente,
que nuestro Oriente ilustra luminoso.
Pero de Venus, antes, el hermoso
apacible lucero
rompió al albor primero
y del viejo Tithón la bella esposa[7]
— amazona de luces mil vestida,
contra la noche armada,
hermosa si atrevida,
valiente aunque llorosa —,
su frente mostró hermosa
de matutinas luces coronada,
aunque tierno preludio, ya animoso
del Planeta fogoso,
que venía las tropas reclutando
de bisoñas vislumbres,
— las más robustas, veteranas lumbres
para la retaguardia reservando —,
contra la que tirana usurpadora
del imperio del día,
negro laurel de sombras mil ceñía
y con nocturno cetro pavoroso
las sombras gobernaba,
de quien aun ella misma se espantaba.
Pero apenas la bella precursora
signífera del Sol, el luminoso
en el Oriente tremoló estandarte,
tocando al arma todos los süaves
si bélicos clarines de las aves,
(diestros, aunque sin arte,
trompetas sonorosas),
cuando, — como tirana al fin cobarde
de recelos medrosos
embarazada bien que hacer alarde
intentó de sus fuerzas oponiendo
de su funesta capa los reparos,
breves en ella, de los trajes claros
heridas recibiendo
(bien que mal satisfecho su denuedo,
pretexto mal formado fué del miedo,
su débil resistencia conociendo) —,
a la fuga ya casi cometiendo
más que a la fuerza, el medio de salvarse,
ronca tocó bocina
a recoger los negros escuadrones
para poder en orden retirarse,
cuando de más vecina
plenitud de reflejos fué asaltada,
que la punta rayó más encumbrada
de los del Mundo erguidos torreones.
Llegó, en efecto, el Sol cerrando el giro
que esculpió de oro sobre azul zafiro:
de mil multiplicados
mil veces puntos, flujos mil dorados,
— lineas, digo, de luz clara — salían
de su circunferencia luminosa,
pautando al Cielo la cerúlea plana;
y a la que antes funesta fué tirana
de su imperio, atropadas embestían:
que sin concierto huyendo presurosa
— en sus mismos horrores tropezando —
su sombra iba pisando
y llegar al Ocaso pretendía
con el (sin orden ya) desbaratado
ejército de sombras, acosado
de la luz que el alcance le seguía.
Consiguió, al fin, la vista del Ocaso
el fugitivo paso,
y — en su mismo despeño recobrada
esforzando el aliento en la ruïna, —
en la mitad del globo que ha dejado
el Sol desamparada,
segunda vez rebelde determina
mirarse coronada,
mientras nuestro Hemisferio la dorada
ilustraba del Sol madeja hermosa,
que con luz judiciosa
de orden distributivo, repartiendo
a las cosas visibles sus colores
iba, y restituyendo
entera a los sentidos exteriores
su operación, quedando a luz más cierta
el Mundo iluminado y yo despierta.

7. la Aurora.

VILLANCICOS

ASUNCIÓN, 1676

[Villancicos que se cantaron en la Santa Iglesia Metropolitana de México, en honor de María Santísima Madre de Dios, en su Asunción Triunfante, año de 1676, en que se imprimieron.]

SECUNDO NOCTURNO

Aquella zagala
del mirar sereno,
hechizo del soto
y envidia del Cielo:

la que al Mayoral
de la cumbre, excelso,
hirió con un ojo,
prendió en un cabello:

a quien su Querido
le fué mirra un tiempo,
dándole morada
sus cándidos pechos:

la que rico adorno
tiene, por aseo,
cedrina la casa
y florido el lecho:

la que se alababa
que el color moreno
se lo iluminaron
los rayos Febeos:

la por quien su Esposo
con galán desvelo
pasaba los valles,
saltaba los cerros:

la del hablar dulce,
cuyos labios bellos
destilan panales,
leche y miel vertiendo:

la que preguntaba
con amante anhelo
dónde de su Esposo
pacen los corderos:

a quien su querido,
liberal y tierno,
del Líbano llama
con dulces requiebros,

por gozar los brazos
de su amante Dueño,
trueca el valle humilde
por el Monte excelso.

Los pastores sacros
del Olimpo eterno,
la gala le cantan
con dulces acentos;

pero los del valle,
su fuga siguiendo,
dicen presurosos
en confusos ecos:

¡Al Monte, al Monte, a la Cumbre,
corred, volad, Zagales,
que se nos va María por los aires!
¡Corred, corred, volad aprisa, aprisa,
que nos lleva robadas las almas y las vidas,
y llevando en sí misma nuestra riqueza,
nos deja sin tesoros el Aldea!

NAVIDAD, 1689

[Villancicos que se cantaron en la S. I. Catedral de la Puebla de los Ángeles, en los Maitines solemnes del Nacimiento de Nuestro Señor Jesucristo, este año de 1689.]

PRIMERO NOCTURNO

Villancico V

Estribillo

1. — Pues mi Dios ha nacido a penar,
déjenle velar.
2. — Pues está desvelado por mí,
déjenle dormir.
1. — Déjenle velar,
que no hay pena, en quien ama,
como no penar.
2. — Déjenle dormir,
que quien duerme, en el sueño
se ensaya a morir.
1. — Silencio, que duerme.
2. — Cuidado, que vela.
1. — ¡No le despierten, no!
2. — ¡Sí le despierten, sí!
1. — ¡Déjenle velar!
2. — ¡Déjenle dormir!

Coplas

1. — Pues del Cielo a la Tierra, rendido
Dios viene por mí,
si es la vida jornada, sea el sueño
posada feliz.
¡Déjenle dormir!
2. — No se duerma, pues nace llorando,
que tierno podrá,
al calor de dos Soles despiertos,
su llanto enjugar.
¡Déjenle velar,
que su pena es mi gloria,
y es mi bien su mal!
1. — ¡Déjenle dormir;
y pues Dios por mí pena,
descanse por mí!
2. — ¡Déjenle velar!
1. — ¡Déjenle dormir!

1. — Si a sus ojos corrió la cortina
el sueño sutil,
y por no ver mis culpas, no quiere
los ojos abrir,
¡déjenle dormir!
2. — Si es su pena la gloria de todos,
dormir no querrá,
que aun soñando, no quiere el descanso
quien viene a penar:
¡déjenle velar,
que no hay pena, en quien ama,
como no penar.
1. — ¡Déjenle dormir,
que quien duerme, en el sueño
se ensaya a morir!
2. — ¡Déjenle velar!
1. — ¡Déjenle dormir!

1. — Si en el hombre es el sueño tributo
que paga al vivir,
y es Dios Rey, que un tributo en descanso
convierte feliz,
¡déjenle dormir!
2. — No se duerma en la noche, que al hombre
le viene a salvar:
que a los ojos del Rey, el que es reo
gozó libertad.
¡Déjenle velar,
que su pena es mi gloria,
y es mi bien su mal!
1. — ¡Déjenle dormir,
que pues Dios por mí pena,
descanse por mí!
2. — ¡Déjenle velar!
1. — ¡Déjenle dormir!

1. — Si el que duerme se entrega a la muerte,
y Dios, con ardid,
en dormirse por mí, es tan amante,
que muere por mí,
¡déjenle dormir!
2. — Aunque duerma, no cierre los ojos,
que es León de Judá,
y ha de estar con los ojos abiertos
quien nace a reinar.
¡Déjenle velar,
que no hay pena, en quien ama,
como no penar!
1. — ¡Déjenle dormir,
que quien duerme, en el sueño
se ensaya a morir!
2. — ¡Déjenle velar!
1. — ¡Déjenle dormir!

RESPUESTA DE LA POETISA A LA MUY ILUSTRE SOR FILOTEA DE LA CRUZ

Muy ilustre Señora, mi Señora:

No mi voluntad, mi poca salud y mi justo temor han suspendido tantos días mi respuesta. ¿Qué mucho si, al primer paso, encontraba para tropezar mi torpe pluma dos imposibles? El primero (y para mí el más riguroso) es saber responder a vuestra doctísima, discretísima,

8. *Minorem . . .:* « menos gloria producen las esperanzas, mayor los beneficios ». 9. *Et unde . . .:* « Y de dónde esto a mí » . . . (Lucas, I, 43). 10. *Numquid . . .:* « ¿Acaso no soy yo hijo de Jémini, de la más pequeña tribu de Israel, y mi familia no es la última de todas las familias de la tribu de Benjamín? ¿Por qué, pues, me has hablado estas palabras? (I *Sam.*, IX, 21). 11. *Athenagórica:* digna de la sabiduría de Minerva: « de las voces griegas *Athena*, Minerva, y *agora*, arenga, y del sufijo *ica*, que vale tanto como propio de, digno de », explica don Ezequiel A. Chávez (*Ensayo de psicología*, p. 300). Este nombre le fué dado, al publicarla en la primera edición, por el Obispo de Puebla, don Manuel Fernández de Santa Cruz. La *Respuesta* de Sor Juana es precisamente al Obispo, que había escrito a la poetisa una carta firmada con el seudónimo de *Sor Filotea de la Cruz*. 12. *Vaso de Elección:* El Apóstol San Pablo. *Audivit . . .* « oyó secretos de Dios, que al hombre no le es lícito hablar. » II, *Corintios*, XII, 4. 13. Antonio de Vieyra, jesuíta portugués, uno de cuyos sermones dió lugar a la crítica de Sor Juana, publicada como *Carta Atenagórica*.

santísima y amorosísima carta. Y si veo que preguntado el Ángel de las Escuelas, Santo Tomás, de su silencio con Alberto Magno, su maestro, respondió *que callaba, porque nada sabía decir digno de Alberto*, ¿con cuánta mayor razón callaría, no como el Santo, de humildad, sino que en la realidad es no saber algo digno de vos? El segundo imposible es saber agradeceros tan excesivo como no esperado favor, de dar a las prensas mis borrones: merced tan sin medida que aun se le pasara por alto a la esperanza más ambiciosa y al deseo más fantástico; y que ni aun como ente de razón pudiera caber en mis pensamientos y en fin de tal magnitud que no sólo no se puede estrechar a lo limitado de las voces, pero excede a la capacidad del agradecimiento, tanto por grande como por no esperado, que es lo que dijo Quintiliano: *Minorem spei, maiorem benefacti gloriam pariunt.*[8] Y tal, que enmudecen al beneficiado.

Cuando la felizmente estéril, para ser milagrosamente fecunda, madre del Bautista vió en su casa tan desproporcionada visita como la Madre del Verbo, se le entorpeció el entendimiento y se le suspendió el discurso; y así, en vez de agradecimiento prorrumpió en dudas y preguntas: *Et unde hoc mihi?*[9] ¿De dónde a mí viene tal cosa? Lo mismo sucedió a Saúl cuando se vió electo y ungido rey de Israel: *Numquid non filius Iemini ego sum de minima tribu Israel, et cognatio mea minima inter omnes de tribu Beniamin? Quare igitur locutus es mihi sermonem istum?*[10] Así yo diré: ¿de dónde, venerable Señora, de dónde a mí tanto favor? ¿Por ventura soy más que una pobre monja, la más mínima criatura del mundo, y la más indigna de ocupar vuestra atención? Pues *quare locutus es mihi sermonem istum? Et unde hoc mihi?* Ni al primer imposible tengo más que responder que no ser nada digno de vuestros ojos: ni al segundo más que admiraciones, en vez de gracias, diciendo que no soy capaz de agradeceros la más mínima parte de lo que os debo. No es afectada modestia, Señora, sino ingenua verdad de toda mi alma, que al llegar a mis manos, impresa, la carta que vuestra propiedad llamó *Atenagórica*[11] prorrumpí (con no ser esto en mí muy fácil) en lágrimas de confusión, porque me pareció que vuestro favor no era más que una reconvención que Dios hace a lo mal que le correspondo; y que, como a otros corrige con castigos, a mí me quiere reducir a fuerza de beneficios. Especial favor de que conozco ser su deudora, como de otros infinitos de su inmensa bondad; pero también especial modo de avergonzarme y confundirme: que es más primoroso medio de castigar hacer que yo misma, con mi conocimiento, sea el juez que me sentencie y condene mi gratitud. Y así, cuando esto considero, acá a mis solas, suelo decir: Bendito seáis vos, Señor, que no sólo no quisisteis en manos de otra criatura el juzgarme, y que ni aun en la mía lo pusisteis, sino que lo reservasteis a la vuestra, y me librasteis a mí de mí, y de la sentencia que yo misma me daría — que, forzada de mi propio conocimiento, no pudiera ser menos que de condenación, — y vos le reservasteis a vuestra misericordia, porque me amáis más de lo que yo me puedo amar.

Perdonad señora mía, la digresión que me arrebató la fuerza de la verdad; y si la he de confesar toda, también es buscar efugios para huir la dificultad de responder, y casi me he determinado a dejarlo al silencio; pero como éste es cosa negativa, aunque explica mucho con el énfasis de no explicar, es necesario ponerle algún breve rótulo para que se entienda lo que se pretende que el silencio diga; y si no, dirá nada el silencio, porque éste es su propio oficio, *decir nada*. Fué arrebatado el Sagrado Vaso de Elección al tercer cielo, y habiendo visto los arcanos secretos de Dios dice: *Audivit arcana Dei, quae non licet homini loqui.*[12] No dice lo que vió, pero dice que no lo puede decir; de manera que aquellas cosas que no se pueden decir, es menester decir siquiera *que no se pueden decir*, para que se entienda que al callar no es no haber qué decir sino no caber en las voces lo mucho que hay que decir. Dice San Juan, que si hubiera de escribir todas las maravillas que obró nuestro Redentor, no cupieran en todo el mundo los libros; y dice Vieira[13] sobre este lugar, que en sola esta cláusula dijo más el Evangelista que en todo cuanto escribió; y dice muy bien el Fénix Lusitano (pero ¿cuándo no dice bien, aun cuando no dice bien?), porque aquí dice San Juan todo lo que dejó de decir, y expresó lo que dejó de expresar. Así yo Señora mía, sólo responderé que no sé qué responder; sólo agradeceré diciendo que no soy capaz de agradeceros; y diré, por breve rótulo de lo que dejo al silencio, que sólo con la confianza de favorecida y con los valimientos de honrada, me puedo atrever a hablar con vuestra grandeza. Si fuera necedad, perdonadla, pues es alhaja de la dicha, y en ella ministraré yo más materia a vuestra benignidad y vos daréis mayor forma a mi reconocimiento.

No se hallaba digno Moisés, por balbuciente, para hablar con Faraón, y después, el verse tan favorecido de Dios, le infunde tales alientos que no sólo habla con el mismo Dios sino que se atreve a pedirle imposibles: *Ostende mihi faciem tuam.*[14] Pues así yo Señora mía, ya no me parecen imposibles los que puse al principio, a vista de lo que me favorecéis; porque quien hizo imprimir la Carta tan sin noticia mía, quien la intituló, quien la costeó, quien la honró tanto (siendo de todo indigna por sí y por su autora) ¿qué no hará? ¿qué no perdonará? ¿qué dejará de hacer? ¿y qué dejará de perdonar? Y así, debajo del supuesto de que hablo con el salvoconducto de vuestros favores y debajo del seguro de vuestra benignidad y de que me habéis, como otro Asuero,[15] dado a besar la punta del cetro de oro de vuestro cariño en señal de concederme benévola licencia para hablar y proponer en vuestra venerable presencia, digo que recibo en mi alma vuestra santísima amonestación de aplicar el estudio a Libros Sagrados, que aunque viene en traje de consejo tendrá para mí sustancia de precepto; con no pequeño consuelo de que aun antes parece que prevenía mi obediencia vuestra pastoral insinuación, como a vuestra dirección, inferido del asunto y pruebas de la misma Carta. Bien conozco que no cae sobre ella vuestra cuerdísima advertencia, sino sobre lo mucho que habréis visto de asuntos humanos que he escrito; y así, lo que he dicho no es más que satisfaceros con ella a la falta de aplicación que habréis inferido (con mucha razón) de otros escritos míos. Y hablando con más especialidad os confieso, con la ingenuidad que ante vos es debida y con la verdad y claridad que en mí siempre es natural y costumbre, que el no haber escrito mucho de asuntos sagrados no ha sido desafición, ni de aplicación la falta, sino sobra de temor y reverencia debida a aquellas Sagradas Letras, para cuya inteligencia yo me conozco tan incapaz y para cuyo manejo soy tan indigna; resonándome siempre en los oídos, con no pequeño horror, aquella amenaza y prohibición del Señor a los pecadores como yo: *Quare tu enarras iustitias meas et assumis testamentum meum per os tuum?*[16] Esta pregunta y el ver que aun a los varones doctos se prohibía el leer los Cantares hasta que pasaban de treinta años, y aun el Génesis; éste por su oscuridad, y aquéllos porque de la dulzura de aquellos epitalamios no tomase ocasión la imprudente juventud de mudar el sentido en carnales afectos. Compruébalo mi gran Padre San Jerónimo, mandando que sea esto lo último que se estudie, por la misma razón: *Ad ultimum sine periculo discat Canticum Canticorum, ne si in exordio legerit, sub carnalibus verbis spiritualium nuptiarum Epithalamium non intelligens, vulneretur*[17]; y Séneca dice: *Teneris in annis haud clara est fides.*[18] Pues ¿cómo me atreviera yo a tomarlo en mis indignas manos, repugnándolo el sexo, la edad, y sobre todo las costumbres? Y así confieso que muchas veces este temor me ha quitado la pluma de la mano y ha hecho retroceder los asuntos hacia el mismo entendimiento de quien querían brotar; el cual inconveniente no topaba en los asuntos profanos, pues una herejía contra el arte no la castiga el Santo Oficio, sino los discretos con risa, y los críticos con censura; y ésta, *iusta vel iniusta, timenda non est,*[19] pues deja comulgar y oír misa, por lo cual me da poco o ningún cuidado; porque según la misma decisión de los que lo calumnian, ni tengo obligación para saber ni aptitud para acertar; luego, si lo yerro, ni es culpa ni es descrédito. No es culpa, porque no tengo obligación, no es descrédito, pues no tengo posibilidad de acertar, y *ad impossibilia nemo tenetur.*[20] Y, a la verdad, yo nunca he escrito sino violentada y forzada y sólo por dar gusto a otros; no sólo sin complacencia, sino con positiva repugnancia, porque nunca he juzgado de mí que tenga el caudal de letras e ingenio que pide la obligación de quien escribe; y así, es la ordinaria respuesta a los que me instan, y más si es asunto sagrado: ¿Qué entendimiento tengo yo, qué estudio, qué materiales, ni qué noticias para eso, sino cuatro bachillerías superficiales? Dejen eso para quien lo entienda, que yo no quiero ruido con el Santo Oficio, que soy ignorante y tiemblo de decir alguna proposición malsonante o torcer la genuina inteligencia de algún lugar. Yo no estudio para escribir, ni menos para enseñar (que fuera en mí desmedida soberbia) sino sólo por ver si con estudiar ignoro menos. Así lo respondo y así lo siento.

El escribir nunca ha sido dictamen propio,

14. *Ostende . . .:* « Muéstrame tu rostro. » (*Éxodo*, XXXIII, 13). 15. *Asuero ...* (*Ester*, V, 2). 16. *Quare tu . . .:* « ¿Por qué tú hablas de mis mandamientos, y tomas mi testamento en tu boca? » (*Salmo* XLIX, 16). 17. *Ad ultimum . . .:* « al último lea, sin peligro, el Cantar de los Cantares; no sea que si lo lee a los principios, no entendiendo el epitalamio de las espirituales bodas bajo las palabras carnales, padezca daño. » (*Carta a Leta*). 18. *Teneris . . .:* « en los tiernos años no es clara la fe. » 19. *iusta . . .:* « justa o injusta, no hay por qué temerla. » 20. *ad impossibilia . . .:* « a lo imposible nadie está obligado. »

21. *vos me coegistis:* « Vosotros me obligasteis. » (II *Corintios*, XII, 11). 22. *Amiga:* la escuela de primeras letras, para niñas.

sino fuerza ajena; que les pudiera decir con verdad: *Vos me coegistis.*[21] Lo que sí es verdad que no negaré (lo uno porque es notorio a todos, y lo otro, porque, aunque sea contra mí, me ha hecho Dios la merced de darme grandísimo amor a la verdad) que desde que me rayó la primera luz de la razón, fué tan vehemente y poderosa la inclinación a las letras, que ni ajenas reprehensiones — que he tenido muchas —, ni propias reflejas — que he hecho no pocas —, han bastado a que deje de seguir este natural impulso que Dios puso en mí: Su Majestad sabe por qué y para qué; y sabe que le he pedido que apague la luz de mi entendimiento dejando sólo lo que baste para guardar su Ley, pues lo demás sobra, según algunos, en una mujer; y aun hay quien diga que daña. Sabe también Su Majestad que no consiguiendo esto, he intentado sepultar con mi nombre mi entendimiento, y sacrificársele sólo a quien me lo dió; y que no otro motivo me entró en Religión, no obstante que al desembarazo y quietud que pedía mi estudiosa intención eran repugnantes los ejercicios y compañía de una comunidad; y después, en ella, sabe el Señor, y lo sabe en el mundo quien sólo lo debió saber, lo que intenté en orden a esconder mi nombre, y que no me lo permitió, diciendo que era tentación; y sí sería. Si yo pudiera pagaros algo de lo que os debo, Señora mía, creo que sólo os pagara en contaros esto, pues no ha salido de mi boca jamás, excepto para quien debió salir. Pero quiero que con haberos franqueado de par en par las puertas de mi corazón, haciéndoos patentes sus más sellados secretos, conozcáis que no desdice de mi confianza lo que debo a vuestra venerable persona y excesivos favores.

Prosiguiendo en la narración de mi inclinación, de que os quiero dar entera noticia, digo que no había cumplido los tres años de mi edad cuando enviando mi madre a una hermana mía, mayor que yo, a que se enseñase a leer en una de las que llaman *Amigas*,[22] me llevó a mí tras ella el cariño y la travesura; y viendo que le daban lección, me encendí yo de manera en el deseo de saber leer, que engañando, a mi parecer, a la maestra, le dije *que mi madre ordenaba me diese lección.* Ella no lo creyó, porque no era creíble; pero, por complacer al donaire, me la dió. Proseguí yo en ir y ella prosiguió en enseñarme, ya no de burlas, porque la desengañó la experiencia; y supe leer en tan breve tiempo, que ya sabía cuando lo supo mi madre, a quien la maestra lo ocultó por darle el gusto por entero y recibir el galardón por junto; y yo lo callé, creyendo que me azotarían por haberlo hecho sin orden. Aún vive la que me enseñó (Dios la guarde) y puede testificarlo.

Acuérdome que en estos tiempos, siendo mi golosina la que es ordinaria en aquella edad, me abstenía de comer *queso*, porque oí decir que hacía rudos, y podía conmigo más el deseo de saber que el de comer, siendo éste tan poderoso en los niños. Teniendo yo después como seis o siete años, y sabiendo ya leer y escribir, con todas las otras habilidades de labores y costura que deprenden las mujeres, oí decir que había Universidad y Escuelas en que se estudiaban las ciencias, en México; y apenas lo oí cuando empecé a matar a mi madre con instantes e importunos ruegos sobre que, mudándome el traje, me enviase a México, en casa de unos deudos que tenía, para estudiar y cursar la Universidad; ella no lo quiso hacer, e hizo muy bien, pero yo despiqué el deseo en leer muchos libros varios que tenía mi abuelo, sin que bastasen castigos ni reprensiones a estorbarlo; de manera que cuando vine a México, se admiraban, no tanto del ingenio, cuanto de la memoria y noticias que tenía en edad que parecía que apenas había tenido tiempo para aprender a hablar.

Empecé a deprender gramática, en que creo no llegaron a veinte las lecciones que tomé; y era tan intenso mi cuidado, que siendo así que en las mujeres — y más en tan florida juventud, es tan apreciable el adorno natural del cabello, yo me cortaba de él cuatro o seis dedos, midiendo hasta dónde llegaba antes, e imponiéndome ley de que si cuando volviese a crecer hasta allí no sabía tal o tal cosa, que me había propuesto deprender en tanto que crecía, me lo había de volver a cortar en pena de la rudeza. Sucedía así que él crecía y yo no sabía lo propuesto, porque el pelo crecía aprisa, y yo aprendía despacio, y con efecto lo cortaba en pena de la rudeza: que no me parecía razón que estuviese vestida de cabellos cabeza que estaba tan desnuda de noticias, que era más apetecible adorno. Entréme religiosa, porque aunque conocía que tenía el estado cosas (de las accesorias hablo, no de las formales), muchas repugnantes a mi genio, con todo, para la total negación que tenía al matrimonio, era lo menos desproporcionado y lo más decente que podía elegir, en materia de la seguridad que deseaba de mi salvación; a cuyo primer respeto (como al fin más importante) cedieron y sujetaron la cerviz todas las impertinencillas de mi genio, que eran de querer vivir sola; de no querer tener ocupación obligatoria que embarazase la libertad de mi estudio, ni rumor de comunidad que impidiese el sosegado silencio de mis libros. Esto me hizo vacilar algo en la determinación, hasta que alumbrándome personas doctas de que era tentación, la vencí con el favor divino, y tomé el estado que tan indignamente tengo. Pensé yo que huía de mí misma; pero ¡miserable de mí! trájeme a mí conmigo y traje mi mayor enemigo en esta inclinación, que no sé determinar si por prenda o castigo me dió el Cielo, pues de apagarse o embarazarse con tanto ejercicio que la religión tiene, reventaba como pólvora, y se verificaba en mí el *privatio est causa appetitus.*[23]

Volvi (mal dije, pues nunca cesé): proseguí, digo, a la estudiosa tarea (que para mí era descanso en todos los ratos que sobraban a mi obligación) de leer y más leer, de estudiar y más estudiar, sin más maestro que los mismos libros. Ya se ve cuán duro es estudiar en aquellos caracteres sin alma, careciendo de la voz viva y explicación del maestro; pues todo este trabajo sufría yo muy gustosa, por amor de las letras. ¡Oh, si hubiese sido por amor de Dios, que era lo acertado, cuánto hubiera merecido! Bien que yo procuraba elevarlo cuanto podía y dirigirlo a su servicio, porque el fin a que aspiraba era a estudiar Teología, pareciéndome menguada inhabilidad, siendo católica, no saber todo lo que en esta vida se puede alcanzar, por medios naturales, de los divinos misterios; y que siendo monja y no seglar, debía, por el estado eclesiástico, profesar letras; y más siendo hija de un San Jerónimo, y de una Santa Paula,[24] que era degenerar de tan doctos padres ser idiota la hija. Esto me proponía yo de mí misma y me parecía razón; si no es que era (y eso es lo más cierto) lisonjear y aplaudir a mi propia inclinación, proponiéndole como obligatorio su propio gusto.

Con esto proseguí, dirigiendo siempre, como he dicho, los pasos de mi estudio a la cumbre de la Sagrada Teología; pareciéndome preciso, para llegar a ella, subir por los escalones de las ciencias y artes humanas; porque ¿cómo entenderá el estilo de la Reina de las Ciencias quien aun no sabe el de las ancillas? ¿Cómo sin Lógica sabría yo los métodos generales y particulares con que está escrita la Sagrada Escritura? ¿Cómo sin Retórica entendería sus figuras, tropos y locuciones? ¿Cómo sin Física tantas cuestiones naturales de las naturalezas de los animales de los sacrificios, donde se simbolizan tantas cosas ya declaradas, y otras muchas que hay? ¿Cómo si el sanar Saúl al sonido del arpa de David fué virtud y fuerza natural de la música, o sobrenatural que Dios quiso poner en David? ¿Cómo sin Aritmética se podrán entender tantos cómputos de años, de días, de meses, de horas, de hebdómadas tan misteriosas como las de Daniel, y otras para cuya inteligencia es necesario saber las naturalezas, concordancias y propiedades de los números? ¿Cómo sin Geometría se podrán medir el Arca Santa del Testamento y la Ciudad Santa de Jerusalén, cuyas misteriosas mensuras hacen un cubo con todas sus dimensiones, y aquel repartimiento proporcional de todas sus partes, tan maravilloso? ¿Cómo sin Arquitectura el gran Templo de Salomón, donde fué el mismo Dios el artífice que dió la disposición y la traza, y el Sabio Rey sólo fué sobrestante que la ejecutó; donde no había basa sin misterio, columna sin símbolo, cornisa sin alusión, arquitrabe sin significado; y así de otras sus partes, sin que el más mínimo filete estuviese sólo por el servicio y complemento del Arte sino simbolizando cosas mayores? ¿Cómo sin grande conocimiento de reglas y partes de que consta la Historia, se entenderán los Libros historiales? ¿Aquellas recapitulaciones, en que muchas veces se propone en la narración lo que en el hecho sucedió primero? ¿Cómo sin grande noticia de ambos Derechos podrán entenderse los libros legales? ¿Cómo sin grande erudición tantas cosas de historia profana de que hace mención la Sagrada Escritura; tantas costumbres de gentiles, tantos ritos, tantas maneras de hablar? ¿Cómo sin muchas reglas y lección de Santos Padres se podrá entender la oscura locución de los Profetas? Pues sin ser muy perito en la Música, ¿cómo se entenderán aquellas proporciones musicales y sus primores que hay en tantos lugares especialmente en aquellas peticiones que hizo a Dios Abraham por las Ciudades, de que sí perdonaría habiendo cincuenta justos, y de este número bajó a cuarenta y cinco, que es sesquinona y es como de mi a re; de aquí a cuarenta, que es sesquioctava, y es como de re a mi: de aquí a treinta, que es sesquitercia, que es la del diatesarón: de aquí a

23. *privatio . . .:* « la privación es causa de apetito. » 24. *Santa Paula,* la gran discípula de San Jerónimo, era la patrona del convento de Sor Juana. 25. *Numquid . . .:* « ¿Podrás acaso juntar las brillantes estrellas de las Pléyadas o podrás detener el giro del Arturo? ¿Eres tú acaso el que haces comparecer a su tiempo el Lucero o que se levante el Véspero sobre los hijos de la tierra? » (*Job,* XXXVIII, 31-2). 26. *et sic . . .:* « y así las demás cosas. » 27. *el R. P. Atanasio Quirquerio:* Kircher o Kirkero, el célebre jesuíta alemán.

veinte, que es la proporción sesquiáltera, que es la del diapante; de aquí a diez, que es la dupla, que es el diapasón; y como no hay más proporciones armónicas, no pasó de ahí? Pues ¿cómo se podrá entender esto sin Música? Allá en el Libro de Job, le dice Dios: *Numquid coniungere valebis micantes stellas Pleiadas, aut gyrum Arcturi poteris dissipare? Numquid producis Luciferum in tempore suo, et vesperum super filios terrae consurgere facis?*,[25] cuyos términos, sin noticia de Astrología, será imposible entender. Y no sólo estas nobles Ciencias; pero no hay arte mecánica que no se mencione. Y en fin, como el Libro que comprende todos los libros, y la Ciencia en que se incluyen todas las Ciencias, para cuya inteligencia todas sirven; y después de saberlas todas (que ya se ve que no es fácil, ni aun posible), pide otra circunstancia más que todo lo dicho, que es una continua oración y pureza de vida, para impetrar de Dios aquella purgación de ánimo e iluminación de mente que es menester para la inteligencia de cosas tan altas: y si esto falta, nada sirve de lo demás.

[. . .] Y así por tener algunos principios granjeados, estudiaba continuamente diversas cosas, sin tener para alguna particular inclinación, sino para todas en general; por lo cual, el haber estudiado en unas más que en otras no ha sido en mí elección, sino que el acaso de haber topado más a mano libros de aquellas facultades les ha dado, sin arbitrio mío, la preferencia. Y como no tenía interés que me moviese, ni límite de tiempo que me estrechase el continuado estudio de una cosa por la necesidad de los grados, casi a un tiempo estudiaba diversas cosas o dejaba unas por otras; bien que en eso observaba orden, porque a unas llamaba estudio y a otras diversión; y en éstas descansaba de las otras: de donde se sigue que he estudiado muchas cosas y nada sé, porque las unas han embarazado a las otras. Es verdad que esto digo de la parte práctica en las que la tienen, porque claro está que mientras se mueve la pluma descansa el compás, y mientras se toca el Harpa, sosiega el órgano; *et sic caeteris*,[26] porque, como es menester mucho uso corporal para adquirir hábito, nunca le puede tener perfecto quien se reparte en varios ejercicios; pero en lo formal y especulativo sucede al contrario, y quisiera yo persuadir a todos con mi experiencia a que no sólo no estorban, pero se ayudan dando a luz y abriendo camino las unas para las otras, por variaciones y ocultos engarces, — que para esta cadena universal les puso la sabiduría de su Autor de manera que parece se corresponden y están unidas con admirable trabazón y concierto. Es la cadena que fingieron los antiguos que salía de la boca de Júpiter, de donde pendían todas las cosas eslabonadas unas con otras. Así lo demuestra el R. P. Atanasio Quirquerio en su curioso libro *De magnete*.[27] Todas las cosas salen de Dios, que es el centro a un tiempo y la circunferencia de donde salen y donde paran todas las líneas creadas.

Yo de mí puedo asegurar que lo que no entiendo en un autor de una facultad, lo suelo entender en otro de otra que parece muy distante; y esos propios, al explicarse, abren ejemplos metafóricos de otras artes; como cuando dicen los lógicos que el medio se ha con los términos como se ha una medida con dos cuerpos distantes, para conferir si son iguales o no; y que la oración del lógico anda como la línea recta, por el camino más breve, y la del retórico se mueve, como la corva, por el más largo; pero van a un mismo punto los dos; y cuando dicen que los expositores son como la mano abierta y los escolásticos como el puño cerrado. Y así no es disculpa, ni por tal la doy, el haber estudiado diversas cosas, pues éstas antes se ayudan, sino que el no haber aprovechado ha sido ineptitud mía y debilidad de mi entendimiento, no culpa de la variedad. Lo que sí pudiera ser descargo mío es el sumo trabajo, no sólo en carecer de maestro, sino de condiscípulos con quienes conferir y ejercitar lo estudiado, teniendo sólo por maestro un libro mudo, por condiscípulo un tintero insensible; y en vez de explicación y ejercicio muchos estorbos, no sólo los de mis religiosas obligaciones (que éstas ya se sabe cuán útil y provechosamente gastan el tiempo) sino de aquellas cosas accesorias de una comunidad; como estar yo leyendo y antojárseles en la celda vecina tocar y cantar; estar yo estudiando y pelear dos criadas y venirme a constituir juez de su pendencia; estar yo escribiendo y venir una amiga a visitarme, haciéndome muy mala obra con muy buena voluntad, donde es preciso no sólo admitir el embarazo, pero quedar agradecida del perjuicio. Y esto es continuamente, porque como los ratos que destino a mi estudio son los que sobran de lo regular de la comunidad, esos mismos les sobran a las otras para venirme a estorbar; y sólo saben cuánta verdad es ésta los que tienen experiencia de vida común, donde sólo la fuerza de la vocación puede hacer que mi natural esté gustoso, y el mucho amor que hay entre mí y mis amadas hermanas, que como el amor es unión, no hay para él extremos distantes.

[. . .] Solía sucederme que, como entre otros

beneficios, debo a Dios un natural tan blando y tan afable y las religiosas me aman mucho por él (sin reparar, como buenas, en mis faltas) y con esto gustan mucho de mi compañía. Conociendo esto y movida del grande amor que las tengo, con mayor motivo que ellas a mí, gusto más de la suya; así, me solía ir los ratos que a unas y a otras nos sobraban, a consolarlas y recrearme con su conversación. Reparé que en este tiempo hacía falta a mi estudio, y hacía voto de no entrar en celda alguna si no me obligase a ello la obediencia o la caridad: porque, sin este freno tan duro, al de sólo propósito lo rompiera el amor: y este voto (conociendo mi fragilidad) le hacía por un mes o por quince días; y dando cuando se cumplía, un día o dos de treguas, lo volvía a renovar, sirviendo este día, no tanto a mi descanso (pues nunca lo ha sido para mí el no estudiar) cuanto a que no me tuviesen por áspera, retirada e ingrata al no merecido cariño de mis carísimas hermanas.

Bien se deja en esto conocer cuál es la fuerza de mi inclinación. Bendito sea Dios que quiso fuese hacia las letras y no hacia otro vicio, que fuera en mí casi insuperable; y bien se infiere también cuán contra la corriente han navegado (o por mejor decir han naufragado) mis pobres estudios. Pues aun falta por referir lo más arduo de las dificultades; que las de hasta aquí sólo han sido estorbos obligatorios y casuales, que indirectamente lo son; y faltan los positivos, que directamente han tirado a estorbar y prohibir el ejercicio. ¿Quién no creerá, viendo tan generales aplausos, que he navegado viento en popa y mar en leche, sobre las palmas de las aclamaciones comunes? Pues Dios sabe que no ha sido muy así, porque entre las flores de esas mismas aclamaciones, se han levantado y despertado tales áspides de emulaciones y persecuciones, cuantas no podré contar, y los que más nocivos y sensibles para mí han sido, no son aquellos que con declarado odio y malevolencia me han perseguido, sino los que amándome y deseando mi bien (y por ventura mereciendo mucho con Dios por la buena intención), me han mortificado y atormentado más que los otros, con aquel: *No conviene a la santa ignorancia, que deben, este estudio*; *se ha de perder*, *se ha de desvanecer en tanta altura con su misma perspicacia y agudeza.* ¿Qué me habrá costado resistir esto? ¡Rara especie de martirio, donde yo era el mártir y me era el verdugo!

Pues por la en mí dos veces infeliz habilidad de hacer versos, aunque fuesen sagrados, ¿qué pesadumbres no me han dado o cuáles no me han dejado de dar? Cierto, señora mía, que algunas veces me pongo a considerar que el que se señala — o le señala Dios, que es quien sólo lo puede hacer — es recibido como enemigo común, porque parece a algunos que usurpa los aplausos que ellos merecen o que hace estanque de las admiraciones a que aspiraban, y así le persiguen.

Aquella ley políticamente bárbara de Atenas, por la cual salía desterrado de su república el que se señalaba en prendas y virtudes por que no tiranizase con ellas la libertad pública, todavía dura, todavía se observa en nuestros tiempos, aunque no hay ya aquel motivo de los atenienses; pero hay otro, no menos eficaz aunque no tan bien fundado, pues parece máxima del impío Maquiavelo: que es aborrecer al que se señala, porque desluce a otros. Así sucede y así sucedió siempre.

Y si no, ¿cuál fué la causa de aquel rabioso odio de los fariseos contra Cristo, habiendo tantas razones para lo contrario? Porque si miramos su presencia, ¿cuál prenda más amable que aquella divina hermosura? ¿Cuál más poderosa para arrebatar los corazones? Si cualquiera belleza humana tiene jurisdicción sobre los albedríos y con blanda y apetecida violencia los sabe sujetar, ¿qué haría aquélla con tantas prerrogativas y dotes soberanos? ¿Qué haría, qué movería, y qué no haría, y qué no movería aquella incomprensible beldad, por cuyo hermoso rostro, como por un terso cristal, se estaban transparentando los rayos de la Divinidad? ¿Qué no movería aquel semblante, que sobre incomparables perfecciones en lo humano, señalaba iluminaciones de divino? Si el de Moisés, de sólo la conversación con Dios, era intolerable a la flaqueza de la vista humana, ¿qué sería el del mismo Dios humanado? Pues si vamos a las demás prendas, ¿cuál más amable que aquella celestial modestia, que aquella suavidad y blandura, derramando misericordias en todos sus movimientos, aquella profunda humildad y mansedumbre, aquellas palabras de vida eterna y eterna sabiduría? Pues ¿cómo es posible que esto no les arrebatara las almas, que no fuesen enamorados y elevados tras él?

Dice la Santa Madre y madre mía Teresa, que después que vió la hermosura de Cristo quedó libre de poderse inclinar a criatura alguna, porque

28. *Quid facimus . . .*: « ¿Qué hacemos, porque este hombre hace muchos milagros? » (*Juan*, XI, 47). 29. *a longe:* « a lo lejos. » 30. *me fecit Deus:* « me hizo Dios. »

ninguna cosa veía que no fuese fealdad, comparada con aquella hermosura. Pues ¿cómo en los hombres hizo tan contrarios efectos? Y ya que como toscos y viles no tuvieran conocimiento ni estimación de sus perfecciones, siquiera como interesables, ¿no les moviera sus propias conveniencias y utilidades en tantos beneficios como les hacía, sanando los enfermos, resucitando los muertos, curando los endemoniados? Pues ¿cómo no le amaban? ¡Ay Dios, que por eso mismo no lo amaban, por eso mismo lo aborrecían! Así lo testificaron ellos mismos.

Júntanse en su concilio y dicen: *Quid facimus, quia hic homo multa signa facit?*[28] ¿Hay tal causa? Si dijeran: este es un malhechor, un transgresor de la ley, un alborotador, que con engaños alborota el pueblo, mintieran, como mintieron cuando lo decían; pero eran causales más congruentes a lo que solicitaban, que era quitarle la vida; mas dar por causal que hace cosas señaladas, no parece de hombres doctos, cuales eran los fariseos. Pues así es, que cuando se apasionan los hombres doctos prorrumpen en semejantes inconsecuencias. En verdad que sólo por eso salió determinado que Cristo muriese. Hombres, si es que así se os puede llamar, siendo tan brutos, ¿por qué es esa tan cruel determinación? No responden más, sino que *multa signa facit*. ¡Válgame Dios, que el hacer cosas señaladas es causa para que uno muera? [. . .] ¿Por signo? Pues muera. ¿Señalado? Pues padezca, que eso es el premio de quien se señala.

Suelen en la eminencia de los templos colocarse por adorno unas figuras de los Vientos y de la Fama, y por defenderlas de las aves, las llenan todas de púas; defensa parece y no es sino propiedad forzosa: no puede estar sin púas que la puncen quien está en alto. Allí está la ojeriza del aire; allí es el rigor de los elementos, allí despican la cólera los rayos, allí es el blanco de piedras y flechas. ¡Oh infeliz altura, expuesta a tantos riesgos! ¡Oh signo, que te ponen por blanco de la envidia y por objeto de la contradicción! Cualquiera eminencia, ya sea de dignidad, ya de nobleza, ya de riqueza, ya de hermosura, ya de ciencia, padece esta pensión; pero la que con más rigor la experimenta es la del entendimiento. Lo primero, porque es el más indefenso, pues la riqueza y el poder castigan a quien se les atreve, y el entendimiento no, pues mientras es mayor, es más modesto y sufrido y se defiende menos. Lo segundo es porque, como dijo doctamente Gracián, las ventajas en el entendimiento lo son en el ser. No por otra razón es el ángel más que el hombre que porque entiende más; no es otro el exceso que el hombre hace al bruto sino sólo entender; y así como ninguno quiere ser menos que otro, así ninguno confiesa que otro entiende más, porque es consecuencia del ser más. Sufrirá uno y confesará que otro es más noble que él, que es más rico, que es más hermoso; y aun que es más docto; pero que es más entendido, apenas habrá quien lo confiese. [. . .]

[. . .] Yo confieso que me hallo muy distante de los términos de la sabiduría, y que la he deseado seguir, aunque a *longe*.[29] Pero todo ha sido acercarme más al fuego de la persecución, al crisol del tormento: y ha sido con tal extremo, que han llegado a solicitar que se me prohiba el estudio.

Una vez lo han conseguido con una prelada muy santa y muy cándida que creyó que el estudio era cosa de Inquisición y me mandó que no estudiase. Yo la obedecí (unos tres meses, que duró el poder ella mandar) en cuanto a no tomar libro, que en cuanto a no estudiar absolutamente, como no cae debajo de mi potestad, no lo pude hacer, porque aunque no estudiaba en los libros, estudiaba en todas las cosas que Dios crió, sirviéndome ellas de letras, y de libro toda esta máquina universal. Nada veía sin refleja, nada oía sin consideración, aun en las cosas más menudas y materiales; porque como no hay criatura, por baja que sea, en que no se conozca el *me fecit Deus*,[30] no hay alguna que no pasme el entendimiento, si se considera como se debe. Así yo, vuelvo a decir, las miraba y admiraba todas; de tal manera que de las mismas personas con quienes hablaba, y de lo que me decían, me estaban resaltando mis consideraciones: ¿De dónde emanaría aquella variedad de genios e ingenios, siendo todos de una especie? ¿Cuáles serían los temperamentos y ocultas cualidades que lo ocasionaban? Si veía una figura, estaba combinando la proporción de sus líneas y midiéndola con el entendimiento y reduciéndola a otras diferentes. Paseábame algunas veces en el testero de un dormitorio nuestro (que es una pieza muy capaz) y estaba observando que siendo las líneas de sus dos lados paralelas y su techo a nivel, la vista fingía que sus líneas se inclinaban una a otra, y que su techo estaba más bajo en lo distante que en lo próximo: de donde infería que las líneas visuales corren rectas, pero no paralelas, sino que van a formar una figura piramidal. Y discurría si sería ésta la razón que obligó a los antiguos a dudar si el mundo era esférico o no. Porque, aunque lo parece, podía ser engaño de la vista, demostrando concavidades donde pudiera no haberlas.

Este modo de reparos en todo me sucedía y sucede siempre, sin tener yo arbitrio en ello, que antes me suelo enfadar, porque me cansa la cabeza; y yo creía que a todos sucedía esto mismo y el hacer versos, hasta que la experiencia me ha mostrado lo contrario; y es de tal manera esta naturaleza o costumbre, que nada veo sin segunda consideración. Estaban en mi presencia dos niñas jugando con un trompo, y apenas yo ví el movimiento y la figura, cuando empecé, con ésta mi locura, a considerar el fácil moto de la forma esférica, y cómo duraba el impulso ya impreso e independiente de su causa, pues distante la mano de la niña, que era la causa motiva, bailaba el trompillo: y no contenta con esto, hice traer harina y cernerla para que, en bailando el trompo encima, se conociese si eran círculos perfectos o no los que describía con su movimiento; y hallé que no eran sino unas líneas espirales, que iban perdiendo lo circular cuando se iba remitiendo el impulso. Jugaban otras a los alfileres (que es el más frívolo juego que usa la puerilidad); yo me llegaba a contemplar las figuras que formaban; y viendo que acaso se pusieron tres en triángulo, me ponía a enlazar uno en otro, acordándome de que aquélla era la figura que dicen tenía el misterioso anillo de Salomón, en que había unas lejanas luces y representaciones de la Santísima Trinidad, en virtud de lo cual obraba tantos prodigios y maravillas; y la misma que dicen tuvo el arpa de David, y que por eso sanaba Saúl a su sonido; y casi la misma conservan las harpas en nuestros tiempos.

Pues ¿qué os pudiera contar, señora, de los secretos naturales que he descubierto estando guisando? Ver que un huevo se une y fríe en la manteca o aceite y por el contrario se despedaza en el almíbar: ver que para que el azúcar se conserve flúida basta echarle una muy mínima parte de agua en que haya estado membrillo u otra fruta agria; ver que la yema y clara de un mismo huevo son tan contrarias, que en los unos, que sirven para el azúcar, sirve cada una de por sí, y juntos no. Pero no debo cansaros con tales frialdades, que sólo refiero por daros entera noticia de mi natural y creo que os causará risa; pero, señora, ¿qué podemos saber las mujeres, sino filosofías de cocina? Bien dijo Lupercio Leonardo: Que bien se puede filosofar, y aderezar la cena.[31] Y yo suelo decir, viendo estas cosillas: Si Aristóteles hubiera guisado, mucho más hubiera escrito. Y prosiguiendo en mi modo de cogitaciones, digo que esto es tan continuo en mí que no necesito de libros; y en una ocasión que por un grave accidente de estómago me prohibieron los médicos el estudio, pasé así algunos días, y luego les propuse que era menos dañoso el concedérmelo, porque eran tan fuertes y vehementes mis cogitaciones, que consumían más espíritus en un cuarto de hora que el estudio de los libros en cuatro días; y así se redujeron a concederme que leyese; y más, Señora mía, que ni aun el sueño se libró de este continuo movimiento de mi imaginativa; antes suele obrar en él más libre y desembarazada, confiriendo con mayor claridad y sosiego las especies que ha conservado del día, arguyendo, haciendo versos, de que os pudiera hacer un catálogo muy grande, y de algunas razones y delgadezas que he alcanzado dormida mejor que despierta; y las dejo por no cansaros, pues basta lo dicho para que vuestra discreción y trascendencia penetre y se entere perfectamente en todo mi natural y del principio, medios y estado de mis estudios.

Si éstos, Señora, fueran méritos (como los veo por tales a celebrar en los hombres) no lo hubieran sido en mí, porque obro necesariamente. Si son culpa, por la misma razón creo que no la he tenido; mas, con todo, vivo siempre tan desconfiada de mí, que ni en esto ni en otra cosa me fío de mi juicio; y así remito la decisión a ese soberano talento, sometiéndome luego a lo que sentenciare, sin contradicción ni repugnancia, pues esto no ha sido más de una simple narración de mi inclinación a las letras.

Confieso también que con ser esto verdad tal que, como he dicho, no necesitaba de ejemplares, con todo, no me han dejado de ayudar los muchos que he leído, así en divinas como humanas letras. [. . .]

¡Oh, cuántos daños se excusaran en nuestra

31. *bien se puede* . . . Los versos citados son de *Bartolomé* Leonardo de Argensola (no de Lupercio), y pertenecen a la Sátira Primera. 32. *Leta:* « una de las discípulas predilectas de San Jerónimo. » 33. *discimus* . . .: « Aprendemos algunas cosas sólo para saberlas, y otras para hacerlas. » 34. *Noscat* . . .: « Aprenda cada quien, no tanto por los preceptos ajenos, sino también tome consejo de su propia naturaleza. » 35. *Artes* . . .: « A las artes las acompaña el decoro. » 36. *Non* . . .: « no es igual la condición del que publica que la del que sólo dice. » 37. *In ipso* . . .: « Porque en él mismo vivimos y nos movemos y somos. » (*Hechos*, XVII, 28). Arato: poeta y astrónomo griego (siglo III a. de J. C.), autor de un poema sobre los *Fenómenos*.

República si las ancianas fueran doctas como Leta,[32] y que supieran enseñar como manda San Pablo y mi padre San Jerónimo! Y no que por defecto de esto y la suma flojedad en que han dado en dejar a las pobres mujeres, si algunos padres desean doctrinar más de lo ordinario a sus hijas, les fuerza la necesidad y falta de ancianas sabias, a llevar maestros hombres a enseñar a leer, escribir y contar, a tocar y otras habilidades, de que no pocos daños resultan, como se experimentan cada día en lastimosos ejemplos de desiguales consorcios, porque con la inmediación del trato y la comunicación del tiempo, suele hacerse fácil lo que no se pensó ser posible. Por lo cual, muchos quieren más dejar bárbaras e incultas a sus hijas que no exponerlas a tan notorio peligro como la familiaridad con los hombres, lo cual se excusara si hubiera ancianas doctas, como quiere San Pablo, y de unas en otras fuese sucediendo el magisterio, como sucede en el de hacer labores y lo demás que es costumbre.

Porque ¿qué inconveniente tiene que una mujer anciana, docta en letras y de santa conversación y costumbres, tuviese a su cargo la educación de las doncellas? Y no que éstas o se pierden por falta de doctrina, o por querérsela aplicar por tan peligrosos medios cuales son los maestros hombres, que cuando no hubiera más riesgo que la indecencia de sentarse al lado de una mujer verecunda (que aun se sonrosea de que la mire a la cara su propio padre) un hombre tan extraño, a tratarla con casera familiaridad y a tratarla con magistral llaneza, el pudor del trato con los hombres y de su conversación basta para que no se permitiese. Y no hallo yo que este modo de enseñar de hombres a mujeres pueda ser sin peligro, si no es en el severo tribunal de un confesionario o en la distante decencia de los púlpitos, o en el remoto conocimiento de los libros; pero no en el manoseo de la inmediación. Y todos conocen que esto es verdad; y con todo, se permite sólo por el defecto de no haber ancianas sabias; ¿luego es grande daño el no haberlas? [. . .]

[. . .] Lo que sólo he deseado es estudiar para ignorar menos: que, según San Agustín unas cosas se aprenden para hacer y otras para sólo saber: *Discimus quaedam, ut sciamus; quaedam ut faciamus*.[33] Pues ¿en qué ha estado el delito, si aun lo que es lícito a las mujeres, que es enseñar escribiendo, no hago yo porque conozco que no tengo caudal para ello, siguiendo el consejo de Quintiliano: *Noscat quisque, et non tantum ex alienis praeceptis, sed ex natura sua capiat consilium?*[34]

Si el crimen está en la *Carta atenagórica* ¿fué aquélla más que referir sencillamente mi sentir, con todas las venias que debo a nuestra Santa Madre Iglesia? Pues si ella, con su santísima autoridad, no me lo prohibe ¿por qué me lo han de prohibir otros? Llevar una opinión contraria de Vieira fué en mí atrevimiento ¿y no lo fué en su Paternidad llevarla contra los tres Santos Padres de la Iglesia? Mi entendimiento, tal cual, ¿no es tan libre como el suyo, pues viene de un solar? ¿Es alguno de los principios de la Santa Fe, revelados, su opinión, para que la hayamos de creer a ojos cerrados? Demás que yo ni falté al decoro que a tanto Varón se debe, como acá ha faltado su defensor, olvidado de la sentencia de Tito Lucio: *Artes committatur decor*,[35] ni toqué a la Sagrada Compañía en el pelo de la ropa; ni escribí más que para el juicio de quien me lo insinuó: y según Plinio, *non similis est conditio publicantis, et nominatim dicentis*.[36] Que si creyera se había de publicar, no fuera con tanto desaliño como fué. Si es, como dice el Censor herética ¿por qué no la delata? con eso él quedará vengado y yo contenta, que aprecio como debo más el nombre de católica y de obediente hija de mi Santa Madre Iglesia que todos los aplausos de docta. Si está bárbara que en eso dice bien, ríase, aunque sea con la risa que dicen del conejo; que yo no le digo que me aplauda, pues como yo fuí libre para disentir de Vieira, lo será cualesquiera para disentir de mi dictamen. [. . .]

Pues si vuelvo los ojos a la tan perseguida habilidad de hacer versos, que en mí es tan natural que aun me violento para que esta carta no lo sean, [. . .] viéndola condenar a tantos tanto y acriminar, he buscado muy de propósito cuál sea el daño que puedan tener, y no le he hallado; antes sí los veo aplaudidos en las bocas de las Sibilas; santificados en las plumas de los Profetas, especialmente del Rey David. [. . .]

Los más de los libros sagrados están en metro, como el Cántico de Moisés; y los de Job, dice San Isidoro en sus *Etimologías*, que están en verso heroico. En los Epitalamios los escribió Salomón, en los Trenos, Jeremías. [. . .]

Pues nuestra Iglesia Católica, no sólo no los desdeña, mas los usa en sus Himnos y recita los de San Ambrosio, Santo Tomás, San Isidoro y otros. San Buenaventura les tuvo tal afecto que apenas hay plana suya sin versos. San Pablo bien se ve que los había estudiado, pues los cita, y traduce el de Arato: *In ipso enim vivimus, et movemus, et sumus*.[37] Y alega el otro de Parménides: *Cretenses semper mendaces, malae bestiae, pigri.*[38] San Gregorio Nacianceno disputa en elegantes versos las cuestiones de matrimonio, y las de la virginidad. Y ¿qué me canso? La Reina de la Sabiduría, y Señora nuestra, con sus sagrados labios entonó el Cántico de la *Magnificat*,[39] y habiéndola traído por ejemplar, agravio fuera traer ejemplos profanos, aunque sean de varones gravísimos y doctísimos, pues esto sobra para prueba; y el ver que, aunque como la elegancia hebrea no se pudo estrechar a la mensura latina, a cuya causa el traductor sagrado, más atento a lo importante del sentido, omitió el verso, con todo, retienen los Salmos el nombre y divisiones de versos: pues ¿cuál es el daño que pueden tener ellos en sí? Porque el mal uso no es culpa del Arte, sino del mal profesor que los vicia, haciendo de ellos lazos del demonio; y esto en todas las facultades y ciencias sucede.

Pues si está el mal en que los use una mujer, ya se ve cuántas los han usado loablemente; pues ¿en qué está el serlo yo? Confieso desde luego mi ruindad y vileza; pero no juzgo que se habrá visto una copla mía indecente. Demás, que yo nunca he escrito cosa alguna por mi voluntad, sino por ruegos y preceptos ajenos; de tal manera, que no me acuerdo haber escrito por mi gusto si no es un papelillo que llaman El *Sueño*. Esa carta, que vos, señora mía, honrasteis tanto, la escribí con más repugnancia que otra cosa; y así porque era de cosas sagradas, a quienes (como he dicho) tengo reverente temor, como porque parecía querer impugnar, cosa a que tengo aversión natural. Y creo que si pudiera haber prevenido el dichoso destino a que nacía — pues como a otro Moisés la arrojé expósita a las aguas del Nilo del silencio donde la halló y acarició una princesa como vos — creo vuelvo a decir, que si yo tal pensara, la ahogara antes entre las mismas manos en que nacía, de miedo de que pareciesen a la luz de vuestro saber los torpes borrones de mi ignorancia. De donde se conoce la grandeza de vuestra bondad, pues está aplaudiendo vuestra voluntad lo que precisamente ha de estar repugnando vuestro clarísimo entendimiento. Pero ya que su ventura la arrojó a vuestras puertas, tan expósita y huérfana que hasta el nombre le pusisteis vos, pésame que, entre más deformidades, llevase también los defectos de la prisa; porque así por la poca salud que continuamente tengo, como por la sobra de ocupaciones en que me pone la obediencia, y carecer de quien me ayude a escribir, y estar necesitada a que todo sea de mi mano, y porque como iba contra mi genio y no quería más que cumplir con la palabra a quien no podía desobedecer, no veía la hora de acabar; y así dejé de poner discursos enteros y muchas pruebas que se me ofrecían, y las dejé por no escribir más; que, a saber que se había de imprimir, no las hubiera dejado, siquiera por dejar satisfechas algunas objeciones que se han excitado y pudiera remitir, pero no seré tan desatenta que ponga tan indecentes objetos a la pureza de vuestros ojos, pues basta que los ofenda con mis ignorancias, sin que les remita ajenos atrevimientos. Si ellos por sí volaren por allá (que son tan livianos que sí harán), me ordenaréis lo que debo hacer; que si no es interviniendo vuestros preceptos, lo que es por mi defensa, nunca tomaré la pluma, porque me parece que no necesita de que otro le responda quien en lo mismo que se oculta conoce su error, pues como dice mi padre San Jerónimo *bonus sermo secreta non quaerit*,[40] y San Ambrosio: *latere criminosae est conscientiae.*[41] [. . .]

Yo de mí puedo asegurar que las calumnias algunas veces me han mortificado; pero nunca me han hecho daño, porque yo tengo por muy necio al que teniendo ocasión de merecer, pasa el trabajo y pierde el mérito, que es como los que no quieren conformarse al morir y al fin mueren, sin servir su resistencia de excusar la muerte, sino de quitarles el mérito de la conformidad y de hacer mala muerte la muerte que podía ser bien. Y así Señora mía, estas cosas creo que aprovechan más que dañan; y tengo por mayor el riesgo de los aplausos en la flaqueza humana, que suelen apropiarse lo que no es suyo; y es menester estar con mucho cuidado y tener escritas en el corazón aquellas palabras del

38. *Cretenses . . .*: « Los de Creta siempre son mentirosos, malas bestias, vientres perezosos. » (*A Tito*, I, 12). Parménides: filósofo griego, (h. 540 a. de J. C.). 39. *Magnificat*. (*Lucas*, I, 46-55). 40. *bonus . . .*: « los buenos dichos no buscan el secreto. »

41. *latere . . .*: « ocultarse es propio de la conciencia criminosa. » 42. *Quid autem . . .*: « ¿Qué tienes tú que no hayas recibido? Y si lo has recibido, ¿por qué te glorías, como si no lo hubieras recibido? (I *Corintios*, IV, 7). 43. *Amico . . .*: « no hay que creer ni al amigo que alaba ni al enemigo que vitupera. » 44. *Ut desint . . .*: « aunque falten las fuerzas, todavía hay que alabar la voluntad. Yo pienso que los dioses se contentan con ella. » (Ovidio, *De Ponto*, III, 4, 79-80). Sor Juana — probablemente por distracción — parece atribuir estos versos a Virgilio, que es a quien se llama *el Poeta* por antonomasia. 45. *Turpe . . .*: « Es vergüenza ser vencido en beneficios. » (Séneca, *De Beneficiis*, V, 2).

Apóstol: *Quid autem habes quod non accepisti? Si autem accepisti, quid gloriaris quasi non acceperis?*[42] para que sirvan de escudo que resista las puntas de las alabanzas, que son lanzas que en no atribuyéndose a Dios, cuyas son, nos quitan la vida y nos hacen ser ladrones de la honra de Dios y usurpadores de los talentos que nos entregó y de los dones que nos prestó y de que hemos de dar estrechísima cuenta. Y así Señora yo temo más esto que aquello; porque aquello con sólo un acto sencillo de paciencia está convertido con provecho; y esto, son menester muchos actos reflexos de humildad y propio conocimiento para que no sean daño. Y así, de mí lo conozco y reconozco que es especial favor de Dios el conocerlo, para saberme portar en uno y en otro con aquella sentencia de San Agustín: *Amico laudanti credendum non est, sicut nec inimico detrahenti.*[43] Aunque yo soy tal que las más veces lo debo de echar a perder o mezclarlo con tales defectos e imperfecciones, que vicio lo que de suyo fuera bueno. Y así, en lo poco que se ha impreso mío, no sólo mi nombre, pero ni el consentimiento para la impresión ha sido dictamen propio, sino libertad ajena que no cae debajo de mi dominio, como lo fué la impresión de la Carta Atenagórica; de suerte que solamente unos *Ejercicios de la Encarnación* y unos *Ofrecimientos de los Dolores* se imprimieron con gusto mío por la pública devoción, pero sin mi nombre, de los cuales remito algunas copias, por que (si os parece) los repartáis entre nuestras hermanas las religiosas de esa santa Comunidad y demás de esa ciudad. De los *Dolores* va sólo uno, porque se han consumido ya y no pude hallar más. Hícelos sólo por la devoción de mis hermanas, años ha, y después se divulgaron; cuyos asuntos son tan improporcionados a mi tibieza como a mi ignorancia y sólo me ayudó en ellos ser cosas de nuestra gran Reina; que no sé qué se tiene el que, en tratando de María Santísima se encienda el corazón más helado. Yo quisiera, venerable Señora mía, remitiros obras dignas de vuestra virtud y sabiduría, pero como dijo el Poeta

> *Ut desint vires, tamen est laudanda voluntas:*
> *hac ego contentus, auguror esse Deos.*[44]

Si algunas otras cosillas escribiere, siempre irán a buscar el sagrado de vuestras plantas y el seguro de vuestra corrección, pues no tengo otra alhaja con que pagaros, y en sentir de Séneca, el que empezó a hacer beneficios se obligó a continuarlos; y así os pagará a vos vuestra propia liberalidad, que sólo así puedo yo quedar dignamente desempeñada, sin que caiga en mí aquello del mismo Séneca: *Turpe est beneficiis vinci.*[45] Que es bizarría del acreedor generoso dar al deudor pobre con qué pueda satisfacer la deuda. Así lo hizo Dios con el mundo, imposibilitado de pagar: dióle a su Hijo propio, para que se lo ofreciese por digna satisfacción.

Si el estilo, venerable señora mía, de esta carta no hubiese sido como a vos es debido, os pido perdón de la casera familiaridad o menos autoridad de que tratándoos como a una religiosa de velo, hermana mía, se me ha olvidado la distancia de vuestra ilustrísima persona, que a veros yo sin velo no sucediera así; pero vos, con vuestra cordura y benignidad, supliréis o enmendaréis los términos; y si os pareciere incongruo el *vos*, de que yo he usado por parecerme que para la reverencia que os debo es muy poca reverencia la *Reverencia*, mudadlo en el que os pareciere decente a lo que vos merecéis, que yo no me he atrevido a exceder de los límites de vuestro estilo ni a romper el margen de vuestra modestia.

Y mantenedme en vuestra gracia, para impetrarme la divina, de que os conceda el Señor muchos aumentos y os guarde, como le suplico y he menester. De este convento de N. Padre San Jerónimo de México, a primero día del mes de marzo de mil seiscientos y noventa y un años, B.V.M. vuestra más favorecida

JUANA INÉS DE LA CRUZ

(En *Obras completas de Sor Juana Inés de la Cruz*, México, Biblioteca Americana, 1951-1957)

Otras mujeres habían sido ya notables en este período; en el Ecuador, JERÓNIMA DE VELASCO; en el Perú, SANTA ROSA DE LIMA y dos poetisas a quienes conocemos como CLARINDA, autora de un « Discurso en loor de la poesía », en tercetos. Y AMARILIS, que envió a Lope de Vega una epístola en forma de silva. Pero la mujer que, después de Sor Juana, más alto llega en la expresión poética de este siglo es la elocuente monja de Nueva Granada SOR FRANCISCA JOSEFA DEL CASTILLO Y GUEVARA, llamada MADRE CASTILLO (Colombia; 1671-1742). Al decir expresión poética no nos referimos solamente a sus versos (algunos de los que se le adjudicaron resultaron ser de Sor Juana) sino a ciertas revelaciones de su prosa ascética y mística. Sus lecturas habían sido muy mezcladas: al lado de los libros religiosos — la Biblia, Santa Teresa, San Ignacio, el Padre Osuna, etc. — las novelas y libros de comedias que ella llamó « la peste de las almas. » Con temas y formas de la literatura religiosa y de la literatura barroca hizo su propia literatura. Se advierte en su prosa un lento progreso, del amaneramiento y desaliño de las primeras páginas a la sencillez de las últimas. Escribió una especie de diario de sus íntimas devociones: los editores lo han llamado *Afectos espirituales*. Cuando lo comenzó tenía veintitrés años de edad: su prosa era insegura, artificiosa, exuberante, oscura, recargada de figuras retóricas, defectuosa en sus amplios períodos. Veinte años después continuaba su diario, pero la prosa era más sobria. Ya entonces había comenzado una autobiografía, — los editores la han llamado *Su Vida* — por ser obra de madurez, la *Vida* se diferencia de los *Afectos*, no sólo porque nos da anécdotas y episodios sino porque está redactada con una prosa menos frondosa, menos confusa. Dejando de lado las virtudes de la prosa — que en ella no fueron nunca excelentes — la Madre Castillo nos interesa porque su sinceridad religiosa atravesó como un rayo de luz sus pesadas palabras. Su vocación era tan intensa que no se parece a nadie de su época. Con vuelo oratorio la Madre Castillo va a posarse en lo alto de los grandes temas cristianos. Es desordenada, digresiva, sin rigor doctrinal. Pero en sus páginas relucen las metáforas y al relucir iluminan los sentimientos de un alma estremecida por el goce y el pánico de sus visiones de Dios. Fué la mística de nuestras letras.

La Madre Castillo

AFECTOS ESPIRITUALES

Del Afecto 41

Volumen I

Asida el alma en su Dios, en la tribulación nunca teme naufragio.

¡Oh Señor! ¿en qué fía el que no fía sólo en ti? Pues las virtudes si no son sólo fundadas en esperar en tu gran bondad, enferman y descaecen, como las flores del Líbano y Carmelo y los más altos montes *commoti sunt ab eo, et colles desolati sunt . . .*[1]

No hay nada que no pueda subsistir en tu presencia, si no es aquello que conserva y mantiene tu misericordia y gracia; pues ¿en qué fiarán los habitadores del orbe, amadores de la tierra? pues ella se estremece a tu presencia, ¿cuál grandeza estará en pie ante la cara de su indignación? ¿quién resistirá a la ira de su furor?

Su indignación se derramará como fuego, que disolverá y deshará las piedras más fuertes; y después de esto escuche al alma que lo ama, y que lo busca esperando en él: *bonus Dominus, et confortans in die tribulationis . . .*[2]

Todo este poder, toda esta grandeza, toda esta majestad, es en su favor; no tema, pues, las tempestades de las tribulaciones, pues el Señor hace camino en ellas; no la obscuridad y niebla, que es el polvo que huellan sus pies. No la

1. « Temblaron de él, y los collados fueron desolados. » (De la profecía de Naum). 2. « Bueno es el Señor, y confortador en el día de la tribulación. » (Naum).

3. ciudad de Palestina, cerca de la desembocadura del Jordán en el mar Muerto, famosa por sus palmeras y viñas.

atemorice el mar hinchado de los espíritus soberbios, que el Señor reprehendiéndolos los hará secar; no la sequedad y soledad del desierto, que el Señor llevará y guiará a él las fuentes de las aguas; no la demasiada tribulación, que el Señor la pesará y contendrá para que no se levante doblada. No tema a los hijos de los hombres, ni a todos los habitadores del orbe, que toda potencia se deshace a la presencia de su ayudador. No las dificultades de los montes y piedras, que el Señor los moverá y disolverá.

Sólo tema perder la amistad y gracia de su Señor, porque entonces no fíe en los montes del Líbano y Carmelo, que sus flores enfermarán y enflaquecerán; no en el alto mar de ninguna prosperidad, que increpándolo el Señor lo hará huir; no en las avenidas de suavidades y consolaciones, que el Señor las echará al desierto y esconderá a sus ojos; no en la fortaleza de las piedras, que el Señor las deshará con fuego; no en los que habitan los orbes de la tierra, que la indignación del Señor los hará temblar; no en los altos collados, pues el Señor los desolará.

¡Oh temor, oh temblor! ¡Señor Dios mío, que eres bueno y confortas en el día de la tribulación! Día de tribulación y angustia es el tiempo de mi vida; confórtame en este temeroso día para que no te pierda. Dios de la majestad, no te apartes de mí, no me dejes conmigo, no me dejes sin ti. ¡Oh fuente y centro del bien! ¡Oh todo el bien! ¡Oh único y solo bien! sé toda mi esperanza, que así vivo entre mi miseria y entre mi no ser, más contenta cuanto más conozco mi pobreza y no ser; sea todo mi ser y mi riqueza sólo esperar en ti.

Así que, Señor mío, grande y terrible, paciente y amoroso: no te desagrada la tempestad, pues en ella caminas; no la obscuridad y niebla, pues allí están tus huellas; no te enamora la hermosura y capacidad del mar, pues lo reprehendes y haces secar; no te pagas de las corrientes de las aguas, pues las echas al desierto; no de la alteza de los montes, pues los conmueves; no de los collados, pues los desuelas; no de la hermosura de las flores, pues las dejas enflaquecer y marchitarse; no de la tierra, pues la haces estremecer; ni de sus poderosos poseedores, pues les muestras tu indignación; ni de la fortaleza de las piedras, pues las deshaces. ¿Pues qué, Señor, te agrada, qué te inclina? El que espera en ti, el corazón humilde que no confía en sí mismo; el que todo su sér resigna y deja en tus poderosas y amorosas manos, en tu sapientísima providencia; el amarte y temerte.

Afecto 45

Volúmen I

Deliquios del Divino Amor
en el corazón de la criatura
y en las agonías del huerto

El habla delicada
del Amante que estimo,
miel y leche destila
entre rosas y lirios.

Su meliflua palabra
corta como rocío,
y con ella florece
el corazón marchito.

Tan suave se introduce
su delicado silbo,
que duda el corazón
si es el corazón mismo.

Al monte de la mirra
he de hacer mi camino,
con tan ligeros pasos,
que iguale al cervatillo.

Mas, ¡ay! Dios, que mi amado
al huerto ha descendido,
y como árbol de mirra
suda el licor más primo.

De bálsamo es mi amado,
apretado racimo
de las viñas de Engadi [3]
el amor le ha cogido.

De su cabeza el pelo,
aunque ella es oro fino,
difusamente baja
de penas a un abismo.

El rigor de la noche
le da el color sombrío,
y gotas de su hielo
le llenan de rocío.

Tan eficaz persuade,
que, cual fuego encendido,
derrite como cera
los montes y los riscos.

Tan fuerte y tan sonoro
es su aliento divino,
que resucita muertos
y despierta dormidos.

Tan dulce y tan süave
se percibe al oído,
que alegra de los huesos
aún lo más escondido.

¿Quién pudo hacer ¡ay! Cielo
temer a mi querido?
Que huye el aliento y queda
en un mortal deliquio.

Rotas las azucenas
de sus labios divinos,
mirra amarga destilan
en su color, marchitos.

Huye áquilo,[4] ven austro[5]
sopla en el huerto mío,
las eras de las flores
den su olor escogido.

Sopla más favorable,
amado ventecillo,
den su olor las aromas,
las rosas y los lirios.

Mas ¡ay! que si sus luces
de fuego y llamas hizo,
hará dejar su aliento
el corazón herido.

AFECTO I

VOLÚMEN II

Pide lágrimas, que sean recogidas en las fuentes del Salvador

Jesús nuestra redención, Jesús Maestro, Jesús camino, verdad y vida; esos caminos me parece, Señor mío, enseñáis a la pobrecilla despreciada y vil. ¿Queréis, mi bien y mi Señor, que vaya a vos por el mar del llanto y la amargura de mi corazón? Pues desde luego quiero y deseo anegarme en mis lágrimas, si he de ser tan dichosa que por aquí vaya a vos. Dadme, mi Señor, una fe viva y una segura esperanza, cuando ya la triste barquilla de mi alma se sienta sumergir entre las olas para que no sea sorbida del profundo, ni el mar tempestuoso me anegue; mas dadme misericordiosamente tales lágrimas que sean como cogidas de las fuentes del Salvador. Sean llorando mi ingratitud a tus finezas, Dios mío; sean llorando tus dolores y pasión; sean llorando tus ofensas y la pérdida de las almas; sean llorando con tu Santísima Madre Dolorosa; sean llorando tu ausencia y mi destierro y contingencias de él; sean llorando mi ceguedad para conocerte, mi frialdad para amarte, y mi flaqueza y debilidad para servirte. Llore como la tórtola que toda es llanto sin su amado consorte; llore como la esposa ausente de su señor y esposo; llore como la esclava que ofendió a su fiel señor y se hizo al bando del fiero y cruel dragón. Llore como el pobre a quien dan una gruesa limosna, que llora agradecido y contento, y no se harta de besarla y mirarla mil veces; así has de hacer con los beneficios que amontona en ti tu Señor. Llora como la esposa que después de larga ausencia tiene cartas, noticias y promesas de su señor que la ama y ha de llevar al reino que le prepara. Llora como el perrillo que perdió la vista de su señor y no descansa hasta tornarle a hallar. Llora como el cautivo y desterrado en esta gran Babilonia; llora sobre las cadenas y grillos de tu prisión hasta que el Señor Dios tuyo te desate y libre.

SU VIDA

CAPITULO XXV

Consolaciones sensibles alternadas de desolaciones. Defectos en que incurre por el trato con las criaturas. Propende con caridad a la entrada en religión de una sobrina suya. Se le dan respecto de ésta, conocimientos particulares. Ve claramente a Satanás y síguese una persecución espantosa de las criaturas, con graves enfermedades y otras circunstancias notables. Visiones que le confortan.

Pues prosiguiendo en cómo se ha pasado mi vida: había ya año y medio que había tenido esta grande tribulación y azote interior que yo jamás sabré explicar, y este tiempo se había pasado con aquellos mis deseos que Dios me daba de ser muy buena, experimentando en este tiempo una consolación tal, que como tratara con mi confesor

4. viento violento del norte. 5. viento del sur.

algunas cosas de Nuestro Señor, casi se suspendían mis sentidos; y algunas veces, por dos o tres días estaba como fuera de mí, embebida el alma en aquella consolación y amor sensible, aunque no faltaron en este tiempo cosas que decían de mí, y es cierto que aun una palabra simplemente dicha la solían tomar por un gran delito. Algunas criadas vinieron entonces a decirme las perdonara, que habían levantado algunas cosas; y había ocasión de esto, porque ya dije que en este tiempo trataba más con las criaturas, pareciéndome mejor no estar tan retirada, sola y trabajosa, y que así se seguía un camino llano y seguro, que era lo que yo deseaba; a que se juntaban hallar alivio y consuelo en algunas personas. Mas, como mi corazón siempre ha sido malo e inconstante, caía más en faltas y culpas, y en viendo yo que se descaminaba mi corazón en el afecto a alguna cosa particular, sentía una fuerza interior que me hacía retirarme a hacer los ejercicios de mi padre San Ignacio, y en ellos recibía más copiosamente aquella consolación sensible que digo; aunque también padecía grandes trabajos interiores en la oración, que a veces quisiera más morir.

Pues al cabo de este año y medio que pasé así, me avisaron traían una sobrina mía a ser monja. Yo, aunque temí, mas considerando cuánto bueno sería que se consagrara a Nuestro Señor, porque me escribían sus grandes deseos, hice cuanto pude por ayudar a ellos; porque uno de los martirios que ha tenido mi corazón en este mundo es el no poder yo hacer nada en servicio de Nuestro Señor, porque según los deseos que Su Divina Majestad me ha dado, hubiera hecho mucho en bien de otros; mas siempre Su Divina Majestad, por humillar mi soberbia, y por otras causas justísimas en su acertado gobierno, me ha tenido con las manos atadas, porque puesta en la ocasión, todo lo viera con propia estimación y amor propio, y quizá, y sin quizá, quitara la vista de dar gusto a Su Divina Majestad por darlo a las criaturas; que a esto de darles gusto me he inclinado con demasiado extremo. Así que viendo cuán misericordiosamente lo ha hecho Nuestro Señor con esta vilísima criatura suya, me acuerdo de aquel verso del salmo, que dice: *Alegrado nos hemos por los días en que nos humillaste, por los años en que vimos males.* Y siempre me dió luz en lo que dice: *Bonum mihi quia humiliasti me: ut discam justificationes tuas.* Pues volviendo a lo que iba diciendo, me pareció que en ayudar a la entrada de aquella religiosa, hallaba ocasión de hacer algo en servicio de Nuestro Señor, y de mi trabajo compuse lo más de lo necesario, por ser ella huérfana de padre: también para el dote me prometió aquel sujeto (que dije ayudó a la entrada de mi madre) daría a la profesión, para ayuda de ella, quinientos pesos. Hubo grandes contradicciones e impedimentos para su entrada, y se levantaron cosas, que yo no entendía que sucedieran así: todo cargaba sobre mí.

Pues el día que la trajeron para que la vieran las monjas, yo no ví en ella sino a Nuestro Señor Crucificado; no por ninguna imagen que se representara, sino por un conocimiento del alma, que era como una espada de dos filos que la atravesaba de parte a parte, y me hacía derramar un mar de llanto; y por todos aquellos días en viendo el Santo Cristo Crucificado, que está en el coro, vía en Él a la que venía a entrar, y me dividía el corazón un dolor que me traía deshecha en lágrimas; yo no sé cómo era esto, ello era cosa tan clara y tan fuerte, que se lo dije a mi confesor el padre Juan Martínez, y me respondió: que traería Nuestro Señor a aquella alma a que fuera muy buena y padeciera en la cruz de la religión, y así yo no podía dejar de ayudar, y sufrir en orden a su entrada, las muchas cosas que se levantaron.

Después que estuvo acá, estaba yo un día en mi retiro, considerando en el paso de los azotes que dieron a Nuestro Señor, y pareciéndome caía al desatarlo de la columna, sentía lo mismo que la vez pasada, aquella ansia y deseo de ayudarlo a levantar, pero ahora, al contrario de lo que me sucedió la otra vez, sentía, al llegar mi alma a Él, que se desaparecía su cuerpo, porque se hacía como espiritualizado, o yo no sé cómo me dé a entender: parece que se desaparecía de los ojos o conocimiento del alma, y la hacía quedar con gran pena. Esto me parece fué prevenirme para el trabajo, y trabajos que me vinieran. También me sucedió que habiendo entrado en ejercicios con la novicia, a quien yo deseaba encaminar lo mejor que pudiera, estando una tarde en oración, ví pasar el enemigo en hábito de religioso por la puerta de la celda, y que mirando, con unos ojos que daban horror, hacia donde estábamos, se entró en la celda de otra religiosa que estaba junto a la mía; yo no entendí qué sería aquello, mas quedé llena de pavor y tristeza.

Pues por aquel tiempo yo vía mi alma tan mudada, y tan renovados en ella los buenos deseos que en otro tiempo Nuestro Señor me había dado, que yo misma no me conocía, ni sabía con qué así me había encendido Nuestro Señor el alma. Estaba lo más del día retirada, previniendo mi confesión general de aquel año, cuando una noche, a las oraciones, que no se habían hecho maitines, viene a la celda aquella religiosa en cuya celda ví entrar al enemigo, tan llena de furor, y dando gritos contra mí, que yo me quedé pasmada; hízome muchas amenazas, diciendo que no era la novicia mi criada, que ahora vería lo que hacía la madre abadesa. Dió tántas voces, y se levantó tal murmullo de criadas y gritos, que yo me hallé cortada, y no tuve más alivio que meterme en una tribuna, mas desde allí oía tales voces en el coro, tal algazara y cosas que se decían de mí, que estaba medio muerta de oírlas, y no saber en qué pararía aquel furor y gritos; cuando fueron a buscarme la madre vicaria, la religiosa que he dicho, y un tropel de criadas, con linternas y luces. Las cosas que allí me dijeron fueron sin modo, y la cólera con que iban: ello paró, o se le dió principio (que no se acabó con eso) en venir todas aquellas criadas a la celda, y sacar la cama de la novicia, y no dejar cosa de las necesarias. El alboroto y ruido que traían era como si hubieran cogido un salteador. Las cosas que me levantaron no son para dichas, yo no hallaba dónde acogerme, porque la celda había quedado llena sólo de pavor, y con el susto no me podía tener ya en pie. Mis criadas habían levantádose también contra mí, con que hube de acogerme a las puertas de una religiosa a quien le habían dicho cosas que la pudieran enojar mucho contra mí; mas viéndome en tan miserable estado, se movió a compasión, y fué la única que en toda la casa la tuvo de mí en mis trabajos. Luego caí enferma de una enfermedad tal, que el sudor que sudaba me dejaba las manos como cocidas en agua hirviendo. La boca se me volvía a un lado, y me daban unos desmayos tan profundos que duraban tres y cuatro horas largas. En estos desmayos tiraba a ahogarme una criada que había allí, amiga de aquellas religiosas que digo, porque me tapaba la boca y las narices con toda fuerza; y si su ama, que era en cuya celda yo estaba, no la advirtiera, según me decía después, no sé qué hubiera sido. Yo pienso que no tiraría a ahogarme, sino sólo a mortificarme. No había día que no se me dieran dos o tres pesadumbres. Una niña, hija de mi hermano, que estaba conmigo, la echaron a la calle con tanta violencia, que no permitió la madre abadesa se cerrara el convento sin que ella saliera. Después me echaron las dos criadas, una a empellones y otra, que era pequeña, se la entregaron a su madre. Llamaron al vicario del convento y le dijeron tales cosas que no sé yo cómo las diga aquí. Algunas eran: que comía de balde la ración del convento, que me salía con cuanto quería. Las otras fueron tales que él fue a la Compañía a consultar con el padre Juan Martínez, qué se haría de mí, y el santo padre, aunque más pasos daba, no podía apagar aquel fuego. Un día vino a examinar a aquella monja que me hacía bien, porque le enviaron a informar, por medio del vicario, que yo fingía aquellas enfermedades, y que lo hacía para tener abierto a deshoras el convento, y que entraran los padres. Yo, como no hallaba en mí causa presente para aquellos rigores, me daba una congoja tal que me agravaba el mal, y cuando se lo avisaban a la madre abadesa, que había tantas horas que estaba sin sentido, respondía: « darle unos cordeles bien fuertes, que la hagan reventar. » Otras veces decía: « ya he estado amolando muy bien un cuchillo para enviárselo que se lo meta, y le enviaré soga para que se ahorque. » Yo, en volviendo en mí de los desmayos, lloraba amargamente, y les preguntaba: « Señoras mías, madres mías, ¿qué motivo, qué causa les he dado? », y alguna, que era rara la que entraba a verme, así por lo mal que estaban todas conmigo, como por no experimentar los enojos de la madre abadesa y de aquellas religiosas, porque a las que vían entrar afligían también mucho; alguna, pues, que vía mi padecer y oía mis preguntas, me respondía: « *Dice la madre abadesa que como usted le tiene dada el alma al diablo, ya deben los diablos de venir por su alma.* » Con esto crecían mis desconsuelos, y crecía mi mal, y como aquella religiosa que me amparaba le pareciera que ya expiraba, se vió obligada en dos ocasiones a enviar por padres; de aquí nació el acusarme que me fingía enferma para tener a las diez de la noche el convento abierto, y los padres dentro. Yo procuraba, en sintiéndome con tantito aliento, levantarme de la cama, mas luego volvía a caer y me daba aquel temblor y desmayos que duraban lo más del día. [. . .]

(*Su Vida*. Escrita por ella misma. Bogotá, Biblioteca de autores colombianos, 1956.)

NOTICIA COMPLEMENTARIA

Crónicas. En el siglo XVII todavía hay luchas, conquistas, fundación de ciudades; y de allí siguen saliendo crónicas. Sólo que no son ya las crónicas asombradas ante lo nuevo, como las de los primeros conquistadores, sino más bien las de los hijos y aun nietos de los primeros conquistadores, o de los que vienen a poner sus plantas sobre terreno ya desbrozado. Mencionemos, por su mayor valor literario, al obispo GASPAR DE VILLAROEL (Ecuador; 1587-1665), el jesuíta ALONSO DE OVALLE (Chile; 1601-1651), el obispo LUCAS FERNÁNDEZ DE PIEDRAHITA (Colombia; 1624-1688) y JOSÉ DE OVIEDO Y BAÑOS (Colombia-Venezuela; 1671-1738).

Bosquejos novelísticos. Además de los que hemos seleccionado, debemos agregar los nombres de *Los sirgueros de la Virgen sin original pecado* de FRANCISCO BRAMÓN (México; 1620), *Miscelánea austral* (Lima; 1602) de DIEGO DÁVALOS Y FIGUEROA y *El pastor de Nochebuena* del obispo JUAN DE PALAFOX Y MENDOZA (España-México; 1600-1659).

Teatro. Durante casi todo el siglo XVII (por lo menos hasta la muerte de Calderón de la Barca) España está en su apogeo teatral y las colonias en cambio apenas producen obrillas de ocasión; desde 1681 en adelante decae el teatro español y en cambio las colonias empiezan a levantar su teatro con piezas ambiciosas. Además de los nombres mencionados en el cuerpo de esta antología, citemos los de los mexicanos FRANCISCO BRAMÓN Y MATÍAS DE BOCANEGRA, de los peruanos LORENZO DE LAS LLAMOSAS y DIEGO MEXÍA DE FERNANGIL y del colombiano JUAN DE CUETO Y MENA.

Poesía. Importantes, en la poesía barroca, fueron el argentino LUIS DE TEJEDA (1604-1680) y el peruano JUAN DE ESPINOSA MEDRANO, « el Lunarejo » (1632-1688), entusiasta panegirista de Góngora.

IV
1701-1808

MARCO HISTÓRICO: *El trono de España pasa a los Borbones. Bajo Felipe V y Fernando VI el imperio español comienza a esforzarse para retener sus colonias. Gracias a las reformas sociales, políticas y económicas de Carlos III mejora la posición de España y de sus colonias. Crece, no obstante, la insatisfacción de los criollos. Bajo el inepto Carlos IV España se pone en una actitud puramente defensiva y va perdiendo sus posesiones. A causa de la invasión del ejército napoleónico, Carlos IV abdica en favor de su hijo Fernando VII: los días del imperio español en América han terminado.*

TENDENCIAS CULTURALES: *Fines del Barroco. El Rococó. Ideas de la Ilustración. La literatura lleva un sello neoclásico, afrancesado. El racionalismo se colorea con sentimientos.*

JUAN BAUTISTA DE AGUIRRE
FRANCISCO EUGENIO DE SANTA CRUZ Y ESPEJO
CONCOLORCORVO
FRAY SERVANDO TERESA DE MIER
MANUEL DE ZEQUEIRA Y ARANGO
FRAY MANUEL DE NAVARRETE
RAFAEL GARCÍA GOYENA
ESTEBAN DE TERRALLA Y LANDA

Desde fines del siglo XVII Francia ejercía una hegemonía cultural sobre toda Europa. España recibió esta influencia antes que los Borbones entraran a gobernarla. Sin duda el cambio dinástico la favoreció. Sólo que, más que afrancesarse, España se europeizaba: al lado de las influencias francesas hay que tener en cuenta las italianas y las inglesas. Pero el desnivel entre España y el resto de Europa era tan marcado que la ascensión cultural española fué lentísima. En Europa, en una sola generación — digamos: de 1680 a 1715 —, se impuso la Ilustración. En España, en cambio, el nuevo espíritu, racionalista en filosofía, clasicista en literatura, empieza a manifestarse en la tercera década del siglo. Hasta entonces la literatura dominante seguía siendo la barroca. Como es natural, la ascensión de la cultura hispano-americana fué aún más lenta. Las corrientes de la Ilustración pasaron de España a América e influyeron en las ideas y costumbres; pero no inspiraron una literatura neoclásica hasta al final del siglo XVIII. La literatura quedó rezagada, pues, en la marcha de las colonias detrás de la metrópoli. Se cultivaba el estilo barroco cuando ya en España estaba olvidado, se transformaba en rococó o era recordado burlonamente.

Al pasar al examen de la poesía nuestro primer reconocimiento ha de ser la vitalidad del barroco. Que no es un estilo de decadencia, como se ha dicho, lo prueba el hecho de que, en América al menos, mantiene en lo alto la imaginación mientras la poesía decae durante el setecentismo. En medio del XVIII, a más de un siglo y cuarto de la muerte de Góngora y a cuarto de siglo de la *Poética* de Luzán, encontramos al barroco padre jesuíta JUAN BAUTISTA DE AGUIRRE (Ecuador; 1725-1786). Apenas nos ha dejado una veintena de poesías. Y asombra que, en tan corto número, haya tanta variedad de tonos: composiciones morales, teológicas, amatorias, satíricas, líricas, polémicas, descriptivas. También, que haya tanta variedad métrica: sonetos, octavas rimas, silvas, canciones, liras, romances, décimas, cuartetas. Y, por último, que haya tanta variedad de influencias: Góngora, Quevedo, Calderón, Rioja, Polo de Medina. Para Aguirre la poesía debió de ser un entretenimiento formal; y tal vez por esta actitud sus mejores poemas son los barrocos, en los que coincidía su disposición juguetona con un estilo extremadamente formal. Una lógica silogística va recorriendo por dentro la sintaxis y la obliga a retorcerse y saltar en hipérbaton, elipsis, construcciones a base de simetrías y contrastes, etc. Pero esa lógica ha cambiado sus abstracciones por metáforas: y así aparece una realidad rica en colores, sonidos, belleza plástica y fragancia. Algunas de sus imágenes acudieron con toda la intensidad de una auténtica visión poética. Metáforas de buen poeta en poemas mediocres.

Juan Bautista de Aguirre

A UNOS OJOS HERMOSOS

Ojos cuyas niñas bellas
esmaltan mil arreboles,
muchos sois para ser soles,
pocos para ser estrellas.

No sois sol aunque abrasáis
al que por veros se encumbra,
que el sol todo el mundo alumbra
y vosotros le cegáis.

No estrellas, aunque serena
luz mostráis en tanta copia,
que en vosotros hay luz propia,
y en las estrellas, ajena.

No sois lunas a mi ver,
que belleza tan sin par
no es posible en sí menguar
ni de otras luces crecer.

No sois ricos donde estáis
ni pobres donde yo os canto;
pobres no, pues podéis tanto,
ricos no, pues que robáis.

No sois muerte, rigorosos,
ni vida cuando alegráis;
vida no, pues que matáis,
muerte no, que sois hermosos.

No sois fuego, aunque os adula
la bella luz que gozáis,
pues con rayos no abrasáis
a la nieve que os circula.

No sois agua, ojos traidores
que me robáis el sosiego,
pues nunca apagáis mi fuego
y me causáis siempre ardores.

No sois cielos, ojos raros,
ni infierno de desconsuelos,
pues sois negros para cielos,
y para infierno sois claros.

Y aunque ángeles parecéis,
no merecéis tales nombres,
que ellos guardan a los hombres
y vosotros los perdéis.

1. Lugar de mercado público.

No sois dioses, aunque os deben
adoración mil dichosos,
pues en nada sois piadosos,
ni justos ruegos os mueven.

Mas en haceros de modo
naturaleza echó el resto,
que no siendo nada de esto
parece que lo sois todo.

(En « Poesías de Juan Bautista de Aguirre », incluídas por Emilio Carilla en *Un olvidado poeta colonial*, Buenos Aires, 1943).

Los más fructíferos cambios, en esta época, se encuentran en el pensamiento. Son los años de la génesis intelectual del movimiento autonomista. Los criollos viajan a Europa y vuelven con ideas y papeles revolucionarios. O vienen los veleros cargados de simientes de la Ilustración. Filosofía y política conspiran juntas para cambiar el orden colonial y aun para derribarlo. Una de las figuras más descollantes de la Ilustración es el mestizo FRANCISCO EUGENIO DE SANTA CRUZ Y ESPEJO (Ecuador; 1747-1795). Tenía conocimientos enciclopédicos. Mientras en filosofía imitaba algunas de las ideas del sensualismo, en política preparaba, supiéralo o no, la independencia americana. Consta en documentos que a los revolucionarios de 1809, en Quito, se les acusó de ser « herederos de los proyectos sediciosos de un antiguo vecino nombrado Espejo que hace años falleció en aquella capital ». Los escritos de Espejo corrieron de mano en mano. Acusaba a la educación colonial de ser « una educación de esclavos ». El neoclasicismo fué un intento parecido al erasmismo del siglo XVI para europeizar el mundo hispánico. Y es curioso que ahora, como en el siglo XVI, los diálogos satíricos a la manera de Luciano fueran el género preferido del nuevo espíritu. Espejo escribió el *Nuevo Luciano o Despertador de ingenios*. Son nueve conversaciones entre los personajes Murillo y Mera (este último, portavoz de Espejo) sobre retórica y poesía, filosofía, plan de estudios, teología, etc. Se proponía la revisión y crítica del estado mental de la Colonia. Es la mejor exposición de la cultura colonial del siglo XVIII. Su espíritu de reforma educacional se advierte con claridad en el Discurso que reproducimos fragmentariamente.

Francisco Eugenio de Santa Cruz y Espejo

ARTE POPULAR Y EDUCACIÓN SUPERIOR

Vais, señores, a formar desde luego una sociedad literaria y económica. Vais a reunir en un solo punto, las luces y los talentos. Vais a contribuir al bien de la patria, con los socorros del espíritu y del corazón, en una palabra, vais a sacrificar a la grandeza del estado, al servicio del Rey y a la utilidad pública y vuestra, aquellas facultades con que en todos sentidos os enriqueció la providencia. Vuestra sociedad admite varios objetos: quiero decir, señores, que vosotros por diversos caminos, sois capaces de llenar aquellas funciones a que os inclinare el gusto, u os arrastrare el talento. Las ciencias y las artes, la agricultura y el comercio, la economía y la política, no han de estar lejos de la esfera de vuestros conocimientos: al contrario, cada una, dirélo así, de estas provincias, ha de ser la que sirva de materia a vuestras indagaciones y cada una de ellas exige su mejor constitución del esmero con que os apliquéis a su prosperidad y aumento. El genio quiteño lo abraza todo, todo lo penetra, a todo alcanza. ¿Veis, señores, aquellos infelices artesanos que, agobiados con el peso de su miseria, se congregan las tardes en las cuatro esquinas[1] a vender los efectos de su industria y su labor? Pues allí el pintor y el farolero, el herrero y el sombrerero, el franjero y el escultor, el latonero y el zapatero, el omnicio y universal artista, presentan a vuestros ojos preciosidades, que la frecuencia de verlas nos induce a la injusticia de no admirarlas. Familiarizados con la hermosura y delicadeza de sus artefactos, no nos dignamos siquiera a prestar un tibio elogio a la energía de sus manos, al numen de invención que preside en sus espíritus, a la abundancia de genio que enciende y anima su fantasía. Todos y cada uno de ellos, sin lápiz, sin buril, sin compás, en una palabra, sin sus respectivos instrumentos, iguala sin saberlo, y a veces aventaja, al europeo industrioso de Roma, Milán, Bruxelas, Dublin, Amsterdam, Venecia, París y Londres. Lejos del aparato, en su línea magnífico, de un taller bien equipado, de una oficina bien proveída, de un obrador bien ostentoso, que mantiene el flamenco, el francés y el italiano; el quiteño, en el ángulo estrecho y casi negado a luz, de una mala tienda, perfecciona sus obras en el silencio; y como el formarlas ha costado poco a la valentía de su imaginación y a la docilidad y destreza de sus manos, no hace vanidad de haberlas hecho, concibiendo alguna de producirse con ingenio y con el influjo de las musas: a cuya cuenta, vosotros, señores, les oís el dicho agudo, la palabra picante, el apodo irónico, la sentencia grave, el adagio festivo, todas las bellezas en fin de un hermoso y fecundo espíritu. Éste, éste es el quiteño nacido en la oscuridad, educado en la desdicha y destinado a vivir de su trabajo. ¿Qué será el quiteño de nacimiento, de comodidad, de educación, de costumbres y de letras? Aquí me paro; porque, a la verdad, la sorpresa posee en este punto mi imaginación. La copia de luz, que parece veo despedir de sí el entendimiento de un quiteño que lo cultivó, me deslumbra; porque el quiteño de luces, para definirle bien, es el verdadero talento universal. En este momento me parece, señores, que tengo dentro de mis manos a todo el globo; yo lo examino, yo lo revuelvo por todas partes, yo observo sus innumerables posiciones, y en todo él no encuentro horizonte más risueño, clima más benigno, campos más verdes y fecundos, cielo más claro y sereno que el de Quito. [. . .]

Con tan raras y benéficas disposiciones físicas que concurren a la delicadísima estructura de un quiteño, puede concebir cualquiera cuál sea la nobleza de sus talentos y cuál la vasta extensión de sus conocimientos, si los dedica al cultivo de las ciencias. Pero éste es el que falta, por desgracia, en nuestra patria, y éste es el objeto esencial en que pondrá todas sus miradas la sociedad.

Para decir verdad, señores, nosotros estamos destituídos de educación; nos faltan los medios de prosperar; no nos mueven los estímulos del honor y el buen gusto anda muy lejos de nosotros; ¡molestas y humillantes verdades por cierto! pero dignas de que un filósofo las descubra y las haga escuchar; porque su oficio es decir con sencillez y generosidad los males que llevan a los umbrales de la muerte la República. Si yo hubiera de proferir palabras de un traidor agudo, me las ministraría copiosamente esa venenosa destructora del universo, la adulación; y esta misma me inspirara al seductor lenguaje de llamaros, ahora mismo, con vil lisonja, ilustrados, sabios, ricos y felices. No lo sois: hablemos con el idioma de la escritura santa: vivimos en la más grosera ignorancia y la miseria más deplorable. Ya lo he dicho a pesar mío; pero señores, vosotros lo conocéis ya de más a más sin que yo os repita más tenaz y frecuentemente proposiciones tan desagradables. Mas oh ¡qué ignominia será la vuestra, si conocida la enfermedad dejáis que a su rigor pierda las fuerzas, se enerve y perezca la triste patria! ¿Qué importa que vosotros seáis superiores en racionalidad a una multitud innumerable de gentes y de pueblos, si sólo podéis representar en el gran teatro del universo el papel del idiotismo y la pobreza? [. . .]

No desmayéis: la primera fuente de vuestra salud sea la concordia, la paz doméstica, la reunión de personas y de dictámenes. Cuando se trata de una sociedad, no ha de haber diferencia entre el europeo y el español americano. Deben proscribirse y estar fuera de vosotros aquellos celos secretos, aquella preocupación, aquel capricho de nacionalidad, que enajenan infelizmente las voluntades. La sociedad sea la época de la reconciliación, si acaso se oyó alguna vez el eco de la discordia en nuestros ánimos. Un Dios que de una masa formó nuestra naturaleza nos ostenta su unidad, y la establece. [. . .]

(Discurso dirigido a la muy ilustre y leal ciudad de Quito . . . y a todos los señores socios provistos a la erección de una sociedad patriótica sobre la necesidad de establecerla luego con el título de Escuela de la Concordia. Reproducido del *Panorama de la literatura ecuatoriana* de Augusto Arias, Quito, 1948).

1. princesa de sangre real, entre los antiguos peruanos.

2. Don Alonso Carrió de La Vandera, con quien hace su viaje Concolorcorvo.

De vena también burlona (aunque muy diferente a la de Espejo) es el autor de *El Lazarillo de ciegos caminantes . . . sacado de las memorias que hizo don Alonso Carrió de La Vandera . . . por don Calixto Bustamante Carlos Inca, alias Concolorcorvo* (1773). ¿Quién fué el autor: el español don Alonso o el mestizo cuzqueño Concolorcorvo? La familiaridad con las literaturas greco-latina y castellana, el vasto repertorio de ideas críticas y reformadoras y el despliegue de una prosa entrenada en varios estilos han hecho pensar en que fuera don Alonso. Quizá, por ser funcionario del Estado español, decidió publicar sus notas de viaje pero poniéndose a resguardo de un ataque directo. Para ello hizo como que su guía, Concolorcorvo, las sacaba a luz. Lo cierto es que el libro está escrito en primera persona, la del mestizo « con color de cuervo. » « Yo soy indio neto — dice — salvo las trampas de mi madre, de que no salgo por fiador. Dos primas mías coyas conservan la virginidad, a su pesar, en un convento del Cuzco, en donde las mantiene el rey nuestro señor. Yo me hallo en ánimo de pretender la plaza de perrero de la catedral del Cuzco para gozar inmunidad eclesiástica. » ¿Está el español fingiéndose indio para burlarse mejor? ¿O de veras Concolorcorvo, al colaborar con don Alonso, metió la cuchara? Desde el punto de vista de la literatura, la segunda parte es más rica, amena, imaginativa. La intención didáctica está servida por anécdotas y diálogos con cierta gracia novelesca. *El Lazarillo* es, por lo general, una vivísima descripción del viaje de Montevideo a Lima, pasando por Buenos Aires, Córdoba, Salta y Cuzco. Hay simpatía por el español. También por el criollo educado. De ahí va decreciendo rápidamente: gauchos, mestizos, indios, negros. El tono picaresco, el ritmo de la acción, las descripciones costumbristas y el arte de sorprender al lector con una inesperada situación o detalle hacen la lectura divertida a ratos.

Concolorcorvo

LAZARILLO DE CIEGOS CAMINANTES

DEL PROLOGO

[. . .] Yo soy indio neto, salvo las trampas de mi madre, de que no salgo por fiador. Dos primas mías coyas[1] conservan la virginidad, a su pesar, en un convento del Cuzco, en donde las mantiene el rey nuestro señor. Yo me hallo en ánimo de pretender la plaza de perrero de la catedral del Cuzco para gozar inmunidad eclesiástica y para lo que me servirá de mucho mérito el haber escrito este itinerario, que aunque en Dios y en conciencia lo formé con ayuda de vecinos, que a ratos ociosos me soplaban a la oreja, y cierto fraile de San Juan de Dios, que me encajó la introducción y latines, tengo a lo menos mucha parte en haber perifraseado lo que me decía el visitador[2] en pocas palabras. Imitando el estilo de éste, mezclé algunas jocosidades para entretenimiento de los caminantes para quienes particularmente escribí. Me hago cargo de que lo sustancial de mi itinerario se podía reducir a cien hojas en octavo. En menos de la cuarta parte le extractó el visitador, como se puede ver de su letra en el borrador, que para en mi poder, pero ese género de relaciones sucintas no instruyen al público, que no ha visto aquellos dilatados países, en que es preciso darse por entendido de lo que en sí contienen, sin faltar a la verdad. El cosmógrafo mayor del reino, doctor don Cosme Bueno, al fin de sus Pronósticos anuales, tiene dada una idea general del reino, procediendo por obispados. Obra verdaderamente muy útil y necesaria para formar una completa historia de este vasto virreinato.

Si el tiempo y erudición que gastó el gran Peralta en su Lima fundada y España vindicada[3] lo hubiera aplicado a escribir la historia civil y natural de este reino, no dudo que hubiera adquirido más fama, dando lustre y esplendor a toda la monarquía; pero la mayor parte de los hombres se inclinan a saber con antelación los sucesos de los países más distantes, descuidándose enteramente de los que pasan en los suyos. No por esto quiero decir que Peralta no supiese la historia de este reino, y sólo culpo su elección por lo que oí a hombres sabios. Llegando cierta tarde a la casa rural de un caballero del Tucumán, con el visitador y demás compañía, reparamos que se explicaba de un modo raro y que hacía preguntas extrañas. Sobre la mesa tenía cuatro libros muy usados y casi desencuadernados: el uno era el Viaje que hizo Fernán Méndez Pinto a la China; el otro era el Teatro de los Dioses; el tercero era la historieta de Carlomagno, con sus doce pares de Francia, y el cuarto de Guerras civiles de Granada.[4] El visitador, que fué el que hojeó estos libros y que los había leído en su juventud con gran delectación, le alabó la librería y le preguntó si había leído otros libros, a lo que el buen caballero le respondió que aquéllos los sabía de memoria y por que no se le olvidasen los sucesos, los repasaba todos los días, porque no se debía leer más que en pocos libros y buenos. Observando el visitador la extravagancia del buen hombre, le preguntó si sabía el nombre del actual rey de España y de las Indias, a que respondió que se llamaba Carlos III,[5] porque así lo había oído nombrar en el título del gobernador, y que tenía noticia de que era un buen caballero de capa y espada. ¿Y su padre de ese caballero? replicó el visitador, ¿cómo se llamó? A que respondió sin perplejidad, que por razón natural lo podían saber todos. El visitador, teniendo presente lo que respondió otro erudito de Francia, le apuró para que dijese su nombre, y sin titubear dijo que había sido el S. Carlos II. De su país no dió más noticia que de siete a ocho leguas en torno, y todas tan imperfectas y trastornadas, que parecían delirios o sueños de hombres despiertos.

Iba a proseguir con mi prólogo a tiempo que al visitador se le antojó leerle, quien me dijo que estaba muy correspondiente a la obra, pero que si le alargaba más, se diría de él:

Que el arquitecto es falto de juicio,
cuando el portal es mayor que el edificio.

O que es semejante a:

Casa rural de la montaña,
magnífica portada y adentro una cabaña.

No creo, señor don Alonso, que mi prólogo merezca esta censura, porque la casa es bien dilatada y grande, a lo que me respondió:

Non quia magna bona, sed quia bona magna.[6]

Hice mal juicio del latín, porque sólo me quiso decir el visitador que contenía una sentencia de Tácito, con la que doy fin poniendo el dedo en la boca, la pluma en el tintero y el tintero en un rincón de mi cuarto, hasta que se ofrezca otro viaje, si antes no doy a mis lectores el último vale.

(*Prólogo*).

[LOS] GAUDERIOS

Éstos son unos mozos nacidos en Montevideo y en los vecinos pagos.[7] Mala camisa y peor vestido procuran encubrir con uno o dos ponchos, de que hacen cama con los sudaderos[8] del caballo, sirviéndoles de almohada la silla. Se hacen de una guitarrita, que aprenden a tocar muy mal y a cantar desentonadamente varias coplas, que estropean, y muchas que sacan de su cabeza, que regularmente ruedan sobre amores. Se pasean a su albedrío por toda la campaña y con notable complacencia de aquellos semibárbaros colonos, comen a su costa y pasan las semanas enteras tendidos sobre un cuero, cantando y tocando. Si pierden el caballo o se lo roban, les dan otro o lo toman de la campaña enlazándolo con un cabestro muy largo que llaman *rosario*. También cargan otro, con dos bolas en los extremos, del tamaño de las regulares con que se juega a los

3. Don Pedro de Peralta y Barnuevo (1695-1743), famoso erudito peruano. 4. Obra de Ginés Pérez de Hita, cronista español del siglo XVI. 5. Carlos III era hijo de Felipe V, y hermano de Fernando VI, a quien sucedió en el trono de España. 6. « No todo lo grande es bueno, pero todo lo bueno es grande. » 7. hacienda, finca.

8. manta que se pone bajo la silla del caballo. 9. juego parecido al billar. 10. carne del anca de las vacas. 11. tripa de los animales. 12. especie de espadaña, junco. 13. de la provincia de Mendoza en la Argentina. 14. de ingerir, introducir una cosa en otra. 15. arca o baúl.

trucos,[9] que muchas veces son de piedra que forran de cuero, para que el caballo se enrede en ellas, como asimismo en otras que llaman ramales, porque se componen de tres bolas, con que muchas veces lastiman los caballos, que no quedan de servicio, estimando este servicio en nada, así ellos como los dueños.

Muchas veces se juntan de éstos cuatro o cinco, y a veces más, con pretexto de ir al campo a divertirse, no llevando más prevención para su mantenimiento que el lazo, las bolas y un cuchillo. Se convienen un día para comer la picana[10] de una vaca o novillo: le enlazan, derriban y bien trincado de pies y manos le sacan, casi vivo, toda la rabadilla con su cuero, y haciéndole unas picaduras por el lado de la carne, la asan mal, y medio cruda se la comen, sin más aderezo que un poco de sal, si la llevan por contingencia. Otras veces matan sólo una vaca o novillo por comer el matambre, que es la carne que tiene la res entre las costillas y el pellejo. Otras veces matan solamente por comer una lengua, que asan en el rescoldo. Otras se les antojan caracuces, que son los huesos que tienen tuétano, que revuelven con un palito, y se alimentan de aquella admirable sustancia; pero lo más prodigioso es verlos matar una vaca, sacarle el mondongo[11] y todo el sebo que juntan en el vientre, y con sólo una brasa de fuego o un trozo de estiércol seco de las vacas, prenden fuego a aquel sebo, y luego que empieza a arder y comunicarse a la carne gorda y huesos, forma una extraordinaria iluminación, y así vuelven a unir el vientre de la vaca, dejando que respire el fuego por la boca y orificio, dejándola toda una noche o una considerable parte del día, para que se ase bien, y a la mañana o tarde la rodean los gauderios y con sus cuchillos va sacando cada uno el trozo que le conviene, sin pan ni otro aderezo alguno, y luego que satisfacen su apetito abandonan el resto, a excepción de uno u otro, que lleva un trozo a su campestre cortejo.

Venga ahora a espantarnos el gacetero de Londres con los trozos de vaca que se ponen en aquella capital en las mesas del estado. Si allí el mayor es de 200 libras,* de que comen doscientos milords, aquí se pone de a 500 sólo para siete u ocho gauderios, que una u otra vez convidan al dueño de la vaca o novillo, y se da por bien servido. Basta de gauderios, porque ya veo que los señores caminantes desean salir a sus destinos por Buenos Aires. [. . .]

(Primera parte, Capítulo I).

DESCRIPCIÓN DE UNA CARRETA

Las dos ruedas son de dos y media varas de alto, puntos más o menos, cuyo centro es de una maza gruesa de dos a tres cuartas. En el centro de ésta atraviesa un eje de 15 cuartas sobre el cual está el lecho o cajón de la carreta. Éste se compone de una viga que se llama pértigo, de siete y media varas de largo, a que acompañan otras dos de cuatro y media, y éstas, unidas con el pértigo por cuatro varas o varejones que llaman teleras, forman el cajón, cuyo ancho es de vara y media. Sobre este plan lleva de cada costado seis estacas clavadas, y en cada dos va un arco que, siendo de madera a especie de mimbre, hacen un techo ovalado. Los costados se cubren de junco tejido, que es más fuerte que la totora[12] que gastan los mendocinos;[13] y por encima, para preservar las aguas y soles, se cubren con cueros de toro cosidos, y para que esta carreta camine y sirva se le pone al extremo de aquella viga de siete y media varas un yugo de dos y media, en que se uncen los bueyes, que regularmente llaman pertigueros.

En viajes dilatados, con carga regular de 150 arrobas, siempre la tiran cuatro bueyes, que llaman a los dos de adelante cuarteros. Éstos tienen su tiro desde el pértigo, por un lazo que llaman tirador, el cual es del grosor correspondiente al ministerio, doblado en cuatro y de cuero fuerte de toro o novillo de edad. Van igualmente estos bueyes uncidos en un yugo igual al de los pertigueros, que va asido por el dicho lazo. Estos cuarteros van distantes de los pertigueros tres varas, poco más o menos, a correspondencia de la picana, que llaman de cuarta, que regularmente es de caña brava de extraordinario grosor o de madera que hay al propósito. Se compone de varias piezas y la ingieren[14] los peones, y adornan con plumas de varios colores.

Esta picana pende como en balanza en una vara que sobresale del techo de la carreta, del largo de vara y media a dos, de modo que, puesta en equilibrio, puedan picar los bueyes cuarteros con una mano, y con la otra, que llaman picanilla, a los pertigueros, porque es preciso picar a todos cuatro bueyes casi a un tiempo. Para cada carreta es indispensable un peón, que va sentado bajo el techo delantero, sobre un petacón[15] en que lleva sus trastes, y sólo se apea cuando se descompone alguna de las coyundas o para cuartear pasajes de ríos y otros malos pasos.

Además de las 150 arrobas llevan una botija grande de agua, leña y maderos para la compostura de la carreta, que con el peso del peón y sus trastes llega a 200 arrobas. En las carretas no hay hierro alguno ni clavo, porque todo es de madera. Casi todos los días dan sebo al eje y bocinas de las ruedas, para que no se gasten las mazas, porque en estas carretas va firme el eje en el lecho, y la rueda sólo es la que da vuelta. Los carretones no tienen más diferencia que ser las cajas todas de madera, a modo de un camarote de navío. Desde el suelo al plan de la carreta, o carretón, hay vara y media y se sube por una escalerilla, y desde el plan al techo hay nueve cuartas. El lecho de la carreta se hace con carrizo[16] o de cuero, que estando bien estirado es más suave.

Las carretas de Mendoza son más anchas que las del Tucumán y cargan 28 arrobas más, porque no tienen los impedimentos que éstas, que caminan desde Córdoba a Jujuy entre dos montes espesos que estrechan el camino, y aquéllas hacen sus viajes por pampas, en que tampoco experimentan perjuicio en las cajas de las carretas. Los tucumanos, aunque pasan multitud de ríos, jamás descargan, porque rara vez pierden el pie los bueyes, y si sucede es en un corto trecho, de que salen ayudados por las cuartas que ponen en los fondos, a donde pueden afirmar sus fuertes pezuñas. Los mendocinos sólo descargan en tiempo de avenidas en un profundo barranco que llaman el desaguadero, y para pasar la carga forman con mucha brevedad unas balsitas de los yugos, que sujetan bien con las coyundas y cabestros. También se hacen de cueros, como las que usan los habitantes de las orillas del río Tercero y otros.

Esta especie de bagajes está conocida en todo el mundo por la más útil. En el actual reinado se aumentó mucho en España con la composición de los grandes caminos. Desde Buenos Aires a Jujuy hay 407 leguas itinerarias, y sale cada arroba de conducción a ocho reales, que parecerá increíble a los que carecen de experiencia. Desde la entrada de Córdoba a Jujuy fuera muy dificultoso y sumamente costosa la conducción de cargas en mulas, porque la mayor parte del camino se compone de espesos montes en que se perderían muchas, y los retobos,[17] aunque fuesen de cuero, se rasgarían enredándose en las espinosas ramas, con perjuicio de las mercaderías y mulas que continuamente se imposibilitaran, deslomaran y perdieran sus cascos, a que se agrega la multitud de ríos caudalosos que no pudieran atravesar cargadas, por su natural timidez e inclinación a caminar siempre aguas abajo. A los bueyes sólo les fatiga el calor del sol, por lo que regularmente paran a las diez del día, y cada picador, después de hecho el rodeo, que es a proporción del número de carretas, desunce sus cuatro bueyes con gran presteza y el bueyero los junta con las remudas para que coman, beban y descansen a lo menos hasta las cuatro de la tarde. En estas seis horas, poco más o menos, se hace de comer para la gente, contentándose los peones con asar mal cada uno un buen trozo de carne. Matan su res si hay necesidad y también dan sebo a las mazas de las ruedas, que todo ejecutan con mucha velocidad. Los pasajeros se ponen a la sombra de los elevados árboles unos y otros a la que hacen las carretas, que por su elevación es dilatada; pero la más segura permanente, y con ventilación, será pareando dos carretas de modo que quepa otra en el medio. Se atraviesan sobre las altas toldas dos o tres picanas y sobre ellas se extiende la carpa o toldo para atajar los rayos del sol y se forma un techo campestre capaz de dar sombra cómodamente a ocho personas. Algunos llevan sus taburetitos de una doble tijera, con sus asientos de baqueta[18] o lona. Este género lo tengo por mejor, porque, aunque se moje, se seca fácilmente, y no queda tan tieso y expuesto a rasgarse como la baqueta, porque estos muebles los acomodan siempre los peones en la toldilla, a un lado de la caja, de la banda de afuera, por lo que se mojan y muchas veces se rompen con las ramas que salen al camino real, de los árboles de corta altura, por lo que el curioso podrá tomar el partido de acomodarlos dentro de su carreta o carretón, como asimismo la mesita de campaña, que es muy cómoda para comer, leer y escribir.

A las cuatro de la tarde se da principio a caminar y se para segunda vez el tiempo suficiente para hacer la cena, porque en caso de estar la noche clara y el camino sin estorbos, vuelven a uncir a las once de la noche y se camina hasta el amanecer, y mientras se remudan los bueyes hay lugar para desayunarse con chocolate, mate o alguna fritanguilla[19] ligera para los aficionados a aforrarse más sólidamente, porque a la hora se vuelve a caminar hasta las diez del día. Los poltrones se mantienen en el carretón o carreta con las ventanas y puerta abiertas, leyendo u observando la calidad del camino y demás que se presenta a la vista. Los alentados y más curiosos montan a caballo y se adelantan o atrasan

16. planta gramínea. 17. forros. 18. junquillos. 19. fritada de carne y asadura.

a su arbitrio, reconociendo los ranchos y sus campestres habitadores, que regularmente son mujeres, porque los hombres salen a campear antes de amanecer y no vuelven hasta que el sol los apura, y muchas veces el hambre, que sacian con cuatro libras netas de carne gorda y descansada, que así llaman ellos a la que acaban de traer del monte y matan sobre la marcha, porque en algunas poblaciones grandes, como es Buenos Aires, sucedía antes y sucedió siempre en las grandes matanzas, arrean una punta considerable, desjarretándola por la tarde, y tendidas en la campaña o playa aquellas míseras víctimas braman hasta el día siguiente, que las degüellan y dividen ensangrentadas; y a ésta llaman carne cansada, y yo envenenada. [...]

(Primera Parte, Capitulo V).

LA PLATA. — DESCRIPCIÓN DE LA CIUDAD. — EL ORO DE LOS CERROS

Así se nombra la capital de la dilatada jurisdicción de la real audiencia de Chuquisaca, que se compone de varios ministros togados con un presidente de capa y espada, siendo voz común que estos señores se hacen respetar tanto, que mandan a los alcaldes ordinarios y regimiento sus criados y ministriles, y que cuando alguno sale a pasearse a pie cierran los comerciantes sus lonjas para acompañarlos y cortejarlos, hasta que se restituyen a sus casas, por lo cual aseguran que cierta matrona piadosa y devota destinó en su testamento una cantidad correspondiente para que se consiguiese en la corte una garnacha para el Santísimo Sacramento, reprendiendo a los vecinos porque salían a acompañar a los oidores y estaban satisfechos con hacer una reverencia al pasar la Consagrada Hostia que se llevaba a un enfermo. Supongo yo que ésta es una sátira mal fundada. Es natural la seriedad en los ministros públicos, y también el respeto, aunque violento, en algunos súbditos. En todos hay algo de artificio, con la diferencia de que los señores ministros piensan que aquel rendimiento les es debido, y el público, como ve que es artificial, vitupera lo que hace por su conveniencia y particulares intereses, y exagera la vanidad y soberbia de unos hombres que no pensaron en semejantes rendimientos. No sé lo que sucedería antaño, pero hogaño reconocemos que estos señores ministros, conservando su seriedad, son muy moderados y atentos en la calle, y en sus casas muy políticos y condescendientes en todo aquello que no se opone a las buenas costumbres y urbanidad.

La ciudad de La Plata está situada en una ampolla o intumescencia de la tierra, rodeada de una quebrada no muy profunda, aunque estrecha, estéril y rodeada de una cadena de collados muy perfectos por su figura orbicular, que parecen obra de arte. Su temperamento es benigno. Las calles anchas. El palacio en que vive el presidente es un caserón viejo, cayéndose por muchas partes, que manifiesta su mucha antigüedad, como asimismo la casa del cabildo o ayuntamiento secular. Hay muchas y grandes casas que se pueden reputar por palacios, y cree el visitador que es la ciudad más bien plantada de cuantas ha visto y que contiene tanta gente pulida como la que se pudiera entresacar de Potosí, Oruro, Paz, Cuzco y Guamanga, por lo que toca al bello sexo. Es verdad que el temperamento ayuda a la tez. La comunicación con hombres de letras las hace advertidas, y la concurrencia de litigantes y curas ricos atrae los mejores bultos y láminas de los contornos, y muchas veces de dilatadas distancias. No entramos en el palacio arzobispal porque no están tan patentes los de los eclesiásticos como los de los seculares. Aquéllos, como más serios, infunden pavor sagrado. Éstos convidan con su alegría a que gocen de ella los mortales.

La catedral está en la plaza mayor. El edificio es común y se conoce que se fabricó antes que el arzobispado fuera tan opulento. Su adorno interior sólo tiene una especialidad, que nadie de nosotros notamos ni hemos visto notar sino al visitador, que quiso saber de nosotros la especialidad de aquella iglesia. Uno dijo que los muchos espejos con cantoneras de plata que adornaban el altar mayor. Otro dijo que eran muy hermosos los blandones de plata, y así fué diciendo cada uno su dictamen, pero el visitador nos dijo que todos éramos unos ciegos, pues no habíamos observado una maravilla patente y una particularidad que no se vería en iglesia alguna de los dominios de España.

La maravilla es que siendo los blandones de un metal tan sólido como la plata, y de dos varas de alto, con su grueso correspondiente, los maneja y suspende sin artificio alguno un monacillo como del codo a la mano. En esto hay un gran misterio; pero dejando aparte este prodigio, porque nada me importa su averiguación, voy a declarar a ustedes la particularidad de esta iglesia, para lo cual les voy a preguntar a ustedes si han visto alguna en todo lo que han andado que no tenga algún colgajo en bóveda, techo o viga atravesada.

La iglesia más pobre de España tiene una lámpara colgada, aunque sea de cobre o bronce, pero la mayor parte de las iglesias de pueblos grandes están rodeadas de lámparas y arañas pendientes de unas sogas de cáñamo sujetas a una inflamación o a otro accidente que, rompiéndose, cause la muerte a un devoto, que le toque un sitio perpendicular a una lámpara, araña, farol o candil, dejando aparte las manchas que se originan del aceite y cera o de las pavesas que se descuelgan de las velas.

No se piense que lo que llevo dicho es una sátira. Protesto que si viviera en Chuquisaca no iría a orar a otro templo que a la catedral por quitarme de andar buscando sitio libre de un riesgo que turba mucho mi imaginación. Supongamos que ésta sea extravagante y que el riesgo esté muy distante en cuanto a perder la vida o recibir un golpe que le ocasione muchos dolores y una dilatada curación. Pero ¿cómo nos preservamos de las manchas de gotas de cera, que precisamente caen de las velas encendidas en las arañas, pavesas e incomodidades que causan los sirvientes del templo al tiempo de dar principio a los oficios divinos, que es cuando le da esta fantástica iluminación, y que el pueblo está ya acomodado en el sitio que eligió? Dirán algunos genios superficiales que esta iluminación se dirige a la grandeza del santuario y magnificar al Señor. No dudo que los cultos exteriores, en ciertos casos, mueven al pueblo a la sumisión y respeto debido a la deidad; pero estos cultos me parecía a mí que se debían proporcionar a la seriedad con que regularmente se gobiernan las catedrales. En ellas se observa un fausto que respira grandeza. La circunspección de los ministros, la seriedad y silencio es trascendente a todos los concurrentes.

Una iluminación extravagante esparcida en todo el templo sólo ofrece humo en lugar de incienso. La multitud de figuras de ángeles y de santos, ricamente adornados, no hacen más que ocupar la mitad del templo y distraer el pueblo para que no se aplique a lo que debe y le conviene, atrayéndole solamente por medio de la curiosidad, que consiste en el artificio, música de teatro o tripudio pastoril.

En conclusión, la ciudad de La Plata, como llevo dicho, es la más hermosa y la más bien plantada de todo este virreinato. Su temperamento es muy benigno. El trato de las gentes agradable. Abunda de todo lo necesario para pasar la vida humana con regalo; y aunque todos generalmente convienen en que es escasa de agua, por el corto manantial de que se provee, hemos observado que en las más de las casas principales tienen en el patio una fuente o pila, como aquí se dice, de una paja de agua, o, a lo menos, de media, que franquean al vulgo sin irritarse de sus molestias y groserías, de suerte que los señores ministros y personas distinguidas sólo gozan el privilegio de inmediación a costa de un continuo ruido y pendencia inexcusables. Si la carencia de agua fuera tan grande como ponderan algunos, hubieran inventado cisternas o aljibes, recogiendo las aguas que el cielo les envía anualmente con tanta abundancia en un territorio fuerte, en que a poca costa se podían construir. Los techos son todos de teja o ladrillo, con el correspondiente declive para que desciendan las aguas a su tiempo con violencia, después de lavados los techos con el primer aguacero, por medio de uno o dos cañones, techándose los aljibes para que no se introduzcan en ellos las arenas y tierras que levantan las borrascas y caiga el granizo y nieve. Todos los naturalistas convienen que las mejores aguas son las de las lluvias en días serenos y como venidas del cielo, y así es preciso que convengan también en la providencia de aljibes o cisternas para reservarlas, por lo que si a los señores propietarios de las principales casas de Chuquisaca, que no tienen agua, quisieren a poca costa hacer construir un aljibe, beberían los inquilinos la mejor agua que desciende a la tierra.

Supongo yo que los que tienen privilegio de agua o pila no pensarán en hacer este gasto; pero les prevengo que el agua de las fuentes es menos saludable que la de las lluvias, y aun de los ríos que corren por territorios limpios de salitres. Las fuentes de las ciudades grandes, además de las impurezas que traen de su origen, pasan por unos conductos muy sospechosos y en partes muy asquerosos. Las aguas que descienden de las nubes serenas y se recogen en tiempo oportuno de los limpios techos en aseadas cisternas, son las más apreciables y conformes a la naturaleza o se engañaron todos los filósofos experimentales. Confieso que esta recolección de agua no pudiera servir para otros usos sin mucho costo. Los riegos de jardines y macetas; los de las casas, limpieza de batería de cocina y servicios de cuartos de dormir y recámaras, y en particular el abrevadero de caballos y mulas, necesitan mucha agua, y si no corre por las calles públicas o particulares acequias será preciso buscarla en depósitos distantes en todas aquellas poblaciones que no socorrió la naturaleza con ríos o manantiales suficientes para sus necesidades. Esta misma reflexión manifiesta lo útil de los aljibes o cisternas y provisión del agua de las lluvias en un territorio como el de Chuquisaca y otros de iguales proporciones y necesidad de arbitrios. [. . .]

(Capítulo XII).

EL CUZCO. — DESCRIPCIÓN DE LA CIUDAD. — DEFENSA DEL CONQUISTADOR. — INHUMANIDAD DE LOS INDIOS

Los criollos naturales decimos *Cozco*. Ignoro si la corruptela será nuestra o de los españoles. El visitador me dijo que los indios habían cooperado mucho a la corrupción de sus voces, y para esto me sacó el ejemplo del maíz, que pidiendo unos soldados de Cortés forraje para sus caballos, y viendo los indios que aquellos prodigiosos animales apetecían la yerba verde, recogieron cantidad de puntas de las plantas que hoy llamamos maíz, y otro trigo de la tierra, y al tiempo de entregar sus hacecillos dijeron: *Mahi, señor*, que significa: « Toma, señor », de que infirieron los españoles que nombraban aquella planta y a su fruto maíz, y mientras no se hizo la cosecha pedían siempre los soldados maíz para sus caballos, porque lo comían con gusto y vieron sus buenos efectos, y en lo sucesivo continuaron los mismos indios llamando maíz al fruto, ya en mazorca o ya desgranado, por lo que les pareció que aquél era su verdadero nombre en castellano.

Muchos críticos superficiales notan de groseros y rústicos a los primeros españoles por no haber edificado la ciudad en Andaguaylillas u otro de los muchos campos y llanos inmediatos. Otros, que piensan defender a los españoles antiguos, alegan a su favor que aprovecharon aquel sitio alto y desigual por reservar los llanos para pastos de la mucha caballería que mantenían y sembrar trigo y maíz con otras menestras. En mi concepto, tanto erraron los unos como los otros, y solamente acertaron los antiguos, que siguieron a los indios.

Nadie duda que los sitios altos son más sanos que los bajos, y aunque el Cuzco rigurosamente no está en sitio muy elevado, domina toda la campaña, que se inunda en tiempo de lluvias. La desigualdad del sitio en una media ladera, da lugar a que desciendan las aguas y limpien la ciudad de las inmundicias de hombres y bestias, que se juntan en los guatanayes, calles y plazuelas. Los muchos materiales que tenían los indios en templos y casas no se podían aprovechar en Andaguaylillas, sin mucho costo y perdiéndose al mismo tiempo varios cimientos y trozos considerables de paredes, como se ven en las estrechas calles, que regularmente serían así todas las de mis antepasados, como lo fueron las de todas las demás naciones del mundo antiguo. Si esta gran ciudad se hubiera establecido en Andaguaylillas u otro campo inmediato, además del sumo gasto que hubieran hecho los primeros pobladores en la conducción de materiales y diformes piedras que labraron los indios, se harían inhabitables en el espacio de diez años. El Cuzco mantiene más de dos mil bestias diariamente, con desperdicio de la mitad de lo que comen, porque caballos y mulas pisan la alfalfa y alcacer, en que son pródigos todos aquellos habitantes. Además del copioso número de almas que contiene la ciudad, que creo pasan de treinta mil, entran diariamente de las provincias cercanas con bastimentos y efectos más de mil indios, sin los arrieros de otras partes. Así hombres como bestias comen y beben, y, por consiguiente, dejan en ella las consecuencias, que se arrastran con las lluvias por medio del declive que hace esta ciudad a los guatanayes y salidas de ella.

Este término *guatanay* equivale, en la lengua castellana, a un gran sequión o acequias que se hacen en los lugares grandes por donde corre agua perenne o de lluvia para la limpieza de las ciudades. La de Lima tiene infinitos, aunque mal repartidos. México tiene muchos bien dispuestos, pero como está en sitio llano apenas tienen curso las aguas y es preciso limpiarlos casi diariamente por los encarcelados por delitos, que no merecen otra pena. Madrid, además de otras providencias, tiene sus sumideros y Valladolid sus espolones, que se formaron del gran Esgueva, y así otras muchísimas ciudades populosas que necesitan estas providencias para su limpieza y sanidad. El territorio llano no puede gozar de estas comodidades, sino con unos grandísimos costos o exponiéndose por instantes a una inundación. Finalmente, la ciudad del Cuzco está situada juiciosamente en el mejor sitio que se pudo discurrir.

No hay duda que pudiera dirigirse mejor en tiempos de tranquilidad, y con preferencia de su soberano, pero aseguro que los primeros españoles que la formaron tumultuariamente fueron unos hombres de más juicio que los presentes. La plaza mayor, a donde está erigida la catedral, templo y casa que fué de los regulares de la compañía, es perfecta y rodeada de portales, a excepción de lo que ocupa la catedral y colegio, que son dos templos que pudieran lucir en Europa. Las casas de la plaza son las peores que tiene la ciudad, como sucede en casi todo el mundo, porque los conquistadores y dueños de aquellos sitios tiraron a aprovecharlas para que sirvieran a los comerciantes estables, que son los que mejor pagan los arrendamientos. La misma idea llevaron los propietarios de la plazuela del Regocijo, nombrada plazuela para distinguirla de la que tiene el nombre de Mayor, pues en la realidad desde sus principios tuvo mayor extensión aquélla, en cuadrilongo, como se puede ver, quitándole la isleta que se formó para casa de moneda y después se aplicó, no sé por qué motivo, a la religión de la Merced, que tiene un suntuoso convento enfrente de su principal puerta. Otras muchas plazas tiene el Cuzco a proporcionadas distancias, que por estar fuera del comercio público, formaron en ellas sus palacios los conquistadores.

Estos grandes hombres fueron injustamente, y lo son, perseguidos de propios y extraños. A los primeros no quiero llamarlos envidiosos, sino imprudentes, en haber declamado tanto contra unas tiranías que en la realidad eran imaginarias, dando lugar a los envidiosos extranjeros, para que todo el mundo se horrorice de su crueldad. El origen procede desde el primer descubrimiento que hizo Colón de la isla Española, conocida hoy por Santo Domingo. Colón no hizo otra cosa en aquellas islas que establecer un comercio y buena amistad con los príncipes y vasallos de ellas. Se hicieron varios cambios de unos efectos por otros, sin tiranía alguna, porque al indio le era inútil el oro y le pareció que engañaba al español dándole una libra de este precioso metal por cien libras de hierro en palas, picos y azadones y otros instrumentos para labrar sus campos. Formó Colón un puertecillo de madera y dejó en él un puñado de hombres para que cultivasen la amistad con los caciques más inmediatos, dejándoles algunos bastimentos y otros efectos para rescatar algunos del país para su cómoda subsistencia hasta su vuelta. Los inmensos trabajos que pasó Colón con todo su equipaje hasta llegar a España constan en las historias propias y extrañas. A la vuelta no halló hombre de los que había dejado, porque los indios los sacrificaron a sus manos.

Los indios, viendo a Colón que volvía con más número de gente y buenos oficiales, que eran capaces de sacrificar mil indios por cada español, publicaron que los españoles que habían dejado allí habían perecido a manos de la multitud de los indios, que justamente defendieron el honor y sus haciendas. Los españoles reconocieron la inhumanidad de los indios y desde entonces dió principio la desconfianza que tuvieron de ellos y los trataron como a unos hombres que era preciso contenerlos con alguna especie de rigor y atemorizarlos con algún castigo, aun en faltas leves, para no ser confundidos y arruinados de la multitud. A los piadosos eclesiásticos que destinó el gran Carlos Primero, Rey de España, les pareció que este trato era inhumano, y por lo mismo escribieron a la corte con plumas ensangrentadas, de cuyo contenido se aprovecharon los extranjeros para llenar sus historias de dicterios contra los españoles y primeros conquistadores. [. . .]

(Capítulo XVI).

EL TEMPLO DE COCHARCAS. EL ÁRBOL MILAGROSO

Pasado el puente se entra en la provincia de Andaguayllas, que toda se compone de eminencias, barrancos y quebradas calientes, a donde están los cañaverales y trapiches[20] que aprovechan algunas lomadas. Parece que los dueños de estas haciendas son personas de poca economía, o que las haciendas, en la realidad, no se costean, porque a los cañaverales llaman *engañaverales* y a los trapiches *trampiches*. Todo este país, como el de Abancay, a excepción de algunos altos, es muy caliente y frondoso, y pasando por él me dijo el visitador, señalándome un elevado cerro, que a su falda estaba el memorable templo dedicado a la Santísima Virgen en su Soberana Imagen nombrada de Cocharcas, cuyo origen tenía de que pasando por allí un devoto peregrino con esta efigie, como tienen de costumbre muchos paisanos míos, se le hizo tan intolerable su peso que le agobió, y dando cuenta a los eclesiásticos y hacendados de la provincia se declaró por milagroso el excesivo peso, como que daba a entender el sagrado bulto que quería hacer allí su mansión. Desde luego que en aquella devota gente hizo

20. ingenio de azúcar.
21. el 12 de septiembre, o, antes, el segundo domingo de dicho mes. 22. de Guamanga, una de las ciudades del país. 23. sacerdotes de la Compañía de Jesús. 24. labrador que cultiva un *pegujal*, o campo pequeño. 25. chacras, huertos pequeños. 26. ladrones de caballos. 27 la fiesta de Corpus Christi. 28. Tarasca: figura de sierpe monstruosa que en algunas partes se saca en la procesión del Corpus. Gigantones: las figuras gigantescas que también suelen salir en esa procesión

una gran impresión el suceso, porque se labró en la planicie del primer descenso una magnífica iglesia, que fuera impropia en un desierto, para una simple devoción. Al mismo tiempo se formó una gran plaza rodeada de tiendas y en el medio se puso una fuente de agua, que sólo mana en tiempo de la feria, que se hace desde el día del Dulce Nombre de María[21] hasta finalizar su octava, cuatro días antes y cuatro después, adonde concurren todos los guamanguinos[22] indios, cuzqueños y de las provincias circunvecinas, y muchas veces distantes. Toda esta buena gente concurre a celebrar el octavario a competencia, y además del costo de la iglesia, que es grande, hay por las noches de la víspera y el día grandes iluminaciones de fuegos naturales y artificiales.

En la octava concurrían dos regulares de la compañía,[23] costeados para predicar en la iglesia y en la plaza el evangelio y exhortar la penitencia, como es costumbre en las misiones. Los comerciantes, por lo general, ponen sus tiendas en los poyos inmediatos, y algunos pegujaleros,[24] mestizos, se plantan en medio de la plaza, y todos hacen un corto negocio, porque la feria más se reduce a fiesta que a negociación, y así sólo de Guamanga concurren algunos tenderos españoles y mestizos, fiados en lo que compran los hacendados españoles, tanto seculares como eclesiásticos de la circunferencia, porque las cortas negociaciones de los indios se quedan entre sus paisanas. Se ha divulgado que durante la octava se ve claramente el prodigio de que el árbol de la virgen se viste de hojas, cuando los demás de las laderas están desnudos. Este prodigioso árbol está pegado a la pila de agua, que en todo el año riega las chacaritas[25] que tienen los indios en las lomas circunvecinas; pero cuatro días antes de la feria la dirigen a la pila, para que los concurrentes se aprovechen de sus aguas. El árbol es el que con antelación chupa su jugo, y por consiguiente retoñan sus hojas, y se halla vestido de ellas en el término de veinte días, como le sucedería a cualquier otro que lograra de igual beneficio. Solamente la gente plebeya no ve el riego de dicho árbol, ni reflexiona que entra ya la primavera en estos países. La gente racional, en lugar de este aparente milagro sustituye otro para tratar a los guamanguinos cholos de cuatreros,[26] diciendo que la virgen sólo hace un milagro con ellos, y es que yendo a pie a su santuario, vuelven a su casa montados. [. . .]

(Capítulo XXI).

FIESTA SAGRADA

La gran fiesta de Dios da principio en todo el mundo católico en el mes de Junio y se concluye en su octava.[27] En el pueblo más pobre de toda España y las Indias se celebran estos días con seriedad jocosa. La seriedad se observa en las iglesias, al tiempo de celebrarse los divinos oficios, y asimismo en las procesiones, que acompañan con ricos ornamentos los señores capitulares eclesiásticos, siguiendo las sagradas religiones, con los distintivos de sus grados e insignias del santo tribunal de la Inquisición. Sigue el cabildo secular y toda la nobleza con sus mejores trajes. Estas tres dobladas filas llevan sus cirios encendidos, de la más rica cera, y observan una seriedad correspondiente. Carga la sagrada custodia el obispo, o deán por justo impedimento, y las varas del palio o dosel las dirigen los eclesiásticos más dignos, y en algunas partes los seculares. En el centro de estas tres filas van, a corta distancia, varios sacerdotes incensando al Señor, y las devotas damas, desde sus balcones, arrojan sahumadas flores y aguas olorosas, en obsequio del Santo de los santos. Todas las calles por donde pasa son toldadas, y los balcones, puertas y ventanas colgados de los más ricos paramentos, y las paredes llenas de pinturas y espejos los más exquisitos, y a cortos trechos unos altares suntuosos, en donde hace mansión el obispo y deposita la sagrada custodia, para que se hinquen y adoren al Señor mientras los sacerdotes cantan sus preces, las que acompaña el público, según su modo de explicarse, aunque devoto y edificante. De suerte que todo el tránsito de la procesión es un altar continuado, y hasta el fin de las primeras tres filas una seriedad y silencio en que sólo se oyen las divinas alabanzas.

La segunda parte de la procesión es verdaderamente jocosa, pero me parece que imita a la más remota antigüedad, por lo que no se puede graduar por obsequio ridículo, y mucho menos supersticioso, las danzas de los indios, que concurren de todas las parroquias y provincias inmediatas, son muy serias en la sustancia, porque esta nación lo es por su naturaleza. Sus principales adornos son de plata maciza, que alquilan a varios mestizos que tienen en este trato su utilidad, como en los lienzos, espejos, láminas y cornucopias. La tarasca y gigantones,[28] cuando no tengan conexión con los ritos de la iglesia católica, están aprobados con el uso común de las ciudades y villas más autorizadas de España, porque contribuyen a la alegría del pueblo, en obsequio de la gran fiesta. Ésta en el Cuzco se repite por los indios en todas sus parroquias, a cuya grandeza concurren todos recíprocamente, y hasta los españoles ven con complacencia en sus barrios estas fiestas que particularmente hacen los indios, con un regocijo sobrenatural.

FIESTA PROFANA

Da principio ésta con el año, que es cuando eligen los alcaldes y demás justicias. Con antelación se previenen damas y galanes de libreas costosas y caballos ricamente enjaezados. Los exquisitos dulces, como son de cosecha propia, en azúcar y frutas las mejores de todo el reino, es provisión de las señoras principales, como asimismo la composición de bebidas, frías y calientes. Éstas las mantienen todo el año en sus frasqueras para obsequiar a los alumnos de Baco, y las frías las disponen solamente con mandar traer el día antes la nieve necesaria para helarlas, en que son muy pródigas. Las fiestas, en rigor, se reducen a corridas de toros, que duran desde el primer día del año hasta el último de carnestolendas,[29] con intermisión de algunos días, que no son feriados. Estas corridas de toros las costean los cuatro alcaldes, a que según creo concurre también el alférez real. Su gasto pasa a profusión, porque además de enviar refrescos a todas las señoras y caballeros que están en la gran plaza del Regocijo, envían muchas salvillas de helados y grandes fuentes de dulce a los que no pudieron concurrir a los balcones de esta gran plaza, que es adonde no falta un instante toro de soga, que luego que afloja de los primeros ímpetus se suelta por las demás calles, para diversión del público, y a muchas personas distinguidas les envían toro particular para que se entretengan y gocen de sus torerías desde los balcones de sus casas. No hay toreros de profesión, y sólo se exponen inmediatamente algunos mayordomos de haciendas en ligeros caballos y muchos mozos de a pie, que por lo regular son indios, que corresponden a los chulos de España.

Salen varios toros vestidos de glasé, de plata y oro, y con muchas estrellas de plata fina clavadas superficialmente en su piel, y éstos son los más infelices, porque todos tiran a matarlos para lograr sus despojos. Toda la nobleza del Cuzco sale a la plaza en buenos caballos, ricamente enjaezados de terciopelo bordado de realce de oro y plata. Los vestidos de los caballeros son de las mejores telas que se fabrican en León (Lyon), de Francia, y en el país, pero cubren esta grandeza con un manto que llaman poncho, hecho con lana de alpaca, a listas de varios colores. Ropaje verdaderamente grosero para funciones de tanto lucimiento. Estos caballeros forman sus cuadrillas acompañando al corregidor y alcaldes, que se apostan en las bocas de las calles para ver las corridas de los toros y correr a una y otra parte para defenderse de sus acometidas y ver sus suertes, como asimismo para saludar a las damas y recoger sus favores en grajeas[30] y aguas olorosas, que arrojan desde los balcones, a que corresponden según la pulidez de cada uno, pero lo regular es cargarse de unos grandes cartuchos de confites gruesos para arrojar a la gente del bronce,[31] que corresponde con igual munición o metralla, que recoge del suelo la gente plebeya y vuelve a vender a la caballería. Al fin de la función, que es cuando suena la campana para la salutación angélica, sueltan dos o tres toros encohetados, y disparando varios artificios de fuego, y al mismo tiempo tremolando los pañuelos de las damas y varias banderas de los balcones, se oye un vitoreo de una confusión agradable, aunque en parte semejante al tiroteo de los gansos de la Andalucía, porque del uno y otro resultan contusiones y heridas con pocas muertes. Por las noches hay en las casas del corregidor y alcaldes agradables serenatas, que concluyen en opíparas cenas, hasta la última noche de carnestolendas, en que todos se recogen casi al amanecer del miércoles de ceniza.

El visitador celebró mi descripción, pero no le pareció bien que yo comparara el vitoreo con el tiroteo, porque este término sólo lo usan los jaques de escalera abajo cuando echan mano a las armas cortas, que llaman títeres, y como otros dicen chamusquina, éstos dicen tiroteo, de cuyo término se valió el gran Quevedo en sus célebres *Xácaras* porque el tal terminillo sólo lo usan los gitanos. Las contusiones, que paran en postemas, resultan de los porrazos que reciben de los toros mochos, y mucho más de las borracheras de los indios, que se entregan ciegamente por ver los despuntados. El ruido y resplandor que causan los fuegos artificiales, el sonido de las cajas y

29. carnaval. 30. confites muy menudos.
31. gente alegre y resuelta. 32. dícese del plebeyo de las poblaciones, mestizo de europeo y de india. 33. (1712-1773) marino español, que hizo varias expediciones importantes a la América del Sur. 34. (1716-1795) marino y sabio español que, como Jorge Juan, hizo varias expediciones científicas a la América del Sur.

clarines, y los gritos populares, enloquecen a aquellos soberbios animales, y con su hocico y testa arrojan cholos[32] por el alto con la misma facilidad que un huracán levanta del suelo las pajas. No sienten las contusiones hasta el día siguiente, que aparecen diez o doce en el hospital, porque la exaltación del licor en su barómetro no impide la circulación de la sangre.

Otras infinitas fiestas se celebran en esta gran ciudad, pero ninguna igual a ésta, que fuera infinitamente más lucida si se transfiriera a las octavas de San Juan y San Pedro, en que se han levantado las aguas y dos meses antes están los campos llenos de sazonados pastos, y toros y caballos gordos y lozanos, y la serenidad del cielo convidaría a los caballeros a arrojar ponchos y capas para lucir sus costosos vestidos y evitar muchos resbalones de caballos y peligrosas caídas, con otros muchísimos inconvenientes que resultan de las muchas e incesantes lluvias de los meses de Enero y Febrero, como he experimentado siempre que concurrí a estas fiestas; pero en los carnavales todo el mundo enloquece, por lo que es ocioso persuadir a la nobleza del Cuzco el que conserve su juicio en tales días. Ya es tiempo de salir de Huamanga para pasar a Huancavelica, por las postas siguientes.

(Segunda parte, Capítulo XXII).

(De *El Lazarillo de Ciegos Caminantes desde Buenos Aires hasta Lima*. 1773. Buenos Aires, 1942).

BREVE COMPARACIÓN ENTRE LAS CIUDADES DE LIMA Y EL CUZCO. — PARTICULARIDADES CARACTERÍSTICAS. LIMEÑOS Y MEXICANOS. — EL TRAJE DE LA LIMEÑA. — CAUSAS DE LA VITALIDAD. — COSAS SINGULARES. — CAMAS NUPCIALES, CUNAS Y AJUARES

Pretendí hacer una descripción de Lima, pero el visitador me dijo que era una empresa que no habían podido conseguir muchos hombres gigantes, y que sería cosa irrisible que un pigmeo la emprendiese. « Pero, señor visitador, ¿es posible que yo he de concluir un itinerario tan circunstanciado sin decir algo de Lima? » « Sí, señor inca, porque a usted no le toca ni le tañe esta gran ciudad, porque en ella se da fin a mi comisión. Los señores don Jorge Juan[33] — añadió —, don Antonio de Ulloa[34] y el cosmógrafo mayor del reino, doctor don Cosme Bueno, escribieron con plumas de cisne todo lo más particular que hay en esta capital, a que no puede usted añadir nada sustancial con la suya, que es de ganso. » « Sin embargo — repliqué —, sírvase usted decirme qué diferencia hay de esta gran ciudad a la de mi nacimiento. » « Supongo yo, señor inca — me respondió —, que usted está apasionado por el Cuzco, su patria, y quisiera que dijera yo que excedía en todas sus circunstancias a la de Lima, pero está usted muy errado, porque dejando a parte la situación y ejidos, debía usted observar que en esta gran capital se mantiene un virrey con grandeza y una asignación por el rey que equivale a todas las rentas que tienen los mayorazgos del Cuzco. Tiene, asimismo, tres guardias costeadas por el rey, de caballería bien montada y pagada; infantería y alabarderos, que no sirven solamente a la ostentación y grandeza, sino al resguardo de la persona y quietud de esta gran población, a que se agrega una audiencia completa, tribunales de contaduría mayor, real inquisición, universidad, teatro de comedias y paseos públicos inmediatos a la ciudad, que no tiene la del Cuzco ni otra alguna del reino.

Ésta mantiene doscientos cincuenta coches y más de mil calesas, que sólo se distinguen en que tienen dos ruedas y las arrastra una mula y estar más sujeta a un vuelco. Nada de esto hay en su gran ciudad. En materia de trajes, tan loca es la una como la otra, con la diferencia de gustos y extensión de familias y comercio, en que excede Lima al Cuzco más que en tercio y quinto. En esta ciudad hay muchos títulos de marqueses y condes, y mucho mayor número de caballeros cruzados en las órdenes de Santiago y Calatrava, que, a excepción de uno u otro, tienen suficientes rentas para mantenerse con esplendor, a que se agregan muchos mayorazgos y caballeros que se mantienen de sus haciendas y otras negociaciones decentes para vivir y dar lustre a la ciudad. No dudo que en la de su nacimiento como en las otras de este vasto virreinato haya familias ilustres, pero el número de todas ellas no compone el de esta capital, en donde se hace poco juicio de los conquistadores, pues aunque no faltaron algunos de esclarecidas familias, se aumentaron éstas cuando se afirmó la conquista.

Con la elección de tribunales y otros empleos honoríficos, pasaron de España a esta capital muchos segundos de casas ilustres, unos casados y otros que tomaron estado aquí, y hasta muchos de los que fueron provistos para las provincias del interior vinieron a establecerse aquí, como sucedió en todas las cortes del mundo. Muchos sujetos que vinieron de España sólo con el fin de hacer fortuna, han tenido su nobleza oculta hasta que la consiguieron y pudieron mantener su lustre en un lugar tan costoso y en que está demasiadamente establecido el lujo. En el Cuzco y demás ciudades de la sierra y parte de los valles sólo es costoso el vestido y un menaje de casa que dura con lucimiento algunos siglos. La señora más principal del Cuzco mantiene cinco o seis criadas, que la sirven puntualmente y en que apenas gasta en vestirlas tanto como aquí a una negra de mediana estimación. En esta ciudad, sin tocar a las haciendas, hay un fondo perdido de millón y medio de pesos, porque no hay esclavo, uno con otro, que ahorre al amo el gasto que hace con él. Las enfermedades, verdaderas o fingidas, no solamente son costosas a los amos, por medicamentos, médico o cirujano, sino por su asistencia y falta de servicio. Cada negrito que nace en una casa de éstas tiene de costo al amo más de setecientos pesos hasta llegar a ponerse en estado de ser de provecho. Este mal no tiene remedio cuando estos partos son de legítimo matrimonio, pero pudieran remediarse en parte reduciendo los sirvientes a menor número, como sucede en todo el mundo.

La multitud de criados confunde las casas, atrae cuidados, entorpece el servicio y es causa de que los hijos se apoltronen y apenas acierten a vestirse en la edad de doce años, con otros inconvenientes que omito. El actual establecimiento, con el de los costosos trajes que se introducen desde la cuna con la demasiada condescendencia que tienen algunas madres, son dos manantiales o sangrías que debilitan insensiblemente los caudales.

No dudo, señor Concolorcorvo, que usted, como no ha visto más que las casas por fuera y los techos o, por mejor decir, terrados, creerá que la en que yo habito es la mejor de la ciudad porque tiene las armas de gato sobre la puerta principal y hasta tres o cuatro piezas de bastante extensión. Esta casa, en el estado actual, la debe reputar usted por una de las que están en cuarto lugar; esto es, que hay otras muchas tres veces mejores. Los señores limeños no tienen la fantasía de adornar sus portadas con relieves y grandes escudos de armas que hermosean las grandes ciudades. Los tejados aquí son inútiles por la falta de lluvias, que en la realidad se pueden contar por notable falta para el despejo de su cielo y limpieza de sus calles, pues aunque las atraviesan multitud de acequias, no corren por ellas aguas puras, porque siendo de poca profundidad y el agua escasa, sólo se mantienen en ellas las aguas mayores y menores, con perjuicio de la salud y ruina de los edificios, como es público y notorio. El gran palacio del virrey, mirado por su frontispicio, parece una casa de ayuntamiento de las que hay en las dos Castillas, pero su interior manifiesta la grandeza de la persona que la habita. Lo mismo sucede en otras casas de señores distinguidos, que usted verá con el tiempo. [. . .]

Protesto a usted, señor inca, que ha cerca de cuarenta años que estoy observando en ambas Américas las particularidades de los ingenios de los criollos y no encuentro diferencia, comparados en general, con los de la península. El cotejo que hasta el presente se hizo de los criollos de Lima con los que se avecindan aquí de España, es injusto. Aquí raro es el mozo blanco que no se aplique a las letras desde su tierna edad, siendo muy raro el que viene de España con una escasa tintura, a excepción de los empleados, para las letras. Bien notorio es que no siempre se eligen los más sobresalientes, porque además de que a éstos, fiados en sus méritos, no les puede faltar allá acomodo, no quieren arriesgar sus vidas en una dilatada navegación y mudanza de temperamentos, o no tienen protectores para colocarse aquí a su satisfacción. Si se mudara el teatro, esto es, que se proveyesen en Lima todos los empleos, se vería claramente que había en la península tantos sabios a proporción, y cualquiera ciudad de las de España comparable a ésta la igualaba en ingenios, juicio y literatura, sin traer a consideración a varios monstruos de aquéllos, tan raros que apenas en un siglo se ven dos, como el gran Peralta,[35] limeño bien conocido en toda la Europa, a quien celebró tanto la más hermosa y crítica pluma que produjo Galicia en el presente siglo.[36] [. . .]

Los mexicanos, sin mudar de traje se distinguen de éstos como las mujeres de los hombres. Son, por lo general, de complexión muy delicada. Raro se encuentra con su dentadura cabal a los quince años, y casi todos traen un pañuelo blanco, que les tapa la boca, de oreja a oreja. Unos por preservarse del aire y otros por encubrir sus

35. el sabio peruano don Pedro de Peralta y Barnuevo, ya mencionado en nota anterior. 36. ref. al P. Feijóo (véase nota 38). 37. Dicen cosas misteriosas con los dedos.

bocas de tintero, como ellos se dicen unos a otros con gran propiedad, sin que se preserven de esta miseria las damas más pulidas; pero como esta imperfección es tan común, son tan apetecidas de propios y extranjeros como todas las demás del mundo, porque son muy pulidas y tan discretas como las limeñas, aunque éstas las exceden en el acento y tez, que procede de mantener hasta la senectud sus dientes y de la benignidad del aire y temperamento, propio para conservar el cutis más flexible y suave. Las señoras limeñas prefieren en sus rostros el color del jazmín al de rosa, y así son las damas del mundo que usan menos el bermellón.

Las señoras mexicanas desde luego que al presente se despojarán de sus naturales dientes y tendrán un buen surtimiento de marfileños, que ya son del uso, para hacer su acento más suave y sonoro y competir con las limeñas, burlándose de su *tequesquite* y ayudadas de su color rojo, dilatados cabellos, airosa marcha y otras gracias, pueden lucir en las cuatro partes del mundo. Si México se jacta de que en cada casa hay un molino, oponen las limeñas un batán, que sirve lo mismo, a excepción de que no se muele en éstos el cacao. Si en cada casa de México (no hablo con los pobres ni pobras) hay una jeringa, aquí no faltan dos en cada casa de mediana decencia y probidad, y además tiene una botica de faltriquera para socorro de los males repentinos. Si es cierto lo que dice el formal y serio don José Ruiz de la Cámara que conoció una vieja mexicana que sabía nueve remedios eficaces para curar las almorranas. Aquí la más limitada mujer sabe más remedios que Hipócrates y Galeno juntos para todo género de enfermedades. Esta ciencia la adquieren mexicanas y limeñas por la necesidad que tienen de vivir en sitios enfermizos.» « A mí me parece — le repliqué al visitador — que las señoras limeñas contraen muchas enfermedades por el poco abrigo de sus pies y precisas humedades que perciben por ellos.» « Está usted engañado, señor Concolorcorvo — me respondió el visitador —. Las indias y demás gentes plebeyas andan descalzas, como en otras muchas partes del mundo la gente pobre, y no por esto contraen enfermedades. Las señoritas no son de distinta naturaleza. Se crían con este calzado débil, y desde muy tierna edad se visten a media porta, como cortinas imperiales, y del mismo modo se abrigan que las que están acostumbradas a manto capitular u opa de colegial. Sin embargo, sus zapatos tienen dos inconvenientes, o por mejor decir, tres. El primero es dar una figura extraordinaria a sus pies, que por ser de uso patrio se les puede disimular. El segundo es lo costoso de estos zapatos, por su corta duración y exquisitos bordados, y el tercero, por el polvo que recogen y se introduce por los grandes corredores, balcones y ventanas que abren en ellos para la evaporación de sus encarcelados.

Las mexicanas se calzan y visten al uso de la Europa, según me han dicho, porque en mi tiempo usaban un traje mestizo que de medio cuerpo arriba imitaba en algo al de las indias en los guipiles y quesquémeles, tobagillas de verano y mantones de invierno, que corresponden aquí a los cotones de nueva invención entre las señoritas, voladores de verano y mantillas de bayeta frisada en tiempo de invierno. Para hacer un buen cotejo de limeñas y mexicanas sería preciso hacer un tratado difuso; pero no me puedo desentender de una particular gracia de las mexicanas. Éstas se sirven mejor con pocos criados. Hablan poco con ellos, y muy pasito, y en los concursos, *Loquantur arcana per digitos*,[37] y son las más diestras pantomimas de todo el mundo, pero he reparado que sus mimos no tienen una regla general, porque he visto que algunas criadas que llegaban de nuevo a una casa confesaban que no entendían todavía las señas de sus amas porque variaban de las antecedentes ».

« Asombrado estoy — le dije al visitador — de la habilidad y sutileza de las damas de México, que logran explicarse y ser entendidas por medio de los mimos. Confieso que no había oído semejante término desde que nací, y ahora, por lo que usted lleva dicho, vengo en conocimiento que esta voz corresponde a aquellos movimientos de rostro y manos con que se explican los recién nacidos y los mudos, a quienes entienden los que se hacen a tratar con ellos, y es lástima que las señoras limeñas no introduzcan este idioma, para libertarse de gritar tanto en sus casas ». « Las limeñas, señor inca, son tan hábiles como las mexicanas, y unas y otras tanto como todas las demás del mundo; pero éstas son servidas de la gente más soez que tiene el género humano, y en particular, por lo que toca a los varones. Los criados, en todo el mundo estudian el mejor modo de servir, y aquí, la mayor destreza es estudiar en servir poco y mal. La señora más prudente y sufrida se impacienta todos los días tres o cuatro veces, aun criándose desde la cuna entre esta gente, que, además de ser grosera por naturaleza, la envilece la forzada servidumbre, mal casi irremediable, si no se toma el arbitrio de negar los muchos socorros que se hacen a españolas y mestizas por una caridad desordenada. Bien sé que las personas de juicio serán de mi dictamen, y que, con poca reflexión que hicieran los petimetres, adoptarían mi pensamiento y no mantendrían un número considerable de hipócritas y holgazanas sin más título que tener la cara blanca. Ya va dilatada la digresión y es tiempo de volver a nuestro discurso.

La juventud mexicana es tan aplicada a las letras desde su tierna edad que excede en mucho a la de Lima. Luego que aprenden a escribir mal y a traducir el latín peor, la ponen en los muchos colegios que hay, para que se ejerciten en la ciencia del *ergo*. Todos los colegios de México asisten de mañana y tarde a la universidad, y es gusto ver a aquellos colegiales, que van en dos filas, disputar por las calles, y a otros repasar sus lecciones. En la universidad se convidan los chiquitos para resumir los silogismos. En los colegios no se ve otro entretenimiento que el del estudio y disputa, y hasta en las puertas de las asesorías y en las barberías no se oye otra cosa que el *concedo majorem*, *nego minorem*, *distingo consequens* y *contra ita argumentor*, con todas las demás jergas de que usan los lógicos, de suerte que no hay barrio de toda aquella gran ciudad en donde no se oiga este ruido, a pesar del que hacen los muchos coches y pregoneros de almanaques, novenas y otros impresos, como asimismo de los que venden dulces y otras golosinas.

De este continuo estudio se aumentan las reumas y fluxiones, más comunes entre la gente que se dedica al estudio y meditación nocturna, y por estas razones los sujetos más aplicados se imposibilitan de continuar estas fuertes tareas desde la edad de cincuenta años en adelante, y menos escribir asuntos de mucha importancia. Ellos mismos han publicado y publican esto, diciendo que sus cabezas están voladas. Cualquiera se lo cree al ver sus aspectos pálidos y descarnados y sus bocas desiertas de dientes y muelas; así sólo hacen composiciones que no necesitan mucha incubación, como un sermón o la descripción de unas fiestas, con sus poesías muy chistosas y pinturas que alegran su imaginación. Éste, señor inca, ha sido el principio para atribuir a los españoles americanos una debilidad de juicio que ni aun existe en los criollos de México de vida poltrona y valetudinaria. Yo comuniqué a muchos de éstos en México y los hallé de un juicio muy cabal y muy chistosos en sus conversaciones, y al mismo tiempo advertí que aquella gran población tenía muchos abogados y médicos de trabajo continuo, y la mayor parte criollos de aquella gran ciudad. Por lo menos los abogados necesitan registrar libros, leer procesos, dictar pedimentos y hacer defensas en los reales estrados. Para todo esto necesitan fatigar el discurso, como asimismo los médicos, que son los hombres más contemplativos, o a lo menos deben serlo, por lo mismo que son señores de horca y cuchillo. De todo lo dicho se infiere que una parte considerable de los criollos de México conserva la suficiente robustez y fortaleza del cerebro para el estudio y meditaciones ».

« Esto supuesto, señor don Alonso — le repliqué —, ¿qué principios tuvo la opinión de que los españoles americanos perdían el juicio a los cincuenta o sesenta años? » « A que — me respondió — que el mismo que tuvo el gran Quevedo para escribir la siguiente copla:

Deseado he desde niño,
y antes, si puede ser antes,
ver un médico sin guantes,
un abogado lampiño,
un poeta con aliño
y un criollo liberal,
y no lo digo por mal.

No por bien — dijo el visitador —, porque en la América, contrayéndome a la sátira contra los criollos, no solamente son liberales, sino pródigos. Es cierto que los peruleros son los más económicos de todos los americanos, y aun con todo eso han disipado crecidos caudales en corto tiempo, no solamente en su país, sino en España y otras partes de la Europa, como es notorio.

Nadie ignora el fin de las generosidades de la juventud. Los hombres de juicio que se mantienen honestamente son tenidos en todo el mundo por avaros y hombres que se afanan por atesorar. Por lo general, éstos, señor inca, no son aquellos avaros de que habla el evangelio, sino unos hombres muy benéficos al Estado. Estos son los que remedian doncellas, socorren viudas y pobres de obligaciones y que sostienen los hospitales. Los generosos, a quien celebra el mundo, no son más que unos disipadores de lo que produce, y, por lo regular, de la industria ajena. Toda su generosidad se reduce a aumentar su tren y a consumirse en cosas vanas, dejando a su familia y descendientes un patrimonio de viento.

Pero, voviendo a nuestro asunto, pregunto

38. Fray Benito Jerónimo Feijóo (1675-1764), el famoso crítico y tratadista español. 39. tontas o idiotas.

yo: ¿Qué agravio se hace a los españoles americanos con decirles que así como se adelanta en ellos el juicio, se desvanecía a los sesenta años de edad, o a los cincuenta, como aseguraron algunos? El señor Feijóo[38] niega que se adelante el juicio, pero concede que se adelanta en la aplicación, que es lo mismo. Asienta que se gradúan muchos criollos de doctores, en ambos derechos, a la edad de veinte años. Antes de graduarse es natural que hayan sido maestros en las facultades que estudiaron, como es común en América, sin ser catedráticos. Es natural que los treinta años restantes se ocupen en la enseñanza pública y progresos de sus estudios. Si los españoles europeos, y lo mismo digo de las demás naciones, dan principio a los estudios mayores desde la edad de veinte años, en que los americanos ya están graduados, o capaces de graduarse de doctores, es natural que aquéllos por su más lento estudio no se puedan graduar hasta la edad de treinta y cinco, hablando de los ingenios comunes, y tampoco puedan servir al orbe literario arriba de veinticinco años, como los criollos treinta, porque de sesenta años en adelante son muy pocos los que se dedican a la enseñanza pública, o porque causa mucha molestia o porque están ocupados en el ministerio secular y eclesiástico. Si los americanos saben tanto a la edad de cincuenta años como los europeos a los sesenta, y fueron tan útiles por su doctrina y escritos, deben ser más aplaudidos, así como aquel operario que con igual perfección hace una estatua en un día, como otro en dos. Lo cierto es que hay países en que se conserva más que en otras partes la robustez del cerebro, y así entre Lima y México hay una gran diferencia. En México, la sequedad y sutilidad de los aires, y otros influjos, destemplan el cerebro y causan insomnios. Al contrario sucede en Lima, porque sus aires espesos y húmedos fortalecen los cerebros, conciliando el sueño, con que dejan las potencias ágiles para continuar la tarea de meditación. Los mexicanos no pueden dejar de debilitarse mucho con los frecuentes baños de agua caliente.

¿Tiene usted otra cosa que preguntar, señor inca? » « Pregunto primeramente — le dije — si usted tiene por escandaloso el traje de las mujeres de Lima y demás de este reino del Perú ». « Es usted — me dijo — un pobre diablo de los muchos que hay en este reino y en otras partes del mundo. Los trajes patrios y de uso común no son escandalosos. Los retratos de las grandes princesas católicas nos dan una idea de las costumbres de los países. Estas grandes señoras son el modelo de la honestidad, y sin embargo descubren sus brazos hasta el codo, y su garganta y pecho hasta manifestar el principio en que se deposita nuestro primer alimento. El ajuste de su cintura para arriba lo permite así en los trajes que llaman de corte, porque para los días ordinarios, en que no necesitan lucir sobre su pecho los costosos collares, usan pañuelos de finísimas gasas que tapan el escotado. Este mismo orden, y aún con más rigor, sigue la grandeza y, a su imitación, es pueblo honesto. Las que se exceden en este ceremonial son reputadas por deshonestas y escandalosas y vituperadas de la gente de juicio. De medio cuerpo abajo, las señoras europeas se visten hasta el tobillo, y solamente las públicas danzarinas visten a media pierna, para manifestar la destreza de sus cabriolas, pero tienen la precaución de ponerse calzones de raso liso negro, para no escandalizar al público.

Las señoras limeñas y demás que residen desde Piura a Potosí, y lo mismo digo de la gente plebeya, a excepción de las indias y negras bozales, siguen opuesto orden a las europeas, mexicanas y porteñas; quiero decir, que así como éstas fundan su lucimiento mayor desde el cuello hasta el pecho, y adorno de sus brazos y pulseras, las limeñas ocultan este esplendor con un velo nada transparente en tiempo de calores, y en el de fríos se tapan hasta la cintura con doble embozo, que en la realidad es muy extravagante. Toda su bizarría la fundan en los bajos, desde la liga a la planta del pie. Nada se sabe con certeza del origen de este traje, pero yo creo que quisieron imitar las pinturas que se hacen de los ángeles. Las señoras más formales y honestas en este país descubren la mitad de la caña de su pierna. Las bizarras o chamberíes toman una andana de rizos hasta descubrir el principio de la pantorrilla, y las que el público tiene por escandalosas, y que en realidad lo son, porque este concepto es suficiente, elevan sus faldellines a media porta, como cortinas imperiales. Éstas tratan a las señoras de juicio como a señoras de antaño, y a las jóvenes que las imitan, como a opas.[39] Aquéllas son celebradas de la gente sin juicio, y a éstas las aplauden las personas de honor y talento, y mucho más los hombres y mujeres de virtud.

« ¿Hay más preguntas, señor inca? » « Sí, señor — le respondí —, y no acabaría hasta el día del juicio si Dios nos diera a usted y a mí tanta vida como a Elías y Enoc. Pregunto lo segundo: Si en México y Lima, que usted reputa por las dos cortes más enfermizas del imperio español americano, viven sus habitantes tanto como en los demás países de sus dominios». «Digo que sí». «¿Y en qué consiste?» — le repliqué yo —. «A que — me respondió — que la misma destemplanza de los países obligaba a sus habitantes a hacerlos más cautos en sus alimentos. De México tengo poca práctica, pues aunque estuve en aquel dilatado imperio diez años, y de residencia en México más de cinco, no hice reflexión, porque no la tenía, para un asunto de tanta seriedad; pero tengo presente haber comunicado muchos viejos de ambos sexos de setenta años y de mucho juicio. Llegué a Lima el de 1746, con treinta años cumplidos, y aunque en los primeros cuatro me ocupé en ideas generales y en aquellas fantasías en que se ejercitan los mozos hasta esa edad, reconocí después que en Lima hay tantos viejos, y acaso más que en otros países, que se reputan por sanos.

(Capítulo XXVI).

DESCRIPCIÓN LACÓNICA DE LA PROVINCIA DEL TUCUMÁN POR EL CAMINO DE POSTAS

Desde la Esquina de la Guardia hasta el río de la Quiaca tiene de largo, por caminos de postas, situadas según la proporción del territorio, 380 leguas itinerarias, reguladas con dictamen de los mejores prácticos. Las 314 camino de carretas, del tamaño que dejo delineadas, tierra fecunda; y las 66 restantes camino de caballerías corriente y de trotar largo. País estéril, hasta Salta o Jujuy es temperamento muy benigno, aunque se aplica más a cálido, con algo de húmedo. Con algunas precauciones, como llevo dicho, se puede caminar con regalo, porque hay abundancia de gallinas, huevos y pollos, de buen gusto y baratos. La caza más común es de pavas, que es una especie de cuervo, aunque de mayor tamaño. No es plato muy apetecible, y así, sólo puede servir a falta de gallinas. También hay en la jurisdicción de San Miguel, y parte de Salta, una especie entre conejo y liebre, de una carne tan delicada como la de la polla más gorda, pero es necesario que antes de desollarla se pase por el fuego hasta que se consuma el pelo, y con esta diligencia se asan brevemente, y están muy tiernas acabadas de matar. Todo lo demás, en cuanto a caza, sólo sirve a los pasajeros para mero entretenimiento. Los ríos del tránsito, como llevo dicho desde luego, tienen algún pescado, pero el pasajero jamás hace juicio de él, ni para el regalo ni para suplir la necesidad. Las bolas,[40] quirquinchos, mulitas y otros testáceos, sólo causan deleite a la vista y observación de las precauciones que toman para defenderse y mantenerse, y sólo en un caso de necesidad se puede aprovechar de sus carnes, que en la realidad son gustosas.

No hemos visto avestruces, como en la campaña de Buenos Aires, ni los han visto los cazadores de la comitiva, que atravesaban los montes por estrechas veredas, ni en algunas ensenadas, ni tampoco han visto una víbora, siendo su abundancia tan ponderada. Son muy raras las perdices que se encuentran, así como en las pampas son tan comunes. El visitador nos dijo que había atravesado tres veces las pampas y una los montes del Tucumán, y que ni él ni todos los de la comitiva habían visto un tigre, pero que no se podía dudar había muchísimos, respecto de la especie poco fecunda, por las muchas pieles que se comercian en estas dos provincias, y se llevan a España y se internan al Perú, aunque en menos abundancia, por lo que no se puede dudar de lo que no se ve, cuando hay pruebas tan claras. No cree que la gran culebra boba, llamada *ampalaba*,[41] de que hay muchas en los bosques de la isla de Puerto Rico y otras muchísimas partes, atraiga a los animales de que dicen se mantiene. Este animal, monstruoso en el tamaño, sólo se halla en los montes más espesos, y siendo tan tardío en las vueltas con dificultad encontraría conejos, y mucho más venados que atraer, por lo que se persuade que se mantiene de algunos insectos, y principalmente del jugo de los árboles en que los han visto colocados, afianzándose en la tierra con la cola, que tienen en forma de caracol o de barreno. Cuando pasa, o se detiene a tragar algún animal proporcionado a sus fuerzas, va sin estrépito, y enrollándole con su cuerpo, mediante a la sujeción del trozo de cola enterrado, le sofoca y chupa como la culebra común al sapo, hasta que se lo traga sin destrozarlo. Si tiene o no atractivo o alguna especie de fascinación, no hay quien lo pueda asegurar, y sólo se discurre que algunos pequeños animalitos, como conejos, liebres o algún venado, y tal vez un ternerillo, se detenga

40. Bolas, quirquinchos, mulitas: diversos nombres de armadillos y animales cubiertos con un caparazón.
41. Llámase así en la América del Sur al *boa constrictor*.

42. bebida refrescante que se hace con algarrobas.
43. guía. 44. vino turbio, cosa que tiene mal aspecto.
45. tuétano, médula de los huesos.

asombrado con su vista, y entonces los atrape; pero se puede asegurar que esta caza no es su principal alimento, porque es animal muy torpe y se deja arrastrar vivo, como si fuera un tronco, a la cola de un caballo, y matar de cualquiera que lo emprenda, y no se turbe. Por lo menos en el Tucumán no se cuentan desgracias ocasionadas por estas monstruosas culebras, que creo son más raras que los tigres.

Acaso en todo el mundo no habrá igual territorio unido más a propósito para producir con abundancia todo cuanto se sembrase. Se han contado 12 especies de abejas, que todas producen miel de distinto gusto. La mayor parte de estos útiles animalitos hacen sus casas en los troncos de los árboles, en lo interior de los montes, que son comunes, y regularmente se pierde un árbol cada vez que se recoge miel y cera, porque la buena gente que se aplica a este comercio, por excusar alguna corta prolijidad, hace a boca de hacha unos cortes que aniquilan al árbol. Hay algunas abejas que fabrican sus casas bajo de la tierra, y algunas veces inmediato a las casas, de cuyo fruto se aprovechan los muchachos y criados de los pasajeros y hemos visto que las abejas no defienden la miel y cera con el rigor que en la Europa, ni usan de artificio alguno para conservar una especie tan útil, ni tampoco hemos visto colmenas ni prevención alguna para hacerlas caseras y domesticarlas, proviniendo este abandono y desidia de la escasez de poblaciones grandes para consumir estas especies y otras infinitas como la grana y añil, y la seda de gusano y araña, con otras infinitas producciones, y así el corto número de colonos se contenta con vivir rústicamente, manteniéndose de un trozo de vaca y bebiendo sus alojas,[42] que hacen muchas veces dentro de los montes, a la sombra de los coposos árboles que producen la algarroba. Allí tienen sus bacanales dándose cuenta unos gauderios a otros, como a sus campestres cortejos, que al son de la mal encordada y destemplada guitarrilla cantan y echan unos a otros sus coplas, que más parecen pullas. Si lo permitiera la honestidad copiaría algunas muy extravagantes sobre amores, todas de su propio numen, y después de calentarse con la aloja y recalentarse con la post aloja, aunque este postre no es común entre la gente moza.

Los principios de sus cantos son regularmente concertados, respecto de su modo bárbaro y grosero, porque llevan sus coplas estudiadas y fabricadas en la cabeza de algún tunante chusco. Cierta tarde que el visitador quiso pasearse a caballo, nos guió con su baqueano[43] a uno de estos montes espesos, a donde estaba una numerosa cuadrilla de gauderios de ambos sexos, y nos advirtió que nos riéramos con ellos sin tomar partido, por las resultas de algunos bolazos. El visitador, como más baqueano, se acercó el primero a la asamblea, que saludó a su modo, y pidió licencia para descansar un rato a la sombra de aquellos coposos árboles, juntamente con sus compañeros, que venían fatigados del sol. A todos nos recibieron con agrado y con el mate de aloja en la mano. Bebió el visitador de aquella zupia[44] y todos hicimos lo mismo, bajo de su buena fe y crédito. Desocuparon cuatro jayanes un tronco en que estaban sentados, y nos lo cedieron con bizarría. Dos mozas rollizas se estaban columpiando sobre dos lazos fuertemente amarrados a dos gruesos árboles. Otras, hasta completar como doce, se entretenían en exprimir la aloja y proveer los mates y rebanar sandías. Dos o tres hombres se aplicaron a calentar en las brasas unos trozos de carne entre fresca y seca, con algunos caracúes,[45] y finalmente otros procuraban aderezar sus guitarrillas, empalmando las rozadas cuerdas. Un viejo, que parecía de sesenta años y gozaba de vida 104, estaba recostado al pie de una coposa haya, desde donde daba sus órdenes, y pareciéndole que ya era tiempo de la merienda, se sentó y dijo a las mujeres que, para cuándo esperaban darla a sus huéspedes; y las mozas respondieron que estaban esperando de sus casas algunos quesillos y miel para postres. El viejo dijo que le parecía muy bien.

El visitador, que no se acomoda a calentar mucho su asiento, dijo al viejo con prontitud que aquella expresión le parecía muy mal, « y así, señor Gorgonio, sírvase usted mandar a las muchachas y mancebos que canten algunas coplas de gusto, al son de sus acordados instrumentos ». « Sea enhorabuena, dijo el honrado viejo, y salgan en primer lugar a cantar Cenobia y Saturnina, con Espiridión y Horno de Babilonia. » Se presentaron muy gallardos y preguntaron al buen viejo si repetirían las coplas que habían cantado en el día o cantarían otras de su cabeza. Aquí el visitador dijo: « Estas últimas son las que me gustan, que desde luego serán muy saladas. » Cantaron hasta veinte horrorosas coplas, como las llamaba el buen viejo, y habiendo entrado en el instante la madre Nazaria con sus hijas Capracia y Clotilde, recibieron mucho gusto Pantaleón y Torcuato, que corrían con la chamuscada carne. Ya el visitador había sacado su reloj dos veces, por lo que conocimos todos que se quería ausentar, pero el viejo, que lo conoció, mandó a Rudesinda y al Nemesio que cantasen tres o cuatro coplitas de las que había hecho el fraile que había pasado por allí la otra semana. El visitador nos previno que estuviésemos con atención y que cada uno tomásemos de memoria una copla que fuese más de nuestro agrado. Las primeras que cantaron, en la realidad, no contenían cosa que de contar fuese. Las cuatro últimas me parece que son dignas de imprimirse, por ser extravagantes, y así las voy a copiar, para perpetua memoria.

Dama: Ya conozco tu ruin trato
y tus muchas trafacías,[46]
comes las buenas sandías
y nos das liebre por gato.

Galán: Déjate de pataratas,[47]
con ellas nadie me obliga,
porque tengo la barriga
pelada de andar a gatas.

Dama: Eres una grande porra,
sólo la aloja te mueve,
y al trago sesenta y nueve
da principio la camorra.[48]

Galán: Salga a plaza esa tropilla,
salga también ese bravo,
y salgan los que quisieren
para que me limpie el r . . .

« Ya escampa, dijo el visitador, y antes que lluevan bolazos, ya que no hay guijarros, vámonos a la tropa », con que nos despedimos con bastante dolor, porque los muchachos deseábamos la conclusión de la fiesta, aunque velásemos toda la noche; pero el visitador no lo tuvo por conveniente, por las resultas del trago sesenta y nueve. El chiste de liebre por gato nos pareció invención del fraile, pero el visitador nos dijo que, aunque no era muy usado en el Tucumán, era frase corriente en el Paraguay y pampas de Buenos Aires, y que los versos de su propio numen eran tan buenos como los que cantaron los antiguos pastores de la Arcadia, a pesar de las ponderaciones de Garcilaso y Lope de Vega. También extrañamos mucho los extravagantes nombres de los hombres y mujeres, pero el buen viejo nos dijo que eran de santos nuevos que había introducido el doctor don Cosme Bueno en su calendario, y que por lo regular los santos nuevos hacían más milagros que los antiguos, que ya estaban cansados de pedir a Dios por hombres y mujeres, de cuya extravagancia nos reímos todos y no quisimos desengañarlos porque el visitador hizo una cruz perfecta de su boca, atravesándola con el índice. Aunque los mozos unos a otros se dicen machos, como asímismo a cualquiera pasajero, no nos hizo mucha fuerza, pero nos pareció mal, que a las mozas llamasen machas; pero el visitador nos dijo que en este modo de explicarse imitaban al insigne Quevedo, que dijo con mucha propiedad y gracia: « Pobres y pobras », así éstos dicen machos y machas, pero sólo aplican estos dictados a los mozos y mozas. [. . .]

Si la centésima parte de los pequeños y míseros labradores que hay en España, Portugal y Francia, tuvieran perfecto conocimiento de este país, abandonarían el suyo y se trasladarían a él: el cántabro español, de buena gana; el lusitano, en *boahora*, y el francés *très volontiers*, con tal que el Gran Carlos, nuestro Monarca, les costeara el viaje con los instrumentos de la labor del campo y se les diera por cuenta de su real erario una ayuda de costas, que sería muy corta, para comprar cada familia dos yuntas de bueyes, un par de vacas y dos jumentos, señalándoles tierras para la labranza y pastos de ganados bajo de unos límites estrechos y proporcionados a su familia, para que se trabajasen bien, y no como actualmente sucede, que un solo hacendado tiene doce leguas de circunferencia, no pudiendo trabajar con su familia dos, de que resulta, como lo he visto prácticamente, que alojándose en los términos de su hacienda, una o dos familias cortas se acomodan en unos estrechos ranchos, que fabrican de la mañana a la noche, y una corta ramada para defenderse de los rigores del sol, y preguntándoles que por qué no hacían casas más cómodas y desahogadas, respecto de tener abundantes maderas, respondieron que porque no los echasen del sitio o hiciesen pagar un crecido arrendamiento cada año, de cuatro o seis pesos; para esta gente inasequible, pues aunque vendan algunos pollos, huevos o corderos a algún pasajero no les alcanza su valor para proveerse de aquel vestuario que no fabrican sus mujeres, y para zapatos y alguna yerba del Paraguay, que beben en agua hirviendo, sin azúcar, por gran regalo.

No conoce esta miserable gente, en tierra tan abundante, más regalo que la yerba del Paraguay,

46. arterías, falsedades. 47. tonterías. 48. riña o pendenca.

49. especie de acacia. 50. ave de rapiña de la América del Sur. 51. sopa muy clara; gachas.

y tabaco, azúcar y aguardiente, y así piden estas especies de limosna, como para socorrer enfermos no rehusando dar por ellas sus gallinas, pollos y terneras, mejor que por la plata sellada. Para comer no tienen hora fija, y cada individuo de estos rústicos campestres, no siendo casado, se asa su carne, que es principio, medio y postre. A las orillas del río Cuarto hay hombre que no teniendo con qué comprar unas polainas y calzones mata todos los días una vaca o novillo para mantener de siete a ocho personas, principalmente si es tiempo de lluvias. Voy a explicar cómo se consume esta res. Salen dos o tres mozos al campo a rodear su ganado, y a la vuelta traen una vaca o novillo de los más gordos, que encierran en el corral y matan a cuchillo después de liado de pies y manos, y medio muerto le desuellan mal, y sin hacer caso más que de los cuatro cuartos, y tal vez del pellejo y lengua, cuelgan cada uno en los cuatro ángulos del corral, que regularmente se compone de cuatro troncos fuertes de aquel inmortal guarango.[49] De ellos corta cada individuo el trozo necesario para desayunarse, y queda el resto colgado y expuesto a la lluvia, caranchos[50] y multitud de moscones. A las cuatro de la tarde ya aquella buena familia encuentra aquella carne roída y con algunos gusanos, y les es preciso descarnarla bien para aprovecharse de la que está cerca de los huesos, que con ellos arriman a sus grandes fuegos y aprovechan los caracúes, y al siguiente día se ejecuta la misma tragedia, que se representa de Enero a Enero. Toda esta grandeza, que acaso asombrará a toda la Europa, se reduce a ocho reales de gasto de valor intrínseco, respecto de la abundancia y situación del país.

Desde luego que la gente de poca reflexión graduará este gasto por una grandeza apetecible, y en particular aquellos pobres que jamás comen carne en un año a su satisfacción. Si estuvieran seis meses en estos países, desearían con ansia y como gran regalo sus menestras aderezadas con una escasa lonja de tocino y unos trozos de carne salada, pies y orejas de puerco, que no les faltan diariamente, como las migas y ensaladas de la Mancha y Andalucía, con la diferencia que estos colonos, por desidiosos, no gozan de un fruto que a poco trabajo podía producir su país, y aquéllos por el mucho costo que les tiene el ganado, que reservan para pagar sus deudas, tributos y gabelas. En la Europa, la matanza por Navidad de un cebón, que es una vaca o buey viejo invernado y gordo, dos o tres cochinos, también cebados, es el principal alimento de una familia rural de siete a ocho personas para aderezar las menestras de habas, fríjoles, garbanzos y nabos, de que hacen unas ollas muy abundantes y opíparas, independientes de las ensaladas, tanto cocidas como crudas, de que abundan por su industria, como de las castañas y poleadas,[51] que todo ayuda para un alimento poco costoso y de agradable gusto, a que se agrega el condimento de ajos y cebollas y algún pimiento para excitar el gusto, de que carecen estos bárbaros por su desidia, en un país más propio por su temperamento para producir estas especies. Éstos así están contentos, pero son inútiles al Estado, porque no se aumentan por medio de los casamientos ni tienen otro pie fijo y determinado para formar poblaciones capaces de resistir cualquier invasión de indios bárbaros. [. . .]

(Primera parte, Capítulo VIII).

La figura que, sin pertenecer íntegramente a las letras, ornamenta la literatura de este período con colorido más original es la de Fray Servando Teresa de Mier (México; 1763-1827). El gran acontecimiento de su vida — origen de sus desventuras e indirectamente de sus páginas autobiográficas y aun de su pensamiento político — es de 1794, y se da dentro de la vida cultural de la Iglesia. Nos referimos a su sermón negando la tradición popular de la Virgen de Guadalupe y afirmando la predicación del Evangelio en América, antes de la llegada de los españoles ¡nada menos que por el mismo Santo Tomé! De aquí nacieron sus desventuras: de tener Mier razón, los americanos no deberíamos a España ni siquiera la fe . . . Mier no está desconforme de la Iglesia, sino de España. Si se hubiera quedado en lo que acabamos de referir, Mier sería una de las tantas mentalidades eclesiásticas que, cuando ya había triunfado la Ilustración, todavía insistían en una visión estrafalaria del mundo. Pero se engrandeció humanamente por las crueles persecuciones que padeció, y al engrandecerse abrazó causas políticas que lo pusieron en la serie histórica de la Independencia. No perdamos de vista, sin embargo, que Mier tiene una cabeza formada en ideas del pasado; que defendía la fe católica contra los herejes (jansenistas, deístas, ateos) y, en última instancia, aunque se asocie a los esfuerzos de la Independencia, justificará su acción, no con los principios de la filosofía política de la Ilustración, sino con el mito de que Santo Tomé había predicado en América: « así como Santo Tomé profetizó la venida de los españoles, dejó también predicho el fin de la dominación, y poco más o menos ésta es la época. » Este mito — como el de Santiago el Apóstol en España: y, de paso, Mier los asocia — aparta a Mier del movimiento intelectual nuevo. Pero no fué un misoneísta, y a veces critica a los frailes por sus miras estrechas. Tenía la cosmovisión de un sacerdote, aunque no el temperamento de un sacerdote. Le faltaba humildad, mansedumbre, quietud. Y de este conflicto psicológico nacerá la originalidad de su persona y las contradicciones de su literatura. Sus páginas autobiográficas — que algunos editores han reunido con el título genérico de *Memorias* — nos hacen conocer a Mier en sus contactos dolorosos con la vida eclesiástica. Pero ganan en interés literario cuando levanta la vista y mira la realidad de los países en que vive, por ejemplo, Francia, Italia y España. Habla de sus propios infortunios — insistiendo siempre en que se le persigue porque, por ser americano, su superioridad intelectual es intolerable a los españoles — y describe las circunstancias sociales más inmediatas, las que están enredadas con sus viajes. Su prosa corre rápida pero dignamente. De vez en cuando, un epigrama feliz. A veces, en dos rasgos, aparece un personaje que merecería vivir en un cuento. Si sus memorias son novelescas, puede discutirse: nadie discutirá que él, Fray Servando, fué héroe de novela.

Fray Servando Teresa de Mier

VIAJES

Después de haber descansado ocho o diez días en Valladolid, proseguí mi viaje, siempre en calidad de clérigo francés emigrado, sobre un carro catalán, carruaje incomodísimo que me estropeó el juicio. En llegando a Madrid, me fuí a casa de Don Juan Cornide, que vivía junto con Filomeno, hoy Fiscal de la Habana, de donde es natural. Me avisaron que León,[1] furioso de que hubiese escapado de sus garras la presa, había mandado arrestar todo el convento de San Francisco de Burgos; pero el alcalde mayor había informado que los religiosos le hicieron ver mis manos estampadas con sangre en la pared, lo que probaba que mi fuga había sido sin su cooperación. Igualmente hallé que León había mandado poner requisitorias[2] contra mí por toda España. ¿Se creerían atentados semejantes? ¿No se juzgaría, a vista de estos escándalos, que yo era algún asesino, salteador de caminos, o reo de lesa majestad? Como tal me acusó después León,

1. personaje mencionado anteriormente. 2. despachos para detenerlo. 3. oficial de covachuela, nombre que se dió antiguamente a las secretarías del despacho universal, situadas en las bóvedas del palacio real, en Madrid. 4. en este caso, « medios. » 5. órdenes de pago, escritas. 6. documento de pago, que se cobra a su presentación 7. partidario de Jansenio, teólogo holandés (1585-1638). 8. del nombre de un alquilador de coches en Madrid; coche de punto. 9. nitrato de plata. 10. Manuel Godoy (1767-1851), ministro de Carlos IV y amante de la reina María Luisa.

únicamente fundado en que el Arzobispo informó que había sido procesado por dos Virreyes, aunque tenía León en su poder la carta en que el Conde de Revillagigedo desmentía al Arzobispo. Ya se supone que todo no era más que una maldad de ese inicuo covachuelo.[3]

El de México, D. Zenón, me envió a avisar que de propósito había dejado sin requisitoria la Cataluña, para que por allí pudiera escapar a Francia; pero por allí carecería yo absolutamente de arbitrios.[4] La falta de dinero era la que me ponía en los mayores peligros. Mi buen hermano D. Froilán, que de Dios haya, no cesaba de escribir desde Monterrey que allá no se encontraban libranzas[5] para España; pero que en ésta tomara yo dinero, y librase contra él a la letra vista.[6] Mucho más fácil es hallar quien dé dinero en España para recibirlo en América; y en tiempo de guerra, que hubo casi siempre con Inglaterra desde que fuí a la Península, es casi imposible. España vive de la América, como Roma de las Bulas; y en cuanto se dificulta el transporte marítimo, no se encuentra allí sino hambre y miseria. El Obispo de la Habana, Espiga, para venir entonces a su Obispado, para donde una orden, a rajatablas, le hizo partir por Jansenista[7] y amigo de Urquijo, se habilitó tomando el dinero a dos cientos por ciento. ¡Cómo yo había de hallar dinero!

Por el lado de Navarra tenía el arbitrio del clérigo francés contrabandista, que estaba en Agreda. Éste también era amigo de D. Juan Cornide, quien tenía por allí relaciones, a causa de estar su hermano D. Gregorio de Provisor en Francia. Habló, pues, para transportarme con unos arrieros de Agreda, y él y Filomeno me sacaron por la puerta de Fuencarral en un coche simón[8] haciendo algazara al pasar por ella, para desvelar a los guardias toda sospecha. A un cuarto de legua me entregaron a los arrieros, que ya llevaban mi baúl, en calidad de clérigo francés emigrado; y para suplir mis títulos, etc., me dió Cornide los del difunto Doctor Maniau, de quien fué albacea, y me convenían en todo por ser de mi edad y graduación. Montó en un mulo el nuevo Maniau, y a la noche fuimos a posar en el mesón de los arrieros, extramuros de Alcalá de Henares.

A las ocho de la noche me asustó un tropel, y eran los mismos Cornide y Filomeno, que, habiendo obtenido una copia de la requisitoria, venían a mudarme de señas. En efecto, me transformaron diabólicamente, hasta ponerme con piedra infernal[9] un lunar sobre la nariz y otro sobre el labio superior. No me habría conocido la madre que me parió. Y con todo, respecto de que León decía en la requisitoria que era bien parecido, risueño y afable, me exhortaron a ponerme taciturno, triste y feo. Por eso, en divisando guardias, torcía los morros, me ponía bizco, y ejecutaba a la letra el último grito del ejercicio portugués, poner las caras feroces a los enemigos. Sin embargo, no nos atrevimos a entrar por la puerta de Agreda, donde había dos requisitorias, la del Gobierno, y otra del alcalde mayor de Burgos; y el arriero por un portillo me llevó a su casa.

Era uno de los confidentes de mi clérigo contrabandista, y éste vino a verme. Le entregué mi baúl, que aún tiene en su poder, y él me entregó a otro confidente suyo, para que me condujese a Pamplona, recomendado a una casa de comercio francesa que yo también conocía, para que me introdujeran en Francia. Al salir de Aragón para Navarra, ví las extravagancias despóticas y ruinosas de España, pues se hace un registro más riguroso del dinero que uno lleva de reino a reino que en las fronteras. Aunque todo mi equipaje se reducía a un saquillo de ropa, que derramaron los guardias por el suelo, y a ocho duros que llevaba registrados, pasaron también con una lezna el forro del Breviario, por si llevaba allí algún oro.

Llegué a Pamplona, cuatro días después de haber llegado Urquijo preso a su ciudadela, y del mesón me fuí a casa del comerciante francés. « No vuelva usted a la posada, me dijo, porque acaban de prender a dos, creyendo que son usted y Cuesta el Arcediano de Ávila, fugitivo por la docta pastoral que puso y publicó su Obispo ». Éste era el tiempo crítico de la persecución levantada por Godoy[10] (llamado en un Breve de Roma, por eso columna de la religión) contra los Jansenistas. Así se llaman en Europa todos los hombres sólidamente instruídos en la religión, y amigos de la antigua y legítima disciplina de la Iglesia.

Inmediatamente hizo llamar mi francés a un arriero que había llevado muchos clérigos a Francia por encima de los Pirineos. Vino con su mula, y, siguiéndola, salimos el comerciante y yo, repartiendo él a los guardias algunas pesetas. Monté al cabo del paseo de la Taconera, y nos encargó que aquella noche nos internáramos todo lo posible en los Pirineos, como lo hicimos, caminando hasta las dos de la mañana, en que llegamos a Hostiz, helados de frío. Otro día atravesamos el Valle de Bastán, y al tercero dormimos en Cincovillas, desde donde se ve el mar, Bayona y todos sus alrededores, blanqueando en el campo como una vacada. No estuve muy contento en la posada, porque allí estaban las guardias y tenían la requisitoria; pero el informe del arriero muy conocido, de ser yo clérigo francés, lo que confirmaba mi fisonomía y pelo, mis lunares y el acento mexicano (que ellos decían ser de extranjero, y que en Andalucía hace pasar a los mexicanos por portugueses o castellanos, y en Castilla por andaluces) me pusieron en salvo.

A otro día pasamos por Ordaz, último lugarcito de España por aquel lado, y mi afán era saber dónde era la raya de Francia. « Ésta es », me dijo el arriero, señalándome un arroyito muy pequeño y somero. Lo pasé, me apée, y tendí de bruces en el suelo. — ¿Qué hace usted?, me dijo él. He pasado el Rubicón,[11] le respondí, no soy emigrado, sino mexicano, y no traigo sino este pasaporte (era el de Maniau) de México para España. — No importa, dijo, los gendarmes no entienden castellano, y en viéndolo tan grande, le quitarán a usted el sombrero[12] como a un gran personaje. — Y así fué.

Dormimos en Añoa, primer lugar de Francia, esto es, de los Vascos o Vizcaínos franceses, porque Vizcaya es parte de España y parte de Francia, y de una y otra vienen a América como españoles, así como de la Cataluña francesa y española. A otro día, para entrar en Bayona, que es plaza murada, el arriero me hizo apear, y que fuera a entrar confundido con la gente del paseo público, donde por primera vez ví los coches tirados por bueyes. Fué inútil esta diligencia, porque el guardia me extrañó a causa del vestuario, y de ir con botas, y todo cubierto de polvo del camino. Me llevó a la municipalidad, donde presenté mi pasaporte mexicano, y como no lo entendieron, me dieron mi carta o boleta de seguridad. Todo esto era muy necesario en aquel tiempo por las turbulencias, aún no bien apagadas, de la República. Todavía lo era, aunque gobernada por Cónsules, siendo Bonaparte el primero. Aquel día era viernes de Dolores del año de 1801.

¿Qué hacer para vivir, especialmente siendo yo muy pundonoroso, conforme a mi nacimiento, e incapaz no sólo de pordiosear, sino de manifestar mi miseria? Sufría tragos de muerte, y no los hubiera pasado si fuese libertino. Una casualidad me hizo entrar, sin saberlo, en la gran Sinagoga de los judíos del barrio de Sancti-Spiritus. Se estaban cantando los Salmos en castellano y se predicó en castellano. Todos los judíos de Francia y casi toda Europa, excepto Alemania, son españoles de origen, y muchos de naturaleza; porque yo los veía llegar a Bayona a circuncidarse; todos hablaban español, hombres y mujeres; en español están sus Biblias, en español todos sus rezos, y tienen sobre esto tal etiqueta, que, habiéndose casado en Bayona una judía alemana que no entendía español, aunque el contrato matrimonial se le puso también en hebreo para que lo entendiera, se le leyó primero en castellano, y éste fué el que firmó. Y aún conservan en todo las costumbres españolas, como también son los que principalmente comercian con España, por la cual todos han pasado. La causa de tanto empeño en conservar todo lo español, es porque dicen que los que vinieron a España, enviados por el Emperador Adriano, son de la tribu de Judá.

Entré yo puntualmente a la Sinagoga, a otro día de haber llegado, y era puntualmente la pascua de los ázimos y el cordero. El Rabino predicó probando, como siempre se hace en esa pascua, que el Mesías aún no había venido, porque lo detienen los pecados de Israel. En saliendo de la Sinagoga todos me rodearon para saber qué me había parecido el sermón. Ya me habían extrañado, porque yo llevaba cuello eclesiástico y porque me quité el sombrero, cuando al contrario todos ellos lo tienen puesto en la Sinagoga, y los Rabinos que eran de oficio, un almaizal[13] además sobre la cabeza. Sólo en el cadí o conmemoración de los difuntos, que entona siempre un huérfano, se suelen descubrir las cabezas en la Sinagoga. Y el modo que tienen para conocer si uno es judío, es preguntarle en hebreo ¿cómo te llamas? Yo deshice en un momento todos los argumentos del Rabino predicador, y me desafiaron a una disputa pública. La admití, y como tenía en las uñas la demostración evangélica del Obispo Huet[14] me lucí tanto en la disputa, que me ofrecieron en matrimonio una jovencita bella y rica llamada Raquel, y en

11. referencia a la decisión de Julio César de atravesar ese río del norte de Italia para iniciar la campaña de las Galias. 12. se quitarán el sombrero ante usted. 13. toca de gasa. 14. probablemente, Pedro Daniel Huet (1630-1721), teólogo, erudito y filósofo francés. 15. consideración. 16. salir a recibirlo con grandes agasajos. 17. fácilmente, en gran cantidad. 18. Francisco Antonio Zea (1770-1822), naturalista y patriota colombiano. 19. Nicolás Freret (1688-1749), literato e historiador francés, considerado como fundador de la filología comparada. 20. El poco observador no emite juicios hondos.

francés Fineta, porque todos usan de dos nombres, uno para entre ellos y el otro para el público; y aún me ofrecían costearme el viaje a Holanda, para casarme allí, si no quería hacerlo en Francia.

Rehusé, ya se supone, su oferta; pero quedé desde aquel día con tanto crédito entre ellos que me llamaban Jajá, es decir, sabio; era el primer convidado para todas sus funciones; los Rabinos iban a consultar conmigo sus sermones, para que les corrigiese el castellano, y me hicieron un vestido nuevo. Cuando yo iba por curiosidad a la Sinagoga, como otros españoles, los Rabinos me hacían tomar asiento en su tribuna o púlpito. Y acabada por la noche la función, yo me quedaba solo con el Rabino que estaba de oficio, para verle estudiar lo que se había de leer a otro día. Sacaba entonces la ley de Moisés que, cuando está el pueblo, se saca con gran ceremonia y acatamiento, inclinándose todos hacia ella. Está en rollos, y sin puntos, con solas las letras consonantes, y la estudiaba el Rabino, leyéndole yo en la Biblia con puntos. Y luego apagaba yo las velas de las lámparas, porque ellos no pueden hacerlo, ni encender fuego para hacer de comer o calentarse los sábados. Se sirven para todo esto de criadas cristianas, y yo les decía, por lo mismo, que su religión no podía ser universal.

Como estaba todavía de buen aspecto, tampoco me faltaban pretendientes entre las jóvenes cristianas, que no tienen dificultad en explicarse; y cuando yo les respondía que era sacerdote, me decían que eso no obstaba si yo quería abandonar el oficio. La turba de sacerdotes que por el terror de la revolución, que los obligaba a casarse, contrajeron matrimonio, les había quitado el escrúpulo. En Bayona y todo el departamento de los bajos Pirineos hasta Dax, las mujeres son blancas y bonitas, especialmente las Vascas, pero nunca sentí más el influjo del clima que en comenzando a caminar para París, porque sensiblemente ví desde Montmarzan, a ocho o diez leguas de Bayona, hasta París, hombres y mujeres morenos, y éstas feas. En general, las francesas lo son, y están formadas sobre el tipo de las ranas. Malhechas, chatas, boconas, y con los ojos rasgados. Hacia el Norte de la Francia ya son mejores.

Yo, para vivir en Bayona, recurrí a los clérigos emigrados a España que me habían favorecido en la traslación de Burgos a la Coruña. A contemplación[15] del Gobierno francés salió orden en 1797, mandando salir de España para las islas Canarias y Baleares a los pobres sacerdotes franceses, y los de Burgos la tuvieron para este efecto de pasar a la Coruña. Yo dirigí a su nombre una súplica circular al clero burgalés, para ayudarlos, a fin de hacer su viaje. Gustó tanto que el clero, entusiasmado, salió con bandejas[16] para trasportar con decencia sesenta sacerdotes, que en obsequio mío vinieron a montar ante el convento de San Pablo donde yo estaba. Los infelices me enviaron a Bayona cuarenta francos, con que determiné, al cabo de dos meses, internarme en Francia. Lo que me faltaba era pasaporte; pero los judíos me hicieron advertir que en el que tenía de México para España, ésta estaba en abreviatura, y se seguía un blanquito al fin del renglón. Allí puse « y Francia »; y me embarqué en el río para Dax, distante cuatro leguas.

De allí proseguí a pie para Burdeos, distante más de treinta leguas, en compañía de dos soldados desertores de España, zapateros. Como todo el camino es un arenal, padecía infinito, y al cabo no hubiera podido llegar a Burdeos, por lo muy inflamado de mis pies, si no me hubiese embarcado en otro río. Mis zapateros comenzaron inmediatamente a trabajar, y ganaban dinero como tierra,[17] mientras que yo, lleno de teología, moría de hambre y envidia. Entonces conocí cuán bien hicieran los padres en dar a sus hijos, aunque fuesen nobilísimos, algún oficio en su niñez, especialmente uno tan fácil y tan necesario en todo el mundo. Esto sería proveerlos de pan en todos los accidentes de la vida.

Yo había recibido una carta del Embajador de España en París, D. Nicolás Azara, y otra del botánico Zea[18], porque en medio de todos mis trabajos y miserias nunca me faltó la atención y correspondencia de los sabios de la Europa. En vista de estas cartas, el Cónsul español, que necesitaba al Embajador para que le aprobase sus cuentas, mandó al Secretario que me alojase. Éste era un español, que se empeñó en hacerme ateísta con la obra de Freret,[19] como si un italiano no hubiese reducido a polvo sus sofismas. He observado que se leen con gusto los libros impíos, porque favorecen las pasiones, y no sólo no se leen sus impugnaciones, sino que se desprecian, porque el tono fanfarrón absoluto y satisfecho de los autores incrédulos pasa al espíritu de sus lectores. Y la verdad es que los tales fanfarrones son los ignorantes y los impostores. Hablan con la satisfacción que en su interior no tienen, para imponer; y si la tienen, es por su misma ignorancia. Qui respicit ad pauca de facili pronuntiat.[20]

En cuanto dicho Secretario supo que yo tenía

dinero, fingió orden del Cónsul, y me hizo pagar veinte duros de alojamiento, que se embolsó. El dinero que yo tenía procedió de la generosidad de D. José Sarea, Conde de Gijón, natural de Quito, que allí desembarcó, y traía empleado todo su dinero en azúcar de la Habana, en la cual pensaba ganar mucho. Y en efecto, no la había entonces en Burdeos. Yo lo alboroté[21] para ir a dar un paseo a París antes de entrar en España, y me llevó de intérprete. Tiraba el dinero como si estuviese en América y yo, considerando que se había de ver en gran miseria en Europa, donde todos se conjuran para despojar al americano recién venido, le iba a la mano aún cuando quería gastar en mi obsequio. Él se enfadó de esto, y me abandonó casi luego que llegamos a París. Bien se arrepintió después, porque le sobrevinieron los trabajos que yo le había predicho. El comerciante de Burdeos de quien se había valido, en lugar de vender la azúcar luego, aguardó a que se llenara de ella la plaza, con la paz de Amiens,[22] y luego, vendiéndola por nada, o fingiendo venderla, se quedó con el dinero en pago de almacenaje. Conoció al cabo el Conde mi hombría de bien y no he tenido después mejor amigo.

No quiero omitir que un francés al servicio de España, que se hizo mi amigo en Bayona, me recomendó desde Burgos con eficacia a su hermano, que ocupaba una plaza de influjo en París, porque, aunque sacerdote, le decía de mí, es hombre de bien. Me enseñó esta cláusula, y me dijo que era necesario porque todos ellos eran unos libertinos. Después ví que era cláusula corriente en la recomendación de un sacerdote. Tanto habían declamado los incrédulos contra la religión y sus ministros como unos impostores, que llegaron a impresionar al pueblo, el cual salía a cazarlos en los bosques, a donde huían cuando la revolución, diciendo que iban a matar bestias negras.

Si el francés hubiera sabido que yo era religioso, no me hubiera recomendado, porque el sobrenombre de fraile me constituía incapaz. Entre católicos e incrédulos es un oprobio, o por mejor decir, el compendio de todos los oprobios, y con decirle a uno que lo es, creen haber agotado las injurias. Equivale a hombre bajo, soez, malcriado, ocioso, pordiosero, ignorantísimo, impostor, hipócrita, embustero, fanático, supersticioso, capaz de todas las vilezas e incapaz de honor y hombría de bien. Parece increíble, y es ciertísimo. Aun en los buques de los católicos es menester no decir uno que es fraile, porque si hay alguna borrasca le echan al agua como ha sucedido varias veces. Por eso los franceses en España los mataban sin remordimiento, dentro y fuera de los conventos. Por eso ya casi no existen en Europa. José Napoleón los había extinguido en España, y allá iban las Cortes. Donde existen se les ve con el mayor vilipendio, y no se les da entrada en ninguna casa decente. Me sucedió en Madrid ir a visitar por paisana a la hija del mercader Terán, y, habiéndole pasado recado, me respondió que pusiese memorial.[23] Lo peor es que el frailazgo imprime carácter indeleble. Nada se avanza con secularizarse, ser Obispo, ni Papa. Siempre lo frailean desdeñosamente, y en Roma, para despreciar al Papa, o alguna providencia suya, dicen hombres y mujeres: « Oh, e un frate. »

(De « Apología del Dr. Mier », Capítulo IV, en *Memorias de Fray Servando*, Monterrey, 1946).

También se destaca en estos años Manuel de Zequeira y Arango (Cuba; 1764-1846). Como otros poetas neoclásicos escribió poemas didácticos, heroicos y satíricos. Acertó, sin embargo, en la nota bucólica: nos referimos a su oda « A la Piña », en la que canta las dulzuras del trópico. Con paramentos tomados de la mitología compone una especie de biografía fantástica de la piña, desde que nace hasta que la llevan al Olimpo, donde triunfa y es celebrada por los dioses. Este juego — tan típicamente neoclásico — adquiere una emoción criolla y americana cuando el poeta se enorgullece de la piña, « Pompa de mi patria. »

21. animar. 22. tratado en 1802, entre España, Francia, Inglaterra y Holanda. 23. lo dijese por escrito.

1. deidad de los frutos y de los jardines. 2. diosa latina de la agricultura. 3. cabra que crió a Júpiter; uno de sus cuernos fué después el cuerno de la abundancia. 4. Ganimedes. 5. antigua ciudad de Chipre, consagrada a Venus. 6. el trópico. 7. Júpiter.

Manuel de Zequeira y Arango

A LA PIÑA

Del seno fértil de la madre tierra,
en actitud erguida se levanta
la airosa piña de esplendor vestida,
llena de ricas galas.

Desde que nace, liberal Pomona[1]
con la muy verde túnica la ampara,
hasta que Ceres borda su vestido[2]
con estrellas doradas.

Aun antes de existir, su augusta madre
el vegetal imperio le prepara,
y por regio blasón la gran diadema
la ciñe de esmeraldas.

Como suele gentil alguna ninfa
que allá entre sus domésticas resalta,
el pomposo penacho que la cubre
brilla entre frutas varias.

Es su presencia honor de los jardines,
obelisco rural que se levanta
en el florido templo de Amaltea[3]
para ilustrar sus aras.

Los olorosos jugos de las flores,
las esencias, los bálsamos de Arabia,
y todos los aromas de natura
concentra en sus entrañas.

A nuestros campos desde el sacro Olimpo
el copero de Júpiter[4] se lanza,
y con la fruta vuelve que los dioses
para el festín aguardan.

En la empírea mansión fué recibida
con júbilo común, y al despojarla
de su real vestidura, el firmamento
perfumó con el ámbar.

En la sagrada copa la ambrosía
su mérito perdió: con la fragancia
del dulce zumo del sorbete indiano
los númenes se inflaman.

Después que lo libó el divino Orfeo,
al compás de la lira bien templada,
hinchendo con su música el empíreo,
cantó sus alabanzas.

La madre Venus cuando al labio rojo
su néctar aplicó, quedó embriagada
de lúbrico placer, y en voz festiva
a Ganimedes llama.

« La piña, dijo, la fragante piña,
en mis pensiles sea cultivada
por manos de mis ninfas; sí, que corra
su bálsamo en Idalia. »[5]

¡Salve, suelo feliz, donde prodiga
madre naturaleza en abundancia
la odorífera planta fumigable!
¡Salve, feliz Habana!

La bella flor en tu región ardiente
recogiendo odoríferas sustancias,
templa de Cáncer[6] la calor estiva
con las frescas ananas.

Coronada de flor la primavera,
el rico otoño y las benignas auras
en mil trinados y festivos coros
su mérito proclaman.

Todos los dones, las delicias todas
que la natura en sus talleres labra,
en el meloso néctar de la piña
se ven recopiladas.

¡Salve, divino fruto! y con el óleo
de tu esencia mis labios embalsama:
haz que mi musa de tu elogio digna
publique tu fragancia.

Así el clemente, el poderoso Jove,[7]
jamás permita que de nube parda
veloz centella que tronando vibre,
sobre tu copa caiga.

Así el céfiro blando en tu contorno
jamás se canse de batir sus alas,
de ti apartando el corruptor insecto
y el aquilón que brama.

Y así la aurora con divino aliento
brotando perlas que en su seno cuaja,
conserve tu esplendor, para que seas
la pompa de mi patria.

(En *Cien de las mejores poesías cubanas*, Rafael Esténger, La Habana, 1950).

México, en los treinta últimos años de la colonia, es pujante centro humanístico. El clasicismo, aunque de luz refleja, tenía calor. Se traducía, imitaba y comentaba abundantemente a Horacio, Virgilio, Ovidio, Catulo, Marcial y aun a los griegos. Sin embargo, el único escritor de la época de Carlos IV, de vocación si no de talento, fué FRAY MANUEL DE NAVARRETE (México; 1768-1809), poeta de los paisajes mexicanos, más refinado en su cultura neoclásica que fino en sus percepciones. Comenzó a publicar sus versos en 1806. Fomentó la Arcadia mexicana — una de las innumerables academias de este período —, cuyos miembros se llamaban con nombres de pastores: imitaban las anacreónticas de Meléndez Valdés. Éste le enseñó a almibarar versos eróticos; y también a leer a Young, cuyos *Night Thoughts* imita en « Noche triste » y en « Ratos tristes. » Así fué de la suave poesía pastoril de su juventud a la elegíaca de sus últimos años de desencanto. En « Poema eucarístico de la Divina Providencia » hay reminiscencias de Fray Luis de León.

Fray Manuel de Navarrete

LA DIVINA PROVIDENCIA

POEMA EUCARÍSTICO DIVIDIDO EN TRES CANTOS[1]

Canto Primero

Cuando con alas de inmortal deseo
vuelo hacia todos lados,
subo y bajo los cielos elevados,
y tantos seres veo
en su orden respectivo colocados:
Cuando la luz me guía
de la alma religión, nunca pudiera
preguntarles dudosa el alma mía:
¿Cuál es el numen misericordioso
que desde su alta esfera
cuida de tantos seres amoroso?

Alza, mortal, los ojos, ve y admira
los cuidados de Dios siempre velando
sobre toda la gran naturaleza:
Mira los bienes, los regalos mira
que está siempre manando
la fuente perennal de sus ternezas:
Todo anuncia cariños y finezas
del padre universal, del Dios de amores
que al mirar nuestra débil existencia
nos colma de favores:
Todo anuncia su amable providencia.

Ríe el alba en los cielos avisando
que viene el claro día,
y luego asoma el sol resplandeciente
a cuyo fuego blando
restaura su alegría
y su vital calor todo viviente.
Sólo Dios pudo ser tan providente:
Su infatigable empeño

1. El poema comienza con una introducción en 43 versos. De los tres cantos de que consta damos sólo el Primero.

aun en lo más pequeño
se muestra cuidadoso:
Porque ¿quién sino el Todopoderoso
dice a las aves, al dejar sus nidos,
que vuelen en bandadas
a los anchos y fértiles ejidos,
para volver cargadas
a socorrer sus míseros hijuelos,
que al padre de los cielos
en flébiles piadas
le piden el sustento?
Sólo Dios pudo hacer este portento.

Pero aún a más se extiende su cuidado,
viendo por lo que está más retirado:
Porque, ¿quién sino él mismo pule y viste
en el valle más hondo y apartado,
de tan bello color, al lirio triste?
Sólo Dios, el señor de cuanto existe.
Y si su mano ahora
hace que salga por el alto cielo
la rutilante aurora
para alegrar la habitación del suelo;
después hará a la noche que descienda
sobre nuestra morada,
y del sueño tranquilo acompañada,
hará benigno que sus alas tienda.

Entonces, cuando el cielo
parece recogerse, y que ha bajado
la tierra, y que se cubre con el velo
que la noche de estrellas ha corrido . . .
Pero el Señor no duerme . . . cuando el mundo,
de lóbregas tinieblas rodeado,
descansa en un silencio tan profundo
cual si lo hubiese Dios dado al olvido,
¿quién sino Dios entonces, al rugido
del formidable león que en la espesura
estremece los montes levantados;
quién sino Dios sus manos extendiera
para saciar el hambre de una fiera
que sale entonces de su cueva oscura?

Tales son del Eterno los cuidados:
Al fin es su criatura:
Ella, cual todas, su favor espera,
pues sólo Dios pudiera
mantener providente cuantas cosas
salieron de sus manos poderosas.

Sí, Señor, sólo tú, desde el brillante
alcázar de diamante
que elevaste en el alto firmamento,
sobre todos los seres vigilante,
y poniendo en seguro movimiento
los orbes celestiales;
sí, Señor, desde allá, según el modo
que apenas se trasluce a los mortales,
todo lo miras y lo arreglas todo.
¡Todo! . . . sí, pues no fuera consiguiente
que siendo tú el autor de lo criado,
otro fuera encargado
de ser en cosa alguna providente.
Todo lo riges acertadamente;
sin que lleve Eölo
el carro de los vientos, ni Neptuno
el cerúleo tridente:
Porque tu cetro, sólo
tu cetro de esplendor, y no otro alguno,
sobre el vasto universo representa
el gobierno del Dios que lo sustenta.

Mas ¿qué genio divino
como a recios impulsos, me ha obligado
a subir sobre el cielo cristalino?
Deja, mi musa, deja el estrellado
lugar, y en manso vuelo
baja y me muestra en el humilde suelo
las grandes profusiones
de Dios en las anuales estaciones:
Baja y canta al Señor, que va guiando
al año por las tierras circulando.

(En *Poetas novohispanos*, México, 1945).

La fábula — antiguo género moralizador y práctico — se transformó en el siglo XVIII en discusión ideológica. Los animales hablaban como filósofos, a la manera de los españoles Iriarte y Samaniego. En Hispanoamérica imitó el género, entre otros, RAFAEL GARCÍA GOYENA (Ecuador-Guatemala; 1766-1823). Escribió unas treinta y tantas fábulas, en las que pueden vislumbrarse ciertas ideas que eran nuevas en su tierra americana.

Rafael García Goyena

FÁBULAS

FÁBULA VI

Una yegua y un buey

En un soberbio caballo
por el campo se pasea
un joven haciendo alarde
de su garbo y gentileza.

El diestro jinete pone
su docilidad en prueba,
y él corresponde obediente
al manejo de la rienda.

Ya sofrenado reprime
contra el pecho la cabeza,
formando del cuello un arco
de largas, lustrosas cuerdas.

Tasca el espumoso freno;
las manos con pausa alterna,
todo el cuerpo equilibrado
sobre las patas traseras.

Bufa, y la hinchada nariz
con el resoplido suena;
su larga tendida cola
en el movimiento ondea.

Ya soltándole la brida,
y aplicándole la espuela,
tiende el cuerpo, y se dispone
a la rápida carrera.

Con ambas manos a un tiempo
el suelo hiere, y con ellas,
y los pies horizontales,
describe una línea recta.

Pero al más ligero impulso
del brazo que lo gobierna,
suspende el curso violento,
y pára haciendo corvetas.

Entre otras que allí pacían,
alzó a mirarlo una yegua,
y dando un grande relincho,
dijo a un buey que estaba cerca:

— Ese potro tan bizarro
que tanto al hombre deleita,
es hijo de mis entrañas,
y bien sus obras lo muestran.

¡Qué docilidad! ¡qué brío!
¡qué índole tan noble y bella!
¡qué paso tan asentado!
¡qué bien hecho! ¡qué presencia!

De su generosa estirpe
un ápice no discrepa:
bien empleados los desvelos
que tuve en su edad primera —.

El buey entretanto estaba
rumiándole la respuesta,
y así que acabó, le dijo
con voz reposada y seria:

— Aunque ese potro gallardo
el nacimiento te deba,
tú no tienes parte alguna
en sus adquiridas prendas.

Tú sólo alumbraste un bruto
en su física existencia,
que al arte y la industria debe
los lucimientos que aprecias.

El derecho que te asiste
es ser madre de una fiera,
indómita por carácter,
cerril por naturaleza.

Yo soy testigo de vista
de cuánto al hombre le cuesta
haber domado su furia
y adiestrado su rudeza —.

1. nombre abreviado del guardabarranco, ave de color pardo, muy canora, de Guatemala.

Así, padres de familia,
la república pudiera
responder por muchos hijos
que su población aumentan.

El hombre sin las costumbres
que la educación engendra,
en lo político toca
a la clase de las bestias.

FÁBULA XXVII

El pavo real, el guarda[1] *y el loro*

Un soberbio pavo real
de pluma tersa y dorada
con brillantez adornada
se paseaba en su corral.
El petulante animal
con aire de señorío
miraba el rico atavío
de su pluma; pero mudo,
aun en su elogio no pudo
decir: « Este pico es mío. »

Mientras tanto tomó asiento
allí cerca, un pobre guarda,
de estos de la pluma parda
que no tienen lucimiento;
pero con melífluo acento
abre la dulce garganta,
y de tal manera canta,
con voz delicada y suave,
que aun el pavón que no sabe
admiró dulzura tanta.

Necio entonces y orgulloso,
al mismo tanto que rico,
quiere imitarle, abre el pico,
y da un graznido espantoso.
Mi loro, que es malicioso,
con una falsa risilla
dijo: — ¡Bravo, qué bien brilla
con el resplandor del oro!
Mas no tiene lo canoro
de esa discreta avecilla —.

Dime musa, si has sabido
los misterios de los hados,
¿por qué están enemistados
lo rico con lo entendido?
Bajo un humilde vestido
vive el sabio en menosprecio,
mientras el soberbio necio,
lleno de oro y de arrogancia,
en medio de la ignorancia
merece el común aprecio.

FÁBULA XXX

Las golondrinas y los barqueros

Unas golondrinas
desde Guatemala,
quisieron hacer
un viaje a La Habana.

Y dando principio
a su caminata
volaron diez días
haciendo mil pausas.

Llegan a Trujillo,
y estando en la playa
en vez de temer
resuelven la marcha.

Una de prudencia
entre ellas estaba,
y les dijo: — Amigas,
mirad tantas aguas.

No nos expongamos
a morir ahogadas,
si a medio camino
las fuerzas nos faltan.

Mejor es pedir
en aquella barca
un lugar pequeño
que tal vez no falta —.

Apenas había
dicho estas palabras,
cuando respondieron
con gran petulancia:

— Barca no queremos,
pues con nuestras alas
tenemos de sobra
para ir hasta España —.

Los barqueros todos
oyendo esto estaban
y también reían
de tal petulancia.

Pasada la noche,
en la madrugada,
alzaron el vuelo
con gran algazara.

También los barqueros
hicieron su marcha
con la ligereza
que andan los piratas.

Y apenas dos leguas
llevaban andadas,
cuando ven llegar
las aves cansadas.

Con súplicas mil
todas desmayadas,
amparo pedían
a los de las barcas.

Mas ellos entonces
riendo a carcajadas,
sólo les decían: —
— ¿Pues no tenéis alas? —

Al fin perecieron
nuestras camaradas,
y así los barqueros
tomaron venganza.

Esta fabulilla
se llama la capa,
vístala el lector
si acaso le entalla.

(De *Fábulas*, Guatemala, 1950).

En los últimos años del siglo XVIII la poesía satírica, tanto la anónima como la firmada, se carga con el aire de tormenta de los temas sociales y políticos. Poesía que vale, pues, como barómetro del gran cambio que se prepara. Usaron principalmente de la agresión satírica los defensores de la tradición, que iban perdiendo terreno ante el avance de la modernidad; pero también fué la sátira cauce de inquietudes revolucionarias. La gran influencia sobre la poesía satírica de América fué Quevedo: sus temas, sus fórmulas, su lenguaje. Quevedesco es ESTEBAN DE TERRALLA Y LANDA, andaluz que vivió en México y al llegar al Perú satirizó las costumbres locales en los romances de *Lima por dentro y fuera* (1797), obra amarga, desordenada y resentida. En *Vida de muchos o sea una semana bien empleada por un currutaco de Lima* anotó, día por día, el vacío ¿de quién?, ¿de un petimetre típico? Creemos que más bien de su propia vida. Era un egocéntrico, y culpaba a los criollos de sus fracasos económicos y sociales. Se sentía perseguido. Lo que le pasaba es que no acababa de adaptarse. Se asoció a los españoles en la reacción anticriolla.

Esteban de Terralla y Landa

LIMA POR DENTRO Y FUERA

(*Fragmentos*)

¿Por Lima intentas dejar
el más poderoso Imperio,[1]
la más apreciable zona,
y el más provechoso seno?

¿Por Lima intentas dejar
la madre de los ingenios,
la escuela de la pintura,
de la academia, los metros?
¿Por Lima? ¡Terrible absurdo!
¡Notabilísimo exceso!
¿Dejar sin duda una gloria,
por un conocido infierno?

1. se refiere a México. 2. Suelen disfrazarse con una saya toda rota, tapando la cara, y descubriendo sólo un ojo. 3. La que no tiene pendientes, y quiere presentarse en los toros, comedias u otra publicidad, supone hallarse con dolor de muelas, y poniendo un pañuelo de la barbilla a la cabeza, oculta las orejas.

¿Por una sombra, una luz,
por un eclipse, un lucero,
por una muerte, una vida,
y un gusto por un tormento?
¡Oh! ¡Cómo yo te infundiera
un vivaz conocimiento,
para que reconocieses
lo que va de Reino a Reino!
Yo que en aquella ciudad
tantos aprendí escarmientos,
tantas adquirí experiencias,
tantos conseguí recuerdos.
Yo que en aquella ciudad
tantos escuché lamentos,
tantas observé desdichas,
tantos miré desconsuelos.
No puedo, no, como amigo,
dejarte sin mis consejos,
pues el daño que padezcas
lo iré yo también sufriendo.
Caudal tienes, eres joven,
galán, bizarro y discreto,
escollos pues con que muchos
en el Perú se perdieron.
Y para que reconozcas
de ese tu rumbo lo incierto,
pon atención a mis voces,
escucha pues mis acentos. [...]

Que una dice que es casada,
otra que es del monasterio,
haciéndose de las monjas
la que fué de otros conventos.
Que te pones a observar,
que ves bellísimos cuerpos
con las almas de leones,
y las pieles de corderos.
Que son ángeles con uñas
todo remilgos y quiebros,
todo cotufos y dengues,
todo quites y arremuecos.
Todo artificio y ficción,
todo cautela y enredos,
todo mentira y trapaza;
todo embuste y fingimiento.
Una lleva saya rota,[2]
buena media, manto nuevo,
buen zapato, y buena hebilla
mostrando un faldellín nuevo.
Otra no tiene zarcillos,
y fingiendo corrimiento,
disimula la carencia
poniéndose barbiquejo.[3]

Ésta viene de viuda
el rico luto luciendo,
siendo así que ha muchos años
que en su casa no hubo entierro.
Aquélla conduce un hábito
como un hermano tercero,
que si de tercera fuese
le viniera más a pelo. [...]

Pasa otra muy melindrosa
de bello garbo, buen cuerpo,
que parece cada brazo
mano de chocolatero.
Después se presenta otra
de artificioso meneo,
que voluntades conquista
del monte en descubrimientos. [...]

En las tiendas van entrando
con mil frívolos pretextos,
solicitando clarín
por tratar con trompeteros.
Una por royal pregunta,
otra solicita velo,
y las más buscan encajes
de los babosos tenderos.
Otra pregunta por puntas,
sin observar las que ha puesto
en otros varios encajes
dejando al amante preso.
Todas con gran suavidad
y el rostro muy alagüeño
el flete ajustan por codos
en las reglas del palmeo.
El mercader se enternece
tragando saliva presto,
los ojos le lagrimean,
brotando llamas por ellos.
Preguntan después si hay medias
(que ellas suelen ser los medios
del principio de una quiebra
que necesita braguero).
Él dice que sí, y sacando
va una de ellas escogiendo,
mientras que él escoge una
en su idea y pensamiento.
Toma las que más le gustan,
pero sin tratar de precio;
porque sólo se contenta
con ver si se las ha puesto.
Sólo una llega a pagarlas
pues no las paga en efecto,
ni el que es mercader por tal
ni otro algún almacenero.

Con que las viene a pagar
el comerciante europeo,
que al Perú mandó memoria
con tan poco entendimiento.
Y así en los libros de cuentas
solamente se ven ceros,
y otras cuentas de quebrados,
que jamás hacen enteros.
Después de las medias van
los cintarazos, los velos,
(De espadas debían ser
contra todos los primeros). [...]

Verás que si las convidas
a cenar te aceptan luego,
llevando más comitiva
que el ejército de Creso.
Que sales aquella noche
con los parientes supuestos,
sin que puedas alcanzar
de do viene el parentesco.
Que viene su primo, el padre,
el colegial, que es su deudo,
el soldado, que es su hermano,
el mercader, que es su yerno.
El abogado, su tío,
el escribano, su suegro,
el capitán, su padrino,
el médico, que es su abuelo.
El doctor, que es su pariente,
su camarada, el minero,
el músico, su vecino,
su conocido, el maestro.
El cura, que es su entenado,
el inter, que es su casero,
el sacristán, que es padrastro,
y tú que allí eres su dueño.
De forma que sobra gente
en cosa de instante y medio,
para surtir una escuadra,
y formar dos regimientos.
De esta manera caminan
llevándote al matadero,
y antes de salir de casa
ya va ajustado tu entierro.
Y aunque seas gentilhombre
vas sólo el pagano hecho,
pues has de pagar las culpas
que los otros cometieron.
Pone la madama el rumbo
hacia el café lo primero,
a donde pagas la farda,
sino fuere fardo entero.
La niña nada apetece,
porque es muy corta de genio,
siendo capaz de tragarse
hasta el mismo cafetero.
Una de ellas pide helados,
otra vino y bizcochuelos,
el padre pide sangría,
el doctor, ponche de huevos.
El colegial, limonada,
horchata, quiere el minero,
barquillos, quiere el vecino,
la primita, dulces secos
dejándote seco, y tanto,
en un punto todos ellos,
que de pura sequedad
agua pides al intento.
Acabóse esta estación,
y la proa ponen luego,
a una fonda donde quedas
desfondado en un momento. [...]

(En *Biblioteca de Cultura Peruana*, Primera serie no. 9, Costumbristas y satíricos. París, 1938).

NOTICIA COMPLEMENTARIA

Por la naturaleza de nuestra Antología hemos tenido que dejar fuera algunos géneros que no se prestan a su reproducción fragmentaria, como el teatro. Digamos algo sobre esta literatura, no antologizable pero significativa.

Dijimos que el predominio que la filosofía escolástica tenía sobre toda la vida intelectual desde la Contrarreforma hizo difícil la penetración de principios racionalistas y métodos experimentales. Aun los espíritus más ávidos de conocimiento — como el peruano Pedro de Peralta Barnuevo: 1663-1743 — vacilan entre la verdad y la fe, salen al encuentro de las noticias de la filosofía y ciencia europeas pero retroceden sin atreverse a sumarse a ellas. La obra de Peralta Barnuevo, aunque dominada por los rasgos de la cultura barroca del siglo XVII, ofrece también las primicias del afrancesamiento neoclásico en América. Escribió teatro, en el que se nota la influencia de Corneille y de Molière. Ya que hablamos de teatro detengámonos ante un fenómeno curioso: la abundancia de producción teatral. El gusto por el teatro se repartía en todos los niveles: teatro aristocrático en palacios; teatro popular en corrales; teatro como diversión para todos en la « Casa de Comedias »; teatro religioso en los conventos. De la veintena de autores que se dedican al teatro en la primera mitad del siglo destaquemos al cubano SANTIAGO DE PITA (murió en 1755): su comedia *El Príncipe Jardinero* es una de las más líricas y elegantes de este período. El teatro, por su carácter social, es índice del refinamiento con que se imitan las costumbres cortesanas de España y de otros países europeos. La célebre actriz criolla Micaela Villegas, conocida como la Perricholi, reinó en Lima, de 1760 en adelante. Era amante del Virrey; y su gracia, su coquetería, su elegancia licenciosa, dieron a las colonias la misma nota de belleza y de placer que los europeos gozaban en sus cortes. Entremeses y sainetes hacen florecer, en la segunda mitad de este siglo, un nuevo tipo de costumbrismo. Coincide con la fundación de coliseos, costeados por hacendados y comerciantes gustosos de entretenimiento, en ciudades que se iban engrandeciendo económicamente mientras disminuía la industria minera de México y Lima, centros de teatro cortesano. Se representan, sí, obras de pretensioso corte neoclásico; pero se multiplican los sainetes criollos que hacen salir al escenario a los tipos populares de regiones americanas. Mejor índice de la creciente atención al teatro, sin embargo, es lo que pasa en ciudades donde lo había desde mucho tiempo atrás. La veintena de comedias que se representaban por mes en México o en Lima eran de autores españoles: los hispanoamericanos se dedicaban más a sainetes y piezas cortas. El repertorio de México y de Lima era casi el mismo que el de Madrid.

V

1808-1824

MARCO HISTÓRICO: *Guerras de Independencia, que terminan con el triunfo de las armas criollas.*

TENDENCIAS CULTURALES: *El Neoclasicismo y las primeras noticias del romanticismo inglés.*

JOSÉ JOAQUÍN FERNÁNDEZ DE LIZARDI JOSÉ JOAQUÍN DE OLMEDO
ANDRÉS BELLO

La Ilustración está transitando por nuevos caminos y, cuando menos lo esperemos, la veremos dialogando con voces que son ya románticas. Puesto que dentro de poco dejaremos la Ilustración para encararnos con el Romanticismo, conviene hacerle justicia. En el orden de la acción, la cultura iluminista hizo nobles esfuerzos para regenerar a España y sus colonias. En el orden de las ideas, ayudó a salir del pantano escolástico y afirmó el humanitarismo, la libertad, el progreso, la razón y los estudios de la naturaleza. En el orden de la literatura, realizó virtudes de claridad, orden, equilibrio y universalidad.

El liberalismo neoclásico. El Neoclasicismo fué la cara literaria de la Ilustración. Pero en los temas neoclásicos — el de la Naturaleza por ejemplo — se advierte cómo los escritores rebasan el marco racional y nos dan visiones sentimentales. Cada vez se venera más a la Naturaleza y se la mira, no tanto como un mecanismo (según hacían los racionalistas), sino como un organismo con fines. Otro de los temas de la literatura neoclásica fué la política. De la vieja palabra latina « liberalis » (lo propio del hombre libre) se derivó el adjetivo « liberal » y, justamente en estos años, los españoles e hispanoamericanos reunidos en las Cortes de Cádiz lo sustantivaron con sentido político y de ahí se acuñó el lema de « liberalismo » para caracterizar el sistema de creencias que se oponía al poder absoluto del Estado y de la Iglesia. Los temas políticos de la literatura neoclásica fueron, pues, los del liberalismo. El liberalismo fué la expresión política de una voluntad de dignificar al hombre que, en el fondo, implicaba la fe en que el hombre era dignificable. Libertad y Progreso fueron, pues, las dos claves de la época. El liberalismo vivificó la literatura. La literatura había sido muchas veces un mero ejercicio académico, retórico, de entretenimiento más o menos frívolo. Ahora las minorías cultas hicieron de la literatura un acto vital. El neoclasicismo adquiría así nuevo empuje. Los intelectuales se sentían responsables de la libertad y el progreso de la sociedad americana. Gracias al liberalismo pudieron los poetas, maestros, escritores, oradores dar sentido ideal a una revolución y a una independencia que estallaron antes de que las colonias estuvieran preparadas. Porque si bien es cierto que había fuerzas económicas, sociales y políticas que se movían en ese sentido, también es verdad que fué la invasión napoleónica de España la que precipitó los acontecimientos y obligó a improvisar la emancipación.

La novela. Del grupo mexicano del período de la independencia vamos a destacar el mayor en edad y calidad: JOSÉ JOAQUÍN FERNÁNDEZ DE LIZARDI (México; 1776-1827). Comenzó escribiendo versos populacheros, generalmente satíricos, que publicaba en folletos para venderlos luego por las calles. Pero desde 1812 se puso a escribir prosas, donde brilló su talento. Se había educado en las tendencias liberales del pensamiento iluminista. Parece haber sido indiferente a la causa de la independencia, pero su liberalismo era auténtico: el mal no estaba para él en que las colonias perteneciesen a España, sino en que las instituciones atentaran contra la razón y la libertad. Denunciaba la responsabilidad de la Iglesia en la ignorancia popular, festejaba la abolición de la Inquisición, atacaba los vicios de las clases poderosas e insistía en la necesidad de una radical reforma social. El triunfo de la reacción absolutista en España restauró la Inquisición y Lizardi tuvo que disimular, aunque sin ceder. Cuando el censor condenó sus artículos periodísticos Lizardi decidió refugiarse en un nuevo tipo de literatura. Fué una decisión afortunada. Gracias a ella apareció la primera novela en Hispanoamérica: el *Periquillo Sarniento*, publicada en tres volúmenes sucesivos, en 1816 (a causa de la prohibición oficial el cuarto volumen aparecería póstumamente). Algunos rasgos externos del *Periquillo Sarniento* derivaban de la novela picaresca: relato en primera persona, realismo descriptivo, preferencia por lo sórdido, aventuras sucesivas en las que el héroe pasa de amo en amo y de oficio en oficio, sermones para hacer tragar la píldora amarga . . . Pero había también rasgos nuevos. Lizardi continúa el optimismo del racionalismo del siglo XVIII y pese a que, al describir las malas costumbres de la ciudad de México, parecía autor picaresco, no creó un pícaro. El Periquillo no es un pícaro sino un débil de carácter, arrojado a las malas influencias. El acierto de Lizardi estuvo en llenar ese vacío de la voluntad del héroe con la resaca social de su época. La filiación literaria de Lizardi viene del siglo XVIII: por eso su novela se parece más a la picaresca de Lesage, del Padre Isla, de Torres y Villarroel que a la del barroco. En general el *Periquillo* está en la tradición realista. Un realismo que no toma en serio sus temas, sino que los rebaja al plano estilístico de lo cómico. Las desgracias que le ocurren al protagonista se deben a su incapacidad de vivir de acuerdo a normas racionales y virtuosas. Cada capítulo es un paso en el desarrollo de una filosofía. Se quiere demostrar que un muchacho débil de carácter y mal educado por las ínfulas aristocráticas de la madre, al caer, cae por estas miserias: cueva de tahures, hospital, cárcel, trabajos con escribano, barbero, boticario . . . Lizardi aspiraba a algo más que a describir una sociedad: quería mejorarla. No era un « filósofo ilustrado » (de esos que rompieron con la Iglesia), sino un « filósofo cristiano » (de los que se proponían conciliar el catolicismo con el liberalismo). Desgraciadamente era más moralizador que artista y sacrificó la libertad narrativa. Aun dejando aparte los sermones morales, el propósito de reforma es tan ostensible

1. *Pedro en todo*, locución que censura a los que en todo quieren meterse sin entender de nada. 2. Lizardi se refiere a los relatos, en forma de alegorías morales y de cuadros costumbristas, de los *Sueños* de Francisco de Quevedo (1580-1645) y *Día y noche en Madrid* (1663) de Francisco Santos. 3. alusión a su seudónimo de *El Pensador Mexicano*.

que aparece en la construcción misma de los episodios: recuérdense, en los primeros capítulos, las tres escuelas a que va sucesivamente Periquillo; la primera, con un maestro bueno pero ineficaz; la segunda, con un maestro eficaz pero malo; y la tercera, síntesis de todas las virtudes pedagógicas que el autor ofrece como solución. Esto es, que Lizardi no niega que haya caminos abiertos al bien; sólo que quiere mostrar lo grueso, lo común, lo típico de la vida de su tiempo. Actitud de costumbrista, no visión menoscabadora de valores, como en la picaresca. Otra buena obra de Lizardi fué *Don Catrín de la Fachenda.* Ha aprendido el arte de contar y cuenta sin distraerse con digresiones. No tiene el abigarramiento de los cuadros costumbristas del *Periquillo*, pero es más novela: la acción corre con gracia, de episodio en episodio, y se cierra como una obra de equilibradas proporciones. Inferiores, artísticamente, son sus otras dos novelas: *La Quijotita y su prima* (1818) y *Noches tristes* (1818). Escribió, además, fábulas y piezas teatrales. Son sus novelas lo más original que se produjo en América durante los años en que las colonias luchaban por su independencia.

El relato que a continuación reproducimos es típico de la literatura alegórica, satírica y costumbrista que, desde los tiempos de Quevedo, se cultivó en España y en sus colonias.

José Joaquín Fernández de Lizardi

LOS PASEOS DE LA EXPERIENCIA

La más violenta devanadera en todo su ejercicio no da más vueltas que mi pensamiento sobre todas las cosas imaginables; y como es tan ligero, y no se sujeta a tiempos ni lugares, anda saltando de reino en reino, de época en época y de siglo en siglo. De esta manera tan presto soy estadista como general; unas veces soy médico, otras eclesiástico, ya artesano, ya labrador, ya comerciante, ya marinero, ya soldado y, finalmente, un *Petrus in cunctis*,[1] un entremetido y un murmurador (pues, de los vicios; no de las personas). Quisiera decirle a cada uno cuántas son cinco; no para su confusión, sino para su enmienda y pública utilidad. Apeteciera que volviesen a aparecer los sencillos tiempos de los Quevedos, de los Franciscos Santos, de los Morales y de otros muchos sabios de nuestra nación,[2] que reñidos constantemente con la lisonja tenían declarada eterna guerra al vicio. Pero pues esto no se puede y nos debemos conformar con los tiempos, ya que yo no pueda igualar en el ingenio y la gracia a aquéllos y otros ¿quién será capaz de desnudarme, a lo menos del ejercicio de pensador?[3] Nadie por cierto, porque el pensar es una facultad que Dios liberalmente nos concede, y así yo me consuelo con tener dentro de mi cerebro un amigo permanente con quien platicar y divertirme a todas horas, sin riesgo de que no se sepan sus errores, ni se interpreten, por mal explicados, sus más sanos sentimientos.

En esta batahola de discursos suelo entretener los ratos ociosos y las amarguras de mi soledad y desamparo. Entre ellos pensaba el lunes próximo en la bulla que habría por la tarde en las inmediaciones del Hospital de San Hipólito con el motivo — antes piadoso, y ya en nuestros días de pura curiosidad — de ir a ver los pobres dementes, que padecen allí las penas que no saben ellos mismos. Costumbre viciosa y reprensible, como una de tantas, si no se va a socorrerlos o a tomar lecciones útiles en su desgracia; pues yo no sé por qué causa se ha de hacer pasatiempo de las enfermedades o miserias del género humano.

Jamás he entrado en aquella casa hospitalaria, ni mi corazón sensible ha tenido por objeto de recreación las desgracias de mis semejantes; pero como la privación es causa del apetito este año se me antojó vivísimamente ir a ver aquellos pobres enfermos, por endulzar entre sus trabajos las amarguras de mi espíritu.

Embebecida mi imaginación con estos pensamientos cené a lo loco y me dormí como un lirón. Pero apenas el perezoso Morfeo[4] había embargado mis sentidos con su narcótico beleño cuando me pareció escuchar por los aires un terrible rumor a manera de torbellino, a cuya estrepitosa novedad alcé los ojos, y al punto descolgándose sobre mí una densa nube me concibió en su seno, y en un momento me abortó en un carro que tiraba un alado viejo armado de guadaña, que (a lo que después supe) era el Tiempo.

Aún no bien desembarazadas mis potencias de tamaña inopinada aventura, se quedaron absortos mis sentidos al advertirme sentado junto a la diosa de las gracias, que por tal califiqué a una hermosa ninfa que ocupaba la magnífica testera del majestuoso carro.

No sabían mis hidrópicos ojos si hartarse en contemplar la belleza de la ninfa o admirarse de la brillantez de sus riquísimos vestidos; y en este estático silencio permaneciera muchas horas si ella, abriendo el fragante clavel de sus labios, no despertara mi asombro diciéndome:

— Pobre mortal, cesa de maravillarte, vuelve en ti, no temas. ¿Me conoces?

A tan dulces y consoladoras palabras, como de un pesado sueño me recobré, y con algún aliento la dije:

— Deidad, señora o lo que seáis: no he tenido jamás hasta hoy la exquisita dicha de haber visto tan peregrina hermosura, ni creo que haya mortal que pueda disputarme la gloria de haber sido el primero en el goce de tanta dicha.

— Te engañas, miserable — me contestó —; tú y todos los humanos me conocéis; me habéis tratado muy de cerca; pero no os sabéis aprovechar de mis visitas.

A este tiempo se le cayó un hermoso brillante de la mano. Yo, comedidamente, me bajé a levantarlo; pero ¡cuál fué mi sorpresa! cuando al dárselo ví, no ya a la diosa de la hermosura, sino al compendio de la fealdad. Ví una andrajosa vieja, cuyo rostro deforme lo hacía más abominable un mirar centelleante y amenazador, que vomitaba tragedias y pronosticaba muertes, y con una ronca voz, más terrible que el estallido del rayo, me dijo:

— ¿Me conoces, mortal desventurado?

Mi respuesta fué quererme arrojar a los abismos por uno de los costados del carro, y lo hubiera verificado si ella no me hubiera contenido a mi pesar. No obstante yo no osaba abrir los ojos por no volver a ver aquella furia del infierno, y deseaba hallarme en el calabozo más inmundo a trueque de no estar al lado de semejante monstruo.

Pasados los primeros instantes de mi turbación volvió a hablarme con una voz suavísima, diciéndome:

— Querido mortal, no temas. Estos asombros no son para tu daño, sino para tu felicidad, y de tus semejantes.

Diciendo esto, y pasando su diestra y delicada mano por mi exangüe mejilla, me abrazó y reclinó mi cabeza sobre su pecho.

El insinuante sonido de su voz, la suavidad de su tacto y el aromático olor que despedía su ropaje me conformó y animó a volver a mirar al objeto de mis sustos y mis delicias. Víla otra vez, y la ví tan hermosa, graciosa y placentera como al principio. Y ya más atrevido que valiente la pregunté:

— ¿Eres la divina Citerea[5] o la desgraciada Medusa[6]? ¿Eres la bella que estoy viendo o el espantoso espectro que poco ha me acobardaba? Sácame, te ruego, de tan confuso y oscuro laberinto.

— No soy Venus ni Medusa ni algún ente real de los que dices. Y a pesar de esto me conoces, y muchas veces me has visto, tú y todos los mortales. Sal de dudas. Soy la *experiencia*, y vosotros no conocéis otra cosa mejor. Todos los días andáis diciendo en el gran mundo: « ya tengo mucha experiencia, no me sucederá otra vez »; « esto me sucedió porque no tenía experiencia. » Otro dice: « que tal, y lo que pasó a Fulano, no me acontecerá a mí porque ya he experimentado en cabeza ajena. » Otros a cada cosa funesta que ven dicen: « experiencia, experiencia. » Otros se jactan de muy seguros, porque se creen llenos de « experiencia », y otros añaden que la « experiencia es madre de la ciencia », y después de tanto garlar, apenas pasa el peligro (que es el tiempo de mis visitas) no se vuelven a acordar de mí, y aseguran (como tú) que no me conocen. El haberme visto transformada en una furia terrible, y verme ahora una dama apreciable, significa que la experiencia no siempre es una, porque la adversa para unos

4. dios de los ensueños, hijo de la Noche y del Sueño. 5. uno de los nombres de Venus, tomado de la isla de Citera donde la diosa tenía un magnífico templo.

6. una de las tres Gorgonas, monstruos fabulosos. 7. alusión al cuerno, asta de la que se fabricaban tinteros, y al « cornudo », el hombre engañado por una mujer.

puede ser favorable para otros, y al contrario. Por eso necesitáis mucho tino y prudencia para saber aprovecharos de la experiencia, ya propia, ya ajena, ya favorable, ya adversa; y no olvidarse nunca de mis sabios avisos, que suelen ser caros algunas veces; pero enseñan siempre, como sepa el discípulo aprovecharse de mis lecciones. Y pues ya sabes con quién caminas, y no puedes dejar de conocer que te amo, logra sin susto mis favores y participa este suceso a tus hermanos para su general aprovechamiento, advirtiéndoles que yo los amo. Pero soy muy celosa, y suelo, si una vez me desprecian y abandonan mis consejos, ni volver a visitarlos, sino que los dejo en las manos de sus temeridades y caprichos.

— Yo os doy — respondí — las más rendidas gracias, bellísima beldad, por tan claro desengaño, y propongo aprovecharme de vuestros prudentes documentos. Pero ¿no tendréis la bondad de decirme a dónde vamos por estas, para mí, incógnitas regiones, y quién es ese viejo que tan ligeramente conduce nuestro sereno carruaje?

— Vamos — me dijo — por los espacios imaginarios, y ese cochero es el Tiempo, inseparable compañero de la experiencia. Yo te he sacado de tu molesta habitación para saciarte la gana que tenías de ver los locos. Pero no ha de ser en el hospital, pues estos pobrecitos no tanto prestan motivo de enseñanza y de admiración cuanto de lástima. Yo te voy a mostrar los locos que andan sueltos, y los que hacen vanidad de sus locuras.

Decir esto y acercarse el carro a una populosa ciudad todo fué igual. Yo, lleno de admiración, exclamé:

— Según las torres, edificios y trajes que aquí advierto me parece que original o pintado otra vez he visto este lugar. ¿Es aquí, por ventura, donde tengo de ver esos locos con apariencia de cuerdos?

— Sí, aquí es — me dijo.

— ¡Oh! ¡Y no sea mi patria — repliqué — la que merezca llamarse la ciudad de los locos!

— No te dé pena — me respondió — que para el caso lo mismo es Londres, París o Filadelfia. Tú mismo has dicho que todos los hombres son unos, susceptibles de vicios y virtudes, y que en todas partes abundan más los malos que los buenos. Ahora falta prevenirte que la locura no es otra cosa que la falta de juicio, y ésta se gradúa según la más o menos extravagancia de las operaciones de los hombres. En esta inteligencia ve mirando algunos locos que pasan en el mundo por muy cuerdos. Mira aquellos que cargados de papeles entran y salen con el mayor afán en las oficinas, tribunales y casas de particulares, pues esos son pleiteantes, y los más de ellos tan locos que, después de uno o dos años de litigio, se quedan con el pleito perdido y sin blanca, entre el abogado, escribano, relator, agente y demás oficiales del arte; porque, en fin, todos deben comer de su trabajo; y hay pleitos cuyos costos importan más que lo que se disputa. Si los hombres no fueran tan locos probaran, antes de comenzar un litigio, todos los caminos de la paz y la justicia, y entraran mejor en la composición menos ventajosa, que seguir el pleito más interesante; pero no tienen remedio, ya han dado en eso y lo peor es que muchos de estos han acabado en San Hipólito, para comprobar su locura de una vez. Mira aquellos jóvenes azucarados derritiendo sus corazones en obsequio de unas hermosuras, cuya soberbia no aspira más que a multiplicar el número de sus necios adoradores, y si por fortuna distingue a alguno de su cariño, no es más que para habilitar su cabeza en pocos días de aquello de que se hacen los tinteros.[7] Porque tú no dudes que la mujer muy hermosa (por lo común) es el peor enemigo del hombre. Si es honrada tiene que defenderse y defenderla de los seductores. Si no lo es tiene que guardarse de ella y de ellos. ¡Cuántos pobres han acabado en los presidios, en las cárceles, en San Hipólito y en las manos de los asesinos y de ellas mismas, sin más delito que tener mujeres hermosas! La demasiada belleza es buena para admirarla, pero no para poseerla, pues no sólo se expone a perderse, sino a perderse el dueño juntamente. Mira . . . Pero yo no podré mostrarte en este rato la multitud de locos que vagan impunes por esas calles, porque son innumerables. Sólo sí te manifestaré una clase de locos que se llaman *ricos*, que son los más rematados, porque a título de su nombre no sólo no hay quien les manifieste su enfermedad, sino que les sobran otros locos (que se llaman aduladores) que les apoyan y aun canonizan sus más indignas operaciones, y de este modo, después de hacer en el mundo el papel que pueden, se hallan a la boca del sepulcro cargados de la iniquidad y desnudos de la riqueza en que garantían sus perversas acciones . . . Velos . . . Mira la ostentación de sus personas, el lujo de sus casas, lo opíparo de sus mesas, lo brillante de sus carrozas y el rumboso aparato de cuanto les pertenece. Pero advierte también la indiferencia o desprecio con que se desdeñan de los pobres.

Nota la fatuidad con que se creen superiores al resto de los míseros mortales. Míralos a ver si por fortuna se acercan a las cárceles, a los hospitales y a las miserables accesorias[8] de los infelices. Mira si la doncella huérfana, si la pobre viuda, si el desdichado pupilo, si el mísero mendigo ni otro despojo de la desgracia es capaz de hallar en ellos el asilo de sus cuitas; y verás que no sólo no extienden sobre ellos la mano avara para socorrerlos, pero ni aun la vista para consolarlos. Estos pobres locos se van al infierno en coche, y cantando y comiendo alegremente, sólo por su dureza e insensibilidad, aun cuando no tuvieran otras culpas. Esto es de fe. Ellos piensan que el dar limosna es una accion graciosa y de supererogación; de suerte que el que quisiere la dará, y el que no, no. ¡Miserables ricos! Se engañan o hacen que se engañan. La limosna obliga de justicia al que la puede hacer: *Alter alterius onera portate*[9], dice el Señor. No es menester latines, claro está, y en buen castellano, en el catecismo, no menos que de asesinos califica a estos ricos indolentes. Pregunta sobre el quinto mandamiento, « ¿Hay a más de esto, otras maneras de matar? » y responde, « Sí hay, escandalizando o no ayudando al gravemente necesitado. » Conque lo mismo es no socorrer al pobre en grave necesidad que matarlo. ¡Válgame Dios, y cuántos matadores hay en México, donde sobran necesidades!

— Almas sensibles — exclamé — ¿cómo es posible se gasten tantos pesos inútilmente, y no se dediquen algunos al socorro de los desvalidos? ¿Cómo se podrán ver con ojos enjutos las lágrimas de tantos infelices, que acosados de la hambre, desnudez y enfermedad gimen en vano a las puertas de la opulencia? Y ¿cómo hay corazones tan petrificados que no sólo no ayudan a la humanidad abatida, sino, lo que es más criminal, la maltratan y zahieren con crueldad?

— ¿Quieres aún ver más locos que pasan en el mundo por cuerdos? — me dijo mi amable compañera.

— No — la respondí — que está ya bastante comprimido mi espíritu.

— Pues adiós — me dijo —, que es tarde y la Experiencia hace falta a muchos.

Y diciendo esto se volcó el carro y, cayendo yo, a mi parecer, en el patio de mi hospital, fué tal el susto que recibí del golpe que con la mayor congoja desperté, dando gracias a Dios de hallarme en mi cama, y en estado de poder escribir a mis hermanos estas breves lecciones que me dió, aunque entre sueños, la experiencia.

(De *Noches tristes y Día alegre*, Selecciones de Agustín Yáñez, México, 1944).

La poesía neoclásica. En la poesía se describieron las guerras de la independencia; y Bolívar fué el héroe. Cantidad de cantores. El mayor: José Joaquín de Olmedo (Ecuador; 1780-1847). Escribió unas noventa composiciones poéticas. Cubren un largo período, de 1802 a 1847, con largos intervalos porque solía fallarle la capacidad poética y hasta la vocación. Pero hay dos poemas de Olmedo que se levantan sobre el nivel de su tiempo no sólo en América, y son « La victoria de Junín. Canto a Bolívar » (1825) y « Al general Flores, vencedor en Miñarica » (1835). La importancia histórica de ambos episodios sacudió la vocación de Olmedo y lo decidió a trabajar ahí con todas las fuerzas de su arte, que era grandilocuente no sólo por deliberada imitación a la elocuencia de los grandes modelos sino porque su alma tendía al énfasis; y así se dió el caso de que un poeta, componiendo con toda frialdad, astucia, lentitud y mucho estudiar y retocar, lograra efectos de incendio y de vendaval. Olmedo; que por las dos odas mencionadas pasa por inflamado y vehemente, era en el fondo sobrio, moderado, reflexivo, sensato. Gracias a la correspondencia entre Olmedo y Bolívar y a las variantes de edición a edición se conoce la génesis de « La victoria de Junín. » Parece que Bolívar le pidió que cantase « nuestros últimos triunfos » (aunque exigiéndole que su nombre no apareciese). Olmedo empezó a concebir su poema al enterarse de la batalla de Junín (agosto

8. habitaciones baratas. 9. « Que lleve cada uno la carga del otro » (S. Pablo, Gálatas, VI-2).

de 1824); pero fué la victoria de Ayacucho (9 de diciembre del mismo año) la que le inspiró una oda grandiosa, con Bolívar como héroe, sí, pero estructurada de tal modo que apareciera no sólo Junín (donde peleó Bolívar) sino Ayacucho (de la que Bolívar estuvo ausente). Para unir ambas batallas en el mismo relato Olmedo recurrió a un truco viejo en la escuela épica: una aparición sobrenatural que profetiza, después de la victoria de Junín, la victoria más decisiva de Ayacucho. Es Huayna-Capac, el último Inca que poseyó íntegro el Imperio. El discurso que Olmedo pone en boca del indio es típico de la filosofía humanitaria de la época. Olmedo no abogaba, ni mucho menos, la restauración de los Incas, pero los hombres de su generación — tanto españoles como criollos — se habían inventado un indianismo sentimental que les servía para condenar las crueldades de la conquista y, de paso, luchar contra el absolutismo político. En el fondo este canto a la independencia continúa el pensamiento liberal de los mismos españoles que, por otra parte, estaban revalidando a Las Casas y escribiendo novelas y dramas históricos con temas indigenistas. Otro rasgo de la política de esos años es que Olmedo (o, mejor dicho, Huayna-Capac) habla de los pueblos de América como « de un pueblo solo y una familia. » La verdadera hazaña — dice — no está en derrotar a España, sino en crear una federación hispanoamericana de provincias laboriosas y libres. Tanto se exigía Olmedo, que se desanimó por las imperfecciones de sus versos y llegó a creer que había fracasado. Sin embargo, « La victoria de Junín » es una de las mejores odas de nuestra historia literaria. No sólo fué Olmedo el cantor de las últimas guerras de la Independencia: diez años después le tocó cantar las guerras civiles. « Al general Flores, vencedor en Miñarica » es una oda aun más lograda que la ofrecida a Bolívar, por la espontaneidad con que los versos corren y el sentimiento se desnuda. Sentimiento de horror ante la anarquía y el fratricidio que empezaban a despedazar la América grande y unida que antes había celebrado.

José Joaquín de Olmedo

LA VICTORIA DE JUNÍN: CANTO A BOLÍVAR

El trueno horrendo que en fragor revienta
y sordo retumbando se dilata
por la inflamada esfera,
al Dios anuncia que en el cielo impera.

Y el rayo que en Junín rompe y ahuyenta
la hispana muchedumbre
que, más feroz que nunca, amenazaba,
a sangre y fuego, eterna servidumbre,
y el canto de victoria
que en ecos mil discurre, ensordeciendo
el hondo valle y enriscada cumbre,
proclaman a Bolívar en la tierra
árbitro de la paz y de la guerra.

Las soberbias pirámides que al cielo
el arte humano osado levantaba
para hablar a los siglos y naciones
— templos do esclavas manos
deificaban en pompa a sus tiranos —,
ludibrio son del tiempo, que con su ala
débil, las toca y las derriba al suelo,
después que en fácil juego el fugaz viento
borró sus mentirosas inscripciones;
y bajo los escombros, confundido
entre la sombra del eterno olvido
— ¡oh de ambición y de miseria ejemplo! —
el sacerdote yace, el Dios y el templo.

Mas los sublimes montes, cuya frente
a la región etérea se levanta,
que ven las tempestades a su planta
brillar, rugir, romperse, disiparse,
los Andes, las enormes, estupendas
moles sentadas sobre bases de oro,
la tierra con su peso equilibrando,
jamás se moverán. Ellos, burlando
de ajena envidia y del protervo tiempo
la furia y el poder, serán eternos
de libertad y de victoria heraldos,
que con eco profundo
a la postrema edad dirán del mundo:
« Nosotros vimos de Junín el campo,
vimos que al desplegarse
del Perú y de Colombia las banderas
se turban las legiones altaneras,
huye el fiero español despavorido,
o pide paz rendido.
Venció Bolívar, el Perú fué libre,
y en triunfal pompa Libertad sagrada
en el templo del Sol fué colocada. » [. . .]

¿Quién es aquel que el paso lento mueve
sobre el collado que a Junín domina?
¿que el campo desde allí mide, y el sitio
del combatir y del vencer desina?
¿que la hueste contraria observa, cuenta,
y en su mente la rompe y desordena,
y a los más bravos a morir condena,
cual águila caudal que se complace
del alto cielo en divisar la presa
que entre el rebaño mal segura pace?
¿Quién el que ya desciende
pronto y apercibido a la pelea?
Preñada en tempestades le rodea
nube tremenda; el brillo de su espada
es el vivo reflejo de la gloria;
su voz un trueno, su mirada un rayo.
¿Quién aquel que al trabarse la batalla,
ufano como nuncio de victoria,
un corcel impetuoso fatigando
discurre sin cesar por toda parte . . . ?
¿Quién, sino el hijo de Colombia y Marte?

Sonó su voz: « Peruanos,
mirad allí los duros opresores
de vuestra patria; bravos Colombianos
en cien crudas batallas vencedores,
mirad allí los enemigos fieros
que buscando venís desde Orinoco:
suya es la fuerza y el valor es vuestro,
vuestra será la gloria;
pues lidiar con valor y por la patria
es el mejor presagio de victoria.
Acometed, que siempre
de quien se atreve más el triunfo ha sido:
quien no espera vencer, ya está vencido. » [. . .]

Ya el formidable estruendo
del atambor en uno y otro bando
y el son de las trompetas clamoroso,
y el relinchar del alazán fogoso,
que erguida la cerviz y el ojo ardiendo,
en bélico furor, salta impaciente
do más se encruelece la pelea,
y el silbo de las balas, que rasgando
el aire, llevan por doquier la muerte,
y el choque asaz horrendo
de selvas densas de ferradas picas,
y el brillo y estridor de los aceros
que al sol reflectan sanguinosos visos,
y espadas, lanzas, miembros esparcidos
o en torrentes de sangre arrebatados,
y el violento tropel de los guerreros
que más feroces mientras más heridos,
dando y volviendo el golpe redoblado,
mueren, mas no se rinden . . . todo anuncia
que el momento ha llegado,
en el gran libro del destino escrito,
de la venganza al pueblo americano,
de mengua y de baldón al castellano. [. . .]

Tal el héroe brillaba
por las primeras filas discurriendo.
Se oye su voz, su acero resplandece,
do más la pugna y el peligro crece.
Nada le puede resistir . . . Y es fama,
— ¡oh portento inaudito! —
que el bello nombre de Colombia escrito
sobre su frente, en torno despedía
rayos de luz tan viva y refulgente
que, deslumbrado el español, desmaya,
tiembla, pierde la voz, el movimiento,
sólo para la fuga tiene aliento.

Así cuando en la noche algún malvado
va a descargar el brazo levantado,
si de improviso lanza un rayo el cielo,
se pasma, y el puñal trémulo suelta,

1. La acción de Junín empezó a las cinco de la tarde: la noche sobreviniendo tan pronto impidió la completa destrucción del ejército real. (Nota de Olmedo). 2. antorchas. 3. debelar: rendir con las armas al enemigo.

4. Baco, dios del vino; Ceres, diosa de la agricultura. 5. infierno. 6. emperador inca que murió antes de la conquista de Pizarro. Dividió su imperio entre sus hijos Huascar y Atahualpa.

hielo mortal a su furor sucede,
tiembla, y horrorizado retrocede.
Ya no hay más combatir. El enemigo
el campo todo y la victoria cede;
huye cual ciervo herido, y adonde huye,
allí encuentra la muerte. Los caballos
que fueron su esperanza en la pelea,
heridos, espantados, por el campo
o entre las filas vagan, salpicando
el suelo en sangre que su crin gotea,
derriban al jinete, lo atropellan,
y las catervas van despavoridas,
o unas con otras con terror se estrellan.

Crece la confusión, crece el espanto,
y al impulso del aire, que vibrando
sube en clamores y alaridos lleno,
tremen las cumbres que respeta el trueno.
Y discurriendo el vencedor en tanto
por cimas de cadáveres y heridos
postra al que huye, perdona a los rendidos.

Padre del universo, Sol radioso,
dios del Perú, modera omnipotente
el ardor de tu carro impetüoso,
y no escondas tu luz indeficiente . . .
¡Una hora más de luz! [1] . . . Pero esta hora
no fué la del destino. El dios oía
el voto de su pueblo; y de la frente
el cerco de diamantes desceñía.
En fugaz rayo el horizonte dora,
en mayor disco menos luz ofrece
y veloz tras los Andes se obscurece.

Tendió su manto lóbrego la noche:
y las reliquias del perdido bando,
con sus tristes y atónitos caudillos,
corren sin saber dónde, espavoridas,
y de su sombra misma se estremecen;
y al fin, en las tinieblas ocultando
su afrenta y su pavor, desaparecen.

¡Victoria por la Patria! ¡oh Dios! ¡victoria!
¡Triunfo a Colombia y a Bolívar gloria!

Ya el ronco parche y el clarín sonoro
no a presagiar batalla y muerte suena
ni a enfurecer las almas, mas se estrena
en alentar el bullicioso coro
de vivas y patrióticas canciones.
Arden cien pinos,[2] y a su luz, las sombras
huyeron, cual poco antes desbandadas
huyeron de la espada de Colombia
las vandálicas huestes debeladas.[3]

En torno de la lumbre,
el nombre de Bolívar repitiendo
y las hazañas de tan claro día,
los jefes y la alegre muchedumbre
consumen en acordes libaciones
de Baco y Ceres[4] los celestes dones.

« Victoria, paz — clamaban —,
paz para siempre. Furia de la guerra,
húndete al hondo averno,[5] derrocada.
Ya cesa el mal y el llanto de la tierra.
Paz para siempre. La sanguínea espada,
o cubierta de orín ignominioso,
o en el útil arado trasformada,
nuevas leyes dará. Las varias gentes
del mundo, que a despecho de los cielos
y del ignoto ponto proceloso,
abrió a Colón su audacia o su codicia,
todas ya para siempre recobraron
en Junín libertad, gloria y reposo. »

Gloria, mas no reposo — de repente
clamó una voz de lo alto de los cielos —;
y a los ecos los ecos por tres veces
« Gloria, mas no reposo », respondieron.
El suelo tiembla, y cual fulgentes faros,
de los Andes las cúspides ardieron;
y de la noche el pavoroso manto
se trasparenta y rásgase y el éter
allá lejos purísimo aparece,
y en rósea luz bañado resplandece.
Cuando improviso, veneranda Sombra,
en faz serena y ademán augusto,
entre cándidas nubes se levanta:
del hombro izquierdo nebuloso manto
pende, y su diestra aéreo cetro rige;
su mirar noble, pero no sañudo;
y nieblas figuraban a su planta
penacho, arco, carcax, flechas y escudo;
una zona de estrellas
glorificaba en derredor su frente
y la borla imperial de ella pendiente.

Miró a Junín; y plácida sonrisa
vagó sobre su faz. « Hijos, — decía —,
generación del sol afortunada,
que con placer yo puedo llamar mía,
yo soy Huaina Capac[6]; soy el postrero
del vástago sagrado;
dichoso rey, mas padre desgraciado.
De esta mansión de paz y luz he visto
correr las tres centurias

de maldición, de sangre y servidumbre
y el imperio regido por las Furias.[7]

No hay punto en estos valles y estos cerros
que no mande tristísimas memorias.
Torrentes mil de sangre se cruzaron
aquí y allí; las tribus numerosas
al ruido del cañón se disiparon,
y los restos mortales de mi gente
aun a las mismas rocas fecundaron.
Más allá un hijo[8] expira entre los hierros
de su sagrada majestad indignos . . .
Un insolente y vil aventurero
y un iracundo sacerdote fueron[9]
de un poderoso Rey los asesinos . . .
¡Tantos horrores y maldades tantas
por el oro que hollaban nuestras plantas! [. . .]

¡Guerra al usurpador! — ¿Qué le debemos?
¿Luces, costumbres, religión o leyes . . . ?
¡Si ellos fueron estúpidos, viciosos,
feroces y por fin supersticiosos!
¿Qué religión? ¿la de Jesús? . . . ¡Blasfemos!
Sangre, plomo veloz, cadenas fueron
los sacramentos santos que trajeron.
¡Oh religión! ¡Oh fuente pura y santa
de amor y de consuelo para el hombre!
¡cuántos males se hicieron en tu nombre!
¿Y qué lazos de amor? . . . Por los oficios
de la hospitalidad más generosa
hierros nos dan; por gratitud, suplicios.
Todos, sí, todos, menos uno solo;
el mártir del amor americano,
de paz, de caridad apóstol santo;
divino Casas,[10] de otra patria digno.
Nos amó hasta morir. — Por tanto ahora
en el empíreo entre los Incas mora. » [. . .]

El Inca esclarecido
iba a seguir, mas de repente queda
en éxtasis profundo embebecido:
atónito, en el cielo
ambos ojos inmóviles ponía,
y en la improvisa inspiración absorto,
la sombra de una estatua parecía.

Cobró la voz al fin. « Pueblos, — decía —,
la página fatal ante mis ojos
desenvolvió el destino, salpicada
toda en purpúrea sangre, mas en torno
también en bello resplandor bañada.
Jefe de mi nación, nobles guerreros,
oíd cuanto mi oráculo os previene,
y requerid los ínclitos aceros,
y en vez de cantos nueva alarma suene;
que en otros campos de inmortal memoria
la Patria os pide, y el destino os manda
otro afán, nueva lid, mayor victoria. » [. . .]

Allí Bolívar[11] en su heroica mente
mayores pensamientos revolviendo,
el nuevo triunfo trazará, y haciendo
de su genio y poder un nuevo ensayo,
al joven Sucre[12] prestará su rayo,
al joven animoso,
a quien del Ecuador montes y ríos
dos veces aclamaron victorioso.
Ya se verá en la frente del guerrero
toda el alma del héroe reflejada,
que él le quiso infundir de una mirada.

Como torrentes desde la alta cumbre
al valle en mil raudales despeñados,
vendrán los hijos de la infanda Iberia,
soberbios en su fiera muchedumbre,
cuando a su encuentro volará impaciente
tu juventud, Colombia belicosa,
y la tuya, ¡oh Perú! de fama ansiosa,
y el caudillo impertérrito a su frente. [. . .]

Tuya será, Bolívar, esta gloria,
tuya romper el yugo de los reyes,
y, a su despecho, entronizar las leyes;
y la discordia en áspides crinada,[13]
por tu brazo en cien nudos aherrojada,

7. nombre que comprende las Euménides y las Erinias, divinidades griegas del remordimiento, ministros a las órdenes de los grandes dioses para el castigo de los culpables. 8. Se refiere a Atahualpa, preso por Pizarro. 9. Pizarro y el P. Valverde, que justificó los actos de aquél y le sirvió de consejero. 10. Fray Bartolomé de Las Casas, el defensor de los indios.

11. En el campo de Ayacucho fué la célebre victoria que predice el Inca y que fijó los destinos de la América. (Nota de Olmedo). 12. Sucre fué nombrado por el Libertador general en jefe del ejército unido y mandó la acción de Ayacucho. (Nota de Olmedo). 13. las Gorgonas que en la mitología griega personifican la discordia, la perversidad, etc. Son tres hermanas monstruosas que tienen sierpes por cabellos. 14. los Estados Unidos de Norteamérica. 15. El Estado de Virginia tiene sobre todos la gloria de ser la patria de Wáshington. (Nota de Olmedo). 16. Inglaterra, la primera de las naciones de Europa que reconoció los nuevos Estados americanos. 17. río del Perú, cerca de Ayacucho. 18. El río Magdalena corre al mar por las cercanías de Bogotá, como el Eurotas por las cercanías de Esparta. El Rimac atraviesa Lima, como el Tíber a Roma. (Nota de Olmedo).

ante los haces santos confundidas
harás temblar las armas parricidas.

Ya las hondas entrañas de la tierra
en larga vena ofrecen el tesoro
que en ellas guarda el Sol, y nuestros montes
los valles regarán con lava de oro.
Y el pueblo primogénito dichoso[14]
de libertad, que sobre todos tanto
por su poder y gloria se enaltece,
como entre sus estrellas
la estrella de Virginia[15] resplandece,
nos da el ósculo santo
de amistad fraternal. Y las naciones
del remoto hemisferio celebrado,
al contemplar el vuelo arrebatado
de nuestras musas y artes,
como iguales amigos nos saludan,
con el tridente abriendo la carrera
la reina de los mares[16] la primera. [. . .]

Marchad, marchad guerreros,
y apresurad el día de la gloria;
que en la fragosa margen de Apurímac[17]
con palmas os espera la Victoria. »

Dijo el Inca; y las bóvedas etéreas
de par en par se abrieron,
en viva luz y resplandor brillaron
y en celestiales cantos resonaron.

Era el coro de cándidas Vestales,
las vírgenes del Sol, que rodeando
al Inca como a Sumo Sacerdote,
en gozo santo y ecos virginales
en torno van cantando
del sol las alabanzas inmortales:

« Alma eterna del mundo,
dios santo del Perú, padre del Inca,
en tu giro fecundo
gózate sin cesar, Luz bienhechora,
viendo ya libre el pueblo que te adora.

La tiniebla de sangre y servidumbre
que ofuscaba la lumbre
de tu radiante faz pura y serena
se disipó, y en cantos se convierte
la querella de muerte
y el ruido antiguo de servil cadena.

Aquí la Libertad buscó un asilo,
amable peregrina,
y ya lo encuentra plácido y tranquilo,
y aquí poner la diosa
quiere su templo y ara milagrosa;
aquí olvidada de su cara Helvecia,
se viene a consolar de la ruïna
y en todos sus oráculos proclama
que al Madalén y al Rimac bullicioso
ya sobre el Tíber y el Eurotas ama.[18]

¡Oh Padre! ¡oh claro Sol! no desampares
este suelo jamás, ni estos altares.
Tu vivífico ardor todos los seres
anima y reproduce: por ti viven
y acción, salud, placer, beldad reciben.
Tú al labrador despiertas
y a las aves canoras
en tus primeras horas,
y son tuyos sus cantos matinales;
por ti siente el guerrero
en amor patrio enardecida el alma,
y al pie de tu ara rinde placentero
su laurel y su palma,
y tuyos son sus cánticos marciales.

Fecunda ¡oh Sol! tu tierra,
y los males repara de la guerra.

Da a nuestros campos frutos abundosos
aunque niegues el brillo a los metales,
da naves a los puertos,
pueblos a los desiertos,
a las armas victoria,
alas al genio y a las Musas gloria.
Dios del Perú, sostén, salva, conforta
el brazo que te venga,
no para nuevas lides sanguinosas,
que miran con horror madres y esposas,
sino para poner a olas civiles
límites ciertos, y que en paz florezcan
de la alma paz los dones soberanos,
y arredre a sediciosos y a tiranos.
Brilla con nueva luz, Rey de los cielos,
brilla con nueva luz en aquel día
del triunfo que magnífica prepara
a su Libertador la patria mía.
¡Pompa digna del Inca y del imperio
que hoy de su ruina a nuevo ser revive!

Abre tus puertas, opulenta Lima,
abate tus murallas y recibe
al noble triunfador que rodeado
de pueblos numerosos, y aclamado
Ángel de la esperanza
y Genio de la paz y de la gloria,
en inefable majestad avanza.

Las musas y las artes revolando
en torno van del carro esplendoroso,
y los pendones patrios vencedores
al aire vago ondean, ostentando
del sol la imagen, de iris los colores.
Y en ágil planta y en gentiles formas
dando al viento el cabello desparcido,
de flores matizado,
cual las horas del sol, raudas y bellas,
saltan en derredor lindas doncellas
en giro no estudiado;
las glorias de la patria
en sus patrios cantares celebrando
y en sus pulidas manos levantando,
albos y tersos como el seno de ellas,
cien primorosos vasos de alabastro
que espiran fragantísimos aromas,
y de su centro se derrama y sube
por los cerúleos ámbitos del cielo
de ondoso incienso transparente nube.

Cierran la pompa espléndidos trofeos
y por delante en larga serie marchan
humildes, confundidos,
los pueblos y los jefes ya vencidos:
allá procede el Ástur belicoso,
allí va el Catalán infatigable
y el agreste Celtíbero indomable
y el Cántabro feroz, que a la romana
cadena el cuello sujetó postrero,
y el Andaluz liviano
y el adusto y severo Castellano;
ya el áureo Tajo cetro y nombre cede,
y las que antes, graciosas
fueron honor del fabuloso suelo,
Ninfas del Tormes y el Genil,[19] en duelo
se esconden silenciosas;
y el grande Betis viendo ya marchita
su sacra oliva, menos orgulloso,
paga su antiguo feudo al mar undoso.

El sol suspenso en la mitad del cielo
aplaudirá esta pompa. —¡Oh Sol; oh Padre,
tu luz rompa y disipe
las sombras del antiguo cautiverio,
tu luz nos dé el imperio,
tu luz la libertad nos restituya,
tuya es la tierra, y la victoria es tuya! »

Cesó el canto; los cielos aplaudieron,
y en plácido fulgor resplandecieron.
Todos quedan atónitos; y en tanto
tras la dorada nube el Inca santo
y las santas Vestales se escondieron.

Mas ¿cuál audacia te elevó a los cielos,
humilde Musa mía? ¡Oh! no reveles
a los seres mortales
en débil canto arcanos celestiales.
Y ciñan otros la apolínea rama[20]
y siéntense a la mesa de los dioses,
y los arrulle la parlera fama,
que es la gloria y tormento de la vida;
yo volveré a mi flauta conocida
libre vagando por el bosque umbrío
de naranjos y opacos tamarindos,
o entre el rosal pintado y oloroso
que matiza la margen de mi río,
o entre risueños campos, do en pomposo
trono piramidal y alta corona
la Piña ostenta el cetro de Pomona[21]
y me diré feliz si mereciere,
al colgar esta lira en que he cantado
en tono menos dino
la gloria y el destino
del venturoso pueblo americano,
y me diré feliz si mereciere
por premio a mi osadía,
una mirada tierna de las Gracias,
y el aprecio y amor de mis hermanos,
una sonrisa de la Patria mía,
y el odio y el furor de los tiranos.

ANDRÉS BELLO (Venezuela; 1781-1865) se destacó muy pronto por su amplia curiosidad intelectual y por su vocación literaria. Sus primeros ejercicios poéticos son puro tanteo. Rasgos de Horacio y Virgilio y de la escuela ítaloespañola del siglo XVI vienen a juntarse con la estética neoclásica del siglo XVIII, estética prosaica, didáctica, científica. La poesía, urgida por el ardor constructivo, procura enmendar el atraso intelectual de los países de habla española. Y este ideal patriótico, progresista, arrastra todas las actividades: el lirismo, pues, va a la rastra. Su soneto

19. Tajo, Tormes, Genil, Betis (Guadalquivir), ríos de España. 20. el laurel de Apolo. 21. diosa de los frutos. Esta descripción alude a la forma de la planta que produce la piña. (Nota de Olmedo).

« A la victoria de Bailén » (1809) — que siempre estimó Bello entre sus mejores poemas — cierra el primer período de su vida. Porque en 1810 marchará a Inglaterra, como auxiliar de Bolívar y López Méndez, delegados ambos de la junta revolucionaria de Caracas; y en Londres ha de transcurrir el segundo período, hasta 1829 (el tercero será el de Chile, de 1829 a 1865). Bello no había sido nunca un revolucionario. Simpatizaba más bien con una monarquía ilustrada. Quedó solo en Londres y allí, de 1810 a 1829, en medio del esplendor de la cultura europea, se puso a aprender lenguas, literatura, filosofía, historia, ciencias, derecho. Es el período más fecundo de su vida. En su *Biblioteca Americana* publicó la « Alocución a la Poesía » (1823), fragmentos de un poema que Bello pensaba titular « América ». Es una silva neoclásica; pero en esa tradición el poeta canta con ánimo nuevo. Invoca a la Poesía para que deje las cortes de Europa y venga a las naciones nacientes de América, cuya naturaleza e historia le serán más propicias. En medio de las guerras de la Independencia, pues, el poeta lanza un programa de independencia literaria. Hay ahí una emoción americana, de nostalgia y de amor. Hay, sobre todo, emoción ante una época que se inicia. Los ejércitos americanos luchaban en nombre de la libertad y del progreso contra el despotismo y la inquisición de Fernando VII. Guerras horrorosas como todas las guerras — Bello no fué nunca poeta belicoso —, pero que abrían el camino a las fuerzas creadoras de la historia. La humanidad estaba sacudiendo los yugos del pasado; y las batallas de América eran « casos de la grande lucha de libertad, que empieza. » La « Alocución » de 1823 fué una dirección original no sólo en la historia literaria hispanoamericana sino también en la española: invitaba a los poetas a que no se distrajeran con imitaciones retóricas. Bello aprovechaba sus clásicos, continuaba sus lecciones, pero la intención era nueva. Tres años después, en el *Repertorio Americano*, publicó su silva « A la agricultura de la Zona Tórrida » (1826). Fué concebida dentro del mismo plan de la « Alocución », pero el poeta no pudo refundir ambas silvas porque en el fondo tenían diferentes tensiones poéticas. Las batallas de Junín y de Ayacucho habían puesto fin a las guerras de la Independencia, y Olmedo las acababa de cantar. Hay que reconstruir. Que los pueblos dejen las armas y tomen el arado. El tema de la glorificación del campo en oposición a la ciudad era clásico; y son evidentes las reminiscencias de Virgilio, Lucrecio, Horacio. Pero Bello siente vivamente el campo porque es el paisaje patrio que ama más. La prédica de dignificación civil se disuelve en un genuino sentimiento del paisaje tropical. El Bello de la silva « A la agricultura » se adentró en ese camino hacia la expresión de la originalidad americana que conocía porque era suya. Su lengua poética, no obstante, se parecía a la tradicional. Las ideas de la Ilustración le dictaban también versos prosaicos, moralizadores: la paz, el trabajo, la virtud, la reconciliación con España, la unidad política con América . . . A la « agricultura », actividad práctica, no a la « naturaleza » como paisaje, dedica su poema. Esto es lo neoclásico. Pero ¿no es nueva en nuestra literatura esa abundancia de imágenes, ese ímpetu entusiasta de la descripción, ese orgullo en el fruto americano y en su nombre indígena, esa nostalgia, que empapan todo el poema, desbordan sus moldes intelectuales y morales y suben en marea lírica? Por eso las imágenes sobre plantas americanas que en la « Alocución » quedaban sueltas, en la silva « A la agricultura » se desarrollan, se enriquecen, se llaman unas a otras, adquieren no sólo más belleza sino más sentido, pues ahí es donde el poeta hace cristalizar su corriente de sentimientos. De esta época son también otras poesías; entre las mejores, la « Carta escrita desde Londres a París por un americano a otro », epístola moral a Olmedo en la que Bello se siente exilado no sólo de América sino del mundo; y en tercetos ricos en emoción patria se lamenta de lo que años después sería obvio: que la Independencia no había traído ni la virtud ni la felicidad soñadas. En Londres, Bello cultivó la amistad de Blanco-White, Puigblanch, José Joaquín de Mora y otros españoles liberales. Blanco-White, que era el maestro, procuraba apartar a sus amigos de la retórica neoclásica. El ejemplo de la poesía inglesa, fresca, sincera, inspirada en las bellezas naturales, en el folklore, en la vida simple y en la realidad inmediata, tuvo efectos. El primer brote romántico de la literatura española apareció, pues, en Londres; pero el romanticismo que prendió en España fué el importado de Francia. Bello comprendía los ideales románticos pero estaba dispuesto a resistir la moda. Denunció el disfraz de los románticos afrancesados. Tradujo a Victor Hugo (así como antes había traducido a Byron) y hasta aprovechó la traducción de la « Prière pour tous » (1830) para volcar en ella su intimidad: la « Oración por todos » (1843) es una adaptación más que una versión. La llegada a Chile de los argentinos Sarmiento, Alberdi, López — sobre todo la de Sarmiento — sacudió violentamente la vida literaria. Esos argentinos habían aprendido su romanticismo en libros franceses; y se encendió una polémica en la que Bello apareció como clasicista. Sin embargo, en su famoso discurso inaugural de la Universidad de Chile, en 1843, Bello demostró que era el más comprensivo de todos. Él había conocido el romanticismo en su fuente inglesa: sólo objetaba la superficialidad de los repentistas. Construir era su ley: y por eso sus grandes aciertos de poeta se dieron en esa línea. Era un constructor de pueblos. Era también un pensador: y su última obra — *La filosofía del entendimiento* — le da un lugar señero en el panorama filosófico hispanoamericano.

Andrés Bello

LA AGRICULTURA DE LA ZONA TÓRRIDA

¡Salve, fecunda zona,
que al sol enamorado circunscribes
el vago curso, y cuanto ser se anima
en cada vario clima,
acariciada de su luz, concibes!

Tú tejes al verano su guirnalda
de granadas espigas; tú la uva
das a la hirviente cuba;
no de purpúrea fruta, roja o gualda,
a tus florestas bellas
falta matiz alguno; y bebe en ellas
aromas mil el viento;
y greyes van sin cuento
paciendo tu verdura, desde el llano
que tiene por lindero el horizonte,
hasta el erguido monte,
de inaccesible nieve siempre cano.

1. cacao. 2. cochinilla. 3. maguey o pita, que da el pulque. 4. café; referencia al reino de Saba o Sabá. 5. uno de los nombres de Baco, dios del vino. 6. la planta llamada « pasionaria ».

Tú das la caña hermosa
de do la miel se acendra,
por quien desdeña el mundo los panales;
tú en urnas de coral cuajas la almendra
que en la espumante jícara rebosa;[1]
bulle carmín viviente en tus nopales,
que afrenta fuera al múrice de Tiro;[2]
y de tu añil la tinta generosa
émula es de la lumbre del zafiro.
El vino es tuyo, que la herida agave[3]
para los hijos vierte
del Anáhuac feliz; y la hoja es tuya,
que, cuando de süave
humo en espiras vagarosas huya,
solazará el fastidio al ocio inerte.
Tú vistes de jazmines
el arbusto sabeo,[4]
y el perfume le das que en los festines
la fiebre insana templará a Lieo.[5]
Para tus hijos la procera palma
su vario feudo cría,
y el ananás sazona su ambrosía;
su blanco pan la yuca,
sus rubias pomas la patata educa,
y el algodón despliega al aura leve
las rosas de oro y el vellón de nieve.
Tendida para ti la fresca parcha[6]
en enramadas de verdor lozano,
cuelga de sus sarmientos trepadores
nectáreos globos y franjadas flores;
y para ti el maíz, jefe altanero
de la espigada tribu, hinche su grano;
y para ti el banano
desmaya al peso de su dulce carga;
el banano, primero
de cuantos concedió bellos presentes
Providencia a las gentes
del Ecuador feliz, con mano larga.
No ya de humanas artes obligado
el premio rinde opimo;
no es a la podadera, no al arado,
deudor de su racimo:
escasa industria bástale, cual puede
hurtar a sus fatigas mano esclava:
crece veloz, y cuando exhausto acaba,
adulta prole en torno le sucede.

Mas, ¡oh, si cual no cede
el tuyo, fértil zona, a suelo alguno,
y como de natura esmero ha sido,
de tu indolente habitador lo fuera!
¡Oh, si al falaz ruido
la dicha al fin supiese verdadera
anteponer, que del umbral le llama
del labrador sencillo,
lejos del necio y vano
fausto, el mentido brillo,
el ocio pestilente ciudadano!
¿Por qué ilusión funesta
aquellos que fortuna hizo señores
de tan dichosa tierra y pingüe y varia,
al cuidado abandonan
y a la fe mercenaria
las patrias heredades,
y en el ciego tumulto se aprisionan
de míseras ciudades,
do la ambición proterva
sopla la llama de civiles bandos,
o al patriotismo la desidia enerva;
do el lujo las costumbres atosiga,
y combaten los vicios
la incauta edad en poderosa liga?
No allí con varoniles ejercicios
se endurece el mancebo a la fatiga;
mas la salud estraga en el abrazo
de pérfida hermosura
que pone en almoneda los favores;
mas pasatiempo estima
prender aleve en casto seno el fuego
de ilícitos amores;
o embebecido le hallará la aurora
en mesa infame de ruinoso juego.
En tanto a la lisonja seductora
del asiduo amador fácil oído
da la consorte: crece
en la materna escuela
de la disipación y el galanteo
la tierna virgen, y al delito espuela
es antes el ejemplo que el deseo.
¿Y será que se formen de ese modo
los ánimos heroicos, denodados
que fundan y sustentan los Estados?
¿De la algazara del festín beodo,
o de los coros de liviana danza,
la dura juventud saldrá, modesta,
orgullo de la patria y esperanza?
¿Sabrá con firme pulso
de la severa ley regir el freno;
brillar en torno aceros homicidas
en la dudosa lid verá sereno;
o animoso hará frente al genio altivo
del engreído mando en la tribuna,
aquel que ya en la cuna
durmió al arrullo del cantar lascivo,
que riza el pelo, y se unge y se atavía
con femenil esmero,
y en indolente ociosidad el día,
o en criminal lujuria pasa entero?

No así trató la triunfadora Roma
las artes de la paz y de la guerra;
antes fió las riendas del Estado
a la mano robusta
que tostó el sol y encalleció el arado;
y bajo el techo humoso campesino
los hijos educó, que el conjurado
mundo allanaron al valor latino.

¡Oh, los que afortunados poseedores
habéis nacido de la tierra hermosa
en que reseña hacer de sus favores
como para ganaros y atraeros
quiso Naturaleza bondadosa!
Romped el duro encanto
que os tiene entre murallas prisioneros.
El vulgo de las artes laborioso,
el mercader que necesario al lujo
al lujo necesita,
los que anhelando van tras el señuelo
del alto cargo y del honor ruidoso,
la grey de aduladores parasita,
gustosos pueblen ese infecto caos;
el campo es vuestra herencia: en él gozaos.
¿Amáis la libertad? El campo habita:
no allá donde el magnate
entre armados satélites se mueve,
y de la moda, universal señora,
va la razón al triunfal carro atada,
y a la fortuna la insensata plebe,
y el noble al aura popular adora.
¿O la virtud amáis? ¡Ah, que el retiro,
la solitaria calma
en que, juez de sí misma, pasa el alma
a las acciones muestra,
es de la vida la mejor maestra!
¿Buscáis durables goces,
felicidad, cuanta es al hombre dada
y a su terreno asiento, en que vecina
está la risa al llanto, y siempre, ¡ah!, siempre
donde halaga la flor punza la espina?
Id a gozar la suerte campesina;
la regalada paz, que ni rencores
al labrador, ni envidias acibaran;
la cama que mullida le preparan
el contento, el trabajo, el aire puro;
y el sabor de los fáciles manjares
que dispendiosa gula no le aceda;
y el asilo seguro
de sus patrios hogares
que a la salud y al regocijo hospeda.
El aura respirad de la montaña,
que vuelve al cuerpo laso
el perdido vigor, que a la enojosa
vejez retarda el paso,
y el rostro a la beldad tiñe de rosa.
¿Es allí menos blanda por ventura
de amor la llama, que templó el recato?
¿O menos aficiona la hermosura
que de extranjero ornato
y afeites impostores no se cura?
¿O el corazón escucha indiferente
el lenguaje inocente
que los afectos sin disfraz expresa,
y a la intención ajusta la promesa?
No del espejo al importuno ensayo
la risa se compone, el paso, el gesto;
ni falta allí carmín al rostro honesto
que la modestia y la salud colora;
ni la mirada que lanzó al soslayo
tímido amor, la senda al alma ignora.
¿Esperaréis que forme
más venturosos lazos himeneo,
do el interés barata,
tirano del deseo
ajena mano y fe por nombre o plata,
que do conforme gusto, edad conforme,
y elección libre y mutuo ardor los ata?

Allí también deberes
hay que llenar: cerrad, cerrad las hondas
heridas de la guerra; el fértil suelo,
áspero ahora y bravo,
al desacostumbrado yugo torne
del arte humana, y le tribute esclavo.
Del obstruído estanque y del molino
recuerden ya las aguas el camino;
el intrincado bosque el hacha rompa,
consuma el fuego; abrid en luengas calles
la oscuridad de su infructuosa pompa.
Abrigo den los valles
a la sedienta caña;
la manzana y la pera
en la fresca montaña
el cielo olviden de su madre España;
adorne la ladera
el cafetal; ampare
a la tierna teobroma[7] en la ribera
la sombra maternal de su bucare,[8]
aquí el vergel, allá la huerta ría . . .
¿Es ciego error de ilusa fantasía?
Ya dócil a tu voz, Agricultura,
nodriza de las gentes, la caterva
servil armada va de corvas hoces;

7. cacao. 8. árbol que se utiliza en Venezuela para resguardar del rigor del sol a los plantíos de café y cacao.

mírola ya que invade la espesura
de la floresta opaca; oigo las voces;
siento el rumor confuso, el hierro suena,
los golpes el lejano
eco redobla; gime el ceibo anciano,
que a numerosa tropa
largo tiempo fatiga:
batido de cien hachas se estremece,
estalla al fin, y rinde el ancha copa.
Huyó la fiera; deja el caro nido,
deja la prole implume
el ave, y otro bosque no sabido
de los humanos va a buscar doliente . . .
¿Qué miro? Alto torrente
de sonorosa llama
corre, y sobre las áridas ruinas
de la postrada selva se derrama.
El raudo incendio a gran distancia brama,
y el humo en negro remolino sube,
aglomerando nube sobre nube.
Ya, de lo que antes era
verdor hermoso y fresca lozanía,
sólo difuntos troncos,
sólo cenizas quedan: monumento
de la dicha mortal, burla del viento.
Mas al vulgo bravío
de las tupidas plantas montaraces,
sucede ya el fructífero plantío
en muestra ufana de ordenadas haces.
Ya ramo a ramo alcanza,
y a los rollizos tallos hurta el día;
ya la primera flor desvuelve el seno,
bello a la vista, alegre a la esperanza:
a la esperanza, que riendo enjuga
del fatigado agricultor la frente,
y allá a lo lejos el opimo fruto
y la cosecha apañadora pinta,
que lleva de los campos el tributo,
colmado el cesto y con la falda en cinta;
y bajo el peso de los largos bienes
con que al colono acude,
hace crujir los vastos almacenes.

¡Buen Dios! No en vano sude,
mas a merced y a compasión te mueva
la gente agricultora
del Ecuador, que del desmayo triste
con renovado aliento vuelve ahora,
y tras tanta zozobra, ansia, tumulto,
tantos años de fiera
devastación y militar insulto,
aun más que tu clemencia antigua implora.
Su rústica piedad, pero sincera,
halle a tus ojos gracia: no el risueño
porvenir que las penas le aligera,
cual de dorado sueño
visión falaz, desvanecido llore;
intempestiva lluvia no maltrate
el delicado embrión; el diente impío
de insecto roedor no lo devore;
sañudo vendaval no lo arrebate,
ni agote al árbol el materno jugo
la calorosa sed de largo estío.
Y pues al fin te plugo,
Árbitro de la suerte soberano,
que, suelto el cuello de extranjero yugo,
irguiese al cielo el hombre americano,
bendecida de Ti se arraigue y medre
su libertad; en el más hondo encierra
de los abismos la malvada guerra,
y el miedo de la espada asoladora
al suspicaz cultivador no arredre
del arte bienhechora
que las familias nutre y los Estados;
la azorada inquietud deje las almas,
deje la triste herrumbre los arados.
Asaz de nuestros padres malhadados
expiamos la bárbara conquista.
¿Cuántas doquier la vista
no asombran erizadas soledades
do cultos campos fueron, do ciudades?
De muertes, proscripciones,
suplicios, orfandades,
¿quién contará la pavorosa suma?
Saciadas duermen ya de sangre ibera
las sombras de Atahualpa y Moctezuma.
¡Ah!, desde el alto asiento
en que escabel te son alados coros
que velan en pasmado acatamiento
la faz ante la lumbre de tu frente
— si merece por dicha una mirada
tuya, la sin ventura humana gente —,
el ángel nos envía,
el ángel de la Paz, que al crudo ibero
haga olvidar la antigua tiranía
y acatar reverente el que a los hombres
sagrado diste, imprescriptible fuero;
que alargar le haga al injuriado hermano
(¡ensangrentóla asaz!) la diestra inerme;
y si la innata mansedumbre duerme,
la despierte en el pecho americano.
El corazón lozano
que una feliz oscuridad desdeña,
que en el azar sangriento del combate
alborozado late,
y codicioso de poder o fama,
nobles peligros ama;
baldón estime sólo y vituperio

el prez que de la Patria no reciba,
la libertad más dulce que el imperio
y más hermosa que el laurel la oliva.
Ciudadano el soldado,
deponga de la guerra la librea:
el ramo de victoria
colgado al ara de la Patria sea,
y sola adorne al mérito la gloria.
De su triunfo entonces, Patria mía,
verá la Paz el suspirado día;
la Paz, a cuya vista el mundo llena
alma serenidad y regocijo:
vuelve alentado el hombre a la faena,
alza el ancla la nave, a las amigas
auras encomendándose animosa,
enjámbrase el taller, hierve el cortijo
y no basta la hoz a las espigas.

¡Oh jóvenes Naciones, que ceñida
alzáis sobre el atónito occidente
de tempranos laureles la cabeza!
Honrad el campo, honrad la simple vida
del labrador, y su frugal llaneza.
Así tendrán en vos perpetuamente
la libertad morada,
y freno la ambición, y la ley templo.
Las gentes a la senda
de la inmortalidad, ardua y fragosa,
se animarán, citando vuestro ejemplo.
Lo emulará celosa
vuestra posteridad; y nuevos nombres
añadiendo la fama
a los que ahora aclama,
« Hijos son éstos, hijos
— pregonará a los hombres —
de los que vencedores superaron
de los Andes la cima:
de los que en Bayacá, los que en la arena
de Maipo, y en Junín, y en la campaña
gloriosa de Apurima,[9]
postrar supieron al león de España. »

LA ORACIÓN POR TODOS

(*Imitación de Víctor Hugo*)

I

Ve a rezar, hija mía. Ya es la hora
de la conciencia y del pensar profundo:
cesó el trabajo afanador, y al mundo
la sombra va a colgar su pabellón.
Sacude el polvo el árbol del camino
al soplo de la noche; y en el suelto
manto de la sutil neblina envuelto,
se ve temblar el viejo torreón.

¡Mira!: su ruedo de cambiante nácar
el occidente más y más angosta,
y enciende sobre el cerro de la costa
el astro de la tarde su fanal.
Para la pobre cena aderezado,
brilla el albergue rústico; y la tarda
vuelta del labrador la esposa aguarda
con su tierna familia en el umbral.

Brota del seno de la azul esfera
uno tras otro fúlgido diamante,
y ya apenas de un carro vacilante
se oye a distancia el desigual rumor.
Todo se hunde en la sombra: el monte, el valle,
y la iglesia y la choza y la alquería;
y a los destellos últimos del día
se orienta en el desierto el viajador.

Naturaleza toda gime: el viento
en la arboleda, el pájaro en el nido,
y la oveja en su trémulo balido,
y el arroyuelo en su correr fugaz.
El día es para el mal y los afanes.
¡He aquí la noche plácida y serena!
El hombre, tras la cuita y la faena,
quiere descanso y oración y paz.

Sonó en la torre la señal: los niños
conversan con espíritus alados
y, los ojos al cielo levantados,
invocan de rodillas al Señor.
Las manos juntas, y los pies desnudos,
fe en el pecho, alegría en el semblante,
con una misma voz, a un mismo instante,
al Padre Universal piden amor.

Y luego dormirán; y en leda tropa,
sobre su cuna volarán ensueños,
ensueños de oro, diáfanos, risueños,
visiones que imitar no osó el pincel.
Y ya sobre la tersa frente posan,
ya beben el aliento a las bermejas
bocas, como lo chupan las abejas
a la fresca azucena y al clavel.

9. victorias decisivas de la guerra de Independencia. Apurimac es el río que atraviesa los campos de Ayacucho, donde se libró en 1824 la última de dichas batallas.

10. Suprimimos, como en otras ediciones se hace, la parte III, compuesta de siete octavillas, inferior al resto del poema. 11. una de las hijas de Bello.

Como, para dormirse, bajo el ala
esconde su cabeza la avecilla,
tal la niñez en su oración sencilla
adormece su mente virginal.
¡Oh dulce devoción que reza y ríe,
de natural piedad primer aviso,
fragancia de la flor del paraíso,
preludio del concierto celestial!

II

Ve a rezar, hija mía. Y ante todo,
ruega a Dios por tu madre, por aquella
que te dió el ser, y la mitad más bella
de su existencia ha vinculado en él;
que en su seno hospedó tu joven alma,
de una llama celeste desprendida;
y haciendo dos porciones de la vida,
tomó el acíbar y te dió la miel.

Ruega después por mí. Más que tu madre
lo necesito yo . . . Sencilla, buena,
modesta como tú, sufre la pena
y devora en silencio su dolor.
A muchos compasión, a nadie envidia,
la ví tener en mi fortuna escasa.
Como sobre el cristal la sombra, pasa
sobre su alma el ejemplo corruptor.

No le son conocidos . . . — ni lo sean
a ti jamás . . . — los frívolos azares
de la vana fortuna, los pesares
ceñudos que anticipan la vejez;
de oculto oprobio el torcedor, la espina
que punza a la conciencia delincuente,
la honda fiebre del alma, que la frente
tiñe con enfermiza palidez.

Mas yo la vida por mi mal conozco,
conozco el mundo y sé su alevosía;
y tal vez de mi boca oirás un día
lo que valen las dichas que nos da.
Y sabrás lo que guarda a los que rifan
riquezas y poder, la urna aleatoria,
y que tal vez la senda que a la gloria
guiar parece, a la miseria va.

Viviendo, su pureza empaña el alma
y cada instante alguna culpa nueva
arrastra en la corriente que la lleva
con rápido descenso al ataúd.
La tentación seduce; el juicio engaña;
en los zarzales del camino, deja
alguna cosa cada cual: la oveja
su blanca lana, el hombre su virtud.

Ve, hija mía, a rezar por mí, y al cielo
pocas palabras dirigir te baste:
« Piedad, Señor, al hombre que creaste;
eres Grandeza, eres Bondad: ¡perdón! »
Y Dios te oirá; que cual del ara santa
sube el humo a la cúpula eminente,
sube del pecho cándido, inocente,
al trono del Eterno la oración.

Todo tiende a su fin: a la luz pura
del sol, la planta; el cervatillo atado,
a la libre montaña; el desterrado,
al caro suelo que lo vió nacer;
y la abejilla en el frondoso valle,
de los nuevos tomillos al aroma;
y la oración en alas de paloma
a la morada del Supremo Ser.

Cuando por mí se eleva a Dios tu ruego,
soy como el fatigado peregrino
que su carga a la orilla del camino
deposita y se sienta a respirar;
porque de tu plegaria el dulce canto
alivia el peso a mi existencia amarga,
y quita de mis hombros esta carga
que me agobia de culpa y de pesar.

Ruega por mí, y alcánzame que vea,
en esta noche de pavor, el vuelo
de un ángel compasivo que del cielo
traiga a mis ojos la perdida luz.
Y pura finalmente — como el mármol
que se lava en el templo cada día —
arda en sagrado fuego el alma mía
como arde el incensario ante la Cruz.

IV[10]

¡Hija!, reza también por los que cubre
la soporosa piedra de la tumba,
profunda sima a donde se derrumba
la turba de los hombres mil a mil:
abismo en que se mezcla polvo a polvo,
y pueblo a pueblo, cual se ve a la hoja
de que al añoso bosque abril despoja,
mezclar las suyas otro y otro abril.

Arrodilla, arrodíllate en la tierra
donde segada en flor yace mi Lola,[11]
coronada de angélica aureola;
do helado duerme cuanto fué mortal;

donde cautivas almas piden preces
que las restauren a su ser primero
y purguen las reliquias del grosero
vaso, que las contuvo, terrenal.

¡Hija!, cuando tú duermes, te sonríes,
y cien apariciones peregrinas
sacuden retozando tus cortinas:
travieso enjambre, alegre, volador.
Y otra vez a la luz abres los ojos,
al mismo tiempo que la aurora hermosa
abre también sus párpados de rosa
y da a la tierra el deseado albor.

¡Pero esas pobres almas! . . . ¡si supieras
qué sueño duermen! . . . su almohada es fría,
duro su lecho; angélica armonía
no regocija nunca su prisión.
No es reposo el sopor que las abruma;
para su noche no hay albor temprano;
y la conciencia — velador gusano —
les roe inexorable el corazón.

Una plegaria, un solo acento tuyo,
hará que gocen pasajero alivio,
y que de luz celeste un rayo tibio
logre a su oscura estancia penetrar;
que el atormentador remordimiento
una tregua a sus víctimas conceda,
y del aire y el agua y la arboleda
oigan el apacible susurrar.

Cuando en el campo con pavor secreto
la sombra ves, que de los cielos baja,
la nieve que las cumbres amortaja
y del ocaso el tinte carmesí:
en las quejas del aura y de la fuente
¿no te parece que una voz retiña?,
una doliente voz que dice: « Niña,
cuando tú reces, ¿rezarás por mí? »

Es la voz de las almas. A los muertos
que oraciones alcanzan, no escarnece
el rebelado arcángel, y florece
sobre su tumba perennal tapiz.
Mas, ¡ay!, a los que yacen olvidados
cubre perpetuo horror, hierbas extrañas
ciegan su sepultura; a sus entrañas
árbol funesto enreda la raíz.

Y yo también — no dista mucho el día —
huésped seré de la morada oscura,
y el ruego invocaré de una alma pura
que a mi largo penar consuelo dé.
Y dulce entonces me será que vengas
y para mí la eterna paz implores,
y en la desnuda losa esparzas flores,
simple tributo de amorosa fe.

¿Perdonarás a mi enemiga estrella
si disipadas fueron una a una
las que mecieron tu mullida cuna
esperanzas de alegre porvenir?
Sí, le perdonarás; y mi memoria
te arrancará una lágrima, un suspiro
que llegue hasta mi lóbrego retiro
y haga mi helado polvo rebullir . . .

NUESTRO IDEAL: LA CREACIÓN DE LA CULTURA AMERICANA

La universidad va a ser así un cuerpo docente; y según las provisiones del decreto supremo, va a serlo de un modo que, a mi juicio, concilia dos grandes miras: la de dirigir la enseñanza en el sentido de la moralidad y la utilidad pública, y la de dejar a los profesores universitarios la independencia y libertad que corresponden a su alta misión.

Pero no se debe olvidar que nuestra ley orgánica, inspirada — en mi humilde opinión — por las más sanas y liberales ideas, ha encargado a la universidad, no sólo la enseñanza, sino el cultivo de la literatura y las ciencias; ha querido que fuese a un tiempo universidad y academia; que contribuyese por su parte al aumento y desarrollo de los conocimientos científicos; que no fuese un instrumento pasivo, destinado exclusivamente a la transmisión de los conocimientos adquiridos en naciones más adelantadas, sino que trabajase — como los institutos literarios de otros pueblos civilizados — en aumentar el caudal común. Este propósito aparece a cada paso en la ley orgánica, y hace honor al gobierno y a la legislatura que la dictaron. ¿Hay en él algo de presuntuoso, de inoportuno, de superior a nuestras fuerzas, como han supuesto algunos? ¿Estaremos condenados todavía a repetir servilmente las lecciones de la ciencia europea, sin atrevernos a discutirlas, a ilustrarlas con aplicaciones locales, a darles una estampa de nacionalidad? Si así lo

12. Francisco José de Caldas (1770-1816), sabio y patriota colombiano. Juan Ignacio Molina (1737-1829), erudito y naturalista chileno. A la expulsión de los jesuítas, a cuya orden pertenecía, fué a residir a Bolonia, en Italia, donde vivió el resto de su vida. Autor de varios tratados de Historia Natural.

hiciésemos, seríamos infieles al espíritu de esa misma ciencia europea, y la tributaríamos un culto supersticioso que ella misma condena. Ella misma nos prescribe el examen, la observación atenta y prolija, la discusión libre, la convicción concienzuda. Es cierto que hay ramos en que debemos, por ahora, limitarnos a oírla, a darle un voto de confianza, y en que nuestro entendimiento — por falta de medios — no puede hacer otra cosa que admitir los resultados de la experiencia y estudio ajenos.

Pero no sucede así en todos los ramos de literatura y ciencia. Los hay que exigen investigaciones locales. La historia chilena, por ejemplo, ¿dónde podrá escribirse mejor que en Chile? ¿No nos toca a nosotros la tarea, a lo menos, de recoger materiales, compulsarlos y acrisolarlos? Y lo que se ha hecho hasta ahora en este solo ramo, bajo los auspicios de la universidad, las memorias históricas que cada año se le presentan, lo que se ha trabajado por un distinguido miembro de la universidad en la historia de la Iglesia chilena, lo que ha dado a luz otro distinguido miembro sobre la historia de la Constitución chilena, ¿no nos hacen ya divisar todo lo que puede y debe esperarse de nosotros en un estudio peculiarmente nuestro?

Pocas ciencias hay que, para enseñarse de un modo conveniente, no necesiten adaptarse a nosotros, a nuestra naturaleza física, a nuestras circunstancias sociales. ¿Buscaremos la higiene y patología del hombre chileno en los libros europeos, y no estudiaremos hasta qué punto es modificada la organización del cuerpo humano por los accidentes del clima de Chile y de las costumbres chilenas? Y un estudio tan necesario, ¿podrá hacerse en otra parte que en Chile? Para la Medicina, está abierto en Chile un vasto campo de exploración, casi intacto hasta ahora, pero que muy presto va a dejar de serlo, y en cuyo cultivo se interesan profundamente la educación física, la salud, la vida, la policía sanitaria y el incremento de la población.

Se han empezado a estudiar en nuestros colegios la historia natural, la física, la química. Por lo que toca a la primera de estas ciencias, que es casi de pura observación, aun para adquirir las primeras nociones, se trata de ver, no las especies de que nos hablan los textos europeos, sino las especies chilenas, el árbol que crece en nuestros bosques, la flor que se desenvuelve en nuestros valles y laderas, la disposición y distribución de los minerales en este suelo que pisamos y en la cordillera agigantada que lo amuralla, los animales que viven en nuestros montes, en nuestros campos y ríos, y en la mar que baña nuestras costas. Así, los textos mismos de historia natural, es preciso — para que sirvan a la enseñanza en Chile — que se modifiquen, y que la modificación se haga aquí mismo, por observadores inteligentes. Y dado este paso, suministrada la instrucción conveniente, ¿no daremos otro más, enriqueciendo la ciencia con el conocimiento de nuevos seres y nuevos fenómenos de la creación animada y del mundo inorgánico, aumentando los catálogos de especies, ilustrando, rectificando las noticias del sabio extranjero, recogidas por la mayor parte en viajes hechos a la ligera?

El mundo antiguo desea en esta parte la colaboración del nuevo; y no sólo la desea: la provoca y la exige. ¿Cuánto no han hecho ya en esta línea los anglo-americanos? Aun en las provincias españolas de América y bajo el yugo colonial, se han dado ejemplos de esta importante colaboración: el nombre del granadino Caldas, que jamás visitó la Europa, y el de Molina[12] que adquirió en Chile los conocimientos a que debió su reputación, figuran honrosamente en las listas de los observadores que han aumentado y enriquecido la ciencia. ¿No seremos nosotros capaces de hacer en el siglo XIX lo que hizo en el XVI el jesuíta español José de Acosta, cuya *Historia Natural y Moral de las Indias*, fruto de sus observaciones personales, es consultada todavía por el naturalista europeo? Y si lo somos, ¿se condenará como inoportuna la existencia de un cuerpo que promueva y dirija este cultivo de las ciencias?

Lo dicho se aplica a la mineralogía, a la geología, a la teoría de los meteoros, a la teoría del calor, a la teoría del magnetismo; la base de todos estos estudios es la observación, la observación local, la observación de todos los días, la observación de los agentes naturales de todas las estaciones sobre toda la superficie del globo. La ciencia europea nos pide datos; ¿no tendremos siquiera bastante celo y aplicación para recogerlos? ¿No harán las repúblicas americanas, en el progreso general de las ciencias, más papel, no tendrán más parte en la mancomunidad de los trabajos del entendimiento humano, que las tribus africanas o las islas de la Oceanía?

Yo pudiera extender mucho más estas consideraciones, y darles nueva fuerza aplicándolas a la política, al hombre moral, a la poesía y a todo género de composición literaria: porque, o es falso que la literatura es el reflejo de la vida de un pueblo, o es preciso admitir que cada pueblo de los que no están sumidos en la barbarie es llamado a reflejarse en una literatura propia y a estampar en ella sus formas. Pero creo que basta lo dicho para que se forme idea de que el doble cargo que la ley orgánica impone a la universidad no es una concepción monstruosa ni prematura, y que podemos y debemos trabajar en ambos con utilidad nuestra y con utilidad común de las ciencias . . .

(Discurso en el aniversario de la Universidad, 1848).

AUTONOMÍA CULTURAL DE AMÉRICA

Nuestra juventud ha tomado con ansia el estudio de la historia; acabamos de ver pruebas brillantes de sus adelantamientos en ella; y quisiéramos que se penetrase bien de la verdadera misión de la historia para estudiarla con fruto.

Quisiéramos sobre todo precaverla de una servilidad excesiva a la ciencia de la civilizada Europa.

Es una especie de fatalidad la que subyuga las naciones que empiezan a las que las han precedido. Grecia avasalló a Roma; Grecia y Roma, a los pueblos modernos de Europa, cuando en ésta se restauraron las letras; y nosotros somos ahora arrastrados más allá de lo justo por la influencia de la Europa, a quien — al mismo tiempo que nos aprovechamos de sus luces — debiéramos imitar en la independencia del pensamiento . . .

Es preciso además no dar demasiado valor a nomenclaturas filosóficas: generalizaciones que dicen poco o nada por sí mismas al que no ha contemplado la naturaleza viviente en las pinturas de la historia y, si ser puede, en los historiadores primitivos y originales. No hablamos aquí de nuestra historia solamente, sino de todas. ¡Jóvenes chilenos! Aprended a juzgar por vosotros mismos; aspirad a la independencia del pensamiento. Bebed en las fuentes; a lo menos en los raudales más cercanos a ellas. El lenguaje mismo de los historiadores originales, sus ideas, hasta sus preocupaciones y sus leyendas fabulosas, son una parte de la historia, y no la menos instructiva y verídica. ¿Queréis, por ejemplo, saber qué cosa fué el descubrimiento y conquista de América? Leed el diario de Colón, las cartas de Pedro de Valdivia,[13] las de Hernán Cortés. Bernal Díaz os dirá mucho más que Solís[14] y Robertson.[15] Interrogad a cada civilización en sus obras; pedid a cada historiador sus garantías. Ésa es la primera filosofía que debemos aprender de la Europa.

Nuestra civilización será también juzgada por sus obras; y si se la ve copiar servilmente a la europea aun en lo que ésta no tiene de aplicable, ¿cuál será el juicio que formará de nosotros un Michelet,[16] un Guizot?[17] Dirán: la América no ha sacudido aún sus cadenas; se arrastra sobre nuestras huellas con los ojos vendados; no respira en sus obras un pensamiento propio, nada original, nada característico; remeda las formas de nuestra filosofía y no se apropia su espíritu. Su civilización es una planta exótica que no ha chupado todavía sus jugos a la tierra que la sostiene.

(« *El Araucano* », 1848).

EL CASTELLANO EN AMÉRICA

[. . .] El habla de un pueblo es un sistema artificial de signos, que bajo muchos respectos se diferencia de los otros sistemas de la misma especie: de que se sigue que cada lengua tiene su teoría particular, su gramática. No debemos, pues, aplicar indistintamente a un idioma los principios, los términos, las analogías en que se resumen bien o mal las prácticas de otro. Esta misma palabra *idioma* (en griego *peculiaridad, naturaleza propia, índole característica*) está diciendo que cada lengua tiene su genio, su fisonomía, sus giros; y mal desempeñaría su oficio el gramático que explicando la suya se limitara a lo que ella tuviese de común con otra, o (todavía peor) que supusiera semejanzas donde no hubiese más que diferencias, y diferencias importantes, radicales. Una cosa es la gramática general, y otra la gramática de un idioma dado: una cosa comparar entre sí dos idiomas, y otra considerar un idioma como es en sí mismo. ¿Se trata, por ejemplo, de la conjugación del verbo castellano? Es preciso enumerar las formas que toma, y los significados y usos de cada forma, como si no hubiese en el mundo otra lengua que la castellana; posición

13. Pedro de Valdivia (1510-1569), capitán español, conquistador de Chile. 14. Antonio Solís (1610-1686), historiador y poeta español, autor de la « Historia de la conquista de Méjico ». 15. William Robertson (1721-1793), historiador escocés, autor de una « Historia de América ». 16. Jules Michelet (1798-1874), célebre historiador francés. 17. François Guizot (1787-1874), historiador y político francés.

forzada respecto del niño, a quien se exponen las reglas de la sola lengua que está a su alcance, la lengua nativa. Éste es el punto de vista en que he procurado colocarme, y en el que ruego a las personas inteligentes, a cuyo juicio someto mi trabajo, que procuren también colocarse, descartando, sobre todo, las reminiscencias del idioma latino.

En España, como en otros países de Europa, una admiración excesiva a la lengua y literatura de los romanos dió un tipo latino a casi todas las producciones del ingenio. Era ésta una tendencia natural de los espíritus en la época de la restauración de las letras. La mitología pagana siguió suministrando imágenes y símbolos al poeta; y el período ciceroniano fué la norma de la elocución para los escritores elegantes. No era, pues, de extrañar que se sacasen del latín la nomenclatura y los cánones gramaticales de nuestro romance [. . .]

No tengo la pretensión de escribir para los castellanos. Mis lecciones se dirigen a mis hermanos los habitantes de Hispano-América. Juzgo importante la conservación de la lengua de nuestros padres en su posible pureza, como un medio providencial de comunicación y un vínculo de fraternidad entre las varias naciones de origen español derramadas sobre los dos continentes.

Pero no es un purismo supersticioso lo que me atrevo a recomendarles. El adelantamiento prodigioso de todas las ciencias y las artes, la difusión de la cultura intelectual, y las revoluciones políticas, piden cada día nuevos signos para expresar ideas nuevas; y la introducción de vocablos flamantes, tomados de las lenguas antiguas y extranjeras, ha dejado ya de ofendernos, cuando no es manifiestamente innecesaria, o cuando no descubre la afectación y mal gusto de los que piensan engalanar así lo que escriben.

Hay otro vicio peor, que es el prestar acepciones nuevas a las palabras y frases conocidas, multiplicando las anfibologías de que, por la variedad de significados de cada palabra, adolecen más o menos las lenguas todas, y acaso en mayor proporción las que más se cultivan, por el casi infinito número de ideas a que es preciso acomodar un número necesariamente limitado de signos.

Pero el mayor mal de todos, y el que — si no se ataja — va a privarnos de las inapreciables ventajas de un lenguaje común, es la avenida de neologismos de construcción, que inunda y enturbia mucha parte de lo que se escribe en América, y alterando la estructura del idioma, tiende a convertirlo en una multitud de dialectos irregulares, licenciosos, bárbaros, embriones de idiomas futuros, que durante una larga elaboración reproducirían en América lo que fué la Europa en el tenebroso período de la corrupción del latín. Chile, el Perú, Buenos Aires, México, hablarían cada uno su lengua, o por mejor decir, varias lenguas, como sucede en España, Italia y Francia, donde dominan ciertos idiomas provinciales, pero viven a su lado otros varios, oponiendo estorbos a la difusión de las luces, a la ejecución de las leyes, a la administración del Estado, a la unidad nacional. Una lengua es como un cuerpo viviente: su vitalidad no consiste en la constante identidad de elementos, sino en la regular uniformidad de las funciones que éstos ejercen, y de que proceden la forma y la índole que distinguen al todo . . .

No se crea que, recomendando la conservación del castellano, sea mi ánimo tachar de vicioso y espurio todo lo que es peculiar de los americanos. Hay locuciones castizas que en la Península pasan hoy por anticuadas, y que subsisten tradicionalmente en Hispano-América: ¿por qué proscribirlas? Si según la práctica general de los americanos es más analógica la conjugación de algún verbo, ¿por qué razón hemos de preferir la que caprichosamente haya prevalecido en Castilla? Si de raíces castellanas hemos formado vocablos nuevos según los procederes ordinarios de derivación que el castellano reconoce, y de que se ha servido y se sirve continuamente para aumentar su caudal, ¿qué motivos hay para que nos avergoncemos de usarlos? Chile y Venezuela tienen tanto derecho como Aragón y Andalucía para que se toleren sus accidentales divergencias, cuando las patrocina la costumbre uniforme y auténtica de la gente educada. En ellas se peca mucho menos contra la pureza y corrección del lenguaje, que en las locuciones afrancesadas, de que no dejan de estar salpicadas hoy día aun las obras más estimadas de los escritores peninsulares.

(« Gramática de la Lengua Castellana », 1847, Prólogo. De *Obras Completas*. Edición hecha bajo los auspicios de la Universidad de Chile. Santiago, 1930).

NOTICIA COMPLEMENTARIA

Al lado de la poesía urbana, culta, académica que hemos visto en Olmedo y Bello, surgió, durante las guerras de la Independencia, la voz del gaucho. BARTOLOMÉ HIDALGO (Uruguay; 1788-1822) representó una dirección poética aparentemente más humilde pero en su destino más revolucionaria, pues abrió un camino a la expresión americana. Hidalgo no era un gaucho, pero había oído a payadores auténticos, conocía sus modismos y acertó a expresar, en sus « cielos » y « diálogos », el tono de la improvisación gauchesca. La importancia de Hidalgo está en ser, si no el primero, por lo menos uno de los primeros en descubrir para la poesía el valor de la población rural americana. La palabra « gaucho » apareció en el Río de la Plata a fines del siglo XVIII, con una significación negativa: era el vagabundo, el cuchillero, el alzado contra la autoridad, el cuatrero, etc. Pero pronto la palabra « gaucho » se cargó de un contenido más favorable. En primer lugar las masas gauchas entraron a formar parte activa en la vida histórica del país y, desde 1806, cuando las invasiones inglesas, demostraron sentido de patria y abnegación; comprendieron el sentido político de la revolución de 1810 y hasta llegaron a defender los ideales de independencia y democracia cuando algunos porteños vacilaban. El gaucho, en los versos de Hidalgo, es más bien un paisano que comenta la realidad política de las guerras contra el español en un estilo espontáneo y plebeyo, chabacano pero nuevo en el cuadro literario neoclásico.

VI

1825-1860

MARCO HISTÓRICO: *Disgregación de las colonias en núcleos nacionales; anarquía, caudillismo; luchas entre el absolutismo y el liberalismo.*

TENDENCIAS CULTURALES: *El romanticismo en dos promociones. Del costumbrismo al realismo.*

JOSÉ MARÍA HEREDIA
ESTEBAN ECHEVERRÍA
DOMINGO FAUSTINO SARMIENTO
JOSÉ MÁRMOL
GERTRUDIS GÓMEZ DE AVELLANEDA
JOSÉ ANTONIO MAITÍN
JOSÉ EUSEBIO CARO
GREGORIO GUTIÉRREZ GONZÁLEZ

La literatura hispanoamericana se hizo romántica siguiendo el ejemplo de toda Europa. La conversión, sin embargo, no fué tan simple como podría esperarse. Ya vimos cómo algunos viejos neoclásicos acabaron por aceptar las incitaciones de la joven estética (Bello). Al lado de ellos están los que vacilan inclinándose ya hacia las tradiciones académicas, ya hacia la libertad artística (Heredia). Pero quienes dan equilibrio a este período son los escritores plenamente conscientes de la nueva concepción de la vida, del arte y de la historia. En el período anterior (1808-1824), aparecieron los primeros signos románticos: propagación a España de las definiciones de Schlegel; emigración de españoles e hispanoamericanos a Londres, donde conocen el nuevo estilo; la influencia ejercida por Francia . . . En este período (1825-1860) lo que ha de ocurrir es que la influencia de Francia se afirmará. En efecto, la primera generación hispanoamericana de románticos que saben lo que quieren y actúan con un programa polémico abandonó la madre España y adoptó a Francia como madrastra. Esto, en los países más impulsivos, como Argentina, y sólo hasta mediados del siglo. Después los hispanoamericanos se darán cuenta de que Francia no era una madre, sino una buena tía, y abrirán los brazos al romanticismo español. Es así como, en los países de más lento paso, el romanticismo llegó tarde y hablando, no en francés o en inglés, sino en español. La literatura romántica europea entraba por ahí ya españolizada. No es que disminuya la influencia francesa (esto no sucederá sino en el siglo XX), sino que aumenta la española. Tenemos, pues, dos generaciones románticas: la primera es la que da obras significativas antes de 1850 (como el *Facundo* de Sarmiento); la segunda es la que empieza a producir después de 1850 (como los folletines con que Alberto Blest Gana se inicia en la novela). Antes de presentar los distintos grupos literarios reparemos en sus características generales. El romanticismo afirma la inspiración libre y espontánea, los impulsos sentimentales, el acondicionamiento histórico en la vida de los hombres y los pueblos, la literatura como evocación de un pasado nacionalista y como propaganda para un futuro liberal. Así, los géneros literarios adquieren un nuevo sentido. Con una mayor variedad de metros la poesía medirá ahora más las desacompasadas palpitaciones de la vida que el compás de las ideas. Se cultiva la historia en dramas, novelas y leyendas en prosa y verso. El cuadro de costumbres, que en el siglo XVIII había sido un género reformador, en el XIX simpatiza con el color local, se hace dinámico y se convierte en cuento. El costumbrismo de los « cuadros » entra en la composición de novelas realistas. Veamos qué nos ofrecen estos años.

Al margen del romanticismo. Llave de oro, para abrir este capítulo, es JOSÉ MARÍA HEREDIA (Cuba; 1803-1839). Niño, Heredia traducía ya a los latinos, estudiaba en ellos sus primeras lecciones de composición literaria e imitaba a los neoclásicos franceses y españoles. Era, por otra parte, lo que hacían sus mayores: traducir e imitar. Cuando llegó a México (tenía dieciséis años) el humanismo que allí encontró había perdido su fuerza espiritual y se reducía a recomendar normas de arte y a parafrasear sin arte un pasado del que ya no se sabía recibir ningún aliento vital. Heredia nunca olvidará su aprendizaje de las letras latinas: aun en sus poesías de madurez, en los momentos de mayor sinceridad y lirismo, sus versos tendrán reminiscencias clásicas. Del neoclasicismo recibió la influencia de los poetas que reavivaron la antigua escuela de Salamanca: leyó a Meléndez Valdés, el mejor lírico de la época, a Cienfuegos, a Jovellanos, a Quintana. Y se puso a escribir en esa franja literaria que iba desde el dulce y melancólico erotismo hasta la poesía filosófica y social. Ejemplos de las literaturas inglesa y francesa le indicaban que iba por buen rumbo; y traduciendo e imitando la poesía ossiánica, a Chateaubriand, Byron, Ugo Foscolo, Lamartine y quizá a Víctor Hugo (a quien nunca citó, pero algunas de cuyas obras poseyó) tiñó sus versos de imaginación, de melancolía y de angustia romántica. Este tono doliente de su poesía es en él lo más valedero. Su filosofía era la humanitaria de la Ilustración: paz, libertad, justicia, orden racional, progreso . . . Cuando volvió a Cuba conspiró a favor de su independencia y se convirtió en poeta heroico. Sin embargo, su originalidad no está en el fervor patriótico, sino en una forma más intensa de amor a la patria: la nostalgia. Y la nostalgia se da en él como evocación de paisajes y amores. Se sentía desgarrado de Cuba. Muy poco había podido vivir en su isla, y por eso mismo la idealizó. Sentimientos de ausencia, de lejanía, constituyen el *leitmotiv* de su literatura. El « día de la partida » de Cuba le crea innumerables versos, como uno de esos traumas mentales de los que ya no nos reponemos jamás. Sufría el destierro como lírico más que como ciudadano. En ningún sitio se « hallaba »: ni en México ni en los Estados Unidos. La verdad es que ni siquiera fué feliz en Cuba: era un desarraigado. Amaba su tierra, pero con las raíces en el aire. Nada podía contentarlo porque llevaba el descontento en su alma. Su mayor ímpetu (si no en su vida por lo menos en su poesía) fué el del amor. El primer amor, claro, en Cuba. Nunca lo olvidará. Es una constante de su expresión. Se refracta y se irisa en el lenguaje literario convencional, pero uno reconoce la fuerza de ese insistente rayo de luz: amar y no ser amado, los celos, preferir el amor a la fama, no querer dañar a la amada atándola a la propia vida, tan desdichada. El paisaje cubano fué vivido con ánimo

1. el olivo, árbol consagrado a Minerva.

enamorado, y por eso, a la distancia, el desterrado lo evoca como parte de su ternura. Heredia era un inadaptado, pero un inadaptado que ansiaba quietud. A veces el tema de la paz, desarrollado como virtud civil, descubre en sus armónicos el verdadero sentimiento del poeta: paz, sí, pero, sobre todo, que lo dejen en paz a él. Este ideal de vida tranquila es tan obsesivo como el amor de mujer y el recuerdo de las bellezas patrias: y todo junto se alza a lo lejos como un espejismo de perdido en el desierto, como sueño de un triste solitario. De todos los poetas de formación clásica fué Heredia el que más habló de sí. Fué el más lírico de todos. Por simetría los críticos, después de haber definido a Bello como el poeta de « Alocución a la Poesía » y de la silva « A la Agricultura », y a Olmedo como el poeta de « A la victoria de Junín » y de « Al vencedor de Miñarica », presentan a Heredia como el poeta de « En el Teocalli de Cholula » (1820) y de la descripción del « Niágara » (1824). Pero Heredia fué lírico con más frecuentes aciertos y dejó varias composiciones tan buenas (¿y por qué no mejores?) que las dos mencionadas. « En el Teocalli de Cholula » la percepción de cada matiz de color, de cada perfil de las cosas, aparece con extraordinaria nitidez; y, sin embargo, esa descripción, tan precisa que es como si nos regalara con un nuevo par de ojos, no es física: no hay realidad exterior sino la del alma en pena que contempla, se siente vivir y medita. En el canto al « Niágara » otra vez la naturaleza se deja penetrar de lirismo; el poeta se asombra, ante esta maravilla natural, de otras aún mayores: Dios, el Tiempo; y en esta expansión del yo crece el anhelo de la mujer amada y la nostalgia de Cuba. ¡Con cuánta fuerza rompe Heredia el marco neoclásico de su poesía y da salida a emociones románticas en « En una tempestad », « A Emilia » y otras composiciones! Al decir que rompió el marco neoclásico de su poesía nos referimos a la forma interior del clasicismo, racionalista, didáctica, porque en lo que se refiere a sus patrones de versificación se mantuvo en los de su época. Heredia escribió también drama, crítica y cuentos.

José María Heredia

EN EL TEOCALLI DE CHOLULA

¡Cuánto es bella la tierra que habitaban
los aztecas valientes! En su seno
en una estrecha zona concentrados,
con asombro se ven todos los climas
que hay desde el polo al ecuador. Sus llanos
cubren a par de las doradas mieses
las cañas deliciosas. El naranjo
y la piña y el plátano sonante,
hijos del suelo equinoccial, se mezclan
a la frondosa vid, al pino agreste,
y de Minerva al árbol majestuoso.[1]
Nieve eternal corona las cabezas
de Iztaccihual purísimo, Orizaba
y Popocatepec; sin que el invierno
toque jamás con destructora mano
los campos fertilísimos, do ledo
los mira el indio en púrpura ligera
y oro teñirse, reflejando el brillo
del sol en occidente, que sereno
en hielo eterno y perennal verdura
a torrentes vertió su luz dorada,
y vió a naturaleza conmovida
con su dulce calor hervir en vida.

Era la tarde: su ligera brisa
las alas en silencio ya plegaba
y entre la hierba y árboles dormía,
mientras el ancho sol su disco hundía

detrás de Iztaccihual. La nieve eterna
cual disuelta en mar de oro, semejaba
temblar en torno de él; un arco inmenso
que del empíreo en el cenit finaba
como espléndido pórtico del cielo
de luz vestido y centellante gloria,
de sus últimos rayos recibía
los colores riquísimos. Su brillo
desfalleciendo fué; la blanca luna
y de Venus la estrella solitaria
en el cielo desierto se veían.
¡Crepúsculo feliz! Hora más bella
que la alma noche o el brillante día.
¡Cuánto es dulce tu paz al alma mía!

Hallábame sentado en la famosa
choluteca pirámide. Tendido
el llano inmenso que ante mí yacía,
los ojos a espaciarse convidaba.
¡Qué silencio! ¡qué paz! ¡Oh! ¿quién diría
que en estos bellos campos reina alzada
la bárbara opresión, y que esta tierra
brota mieses tan ricas, abonada
con sangre de hombres, en que fué inundada
por la superstición y por la guerra? . . .[2]

Bajó la noche en tanto. De la esfera
el leve azul, oscuro y más oscuro
se fué tornando: la movible sombra
de las nubes serenas, que volaban
por el espacio en alas de la brisa,
era visible en el tendido llano.
Iztaccihual purísimo volvía
del argentado rayo de la luna
el plácido fulgor, y en el oriente
bien como puntos de oro centellaban
mil estrellas y mil . . . ¡Oh! ¡yo os saludo,
fuentes de luz, que de la noche umbría
ilumináis el velo,
y sois del firmamento poesía!

Al paso que la luna declinaba,
y al ocaso fulgente descendía
con lentitud, la sombra se extendía
del Popocatepec, y semejaba
fantasma colosal. El arco oscuro
a mí llegó, cubrióme, y su grandeza
fué mayor y mayor, hasta que al cabo
en sombra universal veló la tierra.

Volví los ojos al volcán sublime,
que velado en vapores transparentes,
sus inmensos contornos dibujaba
de occidente en el cielo.
¡Gigante del Anáhuac! ¿cómo el vuelo
de las edades rápidas no imprime
alguna huella en tu nevada frente?
Corre el tiempo veloz, arrebatando
años y siglos como el norte fiero
precipita ante sí la muchedumbre
de las olas del mar. Pueblos y reyes,
viste hervir a tus pies, que combatían
cual hora combatimos y llamaban
eternas sus ciudades, y creían
fatigar a la tierra con su gloria.
Fueron: de ellos no resta ni memoria.
¿Y tú eterno serás? Tal vez un día
de tus profundas bases desquiciado
caerás; abrumará tu gran ruïna
al yermo Anáhuac; alzaránse en ella
nuevas generaciones, y orgullosas
que fuiste negarán . . .
Todo perece
por ley universal. Aun este mundo
tan bello y tan brillante que habitamos,
es el cadáver pálido y deforme
de otro mundo que fué . . .

En tal contemplación embebecido
sorprendióme el sopor. Un largo sueño
de glorias engolfadas y perdidas
en la profunda noche de los tiempos,
descendió sobre mí. La agreste pompa
de los reyes aztecas desplegóse
a mis ojos atónitos. Veía
entre la muchedumbre silenciosa
de emplumados caudillos levantarse
el déspota salvaje en rico trono,
de oro, perlas y plumas recamado;
y al son de caracoles belicosos
ir lentamente caminando al templo
la vasta procesión, do la aguardaban
sacerdotes horribles, salpicados
con sangre humana rostros y vestidos.
Con profundo estupor el pueblo esclavo
las bajas frentes en el polvo hundía,
y ni mirar a su señor osaba,
de cuyos ojos férvidos brotaba
la saña del poder.

2. se refiere a la contrarrevolución conservadora de Iturbide. 3. en la mitología griega, deidades primitivas que combatieron contra los dioses del Olimpo, siendo vencidas por ellos.

Tales ya fueron
tus monarcas, Anáhuac, y su orgullo:
su vil superstición y tiranía
en el abismo del no ser se hundieron.
Si, que la muerte, universal señora,
hiriendo a par al déspota y esclavo,
escribe la igualdad sobre la tumba.
Con su manto benéfico el olvido
tu insensatez oculta y tus furores
a la raza presente y la futura.
Esta inmensa estructura
vió a la superstición más inhumana
en ella entronizarse. Oyó los gritos
de agonizantes víctimas, en tanto
que el sacerdote, sin piedad ni espanto,
les arrancaba el corazón sangriento;
miró el vapor espeso de la sangre
subir caliente al ofendido cielo
y tender en el sol fúnebre velo
y escuchó los horrendos alaridos
con que los sacerdotes sofocaban
el grito del dolor.
Muda y desierta
ahora te ves, Pirámide. ¡Más vale
que semanas de siglos yazcas yerma,
y la superstición a quien serviste
en el abismo del infierno duerma!
A nuestros nietos últimos, empero
sé lección saludable; y hoy al hombre
que al cielo, cual Titán,[3] truena orgulloso,
sé ejemplo ignominioso
de la demencia y del furor humano.

(Diciembre de 1820)

A FLÉRIDA

Si es dulce ver en el glorioso estío
ceñida el alba de purpúreas flores,
y entre blancas arenas y verdores
con manso curso deslizarse el río;

si es dulce al inocente pecho mío
atisbar de las aves los amores,
cuando tiernas modulan sus ardores
en la plácida paz del bosque umbrío;

si es dulce ver cuál cobran estos prados
fresco verdor en la estación florida,
y al cielo y mar profundo serenados,

más dulce es verte, Flérida querida,
darme en tus negros ojos desmayados
muerte de amor más grata que la vida.

EN UNA TEMPESTAD

Huracán, huracán, venir te siento,
y en tu soplo abrasado
respiro entusiasmado
del señor de los aires el aliento.

En las alas del viento suspendido
vedle rodar por el espacio inmenso,
silencioso, tremendo, irresistible,
en su curso veloz. La tierra en calma,
siniestra, misteriosa,
contempla con pavor su faz terrible.
¿Al toro no miráis? El suelo escarban
de insoportable ardor sus pies heridos:
la frente poderosa levantando,
y en la hinchada nariz fuego aspirando,
llama la tempestad con sus bramidos.

¡Qué nubes! ¡qué furor! El sol temblando
vela en triste vapor su faz gloriosa,
y su disco nublado sólo vierte
luz fúnebre y sombría,
que no es noche ni día . . .
¡Pavoroso color, velo de muerte!
Los pajarillos tiemblan y se esconden
al acercarse el huracán bramando,
y en los lejanos montes retumbando
le oyen los bosques, y a su voz responden.

Llega ya . . . ¿No lo veis? ¡Cuál desenvuelve
su manto aterrador y majestuoso! . . .
¡Gigante de los aires, te saludo! . . .
En fiera confusiôn el viento agita
las orlas de su parda vestidura . . .
¡Ved! . . . ¡en el horizonte
los brazos rapidísimos enarca,
y con ellos abarca
cuanto alcanzo a mirar de monte a monte!

¡Oscuridad universal! . . . ¡Su soplo
levanta en torbellinos
el polvo de los campos agitado! . . .
En las nubes retumba despeñado
el carro del Señor, y de sus ruedas
brota el rayo veloz, se precipita,
hiere y aterra el suelo,
y su lívida luz inunda el cielo.

¿Qué rumor? ¿Es la lluvia? . . . Desatada
cae a torrentes, oscurece al mundo,
y todo es confusión, horror profundo.
Cielo, nubes, colinas, caro bosque,
¿Dó estáis? . . . Os busco en vano:

Desparecisteis . . . La tormenta umbría
en los aires revuelve un oceano
que todo lo sepulta . . .
Al fin, mundo fatal, nos separamos:
el huracán y yo solos estamos.

¡Sublime tempestad! ¡Cómo en tu seno,
de tu solemne inspiración henchido,
al mundo vil y miserable olvido
y alzo la frente, de delicia lleno!
¿Dó está el alma cobarde
que teme tu rugir? . . . Yo en ti me elevo
al trono del Señor; oigo en las nubes
el eco de su voz; siento a la tierra
escucharle y temblar. Ferviente lloro
desciende por mis pálidas mejillas,
y su alta majestad trémulo adoro.

(Septiembre de 1822)

NIÁGARA

Dadme mi lira, dádmela que siento
en mi alma estremecida y agitada,
arder la inspiración. ¡Oh, cuánto tiempo
en tinieblas pasó, sin que mi frente
brillase con su luz!. . . Niágara undoso,
sólo tu faz sublime ya podría
tornarme el don divino, que ensañada,
me robó del dolor la mano impía.

Torrente prodigioso, calma, acalla,
tu trueno aterrador: disipa un tanto
las tinieblas que en torno te circundan,
y déjame mirar tu faz serena,
y de entusiasmo ardiente mi alma llena.
Yo digno soy de contemplarte: siempre
lo común y mezquino desdeñando,
ansié por lo terrífico y sublime.
Al despeñarse el huracán furioso,
al retumbar sobre mi frente el rayo,
palpitando gocé: ví al oceano,
azotado por austro proceloso,
combatir mi bajel, y ante mis plantas
sus abismos abrir, y amé el peligro,
y sus iras amé: mas su fiereza
en mi alma no dejara
la profunda impresión que tu grandeza.

Corres sereno, y majestuoso, y luego
en ásperos peñascos quebrantado,
te abalanzas violento, arrebatado,
como el destino irresistible y ciego.
¿Qué voz humana describir podría
de la sirte rugiente
la aterradora faz? El alma mía
en vago pensamiento se confunde,
al contemplar la férvida corriente,
que en vano quiere la turbada vista
en su vuelo seguir al borde oscuro
del precipicio altísimo: mil olas,
cual pensamiento rápidas pasando,
chocan, y se enfurecen;
otras mil, y otras mil ya las alcanzan,
y entre espuma y fragor desaparecen.

Mas llegan . . . saltan . . . El abismo horrendo
devora los torrentes despeñados;
crúzanse en él mil iris, y asordados
vuelven los bosques el fragor tremendo.
Al golpe violentísimo en las peñas
rómpese el agua, salta, y una nube
de revueltos vapores
cubre el abismo en remolinos, sube,
gira en torno, y al cielo
cual pirámide inmensa se levanta,
y por sobre los bosques que le cercan
al solitario cazador espanta.

Mas, ¿qué en ti busca mi anhelante vista
con inquieto afanar? ¿Por qué no miro
alrededor de tu caverna inmensa
las palmas ¡ay! las palmas deliciosas,
que en las llanuras de mi ardiente patria
nacen del sol a la sonrisa, y crecen,
y al soplo de las brisas del océano
bajo un cielo purísimo se mecen?

Este recuerdo a mi pesar me viene . . .
Nada ¡oh Niágara! falta a tu destino,
ni otra corona que el agreste pino
a tu terrible majestad conviene.
La palma, y mirto, y delicada rosa,
muelle placer inspiren y ocio blando
en frívolo jardín; a ti la suerte
guardó más digno objeto y más sublime.
El alma libre, generosa, fuerte,
viene, te ve, se asombra,
menosprecia los frívolos deleites,
y aun se siente elevar cuando te nombra.

¡Dios, Dios de la verdad! En otros climas
ví monstruos execrables,
blasfemando tu nombre sacrosanto,
sembrar terror y fanatismo impío,
los campos inundar en sangre y llanto,

de hermanos atizar la infanda guerra,
y desolar frenéticos la tierra.
Vílos, y el pecho se inflamó a su vista
en grave indignación. Por otra parte
ví mentidos filósofos que osaban
escrutar tus misterios, ultrajarte,
y de impiedad al lamentable abismo
a los míseros hombres arrastraban.
Por eso siempre te buscó mi mente
en la sublime soledad: ahora
entera se abre a ti; tu mano siente
en esta inmensidad que me circunda,
y tu profunda voz baja a mi seno
de este raudal en el eterno trueno.

¡Asombroso torrente!
¡Cómo tu vista el ánimo enajena
y de terror y admiración me llena!
¿Dó tu origen está? ¿Quién fertiliza
por tantos siglos tu inexhausta fuente?
¿Qué poderosa mano
hace que al recibirte,
no rebose en la tierra el oceano?

Abrió el Señor su mano omnipotente,
cubrió tu faz de nubes agitadas,
dió su voz a tus aguas despeñadas,
y ornó con su arco tu terrible frente.
Miro tus aguas que incansables corren,
como el largo torrente de los siglos
rueda en la eternidad . . . ¡Así del hombre
pasan volando los floridos días,
y despierta al dolor! . . . ¡Ay! agostada
siento mi juventud, mi faz marchita,
y la profunda pena que me agita
ruga mi frente de dolor nublada.

Nunca tanto sentí como este día
mi mísero aislamiento, mi abandono,
mi lamentable desamor . . . ¿Podría
un alma apasionada y borrascosa
sin amor ser feliz? . . . ¡Oh! ¡si una hermosa
digna de mí me amase,
y de este abismo al borde turbulento
mi vago pensamiento
y mi andar solitario acompañase!
¡Cuál gozara al mirar su faz cubrirse
de leve palidez, y ser más bella
en su dulce terror, y sonreírse
al sostenerla mis amantes brazos! . . .
¡Delirios de virtud! . . . ¡Ay! desterrado,
sin patria, sin amores,
sólo miro ante mí, llanto y dolores.

¡Niágara poderoso!
oye mi última voz: en pocos años
ya devorado habrá la tumba fría
a tu débil cantor. ¡Duren mis versos
cual tu gloria inmortal! ¡Pueda piadoso
al contemplar tu faz algún viajero,
dar un suspiro a la memoria mía!
Y yo, al hundirse el sol en occidente,
vuele gozoso do el Creador me llama,
y al escuchar los ecos de mi fama,
alce en las nubes la radiosa frente!

(Junio de 1824). (Según la edición de 1825)

A EMILIA

Desde el suelo fatal de mi destierro,
tu triste amigo, Emilia deliciosa,
te dirige su voz; su voz que un día
en los campos de Cuba florecientes
virtud, amor y plácida esperanza,
cantó felice, de tu bello labio
mereciendo sonrisa aprobadora,
que satisfizo su ambición. Ahora
sólo gemir podrá la triste ausencia
de todo lo que amó, y enfurecido
tronar contra los viles y tiranos
que ajan de nuestra patria desolada
el seno virginal. Su torvo ceño
mostróme el despotismo vengativo,
y en torno de mi frente acumulada
rugió la tempestad. Bajo tu techo
la venganza burlé de los tiranos.
Entonces tu amistad celeste, pura,
mitigaba el horror a los insomnios
de tu amigo proscripto y sus dolores.
Me era dulce admirar tus formas bellas
y atender a tu acento regalado,
cual lo es al miserable encarcelado
el aspecto del cielo y las estrellas.
Horas indefinibles, inmortales,
de angustia tuya y de peligro mío,
¡cómo volaron! — Extranjera nave
arrebatóme por el mar sañudo,
cuyas oscuras, turbulentas olas,
me apartan ya de playas españolas.

Heme libre por fin: heme distante
de tiranos y siervos. Mas, Emilia,
¡qué mudanza cruel! Enfurecido
brama el viento invernal: sobre sus alas
vuela y devora el suelo desecado
el hielo punzador. Espesa niebla

vela el brillo del sol, y cierra el cielo,
que en dudoso horizonte se confunde
con el oscuro mar. Desnudos gimen
por doquiera los árboles la saña
del viento azotador. Ningún ser vivo
se ve en los campos. Soledad inmensa
reina y desolación, y el mundo yerto
sufre de invierno cruel la tiranía.
¿Y es ésta la mansión que trocar debo
por los campos de luz, el cielo puro,
la verdura inmortal y eternas flores,
y las brisas balsámicas del clima
en que el primero sol brilló a mis ojos
entre dulzura y paz? . . . — Estremecido
me detengo, y agólpanse a mis ojos
lágrimas de furor . . . ¿Qué importa? Emilia,
mi cuerpo sufre, pero mi alma fiera
con noble orgullo y menosprecio aplaude
su libertad. Mis ojos doloridos
no verán ya mecerse de la palma
la copa gallardísima, dorada
por los rayos del sol en occidente;
ni a la sombra del plátano sonante,
el ardor burlaré del medio día,
inundando mi faz en la frescura
que expira el blando céfiro. Mi oído,
en lugar de tu acento regalado,
o del eco apacible y cariñoso
de mi madre, mi hermana y mis amigas,
tan sólo escucha de extranjero idioma,
los bárbaros sonidos: pero al menos,
no lo fatiga del tirano infame
el clamor insolente, ni el gemido
del esclavo infeliz, ni del azote
el crugir execrable que emponzoñan
la atmósfera de Cuba. ¡Patria mía,
idolatrada patria! tu hermosura
goce el mortal en cuyas torpes venas
gire con lentitud la yerta sangre,
sin alterarse al grito lastimoso
de la opresión. En medio de tus campos
de luz vestidos y genial belleza,
sentí mi pecho férvido agitado
por el dolor, como el Océano brama
cuando lo azota el norte. Por las noches,
cuando la luz de la callada luna
y del limón el delicioso aroma,
llevado en alas de la tibia brisa
a voluptuosa calma convidaban,
mil pensamientos de furor y saña
entre mi pecho hirviendo, me nublaban
el congojado espíritu y el sueño
en mi abrasada frente no tendía
sus alas vaporosas. De mi patria
bajo el hermoso y desnublado cielo,
no pude resolverme a ser esclavo,
ni consentir que todo en la natura,
fuese noble y feliz, menos el hombre.
Miraba ansioso al cielo y a los campos
que en derredor callados se tendían,
y en mi lánguida frente se veían
la palidez mortal y la esperanza.

Al brillar mi razón, su amor primero
fué la sublime dignidad del hombre,
y al murmurar de patria el dulce nombre,
me llenaba de horror el extranjero.
¡Pluguiese al cielo, desdichada Cuba,
que tu suelo tan sólo produjese
hierro y soldados! La codicia ibera
no tentáramos, ¡no! Patria adorada,
de tus bosques el aura embalsamada,
es al valor, a la virtud funesta.
¿Cómo viendo tu sol radioso, inmenso,
no se inflama en los pechos de tus hijos
generoso valor contra los viles
que te oprimen audaces y devoran?

¡Emilia! ¡dulce Emilia! la esperanza
de inocencia, de paz y de ventura,
acabó para mí. ¿Qué gozo resta
al que desde la nave fugitiva
en el triste horizonte de la tarde
hundirse vió los montes de su patria
por la postrera vez? A la mañana
alzóse el sol, y me mostró desiertos
el firmamento y mar . . . ¡Oh! ¡cuán odiosa
me pareció la mísera existencia!
Bramaba en torno la tormenta fiera
y yo sentado en la agitada popa
del náufrago bajel, triste y sombrío,
los torvos ojos en el mar fijando,
meditaba de Cuba en el destino
y en sus tiranos viles, y gemía,
y de rubor y cólera temblaba,
mientras el viento en derredor rugía,
y mis sueltos cabellos agitaba.

¡Ah! también otros mártires . . . ¡Emilia!
doquier me sigue en ademán severo,
del noble Hernández la querida imagen.
¡Eterna paz a tu injuriada sombra,
mi amigo malogrado! Largo tiempo
el gran flujo y reflujo de los años,
por Cuba pasará sin que produzca
otra alma cual la tuya, noble y fiera.
¡Víctima de cobardes y tiranos,
descansa en paz! Si nuestra patria ciega,

su largo sueño sacudiendo, llega
a despertar a libertad y gloria,
honrará, como debe, tu memoria.

¡Presto será que refulgente aurora
de libertad sobre su puro cielo
mire Cuba lucir! Tu amigo, Emilia,
de hierro fiero y de venganza armado,
a verte volverá, y en voz sublime
entonará de triunfo el himno bello.
Mas si en las lides enemiga fuerza
me postra ensangrentado, por lo menos
no obtendrá mi cadáver tierra extraña,
y regado en mi féretro glorioso
por el llanto de vírgenes y fuertes,
me adormiré. La universal ternura
excitaré dichoso y enlazada
mi lira de dolores con mi espada,
coronarán mi noble sepultura.

(1824)

(De *Poesías líricas*, París 1893)

Dedicatoria

A MI ESPOSA

Cuando en mis venas férvidas ardía
la fiera juventud, en mis canciones
el tormentoso afán de mis pasiones
con dolorosas lágrimas vertía.

Hoy a ti las dedico, esposa mía,
cuando el amor, más libre de ilusiones,
inflama nuestros puros corazones,
y sereno y de paz me luce el día.

Así perdido en turbulentos mares
mísero navegante al cielo implora,
cuando le aqueja la tormenta grave;

y del nuafragio libre, en los altares
consagra fiel a la deidad que adora
las húmedas reliquias de su nave.

(1832)

El romanticismo argentino. Tendremos que detenernos en la Argentina porque aquí, más que en otros países hispanoamericanos, hubo una generación claramente romántica. El de 1830 es el año límite. Hasta 1830 los hombres cultos de Buenos Aires viven « en la época de las luces », racionalista y humanitaria. Bajo el signo de la Ilustración se hizo la revolución de Mayo, la independencia y la primera organización política y cultural de la República, de Moreno a Rivadavia. Desde 1830 Buenos Aires recibe las influencias del romanticismo francés y se forma la generación de Echeverría, Alberdi, Gutiérrez, López, Sarmiento, Mitre, en la que todos concuerdan en justificar la ruptura total con España, en expresar las emociones originales que suscita el paísaje americano y en probar un sistema político liberal.

Esteban Echeverría

De los jóvenes, que no se habían mezclado en las guerras civiles entre unitarios y federales, ESTEBAN ECHEVERRÍA (Argentina; 1805-1851) fué el portaestandarte. En 1825 (tenía veinte años y había vivido borrascosamente) Echeverría partió para Francia. Observó atentamente, en los cuatro años que vivió en París, la síntesis de romanticismo y liberalismo que se producía justamente entonces. Entre 1826 y 1830 aparecieron libros importantes de Vigny, Hugo, Lamartine, Musset, Sainte-Beuve, Dumas . . . Pero más que estos franceses fueron los ingleses y alemanes que habían influído sobre ellos quienes orientaron el gusto de Echeverría. Estudió la filosofía de la historia y de la sociedad que, arrancando de la escuela historicista alemana, de Herder a Savigny, cobraba nuevos acentos en el pensamiento francés de Leroux, Guizot, Lerminier, Cousin y otros. Echeverría partió de París, si no educado por el romanticismo, por lo menos con la mente agudizada por sus lecturas románticas. Ya para entonces había proyectado sobre la realidad argentina dos de las fórmulas románticas: la del liberalismo político, que vino a justificar la ruptura de las colonias americanas con España e invitaba a continuar la línea revolucionaria de Mayo de 1810; y la de la simpatía artística hacia los modos de vivir del pueblo, que le descubrió las posibilidades de una literatura autóctona basada en las peculiaridades históricas y geográficas de las pampas. Aunque la primera fórmula fué la más significativa en la historia de las ideas políticas de la Argentina, en una historia literaria corresponde referirse sólo a la segunda. Echeverría no tenía ni vocación ni genio para la poesía. Cumplió, sin embargo, con una función precursora en la historia externa de esa literatura: *Elvira o la novia del Plata* (1832) fué el primer brote romántico trasplantado directamente de Francia, independiente del romanticismo español; *Los consuelos* (1834) fué el primer volumen de versos editado en la Argentina; « La cautiva » (una de las composiciones de *Las rimas*, 1837) fué la primera obra que ostentaba con talento el programa de una poesía vuelta hacia el paisaje, la tradición, el color local, el pueblo y la historia. Los jóvenes, insatisfechos del « buen gusto » académico, se entusiasmaron con Echeverría. Creyeron que con *La cautiva* se había fundado « la literatura nacional ». Gracias a su reputación literaria los jóvenes siguieron el estandarte de la lucha que un buen día levantó. En adelante sus prosas serán más descollantes que sus poesías. Era, en verdad, mejor prosista que poeta; por eso, en la historia literaria, figura en sitio de honor *El matadero* (¿1838?), cuadro de costumbres de extraordinario vigor realista, diferente de cuanto se había escrito antes por la intensidad del *pathos* y del *climax*. Como cuadro de costumbres tiene una intención política y reformista: mostrar la infame turba que apoyaba a Rosas. Pero de repente algunas figuras cobran vida y el cuadro se convierte en cuento. Entonces, a pesar de las inmundicias de la descripción, se hacen visibles los esquemas románticos: el contraste entre la nota horrorosa del niño degollado y la nota humorística del inglés revolcado en el fango; el sentido de lo « pintoresco » y lo « grotesco »; un aura de desgracia, fatalidad, muerte; la presentación del joven « unitario », héroe gallardo que desafía a voces a la sociedad de su tiempo (en contrapunto, como en un melodrama, con el fondo musical de guitarras y canciones vulgares) y antes de que lo afrenten muere de indignación, reventándose en « ríos de sangre ». En otras prosas, más serenas, Echeverría dejó sus lúcidas consignas para salir del atolladero en que se debatían « federales » y « unitarios ». Echeverría tenía un plan serio. Consciente del respeto con que lo rodeaban decidió reunir a los jóvenes con una doctrina clara. Quedó así constituída, en 1838, la Joven Argentina o Asociación de Mayo, que se ramificó en seguida por los más remotos rincones del país. Gracias a Echeverría y a su Asociación el romanticismo argentino se recortó dentro del movimiento literario hispanoamericano con el perfil redondo de una generación. Además, los desterrados argentinos llevaron al Uruguay, a Chile, sus ideales románticos, y lanzaron allí pujantes movimientos literarios.

1. campamento de indios. 2. chajá, pájaro cuyo nombre significa « vamos, vamos », en guaraní.

LA CAUTIVA

PRIMERA PARTE: EL DESIERTO

Ils vont. L'espace est grand.
Hugo.

Era la tarde, y la hora
en que el sol la cresta dora
de los Andes. El desierto
inconmensurable, abierto
y misterioso a sus pies
se extiende, triste el semblante,
solitario y taciturno
como el mar, cuando un instante
el crepúsculo nocturno,
pone rienda a su altivez.

Gira en vano, reconcentra
su inmensidad, y no encuentra
la vista, en su vivo anhelo,
do fijar su fugaz vuelo,
como el pájaro en el mar.
Doquier campos y heredades
del ave y bruto guaridas;
doquier cielo y soledades
de Dios sólo conocidas,
que Él sólo puede sondar.

A veces la tribu errante,
sobre el potro rozagante,
cuyas crines altaneras
flotan al viento ligeras,
lo cruza cual torbellino,
y pasa; o su toldería[1]
sobre la grama frondosa
asienta, esperando el día
duerme, tranquila reposa,
sigue veloz su camino.

¡Cuántas, cuántas maravillas,
sublimes y a par sencillas,
sembró la fecunda mano
de Dios allí! ¡Cuánto arcano
que no es dado al mundo ver!
La humilde hierba, el insecto,
la aura aromática y pura;
el silencio, el triste aspecto
de la grandiosa llanura,
el pálido anochecer.

Las armonías del viento
dicen más al pensamiento
que todo cuanto a porfía
la vana filosofía
pretende altiva enseñar.
¿Qué pincel podrá pintarlas
sin deslucir su belleza?
¿Qué lengua humana alabarlas?
Sólo el genio su grandeza
puede sentir y admirar.

Ya el sol su nítida frente
reclinaba en occidente,
derramando por la esfera
de su rubia cabellera
el desmayado fulgor.
Sereno y diáfano el cielo,
sobre la gala verdosa
de la llanura, azul velo
esparcía, misteriosa
sombra dando a su color.

El aura moviendo apenas
sus olas de aroma llenas,
entre la hierba bullía
del campo que parecía
como un piélago ondear.
Y la tierra, contemplando
del astro rey la partida,
callaba, manifestando,
como en una despedida,
en su semblante pesar.

Sólo a ratos, altanero
relinchaba un bruto fiero
aquí o allá, en la campaña;
bramaba un toro de saña,
rugía un tigre feroz;
o las nubes contemplando,
como extático y gozoso,
el Yajá,[2] de cuando en cuando,
turbaba el mudo reposo
con su fatídica voz.

Se puso el sol; parecía
que el vasto horizonte ardía:
La silenciosa llanura
fué quedando más obscura,
más pardo el cielo, y en él,
con luz trémula brillaba
una que otra estrella, y luego
a los ojos se ocultaba,
como vacilante fuego
en soberbio chapitel.

El crepúsculo, entretanto,
con su claroscuro manto,
veló la tierra; una faja,
negra como una mortaja,
el occidente cubrió;
mientras la noche bajando
lenta venía, la calma
que contempla suspirando
inquieta a veces el alma,
con el silencio reinó.

Entonces, como el rüido,
que suele hacer el tronido
cuando retumba lejano,
se oyó en el tranquilo llano
sordo y confuso clamor;
se perdió . . . y luego violento,
como baladro[3] espantoso
de turba inmensa, en el viento
se dilató sonoroso,
dando a los brutos pavor.

Bajo la planta sonante
de ágil potro arrogante
el duro suelo temblaba,
y envuelto en polvo cruzaba
como animado tropel,
velozmente cabalgando;
víanse lanzas agudas,
cabezas, crines ondeando,
y como formas desnudas
de aspecto extraño y cruel.

¿Quién es? ¿Qué insensata turba
con su alarido perturba,
las calladas soledades
de Dios, do las tempestades
sólo se oyen resonar?

¿Qué humana planta orgullosa
se atreve a hollar el desierto
cuando todo en él reposa?
¿Quién viene seguro puerto
en sus yermos a buscar?

¡Oíd! Ya se acerca el bando
de salvajes, atronando
todo el campo convecino.
¡Mirad! Como torbellino
hiende el espacio veloz.
El fiero ímpetu no enfrena
del bruto que arroja espuma;
vaga al viento su melena,
y con ligereza suma
pasa en ademán atroz.

¿Dónde va? ¿De dónde viene?
¿De qué su gozo proviene?
¿Por qué grita, corre, vuela,
clavando al bruto la espuela
sin mirar alrededor?
¡Ved que las puntas ufanas
de sus lanzas por despojos,
llevan cabezas humanas,
cuyos inflamados ojos
respiran aún furor!

Así el bárbaro hace ultraje
al indomable coraje
que abatió su alevosía;
y su rencor todavía
mira, con torpe placer,
las cabezas que cortaron
sus inhumanos cuchillos,
exclamando: — « Ya pagaron
del cristiano los caudillos
el feudo a nuestro poder.

Ya los ranchos do vivieron
presa de las llamas fueron,
y muerde el polvo abatida
su pujanza tan erguida.
¿Dónde sus bravos están?
Vengan hoy del vituperio,
sus mujeres, sus infantes,
que gimen en cautiverio,
a libertar, y como antes,
nuestras lanzas probarán. »

3. grito de temor. 4. en la provincia, ciertos sitios húmedos y bajos en donde crece la maleza. 5. lo mismo que incursión o correría; malón.

Tal decía, y bajo el callo
del indómito caballo,
crujiendo el suelo temblaba;
hueco y sordo retumbaba
su grito en la soledad.

Mientras la noche, cubierto
el rostro en manto nubloso,
echó en el vasto desierto,
su silencio pavoroso,
su sombría majestad.

SEGUNDA PARTE: EL FESTÍN

. . . orribile favelle
Parole di dolore, accenti d'ira,
Voci alte e fioche, e suon di man con elle
Facevan un tumulto . . .

Dante.

Noche es el vasto horizonte,
noche el aire, cielo y tierra.
Parece haber apiñado
el genio de las tinieblas,
para algún misterio inmundo,
sobre la llanura inmensa,
la lobreguez del abismo
donde inalterable reina.
Sólo inquietos divagando,
por entre las sombras negras,
los espíritus foletos
con viva luz reverberan,
se disipan, reaparecen,
vienen, van, brillan, se alejan,
mientras el insecto chilla,
y en fachinales[4] o cuevas
los nocturnos animales
con triste aullido se quejan.

La tribu aleve, entretanto,
allá en la pampa desierta,
donde el cristiano atrevido
jamás estampa la huella,
ha reprimido del bruto
la estrepitosa carrera;
y campo tiene fecundo
al pie de una loma extensa,
lugar hermoso do a veces
sus tolderías asienta.
Feliz la maloca[5] ha sido;
rica y de estima la presa
que arrebató a los cristianos:
Caballos, potros y yeguas,
bienes que en su vida errante
ella más que el oro aprecia;
muchedumbre de cautivas,
todas jóvenes y bellas.

Sus caballos, en manadas,
pacen la fragante hierba;
y al lazo, algunos prendidos,
a la pica, o la manea,
de sus indolentes amos
el grito de alarma esperan.
Y no lejos de la turba,
que charla ufana y hambrienta,
atado entre cuatro lanzas,
como víctima en reserva,
noble espíritu valiente
mira vacilar su estrella;
al paso que su infortunio,
sin esperanza, lamentan,
rememorando su hogar,
los infantes y las hembras.

Arden ya en medio del campo
cuatro extendidas hogueras,
cuyas vivas llamaradas
irradiando, colorean
el tenebroso recinto
donde la chusma hormiguea.
En torno al fuego sentados
unos lo atizan y ceban:
Otros la jugosa carne
al rescoldo o llama tuestan;
aquél come, éste destriza.
Más allá alguno degüella
con afilado cuchillo
la yegua al lazo sujeta,
y a la boca de la herida,
por donde ronca y resuella,
y a borbollones arroja
la caliente sangre fuera,
en pie, trémula y convulsa,
dos o tres indios se pegan

como sedientos vampiros,
sorben, chupan, saborean
la sangre, haciendo murmullo
y de sangre se rellenan.
Baja el pescuezo, vacila,
y se desploma la yegua
con aplausos de las indias
que a descuartizarla empiezan.

Arden en medio del campo,
con viva luz las hogueras;
sopla el viento de la pampa
y el humo y las chispas vuelan.
A la charla interrumpida,
cuando el hambre está repleta,
sigue el cordial regocijo,
el beberaje y la gresca
que apetecen los varones
y las mujeres detestan.
El licor espirituoso
en grandes bacías echan;
y, tendidos de barriga
en derredor, la cabeza
meten sedientos, y apuran
el apetecido néctar,
que, bien pronto, los convierte
en abominables fieras.
Cuando algún indio, medio ebrio,
tenaz metiendo la lengua
sigue en la preciosa fuente,
y beber también no deja
a los que aguijan furiosos,
otro viene, de las piernas
lo agarra, tira y arrastra
y en lugar suyo se espeta.
Así bebe, ríe, canta,
y al regocijo sin rienda
se da la tribu: aquel ebrio
se levanta, bambolea,
a plomo cae, y gruñendo
como animal se revuelca.
Éste chilla, algunos lloran,
y otros a beber empiezan.
De la chusma toda al cabo
la embriaguez se enseñorea
y hace andar en remolino
sus delirantes cabezas.
Entonce empieza el bullicio,
y la algazara tremenda,
el infernal alarido
y las voces lastimeras
mientras sin alivio lloran
las cautivas miserables,
y los ternezuelos niños,
al ver llorar a sus madres.

Las hogueras entretanto
en la obscuridad flamean,
y a los pintados semblantes
y a las largas cabelleras
de aquellos indios beodos,
da su vislumbre siniestra
colorido tan extraño,
traza tan horrible y fea,
que parecen del abismo
precita, inmunda ralea,
entregada al torpe gozo
de la sabática fiesta.[6] [. . .]

Quiénes su pérdida lloran,
quiénes sus hazañas mentan.
Óyense voces confusas,
medio articuladas quejas,
baladros, cuyo son ronco
en la llanura resuena.
De repente todos callan,
y un solo murmullo reina,
semejante al de la brisa
cuando rebulle en la selva;
pero, gritando, algún indio
en la boca se palmea,
y el disonante alarido
otra vez el campo atruena.
El indeleble recuerdo
de las pasadas ofensas
se aviva en su ánimo entonces,
y atizando su fiereza
al rencor adormecido
y a la venganza subleva:
En su mano los cuchillos,
a la luz de las hogueras,
llevando muerte relucen;
se ultrajan, riñen, vocean,
como animales feroces
se despedazan y bregan.
Y asombradas las cautivas,
la carnicería horrenda
miran, y a Dios en silencio
humildes preces elevan.

6. junta nocturna de los espíritus malignos, según tradición comunicada a los pueblos cristianos por los judíos. (Nota del autor). 7. especie de lechuza grande, cuyo grito se asemeja al sollozar de un niño.

Sus mujeres entretanto,
cuya vigilancia tierna
en las horas del peligro
siempre cautelosa vela,
acorren luego a calmar
el frenesí que los ciega,
ya con ruegos y palabras
de amor y eficacia llenas;
ya interponiendo su cuerpo
entre las armas sangrientas.
Ellos resisten y luchan,
las desoyen y atropellan,
lanzando injuriosos gritos
y los cuchillos no sueltan
sino cuando, ya rendida
su natural fortaleza
a la embriaguez y al cansancio,
dobla el cuello y cae por tierra.
Al tumulto y la matanza
sigue el llorar de las hembras
por sus maridos y deudos;
las lastimosas endechas
a la abundancia pasada,
a la presente miseria,
a las víctimas queridas
de aquella noche funesta.

Pronto un profundo silencio
hace a los lamentos tregua,
interrumpido por ayes
de moribundos, o quejas,
risas, gruñir sofocado
de la embriagada torpeza;
al espantoso ronquido
de los que durmiendo sueñan,
los gemidos infantiles
del ñacurutú[7] se mezclan;
chillidos, aúllos tristes
del lobo que anda a la presa
de cadáveres, de troncos,
miembros, sangre y osamentas,
entremezclados con vivos,
cubierto aquel campo queda,
donde poco antes la tribu
llegó alegre y tan soberbia.
La noche en tanto camina
triste, encapotada y negra;
y la desmayada luz
de las festivas hogueras
sólo alumbra los estragos
de aquella bárbara fiesta. [. . .]

(De *Rimas*, 1937)

CLASICISMO Y ROMANTICISMO

Fueron los críticos alemanes los que primero dieron el nombre de romántica a la literatura indígena de las naciones europeas, cuyo idioma vulgar, formado del latín y dialectos septentrionales, se llamó *romance*. Pero la palabra romántica no dice sólo a la lengua, sino al espíritu de esa literatura, por cuanto fué expresión natural o el espontáneo resultado de las creencias, costumbres, pasiones y modo de ser y cultura de las naciones que la produjeron sin reconocerse deudoras de la antigua. Por eso es que con fundamento la aplicaron también a la literatura posterior que, fiel a las primitivas tradiciones europeas, envanecida de su origen y religión, enriquecida por el trabajo de los siglos, floreció lozana y pomposa en Italia, España, Francia, Inglaterra y Alemania, y opuso a la antigüedad una serie de obras y de ingenios tan ilustres como los de Grecia y Roma.

La civilización antigua y moderna, o el genio clásico y el romántico, dividiéronse, pues, el mundo de la literatura y del arte. Aquél trazó en el frontis de sus sencillos y elegantes monumentos: Paganismo; éste en la fachada de sus templos majestuosos: Cristianismo. El uno ostenta aún las formas regulares y armónicas de su sencilla y uniforme civilización; el otro los símbolos confusos, terribles, enigmáticos de su civilización compleja y turbulenta. El uno, los partos de la imaginación tranquila y risueña, satisfecha de sí porque nada espera; el otro, los de la imaginación sombría como su destino, que insaciable y no satisfecha, busca siempre perfecciones ideales y aspira a ver realizadas las esperanzas que su creencia le infunde.

El uno divinizó las fuerzas de la naturaleza y la vida terrestre y pobló el universo de dioses, sujetos a las pasiones y flaquezas terrestres; el otro se elevó a la concepción abstracta, sublime de un solo Dios; el uno, sensual, absorto en la contemplación de la materia, se deleita en la armónica simetría de las formas y en la sencillez de sus obras; el otro, ambicionando lo infinito, busca en las profundidades de la conciencia el enigma de la vida y del universo.

El uno encontró el tipo primitivo y original de sus creaciones en Homero y la mitología, el otro en la Biblia y las leyendas cristianas.

El uno puso en contraste la voluntad del hombre, el libre albedrío, luchando contra un *hado* irrevocable, inexorable, y en esa fuente bebió las terribles peripecias de sus tragedias; el otro no reconoció más fatalismo que el de las pasiones y la muerte, más Destino que la Providencia, más lucha que la del alma y el cuerpo, o el espíritu y la carne, moviendo los resortes del corazón y la inteligencia y representando todos los misterios, accidentes, convulsiones y paroxismos de la vida en sus terribles dramas . . .

Mientras la musa romántica pobló el aire de silfos,[8] el fuego de salamandras, el agua de ondinas,[9] la tierra de gnomos[10] y el cielo y el espacio de jerarquías, de entes incorpóreos, de genios, espíritus, ángeles, anillos invisibles que ligan la tierra al cielo o el hombre a Dios; la musa clásica dió forma corpórea visible y carnal a las fuerzas de la naturaleza y materializó hasta los afectos más íntimos y conforme al materialismo de su esencia pobló con ellos el mundo fabuloso de su mitología.

En fin, el genio clásico se goza en la contemplación de la materia y de lo presente; el romántico, reflexivo y melancólico, se mece entre la memoria de lo pasado y los presentimientos del porvenir; va melancólico en busca, como el peregrino, de una tierra desconocida, de su país natal, del cual según su creencia fué proscripto y a él peregrinando por la tierra llegará un día.

El romanticismo, pues, es la poesía moderna que fiel a las leyes esenciales del arte no imita ni copia, sino que busca sus tipos y colores, sus pensamientos y formas en sí mismo, en su religión, en el mundo que lo rodea y produce con ello obras bellas, originales. En este sentido todos los poetas verdaderamente románticos son originales y se confunden con los clásicos antiguos, pues recibieron este nombre por cuanto se consideraron como modelos de perfección, o tipos originales dignos de ser imitados. El pedantismo de los preceptistas afirmó después que no hay nada bueno que esperar fuera de la imitación de los antiguos y echó anatema contra toda la poesía romántica moderna, sin advertir que condenaba lo mismo que defendía, pues reprobando el romanticismo, reprobaba la originalidad clásica y, por consiguiente, el principio vital de todo arte. [. . .]

El espíritu del siglo lleva hoy a todas las naciones a emanciparse, a gozar la independencia, no sólo política, sino filosófica y literaria; a vincular su gloria, no sólo en libertad, en riqueza y en poder sino en el libre y espontáneo ejercicio de sus facultades morales y, de consiguiente, en la originalidad de sus artistas.

Nosotros tenemos derecho para ambicionar lo mismo y nos hallamos en la mejor condición para hacerlo. Nuestra cultura empieza: hemos sentido sólo de rechazo el influjo del clasicismo; quizás algunos lo profesan, pero sin séquito, porque no puede existir opinión pública racional sobre materia de gusto en donde la literatura está en embrión y no es ella una potencia social. Sin embargo, debemos, antes de poner mano a la obra, saber a qué atenernos en materia de doctrinas literarias y profesar aquellas que sean más conformes a nuestra condición y estén a la altura de la ilustración del siglo y nos trillen el camino de una literatura fecunda y original, pues, en suma, como dice Hugo, el romanticismo no es más que el Liberalismo en literatura . . . [...]

En suma, la poesía griega, o clásica, es original porque fué la espresión espontánea del ingenio de sus poetas y presentó en sus distintas épocas el desenvolvimiento de la civilización griega, pero fundada en costumbres, moral y religión que no son nuestras; y sobre todo en fábulas mitológicas que consideramos quiméricas y debemos, como dice Schlegel, considerarlas como juegos brillantes de la imaginación, que entretienen y regocijan; mientras que la poesía romántica, que está arraigada a lo más íntimo de nuestro corazón y de nuestra conciencia, que se liga a nuestros recuerdos y esperanzas, debe necesariamente excitar nuestro entusiasmo y hablar con irresistible y eficaz elocuencia a todos nuestros afectos y pasiones.

Los poetas modernos que se han arrogado el título de clásicos, porque, según dicen, siguen los preceptos de Aristóteles, Horacio y Boileau y embuten en sus obras centones griegos, latinos

8. genios o espíritus elementales del aire. 9. ninfa de las aguas. 10. cualquiera de los seres fantásticos considerados como genios de la Tierra y luego imaginados como enanos guardianes de los veneros de las minas. 11. nombre que se da a Aristóteles, por ser natural de Estagira, Macedonia. 12. deidad de la mitología romana, hija de Júpiter y diosa de la sabiduría, de las artes y de la guerra, identificada con la Atenea de los griegos. Según la fábula, salió enteramente armada del cerebro de Júpiter. 13. sobrenombre del gigante Polipenión o Damastes, bandido de Ática que, después de robar a los viajeros, los hacía extender sobre un lecho de hierro, les cortaba los pies cuando eran más largos que aquél, o los hacía estirar con cuerdas hasta que alcanzasen la misma longitud. 14. trilogía dramática de Schiller (1799) sobre el famoso general alemán de la guerra de los Treinta Años. 15. personaje creado por Beaumarchais (1732-1799) en su comedia *El barbero de Sevilla*, y seudónimo que usó el escritor español Mariano José de Larra (1807-1837). 16. Leandro Fernández de Moratín (1760-1828), comediógrafo español.

y franceses, no han advertido que en el mero hecho de declararse imitadores dejan de ser clásicos, porque esta voz indica lo acabado y perfecto y, por consiguiente, lo inimitable.

Creo, sin embargo, que imitando se puede, hasta cierto punto, salvar la originalidad; pero jamás se igualará al modelo, como lo demuestran ensayos de ingenios eminentes. Pero este género de emulación no consiste, como en los bastardos clásicos, en la adopción mecánica de las formas, ni en la traducción servil de los pensamientos, ni en el uso trivial de los nombres, que nada dicen, de la mitología pagana, que a fuerza de repetidos empalagan, sino en embeberse en todo el espíritu de la antigüedad, en transportarse por medio de la erudición y del profundo conocimiento de la lengua y costumbres antiguas al seno de la civilización griega o romana, respirar el aire de aquellos remotos siglos y vivir en ellos. [. . .]

Toda obra de imitación es de suyo estéril y, más que todas, la de los clásicos bastardos y la que recomiendan los preceptistas modernos, pues tiende al suicidio del talento y a sujetar al despotismo de reglas arbitrarias y a la autoridad de los nombres el ingenio soberano del poeta. Como creador es llamado no a recibirlas sino a dictarlas, pues es incontestable que el ingenio, para no esterilizar sus fuerzas, debe obrar según las leyes de su propia naturaleza o de su organización.

La cuestión del romanticismo es no ya, pues, entre la excelencia de la forma griega o de la forma moderna, entre Sófocles o Shakespeare, entre Aristóteles, que redujo a teoría el arte griego, y el romanticismo, sino entre los pedantes, que se han arrogado el título de legisladores del Parnaso, fundándose en la autoridad infalible del Estagirita[11] y de Horacio, y el arte moderno [. . .]

Los clásicos franceses no han tomado de la tragedia antigua sino lo peor, y vanagloriándose de imitar a los griegos, que consideraban tipos del arte, escudaban su sistema con la infalible autoridad de Aristóteles para darle más importancia y autoridad. Pero en el fondo su sistema es distinto, puesto que desecharon, considerándolo sin duda como accesorio, lo que constituye la esencia de la tragedia. La excelencia, pues, del teatro francés, no puede ser absoluta ni servir de regla universal, pues ni, como pretenden, se apoya en los sublimes modelos griegos, ni tiene por sí el asentimiento de tres grandes naciones, ni puede ofrecer a la admiración de los hombres mayor número de obras extraordinarias, ni genios tan colosales como los de Calderón, Lope de Vega, Shakespeare, Goethe y Schiller. Verdad es ésta reconocida hoy por los mismos franceses, quienes, a par de los extraños, confiesan ser debida la inferioridad de su teatro a las mezquinas y arbitrarias leyes con que el pedantismo ignorante cortó el vuelo de sus dos grandes ingenios: Corneille y Racine, y sofocó posteriormente el desarrollo del teatro [. . .]

La poesía romántica no es el fruto sencillo y espontáneo del corazón, o la expresión armoniosa de los caprichos de la fantasía, sino la voz íntima de la conciencia, la sustancia viva de las pasiones, el profético mirar de la fantasía, el espíritu meditabundo de la filosofía, penetrando y animando con la magia de la imaginación los misterios del hombre, de la creación y la providencia; es un maravilloso instrumento, cuyas cuerdas sólo tañe la mano del genio que reúna la inspiración a la reflexión, y cuyas sublimes e inagotables armonías expresan lo humano y lo divino.

En cuanto a las unidades de tiempo y lugar en el drama, el arte moderno piensa que todo lo humano, sea histórico o fingido, debe realizarse en el tiempo dado, en tal lugar, y que, por consiguiente, las condiciones necesarias de su existencia son el espacio y el tiempo. Penetrado de esta idea, el poeta romántico finge un suceso dramático o lo forma de la historia, concibe en su cerebro la traza ideal de su fábrica, la arregla y coloca según la perspectiva escénica, y después la echa a luz, completa, como Minerva[12] de la frente de Júpiter. No procede como los clásicos que ajustan a una forma dada los partos que ni aún concibió su cerebro, resueltos como Procusto[13] a recortar y desmembrar lo que pasa de la medida. Ni mutila la historia ni descoyunta por ajustar su obra a reglas absurdas y arbitrarias; sólo las deja desarrollarse y extenderse según las leyes de su naturaleza y organización. Si el suceso que dramatiza pasó en tres, ocho o veinte y cuatro horas, santo y bueno, habrá observado la receta clásica; si en diez o veinte años, aquende o allende, no corrige a la Providencia que así dispuso sucediese, y cuando más, si le conviene, lo circunscribe y concentra para dar realce y cuerpo a las partes de que se compone y representarlas a los ojos con más viveza y colorido, con más realce, naturalidad y grandeza. Así el arte moderno crea a Wallenstein,[14] Otelo y Fígaro.[15] No pone, como Moratín,[16] al frente de sus prosaicas miniaturas: « La escena es en una sala de la tía Mónica. La acción empieza a las cinco de la tarde y acaba a las diez de la noche. »

En toda obra verdaderamente artística, pues,

la curiosidad encontrará alimento, el interés será sostenido, y todas las partes accesorias, todas las acciones secundarias, gravitarán en torno de la acción central y generadora que se ha propuesto dramatizar el poeta, la cual es el alma y la vida de su concepción primitiva.

(De « Prosa literaria », Buenos Aires, 1944)

EL MATADERO

A pesar de que la mía es historia, no la empezaré por el arca de Noé y la genealogía de sus ascendientes como acostumbraban hacerlo los antiguos historiadores españoles de América, que deben ser nuestros prototipos. Tengo muchas razones para no seguir ese ejemplo, las que callo por no ser difuso. Diré solamente que los sucesos de mi narración pasaban por los años de Cristo de 183 . . . Estábamos, a más, en cuaresma, época en que escasea la carne en Buenos Aires, porque la Iglesia, adoptando el precepto de Epicteto,[17] *sustine, abstine* (sufre, abstente), ordena vigilia y abstinencia a los estómagos de los fieles a causa de que la carne es pecaminosa, y, como dice el proverbio, busca a la carne. Y como la Iglesia tiene *ab initio*[18] y por delegación directa de Dios, el imperio inmaterial sobre las conciencias y los estómagos, que en manera alguna pertenecen al individuo, nada más justo y racional que vede lo malo.

Los abastecedores, por otra parte, buenos federales, y por lo mismo buenos católicos, sabiendo que el pueblo de Buenos Aires atesora una docilidad singular para someterse a toda especie de mandamiento, sólo traen en días cuaresmales al matadero los novillos necesarios para el sustento de los niños y los enfermos dispensados de la abstinencia por la bula[19] y no con el ánimo de que se harten algunos herejotes, que no faltan, dispuestos siempre a violar los mandamientos carnificinos de la Iglesia, y a contaminar la sociedad con el mal ejemplo.

Sucedió, pues, en aquel tiempo, una lluvia muy copiosa. Los caminos se anegaron; los pantanos se pusieron a nado y las calles de entrada y salida a la ciudad rebosaban en acuoso barro. Una tremenda avenida se precipitó de repente por el Riachuelo[20] de Barracas, y extendió majestuosamente sus turbias aguas hasta el pie de las barrancas del Alto[21]. El Plata, creciendo embravecido, empujó esas aguas que venían buscando su cauce y las hizo correr hinchadas por sobre campos, terraplenes, arboledas, caseríos, y extenderse como un lago inmenso por todas las bajas tierras. La ciudad circunvalada del norte al oeste por una cintura de agua y barro, y al sud por un piélago blanquecino en cuya superficie flotaban a la ventura algunos barquichuelos y negreaban las chimeneas y las copas de los árboles, echaba desde sus torres y barrancas atónitas miradas al horizonte como implorando la protección del Altísimo. Parecía el amago de un nuevo diluvio. Los beatos y beatas gimoteaban haciendo novenarios y continuas plegarias. Los predicadores atronaban el templo y hacían crujir el púlpito a puñetazos. « Es el día del juicio — decían —, el fin del mundo está por venir. La cólera divina rebosando se derrama en inundación. ¡Ay de vosotros, pecadores! ¡Ay de vosotros, unitarios[22] impíos que os mofáis de la Iglesia, de los santos, y no escucháis con veneración la palabra de los ungidos del Señor! ¡Ay de vosotros si no imploráis misericordia al pie de los altares! Llegará la hora tremenda del vano crujir de dientes y de las frenéticas imprecaciones. Vuestra impiedad, vuestras herejías, vuestras blasfemias, vuestros crímenes horrendos, han traído sobre nuestra tierra las plagas del Señor. La justicia del Dios de la Federación os declarará malditos. »

Las pobres mujeres salían sin aliento, anonadadas del templo, echando, como era natural, la culpa de aquella calamidad a los unitarios.

Continuaba, sin embargo, lloviendo a cántaros, y la inundación crecía, acreditando el pronóstico de los predicadores. Las campanas comenzaron a tocar rogativas por orden del muy católico Restaurador[23] quien parece no las tenía todas consigo. Los libertinos, los incrédulos, es decir, los unitarios, empezaron a amedrentarse al ver tanta cara compungida, oír tanta batahola

17. filósofo estoico del siglo I nacido en Frigia. 18. *Ab initio*. Latín, « desde el principio. » 19. indulgencia que concede la Iglesia bajo ciertas condiciones. 20. pequeño afluente del río de la Plata, que pasa por Buenos Aires. 21. El Alto, originalmente el barrio del Alto de San Pedro, una parte de la ciudad de Buenos Aires. 22. nombre dado en la Argentina, por oposición a los Federalistas, a los partidarios de la Constitución centralizadora de 1819, y enemigos del tirano Rosas. 23. nombre dado a Juan Manuel de Rosas (1793-1877), el dictador, por sus partidarios. 24. barrio de la ciudad de Buenos Aires. 25. nombre de uno de los lugares donde se mataba el ganado para abastecer de carne a la población. 26. Quintero, el que tiene arrendada una finca. Aguatero, aguador, el que lleva agua a las casas. 27. intestinos o menudo de la res. 28. uno de los nombres del caracará, ave de rapiña. 29. frijoles.

de imprecaciones. Se hablaba ya, como de cosa resuelta, de una procesión en que debía ir toda la población descalza y a cráneo descubierto, acompañando al Altísimo, llevado bajo palio por el obispo, hasta la barranca de Balcarce[24] donde millares de voces, conjurando al demonio unitario de la inundación, debían implorar la misericordia divina.

Feliz, o mejor, desgraciadamente, pues la cosa habría sido de verse, no tuvo efecto la ceremonia, porque bajando el Plata, la inundación se fué poco a poco escurriendo en su inmenso lecho, sin necesidad de conjuro ni plegarias.

Lo que hace principalmente a mi historia es que por causa de la inundación estuvo quince días el matadero de la Convalecencia[25] sin ver una sola cabeza vacuna, y que en uno o dos, todos los bueyes de quinteros y *aguateros*[26] se consumieron en el abasto de la ciudad. Los pobres niños y enfermos se alimentaban con huevos y gallinas, y los gringos y herejotes bramaban por el *beefsteak* y el asado. La abstinencia de carne era general en el pueblo, que nunca se hizo más digno de la bendición de la Iglesia, y así fué que llovieron sobre él millones y millones de indulgencias plenarias. Las gallinas se pusieron a 6 pesos y los huevos a 4 reales, y el pescado carísimo. No hubo en aquellos días cuaresmales promiscuaciones ni excesos de gula; pero, en cambio, se fueron derecho al cielo innumerables ánimas, y acontecieron cosas que parecen soñadas.

No quedó en el matadero ni un solo ratón vivo de muchos millares que allí tenían albergue. Todos murieron o de hambre o ahogados en sus cuevas por la incesante lluvia. Multitud de negras rebusconas de *achuras*,[27] como los caranchos[28] de presa, se desbandaron por la ciudad como otras tantas arpías prontas a devorar cuanto hallaran comible. Las gaviotas y los perros, inseparables rivales suyos en el matadero, emigraron en busca de alimento animal. Porción de viejos achacosos cayeron en consunción por falta de nutritivo caldo; pero lo más notable que sucedió fué el fallecimiento casi repentino de unos cuantos gringos herejes, que cometieron el desacato de darse un hartazgo de chorizos de Extremadura, jamón y bacalao, y se fueron al otro mundo a pagar el pecado cometido por tan abominable promiscuación.

Algunos médicos opinaron que si la carencia de carne continuaba, medio pueblo caería en síncope por estar los estómagos acostumbrados a su corroborante jugo; y era de notar el contraste entre estos tristes pronósticos de la ciencia y los anatemas lanzados desde el púlpito por los reverendos padres contra toda clase de nutrición animal y de promiscuación en aquellos días destinados por la Iglesia al ayuno y la penitencia. Se originó de aquí una especie de guerra intestina entre los estómagos y las conciencias, atizada por el inexorable apetito, y las no menos inexorables vociferaciones de los ministros de la Iglesia, quienes, como es su deber, no transigen con vicio alguno que tienda a relajar las costumbres católicas: a lo que se agregaba el estado de flatulencia intestinal de los habitantes, producido por el pescado y los porotos[29] y otros alimentos algo indigestos.

Esta guerra se manifestaba por sollozos y gritos descompasados en la peroración de los sermones y por rumores y estruendos subitáneos en las casas y calles de la ciudad o dondequiera concurrían gentes. Alarmóse un tanto el gobierno, tan paternal como previsor del Restaurador, creyendo aquellos tumultos de origen revolucionario y atribuyéndolos a los mismos salvajes unitarios, cuyas impiedades, según los predicadores federales, habían traído sobre el país la inundación de la cólera divina; tomó activas providencias, desparramó a sus esbirros por la población, y por último, bien informado, promulgó un decreto tranquilizador de las conciencias y de los estómagos, encabezado por un considerando muy sabio y piadoso para que a todo trance, y arremetiendo por agua y todo, se trajese ganado a los corrales.

En efecto, el décimosexto día de la carestía, víspera del día de Dolores, entró a vado por el paso de Burgos al matadero del Alto una tropa de cincuenta novillos gordos; cosa poca por cierto para una población acostumbrada a consumir diariamente de 250 a 300, y cuya tercera parte al menos gozaría del fuero eclesiástico de alimentarse con carne. ¡Cosa extraña que haya estómagos privilegiados y estómagos sujetos a leyes inviolables y que la Iglesia tenga la llave de los estómagos!

Pero no es extraño, supuesto que el diablo con la carne suele meterse en el cuerpo y que la Iglesia tiene el poder de conjurarlo: el caso es reducir al hombre a una máquina cuyo móvil principal no sea su voluntad sino la de la Iglesia y el gobierno. Quizá llegue el día en que sea prohibido respirar aire libre, pasearse y hasta conversar con un amigo, sin permiso de autoridad competente. Así era, poco más o menos, en los felices tiempos de nuestros beatos abuelos, que por desgracia vino a turbar la revolución de Mayo.

Sea como fuera, a la noticia de la providencia gubernativa, los corrales del Alto se llenaron, a pesar del barro, de carniceros, de *achuradores*[30] y de curiosos, quienes recibieron con grandes vociferaciones y palmoteos los cincuenta novillos destinados al matadero.

— Chica, pero gorda — exclamaban —. ¡Viva la Federación! ¡Viva el Restaurador!

Porque han de saber los lectores que en aquel tiempo la Federación estaba en todas partes, hasta entre las inmundicias del matadero, y no había fiesta sin Restaurador como no hay sermón sin San Agustín.[31] Cuentan que al oír tan desaforados gritos las últimas ratas que agonizaban de hambre en sus cuevas, se reanimaron y echaron a correr desatentadas, conociendo que volvían a aquellos lugares la acostumbrada alegría y la algazara precursora de abundancia.

El primer novillo que se mató fué todo entero de regalo al Restaurador, hombre muy amigo del asado. Una comisión de carniceros marchó a ofrecérselo en nombre de los federales del matadero, manifestándole *in voce* su agradecimiento por la acertada providencia del gobierno, su adhesión ilimitada al Restaurador y su odio entrañable a los salvajes unitarios, enemigos de Dios y de los hombres. El Restaurador contestó a la arenga, *rinforzando* sobre el mismo tema, y concluyó la ceremonia con los correspondientes vivas y vociferaciones de los espectadores y actores. Es de creer que el Restaurador tuviese permiso especial de su Ilustrísima para no abstenerse de carne, porque siendo tan buen observador de las leyes, tan buen católico y tan acérrimo protector de la religión, no hubiera dado mal ejemplo aceptando semejante regalo en día santo.

Siguió la matanza, y en un cuarto de hora cuarenta y nueve novillos se hallaban tendidos en la plaza del matadero, desollados unos, los otros por desollar. El espectáculo que ofrecía entonces era animado y pintoresco, aunque reunía todo lo horriblemento feo, inmundo y deforme de una pequeña clase proletaria peculiar del Río de la Plata. Pero para que el lector pueda percibirlo a un golpe de ojo, preciso es hacer un croquis de la localidad.

El matadero de la Convalecencia o del Alto, sito en las quintas al sur de la ciudad, es una gran playa en forma rectangular, colocada al extremo de dos calles, una de las cuales allí termina y la otra se prolonga hasta el este. Esta playa, con declive al sur, está cortada por un zanjón labrado por la corriente de las aguas pluviales, en cuyos bordes laterales se muestran innumerables cuevas de ratones y cuyo cauce recoge en tiempo de lluvia toda la sangraza seca o reciente del matadero. En la junción del ángulo recto, hacia el oeste, está lo que llaman la casilla, edificio bajo, de tres piezas de media agua con corredor al frente que da a la calle y palenque para atar caballos, a cuya espalda se notan varios corrales de palo a pique de ñandubay[32] con sus fornidas puertas para encerrar el ganado.

Estos corrales son en tiempo de invierno un verdadero lodazal, en el cual los animales apeñuscados se hunden hasta el encuentro, y quedan como pegados y casi sin movimiento. En la casilla se hace la recaudación del impuesto de corrales, se cobran las multas por violación de reglamentos y se sienta el juez del matadero, personaje importante, caudillo de los carniceros y que ejerce la suma del poder en aquella pequeña república, por delegación del Restaurador. Fácil es calcular qué clase de hombre se requiere para el desempeño de semejante cargo. La casilla, por otra parte, es un edificio tan ruin y pequeño que nadie lo notaría en los corrales a no estar asociado su nombre al del terrible juez y no resaltar sobre su blanca cintura los siguientes letreros rojos: « Viva la Federación », « Viva el Restaurador y la heroica doña Encarnación Ezcurra », « Mueran los salvajes unitarios. » Letreros muy significativos, símbolo de la fe política y religiosa de la gente del matadero. Pero algunos lectores no sabrán que la tal heroína es la difunta esposa del Restaurador, patrona muy querida de los carniceros, quienes, ya muerta, la veneraban por sus virtudes cristianas y su federal heroísmo en la revolución contra Balcarce.[33] Es el caso que en un aniversario de aquella memorable hazaña de la mazorca,[34] los carniceros festejaron con un espléndido banquete en la casilla de la heroína, banquete a que concurrió con su hija y otras

30. los que quitan las tripas al animal. 31. No hay sermón sin San Agustín. El famoso filósofo cristiano San Agustín (354-430) era una de las fuentes obligadas en la preparación de los sermones, de esa época. 32. árbol, especie de mimosa de América. 33. Juan Ramón Balcarce (1773-1835), general argentino, enemigo de Rosas. 34. (de *más horca*) sociedad de terroristas partidarios del tirano Rosas, que se estableció en Buenos Aires y cometió toda clase de atrocidades y crímenes. 35. en Chile y la Argentina, paño con la punta de atrás levantada entre las piernas y sujeta por delante, usado por los hombres del campo. 36. portezuela de los antiguos calzones. 37. parte de los intestinos de un animal. 38. pulmón.

señoras federales, y que allí, en presencia de un gran concurso, ofreció a los señores carniceros en un solemne brindis su federal patrocinio, por cuyo motivo ellos la proclamaron entusiasmados patrona del matadero, estampando su nombre en las paredes de la casilla, donde estará hasta que lo borre la mano del tiempo.

La perspectiva del matadero a la distancia era grotesca, llena de animación. Cuarenta y nueve reses estaban tendidas sobre sus cueros, y cerca de doscientas personas hollaban aquel suelo de lodo regado con la sangre de sus arterias. En torno de cada res resaltaba un grupo de figuras humanas de tez y raza distinta. La figura más prominente de cada grupo era el carnicero con el cuchillo en mano, brazo y pecho desnudos, cabello largo y revuelto, camisa y chiripá[35] y rostro embadurnado de sangre. A sus espaldas se rebullían, caracoleando y siguiendo los movimientos, una comparsa de muchachos, de negras y mulatas achuradoras, cuya fealdad trasuntaba las arpías de la fábula, y entremezclados con ellas algunos enormes mastines, olfateaban, gruñían o se daban de tarascones por la presa. Cuarenta y tantas carretas, toldadas con negruzco y pelado cuero, se escalonaban irregularmente a lo largo de la playa, y algunos jinetes con el poncho calado y el lazo prendido al tiento cruzaban por entre ellas al tranco o reclinados sobre el pescuezo de los caballos echaban ojo indolente sobre uno de aquellos animados grupos, al paso que, más arriba, en el aire, un enjambre de gaviotas blanquiazules, que habían vuelto de la emigración al olor de la carne, revoloteaban, cubriendo con su disonante graznido todos los ruidos y voces del matadero y proyectando una sombra clara sobre aquel campo de horrible carnicería. Esto se notaba al principio de la matanza.

Pero a medida que adelantaba, la perspectiva variaba; los grupos se deshacían, venían a formarse tomando diversas actitudes y se desparramaban corriendo como si en medio de ellos cayese alguna bala perdida, o asomase la quijada de algún encolerizado mastín. Esto era que el carnicero en un grupo descuartizaba a golpe de hacha, colgaba en otros los cuartos en los ganchos de su carreta, despellejaba en éste, sacaba el sebo en aquél; de entre la chusma que ojeaba y aguardaba la presa de achura, salía de cuando en cuando una mugrienta mano a dar un tarazón con el cuchillo al sebo o a los cuartos de la res, lo que originaba gritos y explosión de cólera del carnicero y el continuo hervidero de los grupos, dichos y gritería descompasada de los muchachos.

— Ahí se mete el sebo en las tetas, la tipa — gritaba uno.

— Aquél lo escondió en el alzapón[36] — replicaba la negra.

— Che, negra bruja, salí de aquí antes de que te pegue un tajo — exclamaba el carnicero.

— ¿Qué le hago, ño Juan? ¡No sea malo! Yo no quiero sino la panza y las tripas.

— Son para esa bruja: a la m . . .

— ¡A la bruja! ¡A la bruja! — repitieron los muchachos — ¡Se lleva la riñonada y el tongorí![37] — Y cayeron sobre su cabeza sendos cuajos de sangre y tremendas pelotas de barro.

Hacia otra parte, entretanto, dos africanas llevaban arrastrando las entrañas de un animal; allá una mulata se alejaba con un ovillo de tripas y resbalando de repente sobre un charco de sangre, caía a plomo, cubriendo con su cuerpo la codiciada presa. Acullá se veían acurrucadas en hileras 400 negras destejiendo sobre las faldas el ovillo y arrancando, uno a uno, los sebitos que el avaro cuchillo del carnicero había dejado en la tripa como rezagados, al paso que otras vaciaban panzas y vejigas y las henchían de aire de sus pulmones para depositar en ellas, luego de secas, la achura.

Varios muchachos, gambeteando a pie y a caballo, se daban de vejigazos o se tiraban bolas de carne, desparramando con ellas y su algazara la nube de gaviotas que, columpiándose en el aire, celebraban chillando la matanza. Oíanse a menudo, a pesar del veto del Restaurador y de la santidad del día, palabras inmundas y obscenas, vociferaciones preñadas de todo el cinismo bestial que caracteriza a la chusma de nuestros mataderos, con las cuales no quiero regalar a los lectores.

De repente caía un bofe[38] sangriento sobre la cabeza de alguno, que de allí pasaba a la de otro, hasta que algún deforme mastín lo hacía buena presa, y una cuadrilla de otros, por si estrujo o no estrujo, armaba una tremenda de gruñidos y mordiscones. Alguna tía vieja salió furiosa en persecución de un muchacho que le había embadurnado el rostro con sangre, y acudiendo a sus gritos y puteadas los compañeros del rapaz, la rodeaban y azuzaban como los perros al toro, y llovían sobre ella zoquetes de carne, bolas de estiércol, con groseras carcajadas y gritos frecuentes, hasta que el juez mandaba restablecer el orden y despejar el campo.

Por un lado dos muchachos se adiestraban en el manejo del cuchillo, tirándose horrendos tajos y reveses; por otro, cuatro, ya adolescentes, ventilaban a cuchilladas el derecho a una tripa gorda y un mondongo[39] que habían robado a un carnicero; y no de ellos distante, porción de perros, flacos ya de la forzosa abstinencia, empleaban el mismo medio para saber quién se llevaría un hígado envuelto en barro. Simulacro en pequeño era éste del modo bárbaro con que se ventilan en nuestro país las cuestiones y los derechos individuales y sociales. En fin, la escena que se representaba en el matadero era para vista, no para escrita.

Un animal había quedado en los corrales, de corta y ancha cerviz, de mirar fiero, sobre cuyos órganos genitales no estaban conformes los pareceres, porque tenía apariencias de toro y de novillo. Llególe la hora. Dos enlazadores a caballo penetraron en el corral en cuyo contorno hervía la chusma a pie, a caballo y horqueteada sobre sus nudosos palos. Formaban en la puerta el más grotesco y sobresaliente grupo, varios pialadores[40] y enlazadores de a pie con el brazo desnudo y armado del certero lazo, la cabeza cubierta con un pañuelo punzó y chaleco y chiripá colorado, teniendo a sus espaldas varios jinetes y espectadores de ojo escrutador y anhelante.

El animal, prendido ya al lazo por las astas, bramaba echando espuma furibundo, y no había demonio que lo hiciera salir del pegajoso barro, donde estaba como clavado y era imposible pialarlo. Gritábanle, lo azuzaban en vano con las mantas y pañuelos los muchachos que estaban prendidos sobre las horquetas del corral, y era de oír la disonante batahola de silbidos, palmadas y voces, tiples y roncas que se desprendían de aquella singular orquesta.

Los dicharachos, las exclamaciones chistosas y obscenas rodaban de boca en boca, y cada cual hacía alarde espontáneamente de su ingenio y de su agudeza, excitado por el espectáculo o picado por el aguijón de alguna lengua locuaz.

— Hi de p . . . en el toro.

— Al diablo los torunos del Azul.

— Malhaya el tropero que nos da gato por liebre.

— Si es novillo.

— ¿No está viendo que es toro viejo?

— Como toro le ha de quedar. ¡Muéstreme los c . . . si le parece, c . . . o!

— Ahí los tiene entre las piernas ¿No los ve, amigo, más grandes que la cabeza de su castaño, o se ha quedado ciego en el camino?

— Su madre sería la ciega, pues que tal hijo ha parido. ¿No ve que todo ese bulto es barro?

— Es emperrado y arisco como un unitario.

Y al oír esta mágica palabra, todos a una voz exclamaron: — ¡Mueran los salvajes unitarios!

— Para el tuerto los h . . .

— Sí, para el tuerto, que es hombre de c . . . para pelear con los unitarios. El matambre[41] a Matasiete, degollador de unitarios. ¡Viva Matasiete!

— A Matasiete el matambre.

— Allá va — gritó una voz ronca, interrumpiendo aquellos desahogos de la cobardía feroz —. ¡Allá va el toro!

— ¡Alerta! ¡Guarda los de la puerta! ¡Allá va furioso como un demonio!

Y en efecto, el animal acosado por los gritos y sobre todo por dos picanas agudas que le espoleaban la cola, sintiendo flojo el lazo, arremetió bufando a la puerta, lanzando a entrambos lados una rojiza y fosfórica mirada. Dióle el tirón el enlazador sentando su caballo, desprendió el lazo del asta, crujió por el aire un áspero zumbido y al mismo tiempo se vió rodar desde lo alto de una horqueta del corral, como si un golpe de hacha lo hubiese dividido a cercén, una cabeza de niño cuyo tronco permaneció inmóvil sobre su caballo de palo, lanzando por cada arteria un largo chorro de sangre.

— ¡Se cortó el lazo! — gritaron unos —. ¡Allá va el toro!

Pero otros, deslumbrados y atónitos, guardaron silencio, porque todo fué como un relámpago.

Desparramóse un tanto el grupo de la puerta. Una parte se agolpó sobre la cabeza y el cadáver palpitante del muchacho degollado por el lazo, manifestando horror en su atónito semblante, y la otra parte, compuesta de jinetes que no vieron la catástrofe, se escurrió en distintas direcciones en pos del toro, vociferando y gritando: ¡Allá va el toro! ¡Atajen! ¡Guarda! ¡Enlaza, Sietepelos! ¡Que te agarra, Botija! ¡Va furioso; no se le pongan delante! ¡Ataja, ataja, Morado! ¡Dale espuela al mancarrón![42] ¡Ya se metió en la calle sola! ¡Que lo ataje el diablo!

El tropel y vocifería era infernal. Unas cuantas

39. tripa de los animales. 40. apaleadores, de pialar, apalear.
41. carne de una res que está entre las costillas y la piel.
42. matalón, caballo malo. 43. mujer de Ulises y madre de Telémaco. Alúdese con frecuencia a la fidelidad de esta mujer que rechazó a sus pretendientes durante la ausencia de su esposo, valiéndose de un ardid según el cual prometía elegir a uno cuando hubiera acabado un lienzo que estaba bordando; pero deshacía por la noche todo el trabajo del día.

negras achuradoras, sentadas en hilera al borde del zanjón, oyendo el tumulto se acogieron y agazaparon entre las panzas y tripas que desenredaban y devanaban con la paciencia de Penélope,[43] lo que sin duda las salvó, porque el animal lanzó al mirarlas un bufido aterrador, dió un brinco sesgado y siguió adelante perseguido por los jinetes. Cuentan que una de ellas se fué de cámaras; otra rezó diez salves en dos minutos, y dos prometieron a San Benito no volver jamás a aquellos malditos corrales y abandonar el oficio de achuradoras. No se sabe si cumplieron la promesa.

El toro, entretanto, tomó hacia la ciudad por una larga y angosta calle que parte de la punta más aguda del rectángulo anteriormente descripto, calle encerrada por una zanja y un cerco de tunas, que llaman *sola* por no tener más de dos casas laterales, y en cuyo aposado centro había un profundo pantano que tomaba de zanja a zanja. Cierto inglés, de vuelta de su saladero, vadeaba este pantano a la sazón, paso a paso, en un caballo algo arisco, y, sin duda, iba tan absorto en sus cálculos que no oyó el tropel de jinetes ni la gritería sino cuando el toro arremetía el pantano. Azoróse de repente su caballo dando un brinco al sesgo y echó a correr, dejando al pobre hombre hundido media vara en el fango. Este accidente, sin embargo, no detuvo ni frenó la carrera de los perseguidores del toro, antes al contrario, soltando carcajadas sarcásticas: « Se amoló el gringo; levántate gringo » — exclamaron, cruzando el pantano, y amasando con barro bajo las patas de sus caballos su miserable cuerpo. Salió el gringo, como pudo, después a la orilla, más con la apariencia de un demonio tostado por las llamas del infierno que un hombre blanco pelirrubio. Más adelante, al grito de ¡al toro!, cuatro negras achuradoras que se retiraban con su presa, se zambulleron en la zanja llena de agua, único refugio que les quedaba.

El animal, entretanto, después de haber corrido unas 20 cuadras en distintas direcciones azorando con su presencia a todo viviente, se metió por la tranquera de una quinta, donde halló su perdición. Aunque cansado, manifestaba brío y colérico ceño; pero rodeábalo una zanja profunda y un tupido cerco de pitas, y no había escape. Juntáronse luego sus perseguidores que se hallaban desbandados, y resolvieron llevarlo en un señuelo de bueyes para que expiase su atentado en el lugar mismo donde lo había cometido.

Una hora después de su fuga el toro estaba otra vez en el matadero, donde la poca chusma que había quedado no hablaba sino de sus fechorías. La aventura del gringo en el pantano, excitaba principalmente la risa y el sarcasmo. Del niño degollado por el lazo no quedaba sino un charco de sangre: su cadáver estaba en el cementerio.

Enlazaron muy luego por las astas al animal, que brincaba haciendo hincapié y lanzando roncos bramidos. Echáronle uno, dos, tres piales; pero infructuosos: al cuarto quedó prendido de una pata: su brío y su furia redoblaron; su lengua, estirándose convulsiva, arrojaba espuma, su nariz humo, sus ojos miradas encendidas.

— ¡Desjarreten ese animal! — exclamó una voz imperiosa. Matasiete se tiró al punto del caballo, cortóle el garrón de una cuchillada y gambeteando en torno de él con su enorme daga en mano, se la hundió al cabo hasta el puño en la garganta, mostrándola en seguida humeante y roja a los espectadores. Brotó un torrente de la herida, exhaló algunos bramidos roncos, y cayó el soberbio animal entre los gritos de la chusma que proclamaba a Matasiete vencedor y le adjudicaba en premio el matambre. Matasiete extendió, como orgulloso, por segunda vez el brazo y el cuchillo ensangrentado, y se agachó a desollarlo con otros compañeros.

Faltaba que resolver la duda sobre los órganos genitales del muerto, clasificado provisoriamente de toro por su indomable fiereza; pero estaban todos tan fatigados de la larga tarea, que lo echaron por lo pronto en olvido. Mas de repente una voz ruda exlamó:

— Aquí están los huevos — sacando de la barriga del animal y mostrando a los espectadores dos enormes testículos, signo inequívoco de su dignidad de toro. La risa y la charla fué grande; todos los incidentes desgraciados pudieron fácilmente explicarse. Un toro en el matadero era cosa muy rara, y aun vedada. Aquél, según reglas de buena policía, debía arrojarse a los perros; pero había tanta escasez de carne y tantos hambrientos en la población que el señor Juez tuvo a bien hacer ojo lerdo.

En dos por tres estuvo desollado, descuartizado y colgado en la carreta el maldito toro. Matasiete colocó el matambre bajo el pellón de su recado y se preparaba a partir. La matanza estaba concluída a las doce, y la poca chusma que había presenciado hasta el fin, se retiraba en grupos de a pie y de a caballo, o tirando a la cincha algunas carretas cargadas de carne.

Mas de repente la ronca voz de un carnicero gritó:

— ¡Allí viene un unitario! — y al oír tan significativa palabra toda aquella chusma se detuvo como herida de una impresión subitánea.

— ¿No le ven la patilla en forma de U? No trae divisa en el fraque ni luto en el sombrero.

— Perro unitario.

— Es un cajetilla.[44]

— Monta en silla como los gringos.

— La Mazorca con él.

— ¡La tijera!

— Es preciso sobarlo.

— Trae pistoleras por pintar.[45]

— Todos estos cajetillas unitarios son pintores como el diablo.

— ¿A que no te le animás, Matasiete?

— ¿A que no?

— A que sí.

Matasiete era hombre de pocas palabras y de mucha acción. Tratándose de violencia, de agilidad, de destreza en el hacha, el cuchillo o el caballo, no hablaba y obraba. Lo habían picado: prendió la espuela a su caballo y se lanzó a brida suelta al encuentro del unitario.

Era éste un joven como de 25 años, de gallarda y bien apuesta persona, que mientras salían en borbotones de aquellas desaforadas bocas las anteriores exclamaciones, trotaba hacia Barracas, muy ajeno de temer peligro alguno. Notando, empero, las significativas miradas de aquel grupo de dogos de matadero, echa maquinalmente la diestra sobre las pistoleras de su silla inglesa, cuando una pechada al sesgo del caballo de Matasiete lo arroja de los lomos del suyo tendiéndolo a la distancia boca arriba y sin movimiento alguno.

— ¡Viva Matasiete! — exclamó toda aquella chusma, cayendo en tropel sobre la víctima como los caranchos rapaces sobre la osamenta de un buey devorado por el tigre.

Atolondrado todavía el joven, fué, lanzando una mirada de fuego sobre aquellos hombres feroces, hacia su caballo que permanecía inmóvil no muy distante, a buscar en sus pistolas el desagravio y la venganza. Matasiete, dando un salto, le salió al encuentro y con fornido brazo asiéndolo de la corbata lo tendió en el suelo tirando al mismo tiempo la daga de la cintura y llevándola a su garganta.

Una tremenda carcajada y un nuevo viva estentóreo volvió a vitorearlo.

¡Qué nobleza de alma! ¡Qué bravura en los federales!, ¡siempre en pandillas cayendo como buitres sobre la víctima inerte!

— Degüéllalo, Matasiete; quiso sacar las pistolas. Degüéllalo como al toro.

— Pícaro unitario. Es preciso tusarlo.

— Tiene buen pescuezo para el violín.

— Mejor es la resbalosa.[46]

— Probaremos — dijo Matasiete, y empezó sonriendo a pasar el filo de su daga por la garganta del caído, mientras con la rodilla izquierda le comprimía el pecho y con la siniestra mano le sujetaba por los cabellos.

— No, no lo degüellen — exclamó de lejos la voz imponente del Juez del Matadero que se acercaba a caballo.

— A la casilla con él, a la casilla. Preparen la mazorca y las tijeras. ¡Mueran los salvajes unitarios! ¡Viva el Restaurador de las leyes!

— ¡Viva Matasiete!

«¡Mueran!» «¡Vivan!» — repitieron en coro los espectadores, y atándolo codo con codo, entre moquetes y tirones, entre vociferaciones e injurias, arrastraron al infeliz joven al banco del tormento, como los sayones al Cristo.

La sala de la casilla tenía en su centro una grande y fornida mesa de la cual no salían los vasos de bebida y los naipes sino para dar lugar a las ejecuciones y torturas de los sayones federales del matadero. Notábase además en un rincón otra mesa chica con recado de escribir y un cuaderno de apuntes y porción de sillas entre las que resaltaba un sillón de brazos destinado para el juez. Un hombre, soldado en apariencia, sentado en una de ellas, cantaba al son de la guitarra la resbalosa, tonada de inmensa popularidad entre los federales, cuando la chusma llegando en tropel al corredor de la casilla lanzó a empellones al joven unitario hacia el centro de la sala.

— A ti te toca la resbalosa — gritó uno.

— Encomienda tu alma al diablo.

— Está furioso como toro montaraz.

— Ya te amansará el palo.

— Es preciso sobarlo.

— Por ahora verga y tijera.

— Si no, la vela.

— Mejor será la mazorca.

— Silencio y sentarse — exclamó el juez dejándose caer sobre un sillón. Todos obedecieron, mientras el joven, de pie, encarando al juez, exclamó con voz preñada de indignación:

44. en Arg. el elegante porteño. Jactancioso 45., presumido. 46. en Arg. cierto baile. Tocar la resbalosa, degollar. 47. en Arg. pequeño, bajo, rechoncho; caballo de corta alzada.

— ¡Infames sayones! ¿Qué intentan hacer de mí?

— ¡Calma! — dijo sonriendo el juez —. No hay que encolerizarse. Ya lo verás.

El joven, en efecto, estaba fuera de sí de cólera. Todo su cuerpo parecía estar en convulsión. Su pálido y amoratado rostro, su voz, su labio trémulo, mostraban el movimiento convulsivo de su corazón, la agitación de sus nervios. Sus ojos de fuego parecían salirse de la órbita, su negro y lacio cabello se levantaba erizado. Su cuello desnudo y la pechera de su camisa dejaban entrever el latido violento de sus arterias y la respiración anhelante de sus pulmones.

— ¿Tiemblas? — le dijo el juez.

— De rabia porque no puedo sofocarte entre mis brazos.

— ¿Tendrías fuerza y valor para eso?

— Tengo de sobra voluntad y coraje para ti, infame.

— A ver las tijeras de tusar mi caballo: túsenlo a la federala.

Dos hombres le asieron, uno de la ligadura del brazo, otro de la cabeza y en un minuto cortáronle la patilla que poblaba toda su barba por bajo, con risa estrepitosa de sus espectadores.

— A ver — dijo el juez —, un vaso de agua para que se refresque.

— Uno de hiel te daría yo a beber, infame.

Un negro petiso[47] púsosele al punto delante con un vaso de agua en la mano. Dióle el joven un puntapié en el brazo y el vaso fué a estrellarse en el techo, salpicando el asombrado rostro de los espectadores.

— Este es incorregible.

— Ya lo domaremos.

— Silencio — dijo el juez —. Ya estás afeitado a la federala, sólo te falta el bigote. Cuidado con olvidarlo. Ahora vamos a cuenta. ¿Por qué no traes divisa?

— Porque no quiero.

— ¿No sabes que lo manda el Restaurador?

— La librea es para vosotros, esclavos, no para los hombres libres.

— A los libres se les hace llevar a la fuerza.

— Sí, la fuerza y la violencia bestial. Esas son vuestras armas, infames. ¡El lobo, el tigre, la pantera, también son fuertes como vosotros! Deberíais andar como ellos, en cuatro patas.

— ¿No temes que el tigre te despedace?

— Lo prefiero a que maniatado me arranquen, como el cuervo, una a una las entrañas.

— ¿Por qué no llevas luto en el sombrero por la heroína?

— Porque lo llevo en el corazón por la patria que vosotros habéis asesinado, infames.

— ¿No sabes que así lo dispuso el Restaurador?

— Lo dispusisteis vosotros, esclavos, para lisonjear el orgullo de vuestro señor, y tributarle vasallaje infame.

— ¡Insolente! Te has embravecido mucho. Te haré cortar la lengua si chistas. Abajo los calzones a ese mentecato cajetilla y a nalga pelada denle verga, bien atado sobre la mesa.

Apenas articuló esto el juez, cuatro sayones salpicados de sangre, suspendieron al joven y lo tendieron largo a largo sobre la mesa comprimiéndole todos sus miembros.

— Primero degollarme que desnudarme, infame canalla.

Atáronle un pañuelo a la boca y empezaron a tironear sus vestidos. Encogíase el joven, pateaba, hacía rechinar los dientes. Tomaban ora sus miembros la flexibilidad del junco, ora la dureza del fierro y su espina dorsal era el eje de un movimiento parecido al de la serpiente. Gotas de sudor fluían por su rostro, grandes como perlas; echaban fuego sus pupilas, su boca espuma, y las venas de su cuello y frente negreaban en relieve sobre su blanco cutis como si estuvieran repletas de sangre.

— Átenlo primero — exclamó el juez.

— Está rugiendo de rabia — articuló un sayón.

En un momento liaron sus piernas en ángulo a los cuatro pies de la mesa, volcando su cuerpo boca abajo. Era preciso hacer igual operación con las manos, para lo cual soltaron las ataduras que las comprimían en la espalda. Sintiéndolas libres el joven, por un movimiento brusco en el cual pareció agotarse toda su fuerza y vitalidad, se incorporó primero sobre sus brazos, después sobre sus rodillas y se desplomó al momento murmurando:

— Primero degollarme que desnudarme, infame canalla.

Sus fuerzas se habían agotado.

Inmediatamente quedó atado en cruz y empezaron la obra de desnudarlo. Entonces un torrente de sangre brotó borbolloneando de la boca y las narices del joven, y extendiéndose empezó a caer a chorros por entrambos lados de la mesa. Los sayones quedaron inmóviles y los espectadores estupefactos.

— Reventó de rabia el salvaje unitario — dijo uno.

— Tenía un río de sangre en las venas — articuló otro.

— Pobre diablo, queríamos únicamente divertirnos con él y tomó la cosa demasiado a lo serio — exclamó el juez frunciendo el ceño de tigre. Es preciso dar parte; desátenlo y vamos.

Verificaron la orden; echaron llave a la puerta y en un momento se escurrió la chusma en pos del caballo del juez cabizbajo y taciturno.

Los federales habían dado fin a una de sus innumerables proezas.

En aquel tiempo los carniceros degolladores del matadero, eran los apóstoles que propagaban a verga y puñal la federación rosina, y no es difícil imaginarse qué federación saldría de sus cabezas y cuchillas. Llamaban ellos salvaje unitario, conforme a la jerga inventada por el Restaurador, patrón de la cofradía, a todo el que no era degollador, carnicero, ni salvaje, ni ladrón; a todo hombre decente y de corazón bien puesto, a todo patriota ilustrado amigo de las luces y de la libertad; y por el suceso anterior puede verse a las claras que el foco de la federación estaba en el matadero.

(Edición de Buenos Aires, 1926)

Cuando en 1838 algunos jóvenes que habían estudiado en Buenos Aires regresaron a San Juan con los libros de moda — libros de Lerminier, Leroux, Cousin, Sismondi, Saint-Simon, Jouffroi, Quinet, Guizot —, DOMINGO FAUSTINO SARMIENTO (Argentina; 1811-1888) se dejó penetrar por la nueva corriente de ideas. Pero la originalidad de Sarmiento está en que esa filosofía romántica de la historia vino a fundirse entrañablemente con su intuición de la propia vida como vida histórica. Sentía que su yo y la patria eran una misma criatura, comprometida en una misión histórica dentro del proceso de la civilización. De aquí que sus escritos, siendo siempre actos políticos, tengan un peculiar tono autobiográfico. En su primer autobiografía: *Mi defensa* (1843), forjada en Chile como un arma, Sarmiento se exhibe luchando a brazo partido con la pobreza, atraso, ignorancia, violencia, injusticia y anarquía de su medio. Sus frases se refractan en dos haces: uno que ilumina el impulso de la voluntad creadora; el otro, la inercia de las circunstancias adversas. Pronto el lector advierte que esa polarización tiene un sentido filosófico: alude al conflicto entre espíritu y materia, libertad y necesidad, historia y naturaleza, progreso y tradición. Y, en efecto, cuando Sarmiento pasó del sentimiento de la propia vida personal a la interpretación de la vida pública argentina, las confidencias de *Mi defensa* se convirtieron en una fórmula política: « Civilización y barbarie. » *Civilización y barbarie: Vida de Juan Facundo Quiroga* (1845) no es ni historia, ni biografía, ni novela, ni sociología: es la visión de un país por un joven ansioso de actuar desde dentro como fuerza transformadora. « El mal que aqueja a la República Argentina es la extensión », dice. Las ciudades son islotes de civilización: la pampa las rodea y engulle como un mar de barbarie. De las campañas vienen los gauchos, cuchillo en mano: son meras manifestaciones bravías de la naturaleza, sin iniciativa histórica. Los hombres de la ciudad son los que suscitan fases progresivas en el correr de la civilización. En tal escenario, con tales actores, el drama político desde 1810 ha transcurrido en dos actos: 1) la revolución de Mayo y la independencia significaron el combate de las ideas europeas y liberales que se asentaban en las ciudades contra el absolutismo de una España que ya no creaba valores espirituales pero que regía con su peso tradicional; 2) luego sobreviene la anarquía, porque de las llanuras inmensas del país se sueltan hordas resentidas contra las ciudades cultas. La Argentina, dice Sarmiento, está dominada por figuras tan sombrías como Juan Facundo Quiroga y Juan Manuel de Rosas. Muerto Facundo, hay que derribar a Rosas. Pero eso no bastaría. Después de todo Rosas es sólo una encarnación de la realidad bárbara. Es la realidad misma la que debe transformarse. Y ahora el autor avanza hacia el público y propone un programa político de reconstrucción nacional: la educación pública, la inmigración europea y el progreso técnico-económico. Esta dialéctica era tan simple que el mismo Sarmiento la encontró insuficiente y, a lo largo del libro, tuvo que complicarla con paradojas, saltos y salvedades que llegan a contradecir su tesis. Las campañas no eran tan bárbaras; las ciudades no eran tan civilizadas. Además, Sarmiento simpatizaba estéticamente con las costumbres gauchas que desdeñaba en nombre de sus principios políticos. Dentro del esquema dinámico con que Sarmiento dió sentido a su percepción del país — civilización contra barbarie — la sombra terrible de Facundo cobró una pujante realidad artística porque no era un tema retórico, sino una patética presencia en sus entrañas. En este sentido Facundo es una creación fantástica de Sarmiento. Nos impresiona como personaje vivo precisamente porque lo que le da vida es la fantasía del autor. Y sin embargo, su Facundo, todo lo fantástico y exagerado que se quiera, fué verdadero. Investigaciones ulteriores han corregido los detalles del cuadro; aun Sarmiento se rectificó varias veces. Pero lo que él vió en 1845 fué esencial. En *Facundo* reveló Sarmiento su talento literario. Fué todavía más visible en el libro que le siguió, *Viajes* (1845-47), porque ahí el placer de contar pudo más que el móvil político. Son cartas, tan imaginativas que figuran entre la mejor prosa española de su época. A cada paso sorprenden por la agudeza de observación: valen como vastos cuadros de las costumbres y paisajes de Francia, España, África, Italia, los Estados Unidos . . . Más sorprendente aún que las observaciones hechas es el observador que las está haciendo. En ninguno de sus otros libros se abre tan a lo ancho y a lo hondo el alma de Sarmiento, con sus entusiasmos y depresiones, su solemnidad de profeta y su humorismo. Se siente actor del mundo que describe: sus cartas son, pues, fragmentos de una novela virtual. Además llevan implícita una filosofía de la historia. En el camino de la civilización — nos dice Sarmiento — las naciones corren, se cansan, se sientan a la sombra a dormitar o se lanzan con ganas de llegar antes que otras. Son como personas. Y lo que monta de ellas no es lo que han sido en el pasado, sino el impulso que llevan. Sarmiento se decepciona de Europa, demasiado quieta, y propone como modelo de civilización a los Estados Unidos, que avanzan a zancadas de gigante y prometen la libertad política y el bienestar económico. De 1850 son sus *Recuerdos de provincia*, que continúan los de *Mi defensa*. Pero han transcurrido ocho años intensísimos. Sus paseos por Europa y los Estados Unidos le han dado una perspectiva favorable para comprender la América española. Es ahora más hombre, más escritor. Tiene conciencia de su misión y se dirige a públicos que han de sobrevivirle. Su estilo es más personal. Y escribe los *Recuerdos* no sólo por la necesidad política de contestar las calumnias de Rosas con un autorretrato que lo muestre superior, sino abandonándose a la dulzura de la evocación. Mira a su alrededor y ve una procesión en marcha: es la marcha de la civilización en tierra argentina. Él anda entremezclado en la multitud. ¡Y qué placer ir reconociendo a su familia en ese desparramo de gentes impulsadas todas por el buen viento espiritual! En su rica, llena y colorida experiencia de un « yo » agitado por las conmociones que vienen del pasado, hay también la conciencia de una misión providencial que cumplir. Vivía no sólo su vida de individuo sino la vida de su pueblo, y de la humanidad, de Dios mismo, puesto que para él la historia era el desarrollo de un plan providencial y él se sentía gestor de la historia. En Chile escribió la *Campaña en el Ejército Grande* (1852), otro de sus buenos libros a pesar de la desordenada mezcla de documentos, anécdotas y desahogos personales, ameno como el diario íntimo de un novelista. *Conflictos y armonías de las razas en América* (1883) es la última de sus obras sociológicas; y la peor, por el alarde científico de tanta página desarticulada. Sus hábitos eran los del periodista, no los del escritor. Ocupado en muchas tareas a la vez, sus palabras eran otro modo de obrar. Golpean como olas. Y si parecen retirarse, disminuídas, es la retirada del mar, que vuelve en seguida con más ímpetu. Llega sin esfuerzo a la plenitud expresiva; y aun en sus descuidos rebosa el genio.

Domingo Faustino Sarmiento

FACUNDO

CIVILIZACIÓN Y BARBARIE

[. . .] El mal que aqueja a la República Argentina es la extensión; el desierto la rodea por todas partes, se le insinúa en las entrañas; la soledad, el despoblado sin una habitación humana, son por lo general los límites incuestionables entre unas y otras provincias. Allí, la inmensidad por todas partes; inmensa la llanura, inmensos los bosques, inmensos los ríos, el horizonte siempre incierto, siempre confundiéndose con la tierra entre celajes y vapores tenues que no dejan en la lejana perspectiva señalar el punto en que el mundo acaba y principia el cielo. Al Sur y al Norte acéchanla los salvajes, que aguardan las noches de luna para caer, cual enjambre de hienas, sobre los ganados que pacen en los campos y en las indefensas poblaciones. En la solitaria caravana de carretas que atraviesa pesadamente las pampas, y que se detiene a reposar por momentos, la tripulación reunida en torno del escaso fuego vuelve maquinalmente la vista hacia el Sur al más ligero susurro del viento que agita las hierbas secas, para hundir sus miradas en las tinieblas profundas de la noche, en busca de los bultos siniestros de la horda salvaje que puede de un momento a otro sorprenderla desapercibida.

Si el oído no escucha rumor alguno, si la vista no alcanza a calar el velo oscuro que cubre la callada soledad, vuelve sus miradas, para tranquilizarse del todo, a las orejas de algún caballo que está inmediato al fogón, para observar si están inmóviles y negligentemente inclinadas hacia atrás.

Entonces continúa la conversación interrumpida, o lleva a la boca el tasajo[1] de carne medio sollamado de que se alimenta. Si no es la proximidad del salvaje lo que inquieta al hombre del campo, es el temor de un tigre que lo acecha, de una víbora que puede pisar. Esta inseguridad de la vida, que es habitual y permanente en las campañas, imprime, a mi parecer, en el carácter argentino cierta resignación estoica para la muerte violenta, que hace de ella uno de los percances inseparables de la vida, una manera de morir como cualquiera otra; y puede quizá explicar en parte la indiferencia con que dan y reciben la muerte, sin dejar en los que sobreviven impresiones profundas y duraderas.

La parte habitada de este país privilegiado en dones y que encierra todos los climas, puede

1. carne seca. 2. territorio en los límites de Bolivia y Paraguay. 3. en la provincia de San Luis, Argentina central.

dividirse en tres fisonomías distintas, que imprimen a la población condiciones diversas, según la manera como tiene que entenderse con la naturaleza que la rodea. Al Norte, confundiéndose con el Chaco,[2] un espeso bosque cubre con su impenetrable ramaje extensiones que llamaríamos inauditas, si en formas colosales hubiese nada inaudito en toda la extensión de la América. Al centro, y en una zona paralela, se disputan largo tiempo el terreno la pampa y la selva; domina en partes el bosque, se degrada en matorrales enfermizos y espinosos, preséntase de nuevo la selva a merced de algún río que la favorece, hasta que al fin, al Sur, triunfa la pampa y ostenta su lisa y velluda frente, infinita, sin límite conocido, sin accidente notable; es la imagen del mar en la tierra; la tierra como en el mapa; la tierra aguardando todavía que se la mande producir las plantas y toda clase de simiente.

Pudiera señalarse como un rasgo notable de la fisonomía de este país, la aglomeración de ríos navegables que al Este se dan cita de todos los rumbos del horizonte, para reunirse en el Plata, y presentar dignamente su estupendo tributo al Océano, que lo recibe en sus flancos no sin muestras visibles de turbación y respeto. Pero estos inmensos canales excavados por la solícita mano de la Naturaleza, no introducen cambio alguno en las costumbres nacionales. El hijo de los aventureros españoles que colonizaron el país detesta la navegación, y se considera como aprisionado en los estrechos límites del bote o la lancha. Cuando un gran río le ataja el paso, se desnuda tranquilamente, apresta su caballo y lo endilga nadando a algún islote que se divisa a lo lejos; arriba a él, descansan caballo y caballero, y de islote en islote, se completa al fin la travesía.

De este modo, el favor más grande que la Providencia depara a un pueblo el gaucho argentino lo desdeña, viendo en él más bien un obstáculo opuesto a sus movimientos que el medio más poderoso de facilitarlos. [. . .]

Yo he presenciado una escena campestre digna de los tiempos primitivos del mundo, anteriores a la institución del sacerdocio. Hallábame en la sierra de San Luis,[3] en casa de un estanciero cuyas dos ocupaciones favoritas eran rezar y jugar. Había edificado una capilla en la que los domingos por la tarde rezaba él mismo el rosario, para suplir al sacerdote, y al oficio divino de que por años había carecido. Era aquél un cuadro homérico: el sol llegaba al ocaso; las majadas que volvían al redil hendían el aire con sus confusos balidos; el dueño de casa, hombre de sesenta años, de una fisonomía noble, en que la raza europea pura se ostentaba por la blancura del cutis, los ojos azulados, la frente espaciosa y despejada, hacía coro, a que contestaban una docena de mujeres y algunos mocetones, cuyos caballos, no bien domados aún, estaban amarrados cerca de la puerta de la capilla. Concluído el rosario, hizo un fervoroso ofrecimiento. Jamás he oído voz más llena de unción, fervor más puro, fé más firme, ni oración más bella, más adecuada a las circunstancias que la que recitó. Pedía en ella a Dios lluvias para los campos, fecundidad para los ganados, paz para la República, seguridad para los caminantes... Yo soy muy propenso a llorar, y aquella vez lloré hasta sollozar, porque el sentimiento religioso se había despertado en mi alma con exaltación y con una sensación desconocida, porque nunca he visto escena más religiosa; creía estar en los tiempos de Abrahán, en su presencia, en la de Dios y de la naturaleza que lo revela. La voz de aquel hombre candoroso e inocente me hacía vibrar todas las fibras, y me penetraba hasta la médula de los huesos. [. . .]

(Primera parte. Capítulo I. Aspecto físico de la República Argentina, y caracteres, hábitos e ideas que engendra)

[. . .] Existe, pues, un fondo de poesía que nace de los accidentes naturales del país y de las costumbres excepcionales que engendra. La poesía, para despertarse, porque la poesía es, como el sentimiento religioso, una facultad del espíritu humano, necesita el espectáculo de lo bello, del poder terrible, de la inmensidad de la extensión, de lo vago, de lo incomprensible; porque sólo donde acaba lo palpable y vulgar, empiezan las mentiras de la imaginación, el mundo ideal. Ahora, yo pregunto: ¿qué impresiones ha de dejar en el habitante de la República Argentina el simple acto de clavar los ojos en el horizonte, y ver . . ., no ver nada? Porque cuanto más hunde los ojos en aquel horizonte incierto, vaporoso, indefinido, más se aleja, más lo fascina, lo confunde y lo sume en la contemplación y la duda. ¿Dónde termina aquel mundo que quiere en vano penetrar? ¡No lo sabe! ¿Qué hay más allá de lo que ve? La soledad, el peligro, el salvaje, la muerte. He aquí ya la poesía. El hombre que se mueve en estas escenas se siente asaltado de temores e incertidumbres fantásticas, de sueños que lo preocupan despierto.

De aquí resulta que el pueblo argentino es poeta por carácter, por naturaleza. ¿Y cómo ha de dejar de serlo, cuando en medio de una tarde serena y apacible, una nube torva y negra se levanta sin saber de dónde, se extiende sobre el cielo mientras se cruzan dos palabras, y de repente el estampido del trueno anuncia la tormenta que deja frío al viajero, y reteniendo el aliento por temor de atraerse un rayo de dos mil que caen en torno suyo? La oscuridad sucede después a la luz; la muerte está por todas partes; un poder terrible, incontrastable, le ha hecho en un momento reconcentrarse en sí mismo, y sentir su nada en medio de aquella naturaleza irritada: sentir a Dios, por decirlo de una vez, en la aterrante magnificencia de sus obras. ¿Qué más colores para la paleta de la fantasía? Masas de tinieblas que anublan el día, masas de luz lívida, temblorosa, que ilumina un instante las tinieblas y muestra la pampa a distancias infinitas, cruzándolas vivamente el rayo, en fin, símbolo del poder. Estas imágenes han sido hechas para quedarse hondamente grabadas. Así, cuando la tormenta pasa, el gaucho se queda triste, pensativo, serio, y la sucesión de luz y tinieblas se continúa en su imaginación, del mismo modo que, cuando miramos fijamente el sol, nos queda por largo tiempo su disco en la retina. [. . .]

[. . .] Del centro de estas costumbres y gustos generales se levantan especialidades notables, que un día embellecerán y darán un tinte original al drama y al romance nacional. Yo quiero sólo notar aquí algunos que servirán para completar la idea de las costumbres, para trazar en seguida el carácter, causas y efectos de la guerra civil.

El más conspicuo de todos, el más extraordinario, es el « rastreador ». Todos los gauchos del interior son rastreadores. En llanuras tan dilatadas en donde las sendas y caminos se cruzan en todas direcciones, y los campos en que pacen o transitan las bestias son abiertos, es preciso saber seguir las huellas de un animal, y distinguirlas de entre mil; conocer si va despacio o ligero, suelto o tirado, cargado o de vacío. Esta es una ciencia casera y popular. Una vez caía yo de un camino de encrucijada al de Buenos Aires, y el peón que me conducía echó, como de costumbre, la vista al suelo. « Aquí va — dijo luego — una mulita mora, muy buena . . ., ésta es la tropa de don N. Zapata . . ., es de muy buena silla . . ., va ensillada . . ., ha pasado ayer » . . . Este hombre venía de la sierra de San Luis, la tropa volvía de Buenos Aires, y hacía un año que él había visto por última vez la mulita mora cuyo rastro estaba confundido con el de toda una tropa en un sendero de dos pies de ancho. Pues esto, que parece increíble, es con todo, la ciencia vulgar; éste era un peón de arria, y no un rastreador de profesión.

El rastreador es un personaje grave, circunspecto, cuyas aseveraciones hacen fe en los tribunales inferiores. La conciencia del saber que posee, le da cierta dignidad reservada y misteriosa. Todos lo tratan con consideración: el pobre, porque puede hacerle mal, calumniándolo o denunciándolo; el propietario, porque su testimonio puede fallarle. Un robo se ha ejecutado durante la noche; no bien se nota, corren a buscar una pisada del ladrón, y encontrada, se cubre con algo para que el viento no la disipe. Se llama en seguida al rastreador, que ve el rastro, y lo sigue sin mirar sino de tarde en tarde el suelo, como si sus ojos vieran de relieve esta pisada que para otro es imperceptible. Sigue el curso de las calles, atraviesa los huertos, entra en una casa, y señalando un hombre que encuentra, dice fríamente: « ¡Éste es! » El delito está probado, y raro es el delincuente que resiste a esta acusación. Para él, más que para el juez, la deposición del rastreador es la evidencia misma; negarla sería ridículo, absurdo. Se somete, pues, a este testigo que considera como el dedo de Dios que lo señala. Yo mismo he conocido a Calíbar, que ha ejercido en una provincia su oficio durante cuarenta años consecutivos. Tiene ahora cerca de ochenta años; encorvado por la edad, conserva, sin embargo un aspecto venerable y lleno de dignidad. Cuando le hablan de su reputación fabulosa, contesta: « Ya no valgo nada; ahí están los niños »; los niños son sus hijos, que han aprendido en la escuela de tan famoso maestro. Se cuenta de él que durante un viaje a Buenos Aires le robaron una vez su montura de gala. Su mujer tapó el rastro con una artesa. Dos meses después Calíbar regresó, vió el rastro ya borrado e imperceptible para otros ojos, y no se habló más del caso. Año y medio después Calíbar marchaba cabizbajo por una calle de los suburbios, entra en una casa, y encuentra su montura ennegrecida ya, y casi inutilizada por el uso. ¡Había encontrado el rastro de su raptor después de dos años! El año 1830, un reo condenado a muerte se había escapado de la cárcel. Calíbar fué encargado de buscarlo. El infeliz, previendo que sería rastreado,

4. « *donde te me has de ir* » 5. *en dirección a* 6. James Fenimore Cooper (1789-1851), novelista norteamericano. 7. especie de armadillo de la República Argentina y regiones próximas.

había tomado todas las precauciones que la imagen del cadalso le sugirió. ¡Precauciones inútiles! Acaso sólo sirvieron para perderle; porque, comprometido Calíbar en su reputación, el amor propio ofendido le hizo desempeñar con calor una tarea que perdía a un hombre, pero que probaba su maravillosa vista.

El prófugo aprovechaba todas las desigualdades del suelo para no dejar huellas; cuadras enteras había marchado pisando con la punta del pie; trepábase en seguida a las murallas bajas, cruzaba un sitio, y volvía atrás. Calíbar lo seguía sin perder la pista; si le sucedía momentáneamente extraviarse, al hallarla de nuevo exclamaba: « ¡Dónde te mi-as-dir! »[4] Al fin llegó a una acequia de agua en los suburbios, cuya corriente había seguido aquél para burlar al rastreador . . . ¡Inútil! Calíbar iba por las orillas, sin inquietud, sin vacilar. Al fin se detiene, examina unas hierbas, y dice: « ¡Por aquí ha salido; no hay rastro, pero estas gotas de agua en los pastos lo indican! » Entra en una viña, Calíbar reconoció las tapias que la rodeaban, y dijo: « Adentro está. » La partida de soldados se cansó de buscar, y volvió a dar cuenta de la inutilidad de la pesquisa. « No ha salido, » fué la breve respuesta que sin moverse, sin proceder a nuevo examen, dió el rastreador. No había salido, en efecto, y al día siguiente fué ejecutado. En 1830, algunos presos políticos intentaban una evasión: todo estaba preparado, los auxiliares de afuera prevenidos; en el momento de efectuarla, uno dijo: « ¿Y Calíbar? » — ¡Cierto! — contestaron los otros anonadados, aterrados, — ¡Calíbar!

Sus familias pudieron conseguir de Calíbar que estuviese enfermo cuatro días contados desde la evasión, y así pudo efectuarse sin inconveniente.

¿Qué misterio es este del rastreador? ¿Qué poder microscópico se desenvuelve en el órgano de la vista de estos hombres? ¡Cuán sublime criatura es la que Dios hizo a su imagen y semejanza!

Después del rastreador, viene el « baquiano », personaje eminente y que tiene en sus manos la suerte de los particulares de las provincias. El baquiano es un gaucho grave y reservado, que conoce a palmo veinte mil leguas cuadradas de llanuras, bosques y montañas. Es el topógrafo más completo; es el único mapa que lleva un general para dirigir los movimientos de su campaña. El baquiano va siempre a su lado. Modesto y reservado como una tapia; está en todos los secretos de la campaña; la suerte del ejército, el éxito de una batalla, la conquista de una provincia, todo depende de él.

El baquiano es casi siempre fiel a su deber; pero no siempre el general tiene en él plena confianza. Imaginaos la posición de un jefe condenado a llevar un traidor a su lado, y a pedirle los conocimientos indispensables para triunfar. Un baquiano encuentra una sendita que hace cruz con el camino que lleva: él sabe a qué aguada remota conduce; si encuentra mil, y esto sucede en un espacio de cien leguas, él las conoce todas, sabe de dónde vienen y adónde van. Él sabe el vado oculto que tiene un río, más arriba o más abajo del paso ordinario, y esto en cien ríos o arroyos; él conoce en los ciénagos extensos un sendero por donde pueden ser atravesados sin inconveniente, y esto en cien ciénagos distintos.

En lo más oscuro de la noche, en medio de los bosques o en las llanuras sin límites, perdidos sus compañeros, extraviados, da una vuelta en círculo de ellos, observa los árboles; si no los hay, se desmonta, se inclina a tierra, examina algunos matorrales y se orienta de la altura en que se halla; monta en seguida, y les dice para asegurarlos: « Estamos en deresereas[5] de tal lugar, a tantas leguas de las habitaciones; el camino ha de ir al sur », y se dirige hacia el rumbo que señala, tranquilo, sin prisa de encontrarlo, y sin responder a las objeciones que el temor o la fascinación sugiere a los otros.

Si aun esto no basta, o si se encuentra en la pampa y la oscuridad es impenetrable, entonces arranca pastos de varios puntos, huele la raíz y la tierra, las masca, y después de repetir este procedimiento varias veces, se cerciora de la proximidad de algún lago, o arroyo salado; o de agua dulce, y sale en su busca para orientarse fijamente. [. . .]

« El Gaucho Malo ». Éste es un tipo de ciertas localidades, un « outlaw », un « squatter », un misántropo particular. Es el « Ojo del Halcón », el « Trampero » de Cooper[6] con toda su ciencia del desierto, con toda su aversión a las poblaciones de los blancos; pero sin su moral natural y sin sus conexiones con los salvajes. Llámanle el Gaucho Malo, sin que este epíteto le desfavorezca del todo. La justicia lo persigue desde muchos años; su nombre es temido, pronunciado en voz baja, pero sin odio y casi con respeto. Es un personaje misterioso; mora en la pampa; son su albergue los cardales; vive de perdices y « mulitas »;[7] si alguna vez quiere regalarse con una lengua, enlaza una vaca, la voltea solo, la mata, saca su bocado predilecto, y abandona lo demás a las aves montesinas. De repente se presenta el Gaucho Malo en un pago de donde la partida acaba de salir; conversa pacíficamente con los buenos gauchos, que lo rodean y lo admiran; se provee « de los vicios », y si divisa la partida, monta tranquilamente en su caballo, y lo apunta hacia el desierto, sin prisa, sin aparato, desdeñando volver la cabeza. La partida rara vez lo sigue; mataría inútilmente sus caballos, porque el que monta el Gaucho Malo es un parejero « pangaré »[8] tan célebre como su amo. Si el acaso lo echa alguna vez de improviso entre las garras de la justicia, acomete a lo más espeso de la partida, y a merced de cuatro tajadas que con su cuchillo ha abierto en la cara o en el cuerpo de los soldados, se hace paso por entre ellos, y tendiéndose sobre el lomo del caballo para substraerse a la acción de las balas que lo persiguen, endilga hacia el desierto, hasta que, poniendo espacio conveniente entre él y sus perseguidores, refrena su trotón y marcha tranquilamente. Los poetas de los alrededores agregan esta nueva hazaña a la biografía del héroe del desierto, y su nombradía vuela por toda la vasta campaña. A veces se presenta a la puerta de un baile campestre con una muchacha que ha robado; entra en baile con su pareja, confúndese en las mudanzas del « cielito »,[9] y desaparece sin que nadie lo advierta. Otro día se presenta en la casa de la familia ofendida, hace descender de la grupa a la niña que ha seducido, y desdeñando las maldiciones de los padres que lo siguen, se encamina tranquilo a su morada sin límites. [. . .]

« El cantor. » Aquí tenéis la idealización de aquella vida de revueltas, de civilización, de barbarie y de peligros. El gaucho cantor es el mismo bardo, el vate, el trovador de la Edad Media, que se mueve en la misma escena, entre las luchas de las ciudades y del feudalismo de los campos, entre la vida que se va y la vida que se acerca. El cantor anda de pago en pago « de tapera en galpón »,[10] cantando sus héroes de la pampa perseguidos por la justicia, los llantos de la viuda a quien los indios robaron sus hijos en un malón reciente, la derrota y la muerte del valiente Rauch, la catástrofe de Facundo Quiroga y la suerte que cupo a Santos Pérez. El cantor está haciendo candorosamente el mismo trabajo de crónica, costumbres, historia, biografía, que el bardo de la Edad Media, y sus versos serían recogidos más tarde como los documentos y datos en que habría de apoyarse el historiador futuro, si a su lado no estuviese otra sociedad culta con superior inteligencia de los acontecimientos, que la que el infeliz despliega en sus rapsodias ingenuas. En la República Argentina se ven a un tiempo dos civilizaciones distintas en un mismo suelo: una naciente, que sin conocimiento de lo que tiene sobre su cabeza, está remedando los esfuerzos ingenuos y populares de la Edad Media; otra, que sin cuidarse de lo que tiene a sus pies, intenta realizar los últimos resultados de la civilización europea. El siglo XIX y el siglo XII viven juntos: el uno dentro de las ciudades, el otro en las campañas.

El cantor no tiene residencia fija; su morada está donde la noche lo sorprende; su fortuna en sus versos y en su voz. Dondequiera que el « cielito » enrede sus parejas sin tasa, dondequiera que se apure una copa de vino, el cantor tiene su lugar preferente, su parte escogida en el festín. El gaucho argentino no bebe, si la música y los versos no lo excitan, y cada pulpería tiene su guitarra para poner en manos del cantor, a quien el grupo de caballos estacionados en la puerta anuncia a lo lejos dónde se necesita el concurso de su gaya ciencia.[11]

El cantor mezcla entre sus cantos heroicos la relación de sus propias hazañas. Desgraciadamente, el cantor, con ser el bardo argentino, no está libre de tener que habérselas con la justicia. También tiene que dar la cuenta de sendas puñaladas que ha distribuído, una o dos « desgracias » (muertes) que tuvo y algún caballo o alguna muchacha que robó. En 1840, entre un grupo de gauchos y a orillas del majestuoso Paraná, estaba sentado en el suelo y con las piernas cruzadas un cantor que tenía azorado y divertido a su auditorio con la larga y animada historia de sus trabajos y aventuras. Había ya contado lo del rapto de la querida, con los trabajos que sufrió; lo de la « desgracia » y la disputa que la motivó; estaba refiriendo su encuentro con la partida y las puñaladas que en su defensa dió, cuando el tropel y los gritos de los soldados le avisaron que esta vez estaba cercado. La partida, en efecto, se había cerrado en forma de herradura; la abertura quedaba hacia el

8. dícese del caballo de color de venado, más claro en el hocico y en las orejas. *Parejero:* en Arg. el caballo adiestrado en la carrera. 9. baile popular. 10. *tapera*, casa o rancho en ruinas o abandonado; *galpón:* cobertizo. 11. poesía lírica como la entendían los trovadores provenzales del siglo XIII; también « ciencia de la poesía. » 12. arma de fuego, más corta que la carabina. 13. Arg. región vasta, desierta y sin agua. 14. Arg. asta de animal vacuno donde se lleva agua o aguardiente para beber en las largas travesías. 15. cerdo.

Paraná, que corría veinte varas más abajo: tal era la altura de la barranca. El cantor oyó la grita sin turbarse, viósele de improviso sobre el caballo, y echando una mirada escudriñadora sobre el círculo de soldados con las tercerolas[12] preparadas, vuelve el caballo hacia la barranca, le pone el poncho en los ojos y clávale las espuelas. Algunos instantes después se veía salir de las profundidades del Paraná, el caballo sin freno, a fin de que nadase con más libertad, y el cantor, tomado de la cola, volviendo la cara quietamente, cual si fuera en un bote de ocho remos, hacia la escena que dejaba en la barranca. Algunos balazos de la partida no estorbaron que llegase sano y salvo al primer islote que sus ojos divisaron.

Por lo demás, la poesía original del cantor es pesada, monótona, irregular, cuando se abandona a la inspiración del momento. Más narrativa que sentimental, llena de imágenes tomadas de la vida campestre, del caballo y las escenas del desierto que la hacen metafórica y pomposa. Cuando refiere sus proezas o las de algún afamado malévolo parécese al improvisador napolitano, desarreglado, prosaico de ordinario, elevándose a la altura poética por momentos, para caer de nuevo al recitado insípido y casi sin versificación. Fuera de esto, el cantor posee su repertorio de poesías populares, quintillas, décimas y octavas, diversos géneros de versos octosílabos. Entre éstos hay muchas composiciones de mérito, y que descubren inspiración y sentimiento.

Aun podría añadir a estos tipos originales muchos otros igualmente curiosos, igualmente locales, si tuviesen, como los anteriores, la peculiaridad de revelar las costumbres nacionales, sin lo cual es imposible comprender nuestros personajes políticos, ni el carácter primordial y americano de la sangrienta lucha que despedaza a la República Argentina. Andando esta historia, el lector va a descubrir por sí solo dónde se encuentra el rastreador, el baquiano, el gaucho malo, el cantor. Verá en los caudillos cuyos nombres han traspasado las fronteras argentinas, y aun en aquellos que llenan el mundo con el horror de su nombre, el reflejo vivo de la situación interior del país, sus costumbres, su organización.

(Primera parte. Capítulo II. Originalidad y caracteres argentinos. El rastreador. El baquiano. El gaucho malo. El cantor)

Media entre las ciudades de San Luis y San Juan un dilatado desierto que, por su falta completa de agua, recibe el nombre de « travesía ».[13] El aspecto de aquellas soledades es por lo general triste y desamparado, y el viajero que viene de oriente no pasa la última « represa » o aljibe de campo, sin proveer sus « chifles »[14] de suficiente cantidad de agua. En esta travesía tuvo una vez lugar la extraña escena que sigue. Las cuchilladas, tan frecuentes entre nuestros gauchos, habían forzado a uno de ellos a abandonar precipitadamente la ciudad de San Luis y ganar la travesía a pie, con la montura al hombro, a fin de escapar de las persecuciones de la justicia. Debían alcanzarlo dos compañeros tan luego como pudieran robar caballos para los tres.

No eran por entonces sólo el hambre o la sed los peligros que le aguardaban en el desierto aquel, que un tigre « cebado » andaba hacía un año siguiendo los rastros de los viajeros, y pasaban ya de ocho los que habían sido víctimas de su predilección por la carne humana. Suele ocurrir a veces en aquellos países, en que la fiera y el hombre se disputan el dominio de la naturaleza, que éste cae bajo la garra sangrienta de aquélla; entonces el tigre empieza a gustar de preferencia su carne, y se llama « cebado » cuando se ha dado a este nuevo género de caza: la caza de hombres. El juez de la campaña inmediata al teatro de sus devastaciones convoca a los varones hábiles para la correría, y bajo sus autoridad y dirección se hace la persecución del tigre « cebado », que rara vez escapa a la sentencia que lo pone fuera de la ley.

Cuando nuestro prófugo había caminado cosa de seis leguas, creyó oír bramar el tigre a lo lejos, y sus fibras se estremecieron. Es el bramido del tigre un gruñido como el del chancho,[15] pero agrio, prolongado, estridente, y sin que haya motivo de temor, causa un sacudimiento involuntario en los nervios, como si la carne se agitara ella sola al anuncio de la muerte.

Algunos minutos después, el bramido se oyó más distinto y más cercano; el tigre venía ya sobre el rastro, y sólo a una larga distancia se divisaba un pequeño algarrobo. Era preciso apretar el paso, correr, en fin, porque los bramidos se sucedían con más frecuencia, y el último era más distinto, más vibrante que el que le precedía.

Al fin, arrojando la montura a un lado del camino, dirigióse el gaucho al árbol que había divisado, y no obstante la debilidad de su tronco, felizmente bastante elevado, pudo trepar a su copa y mantenerse en una continua oscilación, medio oculto entre el ramaje. Desde allí pudo observar la escena que tenía lugar en el camino; el tigre marchaba a paso precipitado, oliendo el suelo, y bramando con más frecuencia a medida que sentía la proximidad de su presa. Pasa adelante del punto en que aquél se había separado del camino, y pierde el rastro; el tigre se enfurece, remolinea, hasta que divisa la montura, que desgarra de un manotón esparciendo en el aire sus prendas. Más irritado aún con este chasco, vuelve a buscar el rastro, encuentra al fin la dirección en que va, y levantando la vista divisa a su presa, haciendo con el peso balancearse el algarrobillo, cual la frágil caña cuando las aves se posan en sus puntas.

Desde entonces ya no bramó el tigre; acercábase a saltos, y en un abrir y cerrar de ojos, sus poderosas manos estaban apoyándose a dos varas del suelo sobre el delgado tronco, al que comunicaban un temblor convulsivo que iba a obrar sobre los nervios del mal seguro gaucho. Intentó la fiera un salto impotente; dió vuelta en torno del árbol midiendo su altura con ojos enrojecidos por la sed de sangre, y al fin, bramando de cólera, se acostó en el suelo, batiendo sin cesar la cola, los ojos fijos en su presa, la boca entreabierta y reseca. Esta escena horrible duraba ya dos horas mortales; la postura violenta del gaucho y la fascinación aterrante que ejercía sobre él la mirada sanguinaria, inmóvil, del tigre, del que por una fuerza invencible de atracción no podía apartar los ojos, habían empezado a debilitar sus fuerzas, y ya se veía próximo el momento en que su cuerpo extenuado iba a caer en su ancha boca, cuando el rumor lejano de galope de caballos le dió esperanza de salvación.

En efecto, sus amigos habían visto el rastro del tigre, y corrían sin esperanza de salvarlo. El desparramo de la montura les reveló el lugar de la escena, y volar a él, desenrollar sus lazos, echarlos sobre el tigre « empacado »[16] y ciego de furor, fué la obra de un segundo. La fiera estirada a los lazos, no pudo escapar a las puñaladas repetidas con que en venganza de su prolongada agonía le traspasó el que iba a ser su víctima. « Entonces supe lo que era tener miedo », decía el general don Juan Facundo Quiroga, contando a un grupo de oficiales este suceso.

También a él le llamaron « Tigre de los Llanos », y no le sentaba mal esta denominación, a fe. La frenología o la anatomía comparadas han demostrado, en efecto, las relaciones que existen entre las formas exteriores y las disposiciones morales, entre la fisonomía del hombre y de algunos animales a quienes se asemeja en su carácter. Facundo, porque así le llamaron largo tiempo los pueblos del interior; el general don Facundo Quiroga, el excelentísimo brigadier general don Facundo Quiroga, todo eso vino después, cuando la sociedad lo recibió en su seno y la victoria lo hubo coronado de laureles; Facundo, pues, era de estatura baja y fornido; sus anchas espaldas sostenían sobre un cuello corto una cabeza bien formada, cubierta de pelo espesísimo, negro y ensortijado. Su cara, poco ovalada, estaba hundida en medio de un bosque de pelo, a que correspondía una barba igualmente espesa, igualmente crespa y negra, que subía hasta los pómulos, bastante pronunciados, para descubrir una voluntad firme y tenaz.

Sus ojos negros, llenos de fuego y sombreados por pobladas cejas, causaban una sensación involuntaria de terror en aquellos en quienes alguna vez llegaban a fijarse, porque Facundo no miraba nunca de frente, y por hábito, por arte, por deseo de hacerse siempre temible, tenía de ordinario la cabeza siempre inclinada, y miraba por entre las cejas, como el Alí-Bajá de Monvoisin.[17] [. . .]

Es inagotable el repertorio de anécdotas de que está llena la memoria de los pueblos con respecto a Quiroga; sus dichos, sus expedientes, tienen un sello de originalidad que le daban ciertos visos orientales, cierta tintura de sabiduría salomónica en el concepto de la plebe. ¿Qué diferencia hay, en efecto, entre aquel famoso expediente de mandar partir en dos el niño disputado, a fin de descubrir la verdadera madre, y este otro para encontrar un ladrón? Entre los individuos que formaban una compañía habíase robado un objeto, y todas las diligencias practicadas para descubrir al raptor habían sido infructuosas. Quiroga forma la tropa, hace cortar tantas varitas de igual tamaño cuantos soldados había; hace en seguida que se distribuyan a cada uno, y luego, con voz segura, dice: « Aquél cuya varita amanezca mañana más grande que las demás, ése es el ladrón ». Al día siguiente fórmase de nuevo la tropa, y Quiroga procede a la verificación y comparación de las varitas. Un soldado hay, empero, cuya vara aparece más corta que las otras. « ¡Miserable! — le grita Facundo con voz aterrante —, tú eres! . . . » Y, en efecto, él

16. parado, atascado, como los animales que se empeñan en no caminar. En Arg., *empacar*, irritar o hacer enojar a un animal. 17. Raimond Auguste Quinsac Monvoisin (1790-1870), pintor francés que emigró a América del Sur. En Chile pintó el « Alí-Bajá » a que hace referencia Sarmiento. 18. aldeano o rústico; hombre zafio y tosco.

era; su turbación lo dejaba conocer demasiado. El expediente es sencillo: el crédulo gaucho, creyendo que efectivamente creciese su varita, le había cortado un pedazo. Pero se necesita cierta superioridad y cierto conocimiento de la naturaleza humana para valerse de estos medios.

Habíanse robado algunas prendas de la montura de un soldado, y todas las pesquisas habían sido inútiles para descubrir al raptor. Facundo hace formar la tropa y que desfile por delante de él, que está con los brazos cruzados, la mirada fija, escudriñadora, terrible. Antes ha dicho: « Yo sé quién es », con una seguridad que nada desmiente. Empiezan a desfilar, desfilan muchos, y Quiroga permanece inmóvil; es la estatua de Júpiter tonante, es la imagen del dios del Juicio Final. De repente se abalanza sobre uno, lo agarra del brazo, le dice con voz breve y seca: « ¿Dónde está la montura? » « Allí, señor », contesta, señalando un bosquecillo. « Cuatro tiradores », grita entonces Quiroga. ¿Qué revelación era ésta? La del terror y la del crimen hecha ante un hombre sagaz.

Estaba otra vez un gaucho respondiendo a los cargos que se le hacían por un robo; Facundo le interrumpe diciendo: « Ya este pícaro está mintiendo; a ver . . ., cien azotes ». Cuando el reo hubo salido, Quiroga dijo a alguno que se hallaba presente: « Vea, patrón: cuando un gaucho al hablar esté haciendo marcas con el pie, es señal que está mintiendo. » Con los azotes, el gaucho contó la historia como debía de ser; esto es, que se había robado una yunta de bueyes.

Necesitaba otra vez y había pedido un hombre resuelto, audaz, para confiarle una misión peligrosa. Escribía Quiroga cuando le trajeron el hombre; levanta la cara después de habérselo anunciado varias veces, lo mira y dice, continuando de escribir: « ¡Eh! . . . ¡Ése es un miserable; pido un hombre valiente y arrojado! » Averiguóse, en efecto, que era un patán.[18]

De estos hechos hay a centenares en la vida de Facundo, y que al paso que descubren un hombre superior, han servido eficazmente para labrarle una reputación misteriosa entre hombres groseros que llegaban a atribuirle poderes sobrenaturales.

(Segunda parte. Capítulo I. De *Civilización y Barbarie: Vida de Juan Facundo Quiroga*, 1845)

VIAJES

RÍO DE JANEIRO

[. . .] ¿No vendrá, por ventura, la música del sol, como los colores? ¿Por qué brilla en Italia y va disminuyendo en armonías a medida que se avanza hacia el Norte hasta las playas de Inglaterra? Hay en la naturaleza tropical melodías imperceptibles para nuestros oídos, pero que conmueven las fibras de los aborígenes. Oyen ellos susurrar la vegetación al desenvolverse, y en los palmeros donde sólo escuchamos nosotros murmullos del viento, distinguen los africanos cantos melodiosos, ritmos que se asemejan a los suyos. La armonía y la belleza ¿por qué no han de ser cuerpos imponderables también, como el magnetismo y la electricidad, que sólo necesitan un estimulante para producirse? En los climas templados reina sobre toda la creación un claro oscuro débilmente iluminado que revela la proximidad de las zonas frías, en donde el pinabete y el oso son igualmente negros. Sube usted la temperatura algunos grados hasta hacerla tropical, y entonces los mismos insectos son carbunclos o rubíes; las mariposas plumillas de oro flotantes; pintadas las aves, que engalanan penachos y decoraciones fantásticas; verde esmeralda la vegetación, embalsamadas y purpúreas las flores, tangible la luz del cielo, azul cobalto el aire, doradas a fuego las nubes, roja la tierra y las arenas entremezcladas de diamantes y topacios. Paséome atónito por los alrededores de Río Janeiro, y a cada detalle del espectáculo siento que mis facultades de sentir no alcanzan a abarcar tantas maravillas. [. . .]

MADRID

Esta España, que tantos malos ratos me ha dado, téngola, por fin, en el anfiteatro, bajo la mano; la palpo ahora, le estiro las arrugas, y si por fortuna me toca andarle con los dedos sobre una llaga a fuer de médico aprieto maliciosamente la mano para que le duela . . . [. . .]

Sobre la plaza de toros el pueblo español es grande y sublime; es pueblo soberano, pueblo rey también. Allí se resarce, con emociones más vivas que las del juego, de las privaciones a que su pobreza lo condena, y si esta diversión puede ser acusada de barbarie y de crueldad, es preciso convenir, sin embargo, que no envilece al individuo como la borrachera, que es el innoble placer de todos los pueblos del Norte. [. . .]

Después de todo, los combates de toros no tienen, a mi juicio, sino un accidente profundamente chocante, y es la muerte cierta e innoble de los caballos. El malaventurado animal, traspasado de heridas, arrastrando las tripas por el suelo, debe, mientras le quede un resto de vida y pueda tenerse de pie, hacer frente al toro, pues que así lo exigen las leyes inviolables del combate y la voluntad del público. La víspera de la llegada del duque de Montpensier[19] diez y ocho caballos expiraron en el circo, ocho de entre ellos muertos por un solo toro; y esta circunstancia mereció a aquella corrida los honores de la aprobación popular. En cuanto a los hombres que luchan cuerpo a cuerpo, por decirlo así, con la fiera, tal habilidad muestran en aquella peligrosa lucha, que su desenvoltura y ligereza hacen olvidar que están realmente en peligro. Y luego, ¡hay tanto arte, y tanta gracia en su actitud y en sus movimientos! ¡tanto esmero y tanta sutileza en prestar oportuno auxilio a aquel de entre ellos que se encuentra accidentalmente expuesto! Una escena de las corridas reales me daba una muestra de la cólera de los romanos cuando un gladiador no sabía caer y morir con artística desenvoltura. Un toreador, al salvar su cuerpo del asta del toro, quiso quedar envuelto en la capa, la cual, sea por torpeza, sea por accidente inevitable, se envolvió sobre sus espaldas sin formar los pliegues que la estatuaria habría requerido, y un grito universal de desaprobación cayó sobre él como un rayo, para castigar su falta de destreza. [. . .]

Sólo el nombre de Napoleón ha penetrado más hondamente que el de Montes[20] en las capas populares. Un murmullo general de aprobación le recibe donde quiera que se presente, y la noticia de su arribo a cualquier ciudad de España pone en movimiento a toda la población. En la plaza de toros, teatro de su gloria, los vivas frenéticos del público muestran el placer con que siempre es acogido. Allí Montes es verdaderamente tan artista como Federico Lemaître[21] en su teatro o Dumas[22] en sus novelas. Las larguezas del público le han creado una gran fortuna, y ya está un poco entrado en años. Herido dos veces en diversos combates, tiene ya agotadas todas las temeridades que el arrojo puede ensayar con los toros [. . .] Sin embargo, Montes, arrastrado por el amor del arte, se presenta aún a lidiar. El peligro es el pábulo de la vida, y él se ingenia para renovarlo, variándolo al infinito. Los cuernos aguzados del toro ejercen sobre él una atracción mágica, irresistible, y el público, conocedor de los infinitos percances de la lucha, le tiene predicho que en los cuernos del toro ha de morir.

Cuando Montes se presenta en la arena a capear un toro, la multitud inmensa de espectadores permanece inmóvil y silenciosa, a fin de no perder ninguno de los imperceptibles pases que hace con el bicho, y cuando el animal furioso se lanza sobre él, Montes aparta el cuerpo lo suficiente para que el asta mortal le desgarre el vestido entre el brazo derecho y la tetilla; segunda vez embiste, y entonces el cuerpo pasa entre el pecho y el brazo izquierdo; tercera, y Montes queda volviéndole la espalda y envuelto en los pliegues de su capa, tan garbosamente como podría hacerlo al pararse en la Puerta del Sol.

A estos primeros pases le siguen diez diversos, cual variaciones de un tema único que es la muerte, y cuyas melodías se componen de coraje, actitudes artísticas, destreza y sangre fría. El público español mudo, estático hasta entonces, no por efecto del miedo, que no conoce, sino por la profunda emoción que le inspira el sentimiento del arte, prorrumpe en pos de aquellas brillantes *fiorituras*, en gritos apasionados que conmueven los edificios de la plaza; diez mil sombreros se agitan en el aire; diez mil pañuelos y otros tantos abanicos se cruzan, y las mantillas que no cubren ya los ojos negros brillantes de las españolas, dejan ver al artista célebre que las damas de hoy día, como las de los torneos de la edad media, saben apreciar el valor y medir la profundidad de las heridas. [. . .]

(De *Viajes*, 1845-1847)

19. se refiere a las fiestas reales celebradas en Madrid con ocasión de las bodas, el 10 de octubre de 1846, de Isabel II con su primo Francisco de Asís, y de María Luisa Fernanda de Borbón, hermana de la reina, con el duque de Montpensier, príncipe francés, el menor de los hijos del rey Luis Felipe. 20. Francisco Montes, llamado « Paquiro » (1794-1851), famoso matador gaditano. 21. Frédérick Lemaître (1800-1876), actor romántico francés. 22. Alexandre Dumas padre (1803-1870), novelista francés. 23. Alphonse de Lamartine (1790-1869), poeta, prosista y político francés. La referencia de Sarmiento es a su obra *Confidences* (1849). 24. tela antigua de lana.

RECUERDOS DE PROVINCIA

LA HISTORIA DE MI MADRE

Siento una opresión de corazón al estampar los hechos de que voy a ocuparme. La madre es para el hombre la personificación de la Providencia, es la tierra viviente a que adhiere el corazón, como las raíces al suelo. [. . .]

No todas las madres se prestan a dejar en un libro esculpida su imagen. La mía, empero, Dios lo sabe, es digna de los honores de la apoteosis, y no hubiera escrito estas páginas si no me diese para ello aliento el deseo de hacer en los últimos años de su trabajada vida esta vindicación contra las injusticias de la suerte. ¡Pobre mi madre! [. . .]

Por fortuna téngola aquí a mi lado y ella me instruye de cosas de otros tiempos ignoradas por mí, olvidadas de todos. ¡A los setenta y seis años de edad mi madre ha atravesado la cordillera de los Andes para despedirse de su hijo antes de descender a la tumba! Esto solo bastaría a dar una idea de la energía moral de su carácter. Cada familia es un poema, ha dicho Lamartine,[23] y el de la mía es triste, luminoso y útil, como aquellos lejanos faroles de papel de las aldeas, que con su apagada luz enseñan, sin embargo, el camino a los que vagan por los campos. Mi madre, en su avanzada edad, conserva apenas rastros de una beldad severa y modesta. Su estatura elevada, sus formas acentuadas y huesosas, apareciendo muy marcados en su fisonomía los juanetes, señal de decisión y de energía: he aquí todo lo que de su exterior merece citarse, si no es su frente llena de desigualdades protuberantes, como es raro en su sexo.

Sabía leer y escribir en su juventud, habiendo perdido por el desuso esta última facultad cuando era anciana. Su inteligencia es poco cultivada, o más bien destituída de todo ornato, si bien tan clara que en una clase de gramática que yo hacía a mis hermanas ella, de sólo escuchar, mientras por la noche escarmenaba su vellón de lana, resolvía todas las dificultades que a sus hijas dejaban paradas, dando las definiciones de nombres y verbos, los tiempos, y más tarde los accidentes de la oración, con una sagacidad y exactitud raras.

Aparte de esto, su alma, su conciencia, estaban educadas con una elevación que la más alta ciencia no podría por sí sola producir jamás. Yo he podido estudiar esta rara beldad moral, viéndola obrar en circunstancias tan difíciles, tan reiteradas y diversas, sin desmentirse nunca, sin flaquear ni contemporizar. [. . .]

Alguna vez mis hermanitas solían decir a mi madre: « Recemos el rosario. » Y ella les respondía: « Esta noche no tengo disposición, estoy fatigada. » Otra vez decía ella: « ¡Recemos, niñitas, el rosario, que tengo tanta necesidad! » Y convocando la familia entera hacía coro a una plegaria llena de unción, de fervor, verdadera oración dirigida a Dios, emanación de lo más puro de su alma, que se derramaba en acción de gracias por los cortísimos favores que le dispensaba, porque fué siempre parca la munificencia divina con ella. [. . .] No conozco alma más religiosa y, sin embargo, no ví entre las mujeres cristianas otra más desprendida de las prácticas del culto. [. . .]

La posición social de mi madre estaba tristemente marcada por la menguada herencia que había alcanzado hasta ella. Don Cornelio Albarracín, poseedor de la mitad del valle de Zonda y de tropas de carretas y de mulas, dejó después de doce años de cama la pobreza para repartirse entre quince hijos, y algunos solares de terrenos despoblados. En 1801 doña Paula Albarracín, su hija, joven de veintitres años, emprendía una obra superior, no tanto a las fuerzas cuanto a la concepción de una niña soltera. Había habido en el año anterior una gran escasez de anascotes,[24] género de mucho consumo para el hábito de las diversas órdenes religiosas, y del producto de sus tejidos había reunido mi madre una pequeña suma de dinero. Con ella y dos esclavos de sus tías Irarrazabales echó los cimientos de la casa que debía ocupar en el mundo al formar una nueva familia. Como aquellos escasos materiales eran pocos para obra tan costosa, debajo de una de las higueras que había heredado en su sitio estableció su telar; y desde allí, yendo y viniendo la lanzadera, asistía a los peones y maestros que edificaban la casita, y el sábado, vendida la tela hecha en la semana, pagaba a los artífices con el fruto de su trabajo. [. . .]

Con estos elementos la noble obrera se asoció en matrimonio, a poco de terminada su casa, con don José Clemente Sarmiento, mi padre, joven apuesto, de una familia que también decaía como la suya; y le trajo en dote la cadena de privaciones y miserias en que pasó largos años de su vida. Era mi padre un hombre dotado de mil calidades buenas, que desmejoraban otras que, sin ser malas, obraban en sentido opuesto. Como mi madre, había sido educado en los rudos trabajos de la época; peón en la hacienda paterna de la *Bebida*, arriero en la tropa, lindo de cara y con una irresistible pasión por los placeres de la juventud, carecía de aquella constancia maquinal que funda las fortunas; y tenía, con las nuevas ideas venidas con la revolución, un odio invencible por el trabajo material, ininteligente y rudo en que se había criado. Le oí decir una vez al presbítero Torres, hablando de mí: « ¡Oh, no!; mi hijo no tomará jamás en sus manos una azada! » Y la educación que me daba mostraba que era ésta una idea fija nacida de resabios profundos de su espíritu. En el seno de la pobreza, criéme hidalgo, y mis manos no hicieron otra fuerza que la que requerían mis juegos y pasatiempos. Tenía mi padre encogida una mano por un callo que había adquirido en el trabajo; la revolución de la independencia sobrevino, y su imaginación, fácil de ceder a la excitación del entusiasmo, le hizo malograr en servicios prestados a la patria las pequeñas adquisiciones que iba haciendo. [. . .]

Por aquella mala suerte de mi padre y falta de plan seguido en sus acciones, el sostén de la familia recayó desde los principios del matrimonio sobre los hombros de mi madre, concurriendo mi padre solamente en las épocas de trabajo fructuoso con accidentales auxilios. Y bajo la presión de la necesidad en que nos criamos ví lucir aquella ecuanimidad de espíritu de la pobre mujer, aquella resignación armada de todos los medios industriales que poseía, y aquella confianza en la Providencia que era sólo el último recurso de su alma enérgica contra el desaliento y la desesperación. Sobrevenían inviernos que ya el otoño presagiaba amenazadores por la escasa provisión de miniestras[25] y frutas secas que encerraba la despensa, y aquel piloto de la desmantelada nave se aprestaba con solemne tranquilidad a hacer frente a la borrasca. Llegaba el día de la destitución de todo recurso, y su alma se endurecía por la resignación, por el trabajo asiduo, contra aquella prueba. Tenía parientes ricos, los curas de dos parroquias eran sus hermanos, y estos hermanos ignoraban sus angustias. Habría sido derogar a la santidad de la pobreza combatida por el trabajo, mitigarla por la intervención ajena; habría sido para ella pedir cuartel en estos combates a muerte con su mala estrella. [. . .]

Así se ha practicado en el humilde hogar de la familia de que formé parte la noble virtud de la pobreza. [. . .] Cuando yo respondía que me había criado en una situación vecina de la indigencia, el presidente de la república, en su interés por mí, deploraba estas confesiones desdorosas a los ojos del vulgo. ¡Pobres hombres, los favorecidos de la fortuna, que no conciben que la pobreza a la antigua, la pobreza del patricio romano, puede ser llevada como el manto de los Cincinatos, de los Arístides[26], cuando el sentimiento moral ha dado a sus pliegues la dignidad augusta de una desventaja sufrida sin mengua! Que se pregunten las veces que vieron al hijo de tanta pobreza acercarse a sus puertas sin ser debidamente solicitado, en debida forma invitado, y comprenderán entonces los resultados imperecederos de aquella escuela de su madre, en donde la escasez era un acaso y no una deshonra. [. . .] ¡Bienaventurados los pobres que tal madre han tenido!

EL HOGAR PATERNO

La casa de mi madre, la obra de su industria, cuyos adobes y tapias pudieran computarse en varas de lienzo tejidas por sus manos para pagar su construcción, ha recibido en el transcurso de estos últimos años algunas adiciones que la confunden hoy con las demás casas de cierta medianía. Su forma original, empero, es aquella a que se apega la poesía del corazón, la imagen indeleble que se presenta porfiadamente a mi espíritu cuando recuerdo los placeres y pasatiempos infantiles, las horas de recreo después de vuelto de la escuela, los lugares apartados donde he pasado horas enteras y semanas sucesivas en inefable beatitud, haciendo santos de barro para rendirles culto en seguida, o ejércitos de soldados de la misma pasta para engreírme de ejercer tanto poder.

Hacia la parte del sud del sitio de treinta varas de frente por cuarenta de fondo, estaba la habitación única de la casa, dividida en dos

25. *menestras*, legumbres secas. 26. Cincinato: romano célebre por la sencillez de sus costumbres y su austeridad (siglo V a. de J. C.); Arístides: general y político ateniense (540-468? a. de J. C.) a quien por su gran integridad llamaron el Justo.

departamentos; uno sirviendo de dormitorio a nuestros padres, y el mayor, de sala de recibo con su estrado alto y cojines, resto de las tradiciones del diván árabe que han conservado los pueblos españoles. Dos mesas de algarrobo indestructibles, que vienen pasando de mano en mano desde los tiempos en que no había otra madera en San Juan que los algarrobos de los campos, y algunas sillas de estructura desigual, flanqueaban la sala, adornando las lisas murallas dos grandes cuadros al óleo de Santo Domingo y San Vicente Ferrer, de malísimo pincel, pero devotísimos, y heredados a causa del hábito domínico. A poca distancia de la puerta de entrada elevaba su copa verdinegra la patriarcal higuera que sombreaba aún en mi infancia aquel telar de mi madre, cuyos golpes y traqueteo de husos, pedales y lanzadera nos despertaba antes de salir el sol para anunciarnos que un nuevo día llegaba, y con él la necesidad de hacer, por el trabajo, frente a sus necesidades. Algunas ramas de la higuera iban a frotarse contra las murallas de la casa, y calentadas allí por la reverberación del sol sus frutos se anticipaban a la estación, ofreciendo para el 23 de noviembre, cumpleaños de mi padre, contribución de sazonadas brevas para aumentar el regocijo de la familia.

Deténgome con placer en estos detalles porque santos e higuera fueron personajes más tarde de un drama de familia en que lucharon porfiadamente las ideas coloniales con las nuevas. [. . .]

Nuestra habitación permaneció tal como la he descrito, hasta el momento en que mis dos hermanas mayores llegaron a la edad núbil; entonces hubo una revolución interior que costó dos años de debates, y a mi madre gruesas lágrimas, al dejarse vencer por un mundo nuevo de ideas, hábitos y gustos que no eran aquellos de la existencia colonial de que ella era el último y más acabado tipo. [. . .]

Estas ideas de regeneración y de mejora personal, aquella impiedad del siglo XVIII ¡quién lo creyera! entraron en casa por las cabezas de mis dos hermanas mayores. No bien se sintieron llegadas a la edad en que la mujer siente que su existencia está vinculada a la sociedad, que tiene objeto y fin esa existencia, empezaron a aspirar las partículas de ideas nuevas, de belleza, de gusto, de confort, que traía hasta ellas la atmósfera que había sacudido y renovado la revolución. [. . .]

La lucha se trabó, pues, en casa entre mi pobre madre que amaba a sus dos santos domínicos como a miembros de la familia, y mis hermanas jóvenes, que no comprendían el santo origen de estas afecciones y querían sacrificar los lares de la casa al bien parecer y a las preocupaciones de la época. Todos los días, a cada hora, con todo pretexto, el debate se renovaba. Alguna mirada de amenaza iba a los santos, como si quisieran decirles « ¡han de salir para fuera! », mientras que mi madre, contemplándolos con ternura, exclamaba: « ¡Pobres santos! ¡qué mal les hacen, donde a nadie estorban! » Pero en este continuo embate los oídos se habituaban al reproche, la resistencia era más débil cada día; porque vista bien la cosa, como objetos de religión, no era indispensable que estuviesen en la sala, siendo mucho más adecuado lugar de veneración el dormitorio, cerca de la cama, para encomendarse a ellos; como legado de familia, militaban las mismas razones; como adorno, eran de pésimo gusto. Y de una concesión en otra el espíritu de mi madre se fué ablandando poco a poco, y cuando creyeron mis hermanas que la resistencia se prolongaba — no más que por no dar su brazo a torcer — una mañana que el guardián de aquella fortaleza salió a misa o a una diligencia, cuando volvió, sus ojos quedaron espantados al ver las murallas lisas donde había dejado poco antes dos grandes parches negros. Mis santos estaban ya alojados en el dormitorio y, a juzgar por sus caras, no les había hecho impresión ninguna el desaire. Mi madre se hincó llorando en presencia de ellos, para pedirles perdón con sus oraciones, permaneció de mal humor y quejumbrosa todo el día, triste el subsiguiente, más resignada al otro día, hasta que al fin el tiempo y el hábito trajeron el bálsamo que nos hace tolerables las más grandes desgracias.

Esta singular victoria dió nuevos bríos al espíritu de reforma; y, después del estrado y los santos, las miradas cayeron en mala hora sobre aquella higuera viviendo en medio del patio, descolorida y nudosa en fuerza de la sequedad y los años. Mirada por este lado la cuestión, la higuera estaba perdida en el concepto público: pecaba contra todas las reglas del decoro y de la decencia. Pero, para mi madre, era una cuestión económica, a la par que afectaba su corazón profundamente. ¡Ah! ¡si la madurez de mi corazón hubiese podido anticiparse en su ayuda, como el egoísmo me hacía o neutral o inclinarme débilmente en su favor, a causa de las tempranas brevas! Querían separarla de aquella su compañera en el albor de la vida y el ensayo primero de sus fuerzas. La edad madura nos asocia a todos los objetos que nos rodean: el hogar doméstico se anima y vivifica; un árbol que hemos visto nacer, crecer y llegar a la edad provecta es un ser dotado de vida, que ha adquirido derechos a la existencia, que lee en nuestro corazón, que nos acusa de ingratos, y dejaría un remordimiento en la conciencia si lo hubiésemos sacrificado sin motivo legítimo. La sentencia de la vieja higuera fué discutida dos años. Y cuando su defensor, cansado de la eterna lucha, la abandonaba a su suerte, al aprestarse los preparativos de la ejecución, los sentimientos comprimidos en el corazón de mi madre estallaban con nueva fuerza y se negaba obstinadamente a permitir la desaparición de aquel testigo y de aquella compañera de sus trabajos. Un día, empero, cuando las revocaciones del permiso dado habían perdido todo prestigio, se oyó el golpe mate del hacha en el tronco añoso del árbol, y el temblor de las hojas sacudidas por el choque, como los gemidos lastimeros de la víctima. Fué éste un momento tristísimo, una escena de duelo y de arrepentimiento. Los golpes del hacha higuericida sacudieron también el corazón de mi madre, las lágrimas asomaron a sus ojos como la savia del árbol que se derramaba por la herida, y sus llantos respondieron al estremecimiento de las hojas. Cada nuevo golpe traía un nuevo estallido de dolor, y mis hermanas y yo, arrepentidos de haber causado pena tan sentida, nos deshicimos en llanto, única reparación posible del daño comenzado. Se ordenó la suspensión de la obra de destrucción mientras se preparaba la familia para salir a la calle y hacer cesar aquellas dolorosas repercusiones del golpe del hacha en el corazón de mi madre. Dos horas después la higuera yacía por tierra enseñando su copa blanquecina a medida que las hojas, marchitándose, dejaban ver la armazón nudosa de aquella estructura que por tantos años había prestado su parte de protección a la familia.

(De *Recuerdos de provincia,* 1850)

José Mármol (Argentina; 1817-1871) escribió sus primeros versos en la pared del calabozo donde Rosas lo había engrillado en 1839: el énfasis con que él contaba una y otra vez esa circunstancia fué típicamente romántico. Todo lo que escribió fué típicamente romántico: versos, dramas, novelas. Y también la circunstancia fué siempre la misma: la tiranía de Rosas. Cuando cayó Rosas, el poeta enmudeció. La poesía con que Mármol se presentó al certamen poético de Montevideo, en 1841, llevaba un epígrafe de Byron; y el *Childe Harold's Pilgrimage* de Byron inspira su primera obra importante: los doce *Cantos del peregrino.* Claro, no fué la única influencia. Se reconocen las de Lamartine, Zorrilla, Espronceda. Pero Byron era para Mármol el último gran poeta que había dado Europa: « el canto expiró en Byron », dice en los primeros versos de su poema. Los *Cantos del peregrino* se empezaron a escribir en el viaje que Mármol emprendió a Chile en 1844. El barco salió de Río de Janeiro, bajó hasta Cabo de Hornos y, arrastrado a la zona polar, no pudo llegar al Océano Pacífico y tuvo que regresar sin hacer escalas al punto de partida. En los *Cantos* el poeta se desdobla: cantan él y su personaje Carlos. Son una y la misma persona lírica; pero cada canto del peregrino Carlos está precedido por un prólogo narrativo. Mientras los cantos propiamente dichos mantienen el mismo tono elegíaco, los prólogos suelen cambiar al festivo. Mármol se rebelaba románticamente contra las tradiciones clásicas de los géneros puros. Con todo, el poema tiene « sistema », como dice el mismo Mármol. No ocurre nada en los *Cantos:* el poeta, solo, está en medio del mar, meditando sobre los hombres y sobre la suerte de la patria, evocando los paisajes americanos y contemplando la belleza de las aguas, de la noche y de las nubes. Sin duda Mármol es verboso por la excesiva

1. Esteban Echeverría.

facilidad de su improvisación, incorrecto en su variadísima versificación, a veces prosaico, a veces declamatorio; pero su indisciplinado lirismo vale porque esa imaginación era extraordinaria. Otra colección de sus versos fué *Armonías* (1851-1854). Aquí están algunos de los que más popularidad dieron a Mármol, por la violencia de su desprecio a Rosas. El estruendo de sus maldiciones poéticas a Rosas ensordeció a los lectores que no oyeron el violín lírico, más íntimo, que también formaba parte de la orquesta. No fué menos importante en la historia de la novela que en la de la poesía: *Amalia* (1851-55) fué un folletín de aventuras truculentas que transcurren en Buenos Aires, en los años abominables de la tiranía de Rosas. Es, pues, novela política; y como Mármol había vivido y sufrido el régimen de Rosas es también novela autobiográfica. Menos fortuna tuvo Mármol con sus dramas de 1842: *El poeta* y *El cruzado*.

José Mármol

CANTOS DEL PEREGRINO

CANTO SEXTO

A la Luna

Duerme tranquilo el mar sueño profundo
sin que agite su sien brisa importuna,
y se levanta la redonda luna
como el ojo de Dios mirando al mundo.

Un finísimo rayo de su frente
llega trémulo al borde del navío,
y en la espalda del líquido sombrío
se mueve cual bellísima serpiente.

Al astro envuelve cenicienta nube,
y de la lumbre de su frente luego,
más el reflejo que la sombra sube
y el linde dora en espiral de fuego.

Sigue trepando en carro de diamantes
al cenit de la bóveda azulada,
y la sierpe se expande, y transformada
queda en lago de chispas rutilantes.

¿Qué mágico pincel pintar podría
un solo rayo de su luz hermosa?
¿En qué tinta el color encontraría
de un arrebol entre una nube umbrosa?

Si el dulce ruiseñor de *Los Consuelos*[1]
pisara este bajel, él te cantara,
tímida virgen, en los altos cielos
de suspiros y lágrimas avara.

Y a su voz de letal melancolía
murmurara de amor el mar sombrío,
y en torno se agolparan del navío
los peces a la dulce melodía.

¿A quién buscas, viajera de la noche,
sobre este llano de aridez eterna,
do nunca al rayo de tu luz tan tierna
abre una flor su perfumado broche;

do nunca una beldad triste suspira
de su balcón en las heladas rejas,
y al dar al viento sus sentidas quejas
alza sus ojos y tu rostro mira;

do nunca una mujer junto a una losa
hincada llora su perdido fruto,
pagando el triste maternal tributo
bajo tu luz tranquila y misteriosa;

donde no hay sino espacios infinitos,
brisas que corren las llanuras solas,
y el lúgubre quejido de las olas
bajo los rayos de tu luz benditos?

Gracias, ángel que velas los pesares,
casta beldad de adormecidos ojos:
tú calmas dulcemente los enojos
del viajador errante de los mares.

El conmovido mar se magnetiza
tocado apenas por tu blanco rayo,
y al contemplar su lánguido desmayo
pliega sus alas con temor la brisa.

Como genio del mar el bajel vuela,
murmurando las olas mansamente,
y el triste marinero alza la frente
a ver tus rayos en la blanca vela.

¡Bendita, entonces, tu tranquila lumbre,
del sol ardiente pálida memoria!
Ella trae de nuestra misma historia
recuerdos mil en grata muchedumbre.

Uno derrama silencioso llanto,
otro canciones de su patria canta;
pero todos recuerdan, virgen santa,
en el bajel bajo tu dulce encanto.

Ya estás en el cenit; bendita seas.
Ya iluminas la sien del Peregrino;
ya escucharás su amor y su destino
cuando en tu rostro sus miradas veas.

Oye, casta beldad, perla del cielo,
el ¡ay! de un corazón que Dios no quiso
que el molde original en que le hizo
diese otro semejante al triste suelo.

Oye de su dolor las justas quejas
en el albor de su infelice vida,
y toque y cierre su profunda herida
el dulce rayo que de Dios reflejas.

Aquí desde un bajel perdidos llora
amor y patria y juventud temprano,
y al arrullo del viento y del océano
pulsa su lira y la esperanza implora.

Es benigna tu luz, cual la mirada
de tierna madre a desgraciado hijo;
ven, y en su pecho su dolor prolijo
cálmale con tu luz inmaculada.

Su amante madre le robó la muerte;
a su tierra natal, la tiranía;
y del mundo también la hipocresía
robó su amor y su temprana suerte.

Huérfano como el lirio del desierto
lo abrasa el sol y el viento lo deshoja;
ven, blanca luna, ven, y su congoja
hable y suspire con tu rayo incierto.

CANTO UNDÉCIMO

Al Brasil

(FRAGMENTO)

Mujeres de tez morena
y ojos de negra pupila
que con azul aureola
cual negro diamante brilla;
y cuando mira, parece
que la mirada suspira,
diciendo que está en el alma
la tentación escondida.
Ondas de negro cabello
abultan su sien altiva,
y la espiral de los rizos
por los hombros se desliza.
Ancho y derramado el seno,
late contando que abriga
un manantial de deseos
en voluptuosa armonía;
y en él, veladas por nubes
de encajes y muselinas,
dos ondas de un mar de leche,
si no se ven, se adivinan.
Gasas como niebla leve
que al solo aliento se agitan,
ciñen su fina cintura
con tanta coquetería,
que de las ocultas formas
la redondez se adivina;
y la mirada se escurre
por esas nubes malditas
que nunca el viento se lleva
y que a un suspiro se agitan;
mirada que bien comprenden
las hadas, y en su sonrisa
y en un nuevo movimiento,
su curiosidad castigan.
Posadas en sus divanes
de plumas y sedería
haciendo burla del aire
con abanicos de la India;

y embriagadas con la esencia
de rosas y clavelinas
que en la atmósfera impregnada
ni un débil soplo aniquila.
En palabra y movimiento
perezosas y aburridas,
teniendo miel en el labio
y en las posturas malicia,
como si a mengua tuvieran
emplear la palabrería;
mujeres que a su albedrío
con los ojos magnetizan.

Mujeres así, en el mundo,
al extraño que las mira,
si ellas dicen: « brasilianas »
él las presume odaliscas,
que del Oriente escapadas,
llenas de encanto y de vida
corrieron al nuevo mundo
tras su libertad querida,
dejando entre los serrallos
cadenas y cachemiras,
mas trayendo su belleza,
su amor y su poesía.

(De « *Poesías completas.* Tomo I. » Cantos del Peregrino, Buenos Aires. 1946)

Cuba. Independientemente del movimiento romántico que, partiendo de Buenos Aires, se había proyectado a Montevideo y Santiago de Chile, brotaron románticos en otras partes de América. Pronto la ola cubrió a todos los países de habla española. Más lírica y poderosa que las voces que se habían oído en Cuba — Plácido y Milanés — fué la de GERTRUDIS GÓMEZ DE AVELLANEDA (1814-1873). Educada en la poesía personal pero todavía neoclásica de Meléndez Valdés y de Quintana, nunca se desató de esos lazos y, ya en su plenitud, siguió admirando a Gallego y a Lista. Su romanticismo fué, pues, ecléctico. El velo con que la mujer cubre sus sentimientos más ardientes, y el otro velo que la grandilocuencia echaba sobre la desnudez del alma, no alcanzan nunca a velar del todo su sinceridad. Su lirismo no es el chorro sereno de un surtidor de jardín, sino una fuerza natural en libertad. Amó con un brío atrevido, tan intenso que no pudo ser feliz. Los amores de la Avellaneda — revoltosos dentro de su pecho como lo fueron dentro de la sociedad española de su tiempo, pues tuvo amantes, además de maridos — solían apaciguarse en pura devoción religiosa. Y hasta estuvo a punto de convertirse en monja. Escribió poemas de fe. Esta mujer apasionada, vehemente, con exaltaciones de gozo, depresiones de tristeza y también remansos de paz, se sintió siempre urgida por una necesidad de expresión que la hizo meditar atentamente en los procedimientos del arte y llegar así a una clara concepción estética. A veces, en su reedición de versos líricos (la primera de 1841; la segunda de 1850; la tercera de 1869-71) retocó; y este tacto académico deshojó la rosa. Sin embargo, gracias a la conciencia de su arte todo ese borbotar sentimental de su ser no se hizo sensiblería sino elegante estilización. La Avellaneda no descompone su figura, aunque se le desgarre el corazón. Si bien romántica, conserva algo del « buen gusto » académico, en cuyo ocaso se había educado. Los españoles la consideran una de su parnaso. Y hacen bien, pues en España vivió, publicó sus poesías y triunfó. Pero también pertenece a la historia literaria de América, no por el mero hecho de su nacimiento, sino porque ya escribía poemas antes de partir de Cuba y siempre se sintió ligada a Cuba por la nostalgia y el amor. Uno de sus sonetos notables es precisamente ese en que la Avellaneda cuenta el pesar con que abandonó su patria: « Al partir. » Y Cuba — que en sus labios siempre es « mi patria » — está presente en muchas de sus composiciones. Escribió dramas, como *Baltasar* y *Munio Alfonso,* y novelas. Transcurren, en general, en épocas y lugares que ella no había conocido. En cambio su novela *Sab* (1841) se basó en cosas vistas en Cuba. Es el tema de la esclavitud (un mulato esclavo, Sab, enamorado de la hija del amo) y la novela, si bien romántica, sabe describir la realidad cubana.

Gertrudis Gómez de Avellaneda

AL PARTIR

¡Perla del mar! ¡Estrella de Occidente!
¡Hermosa Cuba! Tu brillante cielo
la noche cubre con su opaco velo,
como cubre el dolor mi triste frente.

¡Voy a partir! . . . La chusma diligente,
para arrancarme del nativo suelo,
las velas iza, y pronta a su desvelo
la brisa acude de tu zona ardiente.

¡Adiós, patria feliz, edén querido!
¡Doquier que el hado en su furor me impela,
tu dulce nombre halagará mi oído!

¡Adiós! . . . ¡Ya cruje la turgente vela . . .
el ancla se alza . . . el buque, estremecido,
las olas corta y silencioso vuela!

A ÉL . . .[1]

Era la edad lisonjera
en que es un sueño la vida,
era la aurora hechicera
de mi juventud florida
en su sonrisa primera,

cuando contenta vagaba
por el campo, silenciosa,
y en escuchar me gozaba
la tórtola que entonaba
su querella lastimosa.

Melancólico fulgor
blanca luna repartía,
y el aura leve mecía
con soplo murmurador
la tierna flor que se abría.

¡Y yo gozaba! El rocío,
nocturno llanto del cielo,
el bosque espeso y umbrío,
la dulce quietud del suelo,
el manso correr del río,

y de la luna el albor,
y el aura que murmuraba
acariciando a la flor,
y el pájaro que cantaba . . .
todo me hablaba de amor.

Y trémula y palpitante,
en mi delirio extasiada,
miré una visión brillante,
como el aire perfumada,
como las nubes flotante.

Ante mí resplandecía
como un astro brillador,
y mi loca fantasía
al fantasma seductor
tributaba idolatría.

Escuchar pensé su acento
en el canto de las aves;
eran las auras su aliento
cargadas de aromas suaves,
y su estancia el firmamento.

¿Qué ser divino era aquél?
¿Era un ángel o era un hombre?
¿Era un dios o era Luzbel?
¿Mi visión no tiene nombre?
¡Ah! nombre tiene . . . ¡Era Él!

1. Ignacio de Cepeda, el gran amor de la Avellaneda. 2. Venus, la estrella de la tarde.

El alma guardaba su imagen divina
y en ella reinabas, ignoto señor,
que instinto secreto tal vez ilumina
la vida futura que espera el amor.

Al sol que en el cielo de Cuba destella,
del trópico ardiente brillante fanal,
tus ojos eclipsan, tu frente descuella
cual se alza en la selva la palma real.

Del genio la aureola radiante, sublime,
ciñendo contemplo tu pálida sien,
y al verte mi pecho palpita y se oprime
dudando si formas mi mal o mi bien.

Que tú eres, no hay duda, mi sueño adorado,
el ser que vagando mi mente buscó;
mas ¡ay! que mil veces el hombre arrastrado
por fuerza enemiga, su mal anheló.

Así ví a la mariposa
inocente, fascinada,
en torno a la luz amada
revolotear con placer.

Insensata se aproxima
y la acaricia insensata,
hasta que la luz ingrata
devora su frágil ser.

Y es fama que allá en los bosques
que adornan mi patria ardiente,
nace y crece una serpiente
de prodigioso poder,

que exhala en torno su aliento
y la ardilla palpitante,
fascinada, delirante,
corre . . . ¡y corre a perecer!

¿Hay una mano de bronce,
fuerza, poder o destino,
que nos impele al camino
que a nuestra tumba trazó? . . .

¿Dónde van, dónde, esas nubes
por el viento compelidas? . . .
¿Dónde esas hojas perdidas
que del árbol arrancó? . . .

Vuelan, vuelan resignadas,
y no saben dónde van,
pero siguen el camino
que les traza el huracán.

Vuelan, vuelan en sus alas
nubes y hojas a la par,
ya a los cielos las levante,
ya las sumerja en el mar.

¡Pobres nubes! ¡pobres hojas
que no saben dónde van! . . .
Pero siguen el camino
que les traza el huracán.

(Se da aquí la versión que aparece en la edición de 1841, que preferimos a las de 1850 y 1869 por parecernos más espontánea y natural)

CONTEMPLACIÓN

Tiñe ya el sol extraños horizontes;
el aura vaga en la arboleda umbría;
y piérdese en la sombra de los montes
la tibia luz del moribundo día.

Reina en el campo plácido sosiego,
se alza la niebla del callado río,
y a dar al prado fecundante riego,
cae, convertida en límpido rocío.

Es la hora grata del feliz reposo,
fiel precursora de la noche grave . . .
torna al hogar el labrador gozoso,
el ganado al redil, al nido el ave.

Es la hora melancólica, indecisa,
en que pueblan los sueños los espacios,
y en los aires — con soplos de la brisa —
levantan sus fantásticos palacios.

En Occidente el Héspero[2] aparece;
salpican perlas su zafíreo asiento,
y — en tanto que apacible resplandece —
no sé qué halago al contemplarlo siento.

¡Lucero del amor! ¡Rayo argentado!
¡Claridad misteriosa! ¿Qué me quieres?
¿Tal vez un bello espíritu, encargado
de recoger nuestros suspiros, eres? . . .

¿De los recuerdos la dulzura triste
vienes a dar al alma por consuelo,
o la esperanza con su luz te viste
para engañar nuestro incesante anhelo?

¡Oh tarde melancólica! yo te amo
y a tus visiones lánguidas me entrego . . .
Tu leda calma y tu frescor reclamo
para templar del corazón el fuego.

Quiero, apartada del bullicio loco,
respirar tus aromas alagüeños,
a par que en grata soledad evoco
las ilusiones de pasados sueños.

¡Oh! si animase el soplo omnipotente
estos que vagan húmedos vapores,
término dando a mi anhelar ferviente,
con objeto inmortal a mis amores! . . .

¡Y tú, sin nombre en la terrestre vida,
bien ideal, objeto de mis votos,
que prometes al alma enardecida
goces divinos, para el mundo ignotos!

¿Me escuchas? ¿Dónde estás? ¿Por qué no [puedo
— libre de la materia que me oprime —
a ti llegar, y aletargada quedo,
y opresa el alma en sus cadenas gime?

¡Cómo volara hendiendo las esferas
si aquí rompiese mis estrechos nudos,
cual esas nubes cándidas, ligeras,
del éter puro en los espacios mudos!

Mas ¿dónde vais? ¿Cuál es vuestro camino,
viajeras del celeste firmamento? . . .
¡Ah! ¡lo ignoráis! . . . seguís vuestro destino
y al vario impulso obedecéis del viento.

¿Por qué yo, en tanto, con afán insano
quiero indagar la suerte que me espera?
¿Por qué del porvenir el alto arcano
mi mente ansiosa comprender quisiera?

Paternal Providencia puso el velo
que nuestra mente a descorrer no alcanza,
pero que le permite alzar el vuelo
por la inmensa región de la esperanza.

El crepúsculo huyó: las rojas huellas
borra la luna en su esmaltado coche,
y un silencioso ejército de estrellas
sale a guardar el trono de la noche.

A ti te amo también, noche sombría;
amo tu luna tibia y misteriosa,
más que a la luz con que comienza el día
tiñendo el cielo de amaranto y rosa.

Cuando en tu grave soledad respiro,
cuando en el seno de tu paz profunda
tus luminares pálidos admiro,
un religioso afecto el alma inunda.

Que si el poder de Dios, y su hermosura,
revela el sol en su fecunda llama,
de tu solemne calma la dulzura
su amor anuncia y su bondad proclama!

LA NOCHE DE INSOMNIO Y EL ALBA

(*Fantasía*)

Noche
triste
viste
ya,
aire,
cielo,
suelo,
mar.
Brindándole
al mundo
profundo
solaz,
derraman
los sueños
beleños
de paz:

y se gozan
en letargo,
tras el largo
padecer,
los heridos
corazones,
con visiones
de placer.
Mas siempre velan
mis tristes ojos;
ciñen abrojos
mi mustia sien;
sin que las treguas
del pensamiento
a este tormento
descanso den.
El mudo reposo
fatiga mi mente;
la atmósfera ardiente
me abrasa doquier;
y en torno circulan
con rápido giro
fantasmas que miro
brotar y crecer.
¡Dadme aire! necesito
de espacio inmensurable,
do del insomnio al grito
se alce el silencio y hable!
Lanzadme presto fuera
de angostos aposentos . . .
¡Quiero medir la esfera!
¡Quiero aspirar los vientos!
Por fin dejé el tenebroso
recinto de mis paredes . . .
Por fin ¡oh espíritu! puedes
por el espacio volar . . .
Mas ¡ay! que la noche oscura,
cual un sarcófago inmenso,
envuelve con manto denso
calles, campos, cielo, mar.
Ni un eco se escucha, ni un ave
respira, turbando la calma;
silencio tan hondo, tan grave,
suspende el aliento del alma.
El mundo de nuevo sumido
parece en la nada medrosa;
parece que el tiempo rendido
plegando sus alas reposa.
Mas ¡qué siento! . . . Balsámico ambiente
se derrama de pronto! . . . El capuz
de la noche rasgando, en Oriente
se abre paso triunfante la luz.
¡Es el alba! se alejan las sombras,
y con nubes de azul y arrebol
se matizan etéreas alfombras,

donde el trono se asienta del sol.
Ya rompe los vapores matutinos
la parda cresta del vecino monte:
ya ensaya el ave sus melifluos trinos:
ya se despeja inmenso el horizonte.
Tras luenga noche de vigilia ardiente
es más bella la luz, más pura el aura . . .
¡Cómo este libre y perfumado ambiente
ensancha el pecho, el corazón restaura!
Cual virgen que el beso de amor lisonjero
recibe agitada con dulce rubor
del rey de los astros al rayo primero
Natura palpita bañada de albor.
Y así cual guerrero que oyó enardecido
de bélica trompa la mágica voz,
él lanza impetuoso, de fuego vestido,
al campo del éter su carro veloz.
¡Yo palpito, tu gloria mirando sublime,
noble autor de los vivos y varios colores!
¡Te saludo si puro matizas las flores!
¡Te saludo si esmaltas fulgente la mar!
En incendio la esfera zafírea que surcas,
ya convierte tu lumbre radiante y fecunda,
y aun la pena que el alma destroza profunda,
se suspende mirando tu marcha triunfal.
¡Ay! de la ardiente zona do tienes almo asiento
tus rayos a mi cuna lanzaste abrasador . . .
Por eso en ígneas alas remonto el pensamiento,
y arde mi pecho en llamas de inextinguible amor!
Mas quiero que tu lumbre mis ansias ilumine,
mis lágrimas reflejen destellos de tu luz,
y sólo cuando yerta la muerte se avecine
la noche tienda triste su fúnebre capuz.
¡Qué horrible me fuera, brillando tu fuego fecundo,
cerrar estos ojos, que nunca se cansan de verte;
en tanto que ardiente brotase la vida en el mundo,
cuajada sintiendo la sangre por hielo de muerte!
¡Horrible me fuera que al dulce murmurio del aura,
unido mi ronco gemido postrero sonase;
que el plácido soplo que al suelo cansado restaura,
el último aliento del pecho doliente apagase!
¡Guarde, guarde la noche callada sus sombras de duelo,
hasta el triste momento del sueño que nunca termina;
y aunque hiera mis ojos, cansados por largo desvelo,
dale ¡oh sol! a mi frente, ya mustia, tu llama divina!
Y encendida mi mente inspirada, con férvido acento
— al compás de la lira sonora — tus dignos loores
lanzará, fatigando las alas del rápido viento,
a do quiera que lleguen triunfantes tus sacros fulgores!

3. « Esta composición fué escrita bajo la agradable impresión producida por los bailes dados por la Reina (Isabel II), durante el verano de 1849, en su palacio de San Ildefonso (La Granja), y a los que asistió la autora viniendo de visitar el otro real palacio de San Lorenzo del Escorial, al cual alude en alguno de sus versos. » (Nota de la edición de 1869; los dos nombres entre paréntesis son de los editores de esta Antología). 4. cuarto signo del Zodíaco que el sol recorre aparentemente en el verano. 5. viento que sopla del oriente.

ROMANCE

Contestando a otro de una señorita

(FRAGMENTO)

No soy maga ni sirena,
ni querub ni pitonisa,
como en tus versos galanos
me llamas hoy, bella niña.
Gertrudis tengo por nombre,
cual recibido en la pila;
me dice Tula mi madre,
y mis amigos la imitan.
Prescinde, pues, te lo ruego,
de las Safos y Corinas,
y simplemente me nombra
Gertrudis, Tula o amiga [. . .]
No, no aliento ambición noble,
como engañada imaginas,
de que en páginas de gloria
mi humilde nombre se escriba.
Canto como canta el ave,
como las ramas se agitan,
como las fuentes murmuran,
como las auras suspiran.
Canto porque al cielo plugo
darme el estro que me anima;
como dió brillo a los astros,
como dió al orbe armonías.
Canto porque hay en mi pecho
secretas cuerdas que vibran
a cada afecto del alma,
a cada azar de la vida.
Canto porque hay luz y sombras,
porque hay pesar y alegría,
porque hay temor y esperanza,
porque hay amor y hay perfidia.
Canto porque existo y siento,
porque lo grande me admira,
porque lo bello me encanta,
porque lo malo me irrita.
Canto porque ve mi mente
concordancias infinitas,
y placeres misteriosos,
y verdades escondidas.
Canto porque hay en los seres
sus condiciones precisas:
corre el agua, vuela el ave,
silba el viento, y el sol brilla.
Canto sin saber yo propia
lo que el canto significa,
y si al mundo, que lo escucha,
asombro o lástima inspira.
El ruiseñor no ambiciona
que lo aplaudan cuando trina . . .
Latidos son de su seno
sus nocturnas melodías.
Modera, pues, tu alabanza,
y de mi frente retira
la inmarchitable corona
que tu amor me pronostica.
Premiando nobles esfuerzos,
sienes más heroicas ciña;
que yo al cantar solo cumplo
la condición de mi vida.

LOS REALES SITIOS[3]

Es grato, si el Cáncer[4] la atmósfera enciende,
si pliega sus alas el viento dormido,
gozar los asilos que un muro defiende,
con ricos tapices de Flandes vestido.

Es grata la calma dulcísima y leda
de aquellos salones dorados y umbríos,
do el sol, que penetra por nubes de seda,
se pierde entre jaspes y mármoles fríos.

Es grato el ambiente de aquellas estancias
— que en torno matizan maderas preciosas —
do en vasos de china despiden fragancias
itálicos lirios, bengálicas rosas.

Es grato que al Euro[5] — que huyó silencioso —
imiten las bellas moviendo abanicos;
allí do cual tronos del muelle reposo
se ostentan divanes de púrpura ricos.

Y es grato en la tarde, con lánguido paso,
salir de entre sedas y pórfidos y oro,
a ver cuál oculta, llegando a su ocaso,
el astro supremo su ardiente tesoro.

Que allí, para verlo, se tienen vergeles
que nunca marchitan estivos ardores;
con bancos de césped, con frescos doseles,
y bosques y fuentes y exóticas flores.

Asilos tan bellos no hubieron las ninfas
que hollaron de Grecia colinas amenas,
ni náyades vieron tan plácidas linfas
cual esas que guardan marmóreas sirenas.

Por eso en las noches del férvido estío
es grato a ese elíseo llamar los placeres;
cubriendo de luces su verde sombrío,
llenando su espacio de hermosas mujeres.

Y aromas y bailes y amores y risas,
en dulces insomnios disfrutan las bellas,
en tanto que vuelan balsámicas brisas
y en tanto que el cielo se cubre de estrellas.

¡Oh espléndidas fiestas! ¡Oh alegres veladas,
que brotan al soplo de regia hermosura!
¡Ni silfos, ni genios, ni próvidas fadas
os dieran encantos de tanta dulzura!

No ¡Granja! no envidies al noble palacio
que allá San Lorenzo protege vecino;
pues hoy a las gracias encierra tu espacio,
y son los placeres tu plácido sino.

¡Difunde fragancias: y amores y risas
en gratos insomnios disfruten las bellas,
en tanto que vuelen balsámicas brisas
y en tanto que el cielo se pueble de estrellas!

(De *Obras literarias de la señora doña Gertrudis Gómez de Avellaneda*, Madrid, 1869-1871)

UNA CARTA DE AMOR

[*A Ignacio de Cepeda y Alcalde.*]

[Sin fecha]

Hasta hoy, que vino el correo general, no se me ha traído tu carta, y para que ésta no duerma hasta el miércoles en la estafeta, determino enviarla directamente a tu casa.

Cuando antes de anoche me dijiste que mandase al correo, porque me habías escrito, te olvidaste advertirme que la carta venía a mi nombre y no al adoptado en nuestra correspondencia. Así, aunque ayer mandé no me la trajeron, porque la persona encargada buscó doña Amadora de Almonte y no mi nombre. En fin ya está en mis manos esta querida carta.

¡Una vez por semana! . . . Solamente te veré una vez por semana! . . . Bien; yo suscribo pues, así lo deseas y lo exigen tus actuales ocupaciones. Una vez por semana te veré únicamente; pues señálame, por Dios, ese día tan feliz entre siete para separarle de los otros días de la larga y enojosa semana. Si no determinases ese día, ¿no comprendes tú la agitación que darías a todos los otros? En cada uno de ellos creería ver al amanecer *un día feliz* y después de muchas horas de agitación y expectativa pasaría el día, pasaría la noche, llevándose una esperanza a cada momento renovada y desvanecida, y sólo me dejaría el disgusto del desengaño. Dime, pues, para evitarme tan repetidos tormentos, qué día es ese que debo desear: ¿será el viernes? En ese caso comenzaremos por hoy; si no, será el sábado: ¿qué te parece? elige tú: si hoy, lo conoceré viéndote venir; si mañana, avísamelo, para que no padezca esta noche esperándote. En las restantes semanas ya sabré el día de ella, que tendrá para mí luz y alegría.

Ya lo ves . . .; me arrastra mi corazón. No sé usar contigo el lenguaje *moderado* que deseas y empleas; pero en todo lo demás soy dócil a tu voz, como lo es un niño a la de su madre. Ya ves que suscribo a no verte sino semanalmente. Pero, ¿no irás al Liceo?, ¿ni al baile? Para decidirte, ¿no será bastante que yo te asegure que no habrá placer para mí en estas diversiones si tú no asistes?

No debes tener en casa menos *confianza* que en la de Concha, y puedes venir con capa o como mejor te parezca; pero si absolutamente no puedes tener esa confianza en casa, dime dónde quieres que te vea; en casa de Concha o donde tú designes y no me sea imposible, allí me hallarás.

Debes gozarte y estar orgulloso, porque este poder absoluto que ejerces en mi voluntad debe envanecerte. ¿Quién eres? ¿Qué poder es ése? ¿Quién te lo ha dado? Tú no eres un hombre, no, a mis ojos. Eres el Ángel de mi destino, y pienso muchas veces al verte que te ha dado el mismo Dios el poder supremo de dispensarme los bienes y los males que debo gozar y sufrir en este suelo. Te lo juro por ese Dios que adoro, y por tu honor y el mío; te juro que mortal ninguno ha tenido la influencia que tú sobre mi corazón. Tú eres mi amigo, mi hermano, mi confidente, y, como si tan dulces nombres aún no bastasen a mi corazón, él te da el de su Dios sobre la tierra. ¿No está ya en tu mano dispensarme un día de ventura entre siete? Así pudieras también señalarme uno de tormento y desesperación y yo le recibiría, sin que estuviese en mi mano evitarlo. Ese día, querido hermano mío, ese día sería aquel en que dejases de quererme; pero yo lo aceptaría de ti sin quejarme, como aceptamos de Dios los infortunios inevitables con que nos agobia.

No me hagas caso; tuve jaqueca a medianoche y creo que me ha dejado algo de calentura. Mi cabeza no está en su ser natural.

Hay días en que está uno no sé cómo; días en que el corazón se rompería si no se desahogase. Yo tenía necesidad de decirte todo lo que te he dicho; ahora ya estoy más tranquila. ¡No me censures, por Dios!

(De « Cartas », en *Antología*, Buenos Aires, Espasa Calpe, 1945)

Sin duda el romanticismo cubano se reparte y llega a Venezuela. De los venezolanos más ilustres en la primera generación destacaremos ante todo a JOSÉ ANTONIO MAITÍN (1814-1874), famoso por su « Canto fúnebre » a la memoria de su mujer. No hay, en esos años, una elegía que aventaje a ésta en sinceridad, dulzura, recato y sencillez, si se exceptúan las de la cubana Luisa Pérez de Zambrana (1835-1922).

José Antonio Maitín

CANTO FÚNEBRE

[*a la memoria de su esposa*]

(FRAGMENTOS)

IX

¡Cuán sola y olvidada,
cuán triste está la huerta
hace poco por ella cultivada!
Su lánguida corola
tiene la flor apenas entreabierta,
y al ver los tallos secos e inclinados,
esta vegetación ambigua, incierta;
al ver tanto abandono,
las hierbas devorando los sembrados,
sin humedad la tierra, sin abono,
dijérase que siente
esta familia huérfana su suerte;
que lleva un negro luto
sobre su frente pálida prendido;
que espera ya la muerte,
o que llorando está lo que ha perdido.
A vista de este cuadro
tan vivo, de tristura
siento que el corazón se me destroza.
Me lanzo a la ventura
por entre el laberinto
del follaje en desmayo y sin frescura;
maltrato con el pie, de aquel recinto
la inútil hermosura.
Cual máquina ambulante,
sin senda, sin camino conocido,
las manos extendidas, delirante,
buscan mis brazos algo que han perdido.
Estrecho con amor cada sembrado,
corro del uno al otro
con paso desigual, precipitado;
me cubro el rostro ardiente con las ramas,
las llevo al pecho, de llorar cansado;
sobre ellas deposito
mi beso convulsivo y prolongado,
y al muro, y a las piedras,
a las hojas, al tronco endurecido,
a tanto objeto caro, inanimado,
de mi dolor prestándole el sentido,
paréceme escuchar que me responden,
que sale de su seno hondo gemido,
que el aire puebla un alarido ronco,
y en cada tierna flor que encuentro al paso,
en cada arbusto, en cada negro tronco
que a la presión nerviosa de mi abrazo
convulso y animado,
con fuerte oscilación tiembla y se agita,
pienso sentir el golpe acelerado
de un corazón amigo que palpita.

XIII

Lloroso, pensativo,
mis largas horas paso
a la margen sentado de este río.
Aquí todo contrasta
con mi pesar sombrío:
en esta soledad solemne y vasta
no hallo un dolor que corresponda al mío.

Las hojas resplandecen
cargadas con las gotas de rocío;
en la vecina altura,
en la lejana cumbre,
vestida de matices y verdura,
ostenta el sol magnífica su lumbre,
mientras que yo devoro
en triste soledad mi pesadumbre.
¿Tan poco así te mueve
¡oh pintoresco Choroní![1], mi pena?
Tu soledad amiga,
¿por qué se muestra a mi dolor ajena?
¡Yo, que en tus ilusiones me he mecido,
que el aire de tu selva he respirado,
que tu último rincón he preferido
a la mejor ciudad, que te he cantado! . . .
Los seres entre sí todos se estrechan
con secretas y ocultas relaciones;
se combinan, se buscan, se desechan
entre un mar de atracción y repulsiones;
todo es combate, lucha,
acción y reacción en cada hora.
¡Y yo, materia viva,
pensante, sentidora,
que aliento y me confundo
de Dios en las eternas creaciones;
parte de este conjunto
de afinidad, de mutuas atracciones,
en cuyo espacio giro,
en cuyo seno moro,
a cuya inmensa mole
por lazos invisibles me incorporo,
no encuentro una señal que me revele
la acción de mis pesares
sobre la calma eterna y majestuosa
de esta naturaleza silenciosa,
de estos quietos, pacíficos lugares!

Todo sereno está, todo reposa:
nada un dolor denuncia ni una pena.
Bullente, estrepitoso corre el río
sobre su lecho de brillante arena;
el matizado insecto
con ardiente inquietud se agita y mueve;
el follaje despide su murmullo
al soplo matinal del aire leve;
y las aguas, los montes y los vientos,
y el ave inquieta que saluda el día,
levantan con apática indolencia
su himno sin fin, su eterna melodía.

¡Concierto disonante,
horrible, estrepitosa algarabía,
que suena a mis oídos
como la befa amarga y la ironía
de la implacable y cruel naturaleza,
para quien es lo mismo
el contento, la dicha, la alegría
de un ser que piensa o su mortal tristeza!

XV

Ya piso el cementerio
augusto, majestuoso,
con su solemnidad y su misterio.
Estoy en la morada de la muerte,
donde el pequeño, el grande, el flaco, el fuerte,
sin distinción sucumben
bajo un destino igual, bajo igual suerte.
¡Mirad a lo que quedan reducidas
las míseras pasiones,
el altanero orgullo,
las vanas ilusiones,
de la lisonja el mundanal murmullo,
tanta esperanza y tantas ambiciones!
En este polvo encallan
la astucia, las ficciones y el amaño;
aquí hay sinceridad en los afectos,
llanto puro, verdad y desengaño.

¿Cómo contar el mar de tibias gotas
que sobre estos despojos se ha vertido,
que estas humildes cruces ha mojado,
que en estas inscripciones ha corrido,
que esta hierba naciente ha salpicado,
que el polvo de estas tumbas ha embebido;
lágrimas de la madre desolada,
la compasión, la oculta analogía,
la ardiente gratitud celeste y pura,
el afecto, el amor, la simpatía?

¡Ah! Si se recogiese en una hora,
en un instante dado,
esa lluvia de gotas encendidas,
ese raudal de lágrimas vertidas
que estos tristes despojos ha empapado,
pudiérase formas una honda charca,
mar salido del mar de nuestros ojos,
que sepultase en sus ardientes olas
cuanto este sitio funeral abarca,
inscripciones, osario, hierba, abrojos,
túmulo, cruces, tumbas y despojos.

1. pequeño puerto marítimo en la boca del río de su nombre, que nace en la serranía de la costa.

XVI

¡Sombra de la que amé! solo y perdido
quedo en la tierra. Tímido, cansado,
un rumbo seguiré no conocido,
a la merced del vendaval airado,
tal vez por las borrascas combatido,
acaso por los hombres olvidado.
El mundo es todo para mí un desierto.
De mi existencia usada
el proceloso mar surcaré incierto,
cual nave destrozada
que lanza el huracán lejos del puerto.
No sé cuál es la suerte que me aguarda,
oscuro el porvenir; mas imitando
tu ejemplo santo y raro,
siguiendo tus virtudes una a una,
inspirado por ti, bajo tu amparo,
contrastaré el rigor de la fortuna.
Me haré mejor, pensando
en la existencia pura y bendecida
que junto a mí pasaste, y de esta suerte,
si debí mis contentos a tu vida,
deberé mis virtudes a tu muerte.

XVII

Adiós, adiós. Que el viento de la noche,
de frescura y de olores impregnado,
sobre tu blanco túmulo de piedra
deje, al pasar, un beso perfumado;
que te aromen las flores que aquí dejo,
que tu cama de tierra halles liviana.
Sombra querida y santa, yo me alejo;
descansa en paz . . . Yo volveré mañana.

(En *Antología de poetas hispano-americanos*. Tomo II, Madrid, 1927)

Al pasar de Venezuela a Colombia nos encontramos con un rico grupo de escritores. En poesía, JOSÉ JOAQUÍN ORTIZ (1814-1892) escribía neoclásicas odas patrióticas y JULIO ARBOLEDA (1817-1861) compuso un poema épico-legendario de asunto colonial: *Gonzalo de Oyón*. Se perdió; sólo conservamos una versión incompleta. Al lado de ellos se levanta un poeta mayor: JOSÉ EUSEBIO CARO (1817-1853). Su vida fué una llama rápida pero intensa y brillante. Esa llama se alimentaba de la cultura de su tiempo y de su propio temperamento, combustible y violento. Aunque no fué filósofo, en su obra se encienden las ideas encontradas de su tiempo. Cada una de sus poesías fué un acto moral, cuando no por el tema público, por su voluntad de sinceridad. Como poeta lírico figura en la línea más pura y feliz del romanticismo. La lira de Caro tenía todas las cuerdas; también la política, la filosófica. Aun los temas que invitan a ser impersonal en él sonaban personales. Siempre es él el centro de la emoción; siempre arranca de su propio interior. La invectiva política, la meditación moral, la descripción del paisaje, el propósito didáctico, no lo sacan de su quicio lírico. Y allí, como en sus poesías de tema íntimo — el amor, la familia —, reconocemos el temple fogoso y sincero de un alma que quiere estar sola y expresar lo original. Porque aunque Caro fué un militante en la anárquica política de esos años, oyó siempre, en lo hondo, el rumor de su propia personalidad. Comenzó vistiéndose con metros holgados, sueltos, libres — un poco a la manera de Quintana, de Gallego o de Martínez de la Rosa —, y así se movía cómodamente, como en la silva « El ciprés », en actitud declamatoria, es cierto, pero con ese arte de entregarse al lector que selló todas sus obras. Más adelante — siguiendo más a los ingleses que a los latinos — imitó el exámetro clásico, combinándolo a veces con el endecasílabo. Buscaba, evidentemente, ritmos propios; y en este tercer modo de su versificación castigó cada línea con acentos no usuales, endureciendo acaso la ondulación de las palabras, pero enriqueciendo la lengua poética.

José Eusebio Caro

EN ALTA MAR

¡Céfiro!, ¡rápido lánzate! ¡Rápido empújame y vivo!
Más redondas mis velas pon: del proscrito a los lados,
¡haz que tus silbos susurren dulces y dulces suspiren!
¡Haz que pronto del patrio suelo se aleje mi barco!

¡Mar eterno! ¡Por fin te miro, te oigo, te tengo!
¡Antes de verte hoy, te había ya adivinado!
¡Hoy en torno mío tu cerco por fin desenvuelves!
¡Cerco fatal! ¡Maravilla en que centro siempre yo hago!

¡Ah! ¡Que esta gran maravilla conmigo forma armonía!
Yo, proscrito, prófugo, infeliz, desterrado,
lejos voy a morir del caro techo paterno,
lejos, ¡ay!, de aquellas prendas que amé, que me amaron!

¡Tanto infortunio sólo debe llorarse en tu seno;
quien de su amor arrancado y de Patria y de hogar y de hermanos,
solo en el mundo se mira, debe primero que muera,
darte su adiós, y, por última vez, contemplarte, Oceano!

¡Yo por la tarde así, y en pie de mi nave en la popa,
alzo los ojos — ¡miro! —, sólo tú y el espacio!
¡Miro al sol que, rojo, ya medio hundido en tus aguas,
tiende, rozando tus crespas olas, el último rayo!

¡Y un pensamiento de luz entonces llena mi mente:
pienso que tú, tan largo, y tan ancho, y tan hondo, y tan vasto,
eres con toda tu mole, tus playas, tu inmenso horizonte,
sólo una gota de agua, que rueda de Dios en la mano!

Luego, cuando en hosca noche, al son de la lluvia,
poco a poco me voy durmiendo, en mi Patria pensando,
sueño correr en el campo do niño corrí tantas veces,
ver a mi madre que llora a su hijo; lanzarme a sus brazos . . .

¡Y oigo junto entonces bramar tu voz incesante!
¡Oigo bramar tu voz, de muerte vago presagio;
oigo las lonas que crujen, siento el barco que vuela!
Dejo entonces mis dulces sueños y a morir me preparo.

¡Oh! ¡Morir en el mar! ¡Morir terrible y solemne,
digno del hombre! — ¡Por tumba el abismo, el cielo, palio!
¡Nadie que sepa dónde nuestro cadáver se halla!
Que echa encima el mar sus olas — y el tiempo sus años.

ESTAR CONTIGO

¡Oh! ya de orgullo estoy cansado,
ya estoy cansado de razón;
déjame en fin, hable a tu lado
cual habla sólo el corazón!

¡No te hablaré de grandes cosas;
quiero más bien verte y callar,
no contar las horas odiosas,
y reír oyéndote hablar!

Quiero una vez estar contigo,
cual Dios el alma te formó;
tratarte cual a un viejo amigo
que en nuestra infancia nos amó;

volver a mi vida pasada,
olvidar todo lo que sé,
extasiarme en una nada,
y llorar sin saber por qué!

¡Ah! ¡para amar Dios hizo al hombre!
¿Quién un hado no da feliz
por esos instantes sin nombre
de la vida del infeliz,

cuando, con la larga desgracia
de amar doblado su poder,
toda su alma ardiendo vacia
en el alma de una mujer?

¡Oh padre Adán! ¡Qué error tan triste
cometió en ti la humanidad,
cuando a la dicha preferiste
de la ciencia la vanidad!

¿Qué es lo que dicha aquí se llama
sino no conocer temor,
y con la Eva que se ama,
vivir de ignorancia y de amor?

¡Ay! ¡mas con todo así nos pasa;
con la Patria y la juventud,
con nuestro hogar y antigua casa,
con la inocencia y la virtud!

Mientras tenemos despreciamos,
sentimos después de perder;
y entonces aquel bien lloramos
que se fué para no volver!

(De *Poesías*, Madrid, 1885)

La segunda generación romántica. Hemos visto cómo en algunos países prendieron los primeros sarmientos del romanticismo, trasplantados de Europa. Ahora veremos a escritores que empezaron a escribir cuando ya había crecido en Hispanoamérica una vid romántica propia. GREGORIO GUTIÉRREZ GONZÁLEZ (Colombia; 1826-1872) prefería el verso sobrio con tono sentimental sinceramente vivido, y por eso, si bien andaba a la zaga de Zorrilla, por momentos se desvió hacia una expresión más íntima que, años después, Bécquer cultivaría con genio. Fué su preferencia « realista », digamos, la que alcanzó más altura poética, asegurándole un puesto de honor en nuestra historia literaria. Nos referimos a su *Memoria sobre el cultivo del maíz en Antioquia* (1866). Aquí Gutiérrez González se retira de la sociedad literaria de su tiempo y va a refugiarse en un bosque primitivo de su tierra para cantar, no sólo su más extenso poema, sino el más extraño y original de su generación. Con un guiño humorístico finge que presentará a la Escuela de Ciencias y Artes una *Memoria científica.* Como quiere ser comprendido por el pueblo dice que sus instrucciones serán precisas, claras y metódicas: « No estarán subrayadas las palabras / poco españolas que en mi escrito empleo / pues como sólo para Antioquia escribo / yo no escribo español sino antioqueño. » Y, en efecto, la lengua poética de la *Memoria* es tan rica en indigenismos y dialectismos que aun los colombianos de Bogotá necesitan recurrir a las notas lingüísticas que dos amigos del poeta agregaron a la edición de sus obras completas. Con todo, la *Memoria* no es poema que viva exclusivamente en una provincia de nuestra América. El tema sí es regional: Gutiérrez

González describe cómo treinta peones y un patrono buscan en el bosque un terreno apropiado para el cultivo del maíz; cómo talan los árboles y luego queman el suelo; cómo levantan sus viviendas, siembran, riegan y defienden las semillas de los pájaros; cómo crece el maíz; cómo se recoge y se cocina . . . Pero el arte de mirar y de idealizar cada detalle en una imagen lírica, la emoción ante las costumbres de un pueblo sencillo y el contraste entre la vida al aire libre y la vida en la ciudad eran refinamientos de un poeta muy cultivado. En este cuadro de los trabajos agrestes no reconocemos las *Geórgicas* de Virgilio — como en el de Andrés Bello — sino la observación directa de la naturaleza por un imaginativo.

Gregorio Gutiérrez González

DE LA MEMORIA SOBRE EL CULTIVO DEL MAÍZ EN ANTIOQUIA

De los terrenos propios para el cultivo,
y manera de hacerse los barbechos,
que decimos rozas.

Buscando en donde comenzar la roza,[1]
de un bosque primitivo la espesura
treinta peones y un patrón por jefe
van recorriendo en silenciosa turba.

Vestidos todos de calzón de manta[2]
y de camisa de coleta[3] cruda,
aquél a la rodilla, ésta a los codos
dejan sus formas de titán desnudas.

El sombrero de caña con el ala
prendida de la copa con la aguja,
deja mirar el bronceado rostro,
que la bondad y la franqueza anuncia.

Atado por detrás con la correa
que el pantalón sujeta a la cintura,
con el recado de sacar candela,
llevan repleto su carriel[4] de nutria.

Envainado y pendiente del costado
va su cuchillo de afilada punta;
y en fin, al hombro, con marcial despejo,
el calabozo[5] que en el sol relumbra.

Al fin eligen un tendón[6] de tierra
que dos quebradas serpeando cruzan,
en el declive de una cuesta amena
poco cargada de maderas duras.

Y dan principio a socolar[7] el monte
los peones formados en columna;
a seis varas distante uno de otro
marchan de frente con presteza suma.

Voleando el calabozo a un lado y otro,
que relámpagos forma en la espesura,
los débiles arbustos, los helechos
y los bejucos[8] por doquiera truncan.

Los matambas, los chusques, los carrizos,[9]
que formaban un toldo de verdura,
todo deshecho y arrollado cede
del calabozo a la encorvada punta.

Con el rostro encendido, jadeantes,
los unos a los otros se estimulan;
ir adelante alegres quieren todos,
romper la fila cada cual procura.

Cantando a todo pecho la guavina,[10]
canción sabrosa, dejativa y ruda,
ruda cual las montañas antioqueñas,
donde tiene su imperio y fué su cuna.

1. limpiar una tierra de maleza para sembrarla después. 2. tela ordinaria de algodón. 3. tela de cáñamo. 4. mochila. 5. machete. 6. faja de tierra. 7. cortar las malezas de un monte. 8. plantas tropicales de tallos muy largos y delgados. 9. diferentes cañas y gramíneas de Colombia. 10. canción popular de Colombia. 11. bucare, árbol de flores rojas. 12. especie de arbusto. 13. diversas especies de árboles. 14. estrujan, aprietan. 15. derriba simultánea de varios árboles en fila, cortando sólo el primero de ellos. 16. el árbol que se corta primero. 17. protuberancias en el tronco de un árbol.

No miran en su ardor a la culebra
que entre las hojas se desliza en fuga,
y presurosa en su sesgada marcha,
cinta de azogue, abrillantada ondula;

ni de monos observan las manadas
que por las ramas juguetonas cruzan;
ni se paran a ver de aves alegres
las mil bandadas, de pintadas plumas;

ni ven los saltos de la inquieta ardilla,
ni las nubes de insectos que pululan,
ni los verdes lagartos que huyen listos,
ni el enjambre de abejas que susurra.

Concluye la socola. De malezas
queda la tierra vegetal desnuda.
Los árboles elevan sus cañones
hasta perderse en prodigiosa altura,

semejantes de un templo a los pilares
que sostienen su toldo de verdura;
varales largos de ese palio inmenso,
de esa bóveda verde altas columnas.

El viento en su follaje entretejido,
con voz ahogada y fúnebre susurra,
como un eco lejano de otro tiempo,
como un vago recuerdo de ventura.

Los árboles sacuden sus bejucos,
cual destrenzada cabellera rubia,
donde tienen guardados los aromas
con que el ambiente, en su vaivén, perfuman.

De sus copas galanas se desprende
una constante, embalsamada lluvia
de frescas flores, de marchitas hojas,
verdes botones y amarillas frutas.

Muestra el cachimbo[11] su follaje rojo,
cual canastillo que una ninfa pura
en la fiesta del Corpus, lleva ufana
entre la virgen, inocente turba.

El guayacán[12] con su amarilla copa
luce a lo lejos en la selva oscura,
cual luce entre las nubes una estrella,
cual grano de oro que la jagua oculta.

El azuceno, el floro-azul, el caunce[13]
y el yarumo, en el monte se dibujan
como piedras preciosas que recaman
el manto azul que con la brisa ondula.

Y sobre ellos gallarda se levanta,
meciendo sus racimos en la altura,
recta y flexible la altanera palma,
que aire mejor entre las nubes busca.

Ved otra vez a los robustos peones
que el mismo bosque secular circundan;
divididos están en dos partidas,
y un capitán dirige cada una.

Su alegre charla, sus sonoras risas,
no se oyen ya, ni su canción se escucha;
de una grave atención cuidado serio
se halla pintado en sus facciones rudas.

En lugar del ligero calabozo
la hacha afilada con su mano empuñan;
miran atentos el cañón del árbol,
su comba ven, su inclinación calculan.

Y a dos manos el hacha levantando,
con golpe igual y precisión segura,
y redoblando golpes sobre golpes,
cansan los ecos de la selva augusta.

Anchas astillas y cortezas leves
rápidamente por el aire cruzan;
a cada golpe el árbol se estremece,
tiemblan sus hojas, y vacila . . . y duda . . .

Tembloroso un momento cabecea,
cruje en su corte, y en graciosa curva
empieza a descender, y rechinando
sus ramas enlazadas se apañuscan;[14]

y silbando al caer, cortando el viento,
despedazado por los aires zumba . . .
Sobre el tronco el peón apoya el hacha
y el trueno, al lejos, repetir escucha.

Las tres partidas observad. A un tiempo
para echar una galga[15] se apresuran;
en tres faldas distintas, el redoble
se oye del hacha en variedad confusa.

Una fila de árboles picando
sin hacerles caer, está la turba,
y arriba de ellos, para echarlo encima,
el más copudo por madrino[16] buscan.

Y recostando andamios en su tronco
para cortarlo a regular altura,
sobre las bambas[17] y al andamio trepan
cuatro peones con destreza suma.

Y en rededor del corpulento tronco
sus hachas baten y a compás sepultan,
y repiten hachazos sobre hachazos
sin descansar, aunque en sudor se inundan.

Y vencido por fin, cruje el madrino,
y el otro más allá: todos a una,
las ramas extendidas enlazando
con otras ramas enredadas pugnan;

y abrazando al caer los de adelante,
se atropellan, se enredan y se empujan,
y así arrollados en revuelta tromba
en trueno sordo, aterrador retumban . . .

El viento azota el destrozado monte,
leves cortezas por el aire cruzan,
tiembla la tierra, y el estruendo ronco
se va a perder en las lejanas grutas.

Todo queda en silencio. Acaba el día,
todo en redor desolación anuncia.
Cual hostia santa que se eleva al cielo,
se alza callada la modesta luna.

Troncos tendidos, destrozadas ramas,
y un campo extenso desolado alumbra,
donde se ven como fantasmas negros
los viejos troncos, centinelas mudas.

(Capítulo I de *Poesías*, Paris, 1903)

NOTICIA COMPLEMENTARIA

Forzosamente hemos tenido que dejar fuera a muchos escritores significativos. Aquí sólo quisiéramos mencionar a unos pocos que se destacaron en tendencias o en géneros que no entran en nuestra antología.

Hubo quienes se desilusionaron de los resultados de las guerras de la Independencia. Surgió así una literatura crítica, burlona, amarga, como la del reaccionario FELIPE PARDO Y ALIAGA (Perú; 1806-1868). Atacó, en versos satíricos, comedias y cuadros de costumbres, las instituciones republicanas y los principios liberales. También MANUEL ASCENCIO SEGURA (Perú; 1805-1871) escribió sátiras, cuadros de costumbres y comedias, pero su actitud fué más comprensiva y popular. Sus piezas teatrales, a pesar de estar en verso, son notables por su realismo. El teatro de este período cuenta, además, con figuras como las de los mexicanos FERNANDO CALDERÓN (1809-1845) e IGNACIO RODRÍGUEZ GALVÁN (1816-1842).

Ya se vió, en el período anterior, cómo Hidalgo había iniciado un tipo de poesía popular en que hacía hablar a los gauchos. En este período HILARIO ASCASUBI (Argentina; 1807-1875) ahondó en esa vena popular, gauchesca.

La producción novelesca fué abundante. En Argentina, además de la novela política de José Mármol, *Amalia*, a la que ya nos referimos, podríamos mencionar la novela alegórica de JUAN BAUTISTA ALBERDI (1810-1884), *Peregrinación de Luz del Día* y la novela histórica de VICENTE FIDEL LÓPEZ (1815-1903), *La novia del hereje*. En México el cuadro de la novela es muy variado: entre los más interesantes novelistas se destacaron MANUEL PAYNO (1810-1894) y VICENTE RIVA PALACIO (1832-1896). En Cuba, CIRILO VILLAVERDE (1812-1894), autor de *Cecilia Valdés;* en Venezuela, EUGENIO DÍAZ (1804-1865), autor de *Manuela;* en Ecuador, JUAN DE LEÓN MERA (1832-1894), autor de *Cumandá;* en Colombia, EUSTAQUIO PALACIOS (1830-1898), autor de *El Alférez Real*. Pero el mayor novelista de todos fué el chileno ALBERTO BLEST GANA (1830-1920).

Vivió en Francia, entre 1847 y 1851; leyó entonces a Balzac y se le despertó ahí su vocación de novelista. Escribió unas novelas en las que, a lo Balzac, presentó un ciclo de la vida chilena, desde la Independencia hasta principios del siglo XX, con los movimientos sociales de la clase media, la política matrimonial, las costumbres de Santiago, el poder del dinero, los conflictos entre la « gente de medio pelo » y la oligarquía, los motines políticos . . . No fué Balzac su único modelo (cita aun a Stendhal, cuando apenas se le conocía en el mundo hispánico). Fué uno de los primeros realistas de nuestra lengua.

Uno de los libros más importantes y originales de todo este período fué *Una excursión a los indios ranqueles* (1870), de LUCIO VICTORIO MANSILLA (Argentina; 1831-1913). Se decidió, en un acto de coraje, a visitar las tolderías de tierra adentro, sin armas, con una pequeña escolta, para convencer al cacique de la buena fe de los cristianos. Vivió entre los indios, y la crónica de esos días no tiene par en nuestra literatura. Hay allí una intención política: burlarse de las instituciones de nuestra civilización por contraste con las formas de la sociabilidad en las tolderías de lo ranqueles.

VII

1860-1880

MARCO HISTÓRICO: *Así como el período anterior puede definirse como anárquico (a pesar de los esfuerzos de los pueblos para darse una Constitución) ahora podríamos definir a éste por los logros de la organización (aunque la anarquía sigue devorando las entrañas de América).*

TENDENCIAS CULTURALES: *Segunda generación romántica. Actitud intelectual, estudiosa, crítica. Primicias parnasianas y naturalistas.*

ESTANISLAO DEL CAMPO
JOSÉ HERNÁNDEZ
MANUEL ACUÑA
JUAN MONTALVO
RICARDO PALMA
EUGENIO MARÍA DE HOSTOS
MANUEL GONZÁLEZ PRADA
JUSTO SIERRA
JOSÉ LÓPEZ PORTILLO Y ROJAS
ENRIQUE JOSÉ VARONA

En la hoguera romántica de 1830 habían encendido sus antorchas los autores que vimos en el capítulo anterior; luego las pasaron a otros más jóvenes; y así, mientras el romanticismo quedaba atrás, en el pasado, antorchas románticas ardían todavía en muchas manos, al comienzo de la segunda mitad del siglo. Los temas de esta segunda generación romántica son los de siempre: tristezas de titanes vencidos, costumbres y hablas populares, leyendas indígenas de pueblos extinguidos, la historia. Acaso, con fuerza de tema nuevo, aparece la emoción del hogar, recuperado después del destierro o de las guerras civiles. El costumbrismo, de origen romántico, acabó por hacerse realista. Al final de este período ya existen grupos de escritores que cultivan las letras por las letras mismas y empiezan a traer a América las primeras noticias de los nuevos movimientos literarios de Europa, como el Parnaso y el Naturalismo.

Los poetas gauchescos. ESTANISLAO DEL CAMPO (Argentina; 1834-1880) era hombre culto, de ciudad, que sabía escribir poesía lírica al modo romántico de la época. Sin embargo, su sitio está entre los poetas gauchescos. No hubiera ido Del Campo muy lejos de no haber sido por un acierto casual. El 24 de agosto de 1866 se representó en el Teatro Colón de Buenos Aires el *Fausto* de Gounod. Cinco días después Del Campo envió a Ricardo Gutiérrez, dedicándoselo, el manuscrito del *Fausto* criollo. Fué una obra maestra de gracia epigramática, de vivacidad imaginativa, de fluidez de versificación, de simpatía en el vivir por dentro los sentimientos de sus personajes rurales. Del Campo era ajeno al mundo de los gauchos: no podía, pues, remedarlos. Ascasubi había remedado a los gauchos y Del Campo remedaba a Ascasubi. En el uso del dialecto — pronunciación, vocabulario, sintaxis — Del Campo se quedaba corto. Como buen criollo de Buenos Aires que era, estaba cerca del habla rúst ıca, pero tuvo que hacer esfuerzos paraaprender el que quería imitar. El estudio de las variantes entre el manuscrito de *Fausto* y su edición muestra su voluntad de acomodarse al lenguaje campesino. Pero hubo algo más valioso que el remedo mismo. Del Campo logró el estilo de la poesía tradicional, esa que el pueblo siente suya y la transmite de boca en boca y de generación en generación sin que a nadie interese quién fuera el autor individual. El gaucho Anastasio el Pollo ha ido a Buenos Aires, ha entrado de casualidad en el teatro de más postín, se ha dejado arrebatar por las escenas de la ópera de Gounod y ahora, de vuelta a su « tierra », cuenta al amigo Laguna, punto por punto, lo que vió y cómo lo vió. La historia de Fausto, Margarita, Mefistófeles, aparece interpretada, traducida, recreada, por las impresiones de esas almas sencillas. El contraste entre la realidad gaucha y el arte europeo es felicísimo; pero ese contraste surge en el ánimo del lector del poema. Del Campo y su público culto gozan del diálogo entre el Pollo y Laguna desde fuera: por dentro, el poema tiene una sincera unidad emocional.

Estanislao del Campo

FAUSTO

I

En un overo rosao,[1]
flete[2] nuevo y parejito,[3]
cáia[4] al Bajo,[5] al trotecito,
y lindamente sentao,
un paisano del Bragao,[6]
de apelativo Laguna,
mozo jinetazo ¡ahijuna![7]
como creo que no hay otro,
capaz de llevar un potro
a sofrenarlo en la luna.

¡Ah criollo! si parecía
pegao en el animal
que aunque era medio bagual[8]
a la rienda obedecía
de suerte que se creería
ser no sólo arrocinao,[9]
sino también del recao
de alguna moza pueblera.[10]
¡Ah Cristo! ¡quien lo tuviera! . . .
¡Lindo el overo rosao!

Como que era escarciador,[11]
vivaracho y coscojero,[12]
le iba sonando al overo
la plata que era un primor;
pues eran plata el fiador,[13]
pretal,[14] espuelas, virolas,[15]
y en las cabezadas[16] solas
tráia el hombre un Potosí:[17]
¡qué! . . . ¡si tráia, para mí,
hasta de plata las bolas!

1. Dícese de los animales de color parecido al del melocotón. 2. caballo. 3. veloz, rápido. 4. iba hacia. 5. una sección del Buenos Aires antiguo, entre la Casa de Gobierno y el Retiro. Eran terrenos anegadizos, junto al río. 6. paisano del Bragao. Campesino del Bragado, lugar situado al oeste de la provincia de Buenos Aires. 7. exclamación para subrayar el sentido de buen jinete. 8. salvaje. 9. tan manso como un rocín. 10. cabalgadura de alguna moza de pueblo.
11. escarceador, caballo que tasca el freno, bajando y subiendo la cabeza en movimientos vivos (escarceos). 12. caballo que hace sonar el freno al tascarlo. 13. collera. 14. correa del arreo de los caballos, que va delante del pecho. 15. adorno de los arreos del caballo. 16. correaje que ciñe la cabeza de una caballería. 17. vieja ciudad del Alto Perú (hoy Bolivia), famosa por sus minas de plata.
18. Se apeó junto a una *tosca* (materia calcárea en forma de piedra fofa y porosa). 19. conjunto de prendas de la montura de un caballo. 20. caballo bayo.
21. confundieron. 22. *velay*, contracción de *vedla ahí*, como interjección. Cojinillo, manta de lana que se coloca en la montura del caballo. 23. maniatar. 24. conjunto de piezas para ensillar el caballo. 25. pedazo de tabaco negro en trenza. 26. corto el tabaco. 27. para no fumarlo desvirtuado por la acción del aire. 28. caballo corredor. 29. como mata de yerba (que no se inmuta). 30. aunque no pueda creerse.
31. mentira. 32. compañero, compadre. 33. preste el fuego (para encender el tabaco). 34. aquí, en el sentido de lugar, por este lugar. 35. Casi le pego en los cuernos con la argolla de mi lazo. 36. extranjero, en general; italiano, en particular. 37. de cuidado.

En fin, como iba a contar,
Laguna al río llegó,
contra una tosca[18] se apió
y empezó a desensillar.
En esto, dentró a orejiar
y a resollar el overo
y jué que vido un sombrero
que del viento se volaba
de entre una ropa, que estaba
más allá, contra un apero.[19]

Dió güelta y dijo el paisano:
— ¡Vaya, « *Záfiro* »! ¿qué es eso?
y le acarició el pescuezo
con la palma de la mano.
Un relincho soberano
pegó el overo que vía
a un paisano que salía
del agua, en un colorao,[20]
que al mesmo overo rosao
nada le desmerecía.

Cuando el flete relinchó,
media güelta dió Laguna,
y ya pegó el grito: — ¡Ahijuna!
¿No es el Pollo?
— Pollo, no,
ese tiempo se pasó,
(contestó el otro paisano),
ya soy jaca vieja, hermano,
con las púas como anzuelo,
y a quien ya le niega el suelo
hasta el más remoto grano.

Se apió el Pollo y se pegaron
tal abrazo con Laguna,
que sus dos almas en una
acaso se misturaron.[21]
Cuando se desenredaron,
después de haber lagrimiao,
el overito rosao
una oreja se rascaba,
visto que la refregaba
en la clin del colorao.

— Velay, tienda el cojinillo,[22]
don Laguna, siéntesé
y un ratito aguárdemé
mientras maneo[23] el potrillo,
vaya armando un cigarrillo,
si es que el vicio no ha olvidao.
Ahí tiene contra el recao[24]
cuchillo, papel y un naco;[25]
yo siempre pico el tabaco[26]
por no pitarlo aventao.[27]

— Vaya, amigo, le haré gasto . . .
— ¿No quiere maniar su overo?
— Déjeló a mi parejero[28]
que es como mata de pasto.[29]
Ya una vez, cuando el abasto,
mi cuñao se desmayó;
a los tres días volvió
del insulto y, crea, amigo,
peligra lo que le digo:[30]
el flete ni se movió.

— ¡Bien haiga gaucho embustero!
¿Sabe que no me esperaba
que soltase una guayaba[31]
de ese tamaño, aparcero?[32]
Ya colijo que su overo
está tan bien enseñao,
que si en vez de desmayao
el otro hubiera estao muerto,
el fin del mundo, por cierto,
me lo encuentra allí parao.

— Vean cómo le buscó
la güelta . . . ¡bien haiga el Pollo!
Siempre larga todo el rollo
de su lazo . . .
— ¡Y cómo no!
¿O se ha figurao que yo
ansina no más las trago?
¡Hágasé cargo! . . .
— ¡Ya me hago! . . .
— Prieste el juego.[33]
— Tómeló.
— Y aura le pregunto yo:
¿Qué anda haciendo en este pago?[34]

— Hace como una semana
que he bajao a la ciudá,
pues tengo necesidá
de ver si cobro una lana;
pero me andan con *mañana*
y no hay plata, y venga luego;
hoy no más cuasi le pego
en las aspas con la argolla[35]
a un gringo,[36] que aunque es de embrolla,[37]
ya le he maliciao el juego.

— Con el cuento de la guerra
andan matreros los cobres.[38]
— Vamos a morir de pobres
los paisanos de esta tierra.
Yo cuasi he ganao la sierra
de puro desesperao . . .
— Yo me encuentro tan cortao
que a veces se me hace cierto
que hasta ando jediendo a muerto.
— Pues yo me hallo hasta *empeñao.*[39]

— ¡Vaya un lamentarse! ¡Ahijuna! . . .
Y eso es de vicio, aparcero:
a usté lo ha hecho su ternero
la vaca de la fortuna.
Y no llore, don Laguna,
no me lo castigue Dios:
si no, comparémoslós
mis tientos con su chapiao,[40]
y así en limpio habrá quedao
el más pobre de los dos.

— ¡Vean si es escarbador
este Pollo! ¡Virgen mía!
si es pura chafalonía . . .[41]
— ¡Eso sí, siempre pintor![42]
— Se la gané a un jugador
que vino a echarla de güeno.[43]
Primero le gané el freno
con riendas y cabezadas,
y en otras cuantas jugadas
perdió el hombre hasta lo ajeno.

¿Y sabe lo que decía
cuando se veía en la mala?
El que me ha pelao la chala[44]
debe tener brujería.
A la cuenta se creería
que el Diablo y yo . . .
— ¡Cállesé!
¿Amigo, no sabe usté
que la otra noche lo he visto
al demonio?
— ¡Jesucristo! . . .
— Hace bien, santígüesé.

— ¡Pues no me he de santiguar!
Con esas cosas no juego;
pero no importa, le ruego
que me dentre a relatar
el cómo llegó a topar
con *el malo.* ¡Virgen santa!
Sólo el pensarlo me espanta . . .
— Güeno, le voy a contar
pero antes voy a buscar
con qué mojar la garganta.

El Pollo se levantó
y se jué en su colorao,
y en el overo rosao
Laguna al agua dentró.
Todo el baño que le dió
jué dentrada por salida
y a la tosca consabida
don Laguna se volvió,
ande a don Pollo lo halló
con un frasco de bebida.

— Lárguesé al suelo, cuñao,
y vaya haciéndosé cargo,
que puede ser más que largo
el cuento que le he ofertao.[45]
Desmanee el colorao,
desate su maniador,
y en ancas,[46] haga el favor
de acollararlos.[47]
— Al grito.[48]
¿Es manso el coloradito?
— ¡Es como trébol de olor!

— Ya están acollaraditos . . .
— Déle un beso a esa giñebra;[49]

38. Con todo eso de la guerra entre Argentina y el Paraguay (1865-69), el dinero anda escaso. 39. andar empeñado, haber contraído deudas. 40. mis aperos de cuero crudo, comparados con los lujosos con chapa de plata en las cabezadas y el pretal.
41. plata de poco valor. 42. fanfarrón, jactancioso. 43. a darse importancia. 44. el que me ha ganado en el juego. 45. ofrecido. 46. además. 47. de unirlos por las colleras. 48. al momento, en seguida. 49. tome un trago de ginebra. 50. de un golpe.
51. gorgoritos. 52. tonel, barrica de lejía. 53. El Teatro de Colón de Buenos Aires se inauguró el 25 de abril de 1857 y cerró sus puertas el 13 de septiembre de 1888, al ser comprado el edificio por el Banco de la Nación. 54. rebaño. 55. contaduría, despacho de billetes. 56. se había desmayado. 57. caballo viejo. 58. trasijado, muy flaco. 59. robado. 60. ligero para robar.
61. ya lo dí por perdido. 62. Un alto llama Anastasio al paraíso del teatro, reservado a los espectadores humildes, y desde allí ve a las gentes de distinta clase social, en capas superpuestas que le recuerdan la disposición de la estiba, es decir la carga que se pone en la bodega de los barcos. 63. me echa al suelo. 64. Laguna corrige a Anastasio, ya que el único Fausto que él conoce es el Coronel Fausto Aguilar, uruguayo, que luchó contra Rosas junto a las fuerzas argentinas. *La otra banda* se refiere a la Banda Oriental; nombre que se daba a la República del Uruguay. 65. zaino, caballo de color castaño entero. 66. más astuto para replicar.

yo le hice sonar, de una hebra,[50]
lo menos diez golgoritos . . .[51]
— Pero ésos son muy poquitos
para un criollo como usté,
capaz de prendérselé
a una pipa de lejía . . .[52]
— Hubo un tiempo en que solía . . .
— Vaya, amigo, lárguesé.

II

— Como a eso de la oración
aura cuatro o cinco noches,
vide una fila de coches
contra el tiatro de Colón.[53]

La gente en el corredor,
como hacienda[54] amontonada,
pujaba desesperada
por llegar al mostrador.[55]

Allí a juerza de sudar
y a punta de hombro y de codo,
hice, amigaso, de modo
que al fin me pude arrimar.

Cuando compré mi dentrada
y di güelta . . . ¡Cristo mío!
estaba pior el gentío
que una mar alborotada.

Era a causa de una vieja
que le había dao el mal . . .[56]
— Y si es chico ese corral,
¿a qué encierran tanta oveja?

— Ahí verá: por fin, cuñao,
a juerza de arrempujón,
salí como mancarrón[57]
que lo sueltan trasijao.[58]

Mis botas nuevas quedaron
lo propio que picadillo,
y el fleco del calzoncillo
hilo a hilo me sacaron.

Y para colmo, cuñao,
de toda esta desventura,
el puñal, de la cintura
me lo habían refalao.[59]

— Algún gringo como luz
para la uña,[60] ha de haber sido,
— ¡Y no haberlo yo sentido!
En fin, ya le hice la cruz.[61]

Medio cansao y tristón
por la pérdida, dentré
y una escalera trepé
con ciento y un escalón.

Llegué a un alto, finalmente,
ande va la paisanada,
que era la última camada
en la estiba de la gente:[62]

Ni bien me había sentao,
rompió de golpe la banda,
que detrás de la baranda
la habían acomodao.

Y ya tamién se corrió
un lienzo grande, de modo
que a dentrar con flete y todo
me aventa,[63] créameló.

Atrás de aquel cortinao
un dotor apareció,
que asigún oí decir yo,
era un tal Fausto, mentao.

— ¿Dotor dice? Coronel
de la otra banda,[64] amigaso;
lo conozco a ese criollaso
porque he servido con él.

— Yo tamién lo conocí
pero el pobre ya murió.
¡Bastantes veces montó
un saino[65] que yo le dí!

Déjeló al que está en el cielo
que es otro Fausto el que digo,
pues bien puede haber, amigo,
dos burros del mesmo pelo.

— No he visto gaucho más quiebra
para retrucar[66] ¡ahijuna! . . .
— Déjemé hacer, don Laguna
dos gárgaras de giñebra.

Pues como le iba diciendo,
el Dotor apareció
y, en público, se quejó
de que andaba padeciendo.

Dijo que nada podía
con la cencia que estudió,
que él a una rubia quería,
pero que a él la rubia no.

Que, al ñudo, la pastoriaba[67]
dende el nacer de la aurora,
pues de noche y a toda hora
siempre tras de ella[68] lloraba.

Que de mañana a ordeñar
salía muy currutaca,[69]
que él le maniaba la vaca,
pero pare de contar.

Que cansado de sufrir,
y cansado de llorar,
al fin se iba a envenenar
porque eso no era vivir.

El hombre allí renegó,
tiró contra el suelo el gorro
y, por fin, en su socorro
al mesmo Diablo llamó.

¡Nunca lo hubiera llamao!
¡Viera, sustaso, por Cristo!
¡Ahí mesmo jediendo a misto,[70]
se apareció el condenao!

Hace bien: persínesé
que lo mesmito hice yo.
— ¿Y cómo no disparó?
— Yo mesmo no sé por qué.

¡Viera al Diablo! Uñas de gato,
flacón, un sable largote,
gorro con pluma, capote
y una barba de chivato.

Medias hasta la berija,[71]
con cada ojo como un charco,
y cada ceja era un arco
para correr la sortija.[72]

« Aquí estoy a su mandao,
cuente con un servidor »,
le dijo el Diablo al Dotor,
que estaba medio asonsao.[73]

« Mi Dotor, no se me asuste
que yo lo vengo a servir:
pida lo que ha de pedir
y ordénemé lo que guste. »

El Dotor, medio asustao,
le contestó que se juese . . .
— Hizo bien: ¿no le parece?
— Dejuramente, cuñao.[74]

Pero el Diablo comenzó
a alegar gastos de viaje
y a medio darle coraje
hasta que lo engatusó.

— ¿No era un Dotor muy projundo?
¿Cómo se dejó engañar?
— Mandinga[75] es capaz de dar
diez güeltas a medio mundo.

El Diablo volvió a decir:
« Mi Dotor, no se me asuste,
ordénemé lo que guste,
pida lo que ha de pedir.

« Si quiere plata, tendrá:
mi bolsa siempre está llena,
y más rico que Anchorena,[76]
con decir 'quiero', será. »

« No es por la plata que lloro »,
don Fausto le contestó,
« otra cosa quiero yo
mil veces mejor que el oro »,

« Yo todo le puedo dar »,
retrucó el Rey del Infierno,
« Diga: ¿quiere ser Gobierno?
pues no tiene más que hablar. »

« No quiero plata ni mando »,
dijo don Fausto, « yo quiero
el corazón todo entero
de quien me tiene penando. »

No bien esto el Diablo oyó,
soltó una risa tan fiera,
que toda la noche entera.
en mis orejas sonó.

67. que en vano la acechaba para verla. 68. por ella. 69. peripuesta, aderezada. 70. oliendo a azufre. 71. verija, ijares del caballo. 72. juego en el que los jinetes tratan de hacer pasar su lanza por un aro suspendido de una cinta. En España, carreras de cintas. 73. azonzado, atontado. 74. seguramente. 75. uno de los nombres que se dan al diablo, a quien el autor ha llamado ya el malo, el condenao, etc. 76. referencia a una familia argentina conocida por sus riquezas durante todo el siglo XIX. Aquí, en el sentido de millonario. 77. atónito, azorado. 78. espiga de maíz tierno. 79. requesón. 80. falda, saya. 81. hagamos un pacto. 82. caballo viejo e inútil para la carrera. 83. caballo brioso y ligero. 84. el Río de la Plata que por su anchura le parece como el mar. 85. apenas.

Dió en el suelo una patada,
una paré se partió,
y el Dotor, fulo,[77] miró
a su prenda idolatrada.

— ¡Canejo! . . . ¿Será verdá?
¿Sabe que se me hace cuento?
— No crea que yo le miento:
lo ha visto media ciudá.

¡Ah, don Laguna! ¡si viera
qué rubia! . . . Créameló:
creí que estaba viendo yo
alguna virgen de cera.

Vestido azul, medio alzao,
se apareció la muchacha;
pelo de oro, como hilacha
de choclo[78] recién cortao.

Blanca como una cuajada,[79]
y celeste la pollera[80];
don Laguna, si aquello era
mirar a la Inmaculada.

Era cada ojo un lucero,
sus dientes, perlas del mar,
y un clavel al reventar
era su boca, aparcero.

Ya enderezó como loco
el Dotor cuando la vió,
pero el Diablo lo atajó
diciéndole: — « Poco a poco. »

« Si quiere hagamos un pato:[81]
usté su alma me ha de dar
y en todo lo he de ayudar.
¿Le parece bien el trato? »

Como el Dotor consintió,
el Diablo sacó un papel
y le hizo firmar en él
cuanto la gana le dió.

— ¡Dotor, y hacer ese trato!
— ¿Qué quiere hacerle, cuñao,
si se topó ese abogao
con la horma de su zapato?

Ha de saber que el Dotor
era dentrao en edá,
ansina es que estaba ya
bichoco[82] para el amor.

Por eso, al dir a entregar
la contrata consabida,
dijo: — « ¿Habrá alguna bebida
que me pueda remozar? »

Yo no sé qué brujería,
misto, mágica o polvito
le echó el Diablo y . . . ¡Dios bendito!
¡Quién demonios lo creería!

¿Nunca ha visto usté a un gusano
volverse una mariposa?
Pues allí la mesma cosa
le pasó al Dotor, paisano.

Canas, gorro y casacón
de pronto se vaporaron,
y en el Dotor ver dejaron
a un donoso mocetón.

— ¿Qué dice? . . . ¡barbaridá! . . .
¡Cristo padre! . . . ¿Será cierto?
— Mire: que me caiga muerto
si no es la pura verdá.

El Diablo entonces mandó
a la rubia que se juese,
y que la paré se uniese,
y la cortina cayó.

A juerza de tanto hablar
se me ha secao el garguero:
pase el frasco, compañero.
— ¡Pues no se lo he de pasar!

III

— Vea los pingos . . .[83]
— ¡Ah, hijitos!
son dos fletes soberanos.
— ¡Como si jueran hermanos
bebiendo la agua juntitos!

— ¿Sabe que es linda la mar?[84]
— ¡La viera de mañanita
cuando a gatas[85] la puntita
del sol comienza a asomar!

Usté ve venir a esa hora,
roncando la marejada,
y ve en la espuma encrespada
los colores de la aurora.

A veces con viento en la anca,
y con la vela al solsito,
se ve cruzar un barquito
como una paloma blanca.

Otras, usté ve patente
venir boyando un islote,
y es que trai un camalote[86]
cabestriando[87] la corriente.

Y con un campo quebrao
bien se puede comparar
cuando el lomo empieza a hinchar
el río medio alterao.

Las olas chicas, cansadas,
a la playa a gatas vienen,
y allí en lamber[88] se entretienen
las arenitas labradas.

Es lindo ver en los ratos
en que la mar ha bajao,
cair velando al desplayao[89]
gaviotas, garzas y patos.

Y en las toscas, es divino
mirar las olas quebrarse,
como al fin viene a estrellarse
el hombre con su destino.

Y no sé qué da el mirar
cuando barrosa y bramando,
sierras de agua viene alzando
embravecida la mar.

Parece que el Dios del cielo
se amostrase retobao,[90]
al mirar tanto pecao
como se ve en este suelo.

Y es cosa de bendecir,
cuando el Señor la serena,
sobre ancha cama de arena
obligándolá a dormir.

Y es muy lindo ver nadando
a flor de agua algún pescao;
van, como plata, cuñao,
las escamas relumbrando.

— ¡Ah, Pollo! Ya comenzó
a meniar taba[91]: ¿y el caso?
— Dice muy bien, amigaso;
seguiré contándoló.

El lienzo otra vez alzaron
y apareció un bodegón,
ande se armó una reunión
en que algunos se mamaron.[92]

Un don Valentín, velay,
se hallaba allí en la ocasión,
capitán muy guapetón
que iba a dir a Paraguay.[93]

Era hermano, el ya nombrao,
de la rubia y conversaba
con otro mozo que andaba
viendo de hacerlo cuñao.

Don Silverio[94] o cosa así,
se llamaba este individuo,
que me pareció medio ido
o sonso cuando lo ví.

Don Valentín le pedía
que a la rubia le sirviera
en su ausencia . . .
— ¡Pues, sonsera![95]
¡El otro qué más quería!

— El Capitán, con su vaso,
a los presentes brindó,
y en esto se apareció
de nuevo el Diablo, amigaso.

86. planta acuática de largos tallos y anchas hojas que abunda en las orillas de los ríos Paraná y Uruguay. La particularidad que tienen los camalotes de enredarse unos con otros en masas compactas y moverse sobre las aguas, como islotes flotantes, es lo que de ordinario mencionan los escritores. A veces se encuentran en ellos diversas clases de animales. 87. siguiendo. 88. lamer. 89. nombre que se da a la playa de arena que suele dejar el mar al retirarse. 90. enojado, airado.
91. hablar incesantemente. 92. se emborracharon. 93. La guerra del Paraguay (1865-1869) que la Argentina sostuvo contra ese país, llevó numerosos contingentes de jóvenes argentinos a los campos de batalla. El Pollo, espectador de esos movimientos bélicos y de la escena de la kermese en *Fausto*, no puede pensar sino que Valentín, vestido de capitán, va a marchar también a la guerra. 94. Se refiere a Siebel, el personaje de la ópera, que casi siempre lo canta una mujer vestida de hombre. 95. tontería. 96. cobarde. 97. sacó la espada. 98. enmohecido. 99. fuego. 100. bolsita de cuero en que se lleva la yesca, el pedernal y el eslabón para encender fuego.
101. huyeron, echaron a correr. 102. *idem.* 103. baile de parejas sueltas que estuvo en auge en el ambiente rural de la Argentina hasta 1850 y que más comúnmente se llamó *cielito.* 104. derretirse. 105. amansar, domesticar, poner manso como un rocín. 106. vals, una de las figuras del cielito.

Dijo que si lo almitían
también echaría un trago,
que era por no ser del pago
que allí no lo conocían.

Dentrando en conversación
dijo el Diablo que era brujo:
pidió un ajenjo, y lo trujo
el mozo del bodegón.

« No tomo bebida sola »,
dijo el Diablo; se subió
a un banco y ví que le echó
agua de una cuarterola.

Como un tiro de jusil
entre la copa sonó,
y a echar llamas comenzó
como si juera un candil.

Todo el mundo reculó,
pero el Diablo sin turbarse
les dijo: « No hay que asustarse »,
y la copa se empinó.

— ¡Qué buche! ¡Dios soberano!
— Por no parecer morao[96]
el Capitán jué, cuñao,
y le dió al Diablo la mano.

Satanás le registró
los dedos con grande afán
y le dijo: « Capitán,
pronto muere, créaló. »

El Capitán, retobao,
peló la lata,[97] y Lusbel
no quiso ser menos que él
y peló un amojosao.[98]

Antes de cruzar su acero,
el Diablo el suelo rayó:
¡Viera el juego[99] que salió! . . .
— ¡Qué sable para yesquero![100]

— ¿Qué dice? ¡Había de oler
el jedor que iba largando
mientras estaba chispiando
el sable de Lucifer!

No bien a tocarse van
las hojas, créameló,
la mitá al suelo cayó
del sable del Capitán.

« ¡Éste es el Diablo en figura
de hombre! » el Capitán gritó,
y, al grito, le presentó
la cruz de la empuñadura.

¡Viera al Diablo retorcerse
como culebra, aparcero!
— ¡Óiganlé! . . .
— Mordió el acero
y comenzó a estremecerse.

Los otros se aprovecharon
y se apretaron el gorro:[101]
sin duda a pedir socorro
o a dar parte dispararon.[102]

En esto don Fausto entró
y conforme al Diablo vido,
le dijo: « ¿Qué ha sucedido? »
Pero él se desentendió.

El Dotor volvió a clamar
por su rubia, y Lucifer,
valido de su poder,
se la volvió a presentar.

Pues que golpiando en el suelo
en un baile apareció
y don Fausto le pidió
que lo acompañase a un cielo.[103]

No hubo forma que bailara:
la rubia se encaprichó;
de valde el Dotor clamó
por que no lo desairara.

Cansao ya de redetirse[104]
le contó al Demonio el caso;
pero él le dijo: « Amigaso,
no tiene por qué afligirse.

« Si en el baile no ha alcanzao
el poderla arrocinar,[105]
deje, le hemos de buscar
la güelta por otro lao.

« Y mañana, a más tardar,
gozará de sus amores,
que otras, mil veces mejores,
las he visto cabrestiar . . . »

« ¡Balsa general! »[106] gritó
el bastonero mamao;
pero en esto el cortinao
por segunda vez cayó.

Armemos un cigarrillo
si le parece . . .
— ¡Pues no!
— Tome el naco, píqueló,
usté tiene mi cuchillo.

IV

Ya se me quiere cansar
el flete de mi relato . . .
Priéndalé guasca otro rato;[107]
recién comienza a sudar.

— No se apure, aguárdesé:
¿cómo anda el frasco? . . .
— Tuavía
hay con que hacer medio día:
ahí lo tiene, priéndalé.

— ¿Sabe que este giñebrón
no es para beberlo solo?
Si alvierto, traigo un chicholo[108]
o un cacho de salchichón.

— Vaya, no le ande aflojando,
déle trago y dómeló,
que, a ráiz de las carnes yo
me lo estoy acomodando.

— ¿Qué tuavía no ha almorzao?
— Ando en ayunas, don Pollo;
porque, ¿a qué contar un bollo
y un cimarrón aguachao?[109]

Tenía hecha la intención
de ir a la fonda de un gringo
después de bañar el pingo . . .
— Pues vámonós del tirón.

— Aunque ando medio delgao,
don Pollo, no le permito
que me merme ni un chiquito
del cuento que ha comenzao.

— Pues entonces allá va.
Otro vez el lienzo alzaron
y hasta mis ojos dudaron
lo que ví . . . ¡barbaridá!

¡Qué quinta! ¡Virgen bendita!
¡Viera, amigaso, el jardín!
Allí se vía el jazmín,
el clavel, la margarita,

el toronjil, la retama,
y hasta estatuas, compañero;
al lao de ésa, era un chiquero
la quinta de don Lezama.[110]

Entre tanta maravilla
que allí había y, medio a un lao,
habían edificao
una preciosa casilla.

Allí la rubia vivía
entre las flores como ella,
allí brillaba esa estrella
que el pobre Dotor seguía.

Y digo *pobre Dotor*,
porque pienso, don Laguna,
que no hay desgracia ninguna
como un desdichado amor.

— Puede ser; pero, amigaso,
yo en las cuartas no me enriedo,[111]
y, en un lance en que no puedo,
hago de mi alma un cedaso.[112]

Por hembras yo no me pierdo.
La que me empaca[113] su amor
pasa por el cernidor
y . . . si te ví, no me acuerdo.

Lo demás es calentarse
el mate, al divino ñudo . . .[114]
— ¡Feliz quien tenga ese escudo
con que poder rejuardarse![115]

Pero usté habla, don Laguna,
como un hombre que ha vivido
sin haber nunca querido
con alma y vida a ninguna.

107. siga, no se interrumpa, como si incitara a su interlocutor a castigar al caballo hasta el fin de la carrera. 108. tableta de dulce de guayaba envuelta en hoja seca de maiz. 109. mate amargo cuando la yerba ha perdido su virtud, y está como aguado. 110. finca del millonario don José Gregorio Lezama, que la convirtió en un hermoso parque. A la muerte de su dueño pasó a poder de la Municipalidad y fué utilizada como paseo público. 111. confundirse, trabarse en dificultades. La expresión criolla proviene del hecho de que los bueyes nuevos, al marchar la carreta o en las paradas, se enredan en las sogas o cuartas con que van atados. 112. (Y así las cosas no dejan huella en ella, como si fuera un cernidor). 113. se obstina en no corresponder. 114. al divino nudo (yugo) del matrimonio. 115. resguardarse. 116. trayendo. 117. huerta. 118. siguiéndole las huellas. 119. acecharlo. 120. ¡Que no lo partiera un rayo!
121. en la primera acepción de la palabra, animal tierno, joven. 122. se marchó. 123. miserable, ruín. 124. eufemismo de otra expresión vulgar castellana.

Cuando un verdadero amor
se estrella en un alma ingrata,
más vale el fierro que mata,
que el fuego devorador.

Siempre ese amor lo persigue
a donde quiera que va:
es una fatalidá
que a todas partes lo sigue.

Si usté en su rancho se queda,
o si sale para un viaje,
es de valde: no hay paraje
ande olvidarla usté pueda.

Cuando duerme todo el mundo,
usté sobre su recao
se da güelta, desvelao,
pensando en su amor profundo.

Y si el viento hace sonar
su pobre techo de paja,
cree usté que es ella que baja
sus lágrimas a secar.

Y si en alguna lomada
tiene que dormir al raso,
pensando en ella, amigaso,
lo hallará la madrugada.

Allí acostao sobre abrojos
o entre cardos, don Laguna,
verá su cara en la luna,
y en las estrellas, sus ojos.

¿Qué habrá que no le recuerde
al bien de su alma querido,
si hasta cree ver su vestido
en la nube que se pierde?

Ansina sufre en la ausiencia
quien sin ser querido quiere:
aura verá cómo muere
de su prenda en la presencia.

Si en frente de esa deidad
en alguna parte se halla,
es otra nueva batalla
que el pobre corazón da.

Si con la luz de sus ojos
le alumbra la triste frente,
usté, don Laguna, siente
el corazón entre abrojos.

Su sangre comienza a alzarse
a la cabeza, en tropel,
y cree que quiere esa cruel
en su amargura gozarse.

Y si la ingrata le niega
esa ligera mirada,
queda su alma abandonada
entre el dolor que la aniega.

Y usté, firme en su pasión . . .
y van los tiempos pasando,
un hondo surco dejando
en su infeliz corazón.

— Güeno, amigo, así será,
pero me ha sentao el cuento . . .
— ¡Qué quiere! Es un sentimiento . . .
tiene razón, allá va.

Pues, señor, con gran misterio,
traindo[116] en la mano una cinta,
se apareció entre la quinta
el sonso de don Silverio.

Sin duda alguna saltó
las dos zanjas de la güerta,[117]
pues esa noche su puerta
la mesma rubia cerró.

Rastriándolo[118] se vinieron
el Demonio y el Dotor
y tras del árbol mayor
a aguaitarlo[119] se escondieron.

Con las flores de la güerta
y la cinta, un ramo armó
don Silverio, y lo dejó
sobre el umbral de la puerta.

— ¡Que no cairle una centella![120]
— ¿A quién? ¿Al sonso?
— ¡Pues digo! . . .
¡Venir a osequiarla, amigo,
con las mesmas flores de ella!

— Ni bien acomodó el guacho[121]
ya rumbió . . .[122]
— ¡Miren qué hazaña!
Eso es ser más que lagaña[123]
y hasta da rabia, caracho![124]

— El Diablo entonces salió
con el Dotor y le dijo:
« Esta vez priende de fijo
la vacuna, créaló. »

Y, el capote haciendo a un lao,
desenvainó allí un baulito
y jué y lo puso juntito
al ramo del abombao.[125]

— ¡No me hable de ese mulita![126]
¡Qué apunte para una banca![127]
¿A que era mágica blanca
lo que trujo en la cajita?

— Era algo más eficaz
para las hembras, cuñao;
verá si las ha calao
de lo lindo Satanás.

Tras del árbol se escondieron
ni bien cargaron la mina,
y, más que nunca divina,
venir a la rubia vieron.

La pobre, sin alvertir,
en un banco se sentó,
y un par de medias sacó
y las comenzó a surcir.

Cinco minutos por junto,
en las medias trabajó,
por lo que carculo yo
que tendrían sólo un punto.

Dentró a espulgar un rosal
por la hormiga consumido,
y entonces jué cuando vido
caja y ramo en el umbral.

Al ramo no le hizo caso,
y enderezó a la cajita,
y sacó . . . ¡Virgen bendita!
¡Viera qué cosa, amigaso!

¡Qué anillo, qué prendedor!
¡Qué rosetas soberanas!
¡Qué collar! ¡Qué carabanas![128]
— ¡Vea el Diablo tentador!

— ¿No le dije, don Laguna?
La rubia allí se colgó
las prendas, y apareció
más platiada que la luna.

En la caja, Lucifer
había puesto un espejo . . .
— ¿Sabe que el Diablo, canejo,
la conoce a la mujer?

— Cuando la rubia gastaba
tanto mirarse en la luna,
se apareció, don Laguna,
la vieja que la cuidaba.

¡Viera la cara, cuñao,
de la vieja al ver brillar
como reliquias de altar
las prendas del condenao!

« ¿Diáonde[129] este lujo sacás? »
la vieja, fula, decía,
cuando gritó: « ¡Avemaría! »
en la puerta, Satanás.

« ¡Sin pecao! ¡Dentre, señor! »
« ¿No hay perros? » — « ¡Ya los ataron! »
Y ya también se colaron
el Demonio y el Dotor.

El Diablo allí comenzó
a enamorar a la vieja
y el Dotorcito a la oreja
de la rubia se pegó.

— ¡Vea el Diablo haciendo gancho![130]
— El caso jué que logró
reducirla y la llevó
a que le amostrase un chancho.[131]

— ¿Por supuesto, el Dotorcito
se quedó allí mano a mano?
— Dejuro,[132] y ya verá, hermano,
la liendre[133] que era el mocito.

Corcobió[134] la rubiecita
pero al fin se sosegó
cuando el Dotor le contó
que él era el de la cajita.

Asigún lo que presumo,
la rubia aflojaba laso,[135]
porque el Dotor, amigaso,
se le quería ir al humo.[136]

125. aturdido, atolondrado. 126. apocado, inexperto, flojo. Procede de la condición de timidez de la mulita (armadillo). 127. ¡Vaya un punto! 128. zarcillos, pendientes. 129. ¿De dónde . . .? 130. ayudando, haciendo de tercero. 131. cerdo. 132. cierto, en verdad. 133. astuto, experto, valiente. 134. corcovear, dar saltos un animal. 135. dar soga, aflojar la cuerda para tirar luego de ella, según hacen los enlazadores de a caballo. 136. quería ir hacia ella, acercársele. 137. esguince, movimiento de las piernas, de un lado a otro, para esquivar el cuerpo. 138. cambiar de color, echar pelo nuevo, como los caballos. 139. atufador, que ha perdido interés. 140. ardides.
141. ancas, caderas. Aquí, en el sentido de abrazar.

La rubia lo malició
y por entre las macetas
le hizo unas cuantas gambetas[137]
y la casilla ganó.

El Diablo tras de un rosal,
sin la vieja apareció . . .
— ¡A la cuenta la largó
jediendo entre algún maizal!

— La rubia, en vez de acostarse,
se lo pasó en la ventana
y allí aguardó la mañana
sin pensar en desnudarse.

Ya la luna se escondía
y el lucero se apagaba,
y ya también comenzaba
a venir clariando el día.

¿No ha visto usté de un yesquero
loca una chispa salir,
como dos varas seguir
y de ahí perderse, aparcero?

Pues de ese modo, cuñao,
caminaban las estrellas
a morir, sin quedar de ellas
ni un triste rastro borrao.

De los campos el aliento
como sahumerio venía,
y alegre ya se ponía
el ganao en movimiento.

En los verdes arbolitos,
gotas de cristal brillaban,
y al suelo se descolgaban
cantando los pajaritos.

Y era, amigaso, un contento
ver los junquillos doblarse
y los claveles cimbrarse
al soplo del manso viento.

Y al tiempo de reventar
el botón de alguna rosa,
venir una mariposa
y comenzarlo a chupar.

Y si se pudiera al cielo
con un pingo comparar,
también podría afirmar
que estaba mudando pelo.[138]

— ¡No sea bárbaro, canejo!
¡Qué comparancia tan fiera!
— No hay tal: pues de saino que era
se iba poniendo azulejo.

¿Cuando ha dao un madrugón
no ha visto usté, embelesao,
ponerse blanco-azulao
el más negro ñubarrón?

— Dice bien, pero su caso
se ha hecho medio empacador[139]
— Aura viene lo mejor,
pare la oreja, amigaso.

El Diablo dentró a retar
al Dotor y, entre el responso,
le dijo: « ¿Sabe que es sonso?
¿Pa qué la dejó escapar?

« Áhi la tiene en la ventana:
por suerte no tiene reja
y antes que venga la vieja
aproveche la mañana. »

Don Fausto ya atropelló
diciendo: « ¡Basta de ardiles! »[140]
La cazó de los cuadriles[141]
y ella . . . ¡también lo abrazó!

— ¡Óiganlé a la dura!
— En esto
bajaron el cortinao.
Alcance el frasco, cuñao.
— A gatas le queda un resto.

V

— Al rato el lienzo subió
y, deshecha y lagrimiando,
contra una máquina hilando
la rubia se apareció.

La pobre dentró a quejarse
tan amargamente allí,
que yo a mis ojos sentí
dos lágrimas asomarse.

— ¡Qué vergüenza!
— Puede ser:
pero, amigaso, confiese
que a usted también lo enternece
el llanto de una mujer.

Cuando a usté un hombre lo ofiende,
ya, sin mirar para atrás,
pela el flamenco y ¡sas! ¡tras!
dos puñaladas le priende.

Y cuando la autoridá
la partida le ha soltao,[142]
usté en su overo rosao
bebiendo los vientos va.

Naides de usté se despega
porque se haiga desgraciao,[143]
y es muy bien agasajao
en cualquier rancho a que llega.

Si es hombre trabajador,
ande quiera gana el pan:
para eso con usté van
bolas, lazo y maniador.

Pasa el tiempo, vuelve al pago
y cuanto más larga ha sido
su ausiencia, usté es recebido
con más gusto y más halago.

Engaña usté a una infeliz
y, para mayor vergüenza,
va y le cerdea[144] la trenza
antes de hacerse perdiz.[145]

La ata, si le da la gana,
en la cola de su overo,
y le amuestra al mundo entero
la trenza de ña Julana.[146]

Si ella tuviese un hermano,
y en su rancho miserable
hubiera colgao un sable
juera otra cosa, paisano.

Pero sola y despreciada
en el mundo, ¿qué ha de hacer?
¿A quién la cara volver?
¿Ande llevar la pisada?

Soltar al aire su queja
será su solo consuelo,
y empapar con llanto el pelo
del hijo que usté le deja.

Pues ese dolor projundo
a la rubia la secaba
y por eso se quejaba
delante de todo el mundo.

Aura, confiese, cuñao,
que el corazón más calludo
y el gaucho más entrañudo
allí habría lagrimiao.

— ¿Sabe que me ha sacudido
de lo lindo el corazón?
Vea, si no, el lagrimón
que al oírlo se me ha salido!

— ¡Óiganlé!
— Me ha redotao.[147]
— ¡No guarde rencor, amigo!
— Si es en broma que le digo . . .
Siga su cuento, cuñao.

— La rubia se arrebozó
con un pañuelo cenisa,[148]
diciendo que se iba a misa
y puerta ajuera salió.

Y crea usté lo que guste
porque es cosa de dudar . . .
¡Quién había de esperar
tan grande desbarajuste!

Todo el mundo estaba ajeno
de lo que allí iba a pasar,
cuando el Diablo hizo sonar
como un pito de sereno.

Una iglesia apareció
en menos que canta un gallo.
— ¡Vea si dentra a caballo!
— ¡Me larga, créameló!

Creo que estaban alzando
en una misa cantada,
cuando aquella desgraciada
llegó a la puerta llorando.

Allí la pobre cayó
de rodillas sobre el suelo,
alzó los ojos al cielo
y cuatro credos rezó.

142. Lo está persiguiendo. Partida, en el sentido de pelotón armado. 143. porque se haya desgraciado, por haber matado a alguién. 144. cerdear, quitar las cerdas a un caballo. Aquí, cortarle la trenza a una mujer. 145. perderse, desaparecer. 146. doña Fulana. 147. derrotado. 148. color ceniza. 149. vereda, acera. 150. la prima, una de las cuerdas de la guitarra. 151. para dárselas de experto. 152. floreó, se lució haciendo floreos con la guitarra. 153. preludio en los bordones de la guitarra. Bordón, cuerda gruesa que hace de bajo.

Nunca he sentido más pena
que al mirar a esa mujer;
amigo, aquello era ver
a la mesma Magdalena.

De aquella rubia rosada
ni rastro había quedao:
era un clavel marchitao,
una rosa deshojada.

Su frente que antes brilló
tranquila como la luna,
era un cristal, don Laguna,
que la desgracia enturbió.

Ya de sus ojos hundidos
las lágrimas se secaban
y entretemblando rezaban
sus labios descoloridos.

Pero el Diablo la uña afila,
cuando está desocupao,
y allí estaba el condenao
a una vara de la pila.

La rubia quiso dentrar
pero el Diablo la atajó
y tales cosas le habló
que la obligó a disparar.

Cuasi le da el acidente
cuando a su casa llegaba;
la suerte que le quedaba
en la vedera[149] de enfrente.

Al rato el Diablo dentró
con don Fausto muy del brazo
y una guitarra, amigaso,
ahí mesmo desenvainó.

— ¿Qué me dice, amigo Pollo?
— Como lo oye, compañero;
el Diablo es tan guitarrero
como el paisano más criollo.

El sol ya se iba poniendo,
la claridá se ahuyentaba
y la noche se acercaba
su negro poncho tendiendo.

Ya las estrellas brillantes
una por una salían,
y los montes parecían
batallones de gigantes.

Ya las ovejas balaban
en el corral prisioneras,
y ya las aves caseras
sobre el alero ganaban.

El toque de la oración
triste los aires rompía
y entre sombras se movía
el crespo sauce llorón.

Ya sobre el agua estancada
de silenciosa laguna,
al asomarse, la luna
se miraba retratada.

Y haciendo un estraño ruido
en las hojas trompezaban
los pájaros que volaban
a guarecerse en su nido.

Ya del sereno brillando
la hoja de la higuera estaba,
y la lechuza pasaba
de trecho en trecho chillando.

La pobre rubia, sin duda,
en llanto se deshacía,
y, rezando, a Dios pedía
que le emprestase su ayuda.

Yo presumo que el Dotor,
hostigao por Satanás,
quería otras hojas más
de la desdichada flor.

A la ventana se arrima
y le dice al condenao:
« Déle no más, sin cuidao,
aunque reviente la prima. »[150]

El Diablo a gatas tocó
las clavijas y, al momento,
como un arpa, el istrumento
de tan bien templao sonó.

— Tal vez lo traiba templao
por echarla de baquiano . . .[151]
— Todo puede ser, hermano,
pero ¡óyesé al condenao!

Al principio se florió[152]
con un lindo bordoneo[153]
y en ancas de aquel floreo
una décima cantó.

No bien llegaba al final
de su canto, el condenao,
cuando el Capitán, armao,
se apareció en el umbral.

— Pues yo en campaña lo hacía . . .
— Daba la casualidá
que llegaba a la ciudá
en comisión, ese día.

— Por supuesto, hubo fandango . . .[154]
— La lata ahí no más peló
y al infierno le aventó
de un cintaraso el changango.[155]

— ¡Lindo el mozo!
— ¡Pobrecito!
— ¿Lo mataron?
— Ya verá:
Peló un corbo[156] el Dotorcito
y el Diablo . . . ¡barbaridá!

desenvainó una espadita
como un viento; lo embasó[157]
y allí no más ya cayó
el pobre . . .
— ¡Ánima bendita!

— A la trifulca y al ruido
en montón la gente vino . . .
— ¿Y el Dotor y el asesino?
— Se habían escabullido.

La rubia también bajó
y viera aflición, paisano,
cuando el cuerpo de su hermano
bañado en sangre miró.

A gatas medio alcanzaron
a darse una despedida,
porque en el cielo, sin vida,
sus dos ojos se clavaron.

Bajaron el cortinao,
de lo que yo me alegré . . .
— Tome el frasco, priéndalé.[158]
— Sírvasé no más, cuñao.

VI

— ¡Pobre rubia! Vea usté
cuánto ha venido a sufrir:
se le podía decir:
¡Quién te vido y quién te ve!

— Ansí es el mundo, amigaso;
nada dura, don Laguna,
hoy nos ríe la fortuna,
mañana nos da un guascaso.[159]

— Las hembras en mi opinión
train un destino más fiero
y si quiere compañero,
le haré una comparación.

Nace una flor en el suelo,
una delicia es cada hoja,
y hasta el rocío la moja
como un bautismo del cielo.

Allí está ufana la flor,
linda, fresca y olorosa;
a ella va la mariposa,
a ella vuela el picaflor.

Hasta el viento pasajero
se prenda al verla tan bella,
y no pasa por sobre ella
sin darle un beso primero.

¡Lástima causa esa flor
al verla tan consentida!
Cree que es tan larga su vida
como fragante su olor.

Nunca vió el rayo que raja
a la renegrida nube,
ni ve el gusano que sube,
ni el fuego del sol que baja.

Ningún temor en el seno
de la pobrecita cabe,
pues que se hamaca, no sabe,
entre el fuego y el veneno.

Sus tiernas hojas despliega
sin la menor desconfianza,
y el gusano ya la alcanza . . .
y el sol de las doce llega . . .

Se va el sol abrasador
pasa a otra planta el gusano,
y la tarde . . . encuentra, hermano,
el cadáver de la flor.

154. fiesta con baile. Aquí, en el sentido de reyerta, trifulca. 155. guitarra ordinaria. 156. sacó una espada curva. 157. envasó, lo atravesó con la espada. 158. dése un trago. 159. golpe dado con una lonja de cuero (guasca). 160. calabozo. 161. le explotó el cohete, se le malogró el intento. 162. el redoblante. 163. de repente. 164. armadillo. (Estas notas están tomadas, en parte, de « Poetas gauchescos », edición de Eleuterio F. Tiscornia, Buenos Aires, 1945).

Piense en la rubia, cuñao,
cuando entre flores vivía,
y diga si presumía
destino tan desgraciao.

Ustè, que es alcanzador,
afíjesé en su memoria
y diga: ¿Es igual la historia
de la rubia y de la flor?

— Se me hace tan parecida
que ya más no puede ser.
— Y hay más: le falta que ver
a la rubia en la crujida.[160]

— ¿Qué me cuenta? ¡Desdichada!
— Por última vez se alzó
el lienzo y apareció
en la cárcel encerrada.

— ¿Sabe que yo no colijo
el por qué de la prisión?
— Tanto penar, la razón
se le jué y lo mató al hijo.

Ya la habían sentenciao
a muerte, a la pobrecita,
y en una negra camita
dormía un sueño alterao.

Ya redoblaba el tambor
y el cuadro ajuera formaban,
cuando al calabozo entraban
el Demonio y el Dotor.

— ¡Véaló al Diablo si larga
sus presas así no más!
¿A que anduvo Satanás
hasta oir sonar la descarga?

— Esta vez se le chingó
el cuete,[161] y ya lo verá . . .
— Priéndalé al cuento, que ya
no lo vuelvo a atajar yo.

— Al dentrar hicieron ruido,
creo que con los cerrojos;
abrió la rubia los ojos
y allí contra ellos los vido.

La infeliz, ya trastornada
a causa de tanta herida,
se encontraba en la crujida
sin darse cuenta de nada.

Al ver venir al Dotor
ya comenzó a disvariar
y hasta le quiso cantar
unas décimas de amor.

La pobrecita soñaba
con sus antiguos amores
y créia mirar sus flores
en los fierros que miraba.

Ella créia que, como antes,
al dir a regar su güerta,
se encontraría en la puerta
una caja de diamantes.

Sin ver que en su situación
la caja[162] que la esperaba,
era la que redoblaba
antes de la ejecución.

Redepente se afijó[163]
en la cara de Luzbel:
sin duda al malo vió en él,
pues allí muerta cayó.

Don Fausto al ver tal desgracia
de rodillas cayó al suelo
y dentró a pedir al cielo
le recibiese en su gracia.

Allí el hombre arrepentido
de tanto mal que había hecho,
se daba golpes de pecho
y lagrimiaba afligido.

En dos pedazos se abrió
la paré de la crujida,
y no es cosa de esta vida
lo que allí se apareció.

Y no crea que es historia:
yo ví entre una nubecita,
la alma de la rubiecita
que se subía a la gloria.

San Miguel, en la ocasión,
vino entre nubes bajando
con su escudo y revoliando
un sable tirabuzón.

Pero el Diablo que miró
el sable aquel y el escudo,
lo mesmito que un peludo[164]
bajo la tierra ganó.

Cayó el lienzo finalmente,
y ahí tiene el cuento contao . . .
Prieste el pañuelo, cuñao:
me está sudando la frente.

— Lo que almiro es su firmesa
al ver esas brujerías.
— He andao cuatro o cinco días
atacao de la cabeza.

Ya es güeno dir ensillando . . .
— Tome ese último traguito
y eche el frasco a ese pocito
para que quede boyando.

Cuando los dos acabaron
de ensillar sus parejeros,
como güenos compañeros,
juntos al trote agarraron;
en una fonda se apiaron
y pidieron de cenar;
cuando ya iban a acabar,
don Laguna sacó un rollo
diciendo: — « El gasto del Pollo
de aquí se lo han de cobrar. »

Artísticamente, Del Campo fué superior a su modelo Ascasubi. Sin embargo, sería superado después por otro poeta gauchesco: Hernández. Con motivo de la publicación de *Fausto* (1866) se renovó en Buenos Aires la cuestión de si existía una « literatura nacional. » Se hace un balance y, en 1870, hay quienes dicen que no la hay. ¿Acaso *Fausto* era « literatura nacional »? ¿Basta la descripción externa de lengua, ropas, costumbres, folklore para considerar « nacional » una obra literaria? José Hernández (Argentina; 1834-1886) vivía en medio de esas discusiones. Era un hombre de pluma, simpatizaba con la causa de los gauchos y desconfiaba del espíritu europeísta de los hombres importantes de la política de entonces. Debió de hartarse de oír lo mismo: que la literatura gauchesca no tenía calidad literaria, que sólo era divertida como en *Fausto* . . . Y probablemente se sintió resentido porque sus propias preferencias no contaban en la tabla de valores de su época. Lo cierto es que decidió incorporarse a la serie gaucha y escribir también un poema: *Martín Fierro* (la « Ida », 1872; la « Vuelta », 1879). Su propósito era serio. En el fondo de sus versos hay una polémica sorda contra un grupo europeísta, indiferente a lo gaucho; o de europeístas que creían que *Fausto* era la medida de lo que el género gauchesco podía dar. Hernández rompe a cantar con mucha conciencia de su misión seria y, sobre todo, con mucha conciencia de que hay quienes no creen en él (o en la literatura criolla de que él era capaz). Reprocha a los poetas gauchescos el haber dejado una tarea a medio hacer. Hernández sabe que él trae algo nuevo, más completo. Y para decirlo remeda, con más talento que todos, la voz auténtica del gaucho. *Martín Fierro* tiene, pues, un doble público: se dirige a los lectores cultos y a los gauchos. Con las mismas palabras ofrece dos mensajes distintos. Ante los cultos, reclama justicia para el gaucho. Ante los gauchos, procura darles lecciones morales que mejoren su condición. Su *Martín Fierro* vino a convertirse en un ejemplo, notable en todas las literaturas, de poeta individual que se suma a una poesía popular, reelabora su material, lo enaltece poéticamente y hace oír, en la voz propia, la voz profunda de toda una comunidad. *Martín Fierro* no es poema épico. Es un poema popular en el que el poeta, con toda deliberación, pone su canto al servicio de una tradición oral. El impulso es individual; la fuente es popular. Hernández no refunde poemas ajenos: lo inventa todo, pero en la postura espiritual del payador. Por eso su *Martín Fierro* parece surgido del pueblo anónimo. Por eso los gauchos lo leyeron como cosa propia. Al poeta culto se le conoce en la hábil construcción del poema: culta es la intención de reforma social, que da argumento a las aventuras y valor de tipo, de símbolo, al protagonista. La manera tradicional es la improvisación. Hernández había observado bien a los payadores. Vivió con ellos y los imitó. Saturado de espíritu gaucho, Hernández simula estar improvisando: « las coplas me van brotando / como agua de manantial. » No era verdad: las enmiendas de los manuscritos y el estudio de las líneas sistemáticas de *Martín Fierro* revelan su arduo trabajo de composición. No escribe en un dialecto gauchesco ya existente, sino en una lengua española normal que él configura interiormente con perspectiva de gaucho. Lengua individual, enérgica, creadora, rica en folklore pero sin fronteras entre lo recogido y lo inventado. Los siete años entre la « Ida » y la « Vuelta » acentúan la intención reformadora del poema. Los móviles de la conducta del gaucho Fierro son diferentes. En la « Ida » Hernández levanta un retablo sociológico y sobre él hace mover la figura anárquica, orgullosa y maltratada del gaucho. El punto de partida, pues, es lógico, constructivo, de quien ha estudiado la realidad social y se propone dar un mensaje político. Alegóricamente, Fierro huye y no tiene más esperanza que la que ofrece la indiada al otro lado de la civilización. En la « Vuelta », Fierro reaparece con una visión europea y progresista del trabajo: « que la tierra no da fruto / si no la riega el sudor. » Ya « concluyó el vandalaje. » Ahora elude la pelea y da explicaciones de por qué antes mató; justificaciones legales que muestran que Hernández, en el fondo, era un conservador respetuoso de la ley. Y es que, en 1879 (ya no gobierna Sarmiento, Avellaneda es el nuevo presidente), reconoce legítima a la « sociedad » que antes, en la « Ida », condenó. *Martín Fierro* es uno de los poemas más originales que ha dado el romanticismo hispánico. Rasgos de « escuela romántica »: la literatura como expresión de la sociedad; el color local; el nacionalismo; la simpatía por lo popular; el exótico tema de las costumbres indias; el héroe, víctima de la sociedad, exilado y doliente; la noble amistad con Cruz; los episodios novelescos de violentos contrastes, como la muerte de Vizcacha, la pelea entre el indio y Fierro ante la mujer y la criatura degollada, y los felices y casuales reencuentros de Fierro con sus hijos y con los de Cruz.

José Hernández

EL GAUCHO MARTÍN FIERRO

PRIMERA PARTE: LA IDA

Martín Fierro[1]

I

1[2]

Aquí me pongo a cantar
al compás de la vigüela,
que el hombre que lo desvela
una pena estrordinaria,
como la ave solitaria
con el cantar se consuela.

2

Pido a los santos del Cielo
que ayuden mi pensamiento;
les pido en este momento
que voy a cantar mi historia
me refresquen la memoria
y aclaren mi entendimiento.

3

Vengan santos milagrosos,
vengan todos en mi ayuda,
que la lengua se me añuda
y se me turba la vista;
pido a mi Dios que me asista
en una ocasión tan ruda.

4

Yo he visto muchos cantores,
con famas bien otenidas,
y que después de adquiridas
no las quieren sustentar:
parece que sin largar
se cansaron en partidas.[3]

5

Mas ande otro criollo pasa
Martín Fierro ha de pasar;
nada lo hace recular
ni las fantasmas lo espantan;
y dende que todos cantan
yo también quiero cantar.

6

Cantando me he de morir,
cantando me han de enterrar,
y cantando he de llegar
al pie del Eterno Padre:
dende el vientre de mi madre
vine a este mundo a cantar.

7

Que no se trabe mi lengua
ni me falte la palabra:
el cantar mi gloria labra
y poniéndomé a cantar,
cantando me han de encontrar
aunque la tierra se abra.

8

Me siento en el plan de un bajo[4]
a cantar un argumento;
como si soplara el viento
hago tiritar los pastos.
Con oros, copas y bastos[5]
juega allí mi pensamiento.

1. Este nombre indica que Martín Fierro empieza a cantar, lo que hace sin interrupción hasta el canto X. 2. La numeración de las estrofas no figura en el original. 3. Solían preceder a las carreras de dos caballos numerosas *partidas*, para cansar al caballo del competidor. 4. parte inferior de un terreno bajo al que sigue una loma. 5. alusión al juego de naipes, sin restricción de ninguna clase, con libertad absoluta. 6. nadie me aventaja. 7. formado por los animales del ganado vacuno que suelen andar juntos o reunirse para descansar. 8. me tuve por buen cantor. 9. huella, camino. 10. titubeando.
11. ensancha. 12. camino largo y bien aplanado, para las carreras de caballos en el campo. 13. afirmarse para hacer frente al enemigo. Arrostrar un peligro. 14. hallarse en posición buena o superior a la de los demás. 15. variante de un *Cielito Federal* de 1827, procedente a su vez de una antigua copla española.

9

Yo no soy cantor letrao,
mas si me pongo a cantar
no tengo cuándo acabar
y me envejezco cantando:
las coplas me van brotando
como agua de manantial.

10

Con la guitarra en la mano
ni las moscas se me arriman,
naides me pone el pie encima,[6]
y cuando el pecho se entona,
hago gemir a la prima
y llorar a la bordona.

11

Yo soy toro en mi rodeo[7]
y torazo en rodeo ajeno;
siempre me tuve por güeno[8]
y si me quieren probar,
salgan otros a cantar
y veremos quién es menos.

12

No me hago al lao de la güeya[9]
aunque vengan degollando,
con los blandos yo soy blando
y soy duro con los duros,
y ninguno en un apuro
me ha visto andar tutubiando.[10]

13

En el peligro, ¡qué Cristos!
el corazón se me enancha,[11]
pues toda la tierra es cancha,[12]
y de esto naides se asombre:
el que se tiene por hombre
donde quiera hace pata ancha.[13]

14

Soy gaucho, y entiendaló
como mi lengua lo esplica:
para mí la tierra es chica
y pudiera ser mayor;
ni la víbora me pica
ni quema mi frente el sol.

15

Nací como nace el peje
en el fondo de la mar;
naides me puede quitar
aquello que Dios me dió:
lo que al mundo truje yo
del mundo lo he de llevar.

16

Mi gloria es vivir tan libre
como el pájaro del cielo;
no hago nido en este suelo
ande hay tanto que sufrir,
y naides me ha de seguir
cuando yo remuento el vuelo.

17

Yo no tengo en el amor
quien me venga con querellas;
como esas aves tan bellas
que saltan de rama en rama,
yo hago en el trébol mi cama,
y me cubren las estrellas.

18

Y sepan cuantos escuchan
de mis penas el relato,
que nunca peleo ni mato
sino por necesidá,
y que a tanta alversidá
sólo me arrojó el mal trato.

19

Y atiendan la relación
que hace un gaucho perseguido,
que padre y marido ha sido
empeñoso y diligente,
y sin embargo la gente
lo tiene por un bandido.

II

20

Ninguno me hable de penas,
porque yo penando vivo,
y naides se muestre altivo
aunque en el estribo esté:[14]
que suele quedarse a pie[15]
el gaucho más alvertido.

21

Junta esperencia en la vida
hasta pa dar y prestar
quien la tiene que pasar
entre sufrimiento y llanto,
porque nada enseña tanto
como el sufrir y el llorar.

22

Viene el hombre ciego al mundo,
cuartiándolo[16] la esperanza,
y a poco andar ya lo alcanzan
las desgracias a empujones,
¡la pucha, que trae liciones
el tiempo con sus mudanzas!

23

Yo he conocido esta tierra
en que el paisano vivía
y su ranchito tenía
y sus hijos y mujer . . .
era una delicia el ver
cómo pasaba sus días.

24

Entonces . . . cuando el lucero
brillaba en el cielo santo,
y los gallos con su canto
nos decían que el día llegaba,
a la cocina rumbiaba[17]
el gaucho . . . que era un encanto.

25

Y sentao junto al jogón
a esperar que venga el día,
al cimarrón[18] le prendía[19]
hasta ponerse rechoncho,
mientras su china[20] dormía
tapadita con su poncho.

26

Y apenas la madrugada
empezaba a coloriar,
los pájaros a cantar,
y las gallinas a apiarse,[21]
era cosa de largarse
cada cual a trabajar.

27

Éste se ata las espuelas,
se sale el otro cantando,
uno busca un pellón[22] blando,
éste un lazo, otro un rebenque,
y los pingos relinchando
los llaman dende el palenque.

28

El que era pion domador
enderezaba al corral,
ande estaba el animal
bufidos[23] que se las pela . . .[24]
y más malo que su agüela,
se hacía astillas[25] el bagual.[26]

29

Y allí el gaucho inteligente,
en cuanto el potro enriendó,
los cueros[27] le acomodó
y se le sentó en seguida,
que el hombre muestra en la vida
la astucia que Dios le dió.

30

Y en las playas[28] corcoviando
pedazos se hacía el sotreta[29]
mientras él por las paletas
le jugaba las lloronas,[30]
y al ruido de las caronas[31]
salía haciendo gambetas.

31

¡Ah, tiempos! . . . ¡Si era un orgullo
ver jinetear un paisano!
Cuando era gaucho baquiano,
aunque el potro se boliase,[32]
no había uno que no parase[33]
con el cabresto en la mano.

32

Y mientras domaban unos,
otros al campo salían,
y la hacienda recogían,
las manadas repuntaban,[34]
y ansí sin sentir pasaban
entretenidos el día.

16. ayudándolo; facilitándole el paso. 17. de rumbo; se encaminaba, se dirigía. 18. mate amargo. 19. tomaba, bebía. 20. mujer, compañera.
21. a apearse, bajar de los árboles en cuyas ramas suelen pasar la noche. 22. cuero de lana dispuesto sobre la silla de montar para hacerla más blanda. 23. se sobreentiende *dando*. 24. con todas sus ganas, con toda su alma. 25. se despedazaba. 26. yeguarizo arisco o no domado aún. 27. el apero. 28. terreno llano y exento de árboles o matorrales. 29. caballo inservible por gastado o por viejo. Suele usarse en el sentido opuesto, es decir, como en este caso, para realzar su valor. 30. le hincaba repetidamente las espuelas.
31. cuero o suela que se usa en la silla de montar. 32. se bolease, se arrojase de lomo al suelo, después de alzarse sobre los miembros posteriores, con lo que a veces aplasta al jinete. 33. que no quedase en pie. 34. reunían, juntaban. 35. como la gente: cómodamente. 36. faenas, tareas. 37. de un solo color, lo cual constituía un verdadero lujo. 38. un amor. 39. hierra, el acto de marcar el ganado con hierros calentados al rojo. 40. individuo hábil en enlazar por las patas delanteras al animal en carrera. 41. incansable. 42. damajuana, botellón generalmente forrado de mimbre. 43. aplicábase siempre a la mujer; pero también decíase del hombre que no bebía. 44. tan mal, tan apretada. 45. le descarga.

33

Y verlos al cair la tarde
en la cocina riunidos,
con el juego bien prendido
y mil cosas que contar,
platicar muy divertidos
hasta después de cenar.

34

Y con el buche bien lleno
era cosa superior
irse en brazos del amor
a dormir como la gente,[35]
pa empezar al día siguiente
las fainas[36] del día anterior.

35

Ricuerdo ¡qué maravilla!
cómo andaba la gauchada
siempre alegre y bien montada
y dispuesta pa el trabajo . . .
pero hoy en el día . . . ¡barajo!
no se la ve de aporriada.

36

El gaucho más infeliz
tenía tropilla de un pelo;[37]
no le faltaba un consuelo[38]
y andaba la gente lista . . .
Tendiendo al campo la vista,
sólo vía hacienda y cielo.

37

Cuando llegaban las yerras,[39]
¡cosa que daba calor!
tanto gaucho pialador[40]
y tironiador sin yel.[41]
¡Ah, tiempos . . . pero si en él
se ha visto tanto primor!

38

Aquello no era trabajo,
más bien era una junción,
y después de un güen tirón
en que uno se daba maña,
pa darle un trago de caña
solía llamarlo el patrón.

39

Pues siempre la mamajuana[42]
vivía bajo la carreta.
y aquel que no era chancleta,[43]
en cuanto el goyete vía,
sin miedo se le prendía
como güérfano a la teta.

40

¡Y qué jugadas se armaban
cuando estábamos riunidos!
Siempre íbamos prevenidos,
pues en tales ocasiones
a ayudarles a los piones
caiban muchos comedidos.

41

Eran los días del apuro
y alboroto pa el hembraje,
pa preparar los potajes
y osequiar bien a la gente,
y ansí, pues, muy grandemente,
pasaba siempre el gauchaje.

42

Venía la carne con cuero,
la sabrosa carbonada,
mazamorra bien pisada,
los pasteles y el güen vino . . .
pero ha querido el destino
que todo aquello acabara.

43

Estaba el gaucho en su pago
con toda siguridá,
pero aura . . . ¡barbaridá!,
la cosa anda tan fruncida,[44]
que gasta el pobre la vida
en juir de la autoridá.

44

Pues si usté pisa en su rancho
y si el alcalde lo sabe,
lo caza lo mesmo que ave
aunque su mujer aborte . . .
¡No hay tiempo que no se acabe
ni tiento que no se corte!

45

Y al punto dése por muerto
si el alcalde lo bolea,
pues ahí no más se le apea[45]
con una felpa de palos;
y después dicen que es malo
el gaucho si los pelea.

46

Y el lomo le hinchan a golpes,
y le rompen la cabeza,
y luego con ligereza,
ansí lastimao y todo,
lo amarran codo con codo
y pa el cepo[46] lo enderiezan.[47]

47

Ahí comienzan sus desgracias,
ahí principia el pericón,[48]
porque ya no hay salvación,
y que usté quiera o no quiera,
lo mandan a la frontera[49]
o lo echan a un batallón.

48

Ansí empezaron mis males
lo mesmo que los de tantos;
si gustan . . . en otros cantos
les diré lo que he sufrido:
Después que uno está perdido
no lo salvan ni los santos.

III

49

Tuve en mi pago en un tiempo
hijos, hacienda y mujer,
pero empecé a padecer,
me echaron a la frontera,
¡y qué iba a hallar al volver!
tan sólo hallé la tapera.[50]

50

Sosegao vivía en mi rancho
como el pájaro en su nido;
allí mis hijos queridos
iban creciendo a mi lao . . .
Sólo queda al desgraciao
lamentar el bien perdido.

51

Mi gala en las pulperías
era, en habiendo más gente,
ponerme medio caliente,[51]
pues cuando puntiao[52] me encuentro
me salen coplas de adentro
como agua de la virtiente.

52

Cantando estaba una vez
en una gran diversión,
y aprovechó la ocasión
como quiso el juez de paz . . .[53]
Se presentó, y ahí no más
hizo una arriada en montón. [. . .]

En el resto de esto canto (estrofas 53 a 103); todo el canto IV (estrofas 104 a 133), el V (estrofas 134 a 155) y comienzos del VI (estrofas 156 a 164), Martín Fierro cuenta sus desventuras y trabajos en el ejército, hasta que decide desertar.

165

Una noche que riunidos
estaban en la carpeta
empinando una limeta[54]
el jefe y el juez de paz,
yo no quise aguardar más,
y me hice humo en un sotreta.

166

Para mí el campo son flores
dende que libre me veo;
donde me lleva el deseo
allí mis pasos dirijo,
y hasta en las sombras, de fijo
que adonde quiera rumbeo.

167

Entro y salgo del peligro
sin que me espante el estrago,
no aflojo al primer amago
ni jamás fí gaucho lerdo:
soy pa rumbiar como el cerdo,[55]
y pronto cái a mi pago.

168

Volvía al cabo de tres años
de tanto sufrir al ñudo,

46. instrumento de tortura que mantenía sujeto al individuo por las piernas y el cuello. 47. lo enderezan, lo mandan, lo llevan. 48. baile tradicional argentino y uruguayo. En este caso, sinónimo de *baile* en el sentido de líos, calamidades o desgracias. 49. llamábase así a la línea avanzada de fortines que defendían del indio las tierras ocupadas por los cristianos. 50. habitación, casa o rancho en ruinas y abandonado.
51 y 52. medio caliente; puntiao: alegre, algo bebido. 53. se los llevó a todos detenidos. 54. bebiendo de un frasco. 55. Procede del refranero español: « Al yerno y al cochino, una vez el camino. » 56. armadillo suramericano de pequeño tamaño. 57. esta línea de puntos, conservada aquí por aparecer en el texto original tan sólo indica una transición en el relato. 58. moneda de uno o dos centavos. 59. casa de expósitos, inclusa. 60. Recuerda el refrán: « Ni padre, ni madre, ni perro que le ladre. »
61. abrigo consistente en un techo de ramaje sostenido por postes. 62. guarecerse.

resertor, pobre y desnudo,
a procurar suerte nueva;
y lo mesmo que el peludo[56]
enderecé pa mi cueva.

169

No hallé ni rastro del rancho:
¡sólo estaba la tapera!
¡Por Cristo, si aquello era
pa enlutar el corazón
yo juré en esa ocasión
ser más malo que una fiera!

170

¡Quién no sentirá lo mesmo
cuando así padece tanto!
Puedo asigurar que el llanto
como una mujer largué:
¡Ay, mi Dios: si me quedé
más triste que Jueves Santo!

171

Sólo se oiban los aullidos
de un gato que se salvó;
el pobre se guareció
cerca, en una vizcachera:
venía como si supiera
que estaba de güelta yo.

172

Al dirme dejé la hacienda
que era todito mi haber;
pronto debíamos volver,
sigún el Juez prometía,
y hasta entonces cuidaría
de los bienes, la mujer.
. . . .[57]

173

Después me contó un vecino
que el campo se lo pidieron;
la hacienda se la vendieron
pa pagar arrendamientos,
y qué sé yo cuántos cuentos;
pero todo lo fundieron.

174

Los pobrecitos muchachos,
entre tantas afliciones,
se conchabaron de piones;
¡mas qué iban a trabajar,
si eran como los pichones
sin acabar de emplumar!

175

Por ahí andarán sufriendo
de nuestra suerte el rigor:
me han contao que el mayor
nunca dejaba a su hermano;
puede ser que algún cristiano
los recoja por favor.

176

¡Y la pobre mi mujer
Dios sabe cuánto sufrió!
Me dicen que se voló
con no sé qué gavilán,
sin duda a buscar el pan
que no podía darle yo.

177

No es raro que a uno le falte
lo que a algún otro le sobre
si no le quedó ni un cobre[58]
sino de hijos un enjambre.
¿Qué más iba a hacer la pobre
para no morirse de hambre?

178

Tal vez no te vuelva a ver,
prenda de mi corazón
Dios te dé su proteción
ya que no me la dió a mí,
y a mis hijos dende aquí
les echo mi bendición.

179

Como hijitos de la cuna[59]
andarán por ahí sin madre;
ya se quedaron sin padre,
y ansí la suerte los deja
sin naides que los proteja
y sin perro que les ladre.[60]

180

Los pobrecitos tal vez
no tengan ande abrigarse,
ni ramada[61] ande ganarse,[62]
ni rincón ande meterse,
ni camisa que ponerse,
ni poncho con que taparse.

181

Tal vez los verán sufrir
sin tenerles compasión;
puede que alguna ocasión,
aunque los vean tiritando,
los echen de algún jogón
pa que no estén estorbando.

182

Y al verse ansina espantaos[63]
como se espanta a los perros,
irán los hijos de Fierro,
con la cola entre las piernas,
a buscar almas más tiernas
o esconderse en algún cerro.

183

Mas también en este juego
voy a pedir mi bolada,[64]
a naides le debo nada,
ni pido cuartel ni doy
y ninguno dende hoy
ha de llevarme en la armada.[65]

184

Yo he sido manso, primero,
y seré gaucho matrero
en mi triste circustancia,
aunque es mi mal tan projundo;
nací y me he criao en estancia,
pero ya conozco el mundo.

185

Ya le conozco sus mañas,
le conozco sus cucañas;[66]
sé cómo hacen la partida,
la enriedan y la manejan;
desharé la madeja
aunque me cueste la vida.

186

Y aguante el que no se anime
a meterse en tanto engorro
o si no aprétese el gorro[67]
y para otra tierra emigre;
pero yo ando como el tigre
que le roban los cachorros.

187

Aunque muchos cren que el gaucho
tiene alma de reyuno,[68]
no se encontrará a ninguno
que no lo dueblen las penas;
mas no debe aflojar uno
mientras hay sangre en las venas.

VII

188

De carta de más me vía[69]
sin saber a dónde dirme,[70]
mas dijeron que era vago
y entraron a perseguirme.

189

Nunca se achican los males,
van poco a poco creciendo,
y ansina me vide pronto
obligao a andar juyendo.

190

No tenía mujer ni rancho,
y a más, era resertor;
no tenía una prenda güena
ni un peso en el tirador.[71]

191

A mis hijos infelices
pensé volverlos a hallar,

63. espantados; arrojados, echados. 64. tomar parte; meterse resueltamente en un asunto. 65. La *armada* en un lazo es la lazada corrediza que se hace con la argolla. Aquí, en el sentido de arrastrar a uno a hacer lo que se pretende, por engaño o por fácil dominación. 66. acciones basadas en la mala fe; arterías. 67. aprietese, sujétese el gorro, huya sin perder tiempo. 68. alma insensible y despiadada. 69. sabía que allí estaba de más. 70. *Dirme,* por irme, como *dentrar* por entrar, rusticismos comunes a todas las regiones de habla castellana.
71. cinto de cuero, ancho y con bolsillos, a veces enriquecido con monedas. 72. me embriagué. 73 y 74. borrachera. 75. comida que se hace con maíz y leche. 76. Véase nota 31. Formaba parte del lecho del gaucho; de ahí su picaresca alusión. 77. zumbona, burlona. 78. incomodado, enojado. 79. en el doble sentido de *por rudo,* torpe, basto, y *porrudo* que tiene porra, pelo greñudo. 80. calzado tosco usado por los negros consistente en un trozo de cuero bruto que cubría el pie hasta el tobillo.
81. seguro de sí mismo, confiado en su valor. 82. se me echó encima al instante. 83. hallar el modo de herirlo o matarlo con más facilidad. 84. ginebra. 85. desenvainando, sacando. 86. cuchillo cuyo cabo se reforzaba con tiras frescas de verga, que apretaban mucho al secarse. 87. despejé algún espacio. 88. se había quitado el poncho, con el que se envolvió el brazo izquierdo para detener así los ataques del contrario. 89. era bravo y duro de pelar.

y andaba de un lao al otro
sin tener ni qué pitar.

192

Supe una vez por desgracia
que había un baile por allí,
y medio desesperao
a ver la milonga fuí.

193

Riunidos al pericón
tantos amigos hallé,
que alegre de verme entre ellos
esa noche me apedé.[72]

194

Como nunca, en la ocasión
por peliar me dió la tranca,[73]
y la emprendí con un negro
que trujo una negra en ancas.

195

Al ver llegar la morena,
que no hacía caso de naides,
la dije con la mamúa:[74]
« Va . . . ca . . . yendo gente al baile. »

196

La negra entendió la cosa
y no tardó en contestarme,
mirándomé como a perro:
« Más vaca será su madre. »

197

Y dentró al baile muy tiesa
con más cola que una zorra,
haciendo blanquiar los dientes
lo mesmo que mazamorra.[75]

198

« ¡Negra linda! » . . . dije yo.
« Me gusta . . . pa la carona »;[76]
y me puse a talariar
esta coplita fregona:[77]

199

« A los blancos hizo Dios,
a los mulatos San Pedro,
a los negros hizo el diablo
para tizón del infierno. »

200

Había estao juntando rabia
el moreno dende ajuera;
en lo escuro le brillaban
los ojos como linterna.

201

Lo conocí retobao,[78]
me acerqué y le dije presto:
« Po . . . r . . . rudo[79] que un hombre sea
nunca se enoja por esto. »

202

Corcovió el de los tamangos[80]
y creyéndose muy fijo:[81]
« ¡Más porrudo serás vos,
gaucho rotoso! », me dijo.

203

Y ya se me vino al humo[82]
como a buscarme la hebra,[83]
y un golpe le acomodé
con el porrón de giñebra.[84]

204

Ahí no más pegó el de hollín
más gruñidos que un chanchito,
y pelando[85] el envenao[86]
me atropelló dando gritos.

205

Pegué un grito y abrí cancha[87]
diciéndolés: « Caballeros,
dejen venir ese toro;
solo nací . . ., solo muero. »

206

El negro, después del golpe,
se había el poncho refalao[88]
y dijo: « Vas a saber
si es solo o acompañao. »

207

Y mientras se arremangó,
yo me saqué las espuelas,
pues malicié que aquel tío
no era de arriar con las riendas.[89]

208

No hay cosa como el peligro
pa refrescar un mamao;[90]
hasta la vista se aclara
por mucho que haiga chupao.[91]

209

El negro me atropelló
como a quererme comer;[92]
me hizo dos tiros seguidos
y los dos le abarajé.[93]

210

Yo tenía un facón con S,[94]
que era de lima de acero;[95]
le hice un tiro, lo quitó
y vino ciego el moreno.

211

Y en el medio de las aspas[96]
un planazo[97] le asenté,
que lo largué culebriando
lo mesmo que buscapié.[98]

212

Le coloriaron las motas
con la sangre de la herida,
y volvió a venir jurioso
como una tigra parida.

213

Y ya me hizo relumbrar
por los ojos el cuchillo,
alcanzando con la punta
a cortarme en un carrillo.

214

Me hirvió la sangre en las venas
y me le afirmé al moreno,
dándolé de punta y hacha[99]
pa dejar un diablo menos.

215

Por fin en una topada[100]
en el cuchillo lo alcé,
y como un saco de güesos
contra un cerco lo largué.

216

Tiró unas cuantas patadas
y ya cantó pal carnero.[101]
Nunca me puedo olvidar
de la agonía de aquel negro.

217

En esto la negra vino
con los ojos como ají,[102]
y empezó la pobre allí
a bramar como una loba.
Yo quise darle una soba
a ver si la hacía callar,
mas pude reflesionar
que era malo en aquel punto,
y por respeto al dijunto
no la quise castigar.

218

Limpié el facón en los pastos,
desaté mi redomón,
monté despacio y salí
al tranco[103] pa el cañadón.[104]

219

Después supe que al finao
ni siquiera lo velaron,
y retobao[105] en un cuero,
sin rezarle lo enterraron.

220

Y dicen que dende entonces,
cuando es la noche serena
suele verse una luz mala[106]
como de alma que anda en pena.[107]

90. ebrio, borracho.
91. bebido, tomado. 92. con ganas, resueltamente. 93. atajé, paré, detuve. 94. puñal muy largo, con gavilanes en forma de esa letra. 95. construído con una lima de ese metal. 96. en el medio de las aspas, o de las astas o cuernos; en medio de la frente. 97. golpe descargado con el costado del facón. 98. tambaleándose. *Buscapiés* es un cohete sin varilla que, encendido, corre por el suelo. 99. a estocadas y mandobles, o tajos. 100. ataque, encuentro. 101. murió. 102. como el pimiento, colorados. 103. lentamente. 104. faja de terreno bajo en medio de dos lomas. 105. envuelto o metido en el cuerpo no curtido de un animal. 106. fuego fatuo. 107. alma que sale del purgatorio para pedir que recen por ella a quienes se aparece. 108. ave que tiene su nombre del grito que lanza al menor ruido que percibe. 109. escuchar atentamente. 110. El gaucho, como el indio, pegaba su oído a tierra, pues en ella repercute a lo lejos el ruido del galope.
111. espiado. 112. flojo, cobarde. 113. trago. 114. arrojé el porrón, como el mataco — especie de armadillo —, deja su presa para ponerse a la defensiva al verse en peligro. 115. si me van a maltratar. 116. El ancho y adornado calzoncillo del gaucho llegaba hasta los tobillos; lo que explica la precaución de arremangárselo para no enredarse o pisarlo. 117. para no perder el tiempo en desatarlo, si era necesario huir, pues bastaba con dar un tirón.

221

Yo tengo intención a veces,
para que no pene tanto,
de sacar de allí los güesos
y echarlos al camposanto. [. . .]

En el canto VIII (estrofas 222 a 241) tiene lugar un lance con otro gaucho, al que Fierro mata, decidiéndose su suerte. Del canto IX se suprimen las estrofas 242 a 251, que contienen las reflexiones de Fierro sobre su vida pasada.

251

Ansí me hallaba una noche
contemplando las estrellas,
que le parecen más bellas
cuanto uno es más desgraciao,
y que Dios las haiga criao
para consolarse en ellas.

252

Les tiene el hombre cariño
y siempre con alegría
ve salir las Tres Marías;
que si llueve, cuando escampa,
las estrellas son la guía
que el gaucho tiene en la pampa.

253

Aquí no valen dotores,
sólo vale la esperencia;
aquí verían su inocencia
esos que todo lo saben,
porque esto tiene otra llave
y el gaucho tiene su cencia.

254

Es triste en medio del campo
pasarse noches enteras
contemplando en sus carreras
las estrellas que Dios cría,
sin tener más compañía
que su soledá y las fieras.

255

Me encontraba, como digo,
en aquella soledá,
entre tanta escuridá,
echando al viento mis quejas,
cuando el grito del chajá[108]
me hizo parar las orejas.[109]

256

Como lumbriz me pegué
al suelo para escuchar;[110]
pronto sentí retumbar
las pisadas de los fletes,
y que eran muchos jinetes
conocí sin vacilar.

257

Cuando el hombre está en peligro
no debe tener confianza;
ansí tendido de panza
puse toda mi atención,
y ya escuché sin tardanza
como el ruido de un latón.

258

Se venían tan calladitos
que yo me puse en cuidao;
tal vez me hubieran bombiao[111]
y me venían a buscar;
mas no quise disparar,
que eso es de gaucho morao.[112]

259

Al punto me santigüé
y eché de giñebra un taco;[113]
lo mesmito que el mataco
me arroyé con el porrón;[114]
« Si han de darme pa tabaco,[115]
dije, ésta es güena ocasión. »

260

Me refalé las espuelas,
para no peliar con grillos;
me arremangué el calzoncillo,[116]
y me ajusté bien la faja,
y en una mata de paja
probé el filo del cuchillo.

261

Para tenerlo a la mano
el flete en el pasto até,[117]
la cincha le acomodé,
y, en un trance como aquél,
haciendo espaldas en él
quietito los aguardé.

262

Cuando cerca los sentí,
y que áhi no más se pararon,

los pelos se me erizaron
y aunque nada vían mis ojos,
« No se han de morir de antojo »,[118]
les dije, cuando llegaron.

263

Yo quise hacerles saber
que allí se hallaba un varón;
les conocí la intención
y solamente por eso
es que les gané el tirón,[119]
sin aguardar voz de preso.[120]

264

« Vos sos un gaucho matrero »,
dijo uno, haciéndosé el güeno.[121]
« Vos matastes un moreno
y otro en una pulpería,
y aquí está la polecía
que viene a ajustar tus cuentas;
te va alzar por las cuarenta[122]
si te resistís hoy día. »

265

« No me vengan, contesté,
con relación de dijuntos;
esos son otros asuntos;
vean si me pueden llevar,
que yo no me he de entregar,
aunque vengan todos juntos. »

266

Pero no aguardaron más
y se apiaron en montón;
como a perro cimarrón
me rodiaron entre tantos;
ya me encomendé a los santos,
y eché mano a mi facón.

267

Y ya vide el fogonazo
de un tiro de garabina,[123]
mas quiso la suerte indina
de aquel maula,[124] que me errase,
y ahí no más lo levantase
lo mesmo que una sardina.[125]

268

A otro que estaba apurao
acomodando una bola,
le hice una dentrada[126] sola
y le hice sentir el fierro,
y ya salió como el perro
cuando le pisan la cola.

269

Era tanta la aflición
y la angurria[127] que tenían,
que tuitos se me venían,
donde yo los esperaba;
uno al otro se estorbaba
y con las ganas no vían.

270

Dos de ellos que traiban sable
más garifos[128] y resueltos,
en las hilachas envueltos
enfrente se me pararon,
y a un tiempo me atropellaron
lo mesmo que perros sueltos.

271

Me fuí reculando en falso
y el poncho adelante eché,
y en cuanto le puso el pie
uno medio chapetón,[129]
de pronto le di un tirón
y de espaldas lo largué.

272

Al verse sin compañero
el otro se sofrenó;[130]
entonces le dentré yo,
sin dejarlo resollar,
pero ya empezó a aflojar
y a la pun . . . ta disparó.

118. no se han de quedar con las ganas. 119. pegar, atacar antes que los demás. 120. intimación de dejarse prender.
121. dándoselas de valiente. 122. lance ganador de cierto juego de naipes. El sentido de la expresión aquí empleada es: vas a salir perdiendo. 123. carabina. 124. cobarde. El gaucho tenía por cobardía el uso de las armas de fuego. 125. con la punta del cuchillo. 126. entrada, arremetida, ataque. 127. ansia, avidez. 128. orondos, presumidos. 129. poco ducho, inexperto. 130. se paró o detuvo de repente.
131. como si yo fuera incapaz de defenderme, como si fuera un palo. 132. alude a las propiedades medicinales de la malva. 133. encogido y en guardia. 134. desmenuzando con ella la tierra para arrojársela luego a los ojos. 135. se me apeó, se me descargó. 136. me hiere en la cabeza. 137. los ojos. 138. a fondo completamente. 139. doble sentido de la palabra *hoyo;* en el segundo caso, la sepultura. 140. se me aparejó, se me puso al lado.
141. era demasiado fácil. 142. sobre seguro. 143. tan malherido que iba echado sobre el caballo. 144. una oración que empieza con esa palabra.

273

Uno que en una tacuara
había atao una tijera,
se vino como si juera
palenque de atar terneros,[131]
pero en dos tiros certeros
salió aullando campo ajuera.

274

Por suerte en aquel momento
venía coloriando el alba
y yo dije: « Si me salva
la Virgen en este apuro,
en adelante le juro
ser más güeno que una malva. »[132]

275

Pegué un brinco y entre todos
sin miedo me entreveré;
hecho ovillo[133] me quedé
y ya me cargó una yunta,
y por el suelo la punta
de mi facón les jugué.[134]

276

El más engolosinao
se me apió[135] con un hachazo;
se lo quité con el brazo;
de no, me mata los piojos;[136]
y antes de que diera un paso
le eché tierra en los dos ojos.

277

Y mientras se sacudía
refregándose la vista,[137]
yo me le fuí como lista[138]
y ahí no más me le afirmé,
diciéndole: « Dios te asista »,
y de un revés lo voltié.

278

Pero en ese punto mesmo
sentí que por las costillas
un sable me hacía cosquillas
y la sangre se me heló;
dende ese momento yo
me salí de mis casillas.

279

Di para atrás unos pasos
hasta que pude hacer pie;
por delante me lo eché
de punta y tajos a un criollo;
metió la pata en un hoyo,
y yo al hoyo[139] lo mandé.

280

Tal vez en el corazón
le tocó un santo bendito
a un gaucho, que pegó el grito
y dijo: « ¡Cruz no consiente
que se cometa el delito
de matar ansí a un valiente! »

281

Y áhi no más se me apario[140]
dentrándole a la partida;
yo les hice otra embestida
pues entre dos era robo;[141]
y el Cruz era como lobo
que defiende su guarida.

282

Uno despachó al infierno
de dos que lo atropellaron;
los demás remoliniaron,
pues íbamos a la fija,[142]
y a poco andar dispararon
lo mesmo que sabandija.

283

Ahí quedaron largo a largo
los que estiraron la jeta;
otro iba como maleta,[143]
y Cruz de atrás les decía:
« Que venga otra polecía
a llevarlos en carreta. »

284

Yo junté las osamentas,
me hinqué y les recé un bendito,[144]
hice una cruz de un palito
y pedí a mi Dios clemente
me perdonara el delito
de haber muerto tanta gente.

285

Dejamos amontonaos
a los pobres que murieron;
no sé si los recogieron,
porque nos fimos a un rancho,
o si tal vez los caranchos
ahi no más se los comieron.

286

Lo agarramos mano a mano
entre los dos al porrón;
en semejante ocasión
un trago a cualquiera encanta;
y Cruz no era remolón
ni pijotiaba[145] garganta.

287

Calentamos los gargueros
y nos largamos muy tiesos,[146]
siguiendo siempre los besos
al pichel,[147] y por más señas,
íbamos como cigüeñas
estirando los pescuezos.[148]

288

« Yo me voy, le dije, amigo,
donde la suerte me lleve,
y si es que alguno se atreve,
a ponerse en mi camino,
yo seguiré mi destino,
que el hombre hace lo que debe.

289

» Soy un gaucho desgraciao,
no tengo donde ampararme,
ni un palo donde rascarme,
ni un árbol que me cobije;
pero ni aun esto me aflige
porque yo sé manejarme.

290

» Antes de cáir al servicio,
tenía familia y hacienda;
cuando volví, ni la prenda[149]
me la habían dejao ya:
dios sabe en lo que vendrá
a parar esta contienda. »

Cruz[150]

X

291

— Amigazo, pa sufrir
han nacido los varones;
estas son las ocasiones
de mostrarse un hombre juerte,
hasta que venga la muerte
y lo agarre a coscorrones.

292

El andar tan despilchao[151]
ningún mérito me quita;
sin ser un alma bendita
me duelo del mal ajeno:
soy un pastel con relleno
que parece torta frita.[152]

293

Tampoco me faltan males
y desgracias, le prevengo;
también mis desdichas tengo,
aunque esto poco me aflige:
yo sé hacerme el chancho rengo[153]
cuando la cosa lo esige.

294

Y con algunos ardiles[154]
voy viviendo, aunque rotoso;
a veces me hago el sarnoso[155]
y no tengo ni un granito,
pero al chifle[156] voy ganoso
como panzón al maíz frito.[157]

295

A mí no me matan penas
mientras tenga el cuero sano;
venga el sol en el verano
y la escarcha en el invierno.
Si este mundo es un infierno
¿por qué afligirse el cristiano?

145. mezquinaba. 146. muy campantes. 147. reiterados tragos del frasco. 148. es decir, desviando la cabeza para mirar en todas direcciones por si alguien los perseguía. 149. la mujer, la compañera. 150. El gaucho Cruz empieza a cantar, respondiendo a Fierro, y sigue hasta el canto XIII.
151. sin pilchas, o con ellas en mal estado. 152. A pesar de mi humilde aspecto soy hombre que valgo. 153. hacerme el cerdo cojo, disimular. 154. ardides, mañas. 155. me hago el tonto. 156. recipiente para agua o aguardiente hecho con un cuerno de buey. 157. llámase también *pororó*. 158. resistámonos, hagámosles frente. 159. pájaro confiado que se deja atrapar fácilmente. 160. en la trampa, pues el lazo que lo apresaba se hallaba atado a una estaca. Un cordero solía servir de cebo para atraer al zorro.
161. es decir, la mujer con quien se vive. 162. manto que cubría la cabeza y busto. 163. sin perder ocasión. 164. allegando con disimulo, poco a poco. 165. sanguijuela, en guaraní. 166. desbancado, suplantado.

296

Hagámoslé cara fiera[158]
a los males, compañero,
porque el zorro más matrero
suele cair como un chorlito,[159]
viene por un corderito
y en la estaca[160] deja el cuero.

297

Hoy tenemos que sufrir
males que no tienen nombre,
pero esto a naides lo asombre
porque ansina es el pastel,
y tiene que dar el hombre
más güeltas que un carretel.

298

Yo nunca me he de entregar
a los brazos de la muerte;
arrastro mi triste suerte
paso a paso y como pueda,
que donde el débil se queda
se suele escapar el juerte.

299

Y ricuerde cada cual
lo que cada cual sufrió,
que lo que es, amigo, yo,
hago ansí la cuenta mía:
ya lo pasado pasó;
mañana será otro día.

300

Yo también tuve una pilcha[161]
que me enllenó el corazón,
y si en aquella ocasión
alguien me hubiera buscao,
siguro que me había hallao
más prendido que un botón.

301

En la güeya del querer
no hay animal que se pierda;
las mujeres no son lerdas,
y todo gaucho es dotor
si pa cantarle al amor
tiene que templar las cuerdas.

302

¡Quién es de una alma tan dura
que no quiera una mujer!
Lo alivia en su padecer:
si no sale calavera
es la mejor compañera
que el hombre puede tener.

303

Si es güena, no lo abandona
cuando lo ve desgraciao,
lo asiste con su cuidao,
y con afán cariñoso,
y usté tal vez ni un rebozo[162]
ni una pollera le ha dao.

304

Grandemente lo pasaba
con aquella prenda mía,
viviendo con alegría
como la mosca en la miel.
¡Amigo, qué tiempo aquél!
¡La pucha que la quería!

305

Era la águila que a un árbol
dende las nubes bajó;
era más linda que el alba
cuando va rayando el sol;
era la flor deliciosa
que entre el trebolar creció.

306

Pero, amigo, el Comendante
que mandaba la milicia,
como que no desperdicia[163]
se fué refalando[164] a casa;
yo le conocí en la traza
que el hombre traiba malicia.

307

Él me daba voz de amigo,
pero no le tenía fe;
era el jefe, y ya se ve,
no podía competir yo;
en mi rancho se pegó
lo mesmo que saguaipé.[165]

308

A poco andar, conocí
que ya me había desbancao,[166]
y él siempre muy entonao,
aunque sin darme ni un cobre,
me tenía de lao a lao
como encomienda de pobre.

309

A cada rato, de chasque[167]
me hacía dir a gran distancia;
ya me mandaba a una estancia,
ya al pueblo, ya a la frontera;
pero él en la comendancia
no ponía los pies siquiera.

310

Es triste a no poder más
el hombre en su padecer,
si no tiene una mujer
que lo ampare y lo consuele:
mas pa que otro se la pele[168]
lo mejor es no tener.

311

No me gusta que otro gallo
le cacaree a mi gallina;
yo andaba ya con la espina,
hasta que en una ocasión
lo pillé junto al jogón
abrazándome a la china.

312

Tenía el viejito una cara
de ternero mal lamido,[169]
y al verle tan atrevido
le dije: « Que le aproveche
que había sido pa el amor
como guacho[170] pa la leche. »

313

Peló[171] la espada y se vino
como a quererme ensartar,
pero yo sin tutubiar
le volví al punto a decir:
« Cuidao, no te vas a pér . . . tigo[172]
poné cuarta pa salir. »[173]

314

Un puntazo me largó,
pero el cuerpo le saqué,
y en cuanto se lo quité,
para no matar a un viejo,
con cuidao, medio de lejos,
un planazo le asenté.[174]

315

Y como nunca al que manda
le falta algún adulón,
uno que en esa ocasión
se encontraba allí presente,
vino apretando los dientes
como perrito mamón.

316

Me hizo un tiro de revuélver[175]
que el hombre creyó siguro;
era confiao y le juro
que cerquita se arrimaba,
pero, siempre en un apuro
se desentumen mis tabas.[176]

317

El me siguió menudiando[177]
mas sin poderme acertar,
y yo, déle culebriar,[178]
hasta que al fin le dentré[179]
y ahí no más lo despaché[180]
sin dejarlo resollar.

318

Dentré a campiar[181] en seguida
al viejito enamorao.
El pobre se había ganao[182]
en un noque de lejía.[183]
¡Quién sabe cómo estaría
del susto que había llevao!

319

¡Es sonso el cristiano macho
cuando el amor lo domina!
Él la miraba a la indina,
y una cosa tan jedionda
sentí yo, que ni en la fonda
he visto tal jedentina.

167. mensajero, en quechua. 168. se la saque, se la robe. 169. cara de barbas revueltas y no peinadas. 170. mamón que queda sin madre o al que se la quitan y que, por lo tanto, ansía la leche materna.
171. desenvainó, sacó. 172. quiere decir: « no te vas a peer », y para disimular emplea esa otra palabra; quiere decir que le hacía falta ayuda. 173. salir del atolladero, de la difícil situación en que está. 174. pegué, dí. 175. revólver. 176. tengo mucha agilidad. 177. menudeando, disparando tiros sin escatimar municiones.
178. esquivando continuamente. 179. le entré, me tiré a fondo. 180. lo maté, lo mandé al otro mundo.
181. buscar. 182. ganado, metido, escondido. 183. recipiente de cuero en que se traía la lejía, o sea la ceniza del arbusto llamado *jume*. 184. el mal olor resultante del susto. 185. las prendas de vestir y el apero. 186. por lo traicionera que suele ser en esa ocasión. 187. Vuelve a cantar Martín Fierro. 188. me resbalo, me marcho. 189. lleno de colorido como un cuadro.

320

Y le dije: « Pa su agüela
han de ser esas perdices. »[184]
Yo me tapé las narices,
y me salí esternudando,
y el viejo quedó olfatiando
como chico con lumbrices.

321

Cuando la mula recula,
señal que quiere cociar,
ansí se suele portar
aunque ella lo disimula;
recula como la mula
la mujer, para olvidar.

322

Alcé mi poncho y mis prendas[185]
y me largué a padecer
por culpa de una mujer
que quiso engañar a dos;
al rancho le dije adiós,
para nunca más volver.

323

Las mujeres, dende entonces,
conocí a todas en una.
Ya no he de probar fortuna
con carta tan conocida:
mujer y perra parida,[186]
no se me acerca ninguna [. . .]

En los cantos XI y XII (estrofas 324 a 366) continúa el sargento Cruz narrando su historia, semejante a la de Martín Fierro. Y éste vuelve a tomar la palabra en el canto XIII (estrofa 367), como sigue:

XIII

Martín Fierro[187]

367

— Ya veo que somos los dos
astillas del mesmo palo:
yo paso por gaucho malo
y usté anda del mesmo modo;
y yo, pa acabarlo todo,
a los indios me refalo.[188]

368

Pido perdón a mi Dios
que tantos bienes me hizo,
pero dende que es preciso
que viva entre los infieles,
yo seré cruel con los crueles:
ansí mi suerte lo quiso.

369

Dios formó lindas las flores,
delicadas como son;
les dió toda perfeción
y cuanto él era capaz,
pero al hombre le dió más
cuando le dió el corazón.

370

Le dió claridá a la luz,
juerza en su carrera al viento,
le dió vida y movimiento
dende la águila al gusano;
pero más le dió al cristiano
al darle el entendimiento.

371

Y aunque a las aves les dió,
con otras cosas que inoro,
esos piquitos como oro
y un plumaje como tabla,[189]
le dió al hombre más tesoro
al darle una lengua que habla.

372

Y dende que dió a las fieras
esa juria tan inmensa,
que no hay poder que las venza
ni nada que las asombre,
¿qué menos le daría al hombre
que el valor pa su defensa?

373

Pero tantos bienes juntos
al darle, malicio yo
que en sus adentros pensó
que el hombre los precisaba,
que los bienes igualaban
con las penas que le dió.

374

Y yo empujao por las mías
quiero salir de este infierno;

ya no soy pichón muy tierno
y sé manejar la lanza,
y hasta los indios no alcanza
la facultá del gobierno.

375

Yo sé que allá los caciques
amparan a los cristianos,
y que los tratan de « hermanos »
cuando se van por su gusto.
¿A qué andar pasando sustos?
Alcemos el poncho y vamos.

376

En la cruzada hay peligros,
pero ni aun esto me aterra:
yo ruedo sobre la tierra
arrastrao por mi destino;
y si erramos el camino . . .
no es el primero que lo erra.

377

Si hemos de salvar o no,
de esto naides nos responde;
derecho ande el sol se esconde
tierra adentro hay que tirar;
algún día hemos de llegar . . .
después sabremos adónde.

378

No hemos de perder el rumbo,
los dos somos güena yunta;
el que es gaucho ve ande apunta[190]
aunque inora ande se encuentra;
pa el lao en que el sol se dentra
dueblan los pastos la punta.

379

De hambre no pereceremos,
pues, sigún otros me han dicho,
en los campos se hallan bichos
de los que uno necesita . . .
gamas,[191] matacos, mulitas,[192]
avestruces y quirquinchos.

380

Cuando se anda en el desierto
se come uno hasta las colas;
lo han cruzao mujeres solas
llegando al fin con salú,
y ha de ser gaucho[193] el ñandú
que se escape de mis bolas.

381

Tampoco a la sé le temo,
yo la aguanto muy contento;
busco agua olfatiando el viento
y, dende que no soy manco,
ande hay duraznillo blanco[194]
cavo, y la saco al momento.

382

Allá habrá siguridá
ya que aquí no la tenemos;
menos males pasaremos
y ha de haber grande alegría
el día que nos descolguemos[195]
en alguna toldería.

383

Fabricaremos un toldo,
como lo hacen tantos otros,
con unos cueros de potro,
que sea sala y sea cocina.
¡Tal vez no falte una china
que se apiade de nosotros!

384

Allá no hay que trabajar,
vive uno como un señor;
de cuando en cuando un malón,
y si de él sale con vida,
lo pasa echao panza arriba
mirando dar güelta el sol.

385

Y ya que a juerza de golpes
la suerte nos dejó a flus,[196]
puede que allá veamos luz
y se acaben nuestras penas.
Todas las tierras son güenas;
vámosnós, amigo Cruz.

190. ve a donde apunta, a donde se dirige.
191. la hembra del gamo, o venado. 192. otra especie de armadillo o quirquincho. 193. vivo, hábil. 194. El duraznillo blanco crece en los lugares donde el agua se halla casi a flor de tierra. 195. lleguemos de modo inesperado. 196. en situación muy difícil, como la del jugador al que no le resta más remedio que el del *flux*, que es el menos fácil. 197. peregrinaciones, malandanzas. 198. la dirección señalada. 199. un conjunto de desdichas entrelazadas. 200. Como en los casos anteriores, indica el título que el nombrado empieza a cantar; y prosigue hasta el canto XIX.
201. peliaguda, ardua, dificultosa.

386

El que maneja las bolas,
el que sabe echar un pial
y sentársele a un bagual
sin miedo de que lo baje,
entre los mesmos salvajes
no puede pasarlo mal.

387

El amor como la guerra
lo hace el criollo con canciones;
a más de eso en los malones
podemos aviarnos de algo;
en fin, amigo, yo salgo
de estas pelegrinaciones.[197]

388

En este punto el cantor
buscó un porrón pa consuelo,
echó un trago como un cielo,
dando fin a su argumento;
y de un golpe el istrumento
lo hizo astillas contra el suelo.

389

« Ruempo — dijo —, la guitarra,
pa no volverme a tentar;
ninguno la ha de tocar,
por siguro ténganló;
pues naides ha de cantar
cuando este gaucho cantó. »

390

Y daré fin a mis coplas
con aire de relación;
nunca falta un preguntón
más curioso que mujer,
y tal vez quiera saber
cómo jué la conclusión.

391

Cruz y Fierro de una estancia
una tropilla se arriaron;
por delante se la echaron
como criollos entendidos,
y pronto sin ser sentidos
por la frontera cruzaron.

392

Y cuando la habían pasao,
una madrugada clara
le dijo Cruz que mirara
las últimas poblaciones,
y a Fierro dos lagrimones
le rodaron por la cara.

393

Y siguiendo en fiel del rumbo[198]
se entraron en el desierto.
No sé si los habrán muerto
en alguna correría,
pero espero que algún día
sabré de ellos algo cierto.

394

Y ya con estas noticias
mi relación acabé;
por ser ciertas las conté,
todas las desgracias dichas:
es un telar de desdichas[199]
cada gaucho que usté ve.

395

Pero ponga su esperanza
en el Dios que lo formó;
y aquí me despido yo
que he relatao a mi modo
males que conocen todos,
pero que naides contó.

SEGUNDA PARTE: LA VUELTA

De la Segunda parte del poema damos sólo la historia del hijo segundo de Martín (cantos XIII al XVI); y se suprimen los cantos XVII, XVIII, XIX y XX en los que el muchacho termina su narración, así como la historia del hijo del sargento Cruz. Y pasamos al fin del poema, con los consejos de Martín Fierro a los muchachos.

El hijo segundo de Martín Fierro[200]

XIII

719

Lo que les voy a decir
ninguno lo ponga en duda;
y aunque la cosa es peluda,[201]
haré la resolución;
es ladino el corazón,
pero la lengua no ayuda.

720

El rigor de las desdichas
hemos soportao diez años,
pelegrinando entre estraños,
sin tener dónde vivir,
y obligados a sufrir
una máquina[202] de daños.

721

El que vive de ese modo
de todos es tributario;
falta el cabeza primario[203]
y los hijos que él sustenta
se dispersan como cuentas
cuando se corta el rosario.

722

Yo anduve ansí como todos,
hasta que al fin de sus días
supo mi suerte una tía
y me recogió a su lado;
allí viví sosegado
y de nada carecía.

723

No tenía cuidado alguno
ni que trabajar tampoco,
y como muchacho loco
lo pasaba de holgazán;
con razón dice el refrán
que lo güeno dura poco.

724

En mí todo su cuidado
y su cariño ponía;
como a un hijo me quería
con cariño verdadero,
y me nombró de heredero
de los bienes que tenía.

725

El juez vino sin tardanza
cuando falleció la vieja.
« De los bienes que te deja,
me dijo, yo he de cuidar:
es un rodeo regular
y dos majadas de ovejas. »

726

Era hombre de mucha labia,
con más leyes que un dotor.
Me dijo: « Vos sos menor,
y por los años que tienes
no podés manejar bienes;
voy a nombrarte un tutor. »

727

Tomó un recuento de todo,
porque entendía su papel,
y después que aquel pastel
lo tuvo bien amasao,
puso al frente un encargao,
y a mí me llevó con él.

728

Muy pronto estuvo mi poncho
lo mesmo que cernidor[204];
el chiripá estaba pior,
y aunque para el frío soy guapo[205]
ya no me quedaba un trapo
ni pa el frío, ni pa el calor.

729

En tan triste desabrigo
tras de un mes, iba otro mes;
guardaba silencio el juez,
la miseria me invadía;
me acordaba de mi tía
al verme en tal desnudez.

730

No sé decir con fijeza
el tiempo que pasé allí;
y después de andar ansí
como moro sin señor,[206]
pasé a poder del tutor
que debía cuidar de mí.

202. multitud, gran cantidad. 203. cabeza o jefe de familia; el padre. 204. lleno de agujeros, roto. 205. valiente, decidido. 206. libre de obligaciones. 207. dejó entrever la índole. 208. echador de reniegos y maldiciones. 209. cara de pocos amigos, con ceño torvo. 210. Era común el uso, como estribo, de una correa terminada en un nudo; su constante empleo ocasionaba la separación de los dedos mayores del pie, entre los cuales pasaba dicha correa. 211. yerba mate. 212. No podía venderse ningún cuero sin exhibir el certificado que acreditara la venta de la res. 213. si la herían con la tijera al trasquilarla. 214. Los zorros son muy afectos a comer *tientos*, tiras delgadas de cuero sin curtir. 215. cortar la cerda, la que siempre obtiene buen precio. 216. mamífero roedor, propio de la pampa argentina. 217. nombres. 218. arreador, especie de látigo. 219. golpe dado con el lazo, o con el arreador, por ser éste también de cuero.

XIV

731

Me llevó consigo un viejo
que pronto mostró la hilacha:[207]
dejaba ver por la facha
que era medio cimarrón,
muy renegao,[208] muy ladrón,
y le llamaban Vizcacha.

732

Lo que el juez iba buscando
sospecho, y no me equivoco;
pero este punto no toco
ni su secreto aviriguo;
mi tutor era un antiguo
de los que ya quedan pocos.

733

Viejo lleno de camándulas,
con un empaque a lo toro,[209]
andaba siempre en un moro
metido no sé en qué enriedos;
con las patas como loro,
de estribar entre los dedos.[210]

734

Andaba rodiao de perros
que eran todo su placer:
jamás dejó de tener
menos de media docena;
mataba vacas ajenas
para darles de comer.

735

Carniábamos noche a noche
alguna res en el pago,
y dejando allí el rezago
alzaba en ancas el cuero,
que se lo vendía a un pulpero
por yerba,[211] tabaco y trago.

736

¡Ah!, viejo más comerciante
en mi vida lo he encontrao.
Con ese cuero robao
él arreglaba el pastel,
y allí entre el pulpero y él,
se estendía el certificao.[212]

737

La echaba de comedido;
en las trasquilas, lo viera,
se ponía como una fiera
si cortaban[213] una oveja;
pero de alzarse no deja
un vellón o unas tijeras.

738

Una vez me dió una soba
que me hizo pedir socorro,
porque lastimé a un cachorro
en el rancho de unas vascas;
y al irse se alzó unas guascas:
para eso era como zorro.[214]

739

« ¡Ahijuna! », dije entre mí,
« Me has dao esta pesadumbre;
ya verás cuanto vislumbre
una ocasión medio güena;
te he de quitar la costumbre
de cerdiar[215] yeguas ajenas. »

740

Porque maté una vizcacha[216]
otra vez me reprendió;
se lo vine a contar yo,
y no bien se lo hube dicho:
« Ni me nuembres[217] ese bicho »,
me dijo, y se me enojó.

741

Al verlo tan irritao
hallé prudente callar.
« Éste me va a castigar »,
dije entre mí, « si se agravia. »
Ya ví que les tenía rabia,
y no las volví a nombrar.

742

Una tarde halló una punta
de yeguas medio bichocas;
después que voltió unas pocas,
las cerdiaba con empeño:
yo vide venir al dueño,
pero me callé la boca.

743

El hombre venía jurioso
y nos cayó como un rayo;
se descolgó del caballo
revoliando el arriador,[218]
y lo cruzó de un lazazo[219]
ahí no más a mi tutor.

744

No atinaba don Vizcacha
a qué lado disparar,
hasta que logró montar,
y, de miedo del chicote,[220]
se lo apretó hasta el cogote,[221]
sin pararse a contestar.

745

Ustedes creerán tal vez
que el viejo se curaría:
no, señores; lo que hacía,
con más cuidao dende entonces,
era maniarlas de día
para cerdiar a la noche.

746

Ese jué el hombre que estuvo
encargao de mi destino;
siempre anduvo en mal camino,
y todo aquel vecindario
decía que era un perdulario,
insufrible de dañino.[222]

747

Cuando el juez me lo nombró,
al dármelo de tutor,
me dijo que era un señor
el que me debía cuidar,
enseñarme a trabajar
y darme la educación.

748

¡Pero qué había de aprender
al lao de ese viejo paco,[223]
que vivía como un chuncaco[224]
en los bañaos, como el tero;
un haragán, un ratero,
y más chillón que un varraco.[225]

749

Tampoco tenía más bienes
ni propiedad conocida
que una carreta podrida,
y las paredes sin techo
de un rancho medio deshecho
que le servía de guarida.

750

Después de las trasnochadas
allí venía a descansar;
yo desiaba aviriguar
lo que tuviera escondido,
pero nunca había podido,
pues no me dejaba entrar.

751

Yo tenía unas jergas viejas,
que habían sido más peludas;
y con mis carnes desnudas,
el viejo, que era una fiera,
me echaba a dormir ajuera
con unas heladas crudas.

752

Cuando mozo jué casao,
aunque yo lo desconfío,
y decía un amigo mío
que, de arrebatao y malo,
mató a su mujer de un palo
porque le dió un mate frío.[226]

753

Y viudo por tal motivo
nunca se volvió a casar;
no era fácil encontrar
ninguna que lo quisiera:
todas temerían llevar
la suerte de la primera.

754

Soñaba siempre con ella,
sin duda por su delito,
y decía el viejo maldito,
el tiempo que estuvo enfermo,
que ella dende el mesmo infierno
lo estaba llamando a gritos.

220. látigo, rebenque, arreador.
221. Se encasquetó bien el sombrero. 222. ladrón. 223. farsante, taimado. 224. especie de sanguijuela. 225. verraco, cerdo padre. 226. El mate que se servía frío constituía una demostración de desprecio. 227. malhumorado, áspero de genio. 228. poncho pobretón, sin flecos, de mala calidad. 229. buen trago. 230. esto es, a quien acudir.
231. el que está fijo en la punta de la picana o aguijada. 232. clavo fijo hacia los dos tercios de la picana, para aguijar con él a los dos bueyes intermedios, de los seis que tiraban de la carreta. 233. árbol espinoso. 234. represa rústica en que se conserva el agua de lluvia. 235. sequía. 236. firme y resistente a los efectos de la bebida. 237. rumia. 238. por ser más visible la huída que si lo hiciera por el bajo.

XV

755

Siempre andaba retobao;[227]
con ninguno solía hablar;
se divertía en escarbar
y hacer marcas con el dedo,
y en cuanto se ponía en pedo
me empezaba a aconsejar.

756

Me parece que lo veo
con su poncho calamaco;[228]
después de echar un güen taco,[229]
ansí principiaba a hablar:
« Jamás llegués a parar
ande veas perros flacos. »

757

« El primer cuidao del hombre
es defender el pellejo;
llevóte de mi consejo,
fijáte bien lo que hablo:
el diablo sabe por diablo,
pero más sabe por viejo. »

758

« Hacéte amigo del juez;
no le des de qué quejarse;
y cuando quiera enojarse
vos te debés encoger,
pues siempre es güeno tener
palenque ande ir a rascarse. »[230]

759

« Nunca le llevés la contra,
porque él manda la gavilla;
allí sentao en su silla,
ningún güey le sale bravo;
a uno le da con el clavo[231]
y a otro con la cantramilla. »[232]

760

« El hombre, hasta el más soberbio,
con más espinas que un tala,[233]
aflueja andando en la mala
y es blando como manteca:
hasta la hacienda baguala
cai al jagüel[234] con la seca. »[235]

761

« No andés cambiando de cueva;
hacé las que hace el ratón:
conservate en el rincón
en que empezó tu esistencia:
vaca que cambia querencia
se atrasa en la parición. »

762

Y menudiando los tragos
aquel viejo, como cerro,[236]
« no olvidés », me decía, « Fierro,
que el hombre no debe crer
en lágrimas de mujer
ni en la renguera del perro. »

763

« No te debés afligir
aunque el mundo se desplome;
lo que más precisa el hombre
tener, según yo discurro,
es la memoria del burro,
que nunca olvida ande come. »

764

« Dejá que caliente el horno
el dueño del amasijo;
lo que es yo, nunca me aflijo
y a todito me hago el sordo:
el cerdo vive tan gordo,
y se come hasta los hijos. »

765

« El zorro que ya es corrido
dende lejos la olfatea;
no se apure quien desea
hacer lo que le aproveche:
la vaca que más rumea[237]
es la que da mejor leche. »

766

« El que gana su comida
güeno es que en silencio coma;
ansina, vos, ni por broma
querrás llamar la atención:
nunca escapa el cimarrón
si dispara por la loma. »[238]

767

« Yo voy donde me conviene
y jamás me descarrío;
llevate el ejemplo mío,
y llenarás la barriga:
aprendé de las hormigas:
no van a un noque vacío. »

768

« A naides tengás envidia,
es muy triste el envidiar;
cuando veás a otro ganar,
a estorbarlo no te metas:
cada lechón en su teta
es el modo de mamar. »

769

« Ansí se alimentan muchos
mientras los pobres lo pagan;
como el cordero hay quien lo haga
en la puntita, no niego;
pero otros, como el borrego,[239]
toda entera se la tragan. »

770

« Si buscás vivir tranquilo
dedicáte a solteriar,
mas si te querés casar,
con esta alvertencia sea:
que es muy difícil guardar
prenda que otros codicean.[240]

771

« Es un bicho la mujer
que yo aquí no lo destapo,[241]
siempre quiere al hombre guapo;
mas fijáte en la eleción,
porque tiene el corazón
como barriga de sapo. »[242]

772

Y gangoso con la tranca,[243]
me solía decir: « Potrillo,
recién te apunta el cormillo,
mas te lo dice un toruno:
no dejés que hombre ninguno
te gane el lao del cuchillo. »[244]

773

« Las armas son necesarias,
pero naides sabe cuándo;
ansina, si andás pasiando,[245]
y de noche sobre todo,
debés llevarlo de modo
que al salir, salga cortando. »[246]

774

« Los que no saben guardar
son pobres aunque trabajen;
nunca, por más que se atajen,
se librarán del cimbrón[247]:
al que nace barrigón
es al ñudo que lo fajen. »

775

« Donde los vientos me llevan
allí estoy como en mi centro;
cuando una tristeza encuentro
tomo un trago pa alegrarme:
a mí me gusta mojarme
por ajuera y por adentro. »

776

« Vos sos pollo, y te convienen
toditas estas razones;
mis consejos y leciones
no echés nunca en el olvido:
en las riñas[248] he aprendido
a no peliar sin puyones. »[249]

777

Con estos consejos y otros
que yo en mi memoria encierro
y que aquí no desentierro,
educándomé seguía,
hasta que al fin se dormía
mesturao entre los perros.

239. El cordero come sólo la punta de la hierba, pero el borrego no se detiene hasta la raíz. 240. codician.
241. Aquí no lo destapo, o descubro, porque otros lo han dicho ya. 242. frío, voluble y veleidoso. 243. borrachera.
244. Se ponga en posición de poder desarmarte; o también, te conozca tu debilidad. 245. paseando; rondando a una mujer, y sobre todo, de noche. 246. con el filo hacia abajo, pues así puede herirse al enemigo con sólo estirar el brazo.
247. golpe. 248. en las riñas de gallos. 249. púas de metal con que se cubrían las espuelas del gallo de riña. El sentido de la estrofa es que se ha de estar siempre preparado y alerta. 250. curandera.
251. golpe de la soga tensa al romperse; en este caso, el daño causado al organismo por la « rotura » de la salud.
252. forúnculo, golondrino. 253. Entre varias personas reunidas, siempre hay una que no guarda absoluta uniformidad con las demás. El sentido del refrán queda aclarado por el hecho de llamarse buey corneta aquel al que se le ha quebrado una de las astas, por lo que se diferencia de los otros de la tropa o manada. 254. golpe, latigazo, pinchazo, todo en sentido figurado. 255. equivocación, barbaridad, mentira. 256. Apuesto lo máximo y lo desbanco, porque gano con la primera carta que sale. Las palabras del texto aluden al juego llamado « monte. »
257. Llámase así el asunto u operación en que alguien solicita intervenir con el fin de lucirse cuando otro se desempeñó mal. 258. tembloroso, asustado.

XVI

778

Cuando el viejo cayó enfermo,
viendo yo que se empioraba
y que esperanza no daba
de mejorarse siquiera,
le truje una culandrera[250]
a ver si lo mejoraba.

779

En cuanto lo vió, me dijo:
« Este no aguanta el sogazo:[251]
muy poco le doy de plazo;
nos va a dar un espectáculo,
porque debajo del brazo
le ha salido un tabernáculo. »[252]

780

Dice el refrán que en la tropa
nunca falta un güey corneta:[253]
uno que estaba en la puerta
le pegó el grito ahí no más:
« Tabernáculo . . . qué bruto;
un tubérculo dirás. »

781

Al verse ansí interrumpido,
al punto dijo el cantor:
« No me parece ocasión
de meterse los de ajuera;
tabernáculo, señor,
le decía la culandrera. »

782

El de ajuera repitió,
dándole otro chaguarazo:[254]
« Allá va un nuevo bolazo;[255]
copo y se la gano en puerta:[256]
a las mujeres que curan
se les llama curanderas. »

783

No es güeno, dijo el cantor,
muchas manos en un plato,
y diré al que ese barato[257]
ha tomao de entrometido,
que no creía haber venido
a hablar entre literatos.

784

Y para seguir contando
la historia de mi tutor,
le pediré a ese dotor
que en mi inorancia me deje,
pues siempre encuentra el que teje
otro mejor tejedor.

785

Seguía enfermo, como digo,
cada vez más emperrao;
yo estaba ya acobardao
y lo espiaba dende lejos;
era la boca del viejo
la boca de un condenao.

786

Allá pasamos los dos
noches terribles de invierno:
él maldecía al Padre Eterno
como a los santos benditos,
pidiéndolé al diablo a gritos
que lo llevara al infierno.

787

Debe ser grande la culpa
que a tal punto mortifica;
cuando vía una reliquia
se ponía como azogado,[258]
como si a un endemoniado
le echaran agua bendita.

788

Nunca me le puse a tiro,
pues era de mala entraña;
y viendo herejía tamaña,
si alguna cosa le daba,
de lejos se la alcanzaba
en la punta de una caña.

789

Será mejor, decía yo,
que abandonado lo deje,
que blasfeme y que se queje,
y que siga de esta suerte,
hasta que venga la muerte
y cargue con este hereje.

790

Cuando ya no pudo hablar
le até en la mano un cencerro,
y al ver cercano su entierro,
arañando las paredes,
espiró allí entre los perros
y este servidor de ustedes.

XXXI

1143

Y después de estas palabras
que ya la intención revelan,
procurando los presentes
que no se armara pendencia,
se pusieron de por medio
y la cosa quedó quieta.
Martín Fierro y los muchachos,
evitando la contienda,
montaron y paso a paso,
como el que miedo no lleva,
a la costa de un arroyo
llegaron a echar pie a tierra.
Desensillaron los pingos
y se sentaron en rueda,
refiriéndose entre sí
infinitas menudencias
porque tiene muchos cuentos
y muchos hijos la ausiencia.
Allí pasaron la noche
a la luz de las estrellas,
porque ése es un cortinao
que lo halla uno donde quiera,
y el gaucho sabe arreglarse
como ninguno se arregla:
el colchón son las caronas,
el lomillo[259] es cabecera,
el cojinillo es blandura
y con el poncho o la jerga,
para salvar del rocío,
se cubre hasta la cabeza.
Tiene su cuchillo al lado
— pues la precaución es güena —,
freno y rebenque a la mano,
y, teniendo el pingo cerca,
que pa asigurarlo bien
la argolla del lazo entierra
(aunque el atar con el lazo
da del hombre mala idea),[260]
se duerme ansí muy tranquilo
todita la noche entera;
y si es lejos del camino,
como manda la prudencia,
más siguro que en su rancho
uno ronca a pierna suelta,
pues en el suelo no hay chinches,
y es una cuja camera[261]
que no ocasiona disputas
y que naides se la niega.
Además de eso, una noche
la pasa uno como quiera,
y las va pasando todas
haciendo la mesma cuenta;
y luego los pajaritos
al aclarar lo dispiertan,
porque el sueño no lo agarra
a quien sin cenar se acuesta.
Ansí, pues, aquella noche
jué para ellos una fiesta,
pues todo parece alegre
cuando el corazón se alegra.
No pudiendo vivir juntos
por su estado de pobreza,
resolvieron separarse
y que cada cual se juera
a procurarse un refugio
que aliviara su misería.
Y antes de desparramarse
para empezar vida nueva,
en aquella soledá
Martín Fierro, con prudencia,
a sus hijos y al de Cruz
les habló de esta manera:

XXXII

1144

Un padre que da consejos
más que padre es un amigo;
ansí como tal les digo
que vivan con precaución:
naides sabe en qué rincón
se oculta el que es su enemigo.

1145

Yo nunca tuve otra escuela
que una vida desgraciada:
no estrañen si en la jugada
alguna vez me equivoco,
pues debe saber muy poco
aquel que no aprendió nada.

1146

Hay hombres que de su cencia
tienen la cabeza llena;

259. los bastos del recado, de la montura. 260. No es prudente el que ata al caballo con el lazo trenzado, pues así puede éste lastimarse las patas; en tal caso, lo correcto es usar el maneador.

261. cama ancha, como de matrimonio. 262. de toda laya, de todo calibre. 263. dejar a alguien solo cuando se halla frente a un peligro o situación comprometida. 264. cobardes. Y el cobarde es traicionero.

hay sabios de todas menas,[262]
mas digo, sin ser muy ducho:
es mejor que aprender mucho
el aprender cosas güenas.

1147

No aprovechan los trabajos
si no han de enseñarnos nada;
el hombre, de una mirada,
todo ha de verlo al momento:
el primer conocimiento
es conocer cuándo enfada.

1148

Su esperanza no la cifren
nunca en corazón alguno;
en el mayor infortunio
pongan su confianza en Dios;
de los hombres, sólo en uno;
con gran precaución en dos.

1149

Las faltas no tienen límites
como tienen los terrenos;
se encuentran en los más güenos,
y es justo que les prevenga:
aquel que defectos tenga,
disimule los ajenos.

1150

Al que es amigo, jamás
lo dejen en la estacada,[263]
pero no le pidan nada
ni lo aguarden todo de él:
siempre el amigo más fiel
es una conducta honrada.

1151

Ni el miedo ni la codicia
es güeno que a uno le asalten;
ansí, no se sobresalten
por los bienes que perezcan;
al rico nunca le ofrezcan
y al pobre jamás le falten.

1152

Bien lo pasa, hasta entre pampas,
el que respeta a la gente;
el hombre ha de ser prudente
para librarse de enojos:
cauteloso entre los flojos,[264]
moderado entre valientes.

1153

El trabajar es la ley,
porque es preciso alquirir;
no se espongan a sufrir
una triste situación:
sangra mucho el corazón
del que tiene que pedir.

1154

Debe trabajar el hombre
para ganarse su pan;
pues la miseria, en su afán
de perseguir de mil modos,
llama a la puerta de todos
y entra en la del haragán.

1155

A ningún hombre amenacen,
porque naides se acobarda;
poco en conocerlo tarda
quien amenaza imprudente:
que hay un peligro presente
y otro peligro se aguarda.

1156

Para vencer un peligro,
salvar de cualquier abismo,
por esperencia lo afirmo,
más que el sable y que la lanza
suele servir la confianza
que el hombre tiene en sí mismo.

1157

Nace el hombre con la astucia
que ha de servirle de guía;
sin ella sucumbiría,
pero, sigún mi esperencia,
se vuelve en unos prudencia
y en los otros picardía.

1158

Aprovecha la ocasión
el hombre que es diligente;
y, ténganló bien presente
si al compararla no yerro:
la ocasión es como el fierro:
se ha de machacar caliente.

1159

Muchas cosas pierde el hombre
que a veces las vuelve a hallar;
pero les debo enseñar,

y es güeno que lo recuerden:
si la vergüenza se pierde,
jamás se vuelve a encontrar.

1160

Los hermanos sean unidos
porque ésa es la ley primera;
tengan unión verdadera
en cualquier tiempo que sea,
porque, si entre ellos pelean,
los devoran los de ajuera.

1161

Respeten a los ancianos:
el burlarlos no es hazaña;
si andan entre gente estraña
deben ser muy precavidos,
pues por igual es tenido
quien con malos se acompaña.

1162

La cigüeña, cuando es vieja,
pierde la vista, y procuran
cuidarla en su edá madura
todas sus hijas pequeñas:
apriendan de las cigüeñas
este ejemplo de ternura.

1163

Si les hacen una ofensa,
aunque la echen en olvido,
vivan siempre prevenidos;
pues ciertamente sucede
que hablará muy mal de ustedes
aquel que los ha ofendido.

1164

El que obedeciendo vive
nunca tiene suerte blanda,
mas con su soberbia agranda
el rigor en que padece:
obedezca el que obedece
y será güeno el que manda.

1165

Procuren de no perder
ni el tiempo ni la vergüenza;
como todo hombre que piensa,
procedan siempre con juicio;
y sepan que ningún vicio
acaba donde comienza.

1166

Ave de pico encorvado
le tiene al robo afición;
pero el hombre de razón
no roba jamás un cobre,
pues no es vergüenza ser pobre
y es vergüenza ser ladrón.

1167

El hombre no mate al hombre
ni pelee por fantasía;[265]
tiene en la desgracia mía
un espejo en que mirarse;
saber el hombre guardarse
es la gran sabiduría.

1168

La sangre que se redama
no se olvida hasta la muerte;
la impresión es de tal suerte,
que, a mi pesar, no lo niego,
cai como gotas de juego
en la alma del que la vierte.

1169

Es siempre, en toda ocasión,
el trago el pior enemigo;
con cariño se los digo,
recuérdenlo con cuidado:
aquel que ofiende embriagado
merece doble castigo.

1170

Si se arma algún revolutis,[266]
siempre han de ser los primeros;
no se muestren altaneros,
aunque la razón les sobre:
en la barba de los pobres
aprienden pa ser barberos.

1171

Si entriegan su corazón
a alguna mujer querida,
no le hagan una partida[267]
que la ofienda a la mujer:
siempre los ha de perder
una mujer ofendida.

265. por capricho; sin motivos fundados. 266. contienda, pelea, riña o pendencia. 267. Se sobreentiende *mala*. 268. el tejido con plumas y que es imposible deshacer. 269. vueltas del lazo con que se da soga a la res enlazada. 270. no confío en que se realice. 271. lío, desorden, enredo. 272. el chimango (en Arg. cierta ave de rapiña) no cesa de gritar en tanto devora su presa.

1172

Procuren, si son cantores,
el cantar con sentimiento,
ni tiemplen el estrumento
por sólo el gusto de hablar,
y acostúmbrense a cantar
en cosas de jundamento.

1173

Y les doy estos consejos
que me ha costado alquirirlos,
porque deseo dirigirlos;
pero no alcanza mi cencia
hasta darles la prudencia
que precisan pa seguirlos.

1174

Estas cosas y otras muchas
medité en mis soledades;
sepan que no hay falsedades
ni error en estos consejos:
es de la boca del viejo
de ande salen las verdades.

XXXIII

1175

Después a los cuatro vientos
los cuatro se dirigieron;
una promesa se hicieron
que todos debían cumplir;
mas no la puedo decir,
pues secreto prometieron.

1176

Les alvierto solamente
y esto a ninguno le asombre,
pues muchas veces el hombre
tiene que hacer de ese modo:
convinieron entre todos
en mudar allí de nombre.

1177

Sin ninguna intención mala
lo hicieron, no tengo duda;
pero es la verdá desnuda
siempre suele suceder:
aquel que su nombre muda
tiene culpas que esconder.

1178

Y ya dejo el estrumento
con que he divertido a ustedes;
todos conocerlo pueden
que tuve costancia suma:
este es un botón de pluma[268]
que no hay quien lo desenriede.

1179

Con mi deber he cumplido,
y ya he salido del paso;
pero diré, por si acaso,
pa que me entiendan los criollos:
todavía me quedan rollos[269]
por si se ofrece dar lazo.

1180

Y con esto me despido
sin espresar hasta cuándo;
siempre corta por lo blando
el que busca lo siguro;
mas yo corto por lo duro,
y ansí he de seguir cortando.

1181

Vive el águila en su nido,
el tigre vive en su selva,
el zorro en la cueva ajena,
y, en su destino incostante,
sólo el gaucho vive errante
donde la suerte lo lleva.

1182

Es el pobre en su orfandá
de la fortuna el desecho,
porque naides toma a pechos
el defender a su raza:
debe el gaucho tener casa,
escuela, iglesia y derechos.

1183

Y han de concluir algún día
estos enriedos malditos;
la obra no la facilito[270]
porque aumentan el fandango[271]
los que están, como el chimango,
sobre el cuero y dando gritos.[272]

1184

Mas Dios ha de permitir
que esto llegue a mejorar;

pero se ha de recordar,
para hacer bien el trabajo,
que el juego, pa calentar,
debe ir siempre por abajo.

1185

En su ley está el de arriba
si hace lo que le aproveche;
de sus favores sospeche
hasta el mesmo que lo nombra:
siempre es dañosa la sombra
del árbol que tiene leche.

1186

Al pobre, al menor descuido,
lo levantan[273] de un sogazo,
pero yo compriendo el caso
y esta consecuencia saco:
el gaucho es el cuero flaco:[274]
da los tientos para el lazo.

1187

Y en lo que esplica mi lengua
todos deben tener fe;
ansí, pues, entiéndanmé,
con codicias no me mancho:
no se ha de llover el rancho
en donde este libro esté.

1188

Permítanmé descansar,
¡pues he trabajado tanto!
en este punto me planto
y a continuar me resisto:
estos son treinta y tres cantos,
que es la mesma edá de Cristo.

1189

Y guarden estas palabras
que les digo al terminar:
en mi obra he de continuar
hasta dárselas concluída,
si el ingenio o si la vida
no me llegan a faltar.

1190

Y si la vida me falta,
ténganló todos por cierto
que el gaucho, hasta en el desierto,
sentirá en tal ocasión
tristeza en el corazón
al saber que yo estoy muerto.

1191

Pues son mis dichas desdichas
las de todos mis hermanos;
ellos guardarán ufanos
en su corazón mi historia:
me tendrán en su memoria
para siempre mis paisanos.

1192

Es la memoria un gran don,
calidá muy meritoria;
y aquellos que en esta historia
sospechen que les doy palo,
sepan que olvidar lo malo
también es tener memoria.

1193

Mas naides se crea ofendido
pues a ninguno incomodo,
y si canto de este modo,
por encontrarlo oportuno,
no es para mal de ninguno
sino para bien de todos.

México. Como en otras partes, encontramos en México, en estos años, poetas chapados de tradición. A veces tradición clásica (como la de Monseñor Joaquín Arcadio Pagaza, 1839-1918). A veces la tradición es la romántica española. Romántico a la española, si bien más lírico que sus compañeros de generación, fué Manuel Acuña (1849-1873), autor de un « Nocturno » de inspirado sentimiento amoroso, escrito en la víspera de suicidarse, como despedida de la vida y del amor. Acuña fué poeta de ideas liberales en política y positivistas en filosofía. « Ante un cadáver » es una curiosa muestra de cómo el lirismo romántico se abre paso por los temas del materialismo cientificista, nuevos y provocadores en esos años.

273. lo espantan, lo arrojan a latigazos. 274. del cuero del animal flaco se confeccionan los lazos. (Estas notas están tomadas, en su mayoría, de la edición de Ramón Villasuso, Buenos Aires, 1956.)

Manuel Acuña

ANTE UN CADÁVER

¡Y bien! Aquí estás ya . . . sobre la plancha
donde el gran horizonte de la ciencia
la extensión de sus límites ensancha.

Aquí donde la rígida experiencia
viene a dictar las leyes superiores
a que está sometida la existencia.

Aquí donde derrama sus fulgores
ese astro a cuya luz desaparece
la distinción de esclavos y señores.

Aquí donde la fábula enmudece
y la voz de los hechos se levanta
y la superstición se desvanece.

Aquí donde la ciencia se adelanta
a leer la solución de ese problema
cuyo sólo enunciado nos espanta.

Ella que tiene la razón por lema,
y que en tus labios escuchar ansía
la augusta voz de la verdad suprema.

Aquí estás ya . . . tras de la lucha impía
en que romper al cabo conseguiste
la cárcel que al dolor te retenía.

La luz de tus pupilas ya no existe,
tu máquina vital descansa inerte
y a cumplir con su objeto se resiste.

¡Miseria y nada más!, dirán al verte
los que creen que el imperio de la vida
acaba donde empieza el de la muerte.

Y suponiendo tu misión cumplida
se acercarán a ti, y en su mirada
te mandarán la eterna despedida.

Pero ¡no! . . . tu misión no está acabada,
que ni es la nada el punto en que nacemos,
ni el punto en que morimos es la nada.

Círculo es la existencia, y mal hacemos
cuando al querer medirla le asignamos
la cuna y el sepulcro por extremos.

La madre es sólo el molde en que tomamos
nuestra forma, la forma pasajera
con que la ingrata vida atravesamos.

Pero ni es esa forma la primera
que nuestro ser reviste, ni tampoco
será su última forma cuando muera.

Tú sin aliento ya, dentro de poco
volverás a la tierra y a su seno
que es de la vida universal el foco.

Y allí, a la vida en apariencia ajeno,
el poder de la lluvia y el verano
fecundará de gérmenes tu cieno.

Y al ascender de la raíz al grano,
irás del vegetal a ser testigo
en el laboratorio soberano.

Tal vez para volver cambiado en trigo
al triste hogar donde la triste esposa
sin encontrar un pan sueña contigo.

En tanto que las grietas de tu fosa
verán alzarse de su fondo abierto
la larva convertida en mariposa,

que en los ensayos de su vuelo incierto
irá al lecho infeliz de tus amores
a llevarle tus ósculos de muerto.

Y en medio de esos cambios interiores
tu cráneo lleno de una nueva vida,
en vez de pensamientos dará flores,

en cuyo cáliz brillará escondida
la lágrima, tal vez, con que tu amada
acompañó el adiós de tu partida.

La tumba es el final de la jornada,
porque en la tumba es donde queda muerta
la llama en nuestro espíritu encerrada.

Pero en esa mansión a cuya puerta
se extingue nuestro aliento hay otro aliento
que de nuevo a la vida nos despierta.

Allí acaban la fuerza y el talento,
allí acaban los goces y los males,
allí acaban la fe y el sentimiento.

Allí acaban los lazos terrenales,
y mezclados el sabio y el idiota,
se hunden en la región de los iguales.

Pero allí donde el ánimo se agota
y perece la máquina, allí mismo
el ser que muere es otro ser que brota.

El poderoso y fecundante abismo
del antiguo organismo se apodera,
y forma y hace de él otro organismo.

Abandona a la historia justiciera
un nombre, sin cuidarse, indiferente,
de que ese nombre se eternice o muera.

Él recoge la masa únicamente,
y cambiando las formas y el objeto,
se encarga de que viva eternamente.

La tumba sólo guarda un esqueleto;
mas la vida en su bóveda mortuoria
prosigue alimentándose en secreto.

Que al fin de esta existencia transitoria,
a la que tanto nuestro afán se adhiere,
la materia, inmortal como la gloria,
cambia de formas, pero nunca muere.

(De *Obras*, México, 1949)

Los prosistas. Faltan, en nuestro panorama de la poesía, algunos nombres: no es que los hayamos olvidado, sino que sobresalieron como prosistas. Isaacs, Palma, González Prada, Varona y Sierra. Si a ellos agregamos a Montalvo, Hostos y otros que ya se verán, es evidente que estamos frente al mejor grupo de prosistas del siglo XIX.

El primer prosista, en orden de méritos, es JUAN MONTALVO (Ecuador; 1832-1889), uno de los mayores de toda la lengua española. Gran parte de su obra arrancó de su lucha contra los males del Ecuador, que son los males de nuestra América: la anarquía, el caudillismo militar, la voluntad de poder del clero, la ignorancia de las muchedumbres, el despotismo, la corrupción administrativa, la chabacanería, la injusticia, la pobreza . . . Pero la literatura política de Montalvo no tiene la turbulencia que podría esperarse de vida tan combativa. Hacía literatura con la política; y a la literatura la hacía con una lengua artificiosa. Aunque ensayos era lo mejor que le salía, Montalvo vaciló en su carrera literaria: escribió poesías, relatos y dramas. El poeta, el narrador, el dramaturgo son sombras del ensayista. Lo mejor de la literatura de Montalvo son, pues, sus ensayos. *Siete tratados*, *Las Catilinarias*, *Geometría moral*, *El Cosmopolita*, *El Espectador*. Al asomarse a su propia vida Montalvo solía enfocar su ojo estético en experiencias propicias al adorno romántico; en experiencias de resentimiento, disgusto, indignación, horror, odio; y en experiencias estimuladas por la literatura. Hay en su prosa, por consiguiente, un principio de diferenciación entre las modalidades de lo bonito, lo truculento y lo tradicional. Cuando el solitario Montalvo se ponía a expresar sus íntimas conmociones, solía darnos una prosa poemática que, por orientarse hacia el « poema en prosa », se acercó al « modernismo » de la generación siguiente.

1. divinidades de la mitología greco-romana, generalmente nombradas Eufrosine, Aglaia y Thalía, que presidían la danza y otras manifestaciones artísticas e infundían su virtud a poetas y oradores.

Pero esa alma no encontraba paz en el retiro: se sentía permanentemente ofendida por el mundo, y a la menor humillación (y a veces sin humillación alguna) saltaba a la arena a lidiar. Y así como para sus delicadezas encontró fórmulas estéticas, que fueron las del poema en prosa, también para su difamación de hombres y cosas, para los arranques de su humor trágico, pesimista, desilusionado o sarcástico, encontró la fórmula estética del insulto. Tanto en su retraimiento como en su exasperación Montalvo se complacía en recordar escenas gloriosas y en sentirse personaje de fantasía. Sus experiencias se le armaban así con esquemas, temas, modelos, ideales, reminiscencias de ciertas formas de expresión artística que ya habían sido consagradas por la historia. Al contar anécdotas de su propia vida solía enriquecerlas con reminiscencias librescas; o al revés, proyectaba sobre las anécdotas librescas una intención autobiográfica. Sería interminable enumerar las tradiciones literarias que hay en muchas de sus páginas. Las imitó sin disimulo: v. gr., *Capítulos que se le olvidaron a Cervantes*. El pasado rezuma constantemente en su lengua. La prosa de Montalvo es una de las más ricas del siglo XIX español. Acaso la mayor expresión de energía de Montalvo, y la más asombrosa, sea el haberse inventádo en un rinconcito de América una lengua propia, lengua amasada con el barro de muchos siglos de literatura y amasada por el amor a la lengua misma. Tenía un extraordinario don de acuñar frases, de desviarse del camino trillado y encontrar una salida portentosa, de evocar una realidad con mínimos toques de prosa imaginativa. Por ese interés en retorcer y complicar la expresión logró, con más frecuencia que sus contemporáneos de lengua española, fragmentos estilísticos de primer orden.

Juan Montalvo

LA BELLEZA DE LA ADOLESCENCIA

La adolescencia, en el sexo femenino, ofrece admirables ejemplares de belleza: esa agraciada persona que sin ser mujer hecha y derecha todavía, ha dejado de ser niña, da una idea remota y vaga de lo que fueran los ángeles en situación de estar asomándose al amor y la malicia, si malicia y amor culpable no fueran gajes, muchas veces funestos, de la tierra. Mirad esa joven erguida con el donaire y elegancia que da su paso de princesa, alta la frente, ingenua la mirada, como quien endereza su camino hacia el trono que le han erigido las Gracias[1] en la cumbre de la felicidad. Los catorce años, derramándose en flores y rocío por toda ella, le concilian esa frescura primorosa con la cual ha de sazonar luego el fruto de la vida: la cabellera, dividida en dos madejas rubias, se le cuelga a la espalda y corre por ella hacia abajo cual dos chorros de luz espesada al calor de la sangre: la tez sirve de capa al líquido viviente que circula repartiendo calor a los miembros: en las mejillas hace alto este perpetuo viajero, y arde un instante, aprovechándose del fuego que allí tiene depositada la vergüenza. Los ojos, no enturbiados aún por esas lágrimas que son testigos de dolores criminales, miran francamente, y en el centro de ellos estamos viendo la prefiguración de la suerte de esa niña, si feliz, si desgraciada. Cuando sonríe, el arco iris, reducido a proporciones pequeñuelas, está acreditando su presencia con las curvas en que se mueven esos labios: cuando se ríe, la música del paraíso, música perdida junto con la inocencia, oímos brotar de pecho humano y salir por una garganta en gorgoritos que nos hartan de armonía los oídos, de alegría el corazón. El pecho no provoca aún con esos blancos panecillos coronados de fuego con que han de producir en nosotros mil delirios: a esa edad, el pecho de la mujer es altar inconcluso, no consagrado por el sacerdote de la malicia, cuyo ídolo permanece dormido entre cortinas nunca abiertas. Pero así, nadando en un océano de inocencia, esa niña es hermosa: la admiramos sin codiciarla, la amamos sin mancillarla con malos pensamientos, pero le estamos envidiando al mortal dichoso que ha de plantar en ese corazón el árbol de la vida, esa que suda lágrimas, gime al viento del mundo y da fruto de dolores perpetuos después de tal cual manzana de felicidad.

(De « De la belleza en el género humano », en *Siete Tratados*, 1882)

EL GENIO

[. . .] Ese vapor sutil que el sol arranca de la tierra y comunica el don profético a algunos filósofos y santos, ése era el Genio del hombre a quien las virtudes y la inteligencia continuamente aguzada volvían apto para recibirlo.[2] Otros averiguadores sublimes de los secretos de la naturaleza han pensado que el espíritu de Dios difundido en toda ella se pegaba en algunas organizaciones excepcionales y perfectas, y de él provenían el conocimiento de lo futuro y las inexplicables sospechas de cosas que son olvido y nada para la generalidad de los mortales. Esa partícula de espíritu celestial incrustada como vívida estrella en el alma del sabio, del santo, les ilumina los ámbitos del entendimiento, y derramándose hacia afuera, les muestra a lo lejos los embriones de las cosas a las cuales el tiempo dará forma y verdad. El Genio de los individuos extraordinarios es esa estrella pegada en el alma, ese punto de luz divina que, obrando en la eternidad, da luz a lo oscuro, densidad al vacío, contornos a la nada, y como carbunclo maravilloso posee virtudes que llenan de admiración y espanto a los que presencian sus obras, sin ser capaces de verificarlas por su parte. Dicen otros que los astros poseen tal virtud en su seno, que pueden con ella elevar el espíritu humano, y acrisolarlo y volverlo tan ligero y rápido, que volando por las regiones del mundo invisible, ve actualmente lo que los demás no pueden ver, porque aún no tiene forma; oye lo que para los demás no suena, porque aún no tiene ruido; toca lo que los otros no perciben, porque aún no tiene cuerpo. El Genio de ciertos filósofos y héroes, las apariciones de ciertos estáticos y santos son el fantasma amigo que viene a ellos con nombre de virtud o sabiduría, y les da a entender cosas de la eternidad: sabiduría y virtud, esa arte mágica que en realidad no es sino el querer de Dios obrando actualmente en el pecho de los varones privilegiados. El Genio de Plotino[3] era de especie superior a todos; era, dicen, de la familia de los ángeles, tan luminoso y eficaz, que este filósofo estaba siempre debajo del dominio de las potencias celestiales, y derramaba lágrimas al sentarse a la mesa, lleno de vergüenza y dolor de estas tristes necesidades que caracterizan la materia. Isidoro Alejandrino,[4] otro que tal, no podía pasar un bocado sino envuelto en lágrimas de sus ojos. El alma no tiene hambre; horror tiene a la carne; no tiene sed; el vino la mata: ¿cómo sucede que esta sustancia inmaterial, cuyas operaciones se efectúan en los dominios de la sensibilidad y el pensamiento, a impulsos del ser incorpóreo que la tiene a su cargo, no puede permanecer en nosotros sino merced a los sufragios que el mundo palpable da a la materia de que es formado nuestro cuerpo? El alma, destello del espíritu infinito, no experimenta sino esas necesidades nobilísimas que la levantan y sumergen en el océano de la gloria, que es ese amor, amor, amor, ese amor violento de los serafines; sed de felicidad, felicidad pura, grande, apenas imaginada por nosotros; gloria, no la nuestra, esta nombradía ruin que ceba la vanidad y exalta la adulación, sino la gloria del amor divino y la sabiduría mediante las cuales penetramos los secretos de la inmortalidad contenida en el corazón del Todopoderoso. Plotino e Isidoro experimentaban la

2. En el párrafo anterior se ha referido a Demócrito, filósofo griego del siglo V antes de J. C. 3. filósofo griego, fundador del sistema neoplatónico (205-262). Su obra es un intento de fusión de todos los sistemas del mundo antiguo. 4. filósofo griego de fines del siglo V, que se supone nació en Alejandría. Fué director de la escuela neoplatónica de Atenas, y se distinguió por su afición a las artes adivinatorias y por sus entusiasmos de visionario. 5. célebre filósofo griego, discípulo de Sócrates (429-347 antes de J. C.). 6. Isaac Newton (1642-1727), famoso matemático, físico y astrónomo inglés, descubridor de las leyes de la gravitación universal.

7. (1035-1101), fundador de la orden de los cartujos. 8. (1538-1584), arzobispo de Milán; se hizo admirar por su abnegación durante la peste que azotó a esa ciudad. 9. cadena de montañas que se extienden por toda la longitud de Italia. 10. nombre dado por los antiguos al término supuesto de los trabajos de Hércules, es decir a los montes Calpe (Europa) y Ábila (África), situados a cada lado del estrecho de Gibraltar.

11. famoso general romano (107-48 antes de J. C.). 12. ciudad de la antigua Sicilia. Erix era hijo de Poseidón, muerto por Hércules, a quien había robado un toro.

pesadumbre de la humillación, naturalezas soberbias, sabedoras de su alto origen, que convertían en virtud el peor de los pecados; con esa soberbia alababan a Dios, dando a entender al mundo que todo lo que frisa con él es tan inferior a lo del cielo, que quien de ello tuviere alguna noticia, por fuerza se verá afligido y corrido de este influjo de lo bajo sobre lo sublime, este sojuzgamiento del espíritu por los sentidos. El Genio de Plotino, rebelado de día y de noche contra la tierra, le mantiene en dolor santo, dolor que es vínculo estrecho con la Divinidad. Genio es inteligencia, conciencia, sabiduría; genio es voluntad incontrastable, tesón invencible, poder inrestricto; Genio es segunda alma puesta sobre la primera, más liviana, pura y luminosa que la del globo de los mortales. El Genio de Sócrates, que desciende sobre él y le deja durmiendo en el espíritu del universo, puestas en olvido tierra y vida; el de Platón, que rueda por los ámbitos de la inmortalidad, resonando hacia adentro de la mansión divina, sin que llegue a nosotros sino la sombra de ese gran ruido; el de Abrahán, que le hace ver en sueños la suerte de su descendencia difundida por el mundo; estos Genios son la segunda alma con que la Providencia dotó a esos hijos de la tierra, a la cual no estaban unidos sino con las puntas de los pies, levantándose con fuerte voluntad a los espacios infinitos. [. . .]

(De « Del Genio », en *Siete Tratados*, 1882)

NAPOLEÓN Y BOLÍVAR

Estos dos hombres son, sin duda, los más notables de nuestro tiempo en lo que mira a la guerra y a la política, unos en el genio, diferentes en los fines, cuyo paralelo no podemos hacer sino por disparidad. Napoleón salió del seno de la tempestad, se apoderó de ella, y revistiéndose de su fuerza le dió tal sacudida al mundo, que hasta ahora lo tiene estremecido. Dios hecho hombre fué omnipotente; pero como su encargo no era la redención sino la servidumbre, Napoleón fué el dios de los abismos que corrió la tierra deslumbrando con sus siniestros resplandores. Satanás, echado al mar por el Todopoderoso, nadó cuarenta días en medio de las tinieblas en que gemía el universo, y al cabo de ellos ganó el monte Cabet, y en voz terrible se puso a desafiar a los ángeles. Ésta es la figura de Napoleón: va rompiendo por las olas del mundo, y al fin sale, y en una alta cumbre desafía a las potestades del cielo y de la tierra. Emperador, rey de reyes, dueño de pueblos, ¿qué es,? ¿quién es ese ser maravilloso? Si el género humano hubiera mostrado menos cuanto puede acercarse a los entes superiores, por la inteligencia con Platón,[5] por el conocimiento de lo desconocido con Newton,[6] por la inocencia con San Bruno,[7] por la caridad con San Carlos Borromeo,[8] podríamos decir que nacen de tiempo en tiempo hombres imperfectos por exceso, que por sus facultades atropellan al círculo donde giran sus semejantes. En Napoleón hay algo más que en los otros, algo más que en todos: un sentido, una rueda en la máquina del entendimiento, una fibra en el corazón, un espacio en el seno, ¿qué de más hay en esta naturaleza rara y admirable? « Mortal, demonio o ángel », se le mira con uno como terror supersticioso, terror dulcificado por una admiración gratísima, tomada el alma de ese efecto inexplicable que acusa lo extraordinario. Comparece en medio de un trastorno cual nunca se ha visto otro; le echa mano a la revolución, la ahoga a sus pies; se tira sobre el carro de la guerra, y vuela por el mundo, desde los Apeninos[9] hasta las columnas de Hércules,[10] desde las pirámides de Egipto hasta los hielos de Moscovia. Los reyes dan diente con diente, pálidos, medio muertos; los tronos crujen y se desbaratan; las naciones alzan el rostro, miran espantadas al gigante y doblan la rodilla. ¿Quién es? ¿de dónde viene? Artista prodigioso, ha refundido cien coronas en una sola, y se echa a las sienes esta descomunal presea; y no muestra flaquear su cuello, y pisa firme, y alarga el paso, y poniendo él un pie en un reino, el otro en otro reino, pasa sobre el mundo, dejándolos marcados con su planta como a tantos otros esclavos. ¿Qué parangón entre el esclavizador y el libertador? El fuego de la inteligencia ardía en la cabeza de uno y otro, activo, puro, vasto, atizándolo a la continua esa vestal invisible que la Providencia destina a ese hogar sagrado: el corazón y otro de temple antiguo, bueno para el pecho de Pompeyo:[11] en el brazo de cada cual de ellos no hubiera tenido que extrañar la espada del rey de Argos, ese que relampaguea como un Genio sobre las murallas de Erix:[12] uno y otro formados de una masa especial, más sutil, jugosa, preciosa que la del globo de los mortales: ¿en qué se diferencian? En que el uno se dedicó a destruir naciones, el otro a formarlas; el uno a cautivar pueblos, el otro a libertarlos: son los dos polos de la esfera política y moral, conjuntos en el heroísmo. Napoleón es cometa que infesta la bóveda celeste y pasa aterrando al universo: vése humear todavía el horizonte por donde se hundió la divinidad tenebrosa que iba envuelta en su encendida cabellera. Bolívar es astro bienhechor que destruye con su fuego a los tiranos, e infunde vida a los pueblos, muertos en la servidumbre: el yugo es tumba; los esclavos son difuntos puestos al remo del trabajo, sin más sensación que la del miedo, ni más facultad que la obediencia.

Napoleón surge del hervidero espantoso que se estaba tragando a los monarcas, los grandes, las clases opresoras; acaba con los efectos y las causas, lo allana todo para sí, y se declara él mismo opresor de opresores y oprimidos. Bolívar, otro que tal, nace del seno de una revolución cuyo efecto era dar al través con los tiranos y proclamar los derechos del hombre en un vasto continente: vencen entrambos: el uno continúa el régimen antiguo; el otro vuelve realidades sus grandes y justas intenciones. Estos hombres tan semejantes en la organización y el temperamento, difieren en los fines, siendo una misma la ocupación de toda su vida: la guerra. En la muerte vienen también a parecerse: Napoleón encadenado en medio de los mares; Bolívar a orillas del mar, proscrito y solitario. ¿Qué conexiones misteriosas reinan entre este elemento sublime y los varones grandes? Parece que en sus vastas entrañas buscan el sepulcro, a él se acercan, en sus orillas mueren: la tumba de Aquiles se hallaba en la isla de Ponto.[13] Sea de esto lo que fuere, la obra de Napoleón está destruída; la de Bolívar próspera. Si el que hace cosas grandes y buenas es superior al que hace cosas grandes y malas, Bolívar es superior a Napoleón; si el que corona empresas grandes y perpetuas es superior al que corona empresas grandes, también, pero efímeras, Bolívar es superior a Napoleón. Mas como no sean las virtudes y sus fines los que causan maravilla primero que el crimen y sus obras, no seré yo el incauto que venga a llamar ahora hombre más grande al americano que al europeo: una inmensa carcajada me abrumaría, la carcajada de Rabelais que se ríe por boca de Gargantúa,[14] la risa del desdén y la fisga. Sea porque el nombre de Bonaparte lleva consigo cierto misterio que cautiva la imaginación; sea porque el escenario en que representaba ese trágico portentoso era más vasto y esplendente, y su concurso aplaudía con más estrépito; sea, en fin, porque prevaleciese por la inteligencia y las pasiones girasen más a lo grande en ese vasto pecho, la verdad es que Napoleón se muestra a los ojos del mundo con estatura superior y más airoso continente que Bolívar. Los siglos pueden reducir a un nivel a estos dos hijos de la tierra, que en una como demencia acometieron a poner monte sobre monte para escalar el Olimpo. El uno, el más audaz, fué herido por los dioses, y rodó al abismo de los mares; el otro, el más feliz, coronó su obra, y habiéndolos vencido se alió con ellos y fundó la libertad del Nuevo Mundo. En diez siglos Bolívar crecerá lo necesario para ponerse hombro a hombro con el espectro que arrancando de la tierra hiere con la cabeza la bóveda celeste.

¿Cómo sucede que Napoleón sea conocido por cuantos son los pueblos, y su nombre resuene lo mismo en las naciones civilizadas de Europa y América, que en los desiertos de Asia, cuando la fama de Bolívar apenas está llegando sobre el ala débil a las márgenes del viejo mundo? Indignación y pesadumbre causa ver cómo en las naciones más ilustradas y que se precian de saberlo todo, el libertador de la América del Sur no es conocido sino por los hombres que nada ignoran, donde la mayor parte de los europeos oye con extrañeza pronunciar el nombre de Bolívar. Esta injusticia, esta desgracia proviene de que con el poder de España cayó su lengua en Europa, y nadie la lee ni cultiva sino los sabios y los literatos poliglotos. La lengua de Castilla, esa en que Carlos Quinto daba sus órdenes al mundo; la lengua de Castilla, esa que traducían Corneille y Molière[15]; la lengua de Castilla, esa en que Cervantes ha escrito para todos los pueblos de la tierra, es en el día asunto de pura curiosidad para los anticuarios: se la descifra, bien como una medalla romana encontrada entre

13. Ponto Euxino, antiguo nombre del Mar Negro. 14. personaje y título de un libro famoso de Rabelais (h. 1483-1553). 15. los escritores franceses del siglo XVII. 16. el poeta francés. 17. Luis de Camoens (1525-1580), célebre poeta portugués del Renacimiento. 18. referencia a una frase atribuída al Emperador Carlos V. 19. en literatura, personifica el dolor materno. Hija de Tántalo y mujer de Anfión, rey de Tebas, cuyos hijos murieron por una venganza de los dioses. 20. Vizconde François René de, (1768-1848), escritor francés, de gran influencia en la literatura romántica. 21. Madame de Staël (1766-1817). 22. Alessandro Manzoni (1785-1873), poeta y novelista italiano, autor de la famosa novela *I promessi sposi*. 23. José Manuel Restrepo (1782-1863), historiador y político colombiano; Felipe Larrazábal (1817-1873), historiador venezolano. 24. Rafael María Baralt (1806-1860), escritor y filólogo venezolano. 25. (h. 55-120 después de J. C.), famoso historiador romano. 26. ciudad de Venezuela. 27. referencia al famoso poema de Lord Byron (1812-1818). 28. general y dictador romano del siglo IV.

los escombros de una ciudad en ruina. ¿Cuándo volverá el reinado de la reina de las lenguas? Cuando España vuelva a ser la señora del mundo; cuando de otra oscura Alcalá de Henares salga otro Miguel de Cervantes: cosas difíciles, por no decir del todo inverosímiles. Lamartine,[16] que no sabía el español ni el portugués, no vacila en dar la preferencia al habla de Camoens,[17] llevado más del prestigio del poeta lusitano que de la ley de la justicia. La lengua en que debemos hablar con Dios[18] ¿a cuál sería inferior? Pero no entienden el castellano en Europa, cuando no hay galopín que no lea el francés, ni buhonero que no profese la lengua de los pájaros. Las lenguas de los pueblos suben o bajan con sus armas: si el imperio alemán se consolida y extiende sus raíces allende los mares, la francesa quedará y llorará como la estatua de Níobe.[19] No es maravilla que el nombre de un héroe sudamericano halle tanta resistencia para romper por medio del ruido europeo.

Otra razón por esta oscuridad, y no menor, es que nuestros pueblos en la infancia no han dado todavía de sí los grandes ingenios, los consumados escritores que con su pluma de águila cortada en largo tajo rasguean las proezas de los héroes y ensalzan sus virtudes, elevándolos con su soplo divino hasta las regiones inmortales. Napoleón no sería tan grande, si Chateaubriand[20] no hubiera tomado sobre sí el alzarle hasta el Olimpo con sus injurias altamente poéticas y resonantes; si de Staël[21] no hubiera hecho gemir al mundo con sus quejas, llorando la servidumbre de su patria y su propio destierro; si Manzoni[22] no le hubiera erigido un trono en su oda maravillosa; si Byron no le hubiera hecho andar tras Julio César como gigante ciego que va temblando tras un dios; si Victor Hugo no le hubiera ungido con el aceite encantado que este mágico celestial extrae por ensalmo del haya y del roble, del mirto y del laurel al propio tiempo; si Lamartine no hubiera convertido en rugido de león y en gritos de águila su tierno arrullo de paloma, cuando hablaba de su terrible compatriota; si tantos historiadores, oradores y poetas no hubieran hecho suyo el volver Júpiter tonante a su gran tirano, ese Satanás divino que los obliga a la temerosa adoración con que le honran y engrandecen.

No se descuidan, desde luego, los hispanoamericanos de las cosas de su patria, ni sus varones ínclitos han caído en el olvido por falta de memoria. Restrepo y Larrazábal[23] han tomado a pechos el trasmitir a la posteridad las obras de Bolívar y más próceres de la emancipación; y un escritor eminente, benemérito de la lengua hispana, Baralt,[24] imprime las hazañas de esos héroes en cláusulas rotas a la grandiosa manera de Cornelio Tácito,[25] donde la numerosidad y armonía del lenguaje dan fuerza a la expresión de sus nobles pensamientos y los acendrados sentimientos de su ánimo. Restrepo y Larrazábal, autores de nota en los cuales sobresalen el mérito de la diligencia y el amor con que han recogido los recuerdos que deben ser para nosotros un caudal sagrado; Baralt, pintor egregio, maestro de la lengua, ha sido más conciso, y tan sólo a brochazos a bulto nos ha hecho su gran cuadro. Yo quisiera uno que en lugar de decirnos: « El 1º de junio se aproximó Bolívar a Carúpano »,[26] le tomase en lo alto del espacio, *in pride of place*, como hubiera dicho Childe Harold,[27] y nos le mostrase allí contoneándose en su vuelo sublime. Pero la musa de Chateaubriand anda dando su vuelta por el mundo de los dioses, y no hay todavía indicios de que venga a glorificar nuestra pobre morada.

WASHINGTON Y BOLÍVAR

El nombre de Washington no finca tanto en sus proezas militares, cuanto en el éxito mismo de la obra que llevó adelante y consumó con tanta felicidad como buen juicio. El de Bolívar trae consigo el ruido de las armas, y a los resplandores que despide esa figura radiosa vemos caer y huir y desvanecerse los espectros de la tiranía: suenan los clarines, relinchan los caballos, todo es guerrero estruendo en torno al héroe hispanoamericano: Washington se presenta a la memoria y la imaginación como un gran ciudadano antes que como un gran guerrero, como filósofo antes que como general. Washington estuviera muy bien en el senado romano al lado del viejo Papirio Cursor,[28] y en siendo monarca antiguo, fuera Augusto, ese varón sereno y reposado que gusta de sentarse en medio de Horacio y de Virgilio, en tanto que las naciones todas giran reverentes al rededor de su trono. Entre Washington y Bolívar hay de común la identidad de fines, siendo así que el anhelo de cada uno se cifra en la libertad de un pueblo y el establecimiento de la democracia. En las dificultades sin medida que el uno tuvo que vencer, y la holgura con que el otro vió coronarse su obra, ahí está la diferencia de esos dos varones perilustres, ahí la superioridad del uno sobre el otro. Bolívar, en varias épocas de la guerra, no contó con el menor recurso, ni sabía dónde ir a buscarlo; su amor inapelable hacia la patria; ese punto de honra subido que obraba en su pecho; esa imaginación fecunda, esa voluntad soberana, esa actividad prodigiosa que constituían su carácter, le inspiraban la sabiduría de hacer factible lo imposible, le comunicaban el poder de tornar de la nada el centro del mundo real. Caudillo inspirado por la Providencia, hiere la roca con su varilla de virtudes, y un torrente de agua cristalina brota murmurando afuera; pisa con intención, y la tierra se puebla de numerosos combatientes, esos que la patrona de los pueblos oprimidos envía sin que sepamos de dónde. Los americanos del Norte eran de suyo ricos, civilizados y pudientes aun antes de su emancipación de la madre Inglaterra: en faltando su caudillo, cien Washingtons se hubieran presentado al instante a llenar ese vacío, y no con desventaja. A Washington le rodeaban hombres tan notables como él mismo, por no decir más beneméritos: Jefferson,[29] Madison,[30] varones de alto y profundo consejo; Franklin,[31] genio del cielo y de la tierra, que al tiempo que arranca el cetro a los tiranos, arranca el rayo de las nubes. *Eripui coelo fulmen sceptrumque tyrannis.* Y éstos y todos los demás, cuan grandes eran y cuan numerosos se contaban, eran unos en la causa, rivales en la obediencia, poniendo cada cual su contingente en el raudal inmenso que corrió sobre los ejércitos y las flotas enemigas, y destruyó el poder británico. Bolívar tuvo que domar a sus tenientes, que combatir y vencer a sus propios compatriotas, que luchar contra mil elementos conjurados contra él y la independencia, al paso que batallaba con las huestes españolas y las vencía o era vencido. La obra de Bolívar es más ardua, y por el mismo caso más meritoria.

Washington se presenta más respetable y majestuoso a la contemplación del mundo. Bolívar más alto y resplandeciente; Washington fundó una república que ha venido a ser después de poco una de las mayores naciones de la tierra; Bolívar fundó asimismo una gran nación, pero, menos feliz que su hermano primogénito, la vió desmoronarse, y aunque no destruída su obra, por lo menos desfigurada y apocada. Los sucesores de Washington, grandes ciudadanos, filósofos y políticos, jamás pensaron en despedazar el manto sagrado de su madre para echarse cada uno por adorno un girón de púrpura sobre sus cicatrices; los compañeros de Bolívar todos acometieron a degollar a la real Colombia y tomar para sí la mayor presa posible, locos de ambición y tiranía. En tiempo de los dioses, Saturno devoraba a sus hijos; nosotros hemos visto y estamos viendo a ciertos hijos devorar a su madre. Si Páez,[32] a cuya memoria debemos el más profundo respeto, no tuviera su parte en este crimen, ya estaba yo aparejado para hacer una terrible comparación tocante a esos asociados del parricidio que nos destruyeron nuestra grande patria; y como había además que mentar a un gusanillo y rememorar el triste fin del héroe de Ayacucho,[33] del héroe de la guerra y las virtudes, vuelvo a mi asunto ahogando en el pecho esta dolorosa indignación mía. Washington, menos ambicioso, pero menos magnánimo; más modesto, pero menos elevado que Bolívar. Washington, concluída su obra, acepta los casi humildes presentes de sus compatriotas; Bolívar rehusa los millones ofrecidos por la nación peruana; Washington rehusa el tercer período presidencial de los Estados Unidos, y cual un patriarca se retira a vivir tranquilo en el regazo de la vida privada, gozando sin mezcla de odio las consideraciones de sus semejantes, venerado por el pueblo, amado por sus amigos: enemigos, no los tuvo, ¡hombre raro y feliz! Bolívar acepta el mando tentador que por tercera vez, y ésta de fuente impura, viene a molestar su espíritu, y muere repelido, perseguido, escarnecido por una buena parte de sus contemporáneos. El tiempo ha borrado esta leve mancha, y no vemos sino el resplandor que circunda al mayor de los sudamericanos. Washington y Bolívar, augustos personajes, gloria del Nuevo Mundo, honor del género humano, junto con los varones más insignes de todos los pueblos y de todos los tiempos.

(De « Los héroes de la emancipación de la raza hispanoamericana », en *Siete Tratados*, 1882)

29. Thomas Jefferson (1743-1826), tercer presidente de los Estados Unidos. 30. James Madison (1751-1836), cuarto presidente de los Estados Unidos.
31. Benjamin Franklin (1786-1847), político y publicista, uno de los fundadores de la independencia norteamericana, inventor del pararrayos. 32. José Antonio Páez (1790-1873), político venezolano, presidente de la república. Fué general de las guerras de independencia. 33. Antonio de Sucre (1793-1830).

RICARDO PALMA (1833-1919) fué la gran figura del rezagado romanticismo peruano. En las divertidas confidencias de *La bohemia de mi tiempo* (1887) Palma ha contado los excesos literarios románticos de los años 1848 a 1860. Desengañado y burlón se alejó, pues, Palma del romanticismo; pero allí había encendido una de sus antorchas, para iluminar románticamente el pasado peruano. La simpatía romántica hacia el pasado se apropió de ciertos géneros literarios. Palma, narrador nato, debió de sentir la atracción de todos ellos: la novela histórica, el cuadro de costumbres, la leyenda, el cuento. Pero no se entregó a ninguno de ellos, sino que, con un poco tomado de aquí y otro poco de allá, creó un género propio: la « tradición. » Ya en 1852 escribía relatos tradicionales; diez años después iba cobrando su fisonomía definitiva y desde 1872 empiezan a publicarse las largas series de *Tradiciones peruanas*, perfectas. Seis series, de 1872 a 1883, a las que siguieron otras con títulos diferentes: *Ropa vieja* (1889); *Ropa apolillada* (1891); *Cachivaches* y *Tradiciones y artículos históricos* (1899-1900); *Apéndice a mis últimas tradiciones*, en prensa ya en 1911. Con los años Ricardo Palma fué consciente de su originalidad y dió la fórmula de su invención: « Algo, y aun algos, de mentira, y tal cual dosis de verdad, por infinitesimal u homeopática que ella sea, muchísimo de esmero y pulimento en el lenguaje, y cata la receta para escribir Tradiciones . . . » El cuadro geográfico-histórico-social-psicológico que nos ofrece en sus *Tradiciones* es amplísimo: desde Tucumán hasta Guayaquil; desde la época de los Incas hasta hechos contemporáneos de los que el mismo Palma es actor; desde el mendigo hasta el virrey; desde el idiota hasta el genio. Pero en el centro del cuadro, y pintada con pincel más fino, está la ingeniosa sociedad virreinal de la Lima del siglo XVIII. Las fuentes son innumerables y a veces irreconocibles. Crónicas éditas e inéditas, historias, vidas de santos, libros de viajes, pasquines, testamentos, relatos de misioneros, registros de conventos, versos, y además de la palabra escrita, la oral en el refrán, el dicho, la copla, la superstición, la leyenda, el cuento popular . . . La estructura de las *Tradiciones* es también compleja. La combinación de documento histórico y acción narrativa es desordenada, cambiante, libre. A veces ni siquiera hay estructura, pues suele ocurrir que se desmoronan los hechos y sofocan el relato. O, en una tradición, hay muchas otras tradiciones menores encajadas unas dentro de otras. El granero de enredos, situaciones y caracteres interesantes es tan copioso que toda una familia de cuentistas podría alimentarse allí. Una frase suele ser el grano de un cuento posible. Aun el espíritu de Palma se desdobla en planos. Simpatizaba herderianamente con las voces históricas del pueblo; pero también se burlaba volterianamente de ellas. Tiene la multiplicidad de perspectivas de un escéptico zumbón, y aun sus protestas de imparcialidad — « yo ni quito ni pongo » — son irónicos pinchazos al absolutismo de la Iglesia y del Estado. Era un liberal, y sólo tomaba en serio los derechos de la conciencia libre y de la soberanía popular y los valores morales de bondad, honradez y justicia. Su tono dominante es la burla traviesa, picaresca. Y todavía tiene la sonrisa en los labios cuando, de pronto, pasa a contarnos el poético milagro de « El alacrán de Fray Gómez » o el dramático sacrificio de « Amor de madre. » Esta última « tradición » — una de las mejores — entusiasmó tanto a Benito Pérez Galdós que le dió ganas de escribir un drama « como *El abuelo* », según dijo en una carta. A despecho de sus descuidos, fué buen narrador. Sabe hacernos esperar hasta el desenlace. No hay una sola virtud de cuentista que Palma no tuviera. Presentaba con gracia sus personajes, sobre todo a las mujeres, elegía conflictos curiosos y los enredaba y desenredaba . . . Pero no hay una sola « tradición » que sea, realmente, un cuento. Su fruición de anticuario lo lleva a coleccionar hechos, y para darles sitio interrumpe, desvía y altera constantemente el curso del cuento. Los hechos flotan en el aire, sueltos y alocados. Como en Montalvo, la prosa de Palma tiene algo de museo lingüístico en que palabras y giros se aprietan en espacios mínimos. Sólo que, a diferencia de Montalvo, la lengua de Palma es más popular y americana.

Ricardo Palma

AMOR DE MADRE

Crónica de la Época del Virrey « Brazo de Plata »

(A Juana Manuela Gorriti)

Juzgamos conveniente alterar los nombres de los principales personajes de esta tradición, pecado venial que hemos cometido en *La emplazada* y alguna otra. Poco significan los nombres si se cuida de no falsear la verdad histórica; y bien barruntará el lector que razón, y muy poderosa, habremos tenido para desbautizar prójimos.

I

En agosto de 1690 hizo su entrada en Lima el excelentísimo señor don Melchor Portocarrero Lazo de la Vega, conde de la Monclova, comendador de Zarza en la Orden de Alcántara y vigésimo tercio virrey del Perú por su majestad don Carlos II. Además de su hija doña Josefa, y de su familia y servidumbre, acompañábanlo desde México, de cuyo gobierno fué trasladado a estos reinos, algunos soldados españoles. Distinguíase entre ellos, por su bizarro y marcial aspecto, don Fernando de Vergara, hijodalgo extremeño, capitán de gentileshombres lanzas;[1] y contábase de él que entre las bellezas mexicanas no había dejado la reputación austera de monje benedictino. Pendenciero, jugador y amante de dar guerra a las mujeres, era más que difícil hacerle sentar la cabeza; y el virrey, que le profesaba paternal afecto, se propuso en Lima casarlo de su mano, por ver si resultaba verdad aquello de *estado muda costumbres*.

Evangelina Zamora, amén de su juventud y belleza, tenía prendas que la hacían el partido más codiciable de la ciudad de los Reyes. Su bisabuelo había sido, después de Jerónimo de Aliaga, del alcalde Ribera, de Martín de Alcántara y de Diego Maldonado el Rico, uno de los conquistadores más favorecidos por Pizarro con repartimientos en el valle del Rimac.[2] El emperador le acordó el uso del *Don*, y algunos años después, los valiosos presentes que enviaba a la corona le alcanzaron la merced de un hábito de Santiago.[3] Con un siglo a cuestas, rico y ennoblecido, pensó nuestro conquistador que no tenía ya misión sobre este valle de lágrimas, y en 1604 lió el petate, legando al mayorazgo, en propiedades rústicas y urbanas, un caudal que se estimó entonces en un quinto de millón.

El abuelo y el padre de Evangelina acrecieron la herencia; y la joven se halló huérfana a la edad

1. uno de los cuerpos en la organización militar de la época. 2. río y valle del Perú, donde Pizarro fundó la ciudad de Lima. 3. hábito de la orden militar de ese nombre fundada en el reino de León en 1161. 4. juego de naipes. La malilla es una de las cartas de más valor. *Abarrotada:* no jugar la malilla y matar con triunfo menor. 5. general romano del siglo I. 6. sortear cosa teniendo uno en el puño cerrado un número cualquiera de algo.

de veinte años, bajo el amparo de un tutor y envidiada por su riqueza.

Entre la modesta hija del conde de la Monclova y la opulenta limeña se estableció, en breve, la más cordial amistad. Evangelina tuvo así motivo para encontrarse frecuentemente en palacio en sociedad con el capitán de gentileshombres, que a fuer de galante no desperdició coyuntura para hacer su corte a la doncella; la que al fin, sin confesar la inclinación amorosa que el hidalgo extremeño había sabido hacer brotar en su pecho, escuchó con secreta complacencia la propuesta de matrimonio con don Fernando. El intermediario era el virrey nada menos, y una joven bien doctrinada no podía inferir desaire a tan encumbrado padrino.

Durante los cinco primeros años de matrimonio, el capitán Vergara olvidó su antigua vida de disipación. Su esposa y sus hijos constituían toda su felicidad: era, digámoslo así, un marido ejemplar.

Pero un día fatal hizo el diablo que don Fernando acompañase a su mujer a una fiesta de familia, y que en ella hubiera una sala, donde no sólo se jugaba la clásica *malilla* abarrotada,[4] sino que, alrededor de una mesa con tapete verde, se hallaban congregados muchos devotos de los cubículos. La pasión del juego estaba sólo adormecida en el alma del capitán, y no es extraño que a la vista de los dados se despertase con mayor fuerza. Jugó, y con tan aviesa fortuna, que perdió en esa noche veinte mil pesos.

Desde esa hora, el esposo modelo cambió por completo su manera de ser, y volvió a la febricitante existencia del jugador. Mostrándosele la suerte cada día más rebelde, tuvo que mermar la hacienda de su mujer y de sus hijos para hacer frente a las pérdidas, y lanzarse en ese abismo sin fondo que se llama *el desquite*.

Entre sus compañeros de vicio había un joven marqués a quien los dados favorecían con tenacidad, y don Fernando tomó a capricho luchar contra tan loca fortuna. Muchas noches lo llevaba a cenar a la casa de Evangelina y, terminada la cena, los dos amigos se encerraban en una habitación a *descamisarse*, palabra que en el tecnicismo de los jugadores tiene una repugnante exactitud.

Decididamente, el jugador y el loco son una misma entidad. Si algo empequeñece, a mi juicio, la figura histórica del emperador Augusto es que, según Suetonio,[5] después de cenar jugaba a pares y nones.[6]

En vano Evangelina se esforzaba para apartar del precipicio al desenfrenado jugador. Lágrimas y ternezas, enojos y reconciliaciones fueron inútiles. La mujer honrada no tiene otras armas que emplear sobre el corazón del hombre amado.

Una noche la infeliz esposa se encontraba ya recogida en su lecho, cuando la despertó don Fernando pidiéndole el anillo nupcial. Era éste un brillante de crecidísimo valor. Evangelina se sobresaltó; pero su marido calló su zozobra, diciéndola que trataba sólo de satisfacer la curiosidad de unos amigos que dudaban del mérito de la preciosa alhaja.

¿Qué había pasado en la habitación donde se encontraban los rivales de tapete? Don Fernando perdía una gran suma, y no teniendo ya prenda que jugar, se acordó del espléndido anillo de su esposa.

La desgracia es inexorable. La valiosa alhaja lucía pocos minutos más tarde en el dedo anular del ganancioso marqués.

Don Fernando se estremeció de vergüenza y remordimiento. Despidióse el marqués, y Vergara lo acompañaba a la sala; pero al llegar a ésta, volvió la cabeza hacia una mampara que comunicaba al dormitorio de Evangelina, y al través de los cristales vióla sollozando de rodillas ante una imagen de María.

Un vértigo horrible se apoderó del espíritu de don Fernando, y rápido como el tigre, se abalanzó sobre el marqués y le dió tres puñaladas por la espalda.

El desventurado huyó hacia el dormitorio, y cayó exánime delante del lecho de Evangelina.

II

El conde de la Monclova, muy joven a la sazón, mandaba una compañía en la batalla de Arras, dada en 1654. Su denuedo lo arrastró a lo más reñido de la pelea, y fué retirado del campo casi moribundo. Restablecióse al fin, pero con pérdida del brazo derecho, que hubo necesidad de amputarle. Él lo substituyó con otro plateado, y de aquí vino el apodo con que, en México y en Lima lo bautizaron.

El virrey *Brazo de plata*, en cuyo escudo de armas se leía este mote: *Ave Maria gratia plena*, sucedió en el gobierno del Perú al ilustre don Melchor de Navarra y Rocafull. « Con igual prestigio que su antecesor, aunque con menos dotes administrativas —dice Lorente—, de costumbres puras, religioso, conciliador y moderado, el conde de la Monclova, edificaba al pueblo con su ejemplo, y los necesitados le hallaron siempre pronto a dar de limosna sus sueldos y las rentas de su casa.»

En los quince años y cuatro meses que duró el gobierno de *Brazo de plata*, período a que ni hasta entonces ni después llegó ningún virrey, disfrutó el país de completa paz; la administración fué ordenada, y se edificaron en Lima magníficas casas. Verdad que el tesoro público no anduvo muy floreciente; pero por causas extrañas a la política. Las procesiones y fiestas religiosas de entonces recordaban, por su magnificencia y lujo, los tiempos del conde de Lemos. Los portales, con sus ochenta y cinco arcos, cuya fábrica se hizo con gasto de veinticinco mil pesos, el Cabildo y la galería de palacio fueron obra de esa época.

En 1694 nació en Lima un monstruo con dos cabezas y rostros hermosos, dos corazones, cuatro brazos y dos pechos unidos por un cartílago. De la cintura a los pies poco tenía de fenomenal, y el enciclopédico limeño don Pedro de Peralta[7] escribió con el título de *Desvíos de la naturaleza* un curioso libro, en que, a la vez que hace una descripción anatómica del monstruo, se empeña en probar que estaba dotado de dos almas.

Muerto Carlos el Hechizado en 1700, Felipe V, que lo sucedió, recompensó al conde de la Monclova haciéndolo grande de España.

Enfermo, octogenario y cansado del mando, el virrey *Brazo de plata* instaba a la corte para que se le reemplazase. Sin ver logrado este deseo, falleció el conde de la Monclova el 22 de septiembre de 1702, siendo sepultado en la Catedral; y su sucesor, el marqués de Casteldos Ríus, no llegó a Lima sino en julio de 1707.

Doña Josefa, la hija del conde de la Monclova, siguió habitando en palacio después de la muerte del virrey; mas una noche, concertada ya con su confesor, el padre Alonso Mesía, se descolgó por una ventana y tomó asilo en las monjas de Santa Catalina, profesando con el hábito de Santa Rosa, cuyo monasterio se hallaba en fábrica. En mayo de 1710 se trasladó doña Josefa Portocarrero Lazo de la Vega al nuevo convento, del que fué la primera abadesa.

III

Cuatro meses después de su prisión, la Real Audiencia condenaba a muerte a don Fernando de Vergara. Éste desde el primer momento había declarado que mató al marqués con alevosía, en un arranque de desesperación de jugador arruinado. Ante tan franca confesión no quedaba al tribunal más que aplicar la pena.

Evangelina puso en juego todo resorte para libertar a su marido de una muerte infamante; y en tal desconsuelo, llegó el día designado para el suplicio del criminal. Entonces la abnegada y valerosa Evangelina resolvió hacer, por amor al nombre de sus hijos, un sacrificio sin ejemplo.

Vestida de duelo se presentó en el salón de palacio en momentos de hallarse el virrey conde de la Monclova en acuerdo con los oidores, y expuso: que don Fernando había asesinado al marqués, amparado por la ley; que ella era adúltera, y que, sorprendida por el esposo, huyó de sus iras, recibiendo su cómplice justa muerte del ultrajado marido.

La frecuencia de las visitas del marqués a la casa de Evangelina, el anillo de ésta como gaje de amor en la mano del cadáver, las heridas por la espalda, la circunstancia de habérsele hallado al muerto al pie del lecho de la señora, y otros pequeños detalles eran motivos bastantes para que el virrey, dando crédito a la revelación, mandase suspender la sentencia.

El juez de la causa se contituyó en la cárcel para que don Fernando ratificara la declaración de su esposa. Mas apenas terminó el escribano la lectura, cuando Vergara, presa de mil encontrados sentimientos, lanzó una espantosa carcajada.

¡El infeliz se había vuelto loco!

Pocos años después, la muerte cernía sus alas sobre el casto lecho de la noble esposa, y un austero sacerdote prodigaba a la moribunda los consuelos de la religión.

Los cuatro hijos de Evangelina esperaban arrodillados la postrera bendición maternal. Entonces la abnegada víctima, forzada por su confesor, les reveló el tremendo secreto: —El mundo olvidará — les dijo — el nombre de la mujer que os dió la vida; pero habría sido implacable para con vosotros si vuestro padre hubiese subido los escalones del cadalso. Dios, que lee en el cristal de mi conciencia, sabe que ante la sociedad perdí mi honra porque no os llamasen un día los hijos del ajusticiado.

7. Pedro de Peralta Barnuevo (1663-1743), polígrafo y poeta peruano, persona de gran erudición. 8. latín: en aquellos días. 9. religioso franciscano, que nació en la provincia de Córdoba (España) en 1549 y murió en Lima en 1610.

EL ALACRÁN DE FRAY GÓMEZ

(A Casimiro Prieto Valdés)

Principio principiando;
principiar quiero,
por ver si principiando
principiar puedo.

In diebus illis,[8] digo, cuando yo era muchacho, oía con frecuencia a las viejas exclamar, ponderando el mérito y precio de una alhaja: — ¡Esto vale tanto como el alacrán de fray Gómez!

Tengo una chica, remate de lo bueno, flor de la gracia y espumita de la sal, con unos ojos más pícaros y trapisondistas que un par de escribanos:

chica que se parece
al lucero del alba
cuando amanece,

al cual pimpollo he bautizado, en mi paternal chochera, con el mote de *alacrancito de fray Gómez.* Y explicar el dicho de las viejas, y el sentido del piropo con que agasajo a mi Angélica, es lo que me propongo, amigo y camarada Prieto, con esta tradición.

El sastre paga deudas con puntadas, y yo no tengo otra manera de satisfacer la literaria que con usted he contraído que dedicándole estos cuatro palotes.

I

Éste era un lego contemporáneo de don Juan de la Pipirindica, el de la valiente pica, y de San Francisco Solano;[9] el cual lego desempeñaba en Lima, en el convento de los padres seráficos, las funciones de refitolero en la enfermería u hospital de los devotos frailes. El pueblo lo llamaba fray Gómez, y fray Gómez lo llaman las crónicas conventuales, y la tradición lo conoce por fray Gómez. Creo que hasta en el expediente que para su beatificación y canonización existe en Roma no se le da otro nombre.

Fray Gómez hizo en mi tierra milagros a mantas, sin darse cuenta de ellos y como quien no quiere la cosa. Era de suyo milagrero, como aquel que hablaba en prosa sin sospecharlo.

Sucedió que un día iba el lego por el puente, cuando un caballo desbocado arrojó sobre las losas al jinete. El infeliz quedó patitieso, con la cabeza hecha una criba y arrojando sangre por boca y narices.

— ¡Se descalabró, se descalabró! — gritaba la gente —. ¡Que vayan a San Lázaro por el santo óleo!

Y todo era bullicio y alharaca.

Fray Gómez acercóse pausadamente al que yacía en la tierra, púsole sobre la boca el cordón de su hábito, echóle tres bendiciones, y sin más médico ni más botica el descalabrado se levantó tan fresco, como si golpe no hubiera recibido.

— ¡Milagro, milagro! ¡Viva fray Gómez! — exclamaron los infinitos espectadores.

Y en su entusiasmo intentaron llevar en triunfo al lego. Éste, para substraerse a la popular ovación, echó a correr camino de su convento y se encerró en su celda.

La crónica franciscana cuenta esto último de manera distinta. Dice que fray Gómez, para escapar de sus aplaudidores, se elevó en los aires y voló desde el puente hasta la torre de su convento. Yo ni lo niego ni lo afirmo. Puede que sí y puede que no. Tratándose de maravillas, no gasto tinta en defenderlas ni en refutarlas.

Aquel día estaba fray Gómez en vena de hacer milagros, pues cuando salió de su celda se encaminó a la enfermería, donde encontró a San Francisco Solano acostado sobre una tarima, víctima de una furiosa jaqueca. Pulsólo el lego y le dijo:

— Su paternidad está muy débil, y haría bien en tomar algún alimento.

— Hermano — contestó el santo —, no tengo apetito.

— Haga un esfuerzo, reverendo padre, y pase siquiera un bocado.

Y tanto insistió el refitolero, que el enfermo, por librarse de exigencias que picaban ya en majadería, ideó pedirle lo que hasta para el virrey habría sido imposible conseguir, por no ser la estación propicia para satisfacer el antojo.

— Pues mire, hermanito, sólo comería con gusto un par de pejerreyes.

Fray Gómez metió la mano derecha dentro de la manga izquierda, y sacó un par de pejerreyes tan fresquitos que parecían acabados de salir del mar.

— Aquí los tiene su paternidad, y que en salud se le conviertan. Voy a guisarlos.

Y ello es que con los benditos pejerreyes quedó San Francisco curado como por ensalmo.

Me parece que estos dos milagritos de que incidentalmente me he ocupado no son paja picada. Dejo en mi tintero otros muchos de nuestro lego, porque no me he propuesto relatar su vida y milagros.

Sin embargo, apuntaré, para satisfacer curiosidades exigentes, que sobre la puerta de la primera celda del pequeño claustro, que hasta hoy sirve de enfermería, hay un lienzo pintado al óleo representando estos dos milagros, con la siguiente inscripción:

« El Venerable Fray Gómez. — Nació en Extremadura en 1560. Vistió el hábito en Chuquisaca en 1580. Vino a Lima en 1587. — Enfermero fué cuarenta años, ejercitando todas las virtudes, dotado de favores y dones celestiales. Fué su vida un continuado milagro. Falleció en 2 de mayo de 1631, con fama de santidad. En el año siguiente se colocó el cadáver en la capilla de Aranzazú, y en 13 de octubre de 1810 se pasó debajo del altar mayor, a la bóveda donde son sepultados los padres del convento. Presenció la traslación de los restos el señor doctor don Bartolomé María de las Heras. Se restauró este venerable retrato en 30 de noviembre de 1882, por M. Zamudio. »

2

Estaba una mañana fray Gómez en su celda entregado a la meditación, cuando dieron a la puerta unos discretos golpecitos, y una voz de quejumbroso timbre dijo:

— *Deo gratias* . . . ¡Alabado sea el Señor!

— Por siempre jamás, amén. Entre, hermanito — contestó fray Gómez.

Y penetró en la humildísima celda un individuo algo desarrapado, *vera effigies* del hombre a quien acongojan pobrezas, pero en cuyo rostro se dejaba adivinar la proverbial honradez del castellano viejo.

Todo el mobiliario de la celda se componía de cuatro sillones de vaqueta, una mesa mugrienta, y una tarima sin colchón, sábanas ni abrigo, y con una piedra por cabezal o almohada.

— Tome asiento, hermano, y dígame sin rodeos lo que por acá le trae — dijo fray Gómez.

— Es el caso, padre, que yo soy hombre de bien a carta cabal . . .

— Se le conoce y que persevere deseo, que así merecerá en esta vida terrena la paz de la conciencia, y en la otra la bienaventuranza.

— Y es el caso que soy buhonero, que vivo cargado de familia y que mi comercio no cunde por falta de medios, que no por holgazanería y escasez de industria en mí.

— Me alegro, hermano, que a quien honradamente trabaja Dios le acude.

— Pero es el caso, padre, que hasta ahora Dios se me hace el sordo, y en acorrerme tarda . . .

— No desespere, hermano, no desespere.

— Pues es el caso que a muchas puertas he llegado en demanda de habilitación por quinientos duros, y todas las he encontrado con cerrojo y cerrojillo. Y es el caso que anoche, en mis cavilaciones, yo mismo me dije a mí mismo: — ¡Ea!, Jerónimo, buen ánimo y vete a pedirle el dinero a fray Gómez, que si él lo quiere, mendicante y pobre como es, medio encontrará para sacarte del apuro. Y es el caso que aquí estoy porque he venido, y a su paternidad le pido y ruego que me preste esa puchuela por seis meses, seguro que no será por mí por quien se diga:

> En el mundo hay devotos
> de ciertos santos:
> la gratitud les dura
> lo que el milagro;
> que un beneficio
> da siempre vida a ingratos
> desconocidos.

— ¿Cómo ha podido imaginarse, hijo, que en esta triste celda encontraría ese caudal?

— Es el caso, padre, que no acertaría a responderle; pero tengo fe en que no me dejará ir desconsolado.

— La fe lo salvará, hermano. Espere un momento.

Y paseando los ojos por las desnudas y blanqueadas paredes de la celda, vió un alacrán que caminaba tranquilamente sobre el marco de la ventana. Fray Gómez arrancó una página de un libro viejo, dirigióse a la ventana, cogió con delicadeza a la sabandija, la envolvió en el papel, y tornándose hacia el castellano viejo le dijo:

— Tome, buen hombre, y empeñe esta alhajita; no olvide, sí, devolvérmela dentro de seis meses.

El buhonero se deshizo en frases de agradeci-

10. (1817-1901), poeta español, muy famoso en aquellos años.
11. en lenguaje figurado, el que se da o pasa por autor de lo que otro u otros hacen; en este caso, un amante rico y ausente.

miento, se despidió de fray Gómez y más que de prisa se encaminó a la tienda de un usurero.

La joya era espléndida, verdadera alhaja de reina morisca, por decir lo menos. Era un prendedor figurando un alacrán. El cuerpo lo formaba una magnífica esmeralda engarzada sobre oro, y la cabeza un grueso brillante con dos rubíes por ojos.

El usurero, que era hombre conocedor, vió la alhaja con codicia, y ofreció al necesitado adelantarle dos mil duros por ella; pero nuestro español se empeñó en no aceptar otro préstamo que el de quinientos duros por seis meses, y con un interés judaico, se entiende. Extendiéronse y firmáronse los documentos o papeletas de estilo, acariciando el agiotista la esperanza de que a la postre el dueño de la prenda acudiría por más dinero, que con el recargo de intereses lo convertiría en propietario de joya tan valiosa por su mérito intrínseco y artístico.

Y con este capitalito fuéle tan prósperamente en su comercio, que a la terminación del plazo pudo desempeñar la prenda, y, envuelta en el mismo papel en que la recibiera, se la devolvió a fray Gómez.

Éste tomó el alacrán, lo puso sobre el alféizar de la ventana, le echó una bendición y dijo:

— Animalito de Dios, sigue tu camino.

Y el alacrán echó a andar libremente por las paredes de la celda.

Y vieja, pelleja,
aquí dió fin la conseja.

DE CÓMO DESBANQUÉ A UN RIVAL

(Artículo que hemos escrito entre Campoamor y yo, y que dedico a mi amigo Lauro Cabral)

I

Como ya voy teniendo, y es notorio,
« bastante edad para morir mañana »,
según dijo con chispa castellana
Ramón de Campoamor y Campoosorio[10]
que, en lo desmemoriado,
es un segundo yo pintipintado,
quiero dejar escrita cierta historia
de un amor, como mío,
extravagante y digno de memoria
perpetua en bronce, o alabastro frío.
¿La he leído en francés, o la he soñado?
¿Mía es la narración, o lo es de un loco?
¿He traducido el lance, o me ha pasado?
Lectora, en puridad: de todo un poco.

Ella era una muchacha más linda que el arco iris, y me quería hasta la pared de enfrente. Eso sí, por mi parte estaba correspondida, y con usura de un ciento por ciento. ¡Vaya si fué la niña de mis ojos!

Ha pasado un cuarto de siglo, y el recuerdo de ella despierta todavía un eco en mi apergaminado organismo.

Veinte años, que en la mujer son la edad en que la sangre de las venas arde y bulle como lava de volcán en ignición; morenita sonrosada, como la Magdalena; cutis de raso liso; ojos negros y misteriosos, como la tentación y el caos; una boquita más roja y agridulce que la guinda, y un todo más subversivo que la libertad de imprenta: tal era mi amor, mi embeleso, mi delicia, la musa de mis tiempos de poeta. Me parece que he escrito lo suficiente para probar que la quise.

Para colmo de dichas, tenía editor responsable,[11] y ése . . . a mil leguas de distancia.

La chica se llamaba . . . se llamaba . . . ¡Vaya una memoria flaca la mía! Después de haberla querido tanto, salgo ahora con que ni del santo de su nombre me acuerdo, y lo peor es, como diría Campoamor:

que no encuentro manera,
por más que la conciencia me remuerde,
de recordar su nombre, que era . . . que era . . .
ya lo diré después, cuando me acuerde.

II

Ella había sido educada en un convento de monjas — pienso que en el de Santa Clara —, con lo que está dicho que tenía sus ribetes de supersticiosa, que creía en visiones, y que se encomendaba a las benditas ánimas del Purgatorio.

Para ella, moral y físicamente, era yo, como amante, el tipo soñado por su fantasía soñadora.

— Eres el feo más simpático que ha parido madre — solía repetirme —, y yo, francamente, como que llegué a persuadirme de que no me lisonjeaba.

¡Pobrecita! ¡Si me amaría, cuando encontraba mis versos superiores a los de Zorrilla y Espronceda,[12] que eran por entonces los poetas a la moda! Por supuesto, que no entraban en su reino las poesías de los otros mozalbetes de mi tierra, hilvanadores de palabras bonitas con las que traíamos a las musas al retortero, haciendo mangas y capirotes de la estética.

Aunque no sea más que por gratitud literaria, he de consignar aquí el nombre del amor mío.

Esperad que me acuerde . . . se llamaba . . .
diera un millón por recordar ahora
su nombre, que acababa . . . que acababa . . .
no sé bien si era en *ira* o era en *ora*.

III

Sin embargo, mis versos y yo teníamos un rival en *Michito*, que era un gato color de azabache, muy pizpireto y remonono. Después de perfumarlo con esencias, adornábalo su preciosa dueña con un collarincito de terciopelo con tres cascabeles de oro, y teníalo siempre sobre sus rodillas. El gatito era un dije, la verdad sea dicha.

Lo confieso, llegó a inspirarme celos, fué mi pesadilla. Su ama lo acariciaba y lo mimaba demasiado, y maldita la gracia que me hacía eso de un beso al gato y otro a mí.

El demonche del animalito parece que conoció la tirria que me inspiraba; y más de una vez en que, fastidiándome su roncador *ró ró ró*, quise apartarlo de las rodillas de ella, me plantó un arañazo de padre y muy señor mío.

Un día le arrimé un soberbio puntapié. ¡Nunca tal hiciera! Aquel día se nubló el cielo de mis amores, y en vez de caricias hubo tormenta deshecha. Llanto, amago de pataleta, y en vez de llamarme ¡bruto!, me llamó ¡masón!, palabra que, en su boquita de ricapunto, era el *summum* de la cólera y del insulto.

¡Alma mía! Para desenojarla tuve que obsequiar, no rejalgar, sino bizcochuelos a *Michito*, pasarle la mano por el sedoso lomo, y . . ., ¡Apolo me perdone el pecado gordo!, escribirle un soneto con estrambote.

Decididamente, *Michito* era un rival difícil de ser expulsado del corazón de mi amada . . . de mi amada ¿qué?

Me quisiera morir, ¡oh rabia!, ¡oh mengua! No hay tormento más grande para un hombre que el no poder articular un nombre que se tiene en la punta de la lengua.

IV

Pero hay un dios protector de los amores, y van ustedes a ver cómo ese dios me ayudó con pautas torcidas a hacer un renglón derecho: digo, a eliminar a mi rival.

Una noche leía ella, en *El Comercio*, la sección de *avisos* del día.

— Díme — exclamó de pronto marcándome un renglón con el punterillo de nácar y rosa, vulgo dedo —, ¿qué significa este aviso?

— Veamos, sultana mía.

Cabalgué mis quevedos y leí:

ADELAIDA ORILLASQUI
Adivina y profesora

— No sabré decirte, palomita de ojos negros, lo que adivina ni lo que profesa la tal madama; pero tengo para mí que ha de ser una de tantas embaucadoras que, a vista y paciencia de la autoridad, sacan el vientre de mal año a expensas de la ignorancia y tontería humanas. Esta ha de ser una Celestina forrada en comadrona y bruja.

— ¡Una bruja! ¡Ay, hijo! . . . Yo quiero conocer una bruja . . . Llévame donde la bruja . . .

Un pensamiento mefistofélico cruzó rápidamente por mi cerebro. ¿No podría una bruja ayudarme a destronar al gato?

— No tengo inconveniente, ángel mío, para llevarte el domingo, no precisamente donde esa Adelaida, que ha de ser bruja *carera* y mis finanzas andan como las de la patria, sino donde otra prójima del oficio que, por cuatro o cinco duros, te leerá el porvenir en las rayas de las manos, y el pasado en el librito de las cuarenta.

Ella, la muy loquilla, brincando con infantil alborozo, echó a mi cuello sus torneados brazos, y rozando mi frente con sus labios coralinos, me dijo:

¡Qué bueno eres . . . con tu . . .! — y pronunció su nombre, que, ¡cosa del diablo!, hace una hora estoy bregando por recordarlo.

¿Echarán nuestros nombres en olvido lo mismo que los hombres, las mujeres? Si olvidan, como yo, los demás seres, este mundo, lectora, está perdido.

12. José Zorrilla (1817-1893), José de Espronceda (1808-1842), famosos poetas españoles del romanticismo. 13. de empajar, llenar con paja a los animales disecados.

V

Y amaneció Dios el domingo, como dicen las viejas.

Y antes de la hora del almuerzo, mi amada prenda y yo enderezamos camino a casa de la bruja.

No estoy de humor para gastar tinta describiendo minuciosamente el domicilio. La *mise en scène* fórjesela el lector.

La María Pipí o barragana del enemigo malo nos jugó la barajita, nos hizo la brujería de las tijeras, la sortija y el cedazo, el ensalmo de la piedra imán y la cebolla albarrana y, en fin, todas las habilidades que ejecuta cualquiera bruja de tres al cuarto.

Luego nos pusimos a examinar el laboratorio o salita de aparatos.

Había sapos y culebras en espíritu de vino, pájaros y sabandijas disecados, frascos con aguas de colores, ampolleta y esqueleto; en fin, todos los cachivaches de la profesión.

La lechuza, el gato y el perro *empajados*[13] no podían faltar: son de reglamento, como el murciélago y la lagartija dentro de una olla.

Ella, fijándose en el michimorrongo, me dijo:

— Mira, mira, ¡qué parecido a *Michito*!

Aquí la esperaba la bruja para dar el concertado golpe de gracia.

El corazón me palpitaba con violencia y parecía quererse escapar del pecho. De la habilidad con que la bruja alcanzara a dominar la imaginación de la joven, dependía la victoria o la derrota de mi rival.

— ¡¡¡Cómo, señorita!!! — exclamó la bruja asumiendo una admirable actitud de sibila o pitonisa, y dando a su voz una inflexión severa —. ¿Usted tiene un gato? Si ama usted a este caballero, despréndase de ese animal maldito. ¡Ay!, por un gato me vino la desgracia de toda mi vida. Oiga usted mi historia: yo era joven, y este gato que ve usted empajado era mi compañero y mi idolatría. Casi todo el santo día lo pasaba sobre mis faldas, y la noche sobre mi almohada. Por entonces llegué a apasionarme como loca de un cadete de artillería, arrogante muchacho, que sin descanso me persiguió seis meses para que lo admitiera de visita en mi cuarto. Yo me negaba tenazmente; pero al cabo, que eso nos pasa a todas cuando el galán es militar y porfiado, consentí. Al principio estuvo muy moderado y diciéndome palabras que me hacían en el alma más efecto que el redoble de un tambor. Poquito a poquito se fué entusiasmando y me dió un beso, lanzando a la vez un grito horrible, grito que nunca olvidaré. Mi gato le había saltado encima, clavándole las uñas en el rostro. Desprendí al animal y lo arrojé por el balcón. Cuando comencé a lavar la cara de mi pobre amigo, ví que tenía un ojo reventado. Lo condujeron al hospital, y como quedó lisiado, lo separaron de la milicia. Cada vez que nos encontrábamos en la calle, me hartaba de injurias y maldiciones. El gato murió del golpe, y yo lo hice disecar. ¡El pobrecito me tenía afecto! Si dejó tuerto a mi novio, fué porque estaba celoso de mi cariño por un hombre . . . ¿No cree usted, señorita, que éste me quería de veras?

Y la condenada vieja acariciaba con la mano al inanimado animal, cuyo esqueleto temblaba sobre su armazón de alambres.

Me acerqué a mi querida y la ví pálida como un cadáver. Se apoyó en mi brazo, temblorosa, sobreexcitada; miróme con infinita ternura, y murmuró dulcemente: — Vámonos.

Saqué media onza de oro y la puse, sonriendo de felicidad, en manos de la bruja.

¡Ella me amaba! En su mirada acababa de leerlo. Ella sacrificaría a mi amor lo único que le quedaba aún por sacrificar — el gato —; ella, cuyo nombre se ha borrado de la memoria de este mortal pérfido y desagradecido.

¡Ah! ¡malvado! ¡malvado! Pero yo, ¿qué he de hacer si lo he olvidado? No seré el primer hombre que se olvidó de una mujer querida . . . ¡Ah! ¡Yo bien sé que el olvidar su nombre es la eterna vergüenza de mi vida! ¡Dejad que a gritos al verdugo llame! ¡Que me arranque a puñados el cabello! ¡Soy un infame, sí, soy un infame! ¡Ahórcame, lectora; éste es mi cuello!

VI

Aquella noche, cuando fuí a casa de mi adorado tormento, me sorprendí de no encontrar al gato sobre sus rodillas.

— ¿Qué es de *Michito*? — la pregunté.

Y ella, con una encantadora, indescriptible, celestial sonrisa, me contestó:

— Lo he regalado.

La dí un beso entusiasta, ella me abrazó con pasión y murmuró a mi oído:

— He tenido miedo por tus ojos.

(De *Tradiciones peruanas*, edición publicada bajo los auspicios del gobierno del Perú. Madrid, s/f.)

Eugenio María de Hostos

Y ahora, una cumbre: EUGENIO MARÍA DE HOSTOS (Puerto Rico; 1839-1903). Como otros civilizadores que hemos mencionado y mencionaremos, Hostos prefirió la acción al arte. Por cuidar la conducta descuidó la literatura. No podemos concederle en la historia literaria el lugar que merecería en una galería de los grandes maestros de América. Se diferencia de Bello, Sarmiento, Montalvo, Varona, González Prada, Martí — todos ellos constructores de pueblos — en que llegó a renunciar a su vocación literaria y aun a aborrecerla. En *Moral social*, 1888 — su obra más importante — escribió tres capítulos contra la literatura. Decía despreciarla en nombre de la moral y de la lógica. ¿En el fondo de su rencor contra novelas, dramas y aun poesías hay una vanidad herida, un sentimiento de fracaso, una soberbia de apóstata? Hostos tuvo, en su juventud, ambiciones de gloria literaria; sólo que una « crisis de carácter » — para emplear sus propias palabras — vino luego a enriquecer su vida con luchas generosas y a empobrecer su pluma con funciones didácticas. En España — donde vivirá de 1851 a 1869 — escribió breves relatos líricos, baladas en prosa que seguían la moda que imitaba a Hoffmann, Gessner, Ossian, etc. Y, sobre todo, una novela poética, *La peregrinación de Bayoán*, 1863, que por sus méritos de estilo, de imaginación, de sinceridad, hace de veras lamentable que Hostos no persistiera en el género. Es una novela rara. Según uno de sus primeros lectores, el novelista español Nombela, el estilo era de « novedad absoluta » en las letras hispánicas; y, en efecto, esa prosa no era la corriente. Sin duda hay un pensamiento serio en la obra: la libertad de su patria, la unidad de Puerto Rico, Cuba, Santo Domingo y Haití, el deber antepuesto a la felicidad, los reclamos de la justicia y de la verdad . . . Pero el mensaje está diluído en un diario íntimo de extraordinario lirismo. Porque *La peregrinación de Bayoán* es eso, un diario íntimo. Desgraciadamente el propósito didáctico, las alegorías, los episodios novelescos estropean la calidad artística de ese diario íntimo, que es el diario de Bayoán. Y Hostos, que aparece como editor de esas páginas, reconstruye la acción novelesca cuando el diario se interrumpe y hasta interviene dentro de la trama novelesca. Pero el valor de *La peregrinación de Bayoán* está en su poética visión del paisaje y de la vida y en las novedades de su prosa. Esa visión era típicamente romántica. Es curioso que Hostos, tan efusivo en *La peregrinación*, tan sentimental en el relato de sus amores, *Inda* (1878), tan blando en sus *Cuentos a mi hijo* (1878), creyera que lo más importante era ser « hombre lógico. » Sacrificó su intimidad, que la tenía rica y compleja, a una actividad lógica que no lo llevó muy lejos. No era filósofo, a pesar de sus pruritos de pensador sistemático. Llegó a construir una prosa abstracta, endurecida con simetrías y oposiciones al modo de los krausistas y los positivistas. Pero no tenía aptitud teórica, y su pensamiento, si bien noble, fué de radio corto.

1. discurso pronunciado en la investidura de los primeros Maestros Normales de la República de Santo Domingo, discípulos de Hostos, en 1884. 2. el discípulo que traicionó a Jesucristo. 3. el traidor en el « Otelo » de Shakespeare. 4. El Planchón es un volcán de Chile.

Su primer contacto con la filosofía había sido el conocimiento del krausismo (ya se sabe cuánto influyó el alemán Krause en la generación española de 1868: Sanz del Río, Salmerón, etc.). Pero siguió una de las corrientes que se habían agregado al repertorio de las ideas de los krausistas españoles: el positivismo, con su confianza en la razón y en las ciencias experimentales.

EL PROPÓSITO DE LA NORMAL[1]

Señor Presidente de la República:
Señores:

Han sido tantas, durante estos cuatro años de prueba, las perversidades intentadas contra el Director de la Escuela Normal, que acaso se justificaría la mal refrenada indignación que ahora desbocara sobre ellas.

Pero no: no sea de venganzas la hora en que triunfa por su misma virtud una doctrina. Sea de moderación y de gratitud.

Sólo es digno de haber hecho el bien, o de haber contribuído a un bien, aquel que se ha despojado de sí mismo hasta el punto de no tener conciencia de su personalidad sino en la exacta proporción en que ella funcione como representante de un beneficio deseado o realizado.

El que en ese modo impersonal se ha puesto a la obra del bien, de nadie, absolutamente de nadie, ha podido recibir el mal. ¿Qué gusano, qué víbora, qué maledicencia, qué calumnia, qué Judas,[2] qué Yago[3] han podido llegar hasta él? ¿Es él un gusano? ¿Es él un áspid? ¿Es él una excrecencia revestida de la forma humana?

No, señores: él es lo más alto y lo más triste que hay en la creación. Es la roca desierta que soberanos esfuerzos han solevantado lentísimamente por encima del mar de tribulaciones, y que sufre sin quebrantarse la espuma de la rabia, el embate de la furia, el horror desesperado de las olas mortales que asedian. Es la conciencia, triste como la roca, pero alta como la roca desierta del océano. Y no la conciencia individual, que siempre toma su fuerza en la inconciencia circundante, sino la conciencia humana, que toma su fuerza de sí misma, que de sí misma recibe su poder de resistencia, y, secundando a la naturaleza, sacrifica el individuo a la especie, la personalidad a la colectividad, lo particular a lo general, el bienestar de uno al bienestar de todos, el hombre a la humanidad.

En esa región de la conciencia no hay pasiones como las pasiones vergonzosas que amojaman el cuerpo y el alma de otros hombres: unas y otras pasan por debajo, precipitándose en la sima de su propia nada, sin que logren de la conciencia, que va trepando penosamente su pendiente, ni una mirada, ni una sonrisa, ni un movimiento de desdén. Ascendiendo siempre la una, bajando siempre las otras ¿qué venganza más digna de la una que el seguir siempre ascendiendo, qué castigo mayor para las otras que el seguir siempre bajando?

Una vez, en los Andes soberanos, por no se sabe qué extraordinaria sucesión de esfuerzos, había logrado subir al penúltimo pico de la cúspide misma del desolado ventisquero del Planchón[4] una alpaca de color tan puro como la no medida plancha de hielo que le servía de pedestal. Descendiendo por la vertiginosa pendiente del ventisquero, y hundiéndose en los cóncavos senos de la tierra con todo el fragor de dos truenos repetidos mil veces por los ecos subterráneos, dos torrentes furiosos azotaban la mole en que la alpaca se asilaba. Las oleadas la sacudían, las espumas la salpicaban, los horrísonos truenos la amenazaban, y la tímida alpaca no temía.

Muy por debajo de la cumbre, al pie del ventisquero, una turba de enfermos, que habían ido a buscar la curación de sus dolencias o de sus pasiones en aquella salutífera desolación, se entretenía contemplando la angustiosa lucha entre el débil andícola y los fuertes Andes; y, como siempre que los hombres se entretienen, los unos se mofaban del débil, los otros celebraban con risotadas las irracionales mofas, éstos tiraban piedras que no podían alcanzar al inaccesible animalito, aquéllos trataban de acosarlo con sus vociferaciones, alguno que otro lo compadecía, sólo uno tomaba para sí el ejemplo que él daba, y todos deseaban que llegara el desenlace cualquiera que esperaban.

Mientras tanto, la alpaca solitaria, indiferente a los gritos y las risas de los hombres, impasible ante el estruendo y el peligro, buscaba un punto de apoyo en la saliente de hielo petrificado que coronaba el ventisquero, y, después de caer una y mil veces, logró por fin encaramarse en el único seguro de aquel desierto de hielo desolado. Entonces, conociendo por primera vez el peligro de muerte que había corrido, y oyendo por primera vez las vociferaciones que la habían acosado, dirigió una mirada plácida a los hombres, a los torrentes desenfrenados y al abismo a donde habían tratado de precipitarla, fijó la vista en el espacio inmenso, y, percibiendo sin duda cuán invisible punto son los seres mortales en la extensión inmortal de la naturaleza, trasmitió a sus ojos expresivos la centelleante expresión de gratitud que a todo ser viviente conmueve en el instante de su salvación; y, dirigiendo otra mirada sin encono a las fuerzas naturales y a los hombres que la habían acosado, por invisibles senderos se encaminó tranquilamente a su destino.

En el alma de todo ser racional que ha logrado salvar las dificultades de una hora trascendental, se manifiesta el mismo fenómeno que observé en la alpaca descarriada de los Andes. Por encima de toda pasión odiosa se levanta en el fondo el sentimiento de la gratitud.

Yo la siento profunda, y la proclamo en alta voz ante vosotros.

Todos, en el Gobierno de la nación, en el gobierno del municipio, en el gobierno de la familia, en el gobierno de la opinión, como legisladores, presidente y secretarios de Estado, como representantes de la comunidad municipal, como jefes e inspiradores del hogar, como guías de la opinión cotidiana, todos vosotros, así los presentes como los distantes, así los que sostuvisteis como los que iniciasteis esta obra, así los que desde el primer momento descubristeis la intención redentora que ella conlleva como los que habéis tardado en ver la pureza de sus designios, así los que hayáis podido calumniarla como los que la hayáis combatido por error o por sistema, así los claros enemigos de la obra como los oscuros enemigos del obrero, todos sois dignos de gratitud, porque habéis contribuído a un beneficio que la República estimará tanto más concienzudamente cuanto mayor número de generaciones, redimidas por este esfuerzo común de redención, vengan a darle cuenta de la causa fundamental de la serie de bienes que en lo porvenir sucederá a la maraña de males que en lo pasado la envolvían.

Todos habéis contribuído a esta obra, los unos excitando con vuestra simpatía las pasiones generosas del amigo, los otros estimulando, en el que inútilmente quisisteis considerar como enemigo, las reacciones sublimes que el odio injusto promueve en las almas poseídas de la verdad y de la justicia. Factores del bien como habéis sido todos, acaso deseáis que se le exponga, tal cual es, a los ojos atentos de la República; y ese deseo es el que va este discurso a complacer. [. . .]

Para que la República convaleciera, era absolutamente indispensable establecer un orden racional en los estudios, un método razonado en la enseñanza, la influencia del principio armonizador en el profesorado, y el ideal de un sistema superior a todo otro, en el propósito mismo de la educación común.

Era indispensable formar un ejército de maestros que, en toda la República, militara contra la superstición, contra el cretinismo, contra la barbarie. Era indispensable, para que esos soldados de la verdad pudieran prevalecer en sus combates, que llevaran en la mente una noción tan clara, y en la voluntad una resolución tan firme, que cuanto más combatieran, tanto más los iluminara la nación, tanto más estoica resolución los impulsara.

Ni el amor a la verdad, ni aun el amor a la justicia, bastan para que un sistema de educación obtenga del hombre lo que ha de hacer del hombre, si a la par de esos dos santos amores no desenvuelve la noción del derecho y del deber: la noción del derecho, para hacerle conocer y practicar la libertad; la del deber, para extender prácticamente los principios naturales de la moral desde el ciudadano hasta la patria, desde la patria obtenida hasta la pensada, desde los hermanos en la patria hasta los hermanos en la humanidad.

Junto, por tanto, con el amor a la verdad y a la justicia, había de inculcarse en el espíritu de las generaciones educadas un sentimiento poderoso de la libertad, un conocimiento concienzudo y radical de la potencia constructora de la virtud, y un tan hondo, positivo e inconmovible conocimiento del deber de amar a la patria, en todo bien, por todo bien y para todo bien, que nunca jamás resultara posible que la patria

5. Antoine Caritat, Marqués de Condorcet (1743-1794), filósofo y matemático francés. 6. Georges Cuvier (1769-1832), naturalista francés, creador de la anatomía comparada y de la paleontología. 7. célebre escultor de la antigüedad. Se enamoró de la estatua de Galatea que acababa de hacer y se casó con ella cuando Venus la animó.

dejara de ser la madre alma de los hijos nacidos en su regazo santo o de los hijos adoptivos que trajera a su seno el trabajo, la proscripción o el perseguimiento tenaz de un ideal.

Todos y cada uno de estos propósitos parciales estaban subordinados a un propósito total: o, en otros términos, era imposible realizar parcialmente varios o uno de estos propósitos, si se desconocía o se descuidaba el propósito esencial: el de formar hombres en toda la excelsa plenitud de la naturaleza humana.

Y ese fin ¿cómo había de realizarse? Sólo de un modo, el único que ha querido la naturaleza que sea medio universal de formación moral del ser humano: desarrollando la razón; diré mucho mejor diciendo la racionalidad; es decir, la capacidad de razonar y de relacionar, de idear y de pensar, de juzgar y conocer, que sólo el hombre, entre todos los seres que pueblan el planeta, ha recibido como carácter distintivo, eminente, excepcional y trascendente.

Y para desarrollar la mayor cantidad posible de razón en cada ser racional ¿qué principio había de ser norma, qué medio había de ser conducta, qué fin había de ser objeto de la educación?

¿Habíamos de dejar las cosas como estaban? Habríamos seguido obteniendo, del sistema de educación apetecido, lo que el sistema practicado estaba dando a la República: unos cuantos hombres de intelectualidad natural muy poderosa, que, en virtud de sus propios esfuerzos y contra los esfuerzos de su viciosa educación intelectual, se elevaban por sí mismos a una contemplación más pura y más leal de la verdad y el bien que la generación de bípedos dañinos o inofensivos que los rodeaban.

¿Habíamos de ir a restablecer la cultura artificial que el escolasticismo está todavía empeñado en resucitar? Habríamos seguido debiendo a esa monstruosa educación de la razón humana, los ergotistas vacíos que, en los siglos medios de Europa y en los siglos coloniales de la América latina, vaciaron la razón, dejando como impuro sedimento las cien generaciones de esclavos voluntarios que viven encadenados a la cadena del poder humano o a la cadena del poder divino y que, cuando se encontraron en la sociedad moderna, al encontrarse en un mundo despoblado de sus antiguos dioses y de sus antiguos héroes, no supieron, en Europa, ponerse con los buenos a fabricar la libertad, no supieron en la América latina, ponerse con los mejores a forjar la independencia.

¿Habíamos de buscar, en la dirección que el Renacimiento dió a la cultura moral e intelectual, el modelo que debíamos seguir? No estamos para eso. Estamos para ser hombres propios, dueños de nosotros mismos, y no hombres prestados; hombres útiles en todas las actividades de nuestro ser, y no hombres pendientes siempre de la forma que en la literatura y en las ciencias griegas y romanas tomaron las necesidades, los afectos, las pasiones, los deseos, los juicios y la concepción de la naturaleza. Estamos para pensar, no para expresar; para velar, no para soñar; para conocer, no para cantar; para observar, no para imaginar; para experimentar, no para inducir por condiciones subjetivas la realidad objetiva del mundo.

¿Habíamos, por último, de adoptar una organización docente que nos diera el esqueleto, no el contenido de la ciencia?

¿Qué habríamos hecho de la organización de los estudios, norteamericana, alemana, suiza, francesa, si nos faltaba el elemento generador de la organización? ¿Qué Condorcet[5] ha podido imbuir el principio vital en un facsímil de hombre? ¿Qué Cuvier[6] ha podido poner en movimiento las organizaciones anatómicas que restauraba? ¿Qué Pigmalión[7] ha podido dar el fuego divino de la vida al bello ideal que ha esculpido el estatuario?

Como el soñador deificado de la Grecia, como el paleontólogo que Francia dió a la ciencia, como el filósofo que la Revolución francesa malogró, no la estatua, no los huesos, no la imagen, necesitábamos la vida.

Aun más que la vida. Para que la razón educada nos diera la forma vital que íbamos a pedirle, necesitábamos restituirle la salud.

Razón sana no es la que funciona conforme al modo común de funcionar en la porción de sociedad humana de que formamos parte. Razón sana es la que reproduce con escrupulosa fidelidad las realidades objetivas y nos da o se da una interpretación congruente del mundo físico; la que reproduce con estoica imparcialidad las realidades subjetivas, y que se da o nos da una explicación evidente de las actividades morales del ser que es en las profundidades del esqueleto semoviente que somos todos.

Razón sana no es la que destella rayos desiguales de luz: brillando ahora con fulgores de la fantasía, deslumbrando después con los espejismos de la rememoración, esclareciendo con claridad solar una incertidumbre o una duda, y, complaciéndose después en las sombras o en las medias tintas, camina por la vida como va por los senderos del mundo el caminante imprevisor: tropezando y cayendo y levantándose, para volver a tropezar y a caer y a levantarse. Razón sana es que la funciona estrictamente sujeta a las condiciones naturales de su organismo.

Y entonces es cuando, directora de todas las fuerzas físicas y morales del individuo, normalizadora de todas las relaciones del asociado, creadora del ideal de cada existencia individual, de cada existencia nacional, y del ideal supremo de la humanidad, se dirige a sí misma hacia la verdad, dirige la afectividad hacia lo bello bueno, dirige la voluntad al bien; regula, por medio del derecho y del deber, las relaciones de familia, de comunidad, de patria; forja el ideal completo del hombre en cada hombre; el ideal de patria bendecida por la historia, en cada patriota; el ideal de la armonía universal, en todos los seres realmente racionales; e, iluminando con ellos la calle de la amargura que la naturaleza sorda ha señalado con índice inflexible al ser humano, le lleva de siglo en siglo, de continente en continente, de civilización en civilización, al siempre oscuro y siempre radiante Gólgota desde donde se descubre con asombro la eternidad de esfuerzos que ha contado el sencillo propósito de hacer racional al único habitante de la Tierra que está dotado de razón.

Llevar la razón a ese grado de completo desarrollo, y enseñar a dejarse llevar por la razón a ese dominio completo de la vida en todas las formas de la vida, no es fin que la educación puede realizar con ninguno de los principios y medios pedagógicos que emplea la enseñanza empírica o la enseñanza clásica. La una prescinde de la razón. ¿Cómo ha de poder dirigir a la razón? La otra la amputa. ¿Cómo ha de poder completarla? La una nos haría fósiles, y la vida no es un gabinete de historia natural. La otra nos haría literatos, y la vida no está reducida, y las fuerzas creadoras no están concretadas, a la limitación o admiración de las armonías de lo bello. La vida es un combate por el pan, por el puesto, por el principio, y es necesario presentarse en ella con la armadura y la divisa del estoico: *Conscientia propugnans pro virtute.*[8]

La vida es una disonancia, y nos pide que aprendamos, gimiendo, llorando, trabajando, perfeccionándonos, a concertar en una armonía, superior a la pasivamente contemplada o imitada por los clásicos, las notas continuamente discordantes que, en las evoluciones individuales, nacionales y universales del hombre por el espacio y el tiempo, lanza a cada momento la lira de mil cuerdas que, con el nombre de historia, solloza o canta, alaba o increpa, exalta o vitupera, bendice o maldice, endiosa o endiabla los actos de la humanidad en todas las esferas de acción, orgánica, moral e intelectual, que hacen de ella un segundo creador y una creación continua.

Monstruoso el escolasticismo, eunuco el clasicismo, ¿qué enseñanza era necesaria para verificar la revolución saludable en esta sociedad ya cansada de revoluciones asesinas?

La enseñanza verdadera: la que se desentiende de los propósitos históricos, de los métodos parciales, de los procedimientos artificiales, y, atendiendo exclusivamente al sujeto del conocimiento, que es la razón humana, y al objeto de conocimiento, que es la naturaleza, favorece la cópula de entrambas y descansa en la confianza de que esa cópula feliz dará por fruto la verdad.

Dadme la verdad, y os doy el mundo. Vosotros, sin la verdad, destrozaréis el mundo: y yo, con la verdad, con sólo la verdad, tantas veces reconstruiré el mundo cuantas veces lo hayáis vosotros destrozado. Y no os daré solamente el mundo de las organizaciones materiales: os daré el mundo orgánico, junto con el mundo de las ideas, junto con el mundo de los afectos, junto con el mundo del trabajo, junto con el mundo de la libertad, junto con el mundo del progreso, junto — para disparar el pensamiento entero — con el mundo que la razón fabrica perdurablemente por encima del mundo natural.

¿Y qué sería yo, obrero miserando de la nada, para tener esa virtud del todo? Lo que podríais ser todos vosotros, lo que pueden ser todos los hombres, lo que he querido que sean las generaciones que empiezan a levantarse, lo que, con toda la devoción, con toda la unción de una conciencia que lleva consigo la previsión de un nuevo mundo moral e intelectual, quisiera que fueran todos los seres de razón: un sujeto de conocimiento fecundado por la naturaleza, eterno objeto de conocimiento.

La verdad que de esa fecundación nacería, hasta tal punto es un poder, que ya lo veis, a vuestra vista está: la faz, distinta de la humanidad pasada, con que se nos presenta la humanidad actual, no es obra de otro obrero, ni efecto de otra causa, que de la mayor cantidad de verdad

8. la conciencia luchando en favor de la virtud.

que el hombre de hoy tiene en su mente. Esa mayor cantidad de verdad no se debe a otra operación de alquimia o taumaturgia que a la simple operación de observar la realidad del mundo tal cual es.

¿Y para qué, si no para eso, tenemos nosotros los sentidos? ¿Y para qué, si no para eso, trasmiten ellos sus sensaciones al cerebro? ¿Y para qué, si no para eso, funciona en el cerebro la razón?

Y, sin embargo, hacer eso, que es lo que la naturaleza ha querido que hiciese el hombre en el planeta que le ha dado, ha parecido, a los irreflexivos de todas partes, un atentado contra la naturaleza, y a los irreflexivos de por acá ha parecido un atentado contra Dios.

Pero, Señor, providencia, causa primera, verdad elemental, razón eficiente, conciencia universal, seas lo que fueres, ¿Hasta cuándo ha de ser crimen la inocencia? ¿Hasta cuándo ha de ser un mal la aspiración al bien? ¿Hasta cuándo ha de ser aborto de la naturaleza el que más se esfuerza por ser su fiel hechura? ¿Hasta cuándo ha de ser un ofensor el que sólo quiere ser defensor de la razón?

¿De la razón? De la parcela de razón que tú, sin duda tú, razón centrípeta, has imbuído en el espíritu del hombre, para que, evolucionando independientemente de su foco, se lance en el espacio sin fin de la verdad y, teniendo en tu seno el centro fijo, imite a la vorágine de mundos que se precipitan en el infinito, y que trazando en él sus invisibles órbitas, y poseídos del vértigo que los aleja de su centro, son, como la razón humana, tanto más prueba de que existe el centro a que obedecen, cuanto más en lo hondo del infinito se sumergen.

¿Qué cuerpos en el espacio, qué razón en el mundo de los hombres, qué virtud en el alma de los niños, puede no ser más regular cuando obedezca naturalmente a su centro de atracción?

Así como el centro del mundo planetario está en el sol, y el centro de la razón está en el mundo que contempla, así el centro de toda virtud es la razón. Desarrollar en los niños la razón, nutriéndola de realidad y de verdad, es desenvolver en ellos el principio mismo de la moral y la virtud.

La moral no se funda más que en el reconocimiento del deber por la razón; y la virtud no es más ni menos que el cumplimiento de un deber en cada uno de los conflictos que sobrevienen de continuo entre la razón y los instintos. Lo que tenemos de racionales vence entonces a lo que tenemos de animales, y eso es virtud, porque eso es cumplir con el deber que tenemos de ser siempre racionales, porque eso es la fuerza (*virtus*), la esencia constituyente, la naturaleza de los seres de razón.

Para lograr ese fin, más alto y mejor que otro cualquiera (por ser, tomando un pleonasmo expresivo de la metafísica alemana, *el fin final* del hombre en el planeta), por lograr ese fin han querido los grandes maestros, [. . .] secundar a la razón en su incesante evolucionar hacia la verdad. Por lograr ese fin se quiso también aplicar aquí el sistema y el procedimiento racional de educación. Formar hombres en toda la extensión de la palabra, en toda la fuerza de la razón, en toda la energía de la virtud, en toda la plenitud de la conciencia, ése podrá haber sido el delito, pero ése ha sido y seguirá siendo el propósito del director de esta obra combatida.

Para que la obra fuese completamente digna de un pueblo, ni un sólo móvil egoísta he puesto en ella.

Si el egoísmo hubiera sido mi guía o mi consejero, hace ya mucho tiempo que hubiera desistido de la empresa: la calumnia habría dado la voz a la viril indignación, y habría acabado.

Pero ni al mal egoísmo ni al egoísmo bueno presté oído, y el mismo tranquilo menospreciador de aullidos que antes era, soy ahora; y la misma que fué en la ley, es en el presupuesto de mi vida la recompensa económica de mi trabajo material.

Si hubiera sido egoísta, abiertas generosamente para mí han estado las puertas de una comarca hermana, y me las he cerrado.

Si hubiera sido egoísta, constitución, posibilidad de ser útil, simpatías personales, la misma vocación, me hubieran llamado a la política, y mirad que vivo en la soledad de mis deberes.

Si hubiera sido egoísta, me hubiera abierto a todas las expensiones que dan popularidad al hombre público, y mirad que estoy tan encerrado como siempre en mi reserva.

Si hubiera sido egoísta . . .

Pero ¿cómo me atrevo a alucinaros? ¿Cómo me atrevo a mentiros? ¿Cómo me atrevo a engañaros?

Al modo de la virgen pudorosa que se ruboriza al negar el afecto que suspira en lo profundo, el alma virgen de dolo y de mentira inflama el rostro del que miente una virtud.

Vedme, señores, confeso de mentira ante vosotros. Vedme confeso de haberos engañado. Yo no puedo negaros que os engaño. Yo no puedo negaros que soy el más egoísta de los reformadores. Yo no puedo negaros que en la obra intentada, en la perseverancia de que ella es testimonio y en el dominio de las circunstancias que la han contrastado, mi más fuerte sostén ha sido el egoísmo.

Mis esfuerzos, mi perseverancia, el dominio de mí mismo que requiere esta reforma, no han sido sólo por vosotros: han sido también por mí, por mi idea, por mi sueño, por mi pesadilla, por el bien que merece más sacrificios de la personalidad y el amor propio.

Al querer formar hombres completos, no lo quería solamente por formarlos, no lo quería tan sólo por dar nuevos agentes a la verdad, nuevos obreros al bien, nuevos soldados al derecho, nuevos patriotas a la patria dominicana: lo quería también por dar nuevos auxiliares a mi idea, nuevos corazones a mi ensueño, nuevas esperanzas a mi propósito de formar una patria entera con los fragmentos de patria que tenemos los hijos de estos suelos.

Tiradme la primera piedra aquel de entre vosotros que se sienta incapaz de ese egoísmo.

Con ése no se contará para la alta empresa. Y cuando ya las legiones de reformados en conciencia y en razón, por buscar lógicamente la aplicación de la verdad a un fin de vida necesario para la libertad y la civilización del hombre en estas tierras y para la grandeza de estos pueblos en la Historia, busquen en la actividad de su virtud patriótica la Confederación de las Antillas, que conciencia y razón, deber y verdad, señalan como objetivo final de nuestra vida en las Antillas, la Confederación pasará sobre ese muerto. Y cuando, al meditar en la eficacia del procedimiento intelectual que se habrá empleado para llegar a la Confederación, diga alguno que la Confederación de las Antillas es más una confederación de entendimientos que de pueblos, el que ahora me acuse quedará eliminado de la suma de entendimientos que hayan concurrido al alto fin.

Pero si el soñador no llegara a la realización del sueño, si el obrero no viese la obra terminada, si las apostasías disolviesen el apostolado, ni la vida azarosa, ni la muerte temprana podrán quitar al maestro la esperanza de que en el porvenir germine la semilla que ha sembrado en el presente, porque del alma de sus discípulos ha tratado de hacer un templo para la razón y la verdad, para la libertad y el bien, para la patria dominicana y la antillana.

Y cuando más desesperado cierre los ojos para no ver el mal que sobrevenga, del fondo de su retina resurgirá la escena que más patéticamente le ha probado la excelencia de esta obra.

Estábamos en ella: estábamos trabajando para acabar de entregar a la República esos hombres. Uno de ellos iba a ser examinado, y se había dado la señal. El órgano con su voz imponente hacía resonar ese interludio sublime que, con cuatro notas, penetra en lo hondo de la sensibilidad moral, y la despierta en los rincones de la sensibilidad física, y eriza los nervios en la carne.

La Escuela era en aquel momento lo que en esencia es: y el silencio y el recogimiento atestiguaban que se estaba oficiando en el ara de eterna redención que es la verdad.

De pronto, al pasar por la puerta una mujer del campo se detiene, deja en la acera los útiles de su industria y de su vida, intenta trasponer el umbral, se amedrenta, vacila entre el sentimiento que la atrae y el temor que la repele, levanta sus escuálidos brazos, se persigna, dobla la rodilla, se prosterna, ora, se levanta en silencio, se retira medrosa de sus propios pasos, y así deja consagrado el templo.

Los escolares imprevisores se reían, el órgano seguía gimiendo su sublime melopea, y, por no interrumpirla ni interrumpir la emoción religiosa que me conmovía, no expresé para los escolares la optación que expreso ante vosotros y ante la patria de hoy y de mañana.

¡Ojalá que llegue pronto el día en que la Escuela sea el templo de la verdad, ante el cual se prosterne el traseúnte, como ayer se prosternó la campesina! Y entonces no la rechacéis con vuestras risas, ni la amedrentéis con vuestra mofa; abridle más las puertas, abridle vuestros brazos, porque la pobre escuálida es la personificación de la sociedad de las Antillas, que quiere y no se atreve a entrar en la confesión de la verdad.

(De « Forjando el porvenir americano », en *Obras completas*, Vol. XII, tomo 1, 1939)

Hubo, además de Hostos, otros intelectuales de actitud estudiosa y crítica, como el peruano ALEJANDRO DEÚSTUA (1849-1945) o el boliviano GABRIEL RENÉ MORENO (1836-1909). Pero los tres pensadores más serios de estos años son González Prada, Justo Sierra y Enrique José Varona.

Aunque ya había escrito versos en sus veinte años, MANUEL GONZÁLEZ PRADA (Perú; 1848-1918) surgió a la literatura con su robusta talla de demoledor después de 1880. Hasta su muerte será el escritor más genial de su país, temido y odiado por muchos, rodeado por unos pocos discípulos. Después de su muerte su figura ha venido agigantándose: sus libros siguen haciéndole discípulos. Rompió, violentamente, no sólo con las pequeñas mentiras de nuestra civilización, pero también con las grandes. Nuestra literatura había tenido tremendos polemistas: Sarmiento, Montalvo. Pero la protesta de González Prada fué aún más terrible porque golpeaba no contra personas o partidos, sino contra la totalidad del orden vigente. Era ateo, anárquico, naturalista, partidario del indio y del trabajador. Su sinceridad se construyó un estilo: no hay, en estos años, ni en España ni en América, una prosa tan filosa y tajante como la de González Prada. Su importancia en la literatura hispanoamericana se debe más a la prosa que a los versos; lo que no significa que sus versos fueran malos, sino que su prosa fué el vehículo de lo que a él más le interesaba, que era el pensamiento crítico. Sus versos se distribuyen en nueve volúmenes: *Minúsculas* (1901), *Presbiterianas* (1909), *Exóticas* (1911), escritas entre 1869 y 1900. Los otros volúmenes son póstumos, y recogen poesías de 1866 a 1918: *Baladas peruanas*, *Grafitos*, *Baladas*, *Adoración*, *Libertarias* y *Trozos de vida*. Así como en la prosa renovaba las ideas, en el verso renovó las formas. Su espíritu de estudioso lo llevaba a experimentar con la estructura rítmica del verso. Antes del Modernismo no encontramos en lengua española tanta variedad como la suya. En *Baladas* se ve su familiaridad con la poesía de todas las lenguas y su aprovechamiento en imitaciones, adaptaciones y traducciones. *Minúsculas* y *Exóticas* fueron los poemarios que lo ponen en el camino del Modernismo. Con exquisitez de virtuoso juega con novedades imaginativas y formales (el rondel, el triolet) e inventa el polirritmo sin rima. La contribución más afortunada fueron sus *Baladas peruanas:* el tema del indio apareció visto de otra manera; ya no fué el indio idealizado por los románticos con propósito decorativo, sino un indio real, con todos sus dolores, comprendido dentro de la historia y el paisaje peruanos.

Manuel González Prada

LA SALUD DE LAS LETRAS

[. . .] La improvisación pertenece a tribuna y diario. A oradores y periodistas se les tolera el atropellamiento en ideas, la escabrosidad en estilo y hasta la indisciplina gramatical. Verdad que en lo improvisado se cristaliza muchas veces lo mejor y más original de nuestro ingenio, algo como la secreción espontánea de la goma en el árbol; pero, acostumbrándonos al trabajo incorrecto y precipitado, nos volvemos incapaces de componer obras destinadas a vivir. Lo que poco cuesta, poco dura. Los libros que admiran y deleitan a la Humanidad, fueron pensados y escritos en largas horas de soledad y recogimiento, costaron a sus autores el hierro de la sangre y el fósforo del cerebro.

Cierto que el mundo avanza y avanza: en la vorágine de las sociedades modernas, nos sentimos empujados a vivir ligeramente, a pasar desflorando las cosas; no obstante, disponemos de ocios para leer una novela de Pérez Galdós[1] o presenciar un drama de García Gutiérrez.[2] Felizmente, no ha sonado la hora de reducir el verso a seguidillas y la prosa a descosidos telegramas. Discernimos todavía que entre un centón de *rimas* seudogermánicas y una poesía de Quintana o Núñez de Arce[3] hay la distancia del médano al bloque de mármol. Sabemos que entre la poesía cortada, intercadente y antifonal, y la prosa de un verdadero escritor no cabe similitud, pues una sucesión de párrafos sin trabazón, desligados, incoherentes, no constituye discurso, así como no forman cadena las series de anillos desabracados y puestos en fila.

No imaginéis, señores, que se desea preconizar la prosa anémica, desmayada y heteróclita, que toma lo ficticio por natural, el énfasis por magnificencia, la obesidad por robustez; la prosa de inversiones violentas, de exhumaciones arcaicas y de purismos seniles; la prosa de relativos entre relativos, de accidentes que modifican accidentes y de períodos inconmensurables y sin unidad; la prosa inventada por académicos españoles que tienden a resucitar el volapuk[4] de la época terciaria; la prosa imitada por *correspondientes*[5] americanos que en Venezuela y Colombia están momificando la valerosa y progresiva lengua castellana.

Entre la lluvia de frases que se agitan con vertiginoso revoloteo de murciélago y la aglomeración de períodos que se mueven con insoportable lentitud de serpiente amodorrada, existe la prosa natural, la prosa griega, la que brota espontáneamente cuando no seguimos las preocupaciones de escuela ni adoptamos una manera convencional. Sainte-Beuve[6] aconseja que « se haga lo posible para escribir como se habla », y nadie se expresa con períodos elefantinos o desmesurados. Recapacitándolo con madurez, la buena prosa se reduce a conversación de gentes cultas. En ella no hay afeites, remilgamientos ni altisonancias: todo fluye y se desliza con llaneza, desenfado y soltura. Los arranques enérgicos sirven de modelo en materia de sencillez o naturalidad, tienen el aire de algo que se le ocurre a cualquiera con sólo coger la pluma.

La llamada vestidura majestuosa de la lengua castellana consiste muchas veces en perifollo de lugareña con ínfulas de señorona, en pura fraseología que pugna directamente con el carácter de la época. El público se inclina siempre al escrito que nutre, en vez de sólo hartar, y prefiere la concisión y lucidez de un Condillac[7] a la difusión y oscuridad de un bizantino. Quien escribe hoy y desea vivir mañana, debe pertenecer al día, a la hora, al momento en que maneja la pluma. Si un autor sale de su tiempo, ha de ser para adivinar las cosas futuras, no para desenterrar ideas y palabras muertas.

Arcaísmo implica retroceso: a escritor arcaico, pensamiento retrógrado. Ningún autor con lenguaje avejentado, por más pensamientos juveniles que emplee, logrará nunca el favor del público, porque las ideas del siglo ingeridas en estilo vetusto recuerdan las esencias balsámicas inyectadas en las arterias de un muerto: preservan de la fermentación cadavérica; pero no comunican lozanía, calor ni vida. Las razones que Cervantes y Garcilaso tuvieron para no expresarse como Juan de Mena[8] y Alfonso el Sabio[9] nos asisten hoy para no escribir como los hombres de los siglos XVI y XVII.

Las lenguas no se rejuvenecen con retrogradar a la forma primitiva, como el viejo no se quita las arrugas con envolverse en los pañales del niño ni con regresar al pecho de las nodrizas. Platón decía que « en materia de lenguaje el pueblo era un excelente maestro ». Los idiomas se vigorizan y retemplan en la fuente popular, más que en las reglas muertas de los gramáticos y en las exhuma-

1. Benito Pérez Galdós (1845-1920), el famoso novelista español. 2. Antonio García Gutiérrez (1813-1884), poeta y autor dramático español, autor de « El Trovador. » 3. referencia a los versos de los poetas españoles Gustavo A. Bécquer (1836-1870), Manuel José Quintana (1772-1857) y Gaspar Núñez de Arce (1833-1903), poeta español. 4. lengua universal inventada en 1879 por Johann Martin Schleyer. 5. académicos correspondientes, filiales de la Real Academia Española. 6. Charles Augustin de Sainte-Beuve (1804-1869), célebre crítico francés. 7. Étienne de Condillac (1715-1780), filósofo francés, jefe de la escuela sensualista. 8. Juan de Mena (1411-1456), poeta español, autor de « El Laberinto de Fortuna », poema alegórico. 9. Alfonso X de Castilla, rey de Castilla y de León (1252-1284). 10. Jaime Balmes (1810-1848), escritor y filósofo español.

11. Antonio de Solís (1610-1686), historiador español, autor de « La conquista de Méjico » (1684). 12. Conde de Toreno (1786-1843), político e historiador español. 13. novela del P. Francisco de Isla (1758), sátira de los predicadores ampulosos y de falsa erudición de su época. 14. Gustave Le Bon (1841-1931), sicólogo y sociólogo francés de la escuela positivista. 15. Michelangelo Buonarroti (1475-1564), el célebre artista del Renacimiento italiano. 16. último de los emperadores incas del Perú, muerto por orden de Pizarro. 17. uno de los generales de Atahualpa. 18. el ser supremo entre los antiguos peruanos; confundíase a veces con Viracocha. 19. consejero de Pizarro durante la conquista del Perú. Se hizo famoso por su crueldad con los indios. 20. emperador de los incas, muerto poco antes de la conquista del Perú. Fué quien dividió el imperio entre sus hijos Huáscar y Atahualpa.

ciones prehistóricas de los eruditos. De las canciones, refranes y dichos del vulgo brotan las palabras originales, las frases gráficas, las construcciones atrevidas. Las multitudes transforman las lenguas, como los infusorios modifican los continentes.

El purismo no pasa de una afectación, y como dice Balmes[10] « la afectación es intolerable, y la peor es la afectación de la naturalidad ». En el estilo de los puristas modernos nada se dobla con la suavidad de una articulación, todo rechina y tropieza como gozne desengrasado y oxidado. En el arte se descubre el artificio. Comúnmente se ve a escritores que en una cláusula emplean todo el corte gramatical del siglo XVII, y en otra varían de fraseo y cometen imperdonables galicismos de construcción: recuerdan a los pordioseros jóvenes que se disfrazan de viejos baldados, hasta que de repente arrojan las muletas y caminan con agilidad y desembarazo.

Los puristas pecan también por oscuros; y donde no hay nitidez en la elocución, falta claridad en el concepto. Cuando los pensamientos andan confundidos en el cerebro, como serpientes enroscadas en el interior de un frasco, las palabras chocan con las palabras, como lima contra lima. En el prosador de largo aliento, las ideas desfilan bajo la bóveda del cráneo, como hilera de palomas blancas bajo la cúpula de un templo, y períodos fáciles suceden a períodos naturales, como vibraciones de lámina de bronce sacudida por manos de un coloso.

El escritor ha de hablar como todos hablamos, no como un Apolo que pronuncia oráculos anfibológicos ni como una esfinge que propone enigmas indescifrables. ¿Para qué hacer gala de un vocabulario inusitado y extravagante? ¿Para qué el exagerado lujo en los modismos que imposibilitan o dificultan mucho la traducción? ¿Para qué un lenguaje natural en la vida y un lenguaje artificial en el libro? El terreno del amaneramiento y ampulosidad es ocasionado a peligros: quien vacila como Solís,[11] puede resbalar como el Conde de Toreno[12] y caer como fray Gerundio de Campazas.[13]

Ni en poesía de buena ley caben atildamientos pueriles, retóricas de estudiante, estilo enrevesado ni transposiciones quebradizas; poeta que se enreda en hipérbaton forzado hace pensar en el viajero que rodea en busca de puente, porque no encuentra vado y se intimida con el río. Toda licencia en el verso denuncia impotencia del versificador. [. . .]

(De la Conferencia en el Ateneo de Lima, 1886)

LA EDUCACIÓN DEL INDIO

Para cohonestar la incuria del gobierno y la inhumanidad de los expoliadores, algunos pesimistas a lo Le Bon[14] marcan en la frente del indio un estigma infamatorio: le acusan de refractario a la civilización. Cualquiera se imaginaría que en todas nuestras poblaciones se levantan espléndidas escuelas donde bullen eximios profesores muy bien rentados y que las aulas permanecen vacías porque los niños, obedeciendo las órdenes de sus padres, no acuden a recibir educación. Se imaginaría también que los indígenas no siguen los moralizadores ejemplos de las clases dirigentes o crucifican sin el menor escrúpulo a todos los predicadores de ideas levantadas y generosas. El indio recibió lo que le dieron: fanatismo y aguardiente.

Veamos, ¿qué se entiende por civilización? Sobre la industria y el arte, sobre la erudición y la ciencia, brilla la moral como punto luminoso en el vértice de una gran pirámide. No la moral teológica fundada en una sanción póstuma, sino la moral humana, que no busca sanción ni la buscaría lejos de la tierra. El *summum* de la moralidad, tanto para los individuos como para las sociedades, consiste en haber transformado la lucha de hombre contra hombre en el acuerdo mutuo para la vida. Donde no hay justicia, misericordia ni benevolencia, no hay civilización; donde se proclama ley social la *struggle for life*, reina la barbarie. ¿Qué vale adquirir el saber de un Aristóteles cuando se guarda el corazón de un tigre? ¿Qué importa poseer el don artístico de un Miguel Ángel[15] cuando se lleva el alma de un cerdo? Más que pasar por el mundo derramando la luz del arte o de la ciencia, vale ir destilando la miel de la bondad. Sociedades altamente civilizadas merecerían llamarse aquellas donde practicar el bien ha pasado de obligación a costumbre, donde el acto bondadoso se ha convertido en arranque instintivo. Los dominadores del Perú ¿han adquirido ese grado de moralización? ¿Tiene derecho de considerar al indio como un ser incapaz de civilizarse?

La organización política y social del antiguo imperio incaico admira hoy a reformadores y revolucionarios europeos. Verdad, Atahualpa[16] no sabía el padrenuestro ni Calcuchima[17] pensaba en el misterio de la Trinidad; pero el culto del Sol era quizá menos absurdo que la religión católica y el gran sacerdote de Pachacámac[18] no vencía tal vez en ferocidad al padre Valverde.[19] Si el súbdito de Huaina-Cápac[20] admitía la civilización, no encontramos motivo para que el indio de la República la rechace, salvo que toda la raza hubiera sufrido una irremediable decadencia fisiológica. Moralmente hablando, el indígena de la República se muestra inferior al indígena hallado por los conquistadores; mas depresión moral a causa de servidumbre política no equivale a imposibilidad absoluta para civilizarse por constitución orgánica. En todo caso ¿sobre quién gravitaría la culpa?

Los hechos desmienten a los pesimistas. Siempre que el indio se instruye en colegios o se educa por el simple contacto con personas civilizadas, adquiere el mismo grado de moral y cultura que el descendiente del español. A cada momento nos rozamos con amarillos que visten, comen, viven y piensan como los melifluos *caballeros* de Lima. Indios vemos en cámaras, municipios, magistratura, universidades y ateneos, donde se manifiestan ni más venales ni más ignorantes que los de otras razas. Imposible deslindar responsabilidades en el « tótum revolútum » de la política nacional para decir qué mal ocasionaron los mestizos, los mulatos, los indios y los blancos. Hay tal promiscuidad de sangres y colores, representa cada individuo tantas mezclas lícitas o ilícitas, que en presencia de muchísimos peruanos quedaríamos perplejos para determinar la dosis de negro y amarillo que encierran en sus organismos: nadie merece el calificativo de blanco puro, aunque lleve azules los ojos y rubio el bigote. Sólo debemos recordar que el mandatario con mayor amplitud de miras perteneció a la raza aborigen, se llamaba Santa Cruz.[21] Indios fueron cien más, ya valientes hasta el heroísmo como Cahuide, ya fieles hasta el martirio como Olaya.

Tiene razón Novicow[22] al afirmar que « las pretendidas incapacidades de los amarillos y los negros son quimeras de espíritus enfermos ». Efectivamente, no hay acción generosa que no pueda ser realizada por algún negro ni por algún amarillo, como no hay acto infame que no pueda ser cometido por algún blanco. Durante la invasión de China en 1900, los amarillos del Japón dieron lecciones de humanidad a los blancos de Rusia y Alemania. No recordamos si los negros de África las dieron alguna vez a los boers del Transvaal o a los ingleses del Cabo; sabemos, sí, que el anglosajón Kitchener[23] se muestra tan feroz en el Sudán como Behanzin[24] en el Dahomey. Si en vez de comparar una muchedumbre de piel blanca con otras muchedumbres de piel oscura, comparamos a un individuo con otro individuo, veremos que en medio de la civilización blanca abundan cafres y pieles rojas por dentro. Como flores de raza u hombres representativos, nombremos al Rey de Inglaterra y al Emperador de Alemania: ¿Eduardo VII y Guillermo II merecen compararse con el indio Benito Juárez[25] y con el negro Booker Washington?[26] Los que antes de ocupar un trono vivieron en la taberna, el garito y la mancebía, los que desde la cima de un imperio ordenan la matanza sin perdonar a niños, ancianos ni mujeres, llevan lo blanco en la piel mas esconden lo negro en el alma.

¿De sólo la ignorancia depende el abatimiento de la raza indígena? Cierto, la ignorancia nacional parece una fábula cuando se piensa que en muchos pueblos del interior no existe un solo hombre capaz de leer ni de escribir; que durante la guerra del Pacífico[27] los indígenas miraban la lucha de las dos naciones como una contienda civil entre el *general* Chile y el *general* Perú; que no hace mucho los emisarios de Chucuito[28] se dirigieron a Tacna figurándose encontrar ahí al Presidente de la República.

Algunos pedagogos (rivalizando con los vendedores de panaceas) se imaginan que sabiendo un hombre los afluentes del Amazonas y la temperatura media de Berlín, ha recorrido la mitad del camino para resolver todas las cuestiones sociales. Si por un fenómeno sobrehumano los analfabetos nacionales amanecieran mañana, no sólo sabiendo leer y escribir sino con diplomas universitarios, el problema del indio no habría quedado resuelto: al proletariado de los ignorantes sucedería el de los bachilleres y doctores. Médicos sin enfermos, abogados sin clientela, ingenieros sin obras, escritores sin público, artistas sin parroquianos, profesores sin discípulos, abundan en las naciones más civilizadas formando el innumerable ejército de cere-

21. Andrés Santa Cruz (1792-1865), general peruano, presidente de Bolivia y de la Confederación peruboliviana (1836). 22. Nicolai Novicow (1744-1818), escritor y sociólogo ruso. 23. Lord Herbert Kitchener (1850-1916), general inglés que actuó en Egipto y en el Transvaal. 27. (1844-1916), último rey del Dahomey, señalado por su crueldad. 25. (1806-1872), político y patriota mexicano, fundador del México moderno. 26. (1858-1915), pedagogo norteamericano, de gran importancia en la educación de la raza negra en los Estados Unidos. 27. (1879-1884) la que tuvo lugar entre Chile, por un lado, y el Perú y Bolivia, por el otro, y en la que estos dos últimos países fueron vencidos. 28. provincia del Perú, cuya capital es Julí. 29. fanega de tierra; de fanega, medida de capacidad para áridos. 30. guerrillero; montonera: tropa de jinetes insurrectos.

bros con luz y estómagos sin pan. Donde las haciendas de la costa suman cuatro o cinco mil fanegadas,[29] donde los latifundios de la sierra miden treinta y hasta cincuenta leguas, la nación tiene que dividirse en señores y siervos.

Si la educación suele convertir al bruto impulsivo en un ser razonable y magnánimo, la instrucción le enseña y le ilumina el sendero que debe seguir para no extraviarse en las encrucijadas de la vida. Mas divisar una senda no equivale a seguirla hasta el fin: se necesita firmeza en la voluntad y vigor en los pies. Se requiere también poseer un ánimo de altivez y rebeldía, no de sumisión y respeto como el soldado y el monje. La instrucción puede mantener al hombre en la bajeza y la servidumbre: instruídos fueron los eunucos y gramáticos de Bizancio. Ocupar en la tierra el puesto que le corresponde en vez de aceptar el que le designan; pedir y tomar su bocado; reclamar su techo y su pedazo de terruño, es el derecho de todo ser racional.

Nada cambia más pronto ni más radicalmente la psicología del hombre que la propiedad: al sacudir la esclavitud del vientre, crece en cien palmos. Con sólo adquirir algo, el individuo asciende algunos peldaños en la escala social, porque las clases se reducen a grupos clasificados por el monto de la riqueza. A la inversa del globo aerostático, sube más el que pesa más. Al que diga: *la escuela*, respóndasele: *la escuela y el pan.*

La cuestión del indio, más que pedagógica, es económica, es social. ¿Cómo resolverla? No hace mucho que un alemán concibió la idea de restaurar el imperio de los Incas: aprendió el quechua, se introdujo en las indiadas del Cuzco, empezó a granjearse partidarios y tal vez habría intentado una sublevación, si la muerte no le hubiera sorprendido al regreso de un viaje por Europa. Pero ¿cabe hoy semejante restauración? Al intentarla, al querer realizarla, no se obtendría más que el empequeñecido remedo de una grandeza pasada.

La condición del indígena puede mejorar de dos maneras: o el corazón de los opresores se conduele al extremo de reconocer el derecho de los oprimidos, o el ánimo de los oprimidos adquiere la virilidad suficiente para escarmentar a los opresores. Si el indio aprovechara en rifles y cápsulas todo el dinero que desperdicia en alcohol y fiestas, si en un rincón de su choza o en el agujero de una peña escondiera un arma, cambiaría de condición, haría respetar su propiedad y su vida. A la violencia respondería con la violencia, escarmentando al patrón que le arrebata las lanas, al soldado que le recluta en nombre del gobierno, al montonero[30] que le roba ganado y bestias de carga.

Al indio no se le predique humildad y resignación sino orgullo y rebeldía. ¿Qué ha ganado con trescientos o cuatrocientos años de conformidad y paciencia? Mientras menos autoridades sufra, de mayores daños se liberta. Hay un hecho revelador: reina mayor bienestar en las comarcas más distantes de las grandes haciendas, se disfruta de más orden y tranquilidad en los pueblos menos frecuentados por las autoridades.

En resumen: el indio se redimirá merced a su esfuerzo propio, no por la humanización de sus opresores.

(De *Nuestros indios*, 1904)

TRIOLET

Los bienes y las glorias de la vida
o nunca vienen o nos llegan tarde.
Lucen de cerca, pasan de corrida,
los bienes y las glorias de la vida.
¡Triste del hombre que en la edad florida
coger las flores del vivir aguarde!
Los bienes y las glorias de la vida
o nunca vienen o nos llegan tarde.

TRIOLET

Tus ojos de lirio dijeron que sí,
tus labios de rosa dijeron que no.
Al verme a tu lado, muriendo por ti,
tus ojos de lirio dijeron que sí.
Auroras de gozo rayaron en mí;
mas pronto la noche de luto volvió:
tus ojos de lirio dijeron que sí,
tus labios de rosa dijeron que no.

RONDEL

Aves de paso que en flotante hilera
recorren el azul del firmamento,
exhalan a los aires un lamento
y se disipan en veloz carrera,
son el amor, la gloria y el contento.

¿Qué son las mil y mil generaciones
que brillan y descienden al ocaso,
que nacen y sucumben a millones?
Aves de paso.

Inútil es, oh pechos infelices,
al mundo encadenarse con raíces.
Impulsos misteriosos y pujantes
nos llevan entre sombras, al acaso,
que somos ¡ay! eternos caminantes,
aves de paso.

EPISODIO

(Polirritmo sin rima)

Feroces picotazos, estridentes aleteos,
con salvajes graznidos de victoria y muerte.

Revolotean blancas plumas
y el verde campo alfombran con tapiz de armiño;
en un azul de amor, de paz y gloria,
bullen alas negras y picos rojos.

Sucumbe la paloma, triunfa el ave de rapiña;
mas, luminoso, imperturbable, se destaca el
[firmamento,
y sigue en las entrañas de la eterna Madre
la gestación perenne de la vida.

VIVIR Y MORIR

Humo y nada el soplo del ser:
mueren hombre, pájaro y flor,
corre a mar de olvido el amor,
huye a breve tumba el placer.

¿Dónde están las luces de ayer?
Tiene ocaso todo esplendor,
hiel esconde todo licor,
todo expía el mal de nacer.

¿Quién rió sin nunca gemir,
siendo el goce un dulce penar?
¡Loco y vano intento el sentir!

¡Vano y loco intento el pensar!
¿Qué es vivir? Soñar sin dormir.
¿Qué es morir? Dormir sin soñar.

(De *Poesías selectas*, París, s/f.)

JUSTO SIERRA (México; 1848-1912). Fué, sobre todo, un formador de hombres, y hoy su obra escrita importa menos que su magisterio. Obra de historiador, ensayista, educador, orador, político, crítico, cuentista, poeta . . . Entró en las letras atraído por las voces románticas: la rotunda de Victor Hugo, la asordinada de Musset; y, de España, la íntima de Bécquer. Sus poesías se reunieron póstumamente. Sus *Cuentos románticos* fueron coleccionados en 1896. Conocía la literatura europea: los parnasianos franceses, D'Annunzio, Nietzsche. Y avanzó hacia los nuevos poetas hispanoamericanos con un saludo de simpatía y reconocimiento. Su prólogo a las poesías de Gutiérrez Nájera es una fecha en nuestra crítica. Es, asimismo, un lujo de prosa imaginativa, lírica y encantadora. No siempre escribió así. No era un esteta, sino un servidor de programas prácticos y de ideas próximas al « positivismo ».

El cuento que va a leerse ofrece, dentro de un marco real, un cuadro fantástico. Es decir, que el cuento comienza y termina con una situación que puede haber ocurrido: un viaje y un enfermo de fiebre amarilla. Pero el narrador, al contemplar una gota de agua, imagina un mito — poético a pesar de su tema pavoroso — sobre el origen de la fiebre amarilla.

Justo Sierra

LA FIEBRE AMARILLA

Registrando un cuaderno pomposamente intitulado *Álbum de Viaje*, y que yacía entre ese polvo simpático que el tiempo aglomera en una caja de papeles largo tiempo olvidados, me encontré lo que verán mis amables lectores.

Veníamos en la diligencia de Veracruz, un

1. montaña del Estado de Veracruz. 2. el Misisipí. 3. ave de canto melodioso. 4. terreno en el que abundan los zapotes, árbol y fruta de las Antillas, México y la América Central. 5. región de Veracruz. 6. dios mayor de la mitología regional.

joven alemán, Wilhelm S., de cabellos de oro gris, ojos azules, grandes y sin expresión, y yo. No bien habíamos encumbrado el Chiquihuite[1] cuando se desató la tormenta. El carruaje se detuvo para no exponerse a los peligros del descenso por aquellas pendientes convertidas en ríos. Asomé la cabeza por la portezuela, levantando la pesada cortinilla de cuero que el viento azotaba contra el marco; parecía de noche. Sobre nosotros la tempestad con sus mil alas negras golpeaba el espacio; sus gritos eléctricos rodaban por las cuestas hasta el mar, y el rayo, abriendo como espada fulmínea el seno de las nubes, nos mostraba las lívidas entrañas de la borrasca.

Estábamos, literalmente, en el centro de una cascada que despeñándose de las nubes rebotaba en la cumbre de la montaña y corría por las pendientes con un furor torrencial.

— Estoy sudando a mares — me decía en francés mi compañero de viaje —, y tengo un horno en el vientre.

— Duerma usted — le contesté —, así le pasará todo; y uniendo al consejo el ejemplo, me arrebujé en mi capa y cerré los ojos.

Dos horas después la tempestad había pasado, huyendo hacia el Oeste por entre la verde serranía. Eran las cinco de la tarde y el Sol marchaba por el camino en que se perdían los últimos jirones de las nubes. Penetraba la luz por entre aquella vegetación exuberante, tiñéndolo todo con una maravillosa multiplicidad de tintas que se fundían en un tono cálido de oro y esmeraldas. Por Oriente un tapiz infinito de verdura bajaba plegándose en todas las quiebras y dobleces de la serranía, manchando aquí y allí con el tierno y brillante verdor de los platanares, y ondulando por aquella gradería de titanes, hasta convertirse en azul por la distancia y bañar su ancho fleco de arena en la costa de Veracruz. El camino que habíamos seguido al subir la cuesta, serpeaba por entre árboles, que apenas destacaban sus copas entre la tupida cortina de las lianas, pasaba sobre altísimo puente, bajaba en curvas abiertas a una pequeña población de madera e iba, por entre espesos y bullentes matorrales, a confundirse con el fragmento de vía férrea que, del pie de la montaña, lleva al Puerto.

En el fondo del cuadro, allí donde se adivinaba el mar, se levantaban soberbios grupos de nubes, sobre cuyo gris azuloso se destacaban negros e inmóviles los *stratus* que parecían una bandada de pájaros marinos abriendo al viento, que tardaba en soplar, sus larguísimas alas.

Dormía el alemán como una persona muy fatigada y de su pecho jadeante salían sollozos opacos; parecía presa de intenso malestar; una sospecha cruzó por mi mente: ¡Si tendrá . . .!

Las ramas de un árbol cercano se introducían por una ventanilla de la diligencia que esperaba inmóvil que los torrentes disminuyeran un poco su ímpetu. Sobre una hoja amarillenta temblaba una gota de agua, lágrima postrera de la tormenta; yo preocupado por el funesto temor que me infundía el estado de mi compañero, me puse a mirar atentamente aquella perla de cristal líquido. He aquí lo que ví:

Era la gota de agua el Golfo de México, bordado por la curva inmensa de sus calientes costas y entrecerrado al Oriente por esos dos muelles bajos y cuajados de flores y de palmas, la Florida y Yucatán, entre los que parece emprender el vuelo la larguísima banda de aves acuáticas de las Antillas, guiada por la garza real, la espléndida Cuba, la esclava servida por esclavos.

En medio del Golfo, rodeada por amarilla corona que doraba al mar en torno, como un enorme girasol que se abriera a flor de agua, se levantaba un islote de impuro color de oro, en donde depositaban las corrientes sus algas semejantes a las bandillas con que envolvían a sus momias los egipcios. Sobre aquel peñón, el Sol brilla con un tono cobrizo, la Luna pasa fugaz, velada por lívidos vapores y en los días de tempestad las procelarias describen un amplísimo círculo en torno suyo lanzando graznidos pavorosos. Una voz infinitamente triste, como la voz del mar, sonaba en aquella isla perdida. Oye, me dijo:

El mismo año que los hijos del Sol llegaron a las islas vivía en Cuba una mujer de trece años a quien llamaban Starei (estrella). Era muy bella; negros eran sus ojos y embriagadoramente dulces como los de las aztecas; su cutis terso y dorado como el de las que se bañan en el Meschacebé,[2] celestial su voz como la del *shkok*[3] que canta sus serenatas en los zapotales[4] de Mayapán[5] y sus dos piececitos combados y finos como los de las princesas antillanas que pasan su vida mecidas en hamacas que parecen tejidas por las hadas. Cuando Starei apareció una mañana en la playa sentada sobre la concha de carey rubio de una tortuga marina, parecía una perla viva y todos la adoraron como una hija de Dios, de Dimivancaracol.[6] Mas el profeta de la tribu oró toda la noche junto al fuego sagrado en que ardían las hojas inebriantes del tabaco y oyó la voz divina que resonaba dentro del corazón del gran fetiche de piedra que le decía: « No la matéis, guardadla y amparadla; es la hija del Golfo y el Golfo fué su cuna; haga Dios que vuelva a ella ».

Starei cumplió trece años y los ancianos y los jóvenes, los profetas y los guerreros, los caciques y los esclavos, abandonaban pueblos, templos y hogares para correr en pos de ella por las orillas del mar. Todos estaban locos de amor, pero si alguno se acercaba a ella el Golfo rugía sordamente y el pájaro de las tempestades cruzaba el espacio.

Starei cantaba como el zenzontli[7] mexicano y su canto acariciaba como el terral que besa las palmeras en las tardes calientes, y reía de todo abriendo su boca roja como las alas del ipiri[8] y su seno levantaba y dejaba caer en dobles pliegues provocadores la finísima tela de algodón blanco que lo cubría. Los hombres, al escucharla, lloraban de rodillas, y las mujeres lloraban también viendo sus casas de palma vacías y las cunas de junco inmóviles y heladas hacía mucho tiempo.

Una noche de tempestad, la divina Starei regresó al pueblo, después de una de sus correrías por la orilla del mar en que pasaba horas enteras contemplando las olas como si esperase algo; los que la seguían decidieron hacer alto y enterrar a sus muertos: a los ancianos que habían muerto de cansancio en pos de la hija del Golfo, a los jóvenes que se habían arrancado el corazón a sus pies, a las madres que habían muerto de dolor, a las esposas que habían sucumbido desesperadas.

Era una noche de tempestad; reinaba con furia jamás vista Hurakán,[9] el dios de las Antillas. Los sacerdotes hablaban de un nuevo diluvio y de la calabaza alegórica en donde estaban los océanos y los monstruos del agua y que se había roto un día e inundado la tierra, y se encaramaron azorados a la cima de sus cúes y se refugiaban en la sombra de sus dioses de piedra, que temblaban sobre sus bases. Los habitantes de la isla, transidos de pavor, olvidaron a Starei. Toda la noche pasó en oración y en sacrificios; mas al despuntar la aurora corrieron delirantes a donde el canto de la virgen los llamaba.

Starei estaba en la playa sentada sobre un tronco de palma de los millares que el viento había arrancado y regado por la arena; sobre sus rodillas descansaba la cabeza de un hombre blanco que parecía un cadáver. La hermosura de aquel rostro era dulce y varonil a la vez, y la barba apenas naciente indicaba la corta edad del joven que Starei devoraba con los ojos arrasados en lágrimas.

— Quien lo salve — exclamaba — será mi compañero, será el esposo de toda mi vida.

— Está muerto — dijo con voz profunda un viejo sacerdote.

— Está vivo — gritó un hombre abriéndose paso entre la multitud.

Los indios se apartaron sobresaltados; jamás habían visto tan extraño personaje entre ellos. Era alto y fuerte; sus cabellos del color del vellón del maíz, se levantaban rígidos sobre su frente ancha y broncínea y dividiéndose en dos porciones, caían espesos y lacios en derredor de su cuello atlético; sus cejas eran dos delgadas líneas rojas que se juntaban en el arranque de su nariz aguileña; su boca del color violáceo del palo de Campeche[10] levantaba hacia arriba los extremos de su arco sensual e irónico. El óvalo de su rostro, no deformado ni por el vello más sutil, no llamaba tanto la atención como sus ojos del color de dos monedas de oro finísimo, engastadas en sendos círculos negros. Estaba desnudo y espléndidamente tatuado con dibujos rojos; de la argolla de oro que rodeaba su cintura pendía una tela bordada maravillosamente de plumas de *huitzili*, el colibrí de Anáhuac.

Aquel hombre, que algunos creían venido de Haití, se acercó al que en apariencia era un cadáver, sin hacer caso de la mirada profunda y preñada de cólera de Starei. Puso una mano en aquella frente glacial y al llevar la otra al corazón del blanco, la retiró con un movimiento brusco como si hubiese tocado una brasa; desgarró rápidamente la camisa tosca de lino, empapado aún, que cubría el pecho del joven y se apoderó de un objeto que llevaba pendiente del cuello; Starei se lo arrebató. ¿Era un talismán? Cuando aquel hombre singular ya no tuvo bajo su mano aquello que le era, sin duda, un obstáculo, la colocó sobre el corazón sin latidos del náufrago y dijo a la niña: « Bésale la boca »; y apenas había sido obedecido aquel mandato cuando el presunto muerto se incorporó y tomando el pedazo de madera que Starei conservaba en la mano, se arrodilló pegando a él sus labios y bañándole con sus lágrimas. Era una cruz.

— Adiós, Starei — dijo el de los ojos de oro —; allí está entre los cocoteros la cabaña de

7. o zezontle, nombre americano del pájaro burlón; es el sinsonte de Cuba. 8. nombre indígena del flamenco, en Cuba. 9. viento de fuerza extraordinaria. En la mitología mayaquiché, Huracán o Juracán es el « Corazón del cielo », uno de los dioses principales. 10. parte leñosa de un árbol, derivado de la bahía de tal nombre, en México, donde lo conocieron los europeos; muy usado como materia colorante.

Zekom (quiere decir *fiebre* este nombre); allí está nuestro lecho nupcial; te aguardo, porque lo has prometido.

Y se alejó y se perdió entre las palmas.

La hija del Golfo no pudo reprimir un grito de rabia al escuchar las palabras del hijo del Calor; se acercó al cristiano, rodeóle el cuello con los brazos y le cubrió de besos la boca y los ojos. « No, no, dejadme por favor, ¡oh! adoradora de Luzbel », clamaba el joven pugnando por desasirse de la hermosa. Starei lo tomó de la mano, lo condujo a su cabaña y le dijo con expresiva pantomima: « Aquí viviremos los dos. »

Entonces su compañero respondió en el idioma de los de Haití que en Cuba era perfectamente comprendido:

— No puedo ser tu esposo; seré tu hermano.

— ¿Por qué no? ¿Quién eres?

— Soy de muy lejos, de mucho más allá del mar, vengo de Castilla. Otros muchos y yo llegamos hace algunos meses a Haití y sabiendo que esta región de tu isla no había sido visitada por cristianos, quisimos descubrirla y naufragamos en la espantosa tormenta de anoche y ya iba yo a perecer al arribar a la playa, cuando me asió tu mano entre las olas y me salvaste.

— ¿Y por qué no quieres ser mi esposo?

— Porque soy sacerdote y mi Dios, que es el único Dios, ordena a sus sacerdotes que no se casen; nos ordena predicar el amor y vengo a predicarlo aquí, pero no el amor del mundo — añadió suspirando el español.

— Eso no puede ser, eso no es cierto — repuso con ímpetu la isleña —; quédate conmigo en la cabaña y seremos los reyes de la isla y nuestros hijos serán los dueños de todo.

— Seré tu hermano — respondió el misionero.

Y la india enamorada se alejó llorando. En la mitad de su camino se encontró a Zekom, que fijaba sobre ella su terrible mirada amarilla.

— ¿Vienes a mi cabaña, Starei? — la preguntó.

— Jamás — contestó ella, altanera y bravía.

— Seremos los reyes de todas las islas y de los mares y nuestros hijos serán dioses sobre la Tierra, porque hijos de dioses somos; a ti te engendró el Golfo en una concha perlera; a mí el Trópico ardiente en un arrecife de oro y coral.

Starei detuvo el paso; estaba en la cima de una roca desde donde se dominaba la costa:

— Mira — prosiguió Zekom —, así será nuestro reino.

Y ante los ojos fascinados de la hija del Golfo, se presentó un panorama sorprendente. En medio de una llanura de esmeraldas levantaba un *cu* o teocali su altísima pirámide de oro, que reflejaba su luz en torno hasta el lejano horizonte. En derredor de aquella llanura fulgurante estaban prosternados innumerables pueblos con el miedo retratado en la frente. Genios revestidos de maravillosos ropajes disparaban sobre aquellas naciones infinitas flechas de llama, cuyo contacto daba la muerte. Y en la cima del cu, como sobre un pedestal espléndido, estaba ella de pie, más bella que el Sol de primavera. La hija del Golfo permaneció largo rato extática y muda.

— Anda, Starei — murmuró Zekom en su oído —, mañana te espero en mi cabaña.

Starei se fué pensando, soñando. Al despuntar el nuevo día vió al español oculto en el bosque, arrodillado y con los ojos fijos en el cielo; al verlo sintió la india renacer toda su pasión; arrojóse sobre él de nuevo y, aprisionándolo entre sus brazos, repetía:

— Ámame, ámame, hombre de la tierra fría. Adoraré a tu Dios, que no puede maldecirnos porque cumplimos con su ley, porque es ley de la vida. Ven a mi cabaña nupcial, seré tu esclava, oraremos juntos y seré humilde y cobarde como tú; pero ámame como yo te amo.

— Seré tu hermano — respondió pálido de emoción el misionero.

— Maldito seas — dijo Starei y huyó.

El sacerdote hizo un movimiento para seguirla, pero se contuvo lanzando al cielo una mirada sublime de resignación y de dolor.

Toda la noche, tornó a rugir el Golfo de una manera espantosa. Al rayar el día, Zekom y Starei salieron de la cabaña nupcial, pero al recibir la niña el primer rayo de Sol en sus lánguidos ojos, perdieron su negrura luminosa como la de la noche y se tornaron amarillos, del color de oro que tenían los ojos de su amante. Éste arrojó una piedra al mar y en el acto apareció en el Occidente una piragua negra, que se acercó a la orilla impulsada por el hurakán que inflaba sus velas color de sangre.

— Ven a ser reina — dijo Zekom a la hija del Golfo; y entraron en la lancha que instantáneamente ganó el horizonte.

Entonces el misionero apareció en la playa gritando:

— Ven, Starei, hermana mía, ven, yo te amo.

La silueta del bajel, como un ala negra, se perdió en la línea imperceptible en que el mar se une al cielo. Starei se había desposado con el Diablo.

Y la voz que resonaba triste y melancólica en

la roca, continuó: Éste es el centro del imperio de Starei, desde aquí irradia su eterna venganza contra los blancos. Murió el misionero, poco tiempo después, de una enfermedad extraña y su helado cadáver se puso horriblemente amarillo como si sobre él se reflejaran los ojos de oro impuros de Zekom. Desde entonces, todos los años Starei llora, sin consuelo, y sus lágrimas evaporadas por el calor del trópico se evaporan y envenenan la atmósfera del Golfo, y ¡ay de los hijos de las tierras frías!

La gota de agua rodó al suelo; la diligencia se puso en camino y yo volví la vista a mi amigo. Estaba inconocible; una lividez amarillenta había invadido su piel y sus ojos parecían saltar de sus órbitas. « Me muero, me muero, madre mía », decía el pobre muchacho. Yo no sabía qué hacer; lo estrechaba en mis brazos procurando debilitar sus sufrimientos dándole ánimo. Llegamos a Córdoba. El pobre febricitante decía: « Miradla, la amarilla . . . »

— ¿Quién — le pregunté —; es Starei?

— Sí, ella es — me contestó.

Preciso me fué abandonarlo. Al llegar a México leí este párrafo en un periódico de Veracruz: « El joven alemán Wilhelm S., de la casa Watermayer y Cía., que salió de esta ciudad en apariencia, ha muerto en Córdoba de la fiebre amarilla. R. I. P. »

En México la narración realista, de un realismo salpimentado al gusto español, no al crudo de los franceses, tuvo buenos expositores: RAFAEL DELGADO, EMILIO RABASA y JOSÉ LÓPEZ PORTILLO Y ROJAS (1850-1923). Este último, autor de poesía, drama, ensayo y novela sobresalió en sus relatos breves, recientemente reunidos: *Cuentos completos*, 1952. López Portillo y Rojas terminó por apartarse del romanticismo sin entrar por eso en el naturalismo. Observó con agudeza situaciones sociales y tipos humanos muy diversos. Hemos elegido « La horma de su zapato » — de ambiente rural — por la veracidad de la descripción y el diálogo.

José López Portillo y Rojas

LA HORMA DE SU ZAPATO

I

El pueblecito de Zaulán, pintorescamente reclinado en la orilla del Zula rumoroso, es, « entre semana », un lugarejo muy miserable, quieto y silencioso. Las casucas que lo forman, comienzan apenas a alinearse en calles y a agruparse en manzanas; y esto en tal desorden y con tan poco amor a la simetría, que las primeras, en vez de tirar a la recta, se han resuelto por la sinuosa o quebrada, y las segundas, en lugar de manifestar amor a la forma rectangular, cuadrada, o cuadrilonga, se han pronunciado por la caprichosa y extravagante, conglomerándose en unas como islas aisladas y de corta extensión, o en unos como continentes de dimensiones colosales, con istmos, penínsulas, golfos y cuantos « accidentes » se quiera en sus contornos, con excepción, se entiende, de vahidos, convulsiones y ataques de nervios.

Íbamos diciendo que los días de trabajo parecía la aldehuela casi muerta; y así es la verdad, pues en el inmenso terreno conocido con el nombre de mercado, no se ven por entonces más que unos cuantos puestos de hortaliza oreada o de fruta vieja, exhibidas sobre esteras y a la sombra de rústicos parasoles formados por palos altos y redondos y por ruedas, también de esteras, fijadas en la punta de las varas. Los vendedores se duermen viéndose tan desocupados o se entretienen en espantar, con mano tarda, las moscas importunas que se paran sobre sus

1. *ágora*, plaza pública en las antiguas ciudades griegas; *foro*, plaza en las ciudades romanas. 2. bandería, parcialidad; reunión de personas de mala vida. 3. del holandés *kerk*, iglesia, y *mis*, misa. 4. emborracharse. 5. en México, estado de amodorramiento que ocurre después de una borrachera.

mercancías, maculándolas impíamente; los parroquianos se presentan uno por uno, con intervalos de horas, haciendo compras con fracción de centavo al menudeo, o de centavo completo al por mayor; y solamente los perros famélicos, como antes los ciudadanos en las ágoras o en los foros,[1] parecen darse cita en aquel sitio para tratar los importantes asuntos que atañen a sus mandíbulas y a sus estómagos. El caso es que esos ruidosos cuadrúpedos trotan por aquel campo oliéndolo y hurgándolo todo, en busca de restos y piltrafas olvidados por los míseros comerciantes entre las piedras y el polvo de la terraguera; y que no bien hallado zancarrón, tripa o nervio duro, arman entre sí espantosas tremolinas, con pelo hirsuto, dientes desenvainados y garganta hinchada, gruñona y ladradora.

Algunas veces se juntan en bandas, semejantes a taifas[2] de moros, y se acometen en grupos de un modo feroz y estrepitoso; por lo que los dueños de los puestos se ven obligados, de tiempo en tiempo, para salvar su negocio de la invasión de los beligerantes, a batirlos con buenas peladillas de arroyo, que el piso por dondequiera brinda y ofrece a sus ágiles manos.

Pero los días de fiesta, y particularmente los domingos, cambia de todo a todo el aspecto de la plaza de Zaulán. Este día osténtase el mercado lleno de puestos, henchido de gente y sorprendente de animación. Los serranos acuden de las cañadas de los cerros próximos, con perfumados cargamentos de fruta hermosa, dulce y fresca, cortada en aquellas ensenadas; los labradores traen abundantes semillas y verduras; los barqueros, pescados recién caídos en la red o en el anzuelo, algunos palpitantes todavía, y que ha poco bogaban en el próximo río de aguas turbias, o bien en el lago azul donde se arroja el Zula rayando la clara superficie con la faja rojizo-amarillenta de su corriente; los comerciantes sus mantas baratas, sus percales chillones, sus pañuelos de hierbas, sus anillos de carolina y sus prendedores de oro « doublé » y piedras falsas. Los indios y rancheros de las cercanías, de varias leguas en contorno, se dan cita para reunirse en Zaulán, donde pueden oír misa y hacer compras y provisiones para el resto de la semana. Es una verdadera feria, semejante a las que en la Edad Media se celebraban a la sombra de las iglesias, y que recibieron por eso el nombre de « kermesses ».[3] En tales días como ésos, el desierto habitual del mercado se trueca en una verdadera Babilonia de gente apiñada, voces clamorosas y ruidos de todo género; y los rústicos y las rústicas endomingados se dan gusto por aquellos laberintos devorando fruta y dulces, bebiendo agua fresca y comprándose zapatos bastos, sombreros con grampas, y telas rumbosas para sus vestidos.

II

Uno de esos domingos precisamente, y acaso aquel en que la concurrencia de los lugareños comarcanos había sido más numerosa y compacta, fué cuando Patricio Ramos tuvo la mala idea de ponerse una mona[4] de las más descomunales de su vida, y eso que eran incontables, y de padre y señor mío, las que había pescado ya en su no larga existencia. Patricio era un mozo de cuando más veinticinco años; « bien dado », como suelen decir los rancheros; esto es, alto, fornido, rebosando salud y satisfacción por todos sus poros. Como guapo, podía rivalizar con los mejores, pues, aunque moreno, tenía facciones correctas, ojos vivarachos, nariz fina y dentadura blanca y apretada. La escasez de su barba, que no pasaba de un ruin y lacio bigotillo, le daba una apariencia todavía más juvenil que la que reclamaban sus años, pues era un adolescente por su aspecto y parecía estar en los límites indecisos de la infancia y de la juventud.

Pero aquel eterno mancebo que inspiraba interés por los rasgos de su exterior, era mozo pervertido, vicioso y corrupto, que desde su más temprana edad había dado quince y raya a los más atrevidos, desvergonzados y libertinos de Zaulán y de las rancherías inmediatas. El amor que tenía al vino, más que inclinación, más que costumbre, parecía delirio febril, tema de loco, frenesí desencadenado, pues en apurando la primera copa, tenía que apurar la segunda, la tercera, la centésima, como hidrópico que no se sacia de beber agua, o peregrino que, al pegar los labios a la fuente, parece que no ha de separarlos de ella hasta dejar agotado el manantial. Ojalá hubiese sido el estado comatoso la consecuencia de aquel desenfrenado; todo se hubiera reducido, en tal caso, a un pesado y prolongado letargo y a una « cruda »[5] de primer orden, sin quebranto de los intereses ajenos, ni peligro de la vida o integridad de los cuerpos de las otras personas. Pero nada de eso; por más que empinase el codo, siempre se tenía firme sobre las piernas, sin perder la fuerza del brazo ni el uso de la suelta lengua y de la fácil palabra: que no parecía sino que aquel organismo de roble había sido hecho para resistir las más recias acometidas de la intemperancia. Pero, como no era posible que su tubo digestivo se convirtiese en cuba alcohólica impunemente, ni hubiera sido natural que los litros de alcohol que ingurgitaba, dejasen de exhalar hacia arriba sus emanaciones, era de ver cómo aquellas asombrosas cantidades de espíritus que iba almacenando le subían en derechura al cerebro, todos, en tropel, sin faltar uno solo, y sin que uno solo de ellos tampoco le bajase a las piernas para debilitárselas, o se le refugiase en los ojos para adormecérselos, o en la lengua para paralizársela. De esto se lamentaba todo el mundo, porque Patricio Ramos, en aquellas condiciones, era una calamidad en toda regla, un azote para cuantos se hallaban a su alcance.

Un león cuya cueva ha sido invadida, un toro salido del toril con una moña en la frente, un lobo hambriento en medio de las ovejas, no son más feroces, ni más agresivos, ni más espantables que lo era aquel mancebo en esas circunstancias. Naipes, mujeres, machetazos y tiros, todo lo necesitaba Patricio para « pasearse » y a todo apelaba por turno; pero de un modo tan excesivo y desenfrenado, que ponía espanto y horror hasta en los corazones más animosos.

Ya se sabía en Zaulán, que cuando Patricio se embriagaba, tenían que realizarse grandes y ruidosos escándalos, y que era preciso obrar con prudencia y andarse con pies de plomo en aquellos conflictos; pues por quítame allá esas pajas, por una mirada insistente, por una tos casual, o por cualquier otro hecho insignificante, pero que pareciese desdeñoso o provocativo, se podía armar la de Dios es Cristo con aquel loco, que no sabía de bromas ni de fanfarronadas estériles. Todo el pueblo conocía las hazañas de Patricio, contaban que « debía » ya dos muertes, y se hablaba de numerosas heridas y contusiones inferidas por él a valentazos titulados que habían pretendido ponérsele al frente, aunque con éxito tan infeliz, como el de quien hubiese querido detener un torrente con la palma de la mano. Mas ¿por qué no había caído en manos de la justicia? Nadie lo sabía a punto fijo. Era probable que por el mismo miedo que a todos les infundía, pues no había quien quisiera echar sobre sí la responsabilidad de una delación o de una declaración verídica ante juez competente. Si Patricio resultaba absuelto ante los tribunales — como suele suceder con tanta frecuencia en tratándose de los más feroces malhechores —, o bien no era condenado a muerte y llegaba a salir de la cárcel, ya tendrían sus delatores o los testigos que hubiesen depuesto en su contra, motivo de alarma e inquietud para el resto de su vida, pues nunca dejaría el rencoroso joven de perseguirlos con su odio. Así era, pues, como aquel desalmado parecía gozar el privilegio exclusivo del desorden, del insulto y de la violencia en Zaulán y en sus cercanías.

El domingo de que hablamos, había amanecido el tal desvelado y nervioso por haberse pasado en un rancho, donde hubo fandango, toda la noche; y para soportar la trasnochada, había empinado el codo de lo lindo, por más de doce horas consecutivas. Bien entrada la mañana, y cuando el Sol estaba ya alto, fastidiado de la música serrana y del baile de los rancheros, montó su caballito « moro »[6] y se dirigió al pueblo en busca de teatro más vasto y de más amplios horizontes para sus proezas. A la entrada de Zaulán se detuvo en el tendajo de D. Crisanto Gómez, llamado el « Pavo », por tener en el frontis pintado un volátil de ese género, haciendo la rueda, con la cola de pintadas plumas bien elevada y extendida en forma de abanico.

Luego que D. Crisanto le vió venir, se puso lívido y habló por lo bajo a su mujer, que aún no era vieja, para que se marchase de la tienda. No bien se había puesto en cobro la amedrentada matrona, entró por la puerta del frente, sin apearse del caballo y como un torbellino, el desaforado jinete.

— ¡A la *güena* de Dios, don Crisanto! — gritó Patricio al hacer irrupción en el estrecho local —. ¿Qué es de su *güena* vida?

— Aquí, pasándola, lo *mesmo* que siempre.

— Sólo que *jaciendo* muchos pesos con su comercio.

— *Ansí* lo quisiera Dios; pero no es *ansina*. Apenas me sostengo yo y mi familia.

— A ver, don Crisanto, tenga la fineza de servirme un cacho de vino.

— ¿Tequila?

— Sí, del más mejor que tenga; mas que sea del viudo de la viuda del fabricante.

El tendero tomó una botella de a litro, de vidrio verde, que estaba tapada con un pedazo de olote,[7] y puso sobre el mostrador la medida ordinaria de cristal para servir el aguardiente.

— Y yo ¿*pa* qué *quero* esa miseria, don Crisanto? Ese dedal sírvaselo a su señora madre; a mí deme como a los hombres — gritó el jinete.

6. caballo negro con una mancha blanca en la frente; también, caballo tordo. 7. en México, raspa de las panojas de maíz. 8. que está muy flaco.

— No te exaltes, Patricio — repuso don Crisanto, poniéndose todavía más pálido —. ¿Qué tanto *queres* que te dé? Aquí estoy *pa* servirte.

— *Pos* écheme de una vez medio cuartillo, no sea tan pedido de por Dios.

El tendero cogió el vaso destinado al agua y lo llenó de aguardiente, no sin hacer ruido de campanitas al golpear con mano trémula vidrio contra vidrio.

Patricio se inclinó, cogió el vaso y lo apuró de un sorbo.

— Este vino no es más que una pura tarugada — dijo golpeando el mostrador con la vasija vacía —. De buena gana le diera yo una agarrada a esos fabricantes. Ya ni con una botija se puede uno emborrachar; es la viva agua.

Acabando de decir esto, salió a la calle gritando:

— ¡Aquí está Patricio Ramos, desgraciados!

Don Crisanto, aunque no había recibido la paga, se alegró de verle desaparecer, creyendo que iba a dejarle libre; pero bien pronto salió de su error, pues Ramos tomó su tienda como centro de operaciones para ir y volver, beber dentro, hacer escándalo afuera, y gritar y llamar la atención de vecinos y transeúntes con vociferaciones, insultos y obscenidades.

Por lo pronto, el muchacho ebrio anduvo « calando » el caballo en medio del arroyo. Le hirió los ijares con las agudas espuelas, le aflojó la rienda, inclinó el cuerpo hacia adelante, y se entregó por unos momentos a una carrera vertiginosa. Tan luego como el animal hubo entrado en plena violencia, de pronto, bruscamente, tiró de la brida hacia atrás, echando el busto sobre las ancas de la bestia, y ésta, al sentirse enfrenada, se sentó sobre los cuartos traseros levantando los delanteros para detenerse, y llegó hasta rozar el polvo con las ancas; pero había sido tan grande la velocidad adquirida, que aun así, no pudo pararse de pronto, y en aquella posición resistente, hecho un ovillo, avanzó todavía corta distancia, dejando en el suelo dos rayas anchas trazadas con las pezuñas posteriores.

Luego volvió Patricio hacia atrás a toda brida, y al llegar en dirección de la tienda, sentó otra vez el caballo y lo « quebró », haciéndolo dar vuelta hacia un lado. La bestia, detenida de pronto, encogida y resbalando sobre los cuartos traseros, giró rápidamente sobre una pezuña, y como tenía las delanteras en el aire y levantó otra de atrás para obedecer a la mano que lo gobernaba, no conservó más punto de apoyo que aquella pata, y sobre ella, como sobre un pivote mecánico hizo el movimiento rotatorio. Entretanto, el jinete se mantenía tan firme sobre los lomos de la bestia, como si estuviese cogido a ellos con tornillos o cinchos de hierro. El polvo de la calle sin pavimento se levantaba en blancas nubes con aquellos escarceos, y Patricio, medio velado por la atmósfera caliginosa, aparecía a los ojos de los circunstantes, que en grupos y a distancia miraban la escena, como hombre misterioso, sobrehumano y diabólico.

Y tanto más aumentaba el pavor supersticioso de la gente, cuanto que Ramos, echándose atrás el ancho sombrero de palma que iba sostenido por el tirante barboquejo, no cesaba de gritar:

— ¡Aquí está Patricio Ramos, *pa* servirles! ¡Aquí y *onde quera*! ¡Soy más hombre que cualquiera, collones! Aquí tienen a su padre; yo soy su padre, ¡*jijos* de la *desgraciá*!

Y otras cosas peores y que no son para dichas.

Al « quebrar » el penco, metióse de nuevo y como exhalación por la tienda del « Pavo », y allí, en el espacio reducido que quedaba entre el mostrador y los muros exteriores, le obligó a cejar, sin levantar las patas delanteras, haciéndole caminar hacia atrás por todas partes, y a quebrar con estrépito los cántaros y las ollas de barro que amontonadas se veían por los rincones. El « moro » era un potro criollo, de corta alzada y un poco trasijado,[8] pero tan vivo, nervioso y rápido como un fino resorte de acero. Patricio se miraba en él, como suele decirse, porque no había otro caballo que le llenara tanto el gusto como ése; y hasta parecía que se entendían a maravilla bestia y jinete. Cuando alguna vez era montado el « moro » por algún otro ranchero, se mostraba tan mañoso y testarudo, que ponía en peligro la vida del valiente y le dejaba desganado para volver a cabalgarlo. Unas veces se « armaba », clavándose con las cuatro patas inmóviles donde le daba la gana, sin avanzar ni retroceder aunque le destrozasen el hocico tirándole hacia delante por la brida, o le azotasen las ancas duramente por detrás; no hacía más en tales casos que balancear el cuerpo con dirección a la retaguardia, y estremecerse de pies a cabeza con temblor de pena y rabia al sentir el azote. Otras veces metía la cabeza entre los cuartos delanteros y se daba a hacer corcovos tan altos, ondulados y bruscos, que no había jinete que los resistiera. O bien, asustándose de su propia sombra, saltaba de improviso hacia algún lado, desarzonando al jinete o lanzándolo al suelo en un santiamén.

Patricio, por su parte, cuando montaba otro caballo, se sentía incompleto, fuera de su centro e incapaz de hacer las suertes, « galanas » y extravagancias a que era tan dado.

Pero en juntándose él y el « moro », iba todo a pedir de boca. El caballo no se « armaba » nunca, ni daba corcovos, ni se asustaba, como si tuviese conciencia de la carga que llevaba a cuestas; y Patricio, a su vez, se sentía listo y ligero, capaz de todo, teniendo a su disposición aquel organismo fuerte, raudo y exquisito, que sabía secundar tan perfectamente sus caprichos y locuras.

Íbamos diciendo que el jinete hizo al « moro » cejar por toda la tienda. No contento con eso, y terminando aquel escarceo, le llevó junto al viejo, mugriento y vacilante mostrador, e hincándole las espuelas, le obligó a alzar en alto las patas delanteras, y a posarlas sobre aquel armazón de madera, que se dió a temblar como si tuviera miedo.

— Aquí tiene otro *güen* marchante, don Crisanto — dijo con ironía, refiriéndose a la bestia —. A ver si me le va dando un trago de vino.

— Patricio, me tumbas el mostrador — exclamó el tendero con angustia.

— ¡Y a mí qué diantres me importa! ¡Que se lo lleven los diablos! ¡Ponga vino *pa* mí y *pa* mi caballo.

Don Crisanto sirvió dos vasos de tequila y los puso sobre la tabla.

— ¿Y cómo *quere* que lo beba el « moro » *ansina*? ¿*Pos* qué, le ve trompa de elefante *pa metela* en el vaso? ¡No me haga tantas y le pegue una *cintariada*!

— ¿*Pos* cómo *queres*?

— *Pos* sírvale media botija en un lebrillo *pa* que meta el hocico. Mi penco vale más que *usté*.

Así lo hizo el tendero. Sacó de debajo del mostrador un barreño rojo, vidriado y de buen fondo, y casi lo llenó de aguardiente. Patricio, sin desmontar, quitó el freno al « moro », dejándolo pendiente de las cabezadas, y la bestia, después de dar algunos resoplidos, metió los belfos en el traste y bebió el líquido corrosivo, como si fuese agua de la fuente. Se conocía que estaba hecho a aquellos tragos.

— *Agora* — dijo Patricio —, póngale el bocado y la barbada.

El tendero procuró obedecer, pero estaba tan emocionado, que no pudo introducir el bocado en el hocico del intratable animal, e hizo tantas tentativas inútiles, que el « moro » comenzó a dar trazas de enfurecerse. Patricio, con un tirón brusco, suplió la torpeza, logrando poner en su lugar el bocado, e inclinándose desde la montura, colocó la barbada como era debido. Por desgracia se le había metido en la cabeza que don Crisanto había querido reírse de él, y tratado de asustar al « moro » para que corriera sin freno y le matara. Y como había apurado un nuevo vaso de aguardiente, estaba ya en el colmo de la exaltación y de la locura. Así que, terminada la faena y puesto el caballo en su posición natural, encarándose con don Crisanto, le apostrofó diciéndole:

— *Ora* lo verá, *vuejo* desgraciado. ¡Yo le enseñaré a burlarse de los hombres!

— Por el amor de Dios ¿qué te he *jecho*? — suplicó don Crisanto.

— Esto me ha *jecho* . . . ¡esto! ¡esto!

Y, acompañando la acción a la palabra, descargó fuertes golpes de plano sobre la cabeza del pobre tendero, que procuraba guarecerse detrás del mostrador.

El acero sonaba con ruido metálico sobre el cráneo del infeliz, quien apenas acertaba a defenderse con los brazos. Al ruido de los golpes y de las interjecciones, salió la esposa de la trastienda, y al ver a su marido tan maltrecho se dió a gritar a voz en cuello:

— ¡Auxilio! ¡Auxilio!

Y llorando y clamando con estrépito, metió pronto un escándalo enorme.

— Cállese, vieja, no sea tan argüendera[9] — vociferaba Patricio.

Pero la buena mujer esforzaba más la voz, a medida que más le intimaba silencio; e interponiéndose como fiera entre don Crisanto y su agresor, recibió, por acaso, algunos cintarazos que no le iban dirigidos. Esto le hizo elevar más y más el diapasón de los gritos en demanda de socorro.

— ¡Nos matan! ¡Nos matan! ¡Vecinos! — gemía en altísimas voces.

A Patricio le embrolló la cabeza aquel guirigay y le causó fastidio la escena; así que, regalando al matrimonio con algunos enérgicos apóstrofes, hincó las espuelas en la panza del « moro » y salió disparado de la tienda. Al verse en la calle envainó la espada y sacó la pistola. Seguramente la ruidosa aventura que dejaba a la espalda le había exaltado los nervios; el caso es que por esto o por cualquier otro motivo, buscando algún desahogo a su ira, hizo un disparo al aire y gritó varias veces:

9. discutidora. 10. *meistrita*, maestrita; *destruída*, instruída.

— ¡Aquí está Patricio Ramos, *jijos* de la tiznada!

Entretanto, el « moro », enloquecido también por los humos alcohólicos, bailaba, sacudía la cabeza, bufaba, y, abierta la nariz, parecía aspirar viento de riña y de desorden.

III

Así llegaron caballo y caballero hasta el mercado, en los momentos en que eran mayores la animación y el gentío en aquel sitio. Como rayo cayó Patricio en medio de la muchedumbre, gritando, injuriando y atropellando a todo el mundo. Luego se introdujo el desorden, cundió el pánico por todas partes y comenzó la desbandada.

— ¡Es Patricio borracho! — gritaban cien voces.

Y hombres, mujeres y chicuelos corrían a más y mejor para ponerse en cobro, con grandes chillidos de niños y de hembras. Únicamente los comerciantes permanecieron firmes en sus puestos para cuidar sus cosas, y aunque descoloridos y llenos de susto, como verdaderos mártires.

Ramos hizo irrupción como una tromba por las callejas estrechas del mercado, derribando mesas, techumbres de estera y cuanto al paso se encontraba.

— ¡No *juigan*, que no como gente! — clamaba provocativo.

Y procuraba calmar a las vocingleras expendedoras de legumbres y de frutas, diciéndoles:

— No tengan cuidado, *mialmas*, que traigo las riendas en la mano. Nada les pasa.

Y metía el caballo por todas partes, como un relámpago, conduciéndolo con mano tan diestra y firme, que a pesar de lo angosto de los caminos y de los mil obstáculos que los embarazaban, pasaba por dondequiera sin hollar las verduras ni reventar las sandías ni los melones. El « moro », a pesar de la excitación y de la rapidez de sus movimientos, sabía poner las pequeñas y redondas pezuñas en los intersticios que había por aquellos lugares, con tal premura y precisión, que parecía maravilloso.

En esto concluyó la misa y comenzó a salir la gente de la iglesia; circunstancia que llamó la atención de Patricio, e hizo cambiar el rumbo de sus ideas.

A rienda suelta se dirigió a la puerta del atrio para ver el desfile, con las mismas vociferaciones y amenazas que lo acompañaban por dondequiera.

Impaciente y anheloso aquel día más que ningún otro, de atropellarlo todo y de causar el mayor escándalo posible, espoleó al « moro » hacia el espacioso cementerio y le hizo subir a brincos la gradería que conduce a la explanada interior.

Al verlo aparecer, atropellando a los fieles y gritando palabrotas, corrió despavorida la gente, procurando ponerse a cubierto de la agresión, como suelen las aves de corral dispersarse espantadas en todas direcciones cacareando y agitando las alas cuando el gavilán, cerrando las espirales que traza en el espacio, se deja caer de improviso en medio del gallinero.

Desgraciadamente asomó en aquella coyuntura por la puerta del templo la bonita y salerosa profesora del pueblo, Serafina Palomo, doncellita de poco más de veinte años de edad, rozagante y de ojos encantadores. Venía acompañada de su abuela, doña Simona, viejecilla flaca y encorvada, que llevaba a cuestas, con visible trabajo, la pesada carga de sus años.

Patricio, antes de ahora, había visto algunas veces a Serafina y quedado boquiabierto ante su lindo palmito; pero como en aquellas ocasiones no había absorbido los litros de alcohol que ahora paseaba en el cuerpo, la había contemplado con admiración y respeto, como a ser superior y en el cual no le era dado poner los ojos. Ahora, que estaba animado por tantos espíritus malignos, no entendía de consideraciones ni de miedo; lo único que le dominaba era el impulso irresistible de dar rienda suelta a sus deseos y de satisfacer sus pasiones.

— ¡Aquí viene la *meistrita*! — clamó alegre —. ¡Cómo me cuadra su *güena* persona, por chula y por *destruida*![10]

Y se dirigió a ella haciendo saltar al « moro » y sentándolo de súbito.

Serafina y doña Simona, sobrecogidas de susto, gritaron y buscaron auxilio o refugio en derredor con la mirada; no encontrando a la mano ni hallando otra cosa mejor que hacer, volvieron atrás precipitadamente y se metieron de nuevo en la iglesia. Patricio vaciló un momento; pero al fin, soltando la rienda al caballo, entró en pos de ellas por el postigo del templo. El sacristán, que era un indio descalzo y de calzón blanco, pretendió estorbarle el paso y cerrar el postigo; pero Ramos le atropelló bruscamente y le puso en fuga precipitada. Las pezuñas del « moro » retumbaron sonoramente en el entablado de madera y fueron repercutidas por las viejas bóvedas donde nunca habían hallado eco tan brutales tropelías.

Al estrépito salió el cura, que acababa de decir la misa, todavía con el alba puesta.

— Es la casa de Dios — dijo a Patricio —. ¡No la profane usted, desgraciado!

— ¡Señor cura — contestó Ramos —, usted me dispense mucho, pero de esta *jecha* me llevo a la *meistrita* aunque se suba al altar mayor!

Y yendo tras ella, le cerró el paso de la sacristía.

— ¡*Meistrita*! — siguió diciendo —, si *usté quere* que me salga de la iglesia, me salgo; pero se ha de venir conmigo.

La preceptora no contestó, ni sabía lo que hacía; todo su empeño era escapar del peligro huyendo por alguna puerta, hendedura o agujero, o metiéndose debajo de cualquier mueble.

La abuela intervino:

— ¡Borracho! — dijo — ¿Qué no ve dónde estamos?

— Cállese la boca — repuso Patricio desenvainando la espada —, si no *quere* que le pegue una *güena cintariada.*

— ¡Maldito! — prosiguió la anciana —. ¿No respeta el templo?

— Maldita *usté* — vociferó Patricio levantando la diestra para escarmentar a doña Simona.

El cura se interpuso y, acercándose a Ramos, cogió al « moro » por la brida haciéndole encabritarse. Ramos, furioso, descargó el cintarazo que destinaba a doña Simona sobre la mano del párroco, obligándolo a soltar la brida.

— A mí ninguno me ningunea, *siñor* cura — gritó —, aunque se ponga casulla.

Entretanto, era indescriptible la agitación que reinaba en la iglesia. Los fieles que todavía no habían salido y los que habían retrocedido para presenciar el escándalo, asistían indignados a la escena inaudita. Algunos corrieron al Ayuntamiento en busca de auxilio. Otros, al ver menospreciados los objetos de su adoración o de su respeto, gritaban:

— ¡Fuera! ¡Fuera!

Patricio, de pronto, se vió rodeado por un grupo resuelto; pero no se arredró.

— Me parecen pocos — clamó con fiereza —; soy hombre y tengo *pa* todos. A puros azotes voy a correrlos.

Fué una batida repugnante, nunca vista. Serafina, huyendo con su abuela y el párroco; los campesinos procurando rodear, desarzonar y derribar al jinete y éste corriendo tras los fugitivos, vociferando como energúmeno y derribando y golpeando opositores a diestra y siniestra.

La brutalidad y el dolor acabaron por introducir el pánico entre los rústicos, que, jadeantes y contusos, comenzaron a dispersarse.

— Ya lo ve, *meistrita* — gritó Patricio —. Todos esos no me sirven *pa* nada. Véngase conmigo y se acaba el escándalo.

Serafina, fuera de sí, pensó que tal vez sería mejor obedecer, para que no continuase la violación del templo.

— Está bien, señor — repuso trémula y con acento sumiso y lacrimoso.

— *Ansina* me cuadra, *meistrita*, véngase *pa* la silla — repuso Ramos.

Y echándose a las ancas del « moro », dejó libre la montadura.

IV

En aquellos momentos entró por la puerta de la Iglesia don Roque Guerrero, hombre de pelo en pecho, presidente municipal, y, por tanto, suprema autoridad de Zaulán. Venía acompañado de cuatro hombres, pertenecientes a la ronda, los cuales portaban enormes fusiles del tiempo de la independencia. Y juntamente con ellos penetró en el templo un buen golpe de gente.

Al enterarse don Roque de lo que pasaba, detúvose unos instantes para deliberar, y dijo rápidamente a sus subordinados:

— Si no me obedece, hacen ustedes puntería, y le pegan en la chapa del alma.

Pero antes de que llegara el « auxilio » hasta el sitio donde continuaba el escándalo, se presentó en escena otro personaje.

Era un anciano trémulo, débil, de paso vacilante. Vestía chaqueta y calzoneras de cuero, llevaba la cabeza envuelta en un pañuelo y cogía el ancho sombrero de palma, que se había quitado, con la mano siniestra. A merced del desorden y colándose entre la muchedumbre, logró acercarse al jinete; y esforzando la voz cuanto pudo, gritó:

— ¿Qué es eso? Patricio, ¿qué es eso?

Ramos, al verle llegar, levantó la espada e iba a descargarla sobre él, cuando lo reconoció.

— ¡Mi señor padre! — murmuró con espanto.

— ¡Pie a tierra, malcriado! — ordenó el anciano con imperio —. ¡Pie a tierra!

— Sí, señor padre; lo que *usté* ordene — repuso Patricio, calmándose como por encanto y con tono y semblante de niño obediente —. Lo que *usté* guste, señor padre; lo que *usté* guste.

— ¡*Pos* abajo al momento!

Obedeció Patricio.

— ¡A ver, acá la espada! — intimó el viejo.

— Aquí la tiene su *mercé*.

Y Patricio puso el arma en las manos marchitas de su padre.

— ¡A ver, las riendas del *cuaco*!

— Aquí están, señor padre.

— A ver, tú — dijo el viejo dirigiéndose a uno de los presentes —; agarra esas riendas mientras lo ajusticio. Aquí la *jizo* y aquí la debe pagar.

Y empuñando la espada, la descargó sobre el mocetón. Y le derribó el sombrero y le golpeó el cráneo y le cruzó el rostro sin miramiento ni consideración, con la parte plana del arma.

Entonces presenciaron los circunstantes una escena extraordinaria. Patricio, que por nada se contenía, que no temía nada y que nada respetaba, ni a los ministros del altar, ni a la casa misma de Dios, cayó de rodillas humildemente para recibir aquel aguacero de golpes.

— Su *mercé* manda — decía — y puede hacerme lo que *quera*.

Y le besó los pies repetidas veces. Y continuó en aquella actitud reverente hasta que hubo terminado el vapuleo.

Cuando el viejo hubo saciado su cólera, cogió a su hijo por la mano y lo entregó al presidente municipal, diciéndole:

— Yo ya cumplí con mi deber; *agora* falta que la autoridad lo castigue.

Pero don Roque repuso:

— La autoridad de usted es mejor que la mía. Lléveselo usted y acabe de corregirlo en su casa. Por mi parte quedo satisfecho.

A nadie le pareció mal la alcaldada.

— Es buen hijo — pensaban las gentes.

— Señor, perdónale, sabe honrar a su padre — oraba el cura interiormente.

— Después de todo, no es tan malo como parece — reflexionaba, enternecida, Serafina — . . . ni tiene nada de feo.

Don Roque y sus hombres se apartaron con gravedad; lo mismo hizo el gentío.

Y el viejo, trémulo y encorvado, salió del templo llevando por la mano a su terrible hijo sumiso y con los ojos clavados en el suelo.

Enrique José Varona

Como pensador, ENRIQUE JOSÉ VARONA (1849-1933) se sintió cómodo en la dirección del positivismo francés y del empirismo inglés. Aunque encuadrado en las ideas dominantes en el siglo XIX, su actitud escéptica ante los bienes logrados por el hombre y, sin embargo, la energía con que endereza su propia conducta hacia valores morales superiores dan un tono personal a su filosofía. En el fondo, confiaba que el hombre, cuando se dejaba arrebatar por la ilusión de su libertad, podía mejorar el mundo. Ilusión de libertad porque Varona era determinista, agnóstico, inclinado a las ciencias; sin embargo el hombre se le aparecía como una criatura que, dentro de la evolución natural, es capaz de redimirse. Varona fué el primer cubano que convirtió la filosofía en ejercicio riguroso. No obstante, más que en sus trabajos sistemáticos — los tres volúmenes de sus *Conferencias filosóficas*, por ejemplo —, acertó en la reflexión fragmentaria. El aforismo es el mejor vehículo para un relativista. Y los de *Con el eslabón* ofrecen páginas de gran penetración y belleza. Sus ensayos breves, recogidos en *Desde mi Belvedere* y *Violetas y ortigas* (ambos de 1917), deben figurar entre los mejores de nuestra literatura. Podrían extraerse de allí teorías enteras (por ejemplo, su relativista teoría estética), pero la gracia está en la desenvoltura con que visita rápidamente los asuntos. Su poesía fué juvenil. Había apreciado a parnasianos y simbolistas; pero se refirió con sorna a los « modernistas » — y también a los « futuristas » y « cubistas » que les siguieron — porque, en su opinión, « andan queriendo decir lo que no acaban de decir. »

CON EL ESLABÓN

La historia se reduce a remotos, vagos y tenues indicios de algo que pudo haber sido.

*

Debemos ir siempre adelante; pero volviendo con frecuencia la cabeza hacia atrás. Ésta es la noción que tengo del progreso humano (1874).

*

Lo malo es que muchos se han quedado con el cuello irremisiblemente torcido (1917).

*

Los cojos han decretado la necesidad universal de las muletas.

*

Pensaba yo de joven que, para conocer la vida, bastaba con leer nuestro propio corazón. Después he advertido que de este libro hacemos varias ediciones; y cada una con adiciones, supresiones y enmiendas.

*

Cuando pienso en las profundas disquisiciones de los metafísicos, desde Platón, el águila, hasta Bergson,[1] el lince, resuena dentro de mí, con insistencia, este impertinente vocablo: palabrería. Pero en seguida rectifico, y añado tranquilo: palabrería sublime.

*

¡Qué bello espectáculo el del mundo, para visto con ojos de veinte años! Tus ojos, Julieta. Los tuyos, Romeo.

*

« Lo que es la belleza, no lo sé », decía Alberto Durero,[2] mientras la hacía brotar perfecta con el pincel o el buril.

Como que el toque no está en definir, sino en sentir y realizar.

*

« No bebemos agua dos veces en el mismo río », nos dice la añeja experiencia humana. Pero ¿soy acaso el mismo, yo que la tomé ayer y vuelvo a tomarla hoy? ¿Yo que ayer la encontré dulce y hoy la encuentro salobre?

*

No conviene abrumar el arte bajo el manto de plomo de la tradición.

*

¿De qué se hace un tirano? De la vileza de muchos y de la cobardía de todos.

*

Las disputas de los grandes pensadores me marean tanto a veces, que estoy a punto de creer que toda la lógica podría reducirse a este solo precepto: Defina usted sus términos. O de otro modo: Díganos qué es lo que quiere decir.

*

¡Cuántas opiniones contrarias y qué de argumentos formidables para apoyarlas!

— Luego la crítica es inútil.

— Es inútil; pero seguimos haciendo crítica.

*

El lenguaje, para ser puro, ha de tener la primera cualidad del cristal: la transparencia.

*

Un corro abigarrado de rapaces que van a jugar a los soldados. « ¿Quién es el general? », salta uno. « Yo, yo, yo »; gritan todos a la vez.

(1917)

*

La crítica tiene también sus edades. La de juventud ardorosa, en que sólo atiende a combatir, como si su único fin fuera probar sus fuerzas y sus armas. La de madurez reposada, en que investiga, depura y analiza, porque su verdadero fin es comprender.

*

Aquellos que están en contra mía son unos bribones redomados, unos lobos rabiosos; estos que me favorecen, unos benditos, unos corderos sin hiel.

¡Pobre amor! de algo sirves. Lo radicalmente infecundo es el odio, que destruye y no sustituye.

1. Henri Louis Bergson (1859-1941), filósofo francés, propugnador del método intuitivo. 2. Alberto Durero (1471-1528), famoso pintor alemán. 3. pintor griego (464-398 a. de J. C.). 4. Nicolas de Malebranche (1638-1715), religioso y filósofo francés.

No tanto, no tanto. Ni ángeles ni demonios: hombres unos y otros. Lo que cambia y lo que los cambia es el lugar donde se alza el mirador en que te asomas.

*

Nunca me parecen más risueñas las florecillas del bosque, que cuando dejamos atrás su verde lindero; nunca más misteriosas y dulces las estrellas distantes, que cuando se van apagando una a una en la niebla sin contornos del alba.

*

En lo mortal, la revelación suprema de la fuerza consiste en la manera con que se arrastra la muerte.

*

Habla a los demás como te hablas a ti mismo.
— Difícil a veces, a veces imprudente.
— Pues calla esas veces.

*

Aspiramos a la eternidad; no queremos cambiar; y el cambio es lo único eterno.

(1918)

*

Cuando oigo a los personajes de Shakespeare, todo lo que hablo me parece balbuceo.

*

Figuran en política dos clases de hombres: los unos la consideran como deber; los otros la toman como profesión.
— Ya: los que hurgan entre las espinas para sacar la almendra; y los que se la comen.

*

Conviene variar, para volver con gusto a lo mismo. Con gusto y con fruto.

*

— Escéptico, ¿dónde pones el cimiento de tu edificio? ¿qué colocas en su cima?
— No levanto ningún edificio.
— ¿Y te atreves a criticar?
— Sí, a los que abren sus zanjas en las nubes y alzan sus cúpulas en el éter.

*

— No hay regla sin excepción.
— Eso es una verdad a medias.
— ¿Cuál es la verdad entera?
— No hay regla.

*

¿Igual? ¿Pretendes ser igual a otro? De ayer a hoy, de hoy a mañana ¿eres igual a ti mismo?

(1919)

*

El que dijo a un descontentadizo, ante la Helena de Zeuxis[3]: « Mírala con mis ojos, y te parecerá divina », ése, formuló la regla única, inapelable y definitiva de toda crítica.

*

¡La verdad! No existe la verdad. Existen mi verdad, tu verdad, su verdad. Y debemos temblar, con temblor de muerte, al reconocerlo.

*

No se mueve la hoja sin la voluntad divina. ¿Y la lengüecilla de la víbora?

*

De todos los locos mansos que andan tonteando por el mundo, los optimistas me parecen los más rematados y los más inofensivos.

*

Nuestra vida. Un borrador que se enmienda, y se enmienda y no se acaba de poner en limpio.

*

Malebranche[4] daba un puntapié a su perro, y decía, encogiéndose de hombros: « Eso no siente. »
Filósofo empedernido, alma de cántaro: el que no sentía eras tú.

(1920)

*

Todas las pruebas de la inmortalidad del alma se reducen a esta sola: No me quiero morir.

*

La sociedad: compañía universal de engaño mutuo.

*

El secreto de la vida feliz consiste en mirar con ojos de amor lo bello y con ojos de lástima lo feo.

*

La razón, para muchos moralistas, es la sumisión de la inteligencia y la conducta a la pauta general. Todo el que se rebela carece de razón . . . si no triunfa.

(1921)

*

Ocurre un suceso. Lo presencian treinta personas, y cada una lo refiere de distinto modo. Es que cada una lo ha visto a su modo.

*

¿Qué buscas en mi libro? ¿Lo que yo pienso? No; lo que tú piensas o te han hecho pensar.

*

Hay un arte por hacer: la crítica de los críticos.

*

¿Qué es lo bello de la naturaleza? Lo bello que el hombre pone en la naturaleza. Mírala con otros ojos, y la verás otra.

*

— Nuestros pedagogos andan tras una quimera: enseñar lo que no se sabe.

— ¿Cómo? ¿No se saben las matemáticas, la física, la química, la . . .?

— Lo que no se sabe es la ciencia de la vida.

*

Hay libros-hombres. En ellos exprime el zumo de su vida el autor; ejemplo, los ensayos de Montaigne.[5] Hay libros-mariposas. En ellos deja su libación un espíritu; ejemplo, las poesías de Keats. Hay libros-asnos. En ellos pontifica un pedante. No se necesitan ejemplos.

*

Me siento español, exclama un criollo de la última hornada. Pues lo que importa no es sentirse español, ni inglés, ni patagón, ni lucumí; lo que importa es ser hombre.

*

Más fácil es predecir cuántos círculos formará un guijarro lanzado al agua, que imaginar las resonancias producidas en un espíritu por la idea que en él se arroja.

*

Walt Whitman se alboroza por la llegada del *hombre*. Nietzsche trompetea el advenimiento del *superhombre*. Y ya nos contentaríamos con tener mediohombres. (1922)

*

La retórica no es arte, sino artificio.

*

Los creyentes colocan sus fantasmas luminosos en una región recóndita que llaman la fe. Sus raíces se afianzan en el corazón, no en la inteligencia. Dulces quimeras, pero quimeras. Indiscutibles, como irreales.

*

No basta saber decir, se necesita tener algo que decir.

*

De los escarmentados nacen los avisados. Falso. El escarmiento es estéril.

*

¡Ecuanimidad! ¿Cómo puede mantenerse en equilibrio el alma, veleta rechinante montada sobre el eje de la pasión, y azotada por todos los vientos del espíritu?

*

¡Qué malos actores somos! La muerte es una pieza que ensayamos todas las noches y no aprendemos nunca.

*

Porque soy ciego, si mi vecino Juan es ciego, ¿no puedo llamar ciego a Juan?

*

Es pasmoso, en las grandes orquestas, el número de instrumentos que sólo sirven para hacer ruido.

*

Nuestra edad positivista se empeña en conocer hasta lo más trivial de los grandes ingenios. Así ciega con torpeza una de las fuentes más cristalinas de la ilusión estética. Clamemos en coro: fuera la biografía. (1923)

*

La palabra es como el perfume sellado en una redoma. Las hay que se desvanecen al contacto del aire. Las hay que perduran siglos.

*

Lo más cómico, o lo más trágico, de la vida es que cuanto más vive uno, menos sabe uno. De mozo era yo un sábelotodo, y ahora soy un nosabenada.

*

— ¿A la veleta de tu creencia entregas lo cierto?

— ¿Qué he de hacerle si así es? ¿La tuya no voltea? No eres humano.

*

El asceta quiere llegar a la perfección por medio de la mutilación. Pero la Afrodite de Milo[6] sería más bella con sus brazos y la Niké de Samotracia[7] con su cabeza.

*

Como el hombre es una fiera inteligente, es la peor de las fieras. (1924)

*

5. Michel de Montaigne (1533-1592), ensayista y moralista francés. 6. Afrodita de Milo, más conocida como la Venus de Milo. 7. Niké de Samotracia, más conocida como la Victoria de Samotracia.

¿Por qué es bella tal cosa? se preguntaba un crítico. Respondo con el sombrero en la mano: Nada *es* bello. Tal perspectiva, tal hazaña, tal invención, tal melodía *me parecen* bellas.

*

¡Oh la palabra, la palabra! ¡Su perenne espejeo, su instabilidad de hoja trémula, su fluidez de azogue! Cuando más firmemente la quieres asir, con más facilidad se te escapa.

(1925)

(De *Con el eslabón*, 1927)

NOTICIA COMPLEMENTARIA

Entre los poetas que no han podido entrar en nuestra antología debemos mencionar por lo menos al desconforme Almafuerte (Argentina; 1854-1917), al sentimental Rafael Pombo (Colombia; 1833-1912), al matizado Antonio Pérez Bonalde (Venezuela; 1846-1892) y al elegíaco Juan Clemente Zenea (Cuba; 1832-1871).

Los novelistas no caben en este libro, pero en una historia de la literatura no podríamos dejar de señalar la importancia de Jorge Isaacs (Colombia; 1837-1895), autor de *María*, la mejor novela idílica de su tiempo; Manuel de Jesús Galván (Santo Domingo; 1834-1910), autor de *Enriquillo*, la mejor novela histórica; Ignacio Manuel Altamirano (México; 1834-1893), Eduardo Acevedo Díaz (Uruguay; 1851-1921) y Eugenio Cambaceres (Argentina; 1843-1888), que muestran toda la gama de estilos novelísticos, desde el romanticismo del primero hasta el naturalismo del último.

VIII

1880-1895

MARCO HISTÓRICO: *Nuevas fuerzas económicas y sociales. Prosperidad, inmigración, desarrollo técnico, capitalismo. Mayor estabilidad política. Las oligarquías y la oposición democrática.*
TENDENCIAS CULTURALES: *Culto a las novedades europeas. El Parnaso francés. El naturalismo. La primera generación de « modernistas ».*

Roberto J. Payró
Javier de Viana
Baldomero Lillo
Tomás Carrasquilla
Baldomero Sanín Cano
Juan Zorilla de San Martín
Salvador Díaz Mirón
José Martí
Manuel Gutiérrez Nájera
Julián del Casal
José Asunción Silva

Los hispanoamericanos que llegaron a la vida pública alrededor de 1880 — es decir, cuando ya sus patrias habían pasado lo peor de la anarquía — admiraban, todavía románticamente, a los héroes de la acción política; pero presentían que, cambiadas las circunstancias, su papel no iba a ser heroico. Con gesto amargo, irónico o decepcionado, según los casos, se apartaron de la lucha y se dedicaron a la literatura. En este período hay escritores muy distintos; pero lo común entre todos ellos parece ser el resentimiento contra las condiciones de vida social inmediatas y el aire jactancioso de ser los primeros en cultivar las letras por las letras mismas. De Rubén Darío en adelante el « modernismo » será un movimiento con dirección inconfundible; pero hasta Rubén Darío sí que se confunden las distintas direcciones de quienes se interesan exclusivamente por la literatura. En este sentido la lista de los « precursores del modernismo » debe ser mucho más larga de lo que se cree. Entremos en este período por la prosa, para salir con la poesía; y, al tratar a los poetas, dejemos para el final a los que han de prevalecer cuando triunfe el modernismo.

La prosa narrativa. En Argentina apareció un grupo de escritores que hicieron de la novela una profesión. El tema, predominantemente social, documenta los trastornos de un país que veía derrumbarse por lo menos el optimismo de las grandes presidencias de Mitre, Sarmiento y Avellaneda. Los procedimientos eran realistas y, en algunos casos, con tesis, al modo de los naturalistas. El narrador que con los años gana más y más respeto es Roberto J. Payró (1867-1928). En crónicas, relatos y dramas desperdigó Payró su concepción paciente, comprensiva, honesta, tolerante y esperanzada de la Argentina en transición. Después de un desbroce de veintitantos volúmenes se nos quedan en las manos *El casamiento de Laucha* (1906),

Pago Chico (1908), que podríamos fundir con los póstumos « Cuentos de Pago Chico », y *Divertidas aventuras del nieto de Juan Moreira* (1910), tres obras estructuradas por un asunto común: los pícaros en la vida argentina. Pero las tres novelas suponen distintos puntos de enfoque, y, claro, cristalizan también en maneras diferentes de estilo. Tres obras, tres miras. La del pícaro, la del humorista y la del sociólogo. *El casamiento de Laucha* es la historia de una canallada. El mundo que allí rezuma es el mundo tal como lo intuye un pícaro, quien toma la palabra y va discurriendo gozoso de sí y confiado en que no existen valores más legítimos que los suyos. Los relatos de *Pago Chico* nos vuelven a evocar la misma realidad apicarada de *El casamiento de Laucha* pero con un importante cambio de perspectiva: los episodios los relata desde fuera un cronista a quien se supone burlón, ajeno al ambiente y documentado con papeles. En *Divertidas aventuras del nieto de Juan Moreira*, en cambio, creó a un pícaro con un propósito absolutamente serio. Se trata de la misma realidad social y humana que hemos visto en las obras anteriores. Pero ahora Payró ha construído los esquemas de esa realidad para que la juzguemos. Ha estirado la materia de la novela sobre los ejes de una teoría del progreso de la República Argentina.

Roberto J. Payró

EN LA POLICÍA

No siempre había sido Barraba el comisario de Pago Chico; necesitóse de graves acontecimientos políticos para que tan alta personalidad policial fuera a poner en vereda a los revoltosos pagochiquenses.

Antes de él, es decir, antes de que se fundara « La Pampa » y se formara el comité de oposición, cualquier funcionario era bueno para aquel pueblo tranquilo entre los pueblos tranquilos.

El antecesor de Barraba fué un tal Benito Páez, gran truquista,[1] no poco aficionado al porrón[2] y por lo demás excelente individuo, salvo la inveterada costumbre de no tener gendarmes sino en número reducidísimo — aunque las planillas dijeran lo contrario —, para crearse honestamente un sobresueldo con las mesadas vacantes.

— ¡El comisario Páez — decía Silvestre — se come diez o doce vigilantes al mes!

La tenida de truco[3] en el Club Progreso, las carreras en la pulpería de La Polvadera, las riñas de gallos dominicales, y otros quehaceres no menos perentorios, obligaban a don Benito Páez a frecuentes, a casi reglamentarias ausencias de la comisaría. Y está probado que nunca hubo tanto orden ni tanta paz en Pago Chico. Todo fué ir un comisario activo con una docena de vigilantes más, para que comenzaran los escándalos y las prisiones, y para que la gente anduviera con el Jesús en la boca, pues hasta los rateros pululaban. Saquen otros las consecuencias filosóficas de este hecho experimental. Nosotros vamos al cuento aunque quizá algún lector lo haya oído ya, pues se hizo famoso en aquel tiempo, y los viejos del pago lo repiten a menudo.

Sucedió, pues, que un nuevo jefe de policía, tan entrometido como mal inspirado, resolvió conocer el manejo y situación de los subalternos rurales y sin decir ¡agua va! destacó inspectores que fueran a escudriñar cuanto pasaba en las

1. jugador de truque o truco, juego de naipes. 2. botijo, recipiente de origen catalán para beber vino. 3. sesión o partida de ese juego. 4. diminutivo de « tranco »; paso corto de los caballos. 5. en este caso, voto o juramento; decir palabras mal sonantes. 6. *idem*.

comisarías. Como sus colegas, don Benito ignoró hasta el último momento la sorpresa que se le preparaba, y ni dejó su truco, sus carreras y sus riñas, ni se ocupó de reforzar el personal con gendarmes de ocasión.

Cierta noche lluviosa y fría, en que Pago Chico dormía entre la sombra y el barro, sin otra luz que la de las ventanas del Club Progreso, dos hombres a caballo, envueltos en sendos ponchos, con el ala del chambergo sobre los ojos, entraron al tranquito[4] al pueblo, y se dirigieron a la plaza principal, calados por la lluvia y recibiendo las salpicaduras de los charcos. Sabido es que la Municipalidad corría pareja con la policía, y que aquellas calles eran modelo de intransitabilidad.

Las dos sombras mudas siguieron avanzando sin embargo, como dos personajes de novela caballeresca, y llegaron a la puerta de la comisaría, herméticamente cerrada. Una de ellas, la que montaba el mejor caballo — y en quien el lector perspicaz habrá reconocido al inspector de marras, como habrá reconocido en la otra a su asistente —, trepó a la acera sin desmontar, dió tres fuertes golpes en el tablero de la puerta con el cabo del rebenque . . .

Y esperó.

Esperó un minuto, impacientado por la lluvia que arreciaba, y refunfuñando un terno[5] volvió a golpear con mayor violencia.

Igual silencio. Nadie se asomaba, ni en el interior de la comisaría se notaba movimiento alguno.

Repitió el inspector una, dos y tres veces el llamado, condimentándolo cada uno de ellos con mayor proporción de ajos y cebollas[6] y por fin allá a las cansadas entreabrióse la puerta, vióse por la rendija la llama vacilante de una vela de sebo, y a su luz un ente andrajoso y soñoliento, que miraba al importuno con ojos entre asombrados y dormidos, mientras abrigaba la vela en el hueco de la mano.

— ¿Está el comisario? — preguntó el inspector bronco y amenazante.

El otro, humilde, tartamudeando, contestó:

— No, señor.

— ¿Y el oficial?

— Tampoco, señor.

El inspector, furioso, se acomodó mejor en la montura, echóse un poco para atrás, y ordenó, perentoriamente:

— ¡Llame al cabo de cuarto!

— ¡No . . . no . . . no hay, señor!

— De modo que no hay nadie aquí, ¿no?

— Sí se . . . señor . . . Yo.

— ¿Y usted es agente?

— No, señor . . . yo . . . yo soy preso.

Una carcajada del inspector acabó de asustar al pobre hombre, que temblaba de pies a cabeza.

— ¿Y no hay ningún gendarme en la comisaría?

— Sí, se . . . señor . . . Está Petronilo . . . que lo tra . . . lo traí de la esquina bo . . . borracho, si se . . . señor! . . . Está durmiendo en la cuadra.

Una hora después don Benito se esforzaba en vano por dar explicaciones de su conducta al inspector, que no las aceptaba de ninguna manera. Pero afirman las malas lenguas, que cuando no se limitó a dar simples explicaciones, todo quedó arreglado satisfactoriamente; y lo probaría el hecho de que su sistema no sufrió modificación, y de que el preso portero y protector de agentes descarriados siguió largos meses desempeñando sus funciones caritativas y gratuitas.

(De *Pago Chico*, 1908)

De la generación uruguaya que dió sus mejores frutos entre 1895 y 1910 — Rodó, Carlos y María Eugenia Vaz Ferreira, Herrera y Reissig, Carlos Reyles, Florencio Sánchez, Horacio Quiroga — presentaremos aquí a un narrador realista: JAVIER DE VIANA (1868-1926). Escribió una novela, *Gaucha*, 1899, pero acertó más en sus cuentos. Cuentista de garra fué. Y tan abundante que llegó a concebir (él fué quien lo dijo) cuatro en tres horas. Sus mejores colecciones son *Campo* (1896), *Gurí y otras novelas* (1901), *Macachines* (1910), *Leña seca* (1911) y *Yuyos* (1912). Produjo otros volúmenes pero cada vez fué mecanizando más sus procedimientos. Había aprendido a contar — él lo dice — en Zola, Maupassant, Turgueniev y Sacher-Masoch. No obstante, su arte es tan espontáneo, tan típico de la conversación, que citar a esos maestros fué una coquetería. Viana construía sus cuentos con anécdotas: una pasión, un crimen, un engaño, una escena de guerra civil o de costumbres campesinas. Y prefería el efectismo de la violencia y la sordidez. Fué un naturalista: es decir, que para él hombres y mujeres eran productos del suelo. « La Tísica » pone de manifiesto su concepción naturalista de la vida. Repárese cómo todo el cuento, de ambiente rústico, presenta a la muchacha como un animal enfermo. Su tema fué la vida del campo. Hombres, mujeres, son productos del suelo: la concepción naturalista de la vida se revela a cada imagen.

Javier de Viana

LA TÍSICA

Yo la quería, la quería mucho a mi princesita gaucha, de rostro color de trigo, de ojos color de pena, de labios color de pitanga[1] marchita.

Tenía una cara pequeña, pequeña y afilada como la de un cuzco[2] era toda pequeña y humilde. Bajo el batón de percal, su cuerpo de virgen apenas acusaba curvas ligerísimas: un pobre cuerpo de chicuela anémica. Sus pies aparecían diminutos, aun dentro de las burdas alpargatas; sus manos desaparecían en el exceso de manga de la tosca camiseta de algodón.

A veces, cuando se levantaba a ordeñar, en las madrugadas crudas, tosía. Sobre todo, tosía cuando se enojaba haciendo inútiles esfuerzos para separar de la ubre el ternero grande, en el « apoyo ».[3] Era la tisis que andaba rondando sobre sus pulmoncitos indefensos. Todavía no era tísica. Médico yo, lo había constatado.

Hablaba raras veces y con una voz extremadamente dulce. Los peones no le dirigían la palabra sino para ofenderla y empurpurarla[4] con alguna obscenidad repulsiva. Los patrones mismos — buenas gentes, sin embargo — la estimaban poco, considerándola máquina animal de escaso rendimiento.

Para todos era « La Tísica ».

Era linda, pero su belleza enfermiza, sin los atributos incitantes de la mujer, no despertaba codicias. Y las gentes de la estancia, brutales, casi la odiaban por eso: el yaribá, el caraguatá, todas esas plantas que dan frutos incomestibles, estaban en su caso.

Ella conocía tal inquina y, lejos de ofenderse, pagaba con un jarro de « apoyo » a quien más cruelmente la había herido. Ante los insultos y las ofensas no tenía más venganza que la mirada tristísima de sus ojos, muy grandes, de pupilas muy negras, nadando en unas córneas de un blanco azulado que le servían de marco admirable. Jamás había una lágrima en esos ojos que parecían llorar siempre.

Exponiéndose a un rezongo de la patrona, ella apartaba la olla del fuego para que calentase una caldera para el mate amargo el peón recién venido del campo; o distraía brasas al asado a fin de que otro tostase un choclo . . .[5] ¡Y no la querían los peones!

— La Tísica tiene más veneno que un alacrán — oí decir a uno.

Y a otro que salía envolviendo en el poncho el primer pan del amasijo, que ella le había alcanzado a hurtadillas:

— La Tísica se parece al camaleón: es el animal más chiquito y más peligroso.

A estas injusticias de los hombres se unían otras injusticias del destino para amargar la existencia de la pobre chicuela. Llevada de su buen corazón, recogía pichones de « benteveo » y de « pirincho » y hasta « horneros »[6] a quienes los chicos habían destruído sus palacios de barro.

1. árbol de hojas olorosas y fruto comestible semejante a una guinda negra. 2. perro pequeño. 3. la leche más gruesa que dan las vacas, ovejas, cabras, etc., con el auxilio de la cría. 4. hacerla ruborizar. De « púrpura ». 5. mazorca tierna de maíz. 6. *benteveo, pirincho, hornero*. Pájaros. 7. huérfano. 8. de carnear: matar y descuartizar las reses para aprovechar su carne. 9. Con el prefijo *en* y el sustantivo *perro* se forma un verbo cuyo significado traslada a acciones del hombre modos propios del animal. En este caso, la leña verde se niega a dar fuego, con la obstinación de un perro que no cede a una orden. 10. regaños. 11. caldero para hervir agua. 12. de *refucilo*, « relámpago ». 13. así llamada por un dibujo en forma de cruz que lleva en la piel. Es muy venenosa.

Con santa paciencia los atendía en sus escasos momentos de ocio; y todos los pájaros morían, más tarde o más temprano, no se sabe por qué extraño maleficio.

Cuidaba los corderos guachos[7] que crecían, engordaban y se presentaban rozagantes para aparecer una mañana muertos, la panza hinchada, las patas rígidas.

Una vez pude presenciar esta escena.

Anochecía. Se había carneado[8] tarde. Media res de capón asábase apresuradamente al calor de una leña verde que se « emperraba »[9] sin hacer brasas. Llega un peón:

— ¡Hágame un lugarcito para la caldera!

— ¿Pero no ve que no hay fuego?

— ¡Un pedacito!

— ¡Bueno, traiga, aunque después me llueva un aguacero de retos[10] de la patrona!

Se sacrifican algunos tizones. El agua comienza a hervir en la pava.[11] La Tísica, tosiendo, ahogada por el humo de la leña verde, se inclina para cogerla. El peón la detiene.

— Deje — dice —, no se acerque.

— ¿No me acerque? . . . ¿por qué, Sebastián? — balbucea la infeliz, lagrimeando.

— Porque . . . sabe . . . para ofensa no es . . . pero . . . ¡le tengo miedo cuando se arrima!

— ¿Me tiene miedo a mí? . . .

— ¡Más miedo que al cielo cuando refucila! . . .[12]

El peón tomó la caldera y se fué sin volver la vista. Yo entré en ese momento y ví a la chicuela muy afanada en el cuidado del costillar, el rostro inmutable, siempre la misma palidez en sus mejillas, siempre idéntica tristeza en sus enormes ojos negros, pero sin una lágrima, sin otra manifestación de pena que la que diariamente reflejaba su semblante.

— ¿La hacen sufrir mucho, mi princesita? — dije por decir algo y tratando de ocultar mi indignación.

Ella rió, con una risa incolora, fría, mala, a fuerza de ser buena, y dijo con incomparable dulzura:

— No, señor. Ellos son así, pero son buenos . . . Y después . . para mí to . . .

Un acceso de tos le cortó la palabra.

Yo no pude contenerme. Corrí. La sostuve en mis brazos entre los cuales se estremecía su cuerpecito, mientras sus ojos, sus ojos de crepúsculo de invierno, sus ojos áridos inmensamente negros, se fijaban en los míos con extraña expresión, con una expresión que no era de agradecimiento, ni de simpatía, ni de cariño. Aquella mirada me desconcertó por completo. Era la misma mirada, la misma, de una víbora de la Cruz[13] con la cual, en circunstancia inolvidable, me encontré frente a frente cierta vez.

Helado de espanto, abrí los brazos. Y antes que me arrepintiese de mi acción cobarde, cuando creía ver a la Tísica tumbada, falta de mi apoyo, la contemplé muy firme, muy segura, arrimando tranquilamente brasas al asado, siempre pálida, siempre serena, la misma tristeza resignada en el fondo de sus pupilas sombrías.

Turbado en extremo, sin saber qué hacer, sin saber qué decir, abandoné la cocina, salí al patio y en el patio encontré al peón de la caldera que me dijo respetuosamente:

— Vaya con cuidado, doctor. Yo le tengo mucho miedo a las víboras; pero, caso obligado, preferiría acostarme a dormir con una víbora crucera y no con la Tísica.

Intrigado e indignado a un tiempo lo tomé por un brazo, lo zamarreé gritando:

— ¿Qué sabe usted?

Él, muy tranquilo, me respondió:

— No sé nada. Nadie sabe nada. Colijo.

— ¡Pero es una infamia presumir de ese modo! — respondí con violencia —. ¿Qué ha hecho esta pobre muchacha para que la traten así, para que la supongan capaz de malas acciones, cuando toda ella es bondad, cuando no hace otra cosa que pagar con bondades las ofensas que ustedes le infieren a diario?

— Oiga, don . . . Decir una cosa de la Tísica, yo no puedo decir. Tampoco puedo decir que el camaleón mata picando, porque no lo he visto picar a nadie . . . Puede ser, puede ser, pero le tengo miedo . . . Y a la Tísica es lo mismo . . . Yo le tengo miedo, todos le tenemos miedo . . . Mire, doctor: a esos bichos chiquitos como el alacrán, como la mosca mala, hay que tenerles miedo . . .

Calló el paisano. Yo nada repliqué.

Pocos días después partí de la estancia y al cabo de cuatro o cinco meses leí de un diario este breve despacho telegráfico:

« En la estancia X . . . han perecido, envenenados con pasteles que contenían arsénico, el dueño Z . . ., su esposa, su hija, el capataz y toda la servidumbre, excepto una peona conocida por el sobrenombre de la Tísica. »

(De *Macachines*, 1912)

Los realistas chilenos se dedicaron casi por entero a temas campestres; si se ocupaban de la ciudad la mostraban en relación con el campo. BALDOMERO LILLO (1867-1923) descuella sobre los narradores chilenos de su generación no sólo por la originalidad de su talento, sino también por la novedad de su tema. En los relatos de *Sub Terra* (1904) mostró con vigoroso realismo los sufrimientos del trabajador de las minas de carbón. Hay protesta en sus cuentos; pero la protesta no se queda en grito, sino que se hace literatura. Del mismo lugar del alma de donde le subía la protesta le subía también su comprensión para el roto, el huaso, el indio; fué esta comprensión, más que la protesta, lo que hizo de Lillo uno de los más efectivos escritores de su tiempo. Los cuentos de *Sub Sole* (1907) no son tan buenos como los anteriores.

Baldomero Lillo

EL POZO

Con los brazos arremangados y llevando sobre la cabeza un cubo lleno de agua, Rosa atravesaba el espacio libre que había entre las habitaciones y el pequeño huerto, cuya cerca de ramas y troncos secos se destacaba oscura, casi negra, en el suelo arenoso de la campiña polvorienta.

El rostro moreno, asaz encendido de la muchacha, tenía toda la frescura de los dieciséis años y la suave y cálida coloración de la fruta no tocada todavía. En sus ojos verdes, sombreados por largas pestañas, había una expresión desenfrenada y picaresca, y su boca de labios rojos y sensuales mostraba, al reír, dos hileras de dientes blancos que envidiaría una reina.

Aquella postura, con los brazos en alto, hacía resaltar en el busto opulento ligeramente echado atrás y bajo el corpiño de burda tela, sus pechos firmes, redondos e incitantes. Al andar cimbrábanse el flexible talle y la ondulante falda de percal azul que modelaba sus caderas de hembra bien conformada y fuerte.

Pronto se encontró delante de la puertecilla que daba acceso al cercado y penetró en su interior. El huerto muy pequeño estaba plantado de hortalizas cuyos cuadros mustios y marchitos empezó la joven a refrescar con el agua que había traído. Vuelta de espalda hacia la entrada, introducía en el cubo puesto en tierra, ambas manos y lanzaba el líquido con fuerza delante de sí. Absorta en esta operación, no se dió cuenta de que un hombre, deslizándose sigilosamente por el postigo entreabierto, avanzó hacia ella a paso de lobo, evitando todo rumor. El recién llegado era un individuo muy joven, cuyo rostro pálido, casi imberbe, estaba iluminado por dos ojos oscuros llenos de fuego.

Un ligero bozo apuntaba en su labio superior, y el cabello negro y lacio que caía sobre su frente deprimida y estrecha le daba un aspecto casi infantil. Vestía una camiseta de rayas blancas y azules, pantalón gris y calzaba alpargatas de cáñamo.

El leve roce de las hojas secas que tapizaban el suelo hizo volverse a la joven rápidamente y una expresión de sorpresa y de marcado disgusto se pintó en su expresiva fisonomía.

El visitante se detuvo frente a un cuadro de coles y de lechugas que lo separaba de la moza y se quedó inmóvil, devorándola con la mirada.

La muchacha, con los ojos bajos y el ceño fruncido, callaba enjugando las manos en los pliegues de su traje.

— Rosa — dijo el mozo con tono jovial y risueño, pero que acusaba una emoción mal contenida —, ¡qué a tiempo te volviste! ¡Vaya con el susto que te habría dado!

Y cambiando de acento, con voz apasionada e insinuante, prosiguió:

1. como paquete cerrado, que no se sabe lo que contiene.
2. corva; a veces, talón.

— Ahora que estamos solos me dirás qué es lo que te han dicho de mí, porque no me oyes y te escondes cuando quiero verte.

La interpelada permaneció silenciosa y su aire de contrariedad se acentuó. El reclamo amoroso se hizo tierno y suplicante.

— Rosa — imploró la voz —, ¿tendré tan mala suerte que desprecies este cariño, este corazón que es más tuyo que mío? ¡Acuérdate que éramos novios, que me querías!

Con acento reconcentrado, sin levantar la vista del suelo, la moza respondió:

— ¡Nunca te dije nada!

— Es cierto, pero tampoco te esquivabas cuando te hablaba de amor. Y el día que te juré casarme contigo no me dijiste que no. Al contrario, te reías y con los ojos me dabas el sí.

— Creí que lo decías en broma.

Una forzada sonrisa vagó por los labios del galán y en tono de doloroso reproche contestó:

— ¡Broma! ¡Mira, aunque se rían de mí porque me caso a fardo cerrado,[1] dí una palabra y ahora mismo voy a buscar al cura para que nos eche las bendiciones.

Rosa, cuya impaciencia y fastidio habían ido en aumento, por toda respuesta se inclinó, tomó el balde y dió un paso hacia la puerta. El mozo se interpuso y con tono sombrío y resuelto exclamó:

— ¡No te irás de aquí mientras no me digas por qué has cambiado de ese modo!

Una oleada de sangre coloreó el pálido rostro del muchacho, un relámpago brotó de sus ojos y con voz trémula por el dolor y por la cólera profirió:

— ¡Ah, perra, ya sé quién es el que te ha puesto así; pero antes que se salga con la suya, como hay Dios que le arrancaré la lengua y el alma.

Rosa, erguida delante de él, lo contemplaba hosca y huraña.

— Por última vez. ¿Quieres o no ser mi mujer?

— ¡Nunca! — dijo con fiereza la joven —. ¡Primero muerta!

La mirada con que acompañó sus palabras fué tan despreciativa y había tal expresión de desafío en sus verdes y luminosas pupilas, que el muchacho quedó un instante como atontado, sin hallar qué responder; pero de improviso, ebrio de despecho y de deseos, dió un salto hacia la moza, la cogió por la cintura y levantándola en el aire, la tumbó sobre la hojarasca.

Una lucha violentísima se entabló. La joven, robusta y vigorosa, opuso una desesperada resistencia y sus dientes y sus uñas se clavaron con furor en la mano que sofocaba sus gritos y la impedía demandar socorro.

Una aparición inesperada la salvó. Un segundo individuo estaba de pie en el umbral de la puerta. El agresor se levantó de un brinco y con los puños cerrados y la mirada centelleante, aguardó al intruso que avanzó recto hacia él, con el rostro ceñudo y los ojos inyectados de sangre.

Rosa, con las mejillas encendidas, surcadas por lágrimas de fuego, reparaba junto a la cerca el desorden de sus ropas. Las desgarraduras del corpiño dejaban entrever tesoros de oculta belleza que su dueña esmerábase en poner a cubierto con el pañolillo anudado al cuello, avergonzada y llorosa.

Entretanto, los dos hombres habían empeñado una lucha a muerte. La primera embestida furibunda y rabiosa puso de manifiesto su vigor y destreza de combatientes. El defensor de la muchacha, también muy joven, era un palmo más alto que su antagonista. De anchas espaldas y fornido pecho, era todo un buen mozo, de ojos claros, rizado cabello y rubios bigotes. Silenciosos, sin más armas que los puños, despidiendo bajo el arco de sus cejas contraídas relámpagos de odio, se atacaban con extraordinario furor. El más bajo, de miembros delgados, esquivaba con pasmosa agilidad los terribles puñetazos que le asestaba su enemigo, devolviéndole golpe por golpe, firme y derecho sobre sus jarretes[2] de acero. La respiración estertorosa silbaba de rabia cada vez que el puño del adversario alcanzaba sus rostros, congestionados y sudorosos.

Rosa, mientras arrancaba con sus dedos las hojas secas adheridas a las negrísimas ondas de sus cabellos, seguía con los ojos llameantes las peripecias de la refriega, que se prolongaba sin ventajas visibles para los campeones enfurecidos, que delante de la moza redoblaban sus acometidas como fieras en celo y que se disputaban la posesión de la hembra que los excita y enamora.

Los cuadros de hortaliza eran pisoteados sin piedad y aquel destrozo arrancó una mirada de desolación a los airados ojos de la joven. La ira que ardía en su pecho se acrecentó, y en el instante en que su ofensor pasaba junto a ella acosado por su formidable adversario, tuvo una súbita inspiración: se agachó y cogiendo un puñado de arena se lo lanzó a la cara. El efecto fué instantáneo, el que retrocedía se detuvo vacilante y en un segundo fué derribado en tierra, donde quedó sin movimiento, oprimido el pecho bajo la rodilla del vencedor.

Rosa lanzó una postrera mirada al grupo y luego, sin preocuparse del cubo vacío, se precipitó fuera del cercado y salvó a la carrera la distancia que la separaba de las habitaciones. Al llegar se volvió para mirar atrás y distinguió entre los matorrales la figura de su salvador que se alejaba, mientras que por la parte opuesta caminaba el vencido, apartándose apresuradamente del sitio de la batalla.

La joven se deslizó por los corredores casi desiertos y después de pasar por delante de una serie de puertas, se detuvo delante de una apenas entornada y, empujándola suavemente, transpuso el umbral. Un gran fuego ardía en la chimenea y en el centro del cuarto una mujer en cuclillas delante de una artesa de madera se ocupaba en lavar algunas piezas de ropa. Las paredes blanqueadas y desnudas acusaban la miseria. En el suelo y tirados por los rincones había desperdicios que exhalaban un olor infecto. Una mesa y algunas sillas cojas componían todo el mobiliario y detrás de la puerta asomaba el pasamanos de una escalera que conducía a una segunda habitación, situada en los altos. La mujer, de edad ya madura, corpulenta, de rostro cubierto de pecas y de manchas, sin interrumpir su tarea fijó en la moza una mirada escrutadora, exclamando de pronto con extrañeza:

— ¿Qué tienes, qué te ha pasado?

Rosa, con tono compungido y lacrimoso, respondió:

— ¡Ay, madre! El huerto está hecho pedazos. ¡Las coles, las lechugas, los rábanos, todo lo han arrancado y pisoteado!

El semblante de la mujer se puso rojo como la púrpura.

— ¡Ah! condenada — gritó —, seguro que has dejado la puerta abierta y se ha entrado la chancha[3] del otro lado.

Púsose de pie blandiendo sus rollizos brazos arremangados por encima del codo y se desató en improperios y amenazas.

— ¡Bribona! Si ha sido así, apronta el cuero porque te lo voy a arrancar a tiras.

Y con las sayas levantadas se dirigió presurosa a comprobar el desastre.

La atmósfera estaba pesada y ardiente, y el sol ascendía al cenit en un cielo plomizo ligeramente brumoso. En la arena gris y movediza hundíanse los pies, dejando un surco blanquecino. Rosa, que caminaba detrás de su madre, lanzando a todas partes miradas inquietas y escudriñadoras, distinguió después de un instante, por encima de un pequeño matorral, la cabeza de alguien puesto en acecho.

La joven sonrió. Acababa de reconocer en el que atisbaba, a su defensor, quien, viendo que la muchacha lo había descubierto, se incorporó un tanto y le envió con la diestra un beso a través de la distancia. Brillaron los ojos de la moza y sus mejillas se tiñeron de carmín, y a pesar de comprender que, dado el carácter violento de su madre, la aguardaba tal vez una paliza, penetró alegre, casi risueña en el malhadado huerto, dentro del cual se alzaba un coro formidable de gemidos, maldiciones y juramentos.

***

Hija única, Rosa ayudaba a su madre en los quehaceres domésticos, mientras el padre, viejo barretero,[4] luchaba encarnizadamente debajo de la tierra para ganar el mísero salario que era el pan de cada día. La muchacha, aunque rústica, era toda una belleza y una virtud arisca, inaccesible hasta entonces a las seducciones de los galanes que bebían los vientos por aquella beldad de cuerpo sano, exuberante de vida, con la gracia irresistible de la mujer ya formada.

Entre los que más de cerca la asediaban distinguíanse dos mozos gallardos y apuestos, que eran la flor y nata de los tenorios de la mina. Ambos habían puesto sitio en toda regla a la linda Rosa, que recibía sus apasionadas declaraciones con risotadas, dengues y mohines llenos de gracia y de malicia. Amigos desde la infancia, aquel amor había enfriado sus relaciones, concluyendo por separarlos completamente.

Durante algún tiempo, Remigio el carretillero, un moreno pálido, delgado y esbelto, pareció haber inclinado a su favor el poquísimo interés que prestaba a sus adoradores la desdeñosa muchacha. Pero aquello duró muy poco y el enamorado mozo vió con amarga decepción que el barretero Valentín, su rubio rival, lo desbancaba en el voluble corazón de la hermosa. Esta, que en un principio oía sonriente sus apasionadas protestas, alentándolo a veces con una mirada incendiaria, empezó de pronto a huir de él, a esquivar su presencia, y las pocas ocasiones que lograba hablarla apenas podía arrancarle una que otra frase evasiva, acompañada de un gesto de despego y de disgusto.

3. puerca. 4. el operario que derriba en las minas el mineral con barra o piqueta.

El desvío de la moza exaltó su pasión hasta el infinito. Mordido por los celos, redobló sus esfuerzos para reconquistar el terreno perdido, estrellándose contra el creciente desamor de la joven, que cada día demostraba, con señales visibles, su simpatía y preferencia por el otro. La rivalidad de ambos aumentó y el odio anidado en sus corazones hizo de ellos dos enemigos irreconciliables. Vigilábanse mutuamente y echaban mano a todos los medios a su alcance para estorbar al contrario e impedirle que tomase alguna ventaja.

Como siempre, y según la costumbre, el cerco puesto por los galanes a su hija, no inquietaba en lo más mínimo a los padres. Cediese o no al amoroso reclamo, era asunto que sólo a ella le importaba.

Remigio, el desdeñado pretendiente, quiso un día tener con la joven una explicación decisiva y salir, de una vez por todas, de la incertidumbre que lo atormentaba, para lo cual decidió no ir una mañana a su trabajo en el fondo de la cantera. Valentín, que tuvo conocimiento por un camarada de aquella novedad, recelando el motivo que lo ocasionaba, resolvió quedarse para espiar los pasos de su rival, lo que trajo por consecuencia el encuentro del huerto y el terrible combate que se siguió.

Rosa, cuyo corazón dormía aún, había acogido con cierta coquetería las amorosas insinuaciones de Remigio, que fué el primero en requebrarla. Halagábala aquella conquista que había despertado la envidia de muchas de sus compañeras; pero la vehemencia de aquel amor y la mirada de esos ojos sombríos que se fijaban en los suyos cargados de pasión y de deseos, la hacían estremecer. El miedo al hombre, al macho, aplacaba entonces los ardores nacientes de su carne produciéndole la proximidad del mozo un instintivo sentimiento de repulsión.

Mas, cuando principió a cortejarla el otro, el rubio y apuesto Valentín, un cambio brusco se operó en ella. Poníase encendida a la vista del joven y si le dirigía la palabra, la respuesta incisiva, vivaz y pronta con que dejaba parado al más atrevido, no acudía a sus labios, y después de balbucear uno que otro monosílabo, terminaba por escabullirse corta y ruborosa.

La abierta y franca fisonomía del mozo, su carácter alegre y turbulento, la atrajeron insensiblemente, y el amor escondido hasta entonces en el fondo de su ser, germinó vigoroso en aquella tierra virgen.

Después de la refriega de ese día, la actitud de los dos rivales se modificó. Mientras Valentín seguía cortejando abiertamente a la moza, Remigio se limitaba a vigilarla a la distancia. Su pasión, excitada por los celos y aguijoneada por el despecho, se había tornado en una hoguera voraz que lo consumía. Su exaltada imaginación fraguaba los planes más descabellados para tomar venganza, pronta y terrible, de la infiel, de la traidora.

Rosa, por su parte, entregada de lleno a su naciente amor, no se cuidaba gran cosa de su antiguo pretendiente. No le guardaba rencor y sólo sentía por él una desdeñosa indiferencia.

Las cosas quedaron así por algún tiempo. El huerto había sido reparado y los cuadros rehechos, pero nunca se descubrió a los autores del destrozo, ni se supo lo que allí había pasado.

Un día el padre de la muchacha tuvo una idea luminosa. Como el agua para el riego había que acarrearla desde una gran distancia, resolvió abrir un pozo junto al cercado Comunicado el proyecto a su mujer y a su hija, éstas lo aplaudieron calurosamente. No había grandes dificultades que vencer, pues el terreno sobre el que se asentaba la pequeña población estaba formado por arena negra y gruesa hasta una gran profundidad. A los cuatro metros de la superficie brotaba el agua que se mantenía al mismo nivel en todas las estaciones. Quedó acordado que el domingo siguiente se pondría mano a la obra, para lo cual ofrecieron su concurso los amigos, contándose entre los más entusiastas a Remigio y Valentín.

El día designado llegó y muy de mañana se empezaron los trabajos. La excavación se hizo cerca de la puerta de entrada y al mediodía se había profundizado dos metros. La arena era extraída por medio de un gran balde de hierro atado a un cordel que pasaba por una polea, sujeta a un travesaño de madera.

Los adversarios eran los más empeñosos en la tarea, pero evitando siempre todo contacto. Mientras el uno estaba abajo llenando el balde, el otro estaba arriba apartando la arena de la abertura. En un momento en que Remigio permanecía metido en el agujero, Valentín, pretextando que tenía sed, tiró la pala y se encaminó en derechura a la habitación de Rosa. La joven estaba sentada cosiendo junto a la puerta.

— Vengo a pedirte un vaso de agua. Ando muerto de sed — díjole el obrero, con tono alegre y malicioso.

Rosa se levantó en silencio, con los ojos brillantes, y yendo hacia un rincón del cuarto volvió con un vaso que Valentín cogió junto con la pequeña y morena mano que lo sostenía.

La joven, risueña y sonrojada, profirió:

— ¡Vaya, no la derrames!

Él la miraba sonriente, fascinándola con la mirada. Se bebió el agua de un sorbo y luego, enjugándose los labios con la manga de la blusa, agregó festivo y zalamero:

— Rosa, si para verte fuera preciso tomarse cada vez un vaso de agua, yo me tragaría el mar.

La joven se rió mostrando su blanca dentadura.

— ¡Y así tan salado!

— ¡Así, y con pescados, barcos y todo!

Con una alegre carcajada saludó la moza la ocurrencia.

— ¡Vaya qué tragaderas!

Una voz preguntó desde arriba:

— Rosa, ¿quién está ahí?

— Es Valentín, madre.

Un ¡ah! indiferente pasó a través del techo y todo quedó en silencio.

Valentín había cogido a la moza por la cintura y la atrajo hacia sí. Rosa, con las manos puestas en el amplio pecho del mozo, se resistía y murmuraba, con voz queda y suplicante:

— ¡Vaya! ¡Déjame!

Su combado pecho henchíase como el oleaje en día de tormenta y el corazón le golpeaba adentro con acelerado y vertiginoso martilleo.

El mozo, enardecido, le decía tiernamente:

— ¡Rosa! ¡Vida mía! ¡Mi linda paloma!

La joven, vencida, fijaba en él una mirada desfalleciente, llena de promesas, impregnada de pasión. La rigidez de sus brazos aflojábase poco a poco y a medida que sentía aproximarse aquel aliento que le abrasaba el rostro retrocedía, echando atrás la hermosa cabeza hasta que tocó la pared. Cerró entonces los ojos, y el muchacho con la suya hambrienta acogió en la fresca boca, puesta a su alcance, las primicias de esos labios más encendidos que un manojo de claveles y más dulces que el panal de miel que elabora en las frondas la abeja silvestre.

Un paso pesado que hacía crujir la escalera hizo apartarse bruscamente a los amantes. El obrero abandonó el cuarto diciendo en voz alta:

— ¡Gracias, Rosa, hasta luego!

La joven, agitada y trémula, cogió de nuevo la aguja, pero su pulso estaba tembloroso y se pinchaba a cada instante.

Valentín, mientras caminaba hacia el pozo, pensaba henchido de júbilo que el triunfo final estaba próximo. Si la ocasión protectora de los amantes se presentaba, la rústica belleza sería suya. Su experiencia de avezado galanteador le daba de ello la certeza y no pudo menos que lanzar a Remigio una mirada triunfante cuando uno de los compañeros le dijo con sorna:

— ¡Qué tal el agua! ¿Apagaste la sed?

Retorciéndose el rubio bigote, contestó sentenciosamente:

— Dios sabe más y averigua menos.

Al caer la tarde el pozo quedó terminado. Tenía cuatro metros de hondura y dos de diámetro y del fondo el agua borbotaba lentamente. Los obreros se apartaron de allí y se fueron a la sombra del corredor a preparar la armadura de madera destinada a impedir el desmoronamiento de las frágiles paredes de la excavación. Remigio se quedó un instante para arreglar un desperfecto de la polea y cuando terminada la compostura iba a seguir tras sus compañeros, la falda azul de Rosa entrevista a través del ramaje de la cerca lo hizo mudar de determinación y cogiéndose de la cuerda se deslizó dentro del agujero.

La joven, que no lo había visto, iba a coger algunas hortalizas para la merienda y pensaba echar de paso una mirada a la obra y ver si ya el agua empezaba a subir.

Remigio, de pie, arrimado a la húmeda muralla, aguardaba callado e inmóvil; Rosa se acercó con precaución hasta el borde de la abertura y miró dentro.

La presencia del mozo la sorprendió, pero luego una picaresca sonrisa asomó a sus labios. Alargó la mano, cogió la cuerda, cuya extremidad estaba arriba atada a una estaca y de un brusco tirón hizo subir el balde hasta la polea y lo mantuvo allí enrollando el resto del cordel en uno de los soportes del travesaño.

El obrero no trató de impedir aquella maniobra. Había alcanzado a percibir el fugaz rostro de la joven cuando se inclinaba hacia abajo y aquella broma le pareció un síntoma favorable en su desairada situación. Alzó la vista y se quedó esperando con impaciencia el resultado de aquella jugarreta.

De pronto oyó una exclamación ahogada y algo semejante al rumor de una lucha vino a interrumpir el silencio de aquella muda escena. Enderezóse como si hubiera visto una serpiente y aguzando el oído se puso a escuchar con toda su alma. Una voz armoniosa, blanda como una queja murmuraba frases entrecortadas y suplicantes y otra más grave y varonil la respondía con un murmullo apasionado y ardiente. El ruido pareció alejarse en dirección al huerto, el postigo se cerró con estrépito, las hojas secas crujieron como el lecho blando y muelle que recibe su carga nocturna, todo rumor se apagó.

Remigio se puso pálido como un muerto, crispáronse sus músculos y sus dientes rechinaron de furor. Había reconocido la voz de Valentín y en un acceso de cólera salvaje se revolvió como un tigre del pozo, golpeando con los puños las húmedas paredes y dirigiendo hacia arriba miradas enloquecidas por la rabia y la desesperación.

De improviso sintió que desgarraba sus carnes la hoja de un agudísimo puñal. Un grito ligero, rápido como el aleteo de un pájaro, había cruzado encima de él. Toda la sangre se le agolpó al corazón, empañándose sus ojos y una roja llamarada lo deslumbró.

Y mientras por la atmósfera cálida y sofocante resbalaba la acariciadora y rítmica sinfonía de los ósculos fogosos e interminables, Remigio, dentro del hoyo, sufría las torturas del infierno. Sus uñas se clavaban en su pecho hasta hacer brotar la sangre y el pedazo de cielo azul que percibía desde abajo le recordaba la visión de unos ojos claros, límpidos y profundos, cuyas pupilas húmedas por las divinas embriagueces reflejarían en ese instante la imagen de otros ojos que no era la sombría y tenebrosa de los suyos.

Por fin, los goznes de la puertecilla rechinaron y un cuchicheo rápido, al que siguió el chasquido de un beso, hirió los oídos del prisionero, quien un instante después sintió los pasos de alguien que se detenía al borde de la cavidad. Una sombra se proyectó en el muro y una voz burlona profirió desde arriba una frase irónica y sangrienta que era una injuria mortal.

Un rugido se escapó del pecho de Remigio, palideció densamente y sus ojos fulgurantes midieron la distancia que lo separaba de su ofensor, quien soltando una risotada desató la cuerda y la dejó deslizarse por la polea.

El primer impulso del preso fué precipitarse fuera en persecución de su enemigo, pero un súbito desfallecimiento se lo impidió. Repuesto un tanto iba a emprender el ascenso cuando una ligera trepidación del suelo producida por un caballo que, perseguido por un perro, pasaba al galope cerca de la abertura, hizo desprenderse algunos trozos de las paredes y la arena subió hasta cerca de sus rodillas, sepultando el balde de hierro. El temor de perecer enterrado vivo, sin que pudiera saciar su rabiosa sed de venganza, le dió fuerzas, y ágil como un acróbata se remontó por la cuerda tirante y se encontró fuera de la excavación.

Una vez libre, se quedó un instante indeciso acerca del rumbo que debía seguir. En rededor de él la llanura se extendía monótona y desierta bajo el cielo de un azul pálido que el sol teñía de oro en su fuga hacia el horizonte. El ambiente era de fuego y la arena abrasaba como el rescoldo de una hornada inmensa. A un centenar de pasos se alzaban las blancas habitaciones de los obreros rodeadas de pequeños huertos protegidos por palizadas de ramas secas.

¡Qué suma de trabajo y de paciencia representaba cada uno de aquellos cercados! La tierra, acarreada desde una gran distancia, era extendida en ligeras capas sobre aquel suelo infecundo cual una materia preciosa cuya conservación ocasionaba a veces disputas y riñas sangrientas.

Remigio, preso de una tristeza infinita, paseó una mirada por el paisaje y lo encontró tétrico y sombrío.

El caballo cuyo paso cerca del pozo había estado a punto de producir un hundimiento, galopaba aún, allá lejos, levantando nubes de polvo bajo sus cascos. Pero el recuerdo de las ofensas se sobrepuso muy pronto, en el mozo, el abatimiento, y el aguijón de la venganza despertó en su alma inculta y semibárbara las furias implacables de sus pasiones salvajes.

Ningún suplicio le parecía bastante para aquellos que se habían burlado tan cruelmente de su amoroso deseo y juró no perdonar medio alguno para obtener la revancha. Y engolfado en esos pensamientos se encaminó con paso tardo hacia las habitaciones. A pesar de que el amor se había trocado en odio, sentía un deseo punzante de encontrarse con la joven para inquirir en su rostro, antes tan amado, las huellas de las caricias del otro.

Muy luego atravesó el espacio vacío que había entre el pozo y los primeros huertos. En este día de fiesta, en medio de las mujeres y de los niños, los hombres iban y venían por los corredores con el pantalón de paño sujeto por el cinturón de cuero y la camiseta de algodón ceñida al busto amplio y fuerte. Por todas partes se oían voces, alegres gritos y carcajadas, el ladrido de un perro y el llanto desesperado de alguna criatura.

Frente al cuarto de Rosa, el padre de ésta y varios obreros trabajaban con ahinco en la armadura de madera que debía sostener los muros de la excavación. Remigio se detuvo en el ángulo de una cerca, desde el cual podía ver lo que pasaba en la habitación de la joven, quien delante de la puerta, con los torneados brazos desnudos hasta el codo, retorcía algunas piezas de ropa que iba extrayendo de un balde puesto en el suelo. Valentín, apoyado en el dintel en una apostura de conquistador, le dirigía frases que encontraban en la moza un eco alegre y placentero. Su fresca risa atravesaba como un dardo el corazón de Remigio, a quien la felicidad de la pareja no hacía sino aumentar la ira que hervía en su pecho. En el rostro de la joven había un resplandor de dicha y sus húmedas pupilas tenían una expresión de languidez apasionada que acrecentaba su brillo y su belleza.

Estrujada la última pieza de tela, Rosa cogió el balde y se dirigió a uno de los cercados seguida de Valentín, que llevaba en la diestra un rollo de cordel. El rubio mocetón ató las extremidades de la cuerda en las puntas salientes de dos maderos, ayudando en seguida a suspender de ellas las prendas de vestir. Sin adivinar que eran espiados, proseguían su amorosa plática al abrigo de las miradas de los que estaban en el corredor, cuando de súbito Valentín percibió a veinte pasos, pegada a la cerca, la figura amenazadora de su rival y queriendo hacerle sentir todo el peso de la derrota y la plenitud de su triunfo, rodeó con el brazo izquierdo el cuello de la joven y echándole la cabeza atrás, la besó en la boca. Después le habló al oído misteriosamente.

Remigio, que contemplaba la escena con mirada torva, vió a la moza volverse hacia él con rapidez, mirarlo de alto abajo y soltar, en seguida, una estrepitosa carcajada. Luego, desasiéndose de los brazos que la retenían, echó a correr acometida por una risa loca.

El ofendido mozo se quedó como enclavado en el sitio. Una llamarada le abrasó el rostro y enrojeció hasta la raíz de los cabellos. Cegado por el coraje avanzó algunos pasos, tambaleándose como un ebrio.

En dirección al pozo caminaba Valentín, cantando a voz en cuello una insultante copla:

El tonto que se enamora
es un tonto de remate
trabaja y calienta el agua
para que otro se tome el mate.

Remigio, con la mirada extraviada, lo siguió. Sólo un pensamiento había en su cerebro: matar y morir; en el paroxismo de su cólera se sentía con fuerza para acometer a un gigante.

Valentín se había detenido al borde de la excavación y tiraba de la cuerda para hacer subir el balde, pero viendo que la arena que lo cubría hacía inútiles sus esfuerzos, se deslizó al fondo para librarlo de aquel obstáculo. Remigio, al verlo desaparecer, se detuvo un momento, desorientado, mas una siniestra sonrisa asomó luego a sus labios y apretando el paso se acercó a la abertura y desató la cuerda, la cual se escurrió por la polea y cayó dentro del hoyo. El obrero se enderezó: su enemigo quedaba preso y no podría escapársele. ¿Mas cómo rematarlo? Sus ojos que escudriñaban el suelo buscando un arma, una piedra, se detuvieron en las huellas del caballo, despertándose en él, de pronto, un recuerdo, una idea lejana. ¡Oh, si pudiera lanzar diez, veinte caballos sobre aquel terreno movedizo! Y a su espíritu sobreexcitado acudieron extrañas ideas de venganza, de torturas, de suplicios atroces. De improviso se estremeció. Un pensamiento rápido como un rayo había atravesado su cerebro. A cincuenta metros de allí, tras uno de los huertos, había una pequeña plazoleta, donde un centenar de obreros se entretenían en diversos juegos de azar: tirando los dados y echando las cartas. Oía distintamente sus voces, sus gritos y carcajadas. Allí tenía lo que le hacía falta y en algunos segundos ideó y maduró un plan.

El día declinaba, las sombras de los objetos se alargaban más y más hacia el oriente cuando los jugadores vieron aparecer delante de ellos a Remigio, que, con los brazos en alto, en ademán de suprema consternación, gritaba con voz estentórea:

— ¡Se derrumba el pozo! ¡Se derrumba el pozo!

Los obreros se volvieron sorprendidos y los que estaban tumbados en el suelo se pusieron de pie bruscamente como un resorte. Todos clavaron en el mozo sus ojos azorados, pero ninguno se movía. Mas, cuando le oyeron repetir de nuevo:

— ¡El pozo se ha derrumbado! ¡Valentín está dentro! — comprendieron y aquella avalancha humana, rápida como una tromba, se precipitó hacia la excavación.

Entretanto, Valentín, ignorante del peligro que corría, había extraído el balde, el cual, por no ser allí necesario, le había sido reclamado por la madre de Rosa. La caída de la cuerda no le causó sorpresa y la achacó al impotente despecho de su rival, cuyos pasos había sentido arriba, pero no se alarmó por ello, porque de un momento a otro vendrían a colocar la armadura de madera y quedaría libre de su prisión. Mas, cuando oyó el lejano clamoreo y la frase « se derrumba el pozo » llegó distintamente hasta él, sintió el aletazo del miedo y la amenaza de un peligro desconocido hizo encogérsele el corazón. El tropel llegaba como un alud. El obrero dirigió a lo alto una mirada despavorida y vió con espanto desprenderse pedazos de las paredes. La arena se deslizaba como un líquido negro y espeso que se amontonaba en el fondo y subía a lo largo de sus piernas.

Dió un grito terrible, el suelo se conmovió súbitamente y un haz apretado de cabezas, formando un círculo estrecho en torno de la abertura, se inclinó con avidez hacia abajo.

Un alarido ronco se escapaba de la garganta de Valentín:

— ¡Por Dios, hermanos, sáquenme de aquí!

La arena le llegaba al pecho y como el agua en un recipiente, seguía subiendo con intermitencias, lenta y silenciosamente.

En derredor del pozo la muchedumbre aumentaba por instantes. Los obreros se oprimían, se estrujaban, ansiosos por ver lo que pasaba abajo. Un vocerío inmenso atronaba el aire. Se oían las órdenes más contradictorias. Algunos pedían cuerdas y otros gritaban:

— ¡No, no, traigan palas!

Habíase pasado debajo de los brazos de Valentín un cordel, del cual los de arriba tíraban con furia; pero la arena no soltaba la presa, la retenía con tentáculos invisibles que se adherían al cuerpo de la víctima y la sujetaban con su húmedo y terrible abrazo.

Algunos obreros viejos habían hecho inútiles esfuerzos para alejar a la ávida multitud, cuyas pisadas removiendo el suelo no harían sino precipitar la catástrofe. El grito « ¡El pozo se derrumba! » había dejado vacías las habitaciones. Hombres, mujeres y niños corrían desolados hacia aquel sitio, coadyuvando así, sin saberlo, al siniestro plan de Remigio, quien, con los brazos cruzados, feroz y sombrío, contemplaba a la distancia el éxito de la estratagema.

Rosa pugnaba en vano por acercarse a la abertura. Sus penetrantes gritos de angustia resonaban por encima del clamor general, pero nadie se cuidaba de su desesperación y la barrera que le cerraba el camino se hacía a cada instante más infranqueable y tenaz.

De pronto un movimiento se produjo en la turba. Una anciana desgreñada, despavorida, hendió la masa viviente que se separaba silenciosa para darle paso. Un gemido salía de su pecho:

— ¡Mi hijo, hijo de mi alma!

Llegó al borde y sin vacilar se precipitó dentro del hoyo. Valentín clamó con indecible terror:

— ¡Madre, sáqueme de aquí!

Aquella marea implacable que subía lenta, sin detenerse, lo cubría ya hasta el cuello y, de improviso, como si el peso que gravitaba encima hubiese sufrido un aumento repentino, se produjo un nuevo desprendimiento y la lívida cabeza con los cabellos erizados por el espanto desapareció apagándose instantáneamente su ronco grito de agonía. Pero, un momento después, surgió de nuevo, los ojos fuera de las órbitas y la abierta boca llena de arena.

La madre, escarbando rabiosamente aquella masa movediza, había logrado otra vez poner en descubierto la amoratada faz de su hijo y una lucha terrible se trabó entonces en derredor de la rubia cabeza del agonizante. La anciana, puesta de rodillas, con el auxilio de sus manos, de sus brazos y de su cuerpo, rechazaba, lanzando alaridos de pavor y de locura, las arenosas ondas que subían, cuando el último hundimiento tuvo lugar. La corteza sólida carcomida por debajo se rompió en varios sitios. Los que estaban cerca del borde sintieron que el piso cedía súbitamente bajo sus pies y rodaron en confuso montón dentro de la hendidura. El pozo se había cegado, la arena cubría a la mujer hasta los hombros y sobrepasaba más de un metro por encima de la cabeza de Valentín.

Cuando después de una hora de esforzada y ruda labor se extrajo el cadáver, el sol había ya terminado su carrera, la llanura se poblaba de sombras y desde el occidente un inmenso haz de rayos rojos, violetas y anaranjados, surgía debajo del horizonte y se proyectaba en abanico hacia el cenit.

(De *Sub Terra*, 1956)

En Colombia el gran novelista de estos años es TOMÁS CARRASQUILLA (1858-1940). Talento de escritor le sobraba. También dominio de una lengua sabrosa en modismos regionales, castiza y dorada en su raíz última, desenvuelta y ágil en sus atrevimientos. Pero no tomó en serio el oficio de novelar. Borroneaba cuartillas sin pensar en el público; ni siquiera se proponía publicar. Casi como apuesta para probar que Antioquia se prestaba como escenario novelesco se avino a escribir *Frutos de mi tierra* (1896), « tomada directamente del natural — dice el mismo Carrasquilla — sin idealizar en nada la realidad de la vida. » El escribir en el vacío, sin público y sin aspiración al libro, dañó la armazón de sus relatos. Son de variada estructura, de variados temas: novelas (*Grandeza*, 1910; *La Marquesa de Yolombó*, 1926; *Hace tiempo. Memorias de Eloy Gamboa*, 1935-36); novelines (*Luterito*, 1899; *Salve, Regina*, 1903; *Entrañas de niño*, 1906; *Ligia Cruz*, 1920; *El Zarco*, 1922); y cuentos folklóricos, fantásticos, psicológicos, simbólicos (entre los mejores, « En la diestra de Dios Padre », 1897; « El ánima sola », 1898; « ¡A la plata! », 1901; « El Angel », 1914; « El rifle », 1915; « Palonegro », 1919).

En « ¡A la plata! » Carrasquilla no sólo nos da un cuadro costumbrista, sino también un estudio psicológico sobre el sentimiento del honor: el padre codicioso que sin ningún escrúpulo quiere perder a su hija en los brazos de un hombre rico, pero que se considera deshonrado cuando averigua que la hija ha tenido amores con un hombre pobre.

Tomás Carrasquilla

¡A LA PLATA!

Aquel enjambre humano debía presentar a vuelo de pájaro el aspecto de un basurero. Los sombreros mugrientos, los forros encarnados de las ruanas,[1] los pañolones oscuros y sebosos, los paraguas apabullados, tantos pañuelos y trapajos retumbantes, eran el guardarropa de un Arlequín. Animadísima estaba la feria: era primer domingo de mes, y el vecindario todo había acudido a renovación. Destellaba un sol de justicia; en las tasajeras[2] de carne, de esa carne que se acarroñaba[3] al resistero,[4] buscaban las moscas donde incubar sus larvas; en los tendidos de cachivaches se agrupaban las muchachas campesinas, sudorosas y sofocadas, atraídas por la baratija, mientras las magnatas sudaban el quilo, a regateo limpio, entre los puestos de granos, legumbres y panela.[5] Ese olor de despensa, de carnicería, de transpiración de gentes, de guiñapos sucios, mezclados al olor del polvo y al de tanta plebe y negrería, formaban, sumados, la hediondez genuina, paladinamente manifestada, de la humanidad. Los altercados, los diálogos, las carcajadas, el chillido, la rebatiña vertiginosa de la venduta,[6] componían, sumados también, el baladro de la bestia. Llenaba todo el ámbito del lugarón.

Sonó la campana, y cátate al animal aplacado. Se oyó el silencio, silencio que parecía un asueto, una frescura, que traía como ráfagas de limpieza . . . hasta religioso sería ese silencio. Rompiólo el curita con su voz gangosa; contestóle la muchedumbre, y, acabada la prez, reanudóse aquello. Pero por un instante solamente, porque de pronto sintióse el pánico, y la palabra « ¡Encierro! » vibró en el aire como preludio de juicio final. Encierro era, en toda regla. Los veinte soldados del piquete, que inopinada y

1. capotes de monte. 2. tasajos, pedazos cortados. 3. podría. 4. calor causado por la reverberación del sol. 5. pan de azúcar morena. 6. almoneda, venta. 7. Raimundo Lulio (1235-1315), poeta y filósofo catalán, de juventud alegre y disipada. 8. que tiene carate: enfermedad de la piel, sarna. 9. *an* es contracción de aun: ni aun mal me va. 10. porciones de praderas o de minas, naturalmente separadas.
11. trabajo, negocio. 12. habitantes de la ciudad, que venden en las plazas. 13. que amasan, que hacen masas de panadería, usando huevos. 14. vendan huevos hasta llenar completamente las canastas de los panaderos y otros comerciantes. (Meter el cuchillo hasta las cachas: hasta la empuñadura, completamente). 15. lazo. 16. vuelva. 17. admitas. 18. tirarle las cuerdas, tocar la guitarra. 19. ofusquen, enojen. 20. larguirucho, flaco.
21. respondona, arguciosa, discutidora. 22. bellísima ave. 23. coquetería; de coqueta, mujer que por vanidad procura agradar a los hombres. 24. agallas, amigdalas; en sentido figurado, por el ver las agallas al que abre ansiosamente la boca para engullir, es « ánimo desafiante », « codicia », « desvergüenza. »

repentinamente acababan de invadir el pueblo, habíanse repartido por las cuatro esquinas de la plaza, a bayoneta calada. Fué como un ciclón. Desencajados, trémulos, abandonándolo todo, se dispararon los hombres y hasta hembras también, a los zaguanes y a la iglesia. ¡Pobre gente!; todo en vano, porque, como la amada de Lulio,[7] « ni en la casa de Dios está segura. »

De allí sacaron unas decenas. Cayó entre los cazados el Caratejo[8] Longas. Lo que no lloró su mujer, la señá Rufa, llorólo a moco tendido María Eduvigis, su hija. Fuése ésta con súplicas al alcalde. A buen puerto arrimaba: cabalmente que al Caratejo no había riesgo de largarlo. ¡Figúrense! El mayordomo de Perucho Arcila, el rojo más recalcitrante y más urdemales en cien leguas a la redonda: ¡un pícaro, un bandido! Antes no era tanto para todo lo rojo que era el tal Arcila.

Ya desahuciado y en el cuartel, llamó el Caratejo a conferencia a su mujer y a su hija, y habló así:

— A lo hecho, pecho. Corazón con Dios, y peganos del manto de María Santísima. A yo, lo que es matame, no me matan. Allá verán que ni an[9] mal me va. Ello más bien es maluco dejalas como dos ánimas; pero ai les dejo maiz pa mucho tiempo. Pa desgusanar el ganao del patrón, y pa mantener esas mangas[10] bien limpias, vustedes lo saben hacer mejor que yo. Sigan con el balance[11] de la güerta y de los quesitos, y métanle a esas placeñas[12] y a las amasadoras[13] los güevos hasta las cachas,[14] y allá verán cómo nos enredamos la pita.[15] Mirá, Rufa: si aquellos muchachos acaban de pagar la condena antes que yo güelva,[16] no los almitás[17] en la casa, de mantenidos. Que se larguen a trabajar, o a jalale[18] a la vigüela y a las décimas si les da la gana. ¡Y no s'infusquen[19] por eso! . . . ultimadamente, el gobierno siempre paga.

Y su voz selvática, encadenada en gruñidos, con inflexiones y finales dejativos, ese acento característico de los campesinos de nuestra región oriental, los acompañaba el orador con mil visajes y mímicas de convencimiento, y un aire de socarronería y unos manoteos y paradas de dedo de una elocuencia verdaderamente salvaje. Ayudábale el carate. Por aquella cara larga, y por cuanto mostraba de aquel cuerpo langaruto[20] y cartilaginoso, lucía el jaspe, con vetas de carey, con placas esmeriladas y nacarinas. Pintoresco forro el de aquella armazón.

Ensartando y ensartando, dirigióse al fin a la hija, y, con un tono y un gesto allá, que encerraban un embuchado de cosas, le dice, dándole una palmadita en el hombro:

— Y vos, no te metás de filática[21] con el patrón: ¡es muy abierto!

¡Culebra brava la tal Eduvigis! Sazonado por el sol y el viento de la montaña era aquel cuerpo en que no intervinieron ni artificio ni deformación civilizadoras; obra premiada de naturaleza. Las caderas, el busto bien alto, la proclamaban futura madre de la titanería laboradora. El cabello negro, de un negror profundo, se le alborotaba, indomable como una pasión; y en esos ojos había unas promesas, unos rechazos y un misterio, que hicieron empalidecer a más de un rostro masculino. Un toche[22] habría picado aquellos labios como pulpa de guayaba madura; de perro faldero eran los dientes, por entre los cuales asomaba tal cual vez, como para lamer tanta almíbar, una puntita roja y nerviosa. Por este asomo lingüístico de ingénito coquetismo,[23] la regañaba el cura a cada confesión, pero no le valía. Así y todo, mostrábase tan brava y retrechera, que un cierto galancete hubo de llevarse, en alguna memorable ocasión, un sopapo que ni un trancazo. Fuera de que el Caratejo la celaba a su modo. Él tenía su idea. Tanto que, apenas separado de la muchacha, se dijo, hablado y todo y con parado de dedo:

— Verán cómo el patrón le quebranta agora los agallones.[24]

Y pocos días después partió el Caratejo para la guerra.

* * *

Rufa, que se entregó en poco tiempo y por completo al vicio de la separación, cuando los dos hijos partieron a presidio, bien podría ahora arrostrar esta otra ausencia, por más que pareciera cosa de viudez. ¡Y tanto como pudo! Ni las más leves nostalgias conyugales, ni quebraderos de cabeza porque volara el tiempo y le tornase el bien ausente, ni nada, vino a interrumpir aquel viento de cristiana filosófica indolencia. A vela henchida, gallarda y serenísima, surcaba y surcaba por esos mares de leche. Y eso que en la casa ocurrió algo, y aun algos, por aquellos días. Pero no: sus altas atribuciones de vaquera labradora y mayordoma de finca, en que dió rumbo a sus actividades y empleo a la potencia judaica que hervía en su carácter, no le daban tiempo ni lugar para embelecos y enredos de otro orden. ¡Lo que es tener oficio! . . .

Hembra de canela e inventora de dineros era la tal Rufa Chaverra. Arcila declaróla luego espejo de administradoras. Ella se iba por esas mangas, y, a güinchazo[25] limpio, extirpaba cuanta malecilla o yerbajo intruso asomase la cabeza. Con sapientísima oportunidad salaba y ponía el fierro a aquel ganado, cuyo idioma parecía conocer, y a quien hacía los más expresivos reclamos, bien fuese colectiva o individualmente, ya con bramido bronco, igual que una vaca, si era a res mayor, ahora melindroso, si se trataba de parvulillos; y siempre con el nombre de pila, sin que la Chapola se le confundiese con la Cachipanda, ni el Careperro con el Mancoreto. Hasta medio albéitara[26] resultaba en ocasiones. Mano de ángel poseía para desgusanar, hacer los untos y sobaduras, y gran experiencia y fortuna en aplicar menjurjes por dentro y por fuera. La vaca más descastada y botacrías no se la jugaba a Rufa; que ella, juzgando por el volumen y otras apariencias, de la proximidad del asunto, ponía a la taimada, en el corral, por la noche; y, si alguna vez se necesitaba un poco de obstetricia, allí estaba ella para el caso. En punto a echar argollas a los cerdos más bravíos, y de hacer de un ternero algo menos ofensivo, allá se las habría con cualquier itagüiseño[27] del oficio. Iniciada estaba en los misterios del harem, y cuando al rebuzno del pachá[28] respondían eróticos relinchos, ella sabía si eran del caso o no eran idilios a puerta cerrada, y cuál la odalisca que debía ir al tálamo. Porque sí o porque no, nunca dejaba de apostrofar al progenitor aquel con algo así:

— ¡Ah taita, como no tenés más oficio que jartar,[29] siempre estás dispuesto pa la vagamundería!

Si tan facultativa y habilidosa era para manejar lo ajeno, cuánto y más no sería para lo propio. Ni se diga de los gajes con la leche que le correspondía, ni de los productos del gallinero, ni de esa huerta donde los mafafales[30] alternaban con la achira,[31] los repollos con las pepineras,[32] las vitorias[33] con las auyamas.[34]

Pues resultó que todo estuvo a pique de perderse. Del huracán que ahora corre, llegaron ráfagas hasta la montañesa. Supo que unas amigas y comadres mazamorreaban[35] a orillas de La Cristalina, riachuelo que corre obra de dos millas de la casa de Arcila. Lo mismo fué saber que embelecarse. So pretexto de buscar un cerdo que dizque se le había remontado, fuése a las lavanderas de oro, y con la labia y el disimulo del mundo, les sonsacó todas las mañas y particularidades del oficio. Ese mismo día se hizo a batea, y vierais a la rolliza campesina, con las sayas anudadas a guisa de bragas, zambullida hasta el muslo, garridamente repechada, haciéndole bailar a la batea la danza del oro con la siniestra mano, mientras que con la diestra iba chorreando el agua sobre la fina arena, donde asomaban los ruedos oscuros de la jagua.[36] Al domingo siguiente cambió el oro, y cual se le ensancharía el cuajo[37] cuando amarrados, a pico de pañuelo, treinta y seis reales de un boleo.

Dada a la minería pasara su vida entera, a no ser por un cólico que la retuvo en cama varios días, y que le repitió más violento al volver al oficio. Mas no cedió en su propósito; mandó entonces a la Eduvigis, a quien le sentaron muy bien las aguas de La Cristalina. Mientras la hija pasaba de sol a sol en la mazamorrería,[38] la madre cargaba con todo el brete de la finca. Y ¡tan campantes y satisfechas! . . .

Más rastrajo[39] deja en un espejo la imagen reflejada, que en el ánimo de Rufa las noticias sobre la guerra, que oía en el pueblo los domingos y los días de semana que iba a sus ventas. Lo que fué del Caratejo, no llegó a preocuparle hasta el grado de indagar por el lugar de su paradero. Bien confirmaba esta esposa que las ternuras y blandicies de alma son necesidades de los blancos de la ciudad, y un lujo superfluo para el pobre campesino.

Envueltos en la niebla, arrebujados y borrosos, mostrábanse riscos y praderas; la casa de la finca semejaba un esbozo de paisaje a dos tintas; a

25. golpe con un güinche, instrumento curvo de dos filos usado para desmochar las malezas. 26. veterinario. 27. habitante de Itagui, Colombia. 28. galicismo de Bajá: cargo superior, en Turquía; título de honor a personas de la más alta clase social. 29. comer excesivamente, hartarse. 30. campos de mafafa, planta de tubérculos comestibles. 31. cierta planta (Arundo índica). 32. mata de pepinos. 33. plantas que dan frutos comestibles. 34. calabazas. 35. explotaban minas ya labradas o de poca importancia. 36. arenilla ferruginosa que queda en el fondo de la batea en que se lava el oro. 37. henchirse de satisfacción. 38. lugar de explotación minera, imperfecta y accidental. 39. huellas. 40. vallados y champas significan, en Colombia, zanjas, fosos cubiertos de césped.

41. utensilio hecho por los campesinos con la mitad de una calabaza para los usos domésticos. 42. alborotada, animada, como las liebres y los conejos cuando se enderezan sobre las patas traseras. 43. nombre del perro de Caratejo Longas. 44. tazas hechas cortando por la mitad un fruto. 45. jefe. 46. pronunciación antioqueña de la conjunción o. 47. el prefijo des refuerza la idea de que el hombre es parecido al gavilán. 48. canasta tejida. 49. bolsa de cualquier material para cualquier uso. 50. enfermedad de la piel; erupción o empeine; sarna. 51. dónde está. 52. por ahí. 53. dizque, izque significa « dice que. » 54. muchacha, persona joven. 55. hamaca. 56. lazos de cuero sin curtir. 57. planta comestible.

trechos se percibían los vallados y chambas[40] de la huerta, las aristas del techo, el alto andamio del gallinero; sólo alcanzaban a destacarse con alguna precisión los cuernos del ganado, rígidos y oscuros, rompiendo esas vaguedades, cual la noción del diablo la bruma de una mente infantil. A la quejumbrosa melodía de los recentales, acorralados y ateridos, contestaban desde afuera los bajos profundos y cariñosos de las madres, mientras que Rufa y Eduvigis renegaban, si Dios tenía qué, en las bregas y afanes del ordeño. Eduvigis, en cuclillas, remangada hasta las axilas, cubierta la cabeza con enorme pañuelo de pintajos, hacía saltar de una ubre al cuenco amarillento de la cuyabra,[41] el chorro humeante y cadencioso. Un hálito de vida, de salud, se exhalaba de aquel fondo espumoso. Casi colmaba la vasija, cuando un grito agudo, prolongado adrede, rasgó la densidad de esa atmósfera. La moza se suspende; el grito se repite más agudo todavía:

— ¡Mi taita! — exclama la Eduvigis, y sin pensar en leches ni en ordeñas, corre alebrestada[42] chamba abajo.

No se engañaba. Buen Amigo,[43] que sí lo era en efecto, descolgóse a saltos, lengua afuera, la cola en alboroto. Impasible, la señá Rufa permaneció en su puesto. A poco llegóse el Caratejo con el perro, que quería encaramársele a los hombros. Marido y mujer se avistaron. Nada de culto externo ni de perrerías en aquel saludo. Dijérase que acababan de separarse.

— ¿Y qué es lo que hay p'al viejo? — dice Longas por toda efusión.

Y Rufa, plantificada, totuma[44] en mano, con soberano desentendimiento, contesta:

— ¿Y eso qué contiene, pues?

— Pues que anoche llegamos al sitio, y que el fefe[45] me dió licencia pa venir a velas, porque mañana go[46] esta tarde seguimos pa la Villa.

Fachada peregrina la de este hijo de Marte. El sombrero hiperbólico de caña abigarrada, el vestido mugriento de coleta, los golpes rojos y desteñidos del cuello y de los puños, los pantalones holgados y caídos por las posas y que más parecían de seminarista, dignos eran de cubrir aquel cuerpo largo y desgavilado.[47] Ni las escaseces, ni las intemperies, ni las fatigas de campaña, habían alterado en lo mínimo al mayordomo de Arcila. Tan feo volvía y tan caratejo como se fué. Por morral llevaba una jícara[48] algo más que preñada; por faja, una chuspa[49] oculta, y no vacía.

Rufa sigue ordeñando. Toma Longas la palabra.

— Pues, pa que viás. Ya lo ves que nada me sucedió. Los que no murieron de bala, se templaron de tanta plaga y de tanta mortecina de cristiano, y yo . . . ai con mi carate:[50] ¡la cáscara guarda el palo!

Y aquí siguió un relato bélico autobiográfico, con algo más de largas que de cortas, como es usanza en tales casos. Rufa parecía un tanto cohibida y preocupada.

— Y ¿ontá[51] la Eduvigis? — dice pronto el marido, cortando la narración.

— Pes ella . . . pes ella . . . puai[52] cogió chamba abajo, izque[53] porque la vas a matar.

— ¿A matala? ¿Y por qué gracia?

— ¿Pes . . . ella . . . no salió, pues, con un embeleco de muchacho? . . .

— ¿De muchacho? — prorrumpe el conscripto, abriendo tamaños ojos, ojos donde pareció asomar un fulgor de triunfo.

— ¿Conque muchacho? ¿Y pu'eso s'esconde esa pendeja?[54] ¿Y ontá el muchacho?

— ¿Ai no'stá, pues, en la maca?[55]

— Andá llamáme esa boba.

Y tirando corredor adentro, se coló al cuartucho. Debajo de la cama, pendiente de unos rejos,[56] oscilaba la batea. Envuelto en pingajos de colores verdosos y alterados, dormía el angelito. No pudo resistir el abuelo a la fuerza de la sangre, ni menos al empuje de un orgullo repentino que le borbotó en las entrañas. Sacó de la batea a la criatura, que al despertar y ver aquella cara tan fea y tan extraña, puso el grito en el cielo. Era José Dolores Longas un rollete de manteca, mofletudo y cariacontecido; las manos, unas manoplas; las muñecas, como estranguladas con cuerda, a modo de morcillas; las piernas, tronchas y exuberantes, más huevos de arracacha[57] que carne humana: una figura eclesiástica, casi episcopal. Iba a quebrarse con los berridos que lanzaba: ¡cuidado si había pulmones! El soldado lo cogió en los brazos, haciéndole zarandeos, por vía de arrullo. Abrazaba su fortuna: en aquel vástago veía el Caratejo horizontes azules y rosados, de dicha y prosperidad: El predio cercano, su sueño dorado, era suyo; suyas unas decenas de vacas; suyo el par de muletos y los aparejos de la arriería; y quién sabe si la casa, esa casa tan amplia y espaciosa, ¿no sería suya pasado corto tiempo? ¡El patrón era tan abierto! . . . Calmóse un tanto el monigote. Escrutólo el Caratejo de una ojeada, y se dijo:

— ¡Igualito al taita!

Entretanto, Rufa gritaba desde la manga:

— ¡Que vengás a tu taita, que no está nada

bravo! ¡Que no sias caraja![58] ¡Subí, Duvigis, que siempre lo habís de ver!

La muchacha, más muerta que viva, a pesar de la promesa, subía por la chamba, minutos después. Pálida por el susto, parecía más hermosa y escultural. Levantó la mirada hacia la casa, y vió a su padre en el corredor, con el niño en brazos. A paso receloso llégase a él; arrodíllase a las plantas y murmura:

— ¡Sacramento del altar, taita!

Y con la diestra carateja, le rayó la bendición el padre, no sin sus miajas de unción y de solemnidad. Mandóla luego la madre a la cocina a preparar el agasajo para el viajero, y Rufa, que ya en ese momento había terminado sus faenas perentorias, tomó al nieto en su regazo, y se preparó al interrogatorio que se le venía encima.

— Bueno — principia el marido —, ¿y el patrón siempre le habrá dejao a la muchacha . . . por lo menos sus tres vacas, y le habrá dao mucha plata pa los gastos?

— ¡Eh! — repica Rufa —. ¿Usté por qué ha determinao que fué don Perucho?

— ¿Que no fué el patrón? — salta el Caratejo, desfigurándose.

— Si fué Simplicio, el hijo de la dijunta[59] Jerónima! . . .

— Ese tuntuniento![60] . . . — vocifera el deshonrado padre —. ¡Un muertodiambre que no tiene un cristo en qué morir! . . . ¿Y vos, so almártaga,[61] pa qué consentites esos enredos?

La cara se le desencajó; le temblaban los labios como si tuviera tercianas.

— Yo mato a esa arrastrada, a esa sinvergüenza —. Y, atontado y frenético, se lanza a la cocina, agarra una astilla de leña, y a cada golpe escupe sobre la hija un insulto, una desvergüenza, una bajeza. Cuando la infeliz yacía por tierra, convulsa y sollozante, arrimóle Longas formidable puntapié, y exclamó tartajoso:

— ¡Te largás . . . ahora mismo . . . con tu muchacho . . . que yo no voy a mantener aquí vagamundas!

Y salió disparado, camino del pueblo, como huyendo de su propia deshonra.

(De *Revista Bolívar*, Bogotá, núm. 49)

Prosa de ideas. De los pensadores de esta época el más sistemático fué ALEJANDRO KORN (Argentina; 1860-1936). Nos ofreció una doctrina de los valores, de la que se desprendió su ética: una enérgica profundización de la conciencia en la lucha por la libertad. En un grupo de ensayistas con doble vocación de pensadores y artistas figuran CARLOS ARTURO TORRES (Colombia; 1867-1911), CÉSAR ZUMETA (Venezuela; 1863-1955), ALBERTO MASFERRER (El Salvador; 1867-1932) y otros. Los grandes periodistas del Modernismo no siempre eran doradores de estilo, pero en sus páginas, por sencillas que fueran en su lenguaje, recogían el oro de las mejores literaturas. BALDOMERO SANÍN CANO (Colombia; 1861-1957) fué uno de estos. Su inquieta alma de humanista fué desplegándose como las hojas de un gran diario que registrase todos los temas y noticias de nuestro tiempo. Están todas las secciones, hasta la del buen humor. Y la internacional, pues viajó por muchos países y nos trajo informaciones y comentarios sobre remotas literaturas, anglosajonas, germánicas, escandinavas. Sin contar sus viajes por las bibliotecas y por la amplia casona de su propio espíritu. Fué amigo y mentor de los primeros modernistas, de Silva a Valencia; y no sólo por vivir mucho, sino por comprender bien lo nuevo que le salía al paso, siguió siendo amigo y mentor de los jóvenes. Su escepticismo era una alerta atención a todos los puntos de vista. La crítica literaria era para él un saber oír lo que cada autor está diciendo. Coleccionó algunos ensayos en *La*

58. apocada, torpe. 59. difunta, muerta. 60. tonto, feo, impertinente.
61. mandria, maula, cobarde, haragana.
1. Harald Høffding (1843-1931), psicólogo y filósofo danés, autor de un libro sobre Kierkegaard. 2. Sören Aabye Kierkegaard (1813-1855), filósofo y teólogo dinamarqués.
3. Théodule Armand Ribot (1839-1916), filósofo francés, autor de estudios de psicología experimental. 4. Francis Newman (1805-1897), escritor inglés, hermano y opositor del Cardenal. 5. Ernest Renan (1823-1892), historiador francés. 6. Cardenal Newman (1801-1890), escritor y teólogo inglés. 7. Maurice Barrès (1862-1923), novelista francés.

civilización manual (1925), *Indagaciones e imágenes* (1926), *Crítica y arte* (1932), *Ensayos* (1942). Ni siquiera sus memorias — *De mi vida y otras vidas*, 1949 — son orgánicas. En *El Humanismo y el progreso del hombre*, 1955, recogió ensayos de los últimos veinticinco años.

Baldomero Sanín Cano

EL « GRANDE HUMOR »

Si una cosa tiene chiste, regístrala en busca de una oculta verdad.

B. SHAW. *Back to Methuselah.*

I

El autor de las síntesis más completas sobre las ideas filosóficas de los tiempos modernos, analista desprevenido de la moral contemporánea y atrevido investigador de los senos del alma, el profesor Hoeffding,[1] de la Universidad de Copenhague, ha querido coronar su obra de filósofo, de pensador y moralista con un estudio sobre el humor, curiosa y elusiva facultad o disposición del espíritu, a la cual debemos, sin duda, las obras literarias de significado más profundo y las figuras imaginativas más humanas y más trascendentales.

Con un gran respeto a su profesión y para evadir la censura de los especialistas, el autor de este libro advierte desde el principio que no es su ánimo hacer obra de análisis estético, sino « puramente psicológico »; mas como el humor se ha mostrado casi exclusivamente en obras de arte (dramas, novelas, ensayos literarios, pinturas, grabados, esculturas), viene siendo poco menos que imposible evitar la emisión de opiniones literarias al tratar del humor. En las siguientes páginas, sin excusar el análisis psicológico, la intención del escritor es aplicar las teorías de Hoeffding a las manifestaciones humorísticas en la obra literaria. [. . .]

El profesor Hoeffding ha dividido el humor en dos clases, separadas por él con los calificativos de « grande » y « pequeño », para fijar los caracteres de la primera, en la cual aparecen los grandes luminares de la filosofía y del arte: Sócrates, Shakespeare, Cervantes, Kierkegaard.[2] Fundamento de esta clasificación es el hecho de que el humor, el grande y genuino, es para Hoeffding no un estado de alma transitorio sino el resultado de un concepto general de la vida. En la obra del ironista, del satírico, del humorista en pequeño puede haber alternativas, al través de las cuales la psicología o el mero análisis literario suelen tropezar con maneras contradictorias de entender la vida, de explicar este enigma apasionante de la existencia. Para hacer más comprensible su punto de vista Hoeffding analiza en los primeros capítulos de su obra lo que él llama sentimientos totales (*Totalfoeleser*), en contraposición a los estados de alma elementales o incompletos (*Enkeltfoeleser*). En su tratado sobre las pasiones, Ribot[3] denomina « emociones » los estados de alma elementales y caracteriza con el nombre de « pasión » lo que Hoeffding describe como « sentimiento total. »

Para acentuar la diferencia entre estas dos actitudes mentales y evitar las confusiones que las alternativas de la vida individual podrían traer a su estudio, Hoeffding hace valer una curiosa clasificación de los espíritus, debida a Francis Newman,[4] el humanista, hermano del cardenal. Según esa teoría, hay hombres que nacen espiritualmente una vez y otros que tienen, como si dijéramos, dos vidas espirituales sucesivas. Solamente entre los primeros hay individuos cuya vida está dominada y dirigida por un estado de alma de los que merecen, de acuerdo con la terminología de Ribot, el nombre de pasión. Los hombres que nacen dos veces (*Tofoedte*), entre los cuales son de citar Renan,[5] el cardenal Newman[6] y, en una esfera mucho más limitada, Mauricio Barrès,[7] la idea directriz de cierta parte de la vida le cede el puesto a otro concepto general de la existencia, como resultado de una crisis sentimental o filosófica. Dice Hoeffding: « En las personalidades fuertemente determinadas habrá, pues, un estado total de sentimiento que le da al resto de la vida espiritual su carácter propio. No es preciso que ese estado de sentimiento esté siempre en actividad, pero obra sus efectos y desempeña en toda circunstancia un papel indirecto. Y en aquellos momentos decisivos para la personalidad es él quien lleva la palabra. A él recurre la personalidad siempre que ha menester recogimiento, concentración. Con él se expresa el hombre interior, ya sea éste asequible o no a las demás gentes. » Así define con la natural precisión y belleza de su estilo a los hombres de « un solo nacimiento espiritual » el profesor de Copenhague. No hay para qué detenernos en definir a los hombres de dos nacimientos cuya vida es un espectáculo muy interesante, sin duda, pero está fuera de nuestras investigaciones. Aun podría decirse que hay quienes se atreven a nacer espiritualmente más de dos veces, ya por efecto de una excesiva inquietud de la inteligencia, ya para guiarse en la turbia atmósfera de las evoluciones políticas, ya por obedecer al carácter histriónico de su naturaleza. También quedan fuera de nuestra competencia.

El « grande humor », el humor verdadero, sólo es posible en los hombres de una sola vida espiritual dominada, como lo explica Hoeffding, por una sola pasión intelectual. Son por ello tan raros los verdaderos y grandes humoristas. A más de los nombrados anteriormente, es difícil dar con otros en la historia de las letras humanas. En los fastos de la literatura contemporánea apenas podrían caer dentro de la denominación de grandes humoristas, Bernard Shaw,[8] en Inglaterra, y acaso Ángel Ganivet[9] en España. En la vida del primero es discernible una actitud espiritual preponderante, la protesta casi orgánica contra el carácter falaz e hipócrita de la vida moderna. Su obra es la exposición franca y desnuda de la oposición constante entre los principios por los cuales se rigen las sociedades y los individuos y las acciones de unas y otros. En Ángel Ganivet, la actitud mental es semejante, pero en él solicita su protesta más bien la imbecilidad incurable que la hipocresía de los hombres.

No carece de importancia en el análisis del humor buscar el origen de la palabra y seguirla en el curso de sus varios significados. En el principio, la palabra tenía un sentido material y daba la idea de fluidez o humedad. Dos preciosas sugestiones se asocian a este significado original: el humor vivifica el organismo espiritual a la manera que la humedad es elemento indispensable de la vida física. Para hablar de un ingenio que carece de movilidad y de gracia se dice en la mayor parte de las lenguas indogermánicas que es un espíritu seco. La fluidez es virtud literaria tan apreciable como la claridad. En tiempo de Shakespeare y de su rival y amigo Ben Johnson,[10] las palabras *humour* y *humorous* ya habían entrado al idioma con significado distinto del meramente material. [. . .]

Acaso pensaba en esto el espíritu sistemático de Taine[11] cuando quiso definir el humor como el estado de espíritu bajo cuyo influjo el escritor describe lo sublime en formas grotescas y lo grotesco en palabras sublimes, definición adaptable tal vez a lo llamado por Hoeffding « el pequeño humor » que, según sus palabras, es una burla más o menos apacible. « Esa benignidad puede tener muchos grados, pasando por los cuales el humor puede revestir las formas de la ironía, de la sátira o el desdén. »

Está en la imaginación popular, y aun en la mente cultivada de críticos regalones asociada la idea del humor al gesto de la risa. Spencer[12] no ensaya la disociación de estos elementos en su curioso estudio sobre la facultad de reír, ya que su análisis aborda casi exclusivamente el carácter fisiológico de esta función jeráquica, tal vez la única que poseemos, con exclusión de las otras especies zoológicas. « Se revela, dice Hoeffding, el carácter de un hombre, en su actitud ante lo ridículo », una sentencia que encierra en pocas palabras opiniones semejantes de Platón, Kant, Goethe y de la sabiduría popular expresada en proverbios.

De dos puntos de vista muy distintos ha de estudiarse la risa: sea como la calidad de los actos externos que la provocan, sea como la disposición interior que se expresa por medio de ella. Los tratados elementales de estética en sus apreciaciones de lo cómico más tienen que ver con lo exterior que con los estados de ánimo de donde proviene la risa. De aquí resulta que ella es definida como el movimiento de ánimo causado en nosotros por la contemplación de lo inesperado o lo incongruente. La risa no es compañera inseparable del humor y puede afirmarse que allí donde ella se muestra, especialmente en la forma extrema de carcajada, el « grande humor », según lo define Hoeffding, está ausente. El humorista verdadero no suscita la risa. Suele en ocasiones la sonrisa asomar a los labios de quienes se ponen en contacto por la lectura o la contem-

8. Bernard Shaw (1856-1950), dramaturgo irlandés.
9. Ángel Ganivet (1868-1890), escritor y diplomático español.
10. Ben Johnson (1573-1637), dramaturgo inglés.
11. Hipólito Taine (1828-1893), el crítico francés.
12. Herbert Spencer (1820-1903), el filósofo inglés.
13. Anatole France (1844-1924), novelista y crítico francés.
14. Heinrich Heine (1799-1856), poeta alemán.

plación con los maestros del humor, pero mientras más puras y más profundas sean las sensaciones creadas por el humor, mientras más tenue sea el lazo de las asociaciones suscitadas por la obra de arte verdaderamente humorística, más lejos están del lector las manifestaciones exteriores de la sonrisa. El acompañamiento natural de las sensaciones e ideas que despierta en nosotros la obra del humorista genuino es la sonrisa interior.

Hay en las asociaciones de ideas provocadoras de risa una cierta complacencia con el espectáculo del mal ajeno o con la indiferencia de la naturaleza o de los poderes invisibles ante los esfuerzos incompletos de la criatura humana o del mismo animal. La risa se acompaña de una falta de piedad o de simpatía para con la bestia irracional o la bestia humana. En el humor, por el contrario, la nota predominante es la de simpatía para con el género humano. El burlador, por lo tanto, el satírico, el hombre que practica lo que Barrès llamaba el « desdén suficiente », están en el polo opuesto del humorista. Por esto dice Hoeffding muy acertadamente: « Sea que se considere el humor como una especie peculiar de las sensaciones que provocan a risa o como una manera de entender la vida, nada está con él en contraste tan vivo y característico como el sarcasmo o el desdén. »

Más cerca del humor está la ironía, pero aun ésta incluye ciertos matices de sentimiento que la apartan de aquella humanísima visión de la vida. El ironista puede en ocasiones inspirarse en la simpatía y menos frecuentemente hay en sus expansiones muestras de piedad. Renan, sin duda, era un sentimental a quien punzaban las miserias y limitaciones del género humano. Hay piedad comunicativa en algunos libros de France.[13] *Crainquebille* es el apólogo de un evangelista a quien los hados concedieron profusamente con las dotes de la ironía y el sentido de la belleza verbal, un inexhausto anhelo de justicia. En Heine[14] la ironía no es siempre bondadosa. En todos estos autores el rasgo psicológico, la actitud que les impide llegar al grande humor es el sentimiento, velado en Renan con las más dulces apariencias, perceptible a trechos en las últimas producciones de France, y ruidosamente articulado en Heine, de la superioridad del escritor sobre el resto del género humano. A causa de esto la ironía degenera a veces en los dos últimos en burla inmisericorde o en sarcasmo deshecho. Va un abismo de las suaves e irónicas insinuaciones de *Thaïs* al cinismo verbal y al pensamiento indecoroso de la *Révolte des anges*. En Heine el procedimiento literario consiste en dividir sus composiciones en dos partes ligadas hábilmente, en la primera de las cuales hay una nota sentimental delicada o profunda, fragorosamente contrastada por el sarcasmo sin atenuaciones de la segunda.

Estos ejemplos, tomados al azar en dos literaturas, sirven de apoyo a la tesis fundamental del profesor Hoeffding, según la cual el grande humor no es una actitud pasajera, ni un estado de espíritu fácilmente provocable, a manera de la embriaguez o el entusiasmo, por medios físicos o inmateriales, pero siempre de artificio, sino una pasión cuya permanencia y vigor determinan en el individuo su concepto general de la existencia. Lo cual no quiere decir, según se explicó antes con palabras del mismo Hoeffding, que la pasión o estado de alma total esté actuando siempre en todos los menudos detalles de una vida individual; pero en la obra literaria o artística del grande, del verdadero humorista, puede siempre encontrar el crítico el hilo de oro que le da unidad y le predica divino encanto. Siguiendo un método distinto y sin tener a su disposición el riquísimo caudal de datos ofrecidos por el análisis moderno a los directores de almas, ya Taine había indicado las ventajas que ofrece la determinación de la « facultad dominante » en el estudio de un autor y sus obras. [. . .]

II

No en todas las épocas de la literatura o de la filosofía ha existido la disposición de ánimo denominada « grande humor », por el profesor Hoeffding. Falta por completo en los diversos autores a quienes se debe el *Antiguo testamento*. El estado de espíritu que predomina en esos libros excluye las posibilidades del humor. El autor de los cinco primeros libros era un iluminado. Explicaba el origen del mundo de acuerdo con las nociones que acerca de ese importante suceso le habían participado seres sobrenaturales de cuya existiencia estaba él convencido, tal vez, y seguramente los hombres a quienes comunicaba el resultado de sus conversaciones con el Altísimo. Algunos de estos libros contienen preceptos morales y de higiene, redactando los cuales no era posible extraviarse en los meandros de la noción humorística de la vida. Además, el temperamento de aquel sabio legislador y conductor de multitudes era, como juez y gobernante, de una severidad que a menudo llegaba a los mayores extremos de la sevicia, no sólo con sus enemigos sino también con sus administrados. En ese pueblo y en esa raza ha predominado siempre un concepto de la divinidad, que la atribuye los sentimientos justicieros o vengativos del hombre, llevados a su máximum de exaltación. Mirar los simulacros sagrados era grave culpa; el tocarlos se pagaba con muerte subitánea. Un desgraciado que estiró el brazo con ánimo de evitar que cayese el Arca de la Alianza, quedó muerto al instante. En ese estado de exaltación, la disposición de ánimo cuyas manifestaciones suavizan la vida y enriquecen la mente no podía existir.

Más adelante el *Antiguo testamento* es obra de profetas y videntes, cuya actitud ante el pueblo hebreo había de ser una de seriedad absoluta y sin intermitencias. El profeta es también un iluminado, y de ese punto de vista su actitud es necesariamente contraria a la del humorista. La exaltación profética dió frutos espléndidos en la poesía lírica. Debemos a los hombres que colgaron de los sauces llorones en Babilonia sus arpas melancólicas las notas más atlas de ese género de poesía en aquella remota edad de la cultura humana. Al través de los siglos esa raza ha conservado el poder sobrehumano de expresar sus más íntimas emociones y de analizar sus estados de alma en rimas o en ritmos de un poder comunicativo irresistible. La poesía de los profetas renace en Heine y apunta en muchos de los poetas modernistas que le agregaban ímpetu desde Viena al movimiento alemán de « Hojas para el Arte. » Dauthendey[15] era israelita, y Hofmannsthal[16] lo es por la raza y por el acento de penetrante y refinada tristeza que hay en su obra poética decididamente judaica. Algunos han querido hallar modelos del humor en estos grandes representantes de la raza bíblica en la poesía moderna. Ya hemos visto cómo Heine se aparta del « grande humor » por el uso del sarcasmo, en que fué maestro, y por la ironía que ejercitaba con real emoción contra los demás y contra sí mismo, como para vengarse de la vida, que fué con él indiferente y en ocasiones y a la postre, cruel.

De los griegos pone Hoeffding como excelso modelo del « grande humor » a Sócrates. Sabemos que fué amigo del concepto delicado y gracioso y aun en los últimos momentos de su vida, discurriendo con sus amigos, dió muestras de un ingenio plácidamente burlón. Su discípulo y admirador,[17] al verter la esencia del espíritu socrático en sus divinos diálogos, dejó uno como débil trasunto del temperamento regocijado del maestro. Aristófanes se apartó del humor con el estrépito de su sarcasmo y con el encono personal, de que hay por momentos claro testimonio en sus exhibiciones teatrales de la sociedad contemporánea; y, por lo que hace a los líricos de la Antología, estaban demasiado atraídos por el fragor de la guerra, por el atletismo, por las variadas y sanas emociones del amor pagano, para mirar la vida dentro del ángulo en que es menester colocarse, para sentir y comunicar la impresión humorística.

Es menos perceptible el « grande humor » en los famosos latinos del siglo de Augusto.[18] Ellos amaban la gracia, y el más alto exponente de esa maravillosa época de letrados y estetas llegó a tocar notas unísonas con las de aquellos grandes líricos que en las postrimerías del setecientos y en el siglo XIX humanizaron los aspectos del paisaje y crearon el sentimiento moderno de la naturaleza. Pero la gracia romana no llegó nunca a las fronteras del «grande humor». Fué irónica en Juvenal,[19] acremente sarcástica en el gran satírico hispalense.[20] Carecía aquella civilización del nuevo factor de la piedad y la simpatía que hace posible esta manera complicada de representar los sentimientos humanos. Nacida para la conquista y puesta frente a frente de la inmensa tarea de organizar un mundo, esa raza estimaba principalmente los valores de fuerza y era extraña a los sentimientos humanitarios. Creó el derecho . . . basado en la fuerza, dos elementos de cultura que excluyen naturalmente las premisas del humor. Antes del siglo de Augusto, un gran letrado, un orador sublime y un hombre mezquino, el inolvidable Cicerón, había dicho a Paetus, el epicúreo, en una de sus cartas inmortales: « Y a esto se añade la sal de tu ingenio, no la sal ática, sino un chiste más salado que el de los atenienses, el puro, el antiguo chiste romano, lleno de urbanidad . . . me siento completamente fascinado por el chiste genuino, en especial el del

15. Max Dauthendey (1867-1918), poeta lírico alemán de la escuela simbolista. 16. Hugo von Hofmannsthal (1874-1929), gran dramaturgo y poeta lírico austriaco. 17. referencia a Platón. 18. César Augusto (63 a. de J. C. - 14 d. de J. C.), el famoso emperador romano. 19 Juvenal (h. 42 - h. 125), poeta satírico latino. 20. Marcial (43-104), que no era hispalense (de Hispalis, Sevilla), sino de Bilbilis, hoy Calatayud. 21. Lacio, región de Italia, a lo largo del mar Tirreno. 22. Ferney, villa de Francia, cerca de Ginebra, donde vivió Voltaire de 1758 a 1778. 23. Carl Friedrich Zelter (1758-1832), compositor alemán, amigo de Goethe. 24. Jonathan Swift (1667-1745), escritor satírico inglés.

terruño, y más ahora cuando observo que, con la acción del Lacio,[21] de donde nos ha venido a torrentes la influencia extranjera, y con la inmigración de las gentes de bragas, procedentes del otro lado de los Alpes, el puro chiste romano ha tomado otras formas exteriores. Se encuentra ya apenas la huella del talento de nuestros abuelos para la burla. » Las gentes de bragas a quienes se refiere Marco Tulio eran los galos forzados por el clima a cubrirse las piernas con una especie de pantalones. Y ya desde entonces, empezaba a difundirse por el mundo el *esprit gaulois*, forma del ingenio que apenas tiene en su curso relaciones someras de tangencia con las características del « grande humor », según lo han practicado los modernos. El estrépito de la *gaité gauloise* en Rabelais, la ironía en Montaigne, el grueso y demoledor sarcasmo de Voltaire no están incluídos en las categorías humorísticas. Con todo su talento literario y su vasta comprensión de las formas, al patriarca de Ferney[22] se le escaparon las sutilezas y el tenue perfume de gracia y de caridad que hacen la obra de Shakespeare un valor excepcional y profundamente humano. Le llamó bárbaro, no sin reconocerle algún talento.

El « grande humor » es un producto eminentemente cristiano. Para que existiese y llegase a ser comprendido era necesario que la ley de gracia, la « charitas » nueva hubiera bañado el sentimiento de las varias razas en una onda amplísima de piedad humana. Era menester que la noción de pecado formase parte de la ideología del hombre, para que el genio del humorista pudiese apelar a la comprensión universal. No fué, por lo tanto, una mera coincidencia que los dos modelos del humorismo en las literaturas modernas hubiesen aparecido en el momento mismo en que la idea cristiana experimentaba la crisis más ruda de cuantas ha padecido en las alternativas de su historia.

Goethe, el genio literario más rico, más desparramado y a un mismo tiempo más profundo, careció del sentido del humor. Era intensamente lírico y conscientemente pagano. Le impacientaba el pequeño humor de los poetas alemanes de segunda alzada, que opacaban el ambiente espiritual del día con sus burlas de gusto equívoco y con aquella ansiedad imprecisa que recibió el nombre de « la flor azul. » En una de sus cartas a Zelter[23] dice que « como el humor no tiene asiento ni ley en sí mismo, tarde o temprano degenera en melancolía o en capricho de mal carácter. » « El humorista, dice en otra parte, atiende más a su propia disposición de ánimo que al objeto que observa o describe. » Sin embargo, decir que carecía del sentido del humor es acaso una exageración. Le irritaban las exteriorizaciones agudas del « pequeño humor », de la ironía metódica al alcance de los funcionarios; pero apreciaba en su justo valor la actitud de Shakespeare y Cervantes ante el variado espectáculo de la vida intensa, generosa y completa.

El « grande humor » es, sin duda, el resultado de una apreciación de los valores humanos, según la cual la vida es una obra de arte. Conformándonos a él, aceptamos las desarmonías en el conflicto vital y tratamos de acomodarlas en la sinfonía general formada por el juego de apetitos y tendencias contradictorias. Los dos grandes humoristas de los tiempos modernos fueron también hombres de acción que sintieron la vida intensamente y recorrieron la escala de las tribulaciones el uno, de las pasiones, de los reveses y logros, el más afortunado.

Es raro que mientras Shakespeare dejara en su patria el germen fecundo de su genio, hasta hacer de él en sus conciudadanos una especie de distintivo nacional en la forma del « pequeño humor »; Cervantes, el genio nacional por excelencia, no haya penetrado en el alma española para provocar la imitación de sus actitudes ante la vida. En Inglaterra es casi condición de la vida intelectual el poseer en vasta o en pequeña escala el sentido del humor. El retruécano, el *calembour*, las frases de vario y torpe sentido, merecen reprobación unánime en las esferas distinguidas de la inteligencia. La sátira violenta y personal, aun la ataviada artísticamente por talentos literarios de tan alta envergadura como Swift[24] o Byron, merece atención literaria, pero excluye la imitación o las actitudes admirativas. Pocos novelistas insignes carecen en la Inglaterra del siglo XIX y de los tiempos actuales, del sentido del humor. Para recomendarse a la gentileza del lector han de llevar en las venas ese grano de sal que impide la corrupción de los humores. Los más excelsos escritores británicos de la época actual y de la que la ha precedido inmediatamente, llegan, por el fondo y por la forma, a la categoría del « grande humor », conforme al minucioso análisis de Hoeffding.

En España el ingenio y la obra de Ganivet caen dentro de aquella definición; pero tamaña persona vivió y murió sin recibir de sus contemporáneos señales de comprensión ni palabras de aplauso congruentes. Es cierto que su obra es escasa y fragmentaria. En ella, sin embargo, luce la pasión intelectual característica del hombre para quien la vida propia es una obra de arte y la vida de otros un espectáculo humorístico digno de hacer un esfuerzo para comprenderlo en sus grandes líneas y en sus aspectos primordiales, no sin echarle encima un velo sutil y transparente de caridad y simpatía.

Al hacer un estudio del « pequeño humor », no sería posible olvidar dos grandes inteligencias españolas cuya obra tiene reflejos pasajeros del verdadero y grande. Larra murió demasiado pronto para legar a la posteridad cuanto ella tenía derecho a esperar de tamaño temperamento; pero en él estaban reunidas la simpatía hacia el género humano con la aptitud para percibir las incongruencias de las acciones ajenas y representarlas en el plano usual de la vida. Galdós habría sido un grande humorista si su piedad hubiese sido más sincera y si hubiese excusado las tentaciones de la propaganda. En su manera discreta y suave de poner en solfa las costumbres de sus compatriotas, echa uno de menos la onda subterránea de simpatía que caracteriza a los genuinos representantes del humorismo.

(De *Tipos, obras, ideas*, 1949)

Poesía. Algunos poetas dormían en postura académica, en una convalecencia neoclásica. Por eso, cuando en estos años surja una nueva poesía — en cierto modo equivalente a la renovación que habían realizado en Europa los parnasianos franceses y los prerrafaelistas ingleses — será una reacción, no contra el romanticismo, sino contra ese yacente neoclasicismo. El anhelo de ser modernos los llevaba a muchas modas diferentes. La fascinación de las desconocidas lenguas alemana (Heine) o inglesa (Poe), el lirismo estremecido ante el misterio (Bécquer), el arte de la perfecta ornamentación, la belleza pura del Parnaso francés (los maestros Gautier, Leconte de Lisle, Banville, Baudelaire y sus discípulos Sully Prudhomme, Heredia, Coppée y Mendès) los mareaban como si cursaran por un mar agitado, pero todos ansiaban llegar a un puerto, no sabían cuál, donde los esperaba « lo moderno. » Iremos de los poetas que estiman más la tradición a los poetas que más estiman la innovación. Juan Zorrilla de San Martín (Uruguay; 1855-1931) empezó a trabajar su poema *Tabaré* en 1879 y lo publicó en 1888. Algunos críticos lo han leído con una preocupación retórica: ¿a qué género pertenece? ¿Novela versificada? ¿Poema épico? Y han solido desmerecerlo porque no se ajusta a sus nociones retóricas. Zorrilla no dió importancia al tema novelesco, que es muy ingenuo: Tabaré, mestizo de un cacique charrúa y de una cautiva española, ha recibido de niño la gracia del bautismo; ya mozo, ve a Blanca, hermana del conquistador don Gonzalo, y se siente intensamente atraído por reminiscencias de su madre muerta; luchan en él su alma bautizada y sus hábitos guerreros; salva a Blanca de los brazos de un indio, pero don Gonzalo cree que él ha sido el raptor y lo mata. Al considerar a *Tabaré* como poema épico nos advirtió que daba a la palabra epopeya una connotación personal: mostrar las leyes de Dios en los sucesos humanos. *Tabaré* es un poema católico, y por eso resulta grosero interpretarlo, como se ha hecho, a la luz de una verosimilitud naturalista. Al describir a los indios Zorrilla no tiene una actitud etnográfica, sino metafísica. Su tema — el destino de la raza charrúa — ha sido concebido teológicamente: ¿qué voluntad sobrenatural condenó a esa raza? El poema intuye, poéticamente, a la raza charrúa en momentos en que está por desaparecer: es tiniebla, sinsentido. Gracias a Tabaré, el mestizo de los ojos azules, Zorrilla se asoma al abismo y ve los destellos de la raza desaparecida. Tabaré, pues, aparece en el filo de dos creaciones: la raza charrúa, que es naturaleza, y la raza española, que es espíritu. La muerte de Tabaré condena a la raza charrúa al silencio eterno: desaparece no sólo físicamente, sino como posibilidad de ser comprendida. A pesar de su aparato exterior, legendario, novelesco, épico, *Tabaré* es poema lírico. Zorrilla de San Martín, como muchos otros poetas de su tiempo, salió de la escuela romántica española de José Zorrilla, Núñez de Arce y Bécquer. Pero Bécquer fué el que le enseñó a impostar la voz. Zorrilla de San Martín « becquerizó » con tanta delicadeza — imágenes sugeridoras del misterio, impresionismo descriptivo, melancólica contemplación del vivir y del morir, vaga fluctuación entre la realidad y el ensueño —, que se puso a la vanguardia lírica. Del romanticismo salieron dos brotes especializados, uno en la perfección plástica (Parnaso), otro en la sugestión musical (Simbolismo). Zorrilla camina del romanticismo al simbolismo, pero independiente de la literatura francesa. Su actitud se parece a la que luego tendrán los iniciados en el simbolismo. Sólo que su poesía, deliberadamente vaga, es rica en visualidad. Acierta siempre en la imagen visual, que va mejorando el relato y distinguiéndolo. Sus imágenes recorren todo el lenguaje del impresionismo: animación de la naturaleza, proyección sentimental, correspondencias entre los datos sensoriales, etc. De Bécquer tomó, junto con su delicadeza, la simplicidad del verso. Tal simplicidad se logra, empero, con una rica variedad de sugestiones musicales: el *leitmotiv* (« cayó la flor al río . . . »), el súbito cambio de los finales llanos a los agudos, el desenvolvimiento de endecasílabos y heptasílabos. La elección de esta versificación respondía a su estado de ánimo vago, persuasivo, más interesado en la flúida y apagada comunicación de metáforas que en la sonoridad fuerte y articulada. Esta tendencia de Zorrilla hacia una poesía de alusiones lo convierte en América en uno de los poetas líricos de más pureza y frescura: si apartamos la ingenua arquitectura novelesca de *Tabaré* muchos de sus versos son ya modernos. Su obra en prosa — ensayos, crónicas de viaje, discursos, historia — es menos renovadora.

Juan Zorrilla de San Martín

TABARÉ

(Fragmentos)

Introducción

I

Levantaré la losa de una tumba;
e, internándome en ella,
encenderé en el fondo el pensamiento,
que alumbrará la soledad inmensa.

Dadme la lira, y vamos: la de hierro,
la más pesada y negra;
ésa, la de apoyarse en las rodillas,
y sostenerse con la mano trémula,

Mientras la azota el viento temeroso
que silba en las tormentas,
y, al golpe del granizo restallando,
sus acordes difunde en las tinieblas;

La de cantar, sentado entre las ruinas,
como el ave agorera;
la que, arrojada al fondo del abismo,
del fondo del abismo nos contesta.

Al desgranarse las potentes notas
de sus heridas cuerdas,
despertarán los ecos que han dormido
sueño de siglos en la oscura huesa;

Y formarán la estrofa que revele
lo que la muerte piensa:
resurrección de voces extinguidas,
extraño acorde que en mi mente suena.

II

Vosotros, los que amáis los imposibles;
los que vivís la vida de la idea;
los que sabéis de ignotas muchedumbres,
que los espacios infinitos pueblan,

Y de esos seres que entran en las almas,
y mensajes oscuros les revelan,
desabrochan las flores en el campo,
y encienden en el cielo las estrellas;

Los que escucháis quejidos y palabras
en el triste rumor de la hoja seca,
y algo más que la idea del invierno,
próximo y frío, a vuestra mente llega,

Al mirar que los vientos otoñales
los árboles desnudan, y los dejan
ateridos, inmóviles, deformes,
como esqueletos de hermosuras muertas,

Seguidme, hasta saber de esas historias
que el mar, y el cielo, y el dolor nos cuentan;
que narran el ombú[1] de nuestras lomas,
el verde canelón[2] de las riberas,

La palma centenaria, el camalote,[3]
el ñandubay, los talas y las ceibas[4]:
la historia de la sangre de un desierto,
la triste historia de una raza muerta.

Y vosotros aun más, bardos amigos,
trovadores galanos de mi tierra,
vírgenes de mi patria y de mi raza,
que templáis el laúd de los poetas;

Seguidme juntos, a escuchar las notas
de una elegía, que, en la patria nuestra,
el bosque entona, cuando queda solo,
y todo duerme entre sus ramas quietas;

Crecen laureles, hijos de la noche,
que esperan liras, para asirse a ellas,
allá en la oscuridad, en que aún palpita
el grito del desierto y de la selva.

III

¡Extraña y negra noche! ¿Dónde vamos?
¿Es esto cielo, o tierra?
¿Es lo de arriba? ¿Lo de abajo? Es lo hondo,
sin relación, ni espacio, ni barreras;

Sumersión del espíritu en lo oscuro,
reino de las quimeras,
en que no sabe el pensamiento humano
si desciende, o asciende, o se despeña;

El caos de la mente, que, pujante,
la inspiración ordena;
los elementos vagos y dispersos
que amasa el genio, y en la forma encierra.

Notas, palabras, llantos, alaridos,
plegarias, anatemas,
formas que pasan, puntos luminosos,
gérmenes de imposibles existencias;

Vidas absurdas, en eterna busca
de cuerpos que no encuentran;
días y noches en estrecho abrazo,
que espacio y tiempo en que vivir esperan;

Líneas fosforescentes y fugaces,
y que en los ojos quedan
como estrofas de un himno bosquejado,
o gérmenes de auroras o de estrellas;

Colores que se funden y repelen
en inquietud eterna,
ansias de luz, primeras vibraciones
que no hallan ritmo, no dan lumbre, y cesan;

Tipos que hubieran sido, y que no fueron,
y que aún el ser esperan;
informes creaciones, que se mueven
con una vida extraña o incompleta;

Proyectos, modelados por el tiempo,
de razas intermedias;
principios sutilísimos, que oscilan
entre la forma errante y la materia;

Voces que llaman, que interrogan siempre,
sin encontrar respuesta;
palabras de un idioma indefinible
que no han hablado las humanas lenguas;

1. árbol de la América meridional, característico del paisaje de la Argentina y el Uruguay. 2. *capororoca*, árbol de la familia de los mirtos, de la región del Plata. 3. planta acuática, de hoja en forma de plato y flor azul. 4. *ñandubay*, *tala*, *ceiba:* diversas clases de árboles americanos.

Acordes que, al brotar, rompen el arpa,
y en los aires revientan
estridentes, sin ritmo, como notas
de mil puntos diversos que se encuentran,

Y se abrazan en vano sin fundirse,
y hasta esa misma repulsión ingénita,
forma armonía, pero rara, absurda;
música indescriptible, pero inmensa;

Rumor de silenciosas muchedumbres;
tumultos que se alejan . . .
todo se agita, en ronda atropellada,
en esta oscuridad que nos rodea;

Todo asalta en tropel al pensamiento,
que en su seno penetra
a hacer inteligible lo confuso,
a refrenar lo que huye y se rebela;

A consagrar, del ritmo y del sonido,
la unión que viva eterna;
la del dolor y el alma con la línea;
de la palabra virgen con la idea;

Todo brota en tropel, al levantarse
la ponderosa piedra,
como bandada de aves que, chirriando,
brota del fondo de profunda cueva;

Nube con vida que, cobrando formas
variables y quiméricas,
se contrae, se alarga, y se resuelve,
por sí misma empujada en las tinieblas.

Y así cuajó en mi mente, obedeciendo
a una atracción secreta,
y entre risas, y llantos, y alaridos,
se alzó la sombra de la raza muerta;

De aquella raza que pasó, desnuda
y errante, por mi tierra,
como el eco de un ruego no escuchado
que, camino del cielo, el viento lleva.

IV

Tipo soñado, sobre el haz surgido
de la infinita niebla;
ensueño de una noche sin aurora,
flor que una tumba alimentó en sus grietas:

Cuando veo tu imagen impalpable
encarnar nuestra América,
y fundirse en la estrofa transparente,
darle su vida, y palpitar en ella;

Cuando creo formar el desposorio
de tu ignorada esencia
con esa forma virgen, que los genios
para su amor o su dolor encuentran;

Cuando creo infundirte, con mi vida,
el ser de la epopeya,
y legarte a mi patria y a mi gloria,
grande como mi amor y mi impotencia,

El más débil contacto de las formas
desvanece tu huella,
como al contacto de la luz, se apaga
el brillo sin calor de las luciérnagas.

Pero te ví. Flotabas en lo oscuro,
como un girón de niebla;
afluían a ti, buscando vida,
como a su centro acuden las moléculas,

Líneas, colores, notas de un acorde
disperso, que frenéticas
se buscaban en ti; palpitaciones
que en ti buscaban corazón y arterias;

Miradas que luchaban en tus ojos
por imprimir su huella,
y lágrimas, y anhelos, y esperanzas,
que en tu alma reclamaban existencia;

Todo lo de la raza: lo inaudito,
lo que el tiempo dispersa,
y no cabe en la forma limitada,
y hace estallar la estrofa que lo encierra.

Ha quedado en mi espíritu tu sombra,
como en los ojos quedan
los puntos negros, de contornos ígneos,
que deja en ellos una lumbre intensa . . .

¡Ah! no, no pasarás, como la nube
que el agua inmóvil en su faz refleja;
como esos sueños de la media noche
que a la mañana ya no se recuerdan;

Yo te ofrezco, ¡oh ensueño de mis días!
la vida de mis cantos, que en la tierra
vivirán más que yo . . .; ¡Palpita y anda,
forma imposible de la estirpe muerta!

(Del Canto segundo del Libro primero)

IX

Cayó la flor al río.
Se ha marchitado, ha muerto.
Ha brotado, en las grietas del sepulcro,
un lirio amarillento.

La madre ya ha sentido
mucho frío en los huesos;
la madre tiene, en torno de los ojos,
amoratado cerco;

Y en el alma la angustia,
y el temblor en los miembros,
y en los brazos el niño que sonríe,
y en los labios el ruego.

Duerme hijo mío. Mira: entre las ramas
está dormido el viento;
el tigre en el flotante camalote,
y en el nido los pájaros pequeños . . .

¿Sentís la risa? Caracé el cacique
ha vuelto ebrio, muy ebrio.
Su esclava estaba pálida, muy pálida . . .
Hijo y madre ya duermen *los dos sueños*.

Los párpados del niño se cerraban.
Las sonrisas entre ellos
asomaban apenas, como asoman
las últimas estrellas a lo lejos.

Los párpados caían de la madre,
que, con esfuerzo lento,
pugnaba en vano porque no llegaran
de su pupila al agrandado hueco.

Pugnaba por mirar el indio niño
una vez más al menos;
pero el niño, para ella, poco a poco,
en un nimbo sutil se iba perdiendo.

Parecía alejarse, desprenderse,
resbalar de sus brazos, y, por verlo,
las pupilas inertes de la madre
se dilataban en supremo esfuerzo.

X

Duerme hijo mío. Mira, entre las ramas
está dormido el viento;
el tigre en el flotante camalote,
y en el nido los pájaros pequeños;
hasta en el valle
duermen los ecos.

Duerme. Si al despertar no me encontraras,
yo te hablaré a lo lejos;
una aurora sin sol vendrá a dejarte
entre los labios mi invisible beso;
duerme; me llaman,
concilia el sueño.

Yo formaré crepúsculos azules
para flotar en ellos:
para infundir en tu alma solitaria
la tristeza más dulce de los cielos;
así tu llanto
no será acerbo.

Yo empararé de aladas melodías
los sauces y los ceibos,
y enseñaré a los pájaros dormidos
a repetir mis cánticos maternos . . .
el niño duerme,
duerme sonriendo.

. . . .

La madre lo estrechó; dejó en su frente
una lágrima inmensa, en ella un beso,
y se acostó a morir. Lloró la selva,
y, al entreabrirse, sonreía el cielo.

(De « Tabaré », en *Obras completas*, 1930)

1. Albio Tibulo (54-19 a. de J. C.), poeta romano, autor de las famosas *Elegías*.

Difícil de situar en la zigzagueante marcha de poetas es SALVADOR DÍAZ MIRÓN (1853-1928). Está entre Justo Sierra, que anuncia el « modernismo », y Gutiérrez Nájera, que le abre la puerta. O, mejor, Díaz Mirón es el que entra por la ventana. A pesar de que su primer libro es de 1896 lo estudiaremos aquí, entre 1880 y 1895, porque desde hacía más de diez años su voz venía encantando a toda nuestra América. Díaz Mirón publicó dos libros: *Poesías* (1896) y *Lascas* (1901). Más tarde renegó de su pasado y sólo reconoció *Lascas*. En la primera época, hasta 1892, fué poeta victorhuguesco y byroniano. Pero Díaz Mirón, que había profetizado revoluciones políticas, hizo la única revolución posible para el poeta: la revolución interior. En este segundo período, el de *Lascas*, se serena. Hay ternura, delicadeza, perfección formal, gusto por vencer dificultades técnicas que él mismo se creaba, poesía pura. Renuncia así a la poesía que lo había hecho famoso y se pone al servicio de una nueva estética. Sacrificó su volcánica energía a una perfección de miniatura; sacrificio mayor en él por la fuerza eruptiva que debía contener. El decoro parnasiano de sus estrofas congeló muchas veces su emoción. Castigada y todo, su emoción reaparece convertida en una heroica voluntad de mejoramiento técnico en el arte del verso. Llegó a escribir los versos más difíciles de nuestra lengua; y algunos de ellos fueron también los más bellos, por lo bien que disimulaba el esfuerzo. Además de sus sonidos perfectos ofrecía una musicalidad psíquica, interior, sugestiva. Fué con *Lascas* un « modernista », aunque en el « modernismo » quedó siempre como un solitario altanero, rebelde y amenazante. Su última época es de 1902 a 1928: poesías en las que se agudiza su talento técnico.

Salvador Díaz Mirón

EJEMPLO

En la rama el expuesto cadáver se pudría,
como un horrible fruto colgante junto al tallo,
rindiendo testimonio de inverosímil fallo
y con ritmo de péndola oscilando en la vía.

La desnudez impúdica, la lengua que salía,
y alto mechón en forma de una cresta de gallo,
dábanle aspecto bufo; y al pie de mi caballo
un grupo de arrapiezos holgábase y reía.

Y el fúnebre despojo, con la cabeza gacha,
escandaloso y túmido en el verde patíbulo,
desparramaba hedores en brisa como racha,

mecido con solemnes compases de turíbulo.
Y el Sol iba en ascenso por un azul sin tacha,
y el campo era figura de una canción de Tíbulo.[1]

A ELLA

Semejas esculpida en el más fino
hielo de cumbre sonrojado al beso
del Sol, y tienes ánimo travieso,
y eres embriagadora como el vino!

Y mientes: no imitaste al peregrino
que cruza un monte de penoso acceso,
y pónese a escuchar con embeleso
un pájaro que canta en el camino.

Obrando tú como rapaz avieso,
correspondiste con la trampa al trino,
por ver mi pluma y torturarme preso!

No así el viandante que se vuelve a un pino
y pónese a escuchar con embeleso
un pájaro que canta en el camino.

Xalapa. El 27 de mayo de 1901.

DE « IDILIO »

Vestida con sucios jirones de paño,
descalza y un lirio en la greña,
la pastora gentil y risueña
camina detrás del rebaño.

Radioso y jovial firmamento.
Zarcos fondos, con blancos celajes
como espumas y nieves al viento
esparcidas en copos y encajes.

Y en la excelsa y magnífica fiesta,
y cual mácula errante y funesta,
un vil zopilote[2] resbala,
tendida e inmóvil el ala.

El Sol meridiano fulgura,
suspenso en el Toro;[3]
y el paisaje, con varia verdura,
parece artificio de talla y pintura,
según está quieto en el oro.

El fausto del orbe sublime
rutila en urente[4] sosiego;
y un derribo de paz y de fuego
baja y cunde y escuece y oprime.

Ni céfiro blanco que aliente, que rase,
que corra, que pase.

Entre dunas aurinas[5] que otean, —
tapetes de grama serpean,
cortados a trechos por brozas hostiles,
que muestran espinas y ocultan reptiles.
Y en hojas y tallos un brillo de aceite
simula un afeite.

La luz torna las aguas espejos;
y en el mar sin arrugas ni ruidos
reverbera con tales reflejos
que ciega, causando vahidos.

El ambiente sofoca y escalda;
y encendida y sudando, la chica
se despega y sacude la falda,
y así se abanica.

Los guiñapos revuelan en ondas . . .
La grey pace y trisca y holgándose tarda . . .
Y al amparo de umbráticas frondas
la palurda se acoge y resguarda.

Y un borrego con gran cornamenta
y pardos mechones de lana mugrienta,
y una oveja con bucles de armiño, —
la mejor en figura y aliño, —
se copulan con ansia que tienta.

La zagala se turba y empina . . .
Y alocada en la fiebre del celo,
lanza un grito de gusto y anhelo . . .
¡Un cambujo patán[6] se avecina!

Y en la excelsa y magnífica fiesta,
y cual mácula errante y funesta,
un vil zopilote resbala,
tendida e inmóvil el ala.

EL FANTASMA

Blancas y finas, y en el manto apenas
visibles, y con aire de azucenas,
las manos -que no rompen mis cadenas.

Azules y con oro enarenados,
como las noches limpias de nublados,
los ojos -que contemplan mis pecados.

Como albo pecho de paloma el cuello;
y como crin de sol barba y cabello;
y como plata el pie descalzo y bello.

Dulce y triste la faz; la veste zarca . . .
Así, del mal sobre la inmensa charca,
Jesús vino a mi unción, como a la barca.

Y abrillantó a mi espíritu la cumbre
con fugaz cuanto rica certidumbre,
como con tintas de refleja lumbre.

Y suele retornar; y me reintegra
la fe que salva y la ilusión que alegra;
y un relámpago enciende mi alma negra.

Cárcel de Veracruz. El 14 de diciembre de 1893.

(De *Lascas*, 1901)

2. aura, ave rapaz de América. 3. Tauro, el signo del Zodíaco. 4. ardiente, abrasador. 5. doradas. 6. Cambujo, en México aplícase al descendiente de indio y china o al contrario. Patán: rústico.

En la historia literaria aparecen formando parte del primer grupo « modernista » Martí, Gutiérrez Nájera, Casal y Silva. La muerte de todos ellos antes de 1896 ha influído para que los historiadores redondearan ese grupo. Pero debemos resistir a la tentación de embellecer la historia con esquemas geométricos. Otros esquemas se han propuesto: por ejemplo, que ese grupo modernista tiene un meridiano en el tiempo (1882, fecha del *Ismaelillo* de Martí, o 1888, fecha del *Azul* . . . de Darío) y una latitud en el espacio (al norte del Ecuador vivieron el colombiano Silva, el mexicano Gutiérrez Nájera, los cubanos Martí y Casal, el nicaragüense Darío). No es tan fácil delimitar a ese « primer modernismo ». González Prada, Zorrilla de San Martín, Almafuerte, que contribuyeron a la renovación poética, cada quien a su modo, fueron mayores de edad a los considerados « modernistas »; y vivieron al sur del Ecuador. Por otro lado, la gran figura, Rubén Darío, llena no sólo este primer período modernista sino también el segundo, de 1896 en adelante, y preferimos presentarlo en el próximo capítulo, cuando es posible hablar del « modernismo » como de un movimiento estético perfilado. No se espere una clara división entre « romanticismo » y « modernismo ». No son conceptos opuestos. No podrían serlo porque, a pesar de sus diferencias, ambos incluyen notas comunes. Románticos insatisfechos del romanticismo fueron, después de todo, quienes salieron en busca de modernidades. La llamada « literatura modernista » agrega, a los descubrimientos de la vida sentimental hechos por los románticos, la conciencia casi profesional de qué es la literatura y cuál su última moda, el sentido de las formas de más prestigio, el esfuerzo aristocrático para sobrepujarse en una alta esfera de cultura, la industria combinatoria de estilos diversos y la convicción de que eso era, en sí, un arte nuevo, el orgullo de pertenecer a una generación hispanoamericana que por primera vez puede especializarse en el arte. Nos detendremos ahora en los autores del período que termina en 1895: Martí, Gutiérrez Nájera, Casal y Silva. José Martí (Cuba; 1853-1895) es la presencia más gigantesca. Hacen bien los cubanos en reverenciar su memoria: vivió y murió heroicamente al servicio de la libertad de Cuba. Pero Martí se sale de Cuba, se sale de América: es uno de los lujos que la lengua española puede ofrecer a un público universal. Apenas tuvo tiempo, sin embargo, para consagrarse a las letras. Dejó pocas obras orgánicas, que tampoco son lo mejor que escribió. Era un ensayista, un cronista, un orador; es decir, un fragmentario, y sus fragmentos alcanzan con frecuencia altura poética. Con él culmina el esfuerzo romántico hacia una prosa estéticamente elaborada. En la historia de la prosa Martí se sitúa entre otros dos gigantes: Montalvo y Rubén Darío. Parece todavía próximo a Montalvo por el predominio en su prosa de estructuras sintácticas que podrían encontrarse en cualquier autor de la Edad de Oro; y parece ya próximo a Darío por su cultura aristocrática, cosmopolita, esteticista. Su mayor herencia literaria era castiza — renacentistas, barrocos —, no francesa. Pero por muy poco afrancesado que él fuera lo cierto es que el aire poético de muchas de sus páginas se aclara si tenemos en cuenta que Martí estimaba a los franceses que crearon la prosa pictórica (Gautier, Flaubert) e impresionista (Daudet, los Goncourt). Se quejaba de la inercia idiomática de los españoles y, al buscar elegancias en otras lenguas, prefería la literatura francesa a la inglesa. No fué un esteticista. No concebía la literatura como actividad de un especial órgano estético. Escribir era para él un modo de servir. Celebraba las letras por sus virtudes prácticas: la sinceridad con que desahogaban las emociones generosas del hombre, la utilidad con que ayudaban a mejorar la sociedad, el patriotismo con que plasmaban una conciencia criolla. Por eso, aun en su estimación de la prosa artística, había sobretonos morales. Muy significativas en este sentido son las páginas que escribió en 1882 sobre Oscar Wilde. Aprecia « las nobles y juiciosas cosas » que Wilde dijo al propagar su fe en el culto de la belleza y del arte por el arte; pero las corrige con reflexiones sobre « el poder moral y fin trascendental de la belleza». Las ideas de Martí sobre el arte variaron a lo largo de su carrera y algunas de ellas, si no fueron contradictorias, por lo menos estuvieron acentuadas contradictoriamente. Es como si en Martí guerrearan su voluntad de perfección artística y su voluntad de conducta ejemplar. Siempre refrenó su gusto por el arte puro — renunciamiento en él más enérgico que en otros pues estaba espléndidamente dotado para la pura expresión artística —; pero en los últimos años tiró tanto de la rienda que su impulso hacia el arte fué deteniéndose. Al crecer su impaciencia por actuar — más o menos alrededor de 1887 — Martí empezó a repeler la literatura quintaesenciada y el aprovechamiento de los « modernismos » europeos, especialmente del francés. Hay en su obra un período más esteticista y otro más moral. El primero cristalizó en una novela, la única que escribió: *Amistad funesta* (1885). En el género narrativo Martí continuará su esteticismo en los cuentos infantiles para su revista *La Edad de Oro* (1889). Su prosa, con todo, no es tan francesa como la que Darío está escribiendo ya en esos años. Martí fué orador y usaba todos los latiguillos de persuasión de que es capaz nuestra lengua. Al escribir, animado por esa voluntad práctica o sacudido por el ímpetu declamatorio, solía dar a su prosa arquitectura de sermón, de discurso, de proclama, de oración. Una tormenta de rayos de ideas, de truenos de emoción y de relámpagos de metáforas hace estallar sus parrafadas. La sinceridad es torrencial, derriba diques y socava nuevos cauces. Pero hay en su elocuencia un arquitecto laborioso. Sin duda es un escritor enfático, pero con frecuencia su énfasis no es elocuente, sino expresivo. Es riquísimo en variedad melódica: períodos desmesurados y, al otro extremo de la escala rítmica, frases concisas, elípticas, exclamativas. Martí flexibilizó la prosa para que fuera portadora de sus experiencias impresionistas. Como poeta no era menos excelente. *Ismaelillo* (1882) fué ya un libro extraño: en metros de apariencia popular y con el tema también popular de recuerdos del hogar y del hijo ausente, Martí elabora una poesía breve, pictórica, de rimas inesperadas, de sintaxis compleja, de arcaísmos y riquezas verbales, de condensación y arte detallista. Diferentes fueron sus póstumos *Versos libres*, escritos alrededor de la misma fecha: la violencia enturbia la visión poética. En *Versos sencillos* (1891) Martí fué original porque llegó a zonas más profundas de sí y nos las cifró en apretados símbolos.

José Martí

SUEÑO DESPIERTO

Yo sueño con los ojos
abiertos, y de día
y noche siempre sueño.
Y sobre las espumas
del ancho mar revuelto,
y por entre las crespas
arenas del desierto,
y del león pujante,
monarca de mi pecho,
montado alegremente
sobre el sumiso cuello,
un niño que me llama
flotando siempre veo!

SOBRE MI HOMBRO

Ved: sentado lo llevo
sobre mi hombro:
oculto va, y visible
para mí sólo:
él me ciñe las sienes
con su redondo
brazo, cuando a las fieras
penas me postro: —
cuando el cabello hirsuto
yérguese y hosco,
cual de interna tormenta
símbolo torvo,
como un beso que vuela
siento en el tosco
cráneo: su mano amansa
el bridón loco! —
cuando en medio del recio
camino lóbrego,
sonrío, y desmayado
del raro gozo,
la mano tiendo en busca
de amigo apoyo, —
es que un beso invisible
me da el hermoso
niño que va sentado
sobre mi hombro.

(De *Ismaelillo*, 1882)

COPA CON ALAS

Una copa con alas ¿quién la ha visto
antes que yo? Yo ayer la ví. Subía
con lenta majestad, como quien vierte
óleo sagrado; y a sus dulces bordes
mis regalados labios apretaba.
¡Ni una gota siquiera, ni una gota
del bálsamo perdí que hubo en tu beso!

Tu cabeza de negra cabellera,
¿te acuerdas?, con mi mano requería,
porque de mí tus labios generosos
no se apartaran. Blanda como el beso
que a ti me trasfundía, era la suave
atmósfera en redor; ¡la vida entera
sentí que a mí abrazándote, abrazaba!
¡Perdí el mundo de vista, y sus ruidos
y su envidiosa y bárbara batalla!
¡Una copa en los aires ascendía
y yo, en brazos no vistos reclinado
tras ella, asido de sus dulces bordes,
por el espacio azul me remontaba!

¡Oh, amor, oh, inmenso, oh, acabado artista!
En rueda o riel funde el herrero el hierro;
una flor o mujer o águila o ángel
en oro o plata el joyador cincela;
¡Tú sólo, sólo tú, sabes el modo
de reducir el Universo a un beso!

DOS PATRIAS

Dos patrias tengo yo: Cuba y la noche.
¿O son una las dos? No bien retira
su majestad el sol, con largos velos
y un clavel en la mano, silenciosa
Cuba cual viuda triste me aparece.
¡Yo sé cuál es ese clavel sangriento
que en la mano le tiembla! Está vacío
mi pecho, destrozado está y vacío
en donde estaba el corazón. Ya es hora
de empezar a morir. La noche es buena
para decir adiós. La luz estorba
y la palabra humana. El universo
habla mejor que el hombre.

Cual bandera
que invita a batallar, la llama roja
de la vela flamea. Las ventanas
abro, ya estrecho en mí. Muda, rompiendo
las hojas del clavel, como una nube
que enturbia el cielo, Cuba, viuda, pasa . . .

(De *Versos libres*, 1882)

AMOR DE CIUDAD GRANDE

De gorja son y rapidez los tiempos.
Corre cual luz la voz; en alta aguja,
cual nave despeñada en sirte horrenda,
húndese el rayo, y en ligera barca
el hombre, como alado, el aire hiende.
Así el amor, sin pompa ni misterio
muere, apenas nacido, de saciado!
Jaula es la villa de palomas muertas
y ávidos cazadores! Si los pechos
se rompen de los hombres, y las carnes
rotas por tierra ruedan, no han de verse
dentro más que frutillas estrujadas!

Se ama de pie, en las calles, entre el polvo
de los salones y las plazas; muere
la flor el día en que nace. Aquella virgen
trémula que antes a la muerte daba
la mano pura que a ignorado mozo;
el goce de temer; aquel salirse
del pecho el corazón; el inefable
placer de merecer; el grato susto
de caminar de prisa en derechura
del hogar de la amada, y a sus puertas
como un niño feliz romper en llanto;
y aquel mirar, de nuestro amor al fuego,
irse tiñendo de color las rosas,
ea, que son patrañas! Pues ¿quién tiene
tiempo de ser hidalgo? ¡Bien que sienta,
cual áureo vaso o lienzo suntuoso,
dama gentil en casa de magnate!
O si se tiene sed, se alarga el brazo
y a la copa que pasa se la apura!
Luego, la copa turbia al polvo rueda,
y el hábil catador — manchado el pecho
de una sangre invisible — sigue alegre
coronado de mirtos, su camino!
No son los cuerpos ya sino desechos,
y fosas, y jirones! Y las almas
no son como en el árbol fruta rica
en cuya blanda piel la almíbar dulce
en su sazón de madurez rebosa,
sino fruta de plaza que a brutales
golpes el rudo labrador madura!

¡La edad es ésta de los labios secos!
¡de las noches sin sueño! ¡de la vida
estrujada en agraz! ¿Qué es lo que falta
que la ventura falta? Como liebre
azorada, el espíritu se esconde,
trémulo huyendo al cazador que ríe,
cual en soto selvoso, en nuestro pecho;
y el deseo, de brazo de la fiebre,
cual rico cazador recorre el soto.

¡Me espanta la ciudad! Toda está llena
de copas por vaciar, o huecas copas!
¡Tengo miedo! ¡ay de mí! de que este vino
tósigo sea, y en mis venas luego
cual duende vengador los dientes clave!
¡Tengo sed; mas de un vino que en la tierra
no se sabe beber! ¡No he padecido
bastante aún, para romper el muro
que me aparta! ¡oh dolor! ¡de mi viñedo!
¡Tomad vosotros, catadores ruines
de vinillos humanos, esos vasos
donde el jugo de lirio a grandes sorbos
sin compasión y sin temor se bebe!
¡Tomad! ¡Yo soy honrado, y tengo miedo!

New York, abril de 1882.

[VERSOS SENCILLOS]

IX

Quiero, a la sombra de un ala,
contar este cuento en flor:
la niña de Guatemala,
la que se murió de amor.

Eran de lirios los ramos,
y las orlas de reseda
y de jazmín: la enterramos
en una caja de seda.

. . . Ella dió al desmemoriado
una almohadilla de olor:
él volvió, volvió casado:
ella se murió de amor.

Iban cargándola en andas
obispos y embajadores:
detrás iba el pueblo en tandas,
todo cargado de flores.

. . . Ella, por volverlo a ver,
salió a verlo al mirador;
él volvió con su mujer:
ella se murió de amor.

Como de bronce candente
al beso de despedida
era su frente ¡la frente
que más he amado en mi vida!

. . . Se entró de tarde en el río,
la sacó muerta el doctor;
dicen que murió de frío:
yo sé que murió de amor.

Allí, en la bóveda helada,
la pusieron en dos bancos:
besé su mano afilada,
besé sus zapatos blancos.

Callado, al oscurecer,
me llamó el enterrador:
¡nunca más he vuelto a ver
a la que murió de amor!

X

El alma trémula y sola
padece al anochecer:
hay baile; vamos a ver
la bailarina española.

Han hecho bien en quitar
el banderón de la acera;
porque si está la bandera,
no sé, yo no puedo entrar.

Ya llega la bailarina:
soberbia y pálida llega:
¿cómo dicen que es gallega?
pues dicen mal: es divina.

Lleva un sombrero torero
y una capa carmesí:
¡lo mismo que un alelí
que se pusiese un sombrero!

Se ve, de paso, la ceja,
ceja de mora traidora:
y la mirada, de mora:
y como nieve la oreja.

Preludian, bajan la luz,
y sale en bata y mantón,
la virgen de la Asunción
bailando un baile andaluz.

Alza, retando, la frente;
crúzase al hombro la manta:
en arco el brazo levanta:
mueve despacio el pie ardiente.

Repica con los tacones
el tablado zalamera,
como si la tabla fuera
tablado de corazones.

Y va el convite creciendo
en las llamas de los ojos,
y el manto de flecos rojos
se va en el aire meciendo.

Súbito, de un salto arranca:
húrtase, se quiebra, gira:
abre en dos la cachemira,
ofrece la bata blanca.

El cuerpo cede y ondea;
la boca abierta provoca;
es una rosa la boca:
lentamente taconea.

Recoge, de un débil giro
el manto de flecos rojos:
se va, cerrando los ojos,
se va, como en un suspiro . . .

Baila muy bien la española,
es blanco y rojo el mantón:
¡vuelve, fosca, a su rincón
el alma trémula y sola!

XVI

En el alféizar calado
de la ventana moruna,
pálido como la luna,
medita un enamorado.

Pálida, en su canapé
de seda tórtola y roja,
Eva, callada, deshoja
una violeta en el té.

XLV

Sueño con claustros de mármol
donde en silencio divino
los héroes, de pie, reposan:
¡de noche, a la luz del alma,

hablo con ellos: de noche!
están en fila: paseo
entre las filas: las manos
de piedra les beso: abren
los ojos de piedra: mueven
los labios de piedra: tiemblan
las barbas de piedra: empuñan
la espada de piedra: lloran:
¡vibra la espada en la vaina!
mudo, les beso la mano.

Hablo con ellos, de noche!
están en fila: paseo
entre las filas: lloroso
me abrazo a un mármol: « Oh mármol,
dicen que beben tus hijos
su propia sangre en las copas
venenosas de sus dueños!
¡Que hablan la lengua podrida
de sus rufianes! Que comen
juntos el pan del oprobio,
en la mesa ensangrentada!
¡Que pierden en lengua inútil
el último fuego! ¡Dicen,
oh mármol, mármol dormido,
que ya se ha muerto tu raza! »

Échame en tierra de un bote
el héroe que abrazo: me ase
del cuello: barre la tierra
con mi cabeza: levanta
el brazo, ¡el brazo le luce
lo mismo que un sol!: resuena
la piedra: buscan el cinto
las manos blancas: del soclo
saltan los hombres de mármol!

(De *Versos sencillos*, 1891)

. . .

En un campo florido en que retoñan
al sol de abril las campanillas blancas,
un coro de hombres jóvenes esperan
a sus novias gallardas.

Tiembla el ramaje; cantan y aletean
los pájaros; las salvias de su nido
salen, a ver pasar las lindas mozas
en sus blancos vestidos.

Ya se ven en parejas por lo oscuro
susurrando los novios venturosos:
volverán, volverán dentro de un año
más felices los novios.

Sólo uno, el más feliz, uno sombrío,
con un traje más blanco que la nieve,
para nunca volver, llevaba al brazo
la novia que no vuelve.

(De *Flores del destierro*)

ESCENA NEOYORQUINA

Es mañana de otoño, clara y alegre. El sol amable calienta y conforta. Agólpase la gente a la puerta del tranvía del puente de Brooklyn: que ya corre el tranvía y toda la ciudad quiere ir por él.

Suben a saltos la escalera de granito y repletan de masa humana los andenes. ¡Parece como que se ha entrado en casa de gigantes y que se ve ir y venir por todas partes a la dueña de la casa!

Bajo el amplio techado se canta este poema. La dama es una linda locomotora en traje negro. Avanza, recibe, saluda, lleva a su asiento al huésped, corre a buscar otro, déjalo en nuevo sitio, adelántase a saludar a aquel que llega. No pasa de los dinteles de la puerta. Gira: torna: entrega: va a diestra y a siniestra: no reposa un instante. Dan deseos, al verla venir, campaneando alegremente, de ir a darle la mano. Como que se la ve tan avisada y diligente, tan útil y animosa, tan pizpireta y gentil, se siente amistad humana por la linda locomotora. Viendo a tantas cabecillas menudas de hombres asomados al borde del ancho salón donde la dama colosal deja y toma carros, y revolotea, como rabelaisiana[1] mariposa, entre rieles, andenes y casillas — dijérase que los tiempos se han trocado y que los liliputienses han venido a hacer visita a *Gulliver*.[2]

Los carros que atraviesan el puente de Brooklyn vienen de New York, traídos por la cuerda movible que entre los rieles se desliza velozmente por sobre ruedas de hierro, y, desde las seis de la mañana hasta la una de la madrugada del día siguiente, jamás para. Pero donde empieza la colosal estación, el carro suelta

1. de Rabelais, el escritor francés (1495-1553), autor de *Gargantúa y Pantagruel*. 2. referencia al personaje de la novela de Jonathan Swift, (1667-1745). 3. en Cuba, aguja de ferrocarril. 4. ciudad del Estado de Carolina del Sur en los Estados Unidos en la que el terremoto del 31 de agosto de 1886 causó daños considerables. 5. fuerte en la bahía de Charleston, capturado por los Confederados en la guerra de Secesión el 14 de abril de 1861.

la cuerda que ha venido arrastrándolo, y se detiene. La locomotora, que va y viene como ardilla de hierro, parte a buscarlo. Como que mueve al andar su campana sonora, parece que habla. Llega al carro, lo unce a su zaga; arranca con él, estación adentro, hasta el vecino chucho;[3] llévalo, ya sobre otros rieles, con gran son de campana vocinglera, hasta la salida de la estación, donde abordan el carro, ganosos de contar el nuevo viaje, centenares de pasajeros. Y allá va la coqueta de la casa en busca de otro carro, que del lado contiguo deja su carga de transeúntes neoyorquinos.

Abre el carro los grifos complicados que salen de debajo de su pavimento; muerde con ellos la cuerda rodante, y ésta lo arrebata a paso de tren, por entre ambas calzadas de carruajes del puente, por junto a millares de curiosos, que en el camino central de a pie miran absortos; por sobre las casas altas y vastos talleres, que como enormes juguetes se ven allá en lo hondo; arrastra la cuerda al carro por sobre el armazón del ferrocarril elevado, que parece fábrica de niños; por sobre los largos muelles, que parecen siempre abiertas fauces; por sobre los topes de los mástiles; por sobre el río turbio y solemne, que corre abajo, como por cauce abierto en un abismo; por entre las entrañas solitarias del puente magnífico, gran trenzado de hierro, bosque extenso de barras y puntales, suspendido en longitud de media legua, de borde a borde de las aguas. ¡Y el vapor, que parece botecillo! ¡Y el botecillo, que parece mosca! ¡Y el silencio, cual si entrase en celestial espacio! ¡Y la palabra humana, palpitante en los hilos numerosos de enredados telégrafos, serpeando, recodeando, hendiendo la acerada y colgante maleza, que sustenta por encima del agua vencida sus carros volantes!

Y cuando se sale al fin al nivel de las calzadas del puente, del lado de New York, no se siente que se llega, sino que se desciende.

Y se cierran involuntariamente los ojos, como si no quisiera dejarse de ver la maravilla.

[1883]

EL TERREMOTO DE CHARLESTON[4]

Un terremoto ha destrozado la ciudad de Charleston. Ruina es hoy lo que ayer era flor, y por un lado se miraba en el agua arenosa de sus ríos, surgiendo entre ellos como un cesto de frutas, y por el otro se extendía a lo interior en pueblos lindos, rodeados de bosques de magnolias, y de naranjos y jardines.

Los blancos vencidos y los negros bien hallados viven allí después de la guerra en lánguida concordia; allí no se caen las hojas de los árboles; allí se mira al mar desde los colgadizos vestidos de enredaderas; allí, a la boca del Atlántico, se levanta casi oculto por la arena el fuerte Sumter,[5] en cuyos muros rebotó la bala que llamó al fin a guerra al Sur y al Norte; allí recibieron con bondad a los viajeros infortunados de la barca Puig.

Las calles van derechas a los dos ríos; borda la población una alameda que se levanta sobre el agua; hay un pueblo de buques en los muelles, cargando algodón para Europa y la India; en la calle de King se comercia; la de Meeting ostenta hoteles ricos; viven los negros parleros y apretados en un barrio populoso; y el resto de la ciudad es de residencias bellas, no fabricadas hombro a hombro como estas casas impúdicas y esclavas de las ciudades frías del Norte, sino con ese noble apartamiento que ayuda tanto a la poesía y decoro de la vida. Cada casita tiene sus rosales, y su patio en cuadro lleno de hierba y girasoles y sus naranjos a la puerta.

Se destacan sobre las paredes blancas las alfombras y ornamentos de colores alegres que en la mañana tienden en la baranda del colgadizo alto las negras risueñas, cubierta la cabeza con el pañuelo azul o rojo; el polvo de la derrota veía en otros lugares el color crudo del ladrillo de las moradas opulentas. Se vive con valor en el alma y con luz en la mente en aquel pueblo apacible de ojos negros.

¡Y hoy los ferrocarriles que llegan a sus puertas se detienen a medio camino sobre sus rieles torcidos, hundidos, levantados; las torres están por tierra; la población ha pasado una semana de rodillas; los negros y sus antiguos señores han dormido bajo la misma lona, y comido del mismo pan, de lástima, frente a las ruinas de sus casas, a las paredes caídas, a las rejas lanzadas de su base de piedra, a las columnas rotas!

Los cincuenta mil habitantes de Charleston, sorprendidos en las primeras horas de la noche por el temblor de tierra que sacudió como nidos de paja sus hogares, viven aún en las calles y en las plazas, en carros, bajo tiendas, bajo casuchas cubiertas con sus propias ropas.

Ocho millones de pesos rodaron en polvo en veinticinco segundos. Sesenta han muerto: unos, aplastados por las paredes que caían; otros, de espanto. Y en la misma hora tremenda, muchos niños vinieron a la vida.

Estas desdichas que arrancan de las entrañas de la tierra, hay que verlas desde lo alto de los cielos. De allí los terremotos, con todo su espantable arreo de dolores humanos, no son más que el ajuste del suelo visible sobre sus entrañas encogidas, indispensable para el equilibrio de la creación; ¡con toda la majestad de sus pesares, con todo el empuje de olas de su juicio, con todo ese universo de alas que le golpea de adentro el cráneo, no es el hombre más que una de esas burbujas resplandecientes que danzan a tumbos ciegos en un rayo de sol! ¡pobre guerrero del aire, recamado de oro, siempre lanzado a tierra por un enemigo que no ve, siempre levantándose aturdido del golpe, pronto a la nueva pelea, sin que sus manos le basten nunca a apartar los torrentes de la propia sangre que le cubren los ojos!

¡Pero siente que sube como la burbuja por el rayo de sol; pero siente en su seno todos los goces y luces, y todas las tempestades y padecimientos de la naturaleza que ayuda a levantar!

Toda esta majestad rodó por tierra en la hora de horror del terremoto en Charleston.

Serían las diez de la noche. Como abejas de oro trabajaban sobre sus cajas de imprimir los buenos hermanos que hacen los periódicos; ponía fin a sus rezos en las iglesias la gente devota, que en Charleston, como país de poca ciencia e imaginación ardiente, es mucha; las puertas se cerraban, y al amor o al reposo pedían fuerzas los que habían de reñir al otro día la batalla de la casa; el aire sofocante y lento no llevaba el olor de las rosas; dormía media Charleston; ¡ni la luz va más aprisa que la desgracia que la esperaba!

Nunca allí se había estremecido la tierra, que en blanda pendiente se inclina hacia el mar; sobre suelo de lluvias, que es el de la planicie de la costa, se extiende el pueblo; jamás hubo cerca volcanes ni volcanillos, columnas de humo, levantamientos y solfataras; de aromas eran las únicas columnas, aromas de los naranjos perennemente cubiertos de flores blancas. Ni del mar venían tampoco sobre sus costas de agua baja, que amarillea con la arena de la cuenca, esas olas robustas que echa sobre la orilla, oscuras como fauces, el Océano, cuando su asiento se desequilibra, quiebra o levanta, y sube de lo hondo la tremenda fuerza que hincha y encorva la ola y la despide como un monte hambriento contra la playa.

En esa paz, señora de las ciudades del Mediodía, empezaba a irse la noche, cuando se oyó un ruido que era apenas como el de un cuerpo pesado que empujan de prisa.

Decirlo es verlo. Se hinchó el sonido: lámparas y ventanas retemblaron . . ., rodaba ya bajo tierra pavorosa artillería; sus letras sobre las cajas dejaron caer los impresores, con sus casullas huían los clérigos, sin ropas se lanzan a las calles las mujeres olvidadas de sus hijos, corrían los hombres desolados por entre las paredes bamboleantes: ¿quién asía por el cinto a la ciudad, y la sacudía en el aire, con mano terrible, y la desconyuntaba?

Los suelos ondulaban; los muros se partían; las casas se mecían de un lado a otro; la gente casi desnuda besaba la tierra: « ¡oh Señor! ¡oh mi hermoso Señor! », decían llorando las voces sofocadas; ¡abajo, un pórtico entero!; huía el valor del pecho y el pensamiento se turbaba; ya se apaga, ya tiembla menos, ya cesa. ¡El polvo de las casas caídas subía por encima de los árboles y de los techos de las casas!

Los padres desesperados aprovechan la tregua para volver por sus criaturas; con sus manos aparta las ruinas de su puerta propia una madre joven de grande belleza; hermanos y maridos llevan a rastra, o en brazos, a mujeres desmayadas; un infeliz que se echó de una ventana anda sobre su vientre dando gritos horrendos, con los brazos y las piernas rotas; una anciana es acometida de un temblor, y muere; otra, a quien mata el miedo, agoniza abandonada en un espasmo; las luces de gas débiles, que apenas se distinguen en el aire espeso, alumbran la población desatentada, que corre de un lado a otro, orando, llamando a grandes voces a Jesús, sacudiendo los brazos en alto. Y de pronto en la sombra se yerguen, bañando de esplendor rojo la escena, altos incendios que mueven pesadamente sus anchas llamas.

Se nota en todas las caras, a la súbita luz, que acaban de ver la muerte: la razón flota en jirones en torno a muchos rostros, y en torno de otros se la ve que vaga, cual buscando su asiento ciega y aturdida. Y las llamas son palio, y el incendio sube; pero ¿quién cuenta en palabras lo que vió entonces? Se oye venir de nuevo el ruido

6. John Caldwell Calhoun (1782-1850), James Gaddens (1788-1858), Edward Rutledge (1749-1800), Thomas Pinckney (1746-1828), personajes destacados en la política y la diplomacia, nacidos todos ellos en esa ciudad. 7. relativo a Hibernia, el nombre latino de Irlanda, o a sus habitantes; irlandés.

sordo; giran las gentes, como estudiando la mejor salida; rompen a huir en todas direcciones; la ola de abajo crece y serpentea; cada cual cree que tiene encima a un tigre.

Unos caen de rodillas; otros se echan de bruces; viejos señores pasan en brazos de sus criados fieles; se abre en grietas la tierra; ondean los muros como un lienzo al viento; topan en lo alto las cornisas de los edificios que se dan el frente; el horror de las bestias aumenta el de las gentes; los caballos que no han podido desuncirse de sus carros los vuelcan de un lado a otro con las sacudidas de sus flancos; uno dobla las patas delanteras; otros husmean el suelo; a otro, a la luz de las llamas, se le ven los ojos rojos y el cuerpo temblante como caña en tormenta: ¿qué tambor espantoso llama en las entrañas de la tierra a la batalla?

Entonces, cuando cesó la ola segunda, cuando ya estaban las almas preñadas de miedo, cuando de bajo los escombros salían, como si tuvieran brazos, los gritos ahogados de los moribundos, cuando hubo que atar a tierra como a elefantes bravíos a los caballos trémulos, cuando los muros habían arrastrado al caer los hilos y postes del telégrafo, cuando los heridos se desembarazaban de los ladrillos y maderos que les cortaron la fuga, cuando vislumbraron en la sombra con la vista maravillosa del amor sus casas rotas las pobres mujeres, cuando el espanto dejó encendida la imaginación tempestuosa de los negros, entonces empezó a levantarse por sobre aquella alfombra de cuerpos postrados un clamor que parecía venir de honduras jamás exploradas, que se alzaba temblando por el aire con alas que lo hendían como si fueran flechas. Se cernía aquel grito sobre las cabezas, y parecía que llovían lágrimas. Los pocos bravos que quedaban en pie, ¡que eran muy pocos!, procuraban en vano sofocar aquel clamor creciente que se les entraba por las carnes; ¡cincuenta mil criaturas a un tiempo adulando a Dios con las lisonjas más locas del miedo!

Apagaban el fuego los más bravos, levantaban a los caídos, dejaban caer a los que ya no tenían para qué levantarse, se llevaban a cuestas a los ancianos paralizados por el horror. Nadie sabía la hora: todos los relojes se habían parado, en el primer estremecimiento.

La madrugada reveló el desastre.

Con el claror del día se fueron viendo los cadáveres tendidos en las calles, los montones de escombros, las paredes deshechas en polvo, los pórticos rebanados como a cercén, las rejas y los postes de hierro combados y retorcidos, las casas caídas en pliegues sobre sus cimientos, y las torres volcadas, y la espira más alta prendida sólo a su iglesia por un leve hilo de hierro.

El sol fué calentando los corazones: los muertos fueron llevados al cementerio donde está sin hablar aquel Calhoun que habló tan bien, y Gaddens, y Rutledge, y Pinckney[6]; los médicos atendían a los enfermos; un sacerdote confesaba a los temerosos; en persianas y en hojas de puertas recogían a los heridos.

Apilaban los escombros sobre las aceras. Entraban en las casas en busca de sábanas y colchas para levantar tiendas; frenesí mostraban los negros por alcanzar el hielo que se repartía desde unos carros. Humeaban muchas casas; por las hendeduras recién abiertas en la tierra había salido una arena de olor sulfuroso.

Todos llevan y traen. Unos preparan camas de paja. Otros duermen a un niño sobre una almohada y lo cobijan con un quitasol. Huyen aquéllos de una pared que está cayendo. ¡Cae allí un muro sobre dos pobres viejos que no tuvieron tiempo para huir! Va besando al muerto el hijo barbado que lo lleva en brazos, mientras el llanto le corre a hilos.

Se ve que muchos niños han nacido en la noche y que, bajo una tienda azul precisamente, vinieron de una misma madre dos gemelos.

Saint Michael de sonoras campanas, Saint Phillips de la torre soberbia, el Salón hiberniano[7] en que se han dicho discursos que brillaban como bayonetas, la casa de la guardia, lo mejor de la ciudad, en fin, se ha desplomado o se está inclinando sobre la tierra.

Un hombre manco, de gran bigote negro y rostro enjuto, se acerca con los ojos flameantes de gozo a un grupo sentado tristemente sobre un frontón roto: — « No ha caído, muchachos, no ha caído »; — ¡lo que no había caído era la casa de justicia, donde al oír el primer disparo de los federales sobre Fort Sumter, se despojó de su toga de juez el ardiente McGrath; juró dar al Sur toda su sangre, y se la dió!

En las casas ¡qué desolación! No hay pared firme en toda la ciudad, ni techo que no esté abierto: muchos techos de los colgadizos se mantienen sin el sustento de sus columnas, como rostros a que faltase la mandíbula inferior; las lámparas se han clavado en la pared o en forma de araña han quedado aplastadas contra el pavimento; las estatuas han descendido de sus pedestales; el agua de los tanques, colocados en lo alto de la casa, se ha filtrado por las grietas y la inunda; en el pórtico mismo parecen entender el daño los jazmines marchitos en el árbol y las rosas plegadas y mustias.

Grande fué la angustia de la ciudad en los dos días primeros. Nadie volvía a las casas. No había comercio ni mercado. Un temblor sucedía a otro, aunque cada vez menos violentos. La ciudad era un jubileo religioso; y los blancos arrogantes, cuando arreciaba el temor, unían su voz humildemente a los himnos improvisados de los negros frenéticos: ¡muchas pobres negritas cogían del vestido a las blancas que pasaban, y les pedían llorando que las llevasen con ellas — que así el hábito llega a convertir en bondad y a dar poesía a los mismos crímenes; así esas criaturas, concebidas en la miseria por padres a quienes la esclavitud heló el espíritu, aún reconocen poder sobrenatural a la casta que lo poseyó sobre sus padres; así es de buena y humilde esa raza que sólo los malvados desfiguran o desdeñan: pues su mayor vergüenza es nuestra más grande obligación de perdonarla!

Caravanas de negros salían al campo en busca de mejoras, para volver a poco aterrados de lo que veían. En veinte millas a lo interior el suelo estaba por todas partes agujereado y abierto; había grietas de dos pies de ancho a que no se hallaba fondo; de multitud de pozos nuevos salía una arena fina y blanca mezclada con agua, o arena sólo, que se apilaba a los bordes del pozo como en los hormigueros, o agua y lodo azulado, o montoncillos de lodo que llevaban encima otros de arena, como si bajo la capa de la tierra estuviese el lodo primero y la arena más a lo hondo. El agua nueva sabía a azufre y hierro.

Un estanque de cien acres se secó de súbito en el primer temblor, y estaba lleno de peces muertos. Una esclusa se había roto, y sus aguas se lo llevaron todo delante de sí.

Los ferrocarriles no podían llegar a Charleston, porque los rieles habían salido de quicio y estallado, o culebreaban sobre sus durmientes suspendidos. Una locomotora venía en carrera triunfante a la hora del primer temblor, y dió un salto, y sacudiendo tras de sí como un rosario a los vagones lanzados del carril, se echó de bruces con su maquinista muerto en la hendedura en que se abrió el camino. Otra, a poca distancia, seguía silbando alegremente; la alzó en peso el terremoto y la echó a un estanque cercano, donde está bajo cuarenta pies de agua.

Los árboles son las casas en todos los pueblos medrosos de la cercanía; y no sale de las iglesias la muchedumbre campesina, que oye espantada los mensajes de ira con que excitan sus cabezas los necios pastores: los cantos y oraciones de los templos campestres pueden oírse a millas de distancia. Todo el pueblo de Summerville ha venido abajo y por allí parece estar el centro de esta rotura de la tierra.

En Columbia las gentes se apoyaban en las paredes, como los mareados. En Abbeville el temblor echó a vuelo las campanas, que ya tocaban a somatén desenfrenado, ya plañían. En Savannah, tal fué el espanto, que las mujeres saltaron por las ventanas con sus niños de pecho, y ahora mismo se está viendo desde la ciudad levantarse en el mar a pocos metros de la costa una columna de humo.

Los bosques aquella noche se llenaron de la gente poblana, que huía de los techos sacudidos, y se amparaba de los árboles, juntándose en lo oscuro de la selva para cantar en coro, arrodillada, las alabanzas de Dios e impetrar su misericordia. En Illinois, en Kentucky, en Missouri, en Ohio, tembló y se abrió la tierra. Un masón despavorido que se iniciaba en una logia, huyó a la calle con una cuerda atada a la cintura. Un indio cherokee que venía de poner mano brutal sobre su pobre mujer, cayó de hinojos al sentir que el suelo se movía bajo sus plantas, y empeñaba su palabra al Señor de no volverla a castigar jamás.

¡Qué extraña escena vieron los que al fin, saltando grietas y pozos, pudieron llevar a Charleston socorros de dinero y tiendas de campaña! De noche llegaron. Eran las calles líneas de carros, como las caravanas del Oeste. En las plazas, que son pequeñas, las familias dormían bajo tiendas armadas con mantas de abrigo, con toallas a veces y trajes de lienzo. Tiendas moradas, carmesíes, amarillas; tiendas blancas y azules con listas rojas.

Ya habían sido echadas por tierra las paredes que más amenazaban. Alrededor de los carros de hielo, bombas de incendio y ambulancias, se había levantado tolderías con apariencia de feria. Se oía de lejos, como viniendo de barrios apartados, un vocear salvaje. Se abrazaban llorando al encontrarse las mujeres, y su llanto era el lenguaje de su gratitud al cielo: se ponían en silencio de rodillas, oraban, se separaban consoladas.

8. las ciudades de Palestina destruídas por una lluvia de fuego, de que habla la Biblia. 9. montaña de Arabia donde Moisés recibió de Dios, que se le apareció en una zarza ardiendo, la primera revelación de su misión.

Hay unos peregrinos que van y vienen con su tienda al hombro, y se sientan, y echan a andar, y cantan en coro, y no parecen hallar puesto seguro para sus harapos y su miedo. Son negros, negros en quienes ha resucitado, en lamentosos himnos y en terribles danzas, el miedo primitivo que los fenómenos de la naturaleza inspiran a su encendida raza.

Aves de espanto, ignoradas de los demás hombres, parecen haberse prendido de sus cráneos, y picotear en ellos, y flagelarles las espaldas con sus alas en furia loca.

Se vió, desde que en el horror de aquella noche se tuvo ojos con que ver, que de la empañada memoria de los pobres negros iba surgiendo a su rostro una naturaleza extraña: ¡era la raza comprimida, era el África de los padres y de los abuelos, era ese signo de propiedad que cada naturaleza pone a su hombre, y a despecho de todo accidente y violación humana, vive su vida y se abre su camino!

Trae cada raza al mundo su mandato, y hay que dejar la vía libre a cada raza, si no se ha de estorbar la armonía del universo, para que emplee su fuerza y cumpla su obra, en todo el decoro y fruto de su natural independencia: ¿ni quién cree que sin atraerse un castigo lógico pueda interrumpirse la armonía espiritual del mundo, cerrando el camino, so pretexto de una superioridad que no es más que grado en tiempo, a una de sus razas?

¡Tal parece que alumbra a aquellos hombres de África un sol negro! Su sangre es un incendio; su pasión, mordida; llamas sus ojos; y todo en su naturaleza tiene la energía de sus venenos y la potencia perdurable de sus bálsamos.

Tiene el negro una gran bondad nativa, que ni el martirio de la esclavitud pervierte, ni se oscurece con su varonil bravura.

Pero tiene, más que otra raza alguna, tan íntima comunión con la naturaleza, que parece más apto que los demás hombres a estremercerse y regocijarse con sus cambios.

Hay en su espanto y alegría· algo de sobrenatural y maravilloso que no existe en las demás razas primitivas, y recuerda en sus movimientos y miradas la majestad del león; hay en su afecto una lealtad tan dulce que no hace pensar en los perros, sino en las palomas; y hay en sus pasiones tal claridad, tenacidad, intensidad, que se parecen a las de los rayos del sol.

Miserable parodia de esa soberana constitución son esas criaturas deformadas en quienes látigo y miedo sólo les dejaron acaso vivas para transmitir a sus descendientes, engendrados en las noches tétricas y atormentadas de la servidumbre, las emociones bestiales del instinto, y el reflejo débil de su naturaleza arrebatada y libre.

Pero ni la esclavitud, que apagaría al mismo sol, puede apagar completamente el espíritu de una raza: ¡así se la vió surgir en estas almas calladas cuando el mayor espanto de su vida sacudió en lo heredado de su sangre lo que traen en ella de viento de selva, de oscilación de mimbre, de ruido de caña! ¡así resucitó en toda su melancólica barbarie en estos negros nacidos en su mayor parte en tierra de América y enseñados en sus prácticas, ese temor violento e ingenuo, como todos los de su raza llameante, a los cambios de la naturaleza escandecida, que cría en la planta el manzanillo, y en el animal el león!

Biblia les han enseñado, y hablaban su espanto en la profética lengua de la Biblia. Desde el primer instante del temblor de tierra, el horror en los negros llegó al colmo.

Jesús es lo que más aman de todo lo que saben de la cristiandad estos desconsolados, porque lo ven fusteado y manso como se vieron ellos.

Jesús es de ellos, y le llaman en sus preces « mi dueño Jesús », « mi dulce Jesús », « mi Cristo bendito. » A él imploraban de rodillas, golpeándose la cabeza y los muslos con grandes palmadas, cuando estaban viniéndose abajo espiras y columnas. « Esto es Sodoma y Gomorra »,[8] se decían temblando: « ¡Se va a abrir, se va a abrir el monte Horeb! ».[9] Y lloraban, y abrían los brazos, y columpiaban su cuerpo, y le rogaban que los tuviese con ellos hasta que « se acabase el juicio ».

Iban, venían, arrastraban en loca carrera a sus hijos; y cuando aparecieron los pobres viejos de su casta, los viejos sagrados para todos los hombres menos para el hombre blanco, postráronse en torno suyo en grandes grupos, oíanlos de hinojos con la frente pegada a la tierra, repetían en un coro convulsivo sus exhortaciones misteriosas, que del vigor e ingenuidad de su naturaleza y del divino carácter de la vejez traían tal fuerza sacerdotal que los blancos cultos, penetrados de veneración, unían la música de su alma atribulada a aquel dialecto tierno y ridículo.

Como seis muchachos negros, en lo más triste de la noche, se arrastraban en grupo por el suelo, presa de este frenesí de raza que tenía aparato religioso. Verdaderamente se arrastraban. Temblaba en su canto una indecible ansia. Tenían los rostros bañados de lágrimas: « ¡Son los angelitos, son los angelitos que llaman a la puerta!. »[10] Sollozaban en voz baja la misma estrofa que cantaban en voz alta. Luego el refrán venía, henchido de plegaria, incisivo, desesperado: « ¡Oh, díle a Noé que haga pronto el arca, que haga pronto el arca, que haga pronto el arca!. » Las plegarias de los viejos no son de frase ligada, sino de esa frase corta de las emociones genuinas y las razas sencillas.

Tiene las contorsiones, la monotonía, la fuerza, la fatiga de sus bailes. El grupo que le oye inventa un ritmo al fin de frase que le parece musical y se acomoda al estado de las almas; y sin previo acuerdo todos se juntan en el mismo canto. Esta unidad da singular influjo y encanto positivo a estos rezos grotescos, esmaltados a veces de pura poesía: « ¡Oh mi Señor, no toques; oh mi Señor, no toques otra vez a mi ciudad! »

« Los pájaros tienen sus nidos: ¡Señor, déjanos nuestros nidos! » Y todo el grupo, con los rostros en tierra, repite con una agonía que se posesiona del alma: — « ¡Déjanos nuestros nidos! »

En la puerta de una tienda se nota a una negra a quien da fantástica apariencia su mucha edad. Sus labios se mueven, pero no se la oye hablar; sus labios se mueven; y mece su cuerpo, lo mece incesantemente, hacia adelante y hacia atrás. Muchos negros y blancos la rodean con ansiedad visible, hasta que la anciana prorrumpe en este himno: — « ¡Oh, déjame ir, Jacob, déjame ir! »

La muchedumbre toda se le une, todos cantando, todos meciendo el cuerpo, como ella, de un lado a otro, levantando las manos al cielo, expresando con palmadas su éxtasis. Un hombre cae por tierra pidiendo misericordia. Es el primer convertido. Las mujeres traen una lámpara, y se encuclillan a su rededor. Le toman de la mano. Él se estremece, balbucea, entona plegarias; sus músculos se tienden, las manos se le crispan; un paño de dichosa muerte parece irle cubriendo el rostro; allí queda, junto a la tienda, desmayado. Y otros como él después. Y en cada tienda una escena como ésa. Y al alba todavía ni el canto ni el mecer de la anciana habían cesado. Allá, en los barrios viciosos, caen so pretexto de religión en orgías abominables las bestias que abundan en todas las razas.

Ya, después de siete días de miedo y oraciones, empieza la gente a habitar sus casas; las mujeres fueron las primeras en volver, y dieron ánimo a los hombres: la mujer, fácil para la alarma y primera en la resignación. El corregidor vive ya con su familia en la parte que quedó en pie de su morada suntuosa; por los rieles compuestos entran cargados de algodones los ferrocarriles; se llena de forasteros la ciudad consagrada por el valor en la guerra y ahora por la catástrofe; levanta el municipio un empréstito nacional de diez millones de pesos para reparar los edificios rotos y reponer los que han venido a tierra.

De las bolsas, de los teatros, de los diarios, de los bancos les van socorros ricos en dinero; ya se pliegan, por falta de ocupantes, muchas de las tiendas que improvisó el Gobierno en los jardines y en las plazas. Tiembla aún el suelo, como si no se hubiese acomodado definitivamente sobre su nuevo quicio: ¿cuál ha podido ser la causa de este sacudimiento de la tierra?

¿Será que, encogidas sus entrañas por la pérdida lenta de calor que echa sin cesar afuera en sus manantiales y en sus lavas, se haya contraído aquí, como en otras partes, la corteza terrestre para ajustarse a su interior cambiado y reducido que llama a sí la superficie?

La tierra entonces, cuando ya no puede resistir la tensión, se encoge y alza en ondas y se quiebra, y una de las bocas de la rajadura se monta sobre la otra con terrible estruendo, y tremor sucesivo de las rocas adyacentes, siempre elásticas, que hacia arriba y a los lados van empujando el suelo hasta que el eco del estruendo cesa.

Pero acá no hay volcanes en el área extensa en que se sintió el terremoto; y los azufres y vapores que expele por sus agujeros y grietas la superficie son los que abundan naturalmente por la formación del suelo en esta planicie costal del Atlántico, baja y arenosa.

¿Será que allá, en los senos de la mar, por virtud de ese mismo enfriamiento gradual del centro encendido, ondease el fondo demasiado extenso para cubrir la bóveda amenguada; se abriera, como todo cuerpo que violentamente se contrae, y, al cerrarse con enorme empuje sobre el borde roto, estremeciera los cimientos todos y subiese rugiendo el movimiento hasta la superficie de las olas?

Pero entonces se habría arrugado la llanura del mar en una ola monstruosa, y con las bocas de ella habría la tierra herida cebado su dolor en

10. estas citas y las siguientes son de himnos o cantos religiosos de los negros norteamericanos.

11. se refiere al primer poema de la serie titulada « Memories of President Lincoln », del libro *Leaves of Grass*.

la ciudad galana que cría flores y mujeres de ojos negros en la arena insegura de la orilla.

¿O será que, cargada por los residuos seculares de los ríos la planicie pendiente de roca fragmentaria de la costa, se arrancó con violencia cediendo al fin al peso, a la masa de gneiss que baja de los montes Alleghanys, y resbaló sobre el cimiento granítico que a tres mil pies de hondura la sustenta a la orilla de la mar, comprimiendo con la pesadumbre de la parte alta desasida de la roca las gradas inferiores de la planicie, e hinchando el suelo y sacudiendo las ciudades levantadas sobre el terreno plegado al choque en ondas?

Eso dicen que es: que la planicie costal del Atlántico, blanda y cadente, cediendo al peso de los residuos depositados sobre ella en el curso de siglos por los ríos, se deslizó sobre su lecho granítico en dirección al mar.

¡Así, sencillamente, tragando hombres y arrebatando sus casas como arrebata hojas el viento, cumplió su ley de formación el suelo, con la majestad que conviene a los actos de creación y dolor de la naturaleza!

El hombre herido procura secarse la sangre que le cubre a torrentes los ojos, y se busca la espada en el cinto para combatir al enemigo eterno, y sigue danzando al viento en su camino de átomo, subiendo siempre, como guerrero que escala, por el rayo del sol.

Ya Charleston revive, cuando aún no ha acabado su agonía, ni se ha aquietado el suelo bajo sus casas bamboleantes.

Los parientes y amigos de los difuntos hallan que el trabajo rehace en el alma las raíces que le arranca la muerte. Vuelven los negros humildes, caído el fuego que en la hora del espanto les llameó en los ojos, a sus quehaceres mansos y su larga prole. Las jóvenes valientes sacuden en los pórticos repuestos el polvo de las rocas.

Y ríen todavía en la plaza pública, a los dos lados de su madre alegre, los dos gemelos que en la hora misma de la desolación nacieron bajo una tienda azul.

[1886]

DE « EL POETA WALT WHITMAN »

(FRAGMENTO)

[. . .] Pero ayer vino Whitman del campo para recitar, ante un concurso de leales amigos, su oración sobre aquel otro hombre natural, aquella alma grande y dulce, « aquella poderosa estrella muerta del Oeste », aquel Abraham Lincoln. Todo lo culto de Nueva York asistió en silencio religioso a aquella plática resplandeciente, que por sus súbitos quiebros, tonos vibrantes, hímnica fuga, olímpica familiaridad, parecía a veces como un cuchicheo de astros. Los criados a leche latina, académica o francesa no podrían, acaso, entender aquella gracia heroica. La vida libre y decorosa del hombre en un continente nuevo ha creado una filosofía sana y robusta que está saliendo al mundo en epodos atléticos. A la mayor suma de hombres libres y trabajadores que vió jamás la tierra, corresponde una poesía de conjunto y de fe, tranquilizadora y solemne, que se levanta, como el sol del mar, incendiando las nubes, bordeando de fuego las crestas de las olas, despertando en las selvas fecundas de la orilla las flores fatigadas y los nidos. Vuela el polen; los picos cambian besos; se aparejan las ramas; buscan el sol las hojas; exhala todo música: con ese lenguaje de luz ruda habló Whitman de Lincoln.

Acaso una de las producciones más bellas de la poesía contemporánea es la mística trenodia que Whitman compuso a la muerte de Lincoln.[11] La Naturaleza entera acompaña en su viaje a la sepultura el féretro llorado. Los astros lo predijeron. Las nubes venían ennegreciéndose un mes antes. Un pájaro gris cantaba en el pantano un canto de desolación. Entre el pensamiento y la seguridad de la muerte viaja el poeta por los campos conmovidos, como entre dos compañeros. Con arte de músico agrupa, esconde y reproduce estos elementos tristes en una armonía total del crepúsculo. Parece, al acabar la poesía, como si la tierra toda estuviese vestida de negro, y el muerto la cubriera desde un mar al otro. Se ven las nubes, la luna cargada que anuncia la catástrofe, las alas largas del pájaro gris. Es mucho más hermoso, extraño y profundo que *El cuervo* de Poe. El poeta trae al féretro un gajo de lilas.

Ya sobre las tumbas no gimen los sauces; la muerte es « la cosecha, la que abre la puerta, la gran reveladora »; lo que está siendo, fué y volverá a ser; en una grave y celeste primavera se confunden las oposiciones y penas aparentes; un hueso es una flor. Se oye de cerca el ruido de los soles que buscan con majestuoso movimiento su puesto definitivo en el espacio; la vida es un himno; la muerte es una forma oculta de la vida; santo es el sudor y el entozoario es santo; los hombres, al pasar, deben besarse en la mejilla;

abrácense los vivos en amor inefable; amen la hierba, el animal, el aire, el mar, el dolor, la muerte; la vida no tiene dolores para el que entiende a tiempo su sentido; del mismo germen son la miel, la luz y el beso; en la sombra que esplende en paz como una bóveda maciza de estrellas, levántase con música suavísima, por sobre los mundos dormidos como canes a sus pies, un apacible y enorme árbol de lilas. [. . .]

[1887]

LA MUÑECA NEGRA

De puntillas, de puntillas, para no despertar a Piedad, entran en el cuarto de dormir el padre y la madre. Vienen riéndose, como dos muchachones. Vienen de la mano, como dos muchachos. El padre viene detrás, como si fuera a tropezar con todo. La madre no tropieza; porque conoce el camino. ¡Trabaja mucho el padre, para comprar todo lo de la casa, y no puede ver a su hija cuando quiere! A veces, allá en el trabajo, se ríe solo, o se pone de repente como triste, o se le ve en la cara como una luz; y es que está pensando en su hija; se le cae la pluma de la mano cuando piensa así, pero en seguida empieza a escribir, y escribe tan de prisa, tan de prisa, que es como si la pluma fuera volando. Y le hace muchos rasgos a la letra, y las *oes* le salen grandes como un sol, y las *ges* largas como un sable, y las *eles* están debajo de la línea, como si se fueran a clavar en el papel, y las *eses* caen al fin de la palabra, como una hoja de palma; ¡tiene que ver lo que escribe el padre cuando ha pensado mucho en la niña! Él dice que siempre que le llega por la ventana el olor de las flores del jardín, piensa en ella. O a veces, cuando está trabajando cosas de números, o poniendo un libro sueco en español, la ve venir, venir despacio, como en una nube, y se le sienta al lado, le quita la pluma, para que repose un poco, le da un beso en la frente, le tira de la barba rubia, le esconde el tintero: es sueño no más, no más que sueño, como esos que se tienen sin dormir, en que ve uno vestidos muy bonitos, o un caballo vivo de cola muy larga, o un cochecito, con cuatro chivos blancos, o una sortija con la piedra azul; sueño es no más, pero dice el padre que es como si lo hubiera visto, y que después tiene más fuerza y escribe mejor. Y la niña se va, se va despacio por el aire, que parece de luz todo; se va como una nube.

Hoy el padre no trabajó mucho, porque tuvo que ir a una tienda; ¿a qué iría el padre a una tienda? y dicen que por la puerta de atrás entró una caja grande; ¿qué vendrá en la caja? ¡a saber lo que vendrá! Mañana hace ocho años que nació Piedad. La criada fué al jardín y se pinchó el dedo por cierto, por querer coger, para un ramo que hizo, una flor muy hermosa. La madre a todo dice que sí, y se puso el vestido nuevo, y le abrió la jaula al canario. El cocinero está haciendo un pastel, y recortando en figura de flores los nabos y las zanahorias, y le devolvió a la lavandera el gorro, porque tenía una mancha que no se veía apenas, pero, « ¡hoy, hoy, señora lavandera, el gorro ha de estar sin mancha! » Piedad no sabía, no sabía. Ella sí vió que la casa estaba como el primer día de sol, cuando se va ya la nieve, y les salen las hojas a los árboles. Todos sus juguetes se los dieron aquella noche, todos. Y el padre llegó muy temprano del trabajo, a tiempo de ver a su hija dormida. La madre lo abrazó cuando lo vió entrar; ¡y lo abrazó de veras! Mañana cumple Piedad ocho años.

*

El cuarto está a media luz, una luz como la de las estrellas, que viene de la lámpara de velar, con su bombillo de color de ópalo. Pero se ve, hundida en la almohada, la cabecita rubia. Por la ventana entra la brisa, y parece que juegan, las mariposas que no se ven, con el cabello dorado. Le da en el cabello la luz. Y la madre y el padre vienen andando, de puntillas. ¡Al suelo, el tocador de jugar! ¡Este padre ciego, que tropieza con todo! Pero la niña no se ha despertado. La luz le da en la mano ahora; parece una rosa la mano. A la cama no se puede llegar; porque están alrededor todos los juguetes, en mesas y sillas. En una silla está el baúl que le mandó en Pascuas la abuela, lleno de almendras y de mazapanes; boca abajo está el baúl, como si lo hubieran sacudido, a ver si caía alguna almendra de un rincón, o si andaban escondidas por la cerradura algunas migajas de mazapán; ¡eso es, de seguro, que las muñecas tenían hambre! En otra silla está la loza, mucha loza y muy fina, y en cada plato una fruta pintada; un plato tiene una cereza, y otro un higo, y otro una uva; da en el plato ahora

12. el marqués de La Fayette (1757-1834). 13. Benjamin Franklin (1706-1790).

la luz, en el plato del higo, y se ven como chispas de estrellas; ¿cómo habrá venido esta estrella a los platos? « ¡Es azúcar! » dijo el pícaro padre. « ¡Eso es de seguro! » dice la madre: « eso es que estuvieron las muñecas golosas comiéndose el azúcar. » El costurero está en otra silla, y muy abierto, como de quien ha trabajado de verdad; el dedal está machucado ¡de tanto coser!; cortó la modista mucho, porque del calicó que le dió la madre no queda más que redondel con el borde de picos, y el suelo está por allí lleno de recortes, que le salieron mal a la modista, y allí está la chambra empezada a coser, con la aguja clavada junto a una gota de sangre. Pero la sala, y el gran juego, está en el velador, al lado de la cama. El rincón, allá contra la pared, es el cuarto de dormir de las muñequitas de loza, con su cama de la madre, de colcha de flores, y al lado una muñeca de traje rosado, en una silla roja; el tocador está entre la cama y la cuna, con su muñequita de trapo, tapada hasta la nariz, y el mosquitero encima; la mesa del tocador es una cajita de cartón castaño, y el espejo es de los buenos, de los que vende la señora pobre de la dulcería, a dos por un centavo. La sala está delante del velador, y tiene en medio una mesa, con el pie hecho de un carretel de hilo, y lo de arriba de una concha de nácar, con una jarra mexicana en medio, de las que traen los muñecos aguadores de México; y alrededor unos papelitos doblados, que son los libros. El piano es de madera, con las teclas pintadas; y no tiene banqueta de tornillo, que eso es poco lujo, sino una de espaldar, hecha de la caja de una sortija, con lo de abajo forrado de azul; y la tapa cosida por un lado, para la espalda, y forrada de rosa; y encima un encaje. Hay visitas, por supuesto, y son de pelo de veras, con ropones de seda lila de cuartos blancos, y zapatos dorados; y se sientan sin doblarse, con los pies en el asiento; y la señora mayor, la que trae gorra color de oro, y está en el sofá, tiene su levantapiés, porque del sofá se resbala; y el levantapiés es una cajita de paja japonesa, puesta boca abajo; en un sillón blanco están sentadas juntas, con los brazos muy tiesos, dos hermanas de loza. Hay un cuadro en la sala, que tiene detrás, para que no se caiga, un pomo de olor; y es una niña de sombrero colorado, que trae en los brazos un cordero. En el pilar de la cama, del lado del velador, está una medalla de bronce, de una fiesta que hubo con las cintas francesas; en su gran moña de los tres colores está adornando la sala el medallón, con el retrato de un francés muy hermoso, que vino de Francia a pelear porque los hombres fueran libres,[12] y otro retrato del que inventó el pararrayos, con la cara de abuelo que tenía cuando pasó el mar para pedir a los reyes de Europa que lo ayudaran a hacer libre su tierra;[13] ésa es la sala, y el gran juego de Piedad. Y en la almohada, durmiendo en su brazo, y con la boca desteñida de los besos, está su muñeca negra.

*

Los pájaros del jardín la despertaron por la mañanita. Parece que se saludan los pájaros, y la convidan a volar. Un pájaro llama, y otro pájaro responde. En la casa hay algo, porque los pájaros se ponen así cuando el cocinero anda por la cocina saliendo y entrando, con el delantal volándole por las piernas, y la olla de plata en las dos manos, oliendo a leche quemada y a vino dulce. En la casa hay algo; porque si no, ¿para qué está ahí, al pie de la cama, su vestidito nuevo, el vestidito color de perla, y la cinta lila que compraron ayer, y las medias de encaje? « Yo te digo, Leonor, que aquí pasa algo. Dímelo tú, Leonor, tú que estuviste ayer en el cuarto de mamá, cuando yo fuí a paseo. ¡Mamá mala, que no te dejó ir conmigo, porque dice que te he puesto muy fea con tantos besos, y que no tienes pelo, porque te he peinado mucho! La verdad, Leonor; tú no tienes mucho pelo; pero yo te quiero así, sin pelo, Leonor; tus ojos son los que quiero yo, porque con los ojos me dices que me quieres; te quiero mucho, porque no te quieren: ¡a ver! ¡sentada aquí en mis rodillas, que te quiero peinar!; las niñas buenas se peinan en cuanto se levantan; ¡a ver, los zapatos, que ese lazo no está bien hecho!; y los dientes, déjame ver los dientes, las uñas; ¡Leonor! esas uñas no están limpias. Vamos, Leonor, dime la verdad; oye, oye a los pájaros que parece que tienen baile; dime, Leonor, ¿qué pasa en esta casa? » Y a Piedad se le cayó el peine de la mano, cuando le tenía ya una trenza hecha a Leonor; y la otra estaba toda alborotada. Lo que pasaba, allí lo veía ella. Por la puerta venía la procesión. La primera era la criada con el delantal de rizos de los días de fiesta y la cofia de servir la mesa en los días de visita; traía el chocolate, el chocolate con crema, lo mismo que el día de Año Nuevo, y los panes dulces en una cesta de plata; luego venía la madre, con un ramo de flores blancas y azules; ¡ni una flor colorada en el ramo, ni una flor amarilla!; y luego venía la lavandera, con el gorro blanco que el cocinero no se quiso poner, y un estandarte que el cocinero le hizo, con un diario y un bastón; y decía en el estandarte, debajo de una corona de pensamientos: « ¡Hoy cumple Piedad ocho años! » Y la besaron, y la vistieron con el traje color de perla, y la llevaron, con el estandarte detrás, a la sala de los libros de su padre, que tenía muy peinada su barba rubia, como si se la hubieran peinado muy despacio, y redondeándole las puntas, y poniendo cada hebra en su lugar. A cada momento se asomaba a la puerta, a ver si Piedad venía; escribía, y se ponía a silbar; abría un libro, y se quedaba mirando a un retrato, a un retrato que tenía siempre en su mesa, y era como Piedad, una Piedad de vestido largo. Y cuando oyó ruido de pasos, y un vozarrón que venía tocando música en un cucurucho de papel, ¿quién sabe lo que sacó de una caja grande? y se fué a la puerta con una mano en la espalda; y con el otro brazo cargó a su hija. Luego dijo que sintió como que en el pecho se le abría una flor, y como que se le encendía en la cabeza un palacio, con colgaduras azules de flecos de oro, y mucha gente con alas; luego dijo todo eso, pero entonces, nada se le oyó decir. Hasta que Piedad dió un salto en sus brazos, y se le quiso subir por el hombro, porque en un espejo había visto lo que llevaba en la otra mano el padre. « ¡Es como el sol el pelo, mamá, lo mismo que el sol! ¡ya la ví, ya la ví, tiene el vestido rosado! ¡dile que me la dé, mamá! si es de peto verde, de peto de terciopelo, ¡como las mías son las medias, de encaje como las mías! » Y el padre se sentó con ella en el sillón, y le puso en los brazos la muñeca de seda y porcelana. Echó a correr Piedad, como si buscase a alguien. « ¿Y yo me quedo hoy en casa por mi niña — le dijo su padre, — y mi niña me deja solo? » Ella escondió la cabecita en el pecho de su padre bueno. Y en mucho, mucho tiempo, no la levantó, aunque ¡de veras! le picaba la barba.

*

Hubo paseo por el jardín, y almuerzo con un vino de espuma debajo de la parra, y el padre estaba muy conversador, cogiéndole a cada momento la mano a su mamá, y la madre estaba como más alta, y hablaba poco, y era como música todo lo que hablaba. Piedad le llevó al cocinero una dalia roja, y se la prendió en el pecho del delantal; y a la lavandera le hizo una corona de claveles; y a la criada le llenó los bolsillos de flores de naranjo, y le puso en el pelo una flor, con sus dos hojas verdes. Y luego, con mucho cuidado, hizo un ramo de *no me olvides*. « ¿Para quién es ese ramo, Piedad? » « No sé, no sé para quién es; ¡quién sabe si es para alguien! » Y lo puso a la orilla de la acequia, donde corría como un cristal el agua. Un secreto le dijo a su madre, y luego le dijo: « ¡Déjame ir! » Pero le dijo « caprichosa » su madre; « ¿y tu muñeca de seda, no te gusta?; mírale la cara, que es muy linda; y no le has visto los ojos azules. » Piedad sí se los había visto; y la tuvo sentada en la mesa después de comer, mirándola sin reírse; y la estuvo enseñando a andar en el jardín. Los ojos era lo que miraba ella; y le tocaba en el lado del corazón: « ¡Pero, muñeca, háblame, háblame! » Y la muñeca de seda no la hablaba. « ¿Conque no te ha gustado la muñeca que te compré, con sus medias de encaje y su cara de porcelana y su pelo fino? » « Sí, mi papá, sí me ha gustado mucho. Vamos, señora muñeca, vamos a pasear. Usted querrá coches, y lacayos, y querrá dulce de castañas, señora muñeca. Vamos, vamos a pasear. » Pero en cuanto estuvo Piedad donde no la veían, dejó a la muñeca en un tronco, de cara contra el árbol. Y se sentó sola, a pensar, sin levantar la cabeza, con la cara entre las dos manecitas. De pronto echó a correr, de miedo de que se hubiese llevado el agua el ramo de *no me olvides*.

***

— ¡Pero, criada, llévame pronto!

— ¿Piedad, qué es eso de criada? ¡Tú nunca le dices criada así, como para ofenderla!

— No, mamá, no; es que tengo mucho sueño; estoy muerta de sueño. Mira, me parece que es un monte la barba de papá; y el pastel de la mesa me da vueltas, vueltas alrededor, y se están riendo de mí las banderitas; y me parece que están bailando en el aire las flores de la zanahoria; estoy muerta de sueño; ¡adiós, mi madre!; mañana me levanto muy tempranito; tú, papá, me despiertas antes de salir; yo te quiero ver siempre antes de que te vayas a trabajar; ¡oh, las zanahorias! ¡estoy muerta de sueño! ¡Ay, mamá, no me mates el ramo! ¡mira, ya me mataste mi flor!

— ¿Conque se enoja mi hija porque le doy un abrazo?

— ¡Pégame, mi mamá! ¡papá, pégame tú! es que tengo mucho sueño.

Y Piedad salió de la sala de los libros, con la criada que le llevaba la muñeca de seda.

— ¡Qué de prisa va la niña, que se va a caer! ¿Quién espera a la niña?

— ¡Quién sabe quién me espera!

Y no habló con la criada; no le dijo que le

contase el cuento de la niña jorobadita que se volvió una flor; un juguete no más le pidió, y lo puso a los pies de la cama; y le acarició a la criada la mano, y se quedó dormida. Encendió la criada la lámpara de velar, con su bombillo de ópalo; salió de puntillas; cerró la puerta con mucho cuidado. Y en cuanto estuvo cerrada la puerta, relucieron dos ojitos en el borde de la sábana; se alzó de repente la cubierta rubia; de rodillas en la cama, le dió toda la luz a la lámpara de velar; y se echó sobre el juguete que puso a los pies, sobre la muñeca negra. La besó, la abrazó, se la apretó contra el corazón: « Ven, pobrecita, ven, que esos malos te dejaron aquí sola; tú no estás fea, no, aunque no tengas más que una trenza; la fea es ésa, la que han traído hoy, la de los ojos que no hablan; dime, Leonor, dime, ¿tú pensaste en mí? mira el ramo que te traje, un ramo de *no me olvides*, de los más lindos del jardín; ¡así, en el pecho! ¡ésta es mi muñeca linda! ¿y no has llorado? ¡te dejaron tan sola! ¡no me mires así, porque voy a llorar yo! ¡no, tú no tienes frío! ¡aquí conmigo, en mi almohada, verás como te calientas! ¡y me quitaron, para que no me hiciera daño, el dulce que te traía! ¡así, así, bien arropadita! ¡a ver, mi beso, antes de dormirte! ¡ahora, la lámpara baja! ¡y a dormir, abrazadas las dos! ¡te quiero, porque no te quieren!

(De *La Edad de oro*, octubre de 1889)

MI RAZA

Ésa de racista está siendo una palabra confusa y hay que ponerla en claro. El hombre no tiene ningún derecho especial porque pertenezca a una raza o a otra: dígase hombre, y ya se dicen todos los derechos. El negro, por negro, no es inferior ni superior a ningún otro hombre; peca por redundante el blanco que dice: « Mi raza »; peca por redundante el negro que dice: « Mi raza ». Todo lo que divide a los hombres, todo lo que especifica, aparta o acorrala es un pecado contra la humanidad. ¿A qué blanco sensato le ocurre envanecerse de ser blanco, y qué piensan los negros del blanco que se envanece de serlo y cree que tiene derechos especiales por serlo? ¿Qué han de pensar los blancos del negro que se envanece de su color? Insistir en las divisiones de raza, en las diferencias de raza, en un pueblo naturalmente dividido, es dificultar la ventura pública y la individual, que están en el mayor acercamiento de los factores que han de vivir en común. Si se dice que en el negro no hay culpa aborigen ni virus que lo inhabilite para desenvolver toda su alma de hombre, se dice la verdad, y ha de decirse y demostrarse, porque la injusticia de este mundo es mucha, y es mucha la ignorancia que pasa por sabiduría, y aún hay quien crea de buena fe al negro incapaz de la inteligencia y corazón del blanco; y si a esa defensa de la naturaleza se la llama racismo, no importa que se la llame así, porque no es más que decoro natural y voz que clama del pecho del hombre por la paz y la vida del país. Si se aleja de la condición de esclavitud, no acusa inferioridad la raza esclava, puesto que los galos blancos, de ojos azules y cabellos de oro, se vendieron como siervos, con la argolla al cuello, en los mercados de Roma; ése es racismo bueno, porque es pura justicia y ayuda a quitar prejuicios al blanco ignorante. Pero ahí acaba el racismo justo, que es el derecho del negro a mantener y a probar que su color no le priva de ninguna de las capacidades y derechos de la especie humana.

El racista blanco, que le cree a su raza derechos superiores, ¿qué derechos tiene para quejarse del racista negro que también le vea especialidad a su raza? El racista negro, que ve en la raza un carácter especial, ¿qué derecho tiene para quejarse del racista blanco? El hombre blanco que, por razón de su raza, se cree superior al hombre negro, admite la idea de la raza y autoriza y provoca al racista negro. El hombre negro que proclama su raza, cuando lo que acaso proclama únicamente en esta forma errónea es la identidad espiritual de todas las razas, autoriza y provoca al racista blanco. La paz pide los derechos comunes de la naturaleza; los derechos diferenciales, contrarios a la naturaleza, son enemigos de la paz. El blanco que se aísla, aísla al negro. El negro que se aísla, provoca a aislarse al blanco.

En Cuba no hay temor a la guerra de razas. Hombre es más que blanco, más que mulato, más que negro. En los campos de batalla murieron por Cuba, han subido juntos por los aires, las almas de los blancos y de los negros. En la vida diaria de defensa, de lealtad, de hermandad, de estudio, al lado de cada blanco hubo siempre un negro. Los negros, como los blancos, se dividen por sus caracteres, tímidos o valerosos, abnegados o egoístas, en los partidos diversos en que se agrupan los hombres. Los partidos políticos son agregados de preocupaciones, de aspiraciones, de intereses y de caracteres. Lo semejante esencial se busca y halla por sobre las diferencias de detalle; y lo fundamental de los caracteres análogos se funde en los partidos, aunque en lo incidental o en lo postergable al móvil común difieran. Pero en suma, la semejanza de los caracteres, superior como factor de unión a las relaciones internas de un color de hombres, graduado y en su grado a veces opuesto, decide e impera en la formación de los partidos. La afinidad de los caracteres es más poderosa entre los hombres que la afinidad del color. Los negros, distribuídos en las especialidades diversas u hostiles del espíritu humano, jamás se podrán ligar, ni desearán ligarse, contra el blanco, distribuído en las mismas especialidades. Los negros están demasiado cansados de la esclavitud para entrar voluntariamente en la esclavitud del color. Los hombres de pompa e interés se irán de un lado, blancos o negros; y los hombres generosos y desinteresados se irán de otro. Los hombres verdaderos, negros o blancos, se tratarán con lealtad y ternura, por el gusto del mérito y el orgullo de todo lo que honre la tierra en que nacimos, negro o blanco. La palabra racista caerá de los labios de los negros que la usan hoy de buena fe, cuando entiendan que ella es el único argumento de apariencia válida y de validez en hombres sinceros y asustadizos, para negar al negro la plenitud de sus derechos de hombre. Dos racistas serán igualmente culpables: el racista blanco y el racista negro. Muchos blancos se han olvidado ya de su color, y muchos negros. Juntos trabajan, blancos y negros, por el cultivo de la mente, por la propagación de la virtud, por el triunfo del trabajo creador y de la caridad sublime.

En Cuba no hay nunca guerra de razas. La República no se puede volver atrás; y la República, desde el día único de redención del negro en Cuba, desde la primera constitución de la independencia el 10 de abril en Guáimaro, no habló nunca de blancos ni de negros. Los derechos públicos, concedidos ya de pura astucia por el Gobierno español e iniciados en las costumbres antes de la independencia de la Isla, no podrán ya ser negados, ni por el español que los mantendrá mientras aliente en Cuba para seguir dividiendo al cubano negro del cubano blanco, ni por la independencia, que no podría negar en la libertad los derechos que el español reconoció en la servidumbre.

Y en lo demás, cada cual será libre en lo sagrado de su casa. El mérito, la prueba patente y continua de cultura y el comercio inexorable acabarán de unir a los hombres. En Cuba hay mucha grandeza en negros y blancos.

[1893]

Cronológicamente Manuel Gutiérrez Nájera (México; 1859-1895) fué, de todos los renovadores del verso, el primero en hacer resonar las notas de elegancia, gracia, refinamiento, ligereza que Rubén Darío seguirá orquestando. Esteticismo, ni frío ni frívolo — por lo menos ni tan frío ni tan frívolo como el que ya veremos en otros poetas que han de venir —, pero que juega con la vida hasta darle una figura de pura belleza: « y haz, artista, con tus dolores, / excelsos monumentos sepulcrales ». La vida se hace monumento artístico. Imágenes plásticas, bien contorneadas para que las veamos; pero algunas también sugieren visiones sin mostrarnos las cosas concretas que esas visiones ven, en una especie de vago lenguaje musical. En sus versos a « La serenata de Schubert » exclama envidiosamente: « ¡Así hablara mi alma . . . si pudiera! » Envidia a la música por su virtud insinuante, actitud nueva en nuestra literatura. En « Non omnis moriar » Gutiérrez Nájera recoge el tema de Horacio y lo reelabora con la oposición de Hombre-Poeta, tan cara al esteticismo: el poeta expresa lo inefable del hombre. Por aquí el romanticismo hispanoamericano (como antes el europeo) empieza a distanciarse del público y el poeta acabará por creerse un atormentado por elección de Dios. Gutiérrez Nájera — el Duque Job era su más famoso seudónimo — no se siente elegido pero sí aristócrata: era más duque que Job. Justo Sierra le atribuyó « pensamientos franceses en versos españoles » (como Valera le atribuiría a Darío un « galicismo mental »). En francés leyó no sólo a los franceses (en poesía, de Lamartine a

Baudelaire; en prosa, de Chateaubriand a Flaubert y Mendès), sino traducciones de la literatura: nexos con escritores mexicanos anteriores no los tenía. Visto desde América era un solitario que, en el camino, encontraría a otros como él y constituirían todos juntos un grupo: el de la llamada « primera generación modernista ». Sus imágenes, desconcertantes para los lectores de entonces, estaban concertadas entre sí, en una melodía de perfecta unidad; imágenes ordenadas como una mirada que se va desplegando hacia planos cada vez más profundos, enriqueciéndose con descubrimientos de bellezas; y, a pesar de la composición coherente, esas imágenes desfilan como ágiles cuerpos individuales. La selección que el oído de Gutiérrez Nájera hace de las palabras — las más armoniosas, las que mejor se enlazan en ritmos y rimas — coincide con la que hacen sus ojos — los objetos más lujosos, más bonitos, más exquisitos —. El prosista Gutiérrez Nájera fué también excelente: *Cuentos frágiles* (1883), *Cuentos de color de humo* (1898), crónicas, notas de viajes por México, crítica literaria.

Manuel Gutiérrez Nájera

PARA ENTONCES

Quiero morir cuando decline el día,
en alta mar y con la cara al cielo;
donde parezca un sueño la agonía,
y el alma, un ave que remonta el vuelo.

No escuchar en los últimos instantes,
ya con el cielo y con la mar a solas,
más voces ni plegarias sollozantes
que el majestuoso tumbo de las olas.

Morir cuando la luz triste retira
sus áureas redes de la onda verde,
y ser como ese sol que lento expira:
algo muy luminoso que se pierde.

Morir, y joven: antes que destruya
el tiempo aleve la gentil corona;
cuando la vida dice aún: « soy tuya »,
¡aunque sepamos bien que nos traiciona!

MIS ENLUTADAS

Descienden taciturnas las tristezas
al fondo de mi alma,
y entumecidas, haraposas brujas,
con uñas negras
mi vida escarban.

De sangre es el color de sus pupilas,
de nieve son sus lágrimas;
hondo pavor infunden . . . yo las amo
por ser las solas
que me acompañan.

Aguárdolas ansioso si el trabajo
de ellas me separa,
y búscolas en medio del bullicio,
y son constantes,
y nunca tardan.

En las fiestas, a ratos se me pierden
o se ponen la máscara,
pero luego las hallo, y así dicen:
— ¡Ven con nosotras!
— ¡Vamos a casa!

Suelen dejarme cuando sonriendo
mis pobres esperanzas,
como enfermitas ya convalecientes,
salen alegres
a la ventana.

Corridas huyen, pero vuelven luego
y por la puerta falsa
entran trayendo como nuevo huésped
alguna triste,
lívida hermana.

Ábrese a recibirlas la infinita
tiniebla de mi alma,
y van prendiendo en ella mis recuerdos
cual tristes cirios
de cera pálida.

Entre esas luces, rígido, tendido,
mi espíritu descansa;
y las tristezas revolando en torno,
lentas salmodias
rezan y cantan.

Escudriñan del húmedo aposento
rincones y covachas,
el escondrijo do guardé cuitado
todas mis culpas,
todas mis faltas.

Y urgando mudas, como hambrientas lobas,
las encuentran, las sacan,
y volviendo a mi lecho mortuorio
me las enseñan
y dicen: habla.

En lo profundo de mi ser bucean,
pescadoras de lágrimas,
y vuelven mudas con las negras conchas
en donde brillan
gotas heladas.

A veces me revuelvo contra ellas
y las muerdo con rabia,
como la niña desvalida y mártir
muerde a la harpía
que la maltrata.

Pero en seguida, viéndose impotente,
mi cólera se aplaca,
¿qué culpa tienen, pobres hijas mías,
si yo las hice
con sangre y alma?

Venid, tristezas de pupila turbia,
venid, mis enlutadas,
las que viajáis por la infinita sombra,
donde está todo
lo que se ama.

Vosotras no engañáis: venid, tristezas,
¡oh mis criaturas blancas
abandonadas por la madre impía,
tan embustera,
por la esperanza!

Venid y habladme de las cosas idas,
de las tumbas que callan,
de muertos buenos y de ingratos vivos . . .
voy con vosotras,
vamos a casa.

MARIPOSAS

Ora blancas cual copos de nieve,
ora negras, azules o rojas,
en miriadas esmaltan el aire
y en los pétalos frescos retozan.
Leves saltan del cáliz abierto,
como prófugas almas de rosas,
y con gracia gentil se columpian
en sus verdes hamacas de hojas.
Una chispa de luz les da vida
y una gota al caer las ahoga;
aparecen al claro del día,
y ya muertas las halla la sombra.

¿Quién conoce sus nidos ocultos?
¿En qué sitio de noche reposan?
Las coquetas no tienen morada . . .
Las volubles no tienen alcoba . . .
Nacen, aman, y brillan y mueren,
en el aire al morir se transforman,
y se van, sin dejarnos su huella,
cual de tenue llovizna las gotas.
Tal vez unas en flores se truecan,
y llamadas al cielo las otras,
con millones de alitas compactas
el arco-iris espléndido forman.
Vagabundas, ¿en dónde está el nido?
Sultanita, ¿qué harem te aprisiona?
¿A qué amante prefieres, coqueta?
¿En qué tumba dormís, mariposas?

Así vuelan y pasan y expiran
las quimeras de amor y de gloria,
esas alas brillantes del alma,
ora blancas, azules o rojas . . .
¿Quién conoce en qué sitio os perdisteis,
ilusiones que sois mariposas?
¡Cuán ligero voló vuestro enjambre
al caer en el alma la sombra!
Tú, la blanca, ¿por qué ya no vienes?

1. referencia al personaje de *Hamlet*, la tragedia de Shakespeare. 2. referencia a una conocida elegía de Alfred de Musset (1810-1857), publicada en *Poésies nouvelles* (1840).

¿No eras fresco azahar de mi novia?
Te formé con un grumo del cirio
que de niño llevé a la parroquia;
eras casta, creyente, sencilla,
y al posarte temblando en mi boca,
murmurabas, heraldo de goces,
« ¡Ya está cerca tu noche de bodas! »

¡Ya no viene la blanca, la buena!
Ya no viene tampoco la roja,
la que en sangre teñí, beso vivo,
al morder unos labios de rosa.
Ni la azul que me dijo: ¡poeta!
Ni la de oro, promesa de gloria.
Ha caído la tarde en el alma;
es de noche . . . ya no hay mariposas.
Encended ese cirio amarillo . . .
Ya vendrán en tumulto las otras,
las que tienen las alas muy negras
y se acercan en fúnebre ronda . . .
Compañeras, la cera está ardiendo;
compañeras, la pieza está sola . . .
Si por mi alma os habéis enlutado,
¡venid pronto, venid, mariposas!

LA SERENATA DE SCHUBERT

¡Oh, qué dulce canción! Límpida brota
esparciendo sus blandas armonías,
y parece que lleva en cada nota
muchas tristezas y ternuras mías.

¡Así hablara mi alma . . ., si pudiera!
Así, dentro del seno,
se quejan, nunca oídos, mis dolores!
Así, en mis luchas, de congoja lleno,
digo a la vida: « Déjame ser bueno! »
¡Así sollozan todos mis dolores!

¿De quién es esa voz? Parece alzarse
junto al lago azul, en noche quieta,
subir por el espacio, y desgranarse
al tocar el cristal de la ventana
que entreabre la novia del poeta . . .
¿No la oís cómo dice: « Hasta mañana »?

¡Hasta mañana, amor! El bosque espeso
cruza, cantando, el venturoso amante,
y el eco vago de su voz distante
decir parece: « ¡Hasta mañana, beso! »

¿Por qué es preciso que la dicha acabe?
¿Por qué la novia queda en la ventana,
y a la nota que dice: « ¡Hasta mañana! »
el corazón responde: « ¿Quién lo sabe? »

¡Cuántos cisnes jugando en la laguna!
¡Qué azules brincan las traviesas olas!
En el sereno ambiente, ¡cuánta luna!
Mas las almas, ¡qué tristes y qué solas!

En las ondas de plata
de la atmósfera tibia y transparente,
como una Ofelia[1] náufraga y doliente,
¡va flotando la tierna serenata!

Hay ternura y dolor en ese canto,
y tiene esa amorosa despedida
la transparencia nítida del llanto,
¡y la inmensa tristeza de la vida!

¿Qué tienen esas notas? ¿Por qué lloran?
Parecen ilusiones que se alejan,
sueños amantes que piedad imploran,
y, como niños huérfanos, ¡se quejan!

Bien sabe el trovador cuán inhumana
para todos los buenos es la suerte . . .
que la dicha es de ayer . . . y que « mañana »
es el dolor, la oscuridad, ¡la muerte!

El alma se compunge y estremece
al oír esas notas sollozadas . . .
¡Sentimos, recordamos, y parece
que surgen muchas cosas olvidadas!

¡Un peinador muy blanco y un piano!
Noche de luna y de silencio afuera . . .
Un volumen de versos en mi mano,
y en el aire, y en todo, ¡primavera!

¡Qué olor de rosas frescas! En la alfombra,
¡qué claridad de luna!, ¡qué reflejos! . . .
¡Cuántos besos dormidos en la sombra!
Y la muerte, la pálida, ¡qué lejos!

En torno al velador, niños jugando . . .
La anciana, que en silencio nos veía . . .
Schubert en tu piano sollozando,
y en mi libro, Musset con su *Lucía*.[2]

¡Cuántos sueños en mi alma y en tu alma!
¡Cuántos hermosos versos! ¡Cuántas flores!
En tu hogar apacible, ¡cuánta calma!
Y en mi pecho, ¡qué inmensa sed de amores!

¡Y todo ya muy lejos! ¡Todo ido!
¿En dónde está la rubia soñadora? . . .
¡Hay muchas aves muertas en el nido,
y vierte muchas lágrimas la aurora!

. . . Todo lo vuelvo a ver . . ., ¡pero no existe!
Todo ha pasado ahora . . ., ¡y no lo creo!
Todo está silencioso, todo triste . . .
¡Y todo alegre, como entonces, veo!

. . . Ésa es la casa . . . ¡Su ventana, aquélla!
Ése el sillón en que bordar solía . . .
La reja verde . . . y la apacible estrella
que mis nocturnas pláticas oía.

Bajo el cedro robusto y arrogante,
que allí domina la calleja oscura,
por la primera vez y palpitante
estreché entre mis brazos su cintura.

¡Todo presente en mi memoria queda:
la casa blanca, y el follaje espeso . . .
el lago azul . . . el huerto . . . la arboleda,
donde nos dimos, sin pensarlo, un beso!

Y te busco, cual antes te buscaba,
y me parece oírte entre las flores,
cuando la arena del jardín rozaba
el percal de tus blancos peinadores.

¡Y nada existe ya! Calló el piano . . .
Cerraste, virgencita, la ventana . . .
y oprimiendo mi mano con tu mano,
me dijiste también: « ¡Hasta mañana! »

¡Hasta mañana! . . . ¡Y el amor risueño
no pudo en tu camino detenerte!
Y lo que tú pensaste que era el sueño,
sueño fué, pero inmenso: ¡el de la muerte!

¡Ya nunca volveréis, noches de plata!
Ni unirán en mi alma su armonía
Schubert, con su doliente serenata,
y el pálido Musset con su *Lucía*.

DE BLANCO

¿Qué cosa más blanca que cándido lirio?
¿Qué cosa más pura que místico cirio?
¿Qué cosa más casta que tierno azahar?
¿Qué cosa más virgen que leve neblina?
¿Qué cosa más santa que el ara divina
de gótico altar?

¡De blancas palomas el aire se puebla;
con túnica blanca, tejida de niebla,
se envuelve a lo lejos feudal torreón;
erguida en el huerto la trémula acacia
al soplo del viento sacude con gracia
su níveo pompón!

¿No ves en el monte la nieve que albea?
La torre muy blanca domina la aldea,
las tiernas ovejas triscando se van,
de cisnes intactos el lago se llena,
columpia su copa la enhiesta azucena,
y su ánfora inmensa levanta el volcán.

Entremos al templo: la hostia fulgura;
de nieve parecen las canas del cura,
vestido con alba de lino sutil;
cien niñas hermosas ocupan las bancas,
y todas vestidas con túnicas blancas
en ramos ofrecen las flores de abril.

Subamos al coro: la virgen propicia
escucha los rezos de casta novicia,
y el cristo de mármol expira en la cruz;
sin mancha se yerguen las velas de cera;
de encaje es la tenue cortina ligera
que ya transparenta del alba la luz.

Bajemos al campo: tumulto de plumas
parece el arroyo de blancas espumas
que quieren, cantando, correr y saltar;
la airosa mantilla de fresca neblina
terció la montaña; la vela latina
de barca ligera se pierde en el mar.

Ya salta del lecho la joven hermosa,
y el agua refresca sus hombros de diosa,
sus brazos ebúrneos, su cuello gentil;
cantando y risueña se ciñe la enagua,
y trémulas brillan las gotas de agua
en su árabe peine de blanco marfil.

¡Oh mármol! ¡Oh nieves! ¡Oh inmensa
[blancura
que esparces doquiera tu casta hermosura!
¡Oh tímida virgen! ¡Oh casta vestal!
Tú estás en la estatua de eterna belleza,
de tu hábito blanco nació la pureza,
¡al ángel das alas, sudario al mortal!

3. Luis XVI, rey de Francia (1754-1793), cuya efigie estaba grabada en las monedas llamadas por ello « luises. » 4. un restaurante de la ciudad de México en tiempos del autor. 5. referencia al *Rey Lear*, de Shakespeare. 6. lugar donde se hace la acuñación de las monedas por el Estado.

Tú cubres al niño que llega a la vida,
coronas las sienes de fiel prometida,
al paje revistes de rico tisú.
¡Qué blancos son, reinas, los mantos de armiño!
¡Qué blanca es, ¡oh madres!, la cuna del niño!
¡Qué blanca, mi amada, qué blanca eres tú!

En sueños ufanos de amores contemplo
alzarse muy blancas las torres de un templo
y oculto entre lirios abrirse un hogar;
y el velo de novia prenderse a tu frente,
cual nube de gasa que cae lentamente
y viene en tus hombros su encaje a posar.

(De *Poesías completas*, 1953)

HISTORIA DE UN PESO FALSO

¡Parecía bueno! ¡Limpio, muy cepilladito, con su águila, a guisa de alfiler de corbata, y caminaba siempre por el lado de la sombra, para dejar al Sol la otra acera! No tenía mala cara el muy bellaco y el que sólo de vista lo hubiera conocido no habría vacilado en fiarle cuatro pesetas. ¡Pero . . . crean ustedes en las canas blancas y en la plata que brilla! Aquel peso era peso teñido; su cabello era castaño, de cobre, y él por coquetería, porque le dijeran « es Ud. muy Luis XVI »[3] se lo había empolvado.

Por supuesto, era de padres desconocidos. ¡Estos pobrecitos pesos siempre son expósitos! A mí me inspiran mucha lástima y de buen grado los recogería; pero mi casa, es decir, la casa de ellos, el bolsillo de mi chaleco, está vacío, desamueblado, lleno de aire y por eso no puedo recibirlos. Cuando alguno me cae, procuro colocarlo en una cantina, en una tienda, en la contaduría del teatro; pero hoy están las colocaciones por las nubes y casi siempre se queda en la calle el pobre peso.

No pasó lo mismo, sin embargo, con aquel de la buena facha, de la sonrisa bonachona y del águila que parecía verdad. Yo no sé en dónde me lo dieron; pero sí estoy cierto de cuál es la casa de comercio en donde tuve la fortuna de colocarlo, gracias al buen corazón y a la mala vista del respetable comerciante cuyo nombre callo por no ofender la cristiana modestia de tan excelente sujeto y por aquello de que hasta la mano izquierda debe ignorar el bien que hizo la derecha.

Ello es que, como un beneficio no se pierde nunca, y como Dios recompensa a los caritativos, el generoso padre putativo de mi peso falso no tardó mucho en hallar a otro caballero que consintiera en hacerse cargo de la criatura. Cuentan las malas lenguas que este rasgo filantrópico no fué del todo puro; parece que el nuevo protector de mi peso (y téngase entendido que el comerciante a quien yo encomendé la crianza y educación del pobre expósito, era un cantinero) no se dió cuenta exacta de que iba a hacer una obra de misericordia, en razón de que repetidas libaciones habían oscurecido un tanto cuanto su vista y entorpecido su tacto. Pero, sea porque aquel hombre poseía un noble corazón, sea porque el coñac predispone a la benevolencia, el caso es que mi hombre recibió el peso falso no con los brazos abiertos, pero sí tendiéndole la diestra. Dió un billete de a cinco duros, devolvióle cuatro el cantinero, y entre esos cuatro, como amigo pobre en compañía de ricos, iba mi peso.

Pero, ¡vean ustedes cómo los pobres somos buenos y cómo Dios nos ha adornado con la virtud de los perros: la fidelidad! Los cuatro capitalistas, los cuatro pesos de plata, los aristócratas siguieron de parranda. ¡Es indudable que la aristocracia está muy corrompida! Éste se quedó en una cantina; ése, en *La Concordia*;[4] aquél, en la contaduría del teatro . . . Sólo el peso falso, el pobretón, el de la clase media, el que no era centavo ni tampoco persona decente, siguió acompañando a su generoso protector, como Cordelia acompañó al rey Lear.[5] En *La Concordia* fué donde lo conocieron; allí le echaron en cara su pobreza y no le quisieron fiar ni servir nada. La última moneda buena se escapó entonces con el mozo (no es nuevo que una señorita bien nacida se fugue con algún pinche de cocina) y allí quedó el pobre peso, el que no tenía ni un real, pero sí un corazón que no estaba todavía metalizado, acompañando al amparador de su orfandad, en la tristeza, en el abandono, en la miseria . . . ¡Lo mismo que Cordelia al lado del rey Lear!

¡De veras enternecen estos pesos falsos! Mientras los llamados buenos, los de alta alcurnia, los nacidos en la opulenta casa de Moneda,[6] llevan mala vida y van pasando de mano en mano como los periodistas venales, como los políticos tránsfugas, como las mujeres coquetas; mientras estos viciosos impertinentes trasnochan en las fondas, compran la virtud de las doncellas y desdeñan al menesteroso para irse con los ricos: el peso falso busca al pobre, no sale y no lo abandona a pesar del mal trato que éste le da siempre; no sale; se está en su casa encerradito; no compra nada; y espera, como solo premio de virtudes tan excelsas, el martirio; la ingratitud del hombre; ser aprehendido, en fin de cuentas, por el gendarme sin entrañas o morir clavado en la madera de algún mostrador como murió San Dimas[7] en la cruz. ¡Pobres pesos falsos! A mí me parten el alma cuando los veo en manos de otros.

El de mi cuento, sin embargo, había empezado bien su vida. ¡Dios lo protegía por guapo, sí, por bueno, a pesar de que no creyera el escéptico mesero de *La Concordia* en tal bondad; por sencillo, por inocente, por honrado! A mí no me robó nada; al cantinero tampoco, y al caballero que le sacó de la cantina, en donde no estaba a gusto porque los pesos falsos son muy sobrios, le recompensó la buena obra, dándole una hermosa ilusión; la ilusión de que contaba con un peso todavía.

Y no sólo hizo eso. . . ¡ya verán ustedes todo lo que hizo!

El caballero se quedó en la fonda meditabundo y triste, ante la taza de té, la copa de Burdeos, ya sin Burdeos, y el mesero que estaba parado enfrente de él como un signo de interrogación. Aquella situación no podía prolongarse. Cuando está alguien a solas con una inocente moneda falsa, se avergüenza como si estuviera con una mujer perdida; quiere que no le vean, pasar de incógnito, que ningún amigo lo sorprenda . . . Porque serán muy buenas las monedas falsas . . . ¡pero la gente no lo quiere creer!

Yo mismo, en las primeras líneas de este cuento, cuando aún no había encontrado un padre putativo para el peso falso, lo llamé bellaco. ¡Tan imperioso es el poder del vulgo!

Todavía el caballero, en un momento de mal humor que no disculpo en él, pero que en mí habría disculpado, luego que quitaron los manteles de la mesa, golpeó el peso contra el mármol como diciéndole: — ¡A ver, malvado, si de veras no tienes corazón! — ¡Y vaya si tenía corazón! ¡lo que no tenía el infeliz era dinero! . . .

El caballero quedó meditabundo por largo rato. ¿Quién le había dado aquel peso? Los recuerdos andaban todavía por su memoria como indecisos, como distraídos, como soñolientos. Pero no cabía duda: ¡el peso era falso! Y lo que es peor, ¡era el último!

Su dueño, entonces, se puso a hacer, no para uso propio, todo un tratado de moral.

— La verdad es — se decía — que yo soy un badulaque. Esta tarde recibí en la oficina un billete de a veinte. Me parece estarlo viendo . . . *Londres-México* . . . el águila. . . Don Benito Juárez. . . y una cara de perro. ¿A dónde está el billete?

En los zarzales de la vida deja
alguna cosa cada cual: la oveja
su blanca lana; el hombre su virtud.

Y lo malo es que mi mujer esperaba esos veinte. Yo iba a darle quince . . . pero ¿de dónde cojo ahora esos quince?

El caballero volvió a arrojar con ira el peso falso sobre el mármol de la mesa. ¡Por poco no le rompió al infortunado el águila, el alfiler de la corbata! La única ventaja con que cuentan los pesos falsos es la de que no podemos estrellarlos contra una esquina.

En la calle, *La Esmeralda*,[8] que ya no baila sobre tapiz oriental ni toca donairosamente su pandero; la pobre *Esmeralda* que está ahora empleada en la esquina de Plateros y que, como los antiguos serenos, da las horas, mostró a nuestro héroe su reloj iluminado: eran las doce de la noche.

A tal hora, no hay dinero en la calle. ¡Y era preciso volver a casa!

— Le daré a mi mujer el peso falso para el desayuno, y mañana . . . veremos — . ¡Pero no! Ella los suena en el buró y así es seguro que no me escapo de la riña. ¡Maldita suerte! . . .

El pobre peso sufría en silencio los insultos y araños de su padre putativo, escondido en lo más oscuro del bolsillo. ¡Solo, tristemente solo!

El caballero pasó frente a un garito.[9] ¿Entraría? Puede ser que estuviera en él algún amigo. Además, allí lo conocían . . . hasta le cobraban de cuando en cuando sus quincenas . . . Cuando menos podrían abrirle crédito por cinco duros . . . Volvió la vista atrás y entró de prisa como quien se arroja a la alberca.

El amigo cajero no estaba de guardia aquella noche; pero probablemente volvería a la una. El caballero se paró junto a la mesa de la ruleta. No sé qué encanto tiene esa bolita de marfil que corre, brinca, ríe y da o quita dinero; pero ¡es tan chiquita! ¡es tan mona! Los pesos en

7. el buen ladrón, crucificado junto a Jesús. 8. una tienda; la alusión es al personaje del *Jorobado de Nuestra Señora*, la novela de Victor Hugo. 9. casa de juego. 10. el banquero, en el juego de naipes.

11. el que apunta contra el banquero en algunos juegos de azar. 12. diarios de la ciudad de México. 13. habitaciones bajas de una casa que se alquilan por separado.

columnas, se apercibían a la batalla formada en los casilleros del tapete verde. ¡Y estaba cierto nuestro hombre de que iba a salir el 32! ¡Lo había visto! ¿Pondría el peso falso? . . . La verdad es que aquello no era muy correcto . . . Pero, al cabo, en esa casa lo conocían . . . y . . . ¡cómo habían de sospechar!

Con la mano algo trémula, abrió la cartera como buscando algún billete de banco (que, por supuesto, no estaba en casa), volvió a cerrarla, sacó el peso, y resueltamente, con ademán de gran señor, lo puso al 32. El corazón le saltaba más que la bola de marfil en la ruleta. Pero, vean ustedes lo que son las cosas. Los buenos mozos tienen mucho adelantado . . . Hay hombres que llegan a ministros extranjeros, a ricos, a poetas, a sabios, nada más porque son buenos mozos. Y el peso aquel — ya lo había dicho — era todo un buen mozo . . . un buen mozo bien vestido.

— ¡Treinta y dos colorado!

La bola de marfil y el corazón del jugador se pararon, como el reloj cuya cuerda se rompe. ¡Había ganado! Pero . . . ¿y si lo conocían? . . . ¡No a él . . . al otro . . . al falso!

Nuestro amigo (porque ya debe ser amigo nuestro este hijo mimado de la dicha) tuvo un rasgo de genio. Recogió su peso desdeñosamente y dijo al que regenteaba la ruleta:

— Quiero en papel los otros treinta y cinco.

¡No lo habían tocado! . . . ¡No lo habían conocido! . . . Pagó el monte.[10] Uno de veinte . . . uno de diez . . . y otro color de chocolate, con la figura de una mujer en camisón y que está descansando de leer, separada por estas dos palabras: *Cinco pesos*, del retrato de una muchacha muy linda, a quien el mal gusto del grabador le puso un águila y una víbora en el pecho. El de a diez y el color de chocolate eran para la señora que suena los pesos en la tapa del buró. El de a veinte, el de Juárez, el patriótico, era para nuestro amigo . . . era el que al día siguiente se convertiría en copas, en costillas de milanesa, y por remate, en un triste y desconocido peso falso.

¡Qué afortunados son los pesos falsos y los hombres pícaros!

Los que estaban alrededor del tapete verde hacían lado al dichoso *punto*[11] para que entrase en el ruedo y se sentara. Pero, dicho sea en honra de nuestro buen amigo, él fué prudente, tuvo fuerza de ánimo, y volvió la espalda a la traidora mesa. Volvería, sí, volvería a dejar en ella su futura quincena: o propiamente hablando, el futuro imperfecto de su quincena, pero lo que es en aquella noche se entregaba a las delicias y los pellizcos del hogar.

Cuando se sintió en la calle con su honrado, su generoso peso falso, que había sido tan bueno; con el rostro de Juárez, con el busto de un perro y con el grabado que representa a una señora en camisón, rebosaba alegría nuestro querido amigo. Ya era tan bueno como el peso falso, aquel honrado e inteligente caballero. Habría prestado un duro a cualquier amigo pobre; habría repartido algunos reales entre los pordioseros; caminaba aprisa, aprisa por las calles, pensaba en su pobrecita mujer, que es tan buena persona y que lo estaría esperando . . . para que le diera el gasto.

Al torcer una esquina, tropezó con cierto muchachito que voceaba periódicos y a quien llamaban *el Inglés*. Y parecía inglés, en verdad, porque era muy blanco, muy rubio y hasta habría sido bonito con no ser tan pobre. Por supuesto, no conocía a su padre . . . era uno de tantos pesos falsos humanos, de esos que circulan subrepticiamente por el mundo y que ninguno sabe en dónde fueron acuñados. Pero a la madre, ¡sí la conocía! Los demás decían que era mala. Él creía que era buena. Le pegaba. ¡Ése sería su modo de acariciar! También cuando no se come, es imposible estar de buen humor. Y muchas veces aquella desgraciada no comía. Sobre todo, era la madre; lo que no se tiene más que una vez; lo que siempre vive poco; la madre que, aunque sea mala, es buena a ratos, aquella en cuya boca no suena el *tú* como un insulto . . . la madre, en suma . . . ¡nada más la madre! Y como aquel niño tenía en las venas sangre buena—sangre colorida con vino, sangre empobrecida en las noches de orgía, pero sangre, en fin, de hombres que pensaron y sintieron hace muchos años — amaba mucho a la mamá . . . y a la hermanita, a la que vendía billetes . . . a esa que llamaban *la Francesa*.

La madre, para él, era muy buena; pero le pegaba cuando no podía llevarle el pobre una peseta. Y aquella noche — ¡la del peso falso! — estaba el chiquitín, con *El Nacional*, con *El Tiempo de mañana*,[12] pero sin centavo en el bolsillo de su desgarrado pantalón. ¡No compraba periódicos la gente! Y no se atrevía a volver a su accesoria,[13] no por miedo a los golpes, sino por no afligir a la mamá.

Tan pálido, tan triste lo vió el afortunado jugador, que quiso, realmente quiso, darle una limosna. Tal vez le habría comprado todos los periódicos, porque así son los jugadores cuando ganan. Pero dar cinco pesos a un perillán de esa ralea era demasiado. Y el jugador había recibido los treinta y cinco en billetes. No le quedaba más que el peso falso.

Ocurriósele entonces una travesura: hacer bobo al muchacho.

— ¡Toma, *Inglés*, para tus hojas con catalán, anda! Emborráchate.

¡Y allá fué el peso falso!

Y no, el muchacho no creyó que lo habrían engañado. Tenía aquel señor tan buena cara como el peso falso. ¡Qué bueno era! Si hubiera recibido esa moneda para devolver siete reales y medio, cobrando *El Nacional* o *El Tiempo de mañana*, la habría sonado en las losas del zaguán, cuyo umbral le servía casi de lecho; habría preguntado si era bueno o no al abarrotero[14] que aun tenía abierta su tienda. Pero ¡de limosna! ¡Brillaba tanto en la noche! ¡Brillaba tanto para su alma hambrienta de dar algo a la mamá y a la hermanita! ¡Qué buen señor! . . . ¡Habría ganado un premio en la lotería! . . . ¡sería muy rico! Quién sabe . . .

¡Qué buen señor era el del peso falso! Le había dicho: — ¡Anda, ve y emborráchate! . . . Pero así dicen todos.

Recogió el arrapiezo los periódicos, y corriendo como si hubiera comido, como si tuviera fuerzas, fué hasta muy lejos, hasta la puerta de su casa. No le abrieron. La viejecita (la llamo viejecita, aunque aporreara a ese muchacho, porque, al cabo era infeliz, era padre, era madre) se había dormido cansada de aguardar al *Inglesito*. Pero ¿qué le importaba a él dormir en la calle? ¡Si lo mismo pasaba muchas noches! ¡Y al día siguiente no lo azotarían! . . . ¡Llegaba rico! . . . ¡con su peso!

¡Ay, cuántas cosas tiene adentro un peso para el pobre!

Allí, en el zaguán, encogido como un gatito blanco, se quedó el muchacho dormido. ¡Dormido, sí; pero apretando con los dedos de la mano derecha, que es la más segura, aquel sol, aquella águila, aquel sueño! Durmió mal, no por la dureza del colchón de piedra, no por el frío, no por el aire, porque a eso estaba acostumbrado, pero sí porque estaba muy alegre y tenía mucho miedo de que aquel pájaro de plata se volara.

¿Creerán ustedes que ese muchacho jamás había tenido un peso suyo? Pues así hay muchísimos.

Además, el *Inglesito* quería soñar despierto, hablar en voz alta con sus ilusiones.

Primero, el desayuno . . . ¡Bueno, un real para los tres! Pero los pesos tienen muchos centavos, y hacía tiempo que el *Inglesito* tenía ganas de tomar un tamal con su champurrado.[15] Bueno: real y tlaco.[16] Quedaba mucho, mucho dinero . . . No, él no diría que tenía un peso . . . Aunque le daban tentaciones muy fuertes de enseñarlo, de lucirlo, de pasearlo, de sonárselo, como si fuera una sonaja, a la hermanita, de que lo viera la mamá y pensara: « Ya puedo descansar, porque mi hijo me mantiene. » Pero en viéndolo, en tomándolo, la mamá compraría un real de tequila. Y el muchacho tenía un proyecto atrevido: gastar un real, que iba a ser de tequila, en un billete. Y, sobre todo, recordaba el granuja que debían unos tlacos en la panadería, otros en la tienda . . . y no era imposible que la mamá los pagara si él le diera el peso. ¡Reales menos!

¡No! Era más urgente comprar manta para que la hermanita se hiciera una camisa. ¡La pobrecilla se quejaba tantísimo del frío! . . . Decididamente, a la mamá cuatro reales, un tostón[17] . . . y los otros cuatro reales para él, es decir, para el tamal, para el billete, para la manta . . . ¡y quién sabe para cuántas cosas más! ¡Puede ser que alcanzara hasta para el circo!

¿Y si ganaba $ 300 en la lotería con ese real? ¡Trescientos pesos! ¡No se han de acabar nunca! Ésos tendría el señor que le dió el peso . . .

Vino la luz, es decir, ya estaba para llegar, cuando el muchacho se puso en pie. Barrían la calle . . . Pasaron unas burras con los botes de hojalata, en que de las haciendas próximas viene la leche . . . Luego pasaron las vacas . . . En Santa Teresa llamaban a misa . . . — ¡Jaletinas![18] — gritó una voz áspera.

El rapazuelo no quiso todavía entrar a la casa. Necesitaba cambiar el peso. Llegaría tarde, a las seis, a las siete; pero con un tostón para la madre, con manta, con un bizcocho para *la Francesita* y con un tamal en el estómago. Iba a esperar a que abrieran cierto tendajo en el que vendían todo lo más hermoso, todo lo más útil, todo lo más apetecible para él: velas, in-

14. dueño de la tienda de comestibles (abarrotes). 15. bebida hecha de chocolate y atole de maíz. 16. moneda mexicana, que vale medio real. 17. moneda mexicana, que vale medio peso. 18. gelatinas; jalea transparente.

19. otra moneda mexicana, de plata. 20. en México, español establecido en el país.
21. referencia al modo como quedó Saulo (San Pablo) ciego en el camino de Damasco (*Hechos de los Apóstoles*, 9).

dianas, santos de barro, madejas de seda, cohetes, soldaditos de plomo, caramelos, pan, estampas, títeres . . . ¡Cuánto se necesitaba para vivir! Y precisamente en la puerta se sentaba una mujer detrás de la olla de tamales.

Fué paso a paso, porque todavía era muy temprano. Ya había aclarado. Pasó por San Juan de Letrán. De la pensión de caballos salía una hermosa yegua con albardón de cuero amarillo llevada de la brida por el mozo de su dueño, alemán probablemente. Frente a la imprenta del « Monitor » y casi echados en las baldosas de la acera, hombres y chicuelos doblaban los periódicos todavía húmedos. Muchos de esos chicos eran amigos de él, y el primer impulso que sintió fué el de ir a hablarles, enseñarles el peso . . . Pero, ¿y si se lo quitaban? El cojo, sobre todo el cojo, era algo malo.

De modo que el pillín siguió de largo.

Ya el tendajo estaba abierto. Y lo primero, por de contado, fué el tamal . . . y no fué uno, fueron dos: ¡al fin estaba rico! Y tras los tamales, un bizcocho de harina y huevo, un rico bollo que sabía a gloria. Querían cobrarle adelantado; pero él enseñó el peso con majestuosa dignidad.

— Ahora que compre manta, cambiaré.

Y pidió dos varas de manta; compró un granadero de barro que valía cuartilla[19] y al que tuvo la desdicha de perder en su más temprana edad, porque al cogerlo con la mano convulsa de emoción, se le cayó al suelo; le envolvieron la manta en un papel de estraza, y él con orgullo, con el ademán de un soberano, arrojó por el aire el limpio peso, que al caer en el cinc del mostrador, dió un grito de franqueza, uno de esos gritos que se escapan en los melodramas, al traidor, al asesino, al verdadero delincuente. El español había oído . . . y atrapó al chiquitín por el pescuezo.

— ¡Ladroncillo! ¡Ladrón! . . . ¡Vas a pagármelas!

. . . .

¿Qué pasó? El muñeco roto, hecho pedazos, en el suelo . . . la india que gritaba . . . el gachupín[20] estrujando al pobre chico . . . la madre, la hermanita, *la Francesita* allá muy lejos . . . más lejos todavía las ilusiones . . . ¡y el gendarme muy cerca!

Una comisaría . . . un herido . . . un borracho . . . gentes que le vieron mala cara . . . hombres que lo acusaron de haber robado pañuelos; ¡a él, que se secaba las lágrimas con la camisa! Y luego la Correccional . . . el jorobadito que lo enseñó a hacer malas cosas . . . y afuera la madre, que murió en el hospital, de diarrea alcohólica . . . y la hermanita, *la Francesita*, a quien porque no vendía muchos billetes, la compraron, y a poco, la pobrecilla se murió.

¡Señor! Tú que trocaste el agua en vino, tú que hiciste santo al ladrón Dimas; ¿por qué no te dignaste convertir en bueno el peso falso de ese niño? ¿Por qué en manos del jugador fué peso bueno, y en manos del desvalido fué un delito? Tú no eres como la esperanza, como el amor, como la vida, peso falso. Tú eres bueno. Te llamas caridad. Tú que cegaste a Saulo en el camino de Damasco,[21] ¿por qué no cegaste al español de aquella tienda?

(De *Cuentos completos*, 1958)

JULIÁN DEL CASAL (Cuba: 1863-1893) publicó dos libros de poesías — *Hojas al viento*, 1890, y *Nieve*, 1892 — y dejó otro póstumo — *Bustos y rimas*, 1893 —, de prosas y versos. Recientemente se han recogido sus cuentos, poemas en prosa y crónicas. Los tres poemarios tienen entonación elegíaca. En el primero Casal no se ha acabado de desenredar de los españoles Zorrilla, Bartrina, Bécquer, Campoamor, aunque su romanticismo se crispa con expresiones a lo Heine y Leopardi y ya hay reflejos de la lírica francesa de Gautier, Heredia, Coppée y Baudelaire. En el segundo, el aristocrático vocabulario, la renovación métrica, la búsqueda de formas perfectas y el cultivo del poema descriptivo-pictórico son ya modernistas. No sólo rinde tributo a los franceses Baudelaire, Gautier, Banville, Mendès, Leconte, Heredia, Richepin, Verlaine y Moréas, sino también a los hispanoamericanos

Gutiérrez Nájera y Darío. En el tercero Casal se revela más íntimo, personal, audaz e innovador. Vista en su conjunto la poesía de Casal es íntima. No hay en ella ni cantos civiles, ni descripciones de la patria, ni relatos eróticos. O, mejor dicho, los escasos versos de tema exterior son insignificantes. No sentía la belleza natural del paisaje cubano. En su isla de sol, verdes, alegrías, bullicios, entornaba las puertas y prefería quedarse a oscuras y a solas, en un enfermizo encierro. Su poesía, pues, está toda vertida dentro de su alma, que era tristísima. Era taciturno, no porque tuviera una concepción pesimista de la vida, ni siquiera por ser pobre, tímido y enfermo, sino porque no estaba íntimamente hecho para participar de las incitaciones gozosas del mundo. No da un juicio sobre el mundo: su tema es la propia tristeza, que le sube de escondido manantial. Siente disgusto por la vida, eso es todo. Pero no se queja: el mundo le es indiferente, y cuando dice que le parece cieno, pantano, nos da una impresión, no una filosofía. Se siente ya muerto en vida; y hay en él una gozosa expectativa de la muerte cabal que, por lo menos en ciertos versos que quedaron abandonados en periódicos, le hicieron pensar en el suicidio: « Y sólo me sonríe en lontananza, / brindándole consuelo a mi amargura, / la boca del cañón de una pistola. » Léase « Nihilismo » y se verá cuán sinceras eran sus ganas de estar muerto: « Ansias de aniquilarme sólo siento / o de vivir en mi eternal pobreza / con mi fiel compañero, el descontento, / y mi pálida novia, la tristeza. » Lo que conmueve en Casal es, precisamente, que no jugara con las formas, a pesar de que pudo haberlo hecho, pues estaba bien dotado para lucirse con artificios, sino que prefiriera la pobreza formal de una obsesión única: la de morir. El arte fué para él un refugio. Su primer romanticismo había sido superficial: el ánimo flotaba en las convenciones de la época, los versos boyaban vacíos. Pero en sus mejores composiciones se advierte que Casal se hunde como un buzo. A veces su escafandra es la poesía plástica, colorida, refinada que Casal admiraba en los franceses Gautier y Heredia; a veces, la poesía crepuscular e insinuante que Casal admiró en Baudelaire. La primera clase de poesía, por parecerse al lenguaje poético del Parnaso francés, resultó emparentada con la de otros hispanoamericanos que leían a los mismos autores. Hay versos de Casal notablemente parecidos a otros de Gutiérrez Nájera y Rubén Darío. Componía en cuadros vivos (como que solía inspirarse en cuadros de pintores: *v. gr.* Gustavo Moreau. Ya Huysmans, en *A Rebours*, había descrito cuadros de Moreau). Los objetos no están embellecidos por Casal; ya eran bellos en el arte y el poeta los transporta como adornos. Es una atmósfera aristocrática, cosmopolita, exótica, con esplendores de París y de Tokio, con cisnes, cortesanas dieciochescas, piedras preciosas . . . Los títulos « medallones », « cromos », « camafeos », « marfiles viejos », « bocetos », « museo ideal », etc. ya anuncian su voluntad de artífice de formas y colores. En la otra dirección de su poesía, vuelta hacia la penumbra más secreta de su vida interior, Casal — deslumbrado por Baudelaire — expresó su « visión sangrienta de la neurosis », su viaje « hacia el país glacial de la locura »; su sinestesia « percibe el cuerpo dormido / por mi mágico sopor, / sonidos en el color, / colores en el sonido. »

1. uno de los poemas de Casal correspondientes a la serie *Mi museo ideal*, de « Nieve », 1882, escritos sobre cuadros del pintor francés Gustave Moreau. 2. Troya.

Julián del Casal

ELENA[1]

Luz fosfórica entreabre claras brechas
en la celeste inmensidad, y alumbra
del foso en la fatídica penumbra
cuerpos hendidos por doradas flechas;

cual humo frío de homicidas mechas
en la atmósfera densa se vislumbra
vapor disuelto que la brisa encumbra
a las torres de Ilión,[2] escombros hechas.

Envuelta en veste de opalina gasa
recamada de oro, desde el monte
de ruinas hacinadas en el llano,

indiferente a lo que en torno pasa,
mira Elena hacia el lívido horizonte
irguiendo un lirio en la rosada mano.

NOSTALGIAS

I

Suspiro por las regiones
donde vuelan los alciones
sobre el mar,
y el soplo helado del viento
parece en su movimiento
sollozar;
donde la nieve que baja
del firmamento, amortaja
el verdor
de los campos olorosos
y de ríos caudalosos
el rumor;
donde ostenta siempre el cielo,
a través de aéreo velo,
color gris;
es más hermosa la Luna
y cada estrella más que una
flor de lis.

II

Otras veces sólo ansío
bogar en firme navío
a existir
en algún país remoto,
sin pensar en el ignoto
porvenir.
Ver otro cielo, otro monte,
otra playa, otro horizonte,
otro mar,
otros pueblos, otras gentes
de maneras diferentes
de pensar.
¡Ah!, si yo un día pudiera,
con qué júbilo partiera
para Argel
donde tiene la hermosura
el color y la frescura
de un clavel.
Después fuera en caravana
por la llanura africana
bajo el Sol
que, con sus vivos destellos,
pone un tinte a los camellos
tornasol.
Y cuando el día expirara,
mi árabe tienda plantara
en mitad
de la llanura ardorosa
inundada de radiosa
claridad.
Cambiando de rumbo luego,
dejara el país del fuego
para ir
hasta el imperio florido
en que el opio da el olvido
del vivir.
Vegetara allí contento
de alto bambú corpulento
bajo el pie,
o aspirando en rica estancia
la embriagadora fragancia
que da el té.
De la Luna al claro brillo
iría al Río Amarillo
a esperar
la hora en que, el botón roto,
comienza la flor de loto
a brillar.
O mi vista deslumbrara
tanta maravilla rara
que el buril

de artista, ignorado y pobre,
graba en sándalo o en cobre
o en marfil.
Cuando tornara el hastío
en el espíritu mío
a reinar,
cruzando el inmenso piélago
fuera a taitiano archipiélago
a encallar.
A aquél en que vieja historia
asegura a mi memoria
que se ve
el lago en que un hada peina
los cabellos de la reina
Pomaré.[3]
Así errabundo viviera
sintiendo toda quimera
rauda huir,
y hasta olvidando la hora
incierta y aterradora
del morir.

III

Mas no parto. Si partiera
al instante yo quisiera
regresar.
¡Ay! ¿Cuándo querrá el destino
que yo pueda en mi camino
reposar?

(De *Nieve*, 1892)

CREPUSCULAR

Como vientre rajado sangra el ocaso,
manchando con sus chorros de sangre humeante
de la celeste bóveda el azul raso,
de la mar estañada la onda espejeante.

Alzan sus moles húmedas los arrecifes
donde el chirrido agudo de las gaviotas,
mezclado a los crujidos de los esquifes,
agujerea el aire de extrañas notas.

Va la sombra extendiendo sus pabellones,
rodea el horizonte cinta de plata,
y, dejando las brumas hechas jirones,
parece cada faro flor escarlata.

Como ramos que ornaron senos de ondinas
y que surgen nadando de infecto lodo,
vagan sobre las ondas algas marinas
impregnadas de espumas, salitre y yodo.

Ábrense las estrellas como pupilas,
imitan los celajes negruzcas focas
y, extinguiendo las voces de las esquilas,
pasa el viento ladrando sobre las rocas.

NEUROSIS

Noemí, la pálida pecadora
de los cabellos color de aurora
y las pupilas de verde mar,
entre cojines de raso lila,
con el espíritu de Dalila,
deshoja el cáliz de un azahar.

Arde a sus plantas la chimenea
donde la leña chisporrotea
lanzando en torno seco rumor,
y alzada tiene su tapa el piano
en que vagaba su blanca mano
cual mariposa de flor en flor.

Un biombo rojo de seda china
abre sus hojas en una esquina
con grullas de oro volando en cruz,
y en curva mesa de fina laca
ardiente lámpara se destaca
de la que surge rosada luz.

Blanco abanico y azul sombrilla,
con unos guantes de cabritilla
yacen encima del canapé,
mientras en taza de porcelana,
hecha con tintes de la mañana,
humea el alma verde del té.

Pero ¿qué piensa la hermosa dama?
¿Es que su príncipe ya no la ama
como en los días de amor feliz,
o que en los cofres del gabinete
ya no conserva ningún billete
de los que obtuvo por un desliz?

¿Es que la rinde cruel anemia?
¿Es que en sus búcaros de Bohemia
rayos de luna quiere encerrar,
o que, con suave mano de seda,
del blanco cisne que amaba Leda
ansía las plumas acariciar?

¡Ay!, es que en horas de desvarío
para consuelo del regio hastío
que en su alma esparce quietud mortal,
un sueño antiguo le ha aconsejado
beber en copa de ónix labrado
la roja sangre de un tigre real.

3. nombre de una dinastía que reinó en Tahití (1775-1880).

EN EL CAMPO

Tengo el impuro amor de las ciudades,
y a este sol que ilumina las edades
prefiero yo del gas las claridades.

A mis sentidos lánguidos arroba,
más que el olor de un bosque de caoba,
el ambiente enfermizo de una alcoba.

Mucho más que las selvas tropicales,
plácenme los sombríos arrabales
que encierran las vetustas capitales.

A la flor que se abre en el sendero,
como si fuese terrenal lucero,
olvido por la flor de invernadero.

Más que la voz del pájaro en la cima
de un árbol todo en flor, a mi alma anima
la música armoniosa de una rima.

Nunca a mi corazón tanto enamora
el rostro virginal de una pastora,
como un rostro de regia pecadora.

Al oro de la mies en primavera,
yo siempre en mi capricho prefiriera
el oro de teñida cabellera.

No cambiara sedosas muselinas
por los velos de nítidas neblinas
que la mañana prende en las colinas.

Más que el raudal que baja de la cumbre,
quiero oír a la humana muchedumbre
gimiendo en su perpetua servidumbre.

El rocío que brilla en la montaña
no ha podido decir a mi alma extraña
lo que el llanto al bañar una pestaña.

Y el fulgor de los astros rutilantes
no trueco por los vívidos cambiantes
del ópalo, la perla o los diamantes.

(De *Bustos y rimas,* 1893)

José Asunción Silva (Colombia; 1865-1896) se paseó por los caminos del jardín romántico que ya estaba mustio; y tan pronto lo vemos pisando las huellas de los prosaicos Campoamor y Bartrina — « Gotas amargas » — como apartándose hacia los lugares preferidos por Bécquer — « Crisálidas », « Notas perdidas » —. Toda su obra es de juventud, conviene tenerlo en cuenta; y se logró como aspiración, casi adivinando. Silva no cuidó sus relaciones con el público. Por no interesarse en el favor de los lectores no les ayudó ordenando la propia obra, que por su mezcla confusa produce una impresión falsa de inmadurez. Su pequeño volumen de poesías careció de unidad, y la diversidad de composiciones patrióticas, festivas, folklóricas, narrativas, eróticas, filosóficas desluce su mérito. Ahora que tenemos la *Obra completa* (1956), el crítico puede apartar la vista de las direcciones ya holladas y seguir a Silva cuando se interna por un senderillo misterioso, íntimo, lírico, estremecido, que es el que ha de llevarlo a la renovación poética que están emprendiendo otros poetas. Su cultura literaria estaba al día, con las últimas cotizaciones francesas e inglesas. Tenía afinidad espiritual sobre todo con Poe. Se ha señalado la influencia de Poe en los ritmos de « Día de difuntos » y del tercer « Nocturno » — dos composiciones de nueva maestría métrica —, pero Silva seguía en verdad su propio deseo de dulcificarlos en el camino hacia el versolibrismo. En « Un poema » nos dió su Estética: « Soñaba en ese entonces en forjar un poema / de arte nervioso y raro, obra audaz y suprema. » No siempre fué fiel a esa estética. Cuando lo fué — y esos momentos son los que cuentan — nos dejó poesías trémulas de sentimientos mórbidos, sugeridoras de enigmas, con acentos de ternura y de melancolía. El pesimismo de Silva tenía raíces en su cuerpo, en su alma, en su filosofía, en la filosofía de su época. Sus mejores poesías — buen ejemplo de ellas es « Vejeces » — son las que evocan el tiempo ido, la voz de las cosas desgastadas, las visiones de la niñez, las sombras, los rumores y las fragancias olvidadas, y todo esto en un lenguaje poético vago, desvanecido y musical. Lo que le ha valido su fama es, sobre todo, su « Nocturno ». Con una voz entrecortada en la que los silencios se sienten como escalofríos, con una especie de tartamudez poética, como si el poeta estuviera absorto ante una aparición sobrenatural y, en su estupor, sólo acertara a mover los labios o a mordérselos para contener el llanto, este « Nocturno » mayor — escrito, según se dice, con motivo de la muerte de su hermana Elvira — es una de las más altas expresiones líricas de la época, nueva en su timbre, en su tono, en su estructura musical, en su tema fantasmalmente elegíaco, en su rítmica imitación del sollozo.

José Asunción Silva

NOCTURNO

Una noche,
una noche toda llena de murmullos, de perfumes y de músicas de alas;
una noche
en que ardían en la sombra nupcial y húmeda las luciérnagas fantásticas,
a mi lado lentamente, contra mí ceñida toda, muda y pálida,
como si un presentimiento de amarguras infinitas
hasta el más secreto fondo de las fibras te agitara,
por la senda florecida que atraviesa la llanura
caminabas;
y la luna llena
por los cielos azulosos, infinitos y profundos esparcía su luz blanca;
y tu sombra
fina y lánguida,
y mi sombra,
por los rayos de la luna proyectadas,
sobre las arenas tristes
de la senda se juntaban;
y eran una,
y eran una,
y eran una sola sombra larga,
y eran una sola sombra larga,
y eran una sola sombra larga . . .

Esta noche
solo; el alma
llena de las infinitas amarguras y agonías de tu muerte,
separado de ti misma por el tiempo, por la tumba y la distancia,
por el infinito negro
donde nuestra voz no alcanza,
mudo y solo
por la senda caminaba . . .

Y se oían los ladridos de los perros a la luna,
a la luna pálida,
y el chirrido
de las ranas . . .
Sentí frío. Era el frío que tenían en tu alcoba
tus mejillas y tus sienes y tus manos adoradas,
entre las blancuras níveas
de las mortuorias sábanas.
Era el frío del sepulcro, era el hielo de la muerte,
era el frío de la nada.
Y mi sombra,
por los rayos de la luna proyectada,
iba sola,
iba sola,
iba sola por la estepa solitaria;
y tu sombra esbelta y ágil,
fina y lánguida,
como en esa noche tibia de la muerta primavera,
como en esa noche llena de murmullos, de perfumes y de músicas de alas,
se acercó y marchó con ella,
se acercó y marchó con ella,
se acercó y marchó con ella . . . ¡Oh las sombras enlazadas!

¡Oh las sombras de los cuerpos que se juntan con las sombras de las almas!
¡Oh las sombras que se buscan en las noches de tristezas y de lágrimas!

VEJECES

Las cosas viejas, tristes, desteñidas,
sin voz y sin color, saben secretos
de las épocas muertas, de las vidas
que ya nadie conserva en la memoria,
y a veces a los hombres, cuando inquietos
las miran y las palpan, con extrañas
voces de agonizante, dicen, paso,
casi al oído, alguna rara historia
que tiene oscuridad de telarañas,
son de laúd y suavidad de raso.

¡Colores de anticuada miniatura,
hoy de algún mueble en el cajón dormida;
cincelado puñal; carta borrosa;
tabla en que se deshace la pintura,
por el polvo y el tiempo ennegrecida;
histórico blasón, donde se pierde
la divisa latina, presuntuosa,
medio borrada por el líquen verde;
misales de las viejas sacristías;
de otros siglos fantásticos espejos
que en el azogue de las lunas frías
guardáis de lo pasado los reflejos;
arca, en un tiempo de ducados llena;
crucifijo que tanto moribundo
humedeció con lágrimas de pena
y besó con amor grave y profundo;
negro sillón de Córdoba; alacena
que guardaba un tesoro peregrino
y donde anida la polilla sola;
sortija que adornaste el dedo fino
de algún hidalgo de espadín y gola;
mayúsculas del viejo pergamino;
batista tenue que a vainilla hueles;
seda que te deshaces en la trama
confusa de los ricos brocateles;
arpa olvidada, que al sonar te quejas;
barrotes que formáis un monograma
incomprensible en las antiguas rejas:
el vulgo os huye, el soñador os ama
y en vuestra muda sociedad reclama
las confidencias de las cosas viejas!

El pasado perfuma los ensueños
con esencias fantásticas y añejas,
y nos lleva a lugares halagüeños
en épocas distantes y mejores;
¡por eso a los poetas soñadores
les son dulces, gratísimas y caras,
las crónicas, historias y consejas,
las formas, los estilos, los colores,
las sugestiones místicas y raras
y los perfumes de las cosas viejas!

PAISAJE TROPICAL

Magia adormecedora vierte el río
en la calma monótona del viaje,
cuando borra los lejos del paisaje
la sombra que se extiende en el vacío.
Oculta en sus negruras al bohío
la maraña tupida, y el follaje
semeja los calados de un encaje,
al caer del crepúsculo sombrío.

Venus se enciende en el espacio puro.
La corriente dormida, una piragua
rompe en su viaje rápido y seguro,
y con sus nubes el Poniente fragua
otro cielo rosado y verdeoscuro
en los espejos húmedos del agua.

. . . ¿ . . .

Estrellas que entre lo sombrío
de lo ignorado y de lo inmenso,
asemejáis en el vacío
jirones pálidos de incienso;

Nebulosas que ardéis tan lejos
en el infinito que aterra,
que sólo alcanzan los reflejos
de vuestra luz hasta la tierra;

Astros que en abismos ignotos
derramáis resplandores vagos,
constelaciones que en remotos
tiempos adoraron los magos;

Millones de mundos lejanos,
flores de fantástico broche,
islas claras de los océanos
sin fin ni fondo de la noche;

¡Estrellas, luces pensativas!
¡Estrellas, pupilas inciertas!
¿Por qué os calláis si estáis vivas
y por qué alumbráis si estáis muertas?

DÍA DE DIFUNTOS

La luz vaga . . . opaco el día . . .
La llovizna cae y moja
con sus hilos penetrantes la ciudad desierta y fría;
por el aire, tenebrosa, ignorada mano arroja
un obscuro velo opaco, de letal melancolía,
y no hay nadie que en lo íntimo no se aquiete y se recoja,
al mirar las nieblas grises de la atmósfera sombría,
y al oír en las alturas
melancólicas y obscuras
los acentos dejativos
y tristísimos e inciertos
con que suenan las campanas,
las campanas plañideras que les hablan a los vivos
de los muertos.

Y hay algo de angustioso y de incierto
que mezcla a ese sonido su sonido,
e inarmónico vibra en el concierto
que alzan los bronces al tocar a muerto
por todos los que han sido.
Es la voz de una campana
que va marcando la hora,
hoy lo mismo que mañana,
rítmica, igual y sonora;
una campana se queja
y la otra campana llora,
ésta tiene voz de vieja

y ésa de niña que ora.
Las campanas más grandes que dan un doble recio
suenan con acento de místico desprecio;
mas la campana que da la hora
ríe, no llora;
tiene en su timbre seco sutiles ironías;
su voz parece que habla de goces, de alegrías,
de placeres, de citas, de fiestas y de bailes,
de las preocupaciones que llenan nuestros días;
es una voz del siglo entre un coro de frailes,
y con sus notas se ríe
escéptica y burladora
de la campana que ruega,
de la campana que implora,
y de cuanto aquel coro conmemora;
y es que con su retintín
ella midió el dolor humano
y marcó del dolor el fin.
Por eso se ríe del grave esquilón
que suena allá arriba con fúnebre son;
por eso interrumpe los tristes conciertos
con que el bronce santo llora por los muertos.
No le oigáis, oh bronces, no le oigáis, campanas,
que con la voz grave de ese clamoreo
rogáis por los seres que duermen ahora
lejos de la vida, libres del deseo,
lejos de las rudas batallas humanas;
seguid en el aire vuestro bamboleo,
¡no le oigáis, campanas!. . .
Contra lo imposible, ¿qué puede el deseo?

Allá arriba suena,
rítmica y serena,
esa voz de oro,
y sin que lo impidan sus graves hermanas
que rezan en coro,
la campana del reloj
suena, suena, suena ahora
y dice que ella marcó,
con su vibración sonora,
de los olvidos la hora;
que después de la velada
que pasó cada difunto
en una sala enlutada
y con la familia junto
en dolorosa actitud,
mientras la luz de los cirios
alumbraba el ataúd
y las coronas de lirios;
que después de la tristura,
de los gritos de dolor,
de las frases de amargura,
del llanto desgarrador,
marcó ella misma el momento

en que con la languidez
del luto, huyó el pensamiento
del muerto, y el sentimiento,
seis meses más tarde . . . o diez.

Y hoy, día de los muertos . . . ahora que flota
en las nieblas grises la melancolía,
en que la llovizna cae gota a gota
y con sus tristezas los nervios embota,
y envuelve en un manto la ciudad sombría;
ella, que ha marcado la hora y el día
en que a cada casa lúgubre y vacía
tras el luto breve volvió la alegría;
ella, que ha marcado la hora del baile
en que al año justo un vestido aéreo
estrena la niña, cuya madre duerme
olvidada y sola en el cementerio;
suena indiferente a la voz de fraile
del esquilón grave a su canto serio;
ella, que ha medido la hora precisa
en que a cada boca que el dolor sellaba
como por encanto volvió la sonrisa,
esa precursora de la carcajada;
ella, que ha marcado la hora en que el viudo
habló de suicidio y pidió el arsénico,
cuando aun en la alcoba recién perfumada
flotaba el aroma del ácido fénico;
y ha marcado luego la hora en que mudo
por las emociones con que el gozo agobia,
para que lo unieran con sagrado nudo
a la misma iglesia fué con otra novia;
¡ella no comprende nada del misterio
de aquellas quejumbres que pueblan el aire,
y lo ve en la vida todo jocoserio;
y sigue marcando con el mismo modo,
el mismo entusiasmo y el mismo desgaire
la huída del tiempo que lo borra todo!

Y eso es lo angustioso y lo incierto
que flota en el sonido;
ésa es la nota irónica que vibra en el concierto
que alzan los bronces al tocar a muerto
por todos los que han sido.

Es la voz fina y sutil
de vibraciones de cristal
que con acento juvenil,
indiferente al bien y al mal,
mide lo mismo la hora vil
que la sublime y la fatal,
y resuena en las alturas
melancólicas y obscuras
sin tener en su tañido
claro, rítmico y sonoro,

los acentos dejativos
y tristísimos e inciertos
de aquel misterioso coro
con que suenan las campanas . . .
¡las campanas plañideras,
que les hablan a los vivos
de los muertos! . . .

ÉGALITÉ

Juan Lanas, el mozo de esquina,
es absolutamente igual
al Emperador de la China:
los dos son un mismo animal.

Juan Lanas cubre su pelaje
con nuestra manta nacional;
el gran magnate lleva el traje
de seda verde excepcional.

Del uno cuidan cien dragones
de porcelana y de metal;
el otro cuenta sus girones
triste y hambreado en un portal.

Pero si alguna mandarina
siguiendo el instinto sexual
al potentado se avecina
en el traje tradicional,

que tenía nuestra madre Eva
en aquella tarde fatal
en que se comieron la breva
del árbol del bien y del mal,

y si al mismo Juan una Juana
se entrega de un modo brutal
y palpita la bestia humana
en un solo espasmo sexual,

Juan Lanas, el mozo de esquina,
es absolutamente igual
al Emperador de la China:
los dos son un mismo animal.

(De *Poesías completas*, 1952)

NOTICIA COMPLEMENTARIA

En la historia de la novela cuentan otros escritores que no han podido entrar en nuestra antología. CARLOS REYLES (1868-1938) fué el mayor novelista que ofreció Uruguay en esta generación. Su técnica es la del realismo, y la realidad que noveló con más firmeza fué la del campo uruguayo: *El gaucho Florido* es la novela de una estancia uruguaya, con « gauchos crudos ». En cambio el chileno LUIS ORREGO LUCO (1866-1949) se destacó en temas de ciudad y, dentro de la ciudad, en temas de las clases sociales más afortunadas. La peruana CLORINDA MATTO DE TURNER (1854-1909) se distinguío por su valentía en llevar a la novela — *Aves sin nido* — las fórmulas de liberación del indio que había enunciado González Prada. Los venezolanos MANUEL VICENTE ROMERO GARCÍA (1865-1917), autor de *Peonía*, y GONZALO PICÓN-FEBRES (1860-1918), autor de *El sargento Felipe*, novelaron las costumbres de su país.

IX

1895-1910

MARCO HISTÓRICO: *Industrialización. Fuerza del capitalismo internacional. Porfirio Díaz en México. La oligarquía liberal en la Argentina. España pierde sus últimas posesiones en América.*
TENDENCIAS CULTURALES: *Plenitud del Modernismo.*

Rubén Darío	Amado Nervo	Rufino Blanco Fombona
Leopoldo Lugones	Enrique González Martínez	Enrique López Albújar
Ricardo Jaimes Freyre	Luis Lloréns Torres	Alcides Arguedas
Guillermo Valencia	Enrique Gómez Carrillo	Froilán Turcios
Julio Herrera y Reissig	Manuel Díaz Rodríguez	José Enrique Rodó
José Santos Chocano	Macedonio Fernández	Carlos Vaz Ferreira
José M. Eguren	Horacio Quiroga	José Vasconcelos

Desde 1880 aparecieron en toda la América española claros indicios de un cambio en el gusto romántico. En la historia literaria se ha bautizado este cambio con el nombre de Modernismo. Intentemos una caracterización general. El rasgo dominante en estos escritores fué el orgullo de formar parte de una minoría. Tenían un concepto heroico de la vida; pero puesto que las circunstancias sociales y políticas de América habían cambiado, y ya no podían ser héroes de la acción, se convirtieron en héroes del arte. Lo importante era no sucumbir en la mediocridad. Había que desviarse enérgicamente de toda línea media. Cultivaban las formas literarias como valores supremos. Todo podía entrar en esas formas, lo viejo tanto como lo nuevo, pero las formas mismas debían ser provocadoras, desafiantes, sorprendentes. Sus polémicas no iban, en verdad, contra el pasado — al contrario: les encantaba el pasado — sino contra el presente, contra un presente burgués de clisés, lugares comunes, perezas y pequeñas satisfacciones. La pasión formalista los llevó al esteticismo y generalmente es este aspecto el que más han estudiado los críticos; pero, con la misma voluntad de formas nuevas, los modernistas hicieron también literatura naturalista, filosófica, política y americanista. Cualquier esfuerzo espiritual les entusiasmaba, siempre que tuviera distinción.

Los modernistas aprendieron a escribir observando lo que el romanticismo tenía de elegante, no lo que tenía de apasionado. Pero fué el parnasismo francés la escuela donde los hispanoamericanos aprendieron a anhelar la perfección de la forma. Cuando ya los modernistas, con Rubén Darío a la cabeza, avanzaban triunfantes por las letras hispánicas, se enteraron de los triunfos que el simbolismo tenía en Francia en esos mismos años y, sobre la marcha, agregaron a sus maneras parnasianas, ricas en visión, las maneras simbolistas, ricas en musicalidad. Tanto en el verso como en la prosa ensayaron procedimientos novísimos. Ante todo, una portentosa renovación rítmica. Además de los ritmos de la lengua, los de la sensibilidad y el pensamiento.

Rubén Darío

Rubén Darío (Nicaragua; 1867-1916) comienza a estudiar las invenciones poéticas francesas cuando todavía es un adolescente en Centroamérica. Lee e imita a Gautier, Coppée y Mendès. Iluminadas con estos focos, adquieren un brillo precursor muchas de sus composiciones centroamericanas. A mediados de 1886 Rubén Darío llegó a Chile y se sintió deslumbrado porque Valparaíso y Santiago eran las primeras ciudades importantes que veía, prósperas y con ciertas pretensiones europeas. Los poetas de la primera y aun de la segunda generación romántica no habían tenido una experiencia real, inmediata, del lujo: Rubén Darío y sus coetáneos la tendrán. En Chile continuó informándose sobre las primicias literarias francesas. Pero a pesar de sus preferencias por la poesía parnasiana escribió en la manera tradicional *Abrojos*, *Rimas* y *Canto épico* (1887). Simultáneamente escribió *Azul . . .* (1888) donde innovó más en los cuentos y prosas poemáticas que en los versos. Saltó a un alto nivel de prosa; en cambio, caminó lentamente hacia los versos exquisitos que admiraba de lejos. Y mientras caminaba miraba a uno y otro lado, eligiendo amigos. Sintiéndose rodeado y viendo a todo el grupo en marcha, lanzó una segunda edición de *Azul . . .* (1890), aumentada con versos y prosas. Una comparación entre ambas ediciones prueba los adelantos del no-conformismo de Darío. Sus versos, ahora, están señalados por los principios de pureza artística que antes sólo se atrevió a expresar en prosa. Parece haber comprendido que su papel era adelantarse a otros en la modernización del verso español; y, sin renunciar a sus viejas maneras, ya no se distrajo. Sólo le faltaba tantear el ambiente de España. Partió para allí en 1892. En dos meses echó un vistazo sobre la España literaria y confirmó que la reforma era necesaria. Al llegar en 1893 a Buenos Aires, Rubén Darío se encontró con una inquietud literaria parnasiana y decadente. Más talentoso que los poetas jóvenes de Buenos Aires ya iniciados en el parnaso francés, Darío se dejó rodear y pronto es aclamado cabecilla. Fué entonces cuando decidió explicarse con cánones teóricos: de 1896 son sus artículos *Los raros*, las « palabras preliminares » de *Prosas profanas* y « Los colores del estandarte ». Rubén Darío había observado desde sus años de Centroamérica que nuevos poetas estaban haciéndose oír. Ahora sospechó que esas voces americanas se alzaban sobre el coro de poetas de España; y empezó a sentir el orgullo de una generación americana independiente: « los jóvenes han encendido la revolución actual ». Pero esa revolución no tenía nombre. Poco a poco fué insinuándose el de « modernismo ». « Modernos », « modernistas » andan por el aire de América y de España mezclados con « parnasianos », « simbolistas », « decadentes », « estetas », « nuevos », « reformistas », « ultrarreformistas » . . . Darío se decide por la palabra « modernismo » y la convierte en el nombre del movimiento juvenil y del aporte de América a la revolución artística en lengua española. Uno de los méritos más altos de Rubén Darío es el de haber incitado a cada poeta a abordar sus propios problemas formales y a resolverlos artísticamente. No estaba solo. Pero Darío resaltó entre todos, no sólo por la mayor fuerza de su genio, sino también porque de pronto se propuso un programa. Buscó invenciones en la literatura de su tiempo; y hasta las rebuscó en la vieja poesía española. Tuvo conciencia del oficio de poetizar; y sistemáticamente se puso a perfeccionar todos los procedimientos no trillados. Este afán de perfección verbal es lo permanente en su obra. Por eso, en último análisis, es esa voluntad de estilo lo que define su « modernismo », fundición y aleación de todos los « ismos » de la época. En 1896, al publicar *Prosas profanas*, debió de sentir sobre sí toda la responsabilidad del nuevo movimiento. Martí, Gutiérrez Nájera, Casal, Silva, todos acababan de morir prematuramente. Otros, de más edad que él, que marchaban hacia el mismo sitio por caminos separados (Díaz Mirón), se desviaron para juntársele. Pero los coetáneos o los más jóvenes lo rodearon (Lugones, Nervo) y se formó así la llamada « segunda generación modernista ». Con un perfecto sentido musical Darío ensayó toda clase de tipos de verso y de ritmos. En su reforma predominaba la versificación regular (después de 1920 es cuando se desata el torrente de versos amétricos en América); y hasta tuvo la timidez de no atreverse a « las peligrosas tentaciones del versolibrismo ». Pero sus invenciones y restauraciones modularon deliciosamente la prosodia de nuestra lengua. Gran parte de tanto alarde técnico se inspiraba en las tendencias francesas hacia el verso libre. *Prosas profanas* no es una mera colección de poemas: es un poemario con alma, con gesto, con rostro. París — un París ideal — fué el boquete por donde Darío se escapaba de América. Y al otro lado disfrutaba — arte por el arte — de un nuevo mundo de objetos. La Francia de Banville y de Verlaine, la Francia del siglo XVIII, la Francia de la mitología y los orientalismos, la Francia rococó. Y hasta en las evocaciones del campo argentino, del mar chileno y del campo español hay un espejo deformante, fabricado en París. En Rubén Darío el sentimiento aristocrático, desdeñoso para la realidad de su tiempo, se objetiva en una poesía exótica, cosmopolita, reminiscente de arte y nostálgica de épocas históricas. Algunas composiciones perciben más lo exótico, otras lo cosmopolita, otras los bienes ya realizados en artes plásticas o musicales, otras el prestigio de Grecia, Roma, la Edad Media, la Francia del siglo XVIII; pero en cada una de ellas resuenan las demás. Y esta unidad se nos muestra con distintos temples sentimentales: el tono frívolo, el tono hedonista, el tono erótico, el tono reflexivo.

Cuando años después surgió en España una nueva generación (se llama « del 98 ») Rubén Darío supo que todos, en frío o con fervor, admiraban su maestría. Unos acompasan sus pasos a los pasos de él (Salvador Rueda); otros no se suman a la procesión, pero la miran pasar con respeto (Antonio Machado) o a regañadientes (Unamuno); están los entusiastas (Villaespesa, Valle Inclán); y no faltan los más jóvenes, que llevarán el estandarte hasta una poesía de puras esencias (Juan Ramón Jiménez). Seguro de su importancia, en América y en España, Darío abre los ojos hacia dentro, ahonda su poesía. Había en él un virtuoso que, para lucirse, prefería ofrecer novedad y no originalidad; y también un intuitivo capaz de poetizar sus visiones directas. El virtuosismo de *Prosas profanas* fué imitado porque se podía imitar; eran temas y procedimientos lo bastante intelectuales para que sirvieran de estímulo a una escuela. Su mester tuvo secuaces. Pero, después de *Prosas profanas*,

Darío escribió poesías de timbre emocional que ya no se pueden desarrollar como ejercicios retóricos porque brotan de una manera peculiar de padecer el mundo. El Rubén Darío de los *Cantos de vida y esperanza* (1905) es el mismo que el de las *Prosas*. Ante todo, la misma prestancia aristocrática. Pero en los *Cantos* presenciamos la crisis del esteticismo de *Prosas*. No hay rompimiento con el pasado, sino un cambio en la escala de valores. Es como un comienzo de Otoño. Otra dirección en los *Cantos* es la vuelta a la preocupación social. Reaparecen — pero con las virtudes de un estilo soberbio — las actitudes de Darío anteriores a *Azul . . .*: la política, el amor a España, la conciencia de la América española, el recelo a los Estados Unidos, normas morales. En la tercera dirección del libro, el poeta reflexiona y se pregunta qué es el arte, qué es el placer, qué es el amor, qué es el tiempo, qué es la vida, qué es la muerte, qué es la religión.

Cantos de vida y esperanza, es el mejor libro de Rubén Darío. Después escribirá poesías aún mejores pero no libros que, en tanto libros, lo superen: *El canto errante* (1907), *Poema del otoño y otros poemas* (1910), *Canto a la Argentina y otros poemas* (1914). Rubén Darío dejó la poesía diferente de como la había encontrado: en esto, como Garcilaso, Fray Luis de León, San Juan de la Cruz, Lope, Góngora y Bécquer. Con incomparable elegancia poetizó el gozo de vivir y el terror de la muerte. La transformación de la prosa castellana que llevó a cabo Rubén Darío fué gemela a la del verso, aunque menos genial. Ya hemos hablado de los cuentos y poemas en prosa de *Azul . . .* Rubén Darío los superó con otros cuentos, con otros poemas en prosa, coleccionados en varios libros póstumos. Y sobre todo en su prosa no narrativa y no deliberadamente poemática es donde está lo más viviente de su calidad de prosista: *Los raros* (1896), *Peregrinaciones* (1901), *La caravana pasa* (1902), *Tierras solares* (1904). Prosa fragmentaria, ocasional y sin embargo enérgicamente victoriosa sobre el lugar común.

DE INVIERNO

En invernales horas, mirad a Carolina.
Medio apelotonada, descansa en el sillón,
envuelta con su abrigo de marta cibelina
y no lejos del fuego que brilla en el salón.

El fino angora blanco junto a ella se reclina,
rozando con su hocico la falda de Alençon,[1]
no lejos de las jarras de porcelana china
que medio oculta un biombo de seda del Japón.

Con sus sutiles filtros la invade un dulce sueño;
entro, sin hacer ruido; dejo mi abrigo gris;
voy a besar su rostro, rosado y halagüeño

como una rosa roja que fuera flor de lis;
abre los ojos; mírame, con su mirar risueño,
y en tanto cae la nieve del cielo de París.

[1889]

WALT WHITMAN

En su país de hierro vive el gran viejo,
bello como un patriarca, sereno y santo.
Tiene en la arruga olímpica de su entrecejo
algo que impera y vence con noble encanto.

Su alma del infinito parece espejo;
son sus cansados hombros dignos del manto:
y con arpa labrada de un roble añejo,
como un profeta nuevo canta su canto.

Sacerdote, que alienta soplo divino,
anuncia en el futuro tiempo mejor.
Dice al águila: « ¡Vuela! » « ¡Boga! », al marino,

y « ¡Trabaja! », al robusto trabajador.
¡Así va ese poeta por su camino
con su soberbio rostro de emperador!

[1890]

1. ciudad de Francia, famosa por sus encajes. 2. nombre con que se designa a veces a las Musas. 3. piezas salientes sujetas a un poste, para colgar algo de ellas.

AUTUMNAL

Eros, Vita, Lumen

En las pálidas tardes
yerran nubes tranquilas
en el azul; en las ardientes manos
se posan las cabezas pensativas.
¡Ah los suspiros! ¡Ah los dulces sueños!
¡Ah las tristezas íntimas!
¡Ah el polvo de oro que en el aire flota,
tras cuyas ondas trémulas se miran
los ojos tiernos y húmedos,
las bocas inundadas de sonrisa,
las crespas cabelleras
y los dedos de rosa que acarician!

En las pálidas tardes
me cuenta un hada amiga
las historias secretas
llenas de poesía;
lo que cantan los pájaros,
lo que llevan las brisas,
lo que vaga en las nieblas,
lo que sueñan las niñas.

Una vez sentí el ansia
de una sed infinita.
Dije al hada amorosa:
—Quiero en el alma mía
tener la inspiración honda, profunda,
inmensa: luz, calor, aroma, vida.
Ella me dijo: —¡Ven!— con el acento
con que hablaría un arpa. En él había
un divino idioma de esperanza.
¡Oh sed del ideal!

Sobre la cima
de un monte, a media noche,
me mostró las estrellas encendidas.
Era un jardín de oro
con pétalos de llamas que titilan.
Exclamé: —Más . . .

La aurora
vino después. La aurora sonreía,
con la luz en la frente,
como la joven tímida
que abre la reja, y la sorprenden luego
ciertas curiosas, mágicas pupilas.
Y dije: —Más . . .— Sonriendo
la celeste hada amiga
prorrumpió: —¡Y bien! ¡Las flores!

Y las flores
estaban frescas, lindas,
empapadas de olor: la rosa virgen,
la blanca margarita,
la azucena gentil y las volúbiles
que cuelgan de la rama estremecida.
Y dije: —Más . . .

El viento
arrastraba rumores, ecos, risas,
murmullos misteriosos, aleteos,
músicas nunca oídas.
El hada entonces me llevó hasta el velo
que nos cubre las ansias infinitas,
la inspiración profunda
y el alma de las liras.
Y lo rasgó. Y allí todo era aurora.
En el fondo se vía
un bello rostro de mujer.

¡Oh; nunca,
Piérides,[2] diréis las sacras dichas
que en el alma sintiera!
Con su vaga sonrisa:
—¿Más? . . .—dijo el hada.—Y yo tenía entonces
clavadas las pupilas
en el azul, y en mis ardientes manos
se posó mi cabeza pensativa . . .

[1887]

EL FARDO

Allá lejos, en la línea, como trazada con un lápiz azul, que separa las aguas y los cielos, se iba hundiendo el sol, con sus polvos de oro y sus torbellinos de chispas purpuradas, como un gran disco de hierro candente. Ya el muelle fiscal iba quedando en quietud; los guardas pasaban de un punto a otro, las gorras metidas hasta las cejas, dando aquí y allá sus vistazos. Inmóvil el enorme brazo de los pescantes,[3] los jornaleros se encaminaban a las casas. El agua murmuraba debajo del muelle, y el húmedo viento salado, que sopla del mar afuera a la hora en que la noche sube, mantenía las lanchas cercanas en un continuo cabeceo.

Todos los lancheros se habían ido ya; solamente el viejo tío Lucas, que por la mañana se estropeara un pie al subir una barrica a un carretón, y que, aunque cojín cojeando, había trabajado todo el día, estaba sentado en una piedra y, con la pipa en la boca, veía triste el mar.

— ¡Eh, tío Lucas! ¿Se descansa?

— Sí, pues, patroncito.

Y empezó la charla, esa charla agradable y suelta que me place entablar con los bravos hombres toscos que viven la vida del trabajo fortificante, la que da la buena salud y la fuerza del músculo, y se nutre con el grano del poroto[4] y la sangre hirviente de la viña.

Yo veía con cariño a aquel rudo viejo, y le oía con interés sus relaciones, así, todas cortadas, todas como de hombre basto, pero de pecho ingenuo. ¡Ah, conque fué militar! ¡Conque de mozo fué soldado de Bulnes![5] ¡Conque todavía tuvo resistencias para ir con rifle hasta Miraflores![6] Y es casado, y tuvo un hijo, y . . .

Y aquí el tío Lucas:

— Sí, patrón; hace dos años que se me murió.

Aquellos ojos, chicos y relumbrantes bajo las cejas grises y peludas, se humedecieron entonces.

— ¿Que cómo se murió? En el oficio, por darnos de comer a todos: a mi mujer, a los chiquitos y a mí, patrón, que entonces me hallaba enfermo.

Y todo me lo refirió, al comenzar aquella noche, mientras las olas se cubrían de brumas y la ciudad encendía sus luces; él, en la piedra que servía de asiento, después de apagar su negra pipa y de colocársela en la oreja, y de estirar y cruzar sus piernas flacas y musculosas, cubiertas por los sucios pantalones arremangados hasta el tobillo.

El muchacho era muy honrado y muy de trabajo. Se quiso ponerlo a la escuela desde grandecito; ¡pero los miserables no deben aprender a leer cuando se llora de hambre en el cuartucho!

El tío Lucas era casado, tenía muchos hijos.

Su mujer llevaba la maldición del vientre de las pobres: la fecundación. Había, pues, mucha boca abierta que pedía pan, mucho chico sucio que se revolcaba en la basura, mucho cuerpo magro que temblaba de frío; era preciso ir a llevar qué comer, a buscar harapos, y para eso, quedar sin alientos y trabajar como un buey.

Cuando el hijo creció, ayudó al padre. Un vecino, el herrero, quiso enseñarle su industria; pero como entonces era tan débil, casi una armazón de huesos, y en el fuelle tenía que echar el bofe,[7] se puso enfermo y volvió al conventillo.[8] ¡Ah, estuvo muy enfermo! Pero no murió. ¡No murió! Y eso que vivían en uno de esos hacinamientos humanos, entre cuatro paredes destartaladas, viejas, feas, en la callejuela inmunda de las mujeres perdidas, hedionda a todas horas, alumbrada de noche por escasos faroles, y donde resuenan en perpetua llamada a las zambras de echarcovería,[9] las arpas y los acordeones, y el ruido de los marineros que llegan al burdel, desesperados con la castidad de las largas travesías, a emborracharse como cubas y a gritar y patalear como condenados. ¡Sí! entre la podredumbre, al estrépito de las fiestas tunantescas, el chico vivió, y pronto estuvo sano y en pie.

Luego llegaron sus quince años.

El tío Lucas había logrado, tras mil privaciones, comprar una canoa. Se hizo pescador.

Al venir el alba, iba con su mocetón al agua, llevando los enseres de la pesca. El uno remaba, el otro ponía en los anzuelos la carnada. Volvían a la costa con buenas esperanzas de vender lo hallado, entre la brisa fría y las opacidades de la neblina, cantando en baja voz alguna « triste »[10] y enhiesto el remo triunfante que chorreaba espuma.

Si había buena venta, otra salida por la tarde.

Una de invierno había temporal. Padre e hijo, en la pequeña embarcación, sufrían en el mar la locura de la ola y del viento. Difícil era llegar a tierra. Pesca y todo se fué al agua, y se pensó en librar el pellejo. Luchaban como desesperados por ganar la playa. Cerca de ella estaban; pero una racha maldita les empujó contra una roca, y la canoa se hizo astillas. Ellos salieron sólo magullados, ¡gracias a Dios! como decía el tío Lucas al narrarlo. Después, ya son ambos lancheros.

4. los frijoles. 5. Manuel Bulnes, general chileno que combatió contra la confederación peruano-boliviana en 1838. 6. batalla de 1881 que abrió las puertas de Lima al ejército chileno en la guerra del Pacífico. 7. echar el pulmón, trabajar con exceso. 8. en algunos países de la América del Sur, casa de vecindad. 9. fiestas de gente de mal vivir. 10. canción popular del Perú, Bolivia y Chile. 11. en marinería, extremo de cuerda o pedazo pequeño de ella. 12. hueso largo de la pierna.

Sí, lancheros; sobre las grandes embarcaciones chatas y negras; colgándose de la cadena que rechina pendiente como una sierpe de hierro del macizo pescante que semeja una horca; remando de pie y a compás; yendo con la lancha del muelle al vapor y del vapor al muelle; gritando: ¡hiiooeep! cuando se empujan los pesados bultos para engancharlos en la uña potente que los levanta balanceándolos como un péndulo. ¡Sí! lancheros; el viejo y el muchacho, el padre y el hijo; ambos a horcajadas sobre un cajón, ambos forcejeando, ambos ganando su jornal, para ellos y para sus queridas sanguijuelas del conventillo.

Íbanse todos los días al trabajo, vestidos de viejo, fajadas las cinturas con sendas bandas coloradas, y haciendo sonar a una sus zapatos groseros y pesados que se quitaban al comenzar la tarea, tirándolos en un rincón de la lancha.

Empezaba el trajín, el cargar y descargar. El padre era cuidadoso: — ¡Muchacho, que te rompes la cabeza! ¡Que te coje la mano el chicote![11] ¡Que vas a perder una canilla![12] — Y enseñaba, adiestraba, dirigía al hijo, con su modo, con sus bruscas palabras de obrero viejo y de padre encariñado.

Hasta que un día el tío Lucas no pudo moverse de la cama, porque el reumatismo le hinchaba las coyunturas y le taladraba los huesos.

¡Oh! Y había que comprar medicinas y alimentos; eso sí.

— Hijo, al trabajo, a buscar plata; hoy es sábado.

Y se fué el hijo, solo, casi corriendo, sin desayunarse, a la faena diaria.

Era un bello día de luz clara, de sol de oro. En el muelle rodaban los carros sobre sus rieles, crujían las poleas, chocaban las cadenas. Era la gran confusión del trabajo que da vértigo: el son del hierro, traqueteos por doquiera, y el viento pasando por el bosque de árboles y jarcias de los navíos en grupo.

Debajo de uno de los pescantes del muelle estaba el hijo del tío Lucas con otros lancheros, descargando a toda prisa. Había que vaciar la lancha repleta de fardos. De tiempo en tiempo bajaba la larga cadena que remata en un garfio, sonando como una matraca al correr con la roldana; los mozos amarraban los bultos con una cuerda doblada en dos, los enganchaban en el garfio, y entonces éstos subían a la manera de un pez en un anzuelo, o del plomo de una sonda, ya quietos, ya agitándose de un lado a otro, como un badajo, en el vacío.

La carga estaba amontonada. La ola movía pausadamente de cuando en cuando la embarcación colmada de fardos. Éstos formaban una a modo de pirámide en el centro. Había uno muy pesado, muy pesado. Era el más grande de todos, ancho, gordo y oloroso a brea. Venía en el fondo de la lancha. Un hombre, de pie sobre él, era pequeña figura para el grueso zócalo.

Era algo como todos los prosaísmos de la importación, envueltos en lona y fajados con correas de hierro. Sobre sus costados, en medio de líneas y de triángulos negros, había letras que miraban como ojos. — Letras en « diamante » — decía el tío Lucas. Sus cintas de hierro estaban apretadas con clavos cabezudos y ásperos; y en las entrañas tendría el monstruo, cuando menos, linones y percales.

Sólo él faltaba.

— ¡Se va el bruto! — dijo uno de los lancheros.

— El barrigón — agregó otro.

El hijo del tío Lucas, que estaba ansioso de acabar pronto, se alistaba para ir a cobrar y desayunarse anudándose un pañuelo de cuadros al pescuezo.

Bajó la cadena danzando en el aire. Se amarró un gran lazo al fardo, se probó si estaba bien seguro, y se gritó: — ¡Iza! — mientras la cadena tiraba de la masa chirriando y levantándola en vilo.

Los lancheros, de pie, miraban subir el enorme peso, y se preparaban para ir a tierra, cuando se vió una cosa horrible. El fardo, el grueso fardo, se zafó del lazo, como de un collar holgado saca un perro la cabeza; y cayó sobre el hijo del tío Lucas que entre el filo de la lancha y el gran bulto quedó con los riñones rotos, el espinazo desencajado y echando sangre negra por la boca.

Aquel día no hubo pan ni medicinas en casa del tío Lucas, sino el muchacho destrozado, al que se abrazaba llorando el reumático, entre la gritería de la mujer y de los chicos, cuando llevaban el cadáver al cementerio.

Me despedí del viejo lanchero, y a pasos elásticos dejé el muelle, tomando el camino de la casa y haciendo filosofía con toda la cachaza de un poeta, en tanto que una brisa glacial, que venía de mar afuera, pellizcaba tenazmente las narices y las orejas.

[1887]

LA MUERTE DE LA EMPERATRIZ DE LA CHINA

Delicada y fina como una joya humana, vivía aquella muchachita de carne rosada, en la pequeña casa que tenía un saloncito con los tapices de color azul desfalleciente. Era su estuche.

¿Quién era el dueño de aquel delicioso pájaro alegre, de ojos negros y boca roja? ¿Para quién cantaba su canción divina, cuando la señorita Primavera mostraba en el triunfo del sol su bello rostro riente, y abría las flores del campo, y alborotaba la nidada? Suzette se llamaba la avecita que había puesto en jaula de seda, peluches y encajes, un soñador artista cazador, que la había cazado una mañana de mayo en que había mucha luz en el aire y muchas rosas abiertas.

Recaredo — capricho paternal, él no tenía la culpa de llamarse Recaredo — se había casado hacía año y medio. — ¿Me amas? — Te amo. ¿Y tú? — Con toda el alma.

Hermoso el día dorado, después de lo del cura. Habían ido luego al campo nuevo, a gozar libres del gozo del amor. Murmuraban allá en sus ventanas de hojas verdes, las campanillas, y las violetas silvestres que olían cerca del riachuelo, cuando pasaban los dos amantes, el brazo de él en la cintura de ella, el brazo de ella en la cintura de él, los rojos labios en flor dejando escapar los besos. Después, fué la vuelta a la gran ciudad, al nido lleno de perfume, de juventud y de calor dichoso.

¿Dije ya que Recaredo era escultor? Pues si no lo he dicho, sabedlo.

Era escultor. En la pequeña casa tenía su taller, con profusión de mármoles, yesos, bronces y terracotas. A veces, los que pasaban oían a través de las rejas y persianas una voz que cantaba y un martilleo vibrante y metálico. Suzette, Recaredo, la boca que emergía el cántico, y el golpe del cincel.

Luego el incesante idilio nupcial. En puntillas, llegar donde él trabajaba, e inundándole de cabellos la nuca, besarle rápidamente. Quieto, quietecito, llegar donde ella duerme en su *chaise longue*, los piececitos calzados y con medias negras, uno sobre otro, el libro abierto sobre el regazo, medio dormida; y allí el beso es en los labios, beso que sorbe el aliento y hace que se abran los ojos inefablemente luminosos. Y a todo esto, las carcajadas del mirlo; un mirlo enjaulado que cuando Suzette toca de Chopín, se pone triste y no canta. ¡Las carcajadas del mirlo! No era poca cosa. — ¿Me quieres? — ¿No lo sabes? — ¿Me amas? — ¡Te adoro! Ya estaba el animalucho echando toda la risa del pico. Se le sacaba de la jaula, revolaba por el saloncito azulado, se detenía en la cabeza de un Apolo de yeso, o en la frámea[13] de un viejo germano de bronce oscuro. Tiiiiiirit . . . rrrrrrich . . . fiii . . . ¡Vaya que a veces era mal criado e insolente en su algarabía! Pero era lindo sobre la mano de Suzette que le mimaba, le apretaba el pico entre sus dientes hasta hacerlo desesperar, y le decía a veces con una voz severa que temblaba de terneza: ¡Señor mirlo, es usted un picarón!

Cuando los dos amados estaban juntos, se arreglaban uno a otro el cabello. « Canta », decía él. Y ella cantaba lentamente; y aunque no eran sino pobres muchachos enamorados, se veían hermosos, gloriosos y reales; él la miraba como a una Elsa y ella le miraba como a un Lohengrin. Porque el Amor, ¡oh jóvenes llenos de sangre y de sueños!, pone un azul de cristal ante los ojos, y da las infinitas alegrías.

¡Cómo se amaban! Él la contemplaba sobre las estrellas de Dios; su amor recorría toda la escala de la pasión, y era ya contenido, ya tempestuoso en su querer, a veces casi místico. En ocasiones dijérase aquel artista un teósofo que veía en la amada mujer algo supremo y extrahumano como la Ayesha de Rider Haggard,[14] la aspiraba como una flor, le sonreía como a un astro y se sentía soberbiamente vencedor al estrechar contra su pecho aquella adorable cabeza, que cuando estaba pensativa y quieta, era comparable al perfil hierático de la medalla de una emperatriz bizantina.

Recaredo amaba su arte. Tenía la pasión de la forma; hacía brotar del mármol gallardas diosas desnudas de ojos blancos, serenos y sin pupilas; su taller estaba poblado de un pueblo de estatuas silenciosas, animales de metal, gárgolas terroríficas, grifos de largas colas vegetales, creaciones góticas quizá inspiradas por el ocultismo. ¡Y, sobre todo, la gran afición! Japone-

13. jabalina de los antiguos germanos. 14. Henry Rider Haggard (1856-1925), novelista inglés, autor de algunas obras de temas africanos, como « King Solomon's Mines », y « Ayesha. » 15. Pierre Loti (1850-1923), escritor francés, autor de obras de carácter exótico. 16. (1846-1917), novelista francesa. 17. señal o marca que los aduaneros ponen en las mercancías. 18. enfermedad del ángulo interno del ojo, que consiste en la presencia de un repliegue semilunar de la piel que cubre una parte del globo ocular.

rías y chinerías. Recaredo era en esto un original. No sé qué habría dado por hablar chino o japonés. Conocía los mejores albums; había leído buenos exotistas, adoraba a Loti[15] y a Judith Gautier,[16] y hacía sacrificios por adquirir trabajos legítimos, de Yokoama, de Nagasaki, de Kioto o de Nankin o Pekin: los cuchillos, las pipas, las máscaras feas y misteriosas como las caras de los sueños hípnicos, los mandarinitos enanos con panzas de cucurbitáceos y ojos circunflejos, los monstruos de grandes bocas de batracio, abiertas y dentadas y diminutos soldados de Tartaria, con faces foscas.

— ¡Oh — le decía Suzette —, aborrezco tu casa de brujo, ese terrible taller, arca extraña que te roba a mis caricias!

Él sonreía, dejaba su lugar de labor, su templo de raras chucherías y corría al pequeño salón azul, a ver y mimar su gracioso dije vivo, y oír cantar y reír al loco mirlo jovial.

Aquella mañana, cuando entró, vió que estaba su dulce Suzette, soñolienta y tendida, cerca de un tazón de rosas que sostenía un trípode. ¿Era la Bella durmiente del bosque? Medio dormida, el delicado cuerpo modelado bajo una bata blanca, la cabellera castaña apelotonada sobre uno de los hombros, toda ella exhalando un suave olor femenino, era como una deliciosa figura de los amables cuentos que empiezan: « Éste era un rey . . . ».

La despertó:

— ¡Suzette; mi bella!

Traía la cara alegre; le brillaban los ojos negros bajo su fez rojo de labor; llevaba una carta en la mano.

— Carta de Robert, Suzette. ¡El bribonazo está en China! «Hong Kong, 18 de enero . . . ». Suzette, un tanto amodorrada, se había sentado y le había quitado el papel. ¡Conque aquel andariego había llegado tan lejos! « Hong Kong, 18 de enero . . . ». Era gracioso. ¡Un excelente muchacho el tal Robert, con la manía de viajar! Llegaría al fin del mundo. ¡Robert, un grande amigo! Se veían como de la familia. Había partido hacía dos años para San Francisco de California. ¡Habríase visto loco igual!

Comenzó a leer.

«Hong Kong, 18 de enero de 1888.

« Mi buen Recaredo:

« Vine y ví. No he vencido aún.

« En San Francisco supe vuestro matrimonio y me alegré. Dí un salto y caí en la China. He venido como agente de una casa californiana, importadora de sedas, lacas, marfiles y demás chinerías. Junto con esta carta debes recibir un regalo mío que, dada tu afición por las cosas de este país amarillo, te llegará de perlas. Ponme a los pies de Suzette, y conserva el obsequio en memoria de tu

Robert ».

Ni más, ni menos. Ambos soltaron la carcajada. El mirlo, a su vez, hizo estallar la jaula en una explosión de gritos musicales.

La caja había llegado, una caja de regular tamaño, llena de marchamos,[17] de números y de letras negras que decían y daban a entender que el contenido era muy frágil. Cuando la caja se abrió, apareció el misterio. Era un fino busto de porcelana, un admirable busto de mujer sonriente, pálido y encantador. En la base tenía tres inscripciones, una en caracteres chinescos, otra en inglés y otra en francés: *La emperatriz de la China*. ¡La emperatriz de la China! ¿Qué manos de artista asiático habían modelado aquellas formas atrayentes de misterio? Era una cabellera recogida y apretada, una faz enigmática, ojos bajos y extraños, de princesa celeste, sonrisa de esfinge, cuello erguido sobre los hombros columbinos, cubiertos por una honda de seda bordada de dragones, todo dando magia a la porcelana blanca, con tonos de cera, inmaculada y cándida. ¡La emperatriz de la China! Suzette pasaba sus dedos de rosa sobre los ojos de aquella graciosa soberana, un tanto inclinados, con sus curvos epicantus[18] bajo los puros y nobles arcos de las cejas. Estaba contenta. Y Recaredo sentía orgullo de poseer su porcelana. Le haría un gabinete especial, para que viviese y reinase sola, como en el Louvre la Venus de Milo, triunfadora, cobijada imperialmente por el plafón de su recinto sagrado.

Así lo hizo. En un extremo del taller, formó un gabinete minúsculo, con biombos cubiertos de arrozales y de grullas. Predominaba la nota amarilla. Toda la gama, oro, fuego, ocre de oriente, hoja de otoño hasta el pálido que agoniza fundido en la blancura. En el centro, sobre un pedestal dorado y negro, se alzaba riendo la exótica imperial. Alrededor de ella había colocado Recaredo todas sus japonerías y curiosidades chinas. La cubría un gran quitasol nipón, pintado de camelias y de anchas rosas sangrientas. Era cosa de risa, cuando el artista soñador, después de dejar la pipa y los pinceles, llegaba frente a la emperatriz, con las manos cruzadas sobre el pecho, a hacer zalemas. Una, dos, diez, veinte veces la visitaba. Era una pasión. En un plato de laca yokoamesa le ponía flores frescas todos los días. Tenía, en momentos, verdaderos arrobos delante del busto asiático que le conmovía en su deleitable e inmóvil majestad. Estudiaba sus menores detalles, el caracol de la oreja, el arco del labio, la nariz pulida, el epicantus del párpado. ¡Un ídolo, la famosa emperatriz! Suzette le llamaba de lejos: — ¡Recaredo!

— ¡Voy! — y seguía en la contemplación de su obra de arte. Hasta que Suzette llegaba a llevárselo a rastras y a besos.

Un día, las flores del plato de laca desaparecieron como por encanto.

— ¿Quién ha quitado las flores? — gritó el artista, desde el taller.

— Yo — dijo una voz vibradora.

Era Suzette, que entreabría una cortina, toda sonrosada y haciendo relampaguear sus ojos negros.

Allá en lo hondo de su cerebro se decía el señor Recaredo, artista escultor: — ¿Qué tendrá mi mujercita? No comía casi. Aquellos buenos libros desflorados por su espátula de marfil, estaban en el pequeño estante negro, con sus hojas cerradas sufriendo la nostalgia de las blandas manos de rosa y del tibio regazo perfumado. El señor Recaredo la veía triste. ¿Qué tendrá mi mujercita? En la mesa no quería comer. Estaba seria. ¡Qué seria! La miraba a veces con el rabo del ojo, y el marido veía aquellas pupilas oscuras, húmedas, como si quisieran llorar. Y ella al responder, hablaba como los niños a quienes se ha negado un dulce. ¿Qué tendrá mi mujercita? ¡Nada! Aquel « nada » lo decía ella con voz de queja, y entre sílaba y sílaba había lágrimas.

— ¡Oh, señor Recaredo! Lo que tiene vuestra mujercita es que sois un hombre abominable. ¿No habéis notado que desde que esa buena de la emperatriz de la China ha llegado a vuestra casa, el saloncito azul se ha entristecido, y el mirlo no canta ni ríe con su risa perlada? Suzette despierta a Chopín, y lentamente hace brotar la melodía enferma y melancólica del negro piano sonoro. ¡Tiene celos, señor Recaredo! Tiene el mal de los celos, ahogador y quemante, como una serpiente encendida que aprieta el alma. ¡Celos! Quizá él lo comprendía, porque una tarde dijo a la muchachita de su corazón estas palabras, frente a frente, a través del humo de una taza de café:

— Eres demasiado injusta. ¿Acaso no te amo con toda mi alma? ¿Acaso no sabes leer en mis ojos lo que hay dentro de mi corazón?

Suzette rompió a llorar. ¡Que la amaba! No, ya no la amaba. Habían huído las buenas y radiantes horas, y los besos que chasqueaban también eran idos, como pájaros en fuga. Ya no la quería. Y a ella, a la que él veía su religión, su delicia, su sueño, su rey, a ella, a Suzette, la había dejado por la otra.

¡La otra! Recaredo dió un salto. Estaba engañada. ¿Lo diría por la rubia Eulogia, a quien en un tiempo había dirigido madrigales?

Ella movió la cabeza: — No. ¿Por la ricachona Gabriela, de largos cabellos negros, blanca como un alabastro y cuyo busto había hecho? ¿O por aquella Luisa, la danzarina, que tenía una cintura de avispa, un seno de buena nodriza y unos ojos incendiarios? ¿O por la viudita Andrea, que al reír sacaba la punta de la lengua, roja y felina, entre sus dientes brillantes y marfilados?

No, no era ninguna de esas. Recaredo se quedó con asombro. — Mira, chiquilla, dime la verdad. ¿Quién es ella? Sabes cuánto te adoro, mi Elsa, mi Julieta, amor mío.

Temblaba tanta verdad de amor en aquellas palabras entrecortadas y trémulas, que Suzette, con los ojos enrojecidos, secos ya de lágrimas, se levantó irguiendo su linda cabeza heráldica.

— ¿Me amas?

— ¡Bien lo sabes!

— Deja, pues, que me vengue de mi rival. Ella o yo, escoge. Si es cierto que me adoras, ¿querrás permitir que la aparte para siempre de tu camino, que quede yo sola, confiada en tu pasión?

— Sea — dijo Recaredo.

Y viendo irse a su avecita celosa y terca, prosiguió sorbiendo el café tan negro como la tinta.

19. libro de ensayos literarios en prosa, publicado por Rubén Darío en 1896. 20. (1858-1915), ensayista francés, y crítico importante del grupo simbolista.
21. del francés, « el que no comprende. » 22. palabra francesa que proviene del español, de « arrastrar » y « cueros », aplicada en Francia a los americanos ostentosos que alardean de su posición económica. 23. (1847-1903), compositora francesa de origen irlandés. 24. tribus indígenas de Nicaragua. 25. Heliogábalo, refinado emperador romano (nació en 204), célebre por su locura y su crueldad.

No había tomado tres sorbos, cuando oyó un gran ruido de fracaso en el recinto de su taller.

Fué: ¿Qué miraron sus ojos? El busto había desaparecido del pedestal de negro y oro, y entre minúsculos mandarines caídos y descolgados abanicos, se veían por el suelo pedazos de porcelana que crujían bajo los pequeños zapatos de Suzette, quien toda encendida y con el cabello suelto, aguardando los besos, decía entre carcajadas argentinas al maridito asustado: — Estoy vengada. ¡Ha muerto ya para ti la emperatriz de la China!

Y cuando comenzó la ardiente reconciliación de los labios, en el saloncito azul, todo lleno de regocijo, el mirlo, en su jaula, se moría de risa.

(De *Azul*, 1888-1890)

PROSAS PROFANAS

Palabras liminares

Después de *Azul* . . ., después de *Los Raros*,[19] voces *insinuantes*, buena y mala intención, entusiasmo sonoro y envidia subterránea — todo bella cosecha —, solicitaron lo que, en conciencia, no he creído fructuoso ni oportuno: un manifiesto.

Ni fructuoso ni oportuno :

a) Por la absoluta falta de elevación mental de la mayoría pensante de nuestro continente, en la cual impera el universal personaje clasificado por Rémy de Gourmont[20] con el nombre de *Celui-qui-ne-comprend-pas*.[21] *Celui-qui-ne-comprend-pas* es, entre nosotros, profesor, académico correspondiente de la Real Academia Española, periodista, abogado, poeta, *rastaquouère*.[22]

b) Porque la obra colectiva de los nuevos de América es aún vana, estando muchos de los mejores talentos en el limbo de un completo desconocimiento del mismo arte a que se consagran.

c) Porque proclamando, como proclamo, una estética acrática, la imposición de un modelo o de un código implicaría una contradicción.

Yo no tengo literatura « mía » — como lo ha manifestado una magistral autoridad — para marcar el rumbo de los demás: mi literatura es *mía* en mí — ; quien siga servilmente mis huellas perderá su tesoro personal y, paje o esclavo, no podrá ocultar sello o librea. Wágner, a Augusta Holmes,[23] su discípula, dijo un día: « Lo primero, no imitar a nadie, y, sobre todo, a mí. » Gran decir.

*

Yo he dicho, en la misma rosa de mi juventud, mis antífonas, mis secuencias, mis profanas prosas. Tiempo y menos fatigas de alma y corazón me han hecho falta para, como un buen monje artífice, hacer mis mayúsculas dignas de cada página del breviario. (A través de los fuegos divinos de las vidrieras historiadas me río del viento que sopla afuera, del mal que pasa.) Tocad campanas de oro, campanas de plata, tocad todos los días, llamándome a la fiesta en que brillan los ojos de fuego, y las rosas de las bocas sangran delicias únicas. Mi órgano es un viejo clavicordio Pompadour, al son del cual danzaron sus gavotas alegres abuelos; y el perfume de tu pecho es mi perfume, eterno incensario de carne, Varona inmortal, flor de mi costilla.

Hombre soy.

*

¿Hay en mi sangre alguna gota de sangre de África, o de indio chorotega o nograndano?[24] Pudiera ser, a despecho de mis manos de marqués; mas he aquí que veréis en mis versos princesas, reyes, cosas imperiales, visiones de países lejanos o imposibles; ¡qué queréis!, yo detesto la vida y el tiempo en que me tocó nacer; y a un presidente de la República no podré saludarle en el idioma en que te cantara a ti, ¡oh Halagabal!,[25] de cuya corte — oro, seda, mármol — me acuerdo en sueños . . .

(Si hay poesía en nuestra América, ella está en las cosas viejas: en Palenke y Utlatán, en el indio legendario, y en el inca sensual y fino, y en el gran Moctezuma de la silla de oro. Lo demás es tuyo, demócrata Walt Whitman.)

Buenos Aires; Cosmópolis.

¡Y mañana!

*

El abuelo español de barba blanca me señala una serie de retratos ilustres: « Éste — me dice — es el gran don Miguel de Cervantes Saavedra, genio y manco; éste es Lope de Vega; éste, Garcilaso; éste, Quintana. » Yo le pregunto por el noble Gracián, por Teresa la Santa, por el bravo Góngora y el más fuerte de todos, don Francisco de Quevedo y Villegas. Después exclamo: « ¡Shakespeare! ¡Dante! ¡Hugo . . .! » (Y en mi interior: ¡Verlaine . . .!)

Luego, al despedirme: « Abuelo, preciso es decíroslo: mi esposa es de mi tierra; mi querida, de París. »

*

¿Y la cuestión métrica? ¿Y el ritmo?

Como cada palabra tiene un alma, hay en cada verso, además de la armonía verbal, una melodía ideal. La música es sólo de la idea, muchas veces.

*

La gritería de trescientas ocas no te impedirá, silvano, tocar tu encantadora flauta, con tal que tu amigo el ruiseñor esté contento de tu melodía. Cuando él no esté para escucharte, cierra los ojos y toca para los habitantes de tu reino interior.

¡Oh pueblo de las desnudas ninfas, de rosadas reinas, de amorosas diosas!

Cae a tus pies una rosa, otra rosa, otra rosa. ¡Y besos!

*

Y la primera ley, creador: crear. Bufe el eunuco. Cuando una musa te dé un hijo, queden las otras ocho encinta.

ERA UN AIRE SUAVE . . .

Era un aire suave de pausados giros;
el Hada Harmonía ritmaba sus vuelos;
e iban frases vagas y tenues suspiros,
entre los sollozos de los violoncelos.

Sobre la terraza, junto a los ramajes,
diríase un trémolo de liras eolias,[26]
cuando acariciaban los sedosos trajes
sobre el tallo erguido las altas magnolias.

La marquesa Eulalia, risas y desvíos
daba a un tiempo mismo para dos rivales:
el vizconde rubio de los desafíos
y el abate joven de los madrigales.

Cerca, coronado con hojas de viña,
reía en su máscara Término[27] barbudo,
y como un efebo que fuese una niña,
mostraba una Diana su mármol desnudo.

Y bajo un boscaje, del amor palestra,
sobre el rico zócalo al modo de Jonia,[28]
con un candelabro prendido en la diestra
volaba el Mercurio de Juan de Bolonia.[29]

La orquesta perlaba sus mágicas notas,
un coro de sones alados se oía;
galantes pavanas, fugaces gavotas,
cantaban los dulces violines de Hungría.

Al oír las quejas de sus caballeros
ríe, ríe, ríe la divina Eulalia,
pues son su tesoro las flechas de Eros,[30]
el cinto de Cipria,[31] la rueca de Onfalia.[32]

¡Ay de quien sus mieles y frases recoja!
¡Ay de quien del canto de su amor se fíe!
Con sus ojos lindos y su boca roja,
la divina Eulalia ríe, ríe, ríe!

Tiene azules ojos, es maligna y bella;
cuando mira vierte viva luz extraña:
se asoma a sus húmedas pupilas de estrella
el alma del rubio cristal de Champaña.

Es noche de fiesta, y el baile de trajes
ostenta su gloria de triunfos mundanos.
La divina Eulalia, vestida de encajes,
una flor destroza con sus tersas manos.

El teclado armónico de su risa fina
a la alegre música de un pájaro iguala,
con los *staccatti*[33] de una bailarina
y las locas fugas de una colegiala.

¡Amoroso pájaro que trinos exhala
bajo el ala a veces ocultando el pico;
que desdenes rudos lanza bajo el ala,
bajo el ala aleve del leve abanico!

26. de la Eólida, país del Asia antigua; relativo a Eolo, el dios del viento. 27. busto humano colocado sobre un soporte o pedestal, que representa a uno de los dioses de la mitología romana, protector de los límites. 28. de estilo jónico. 29. la famosa obra del escultor flamenco radicado en Florencia (1524-1608). 30. nombre dado por los griegos al Amor.
31. *Cipris*, *Ciprina*, uno de los nombres de Venus, honrada en la isla de Chipre. 32. Onfale, reina de Lidia, que casó con Hércules después de haberle obligado a que hilara a sus pies como una mujer. 33. del italiano, paso menudo y rápido de baile, como en el término que se usa en música. 34. el ruiseñor, según la fábula mitológica de las dos hermanas Filomena y Progne. 35. Luis XIV de Francia, el rey sol. 36. nombre femenino usado en la literatura bucólica.

Cuando a media noche sus notas arranque,
y en arpegios áureos gima Filomela,[34]
y el ebúrneo cisne, sobre el quieto estanque,
como blanca góndola imprima su estela,

la marquesa alegre llegará al boscaje,
boscaje que cubre la amable glorieta
donde han de estrecharla los brazos de un paje,
que siendo su paje será su poeta.

Al compás de un canto de artista de Italia
que en la brisa errante la orquesta deslíe,
junto a los rivales, la divina Eulalia,
la divina Eulalia ríe, ríe, ríe.

¿Fué, acaso, en el tiempo del Rey Luis de Francia[35]
sol con corte de astros, en campo de azur?
¿Cuando los alcázares llenó de fragancia
la regia y pomposa rosa Pompadour?

¿Fué cuando la bella su falda cogía,
con dedos de ninfa, bailando el minué,
y de los compases el ritmo seguía
sobre el tacón rojo, lindo y leve el pie?.

¿O cuando pastoras de floridos valles
ornaban con cintas sus albos corderos
y oían, divinas Tirsis[36] de Versalles,
las declaraciones de los caballeros?

¿Fué en ese buen tiempo de duques pastores,
de amantes princesas y tiernos galanes,
cuando entre sonrisas y perlas y flores
iban las casacas de los chambelanes?

¿Fué, acaso, en el Norte o en el Mediodía?
Yo el tiempo y el día y el país ignoro,
pero sé que Eulalia ríe todavía
¡y es cruel y es eterna su risa de oro!.

[1893]

SONATINA

La princesa está triste . . . ¿Qué tendrá la princesa?
Los suspiros se escapan de su boca de fresa
que ha perdido la risa, que ha perdido el color.
La princesa está pálida en su silla de oro,
está mudo el teclado de su clave sonoro,
y en un vaso olvidada se desmaya una flor.

El jardín puebla el triunfo de los pavos reales;
parlanchina, la dueña dice cosas banales,
y vestido de rojo piruetea el bufón.
La princesa no ríe, la princesa no siente;
la princesa persigue por el cielo de Oriente
la libélula vaga de una vaga ilusión.

¿Piensa acaso en el príncipe de Golconda[37] o de China,
o en el que ha detenido su carroza argentina
para ver de sus ojos la dulzura de luz?
¿O en el rey de las islas de las rosas fragantes,
o en el que es soberano de los claros diamantes,
o en el dueño orgulloso de las perlas de Ormuz?[38]

¡Ay! la pobre princesa de la boca de rosa
quiere ser golondrina, quiere ser mariposa,
tener alas ligeras, bajo el cielo volar,
ir al sol por la escala luminosa de un rayo,
saludar a los lirios con los versos de Mayo,
o perderse en el viento sobre el trueno del mar.

Ya no quiere el palacio, ni la rueca de plata,
ni el halcón encantado, ni el bufón escarlata,
ni los cisnes unánimes en el lago de azur.
Y están tristes las flores por la flor de la corte;
los jazmines de Oriente, los nelumbos[39] del Norte,
de Occidente las dalias y las rosas del Sur.

¡Pobrecita princesa de los ojos azules!
Está presa en sus oros, está presa en sus tules,
en la jaula de mármol del palacio real;
el palacio soberbio que vigilan los guardas,
que custodian cien negros con sus cien alabardas,
un lebrel que no duerme y un dragón colosal.

¡Oh, quién fuera hipsipila[40] que dejó la crisálida!
(La princesa está triste. La princesa está pálida)
¡Oh visión adorada de oro, rosa y marfil!
¡Quién volara a la tierra donde un príncipe existe
(La princesa está pálida. La princesa está triste)
más brillante que el alba, más hermoso que Abril!

Calla, calla, princesa — dice el hada madrina —
en caballo con alas hacia acá se encamina,
en el cinto la espada y en la mano el azor,
el feliz caballero que te adora sin verte,
y que llega de lejos, vencedor de la Muerte,
a encenderte los labios con su beso de amor.

[1893)

37. antigua ciudad de la India, famosa por sus riquezas. 38. isla, también famosa por sus perlas, situada a la entrada del Golfo Pérsico. 39. nelumbio, especie de loto, de flores blancas o amarillas. 40. mariposa.

41. portador de la lira, poeta. 42. la lira. 43. la flauta de Pan, el dios de la naturaleza. 44. hijo de Pan. 45. vestíbulo de un templo o palacio (del griego). 46. instrumento músico de los antiguos egipcios; consistía en un arco de metal atravesado por varillas, que se hacía sonar agitándolo con la mano. 47. véase nota no. 34. 48. doncellas que llevaban en la cabeza, en ciertas fiestas paganas, un canastillo de flores o frutas. 49. planta de hojas largas y rizadas, que se usa como adorno en el capitel de orden corintio. 50. Citera, isla del archipiélago griego, donde Venus tenía un templo. 51. especie de flauta.

VERLAINE

(Responso)

Padre y maestro mágico, liróforo[41] celeste
que al instrumento olímpico[42] y a la siringa[43] agreste
diste tu acento encantador;
¡Panida![44] ¡Pan tú mismo, que coros condujiste
hacia el propíleo[45] sacro que amaba tu alma triste,
al son del sistro[46] y del tambor!

Que tu sepulcro cubra de flores Primavera,
que se humedezca el áspero hocico de la fiera,
de amor, si pasa por allí;
que el fúnebre recinto visite Pan bicorne;
que de sangrientas rosas el fresco abril se adorne
y de claveles de rubí.

Que si posarse quiere sobre la tumba el cuervo,
ahuyenten la negrura del pájaro protervo,
el dulce canto de cristal
que Filomela[47] vierta sobre tus tristes huesos,
o la armonía dulce de risas y de besos
de culto oculto y florestal.

Que púberes canéforas[48] te ofrenden el acanto,[49]
que sobre tu sepulcro no se derrame el llanto,
sino rocío, vino, miel;
que el pámpano allí brote, las flores de Citeres,[50]
¡y que se escuchen vagos suspiros de mujeres
bajo un simbólico laurel!

Que si un pastor su pífano[51] bajo el frescor del haya,
en amorosos días, como en Virgilio ensaya,
tu nombre ponga en la canción.
Y que la virgen náyade, cuando ese nombre escuche,
con ansias y temores entre las linfas luche,
llena de miedo y de pasión.

De noche, en la montaña, en la negra montaña
de las visiones, surja gigante sombra extraña,
sombra de un Sátiro espectral;
que ella al centauro adusto con su grandeza asuste;
de una extrahumana flauta la melodía ajuste
a la armonía sideral.

Y huya el tropel equino por la montaña vasta;
tu rostro de ultratumba bañe la luna casta
de compasiva y blanca luz;
y el Sátiro contemple sobre un lejano monte,
una cruz que se eleve cubriendo el horizonte,
¡y un resplandor sobre la cruz! . . .

ALABA LOS OJOS NEGROS DE JULIA

¿Eva era rubia? No. Con negros ojos
vió la manzana del jardín: con labios
rojos probó su miel; con labios rojos
que saben hoy más ciencia que los sabios.

Venus tuvo el azur en sus pupilas,
pero su hijo no. Negros y fieros
encienden a las tórtolas tranquilas
los dos ojos de Eros.

Los ojos de las reinas fabulosas,
de las reinas magníficas y fuertes,
tenían las pupilas tenebrosas
que daban los amores y las muertes.

Pentesilea, reina de amazonas,
Judith, espada y fuerza de Betulia,
Cleopatra, encantadora de coronas,
la luz tuvieron de tus ojos, Julia.

Luz negra, que es más luz que la luz blanca
del sol, y las azules de los cielos.
Luz que el más rojo resplandor arranca
al diamante terrible de los celos.

Luz negra, luz divina, luz que alegra
la luz meridional, luz de las niñas
de las grandes ojeras, ¡oh luz negra
que hace cantar a Pan bajo las viñas!

[1894]

(De *Prosas profanas*, 1896)

CANTOS DE VIDA Y ESPERANZA

Prefacio

Podría repetir aquí más de un concepto de las palabras liminares de *Prosas Profanas*. Mi respeto por la aristocracia del pensamiento, por la nobleza del Arte, siempre es el mismo. Mi antiguo aborrecimiento a la mediocridad, a la mulatez intelectual, a la chatura estética, apenas si se aminora hoy con una razonada indiferencia.

El movimiento de libertad que me tocó iniciar en América se propagó hasta España, y tanto aquí como allá el triunfo está logrado. Aunque respecto a la técnica tuviese demasiado que decir en el país en donde la expresión poética está anquilosada, a punto de que la momificación del ritmo ha llegado a ser un artículo de fe, no haré sino una corta advertencia. En todos los países cultos de Europa se ha usado el exámetro,[52] absolutamente clásico, sin que la mayoría letrada y, sobre todo, la minoría leída se asustasen de semejante manera de cantar. En Italia ha mucho tiempo, sin citar antiguos, que Carducci[53] ha autorizado los exámetros; en inglés, no me atrevería casi a indicar, por respeto a la cultura de mis lectores, que la *Evangelina*, de Longfellow, está en los mismos versos en que Horacio dijo sus mejores pensares. En cuanto al verso libre moderno . . . ¿no es verdaderamente singular que en esta tierra de Quevedos y Góngoras los únicos innovadores del instrumento lírico, los únicos libertadores del ritmo, hayan sido los poetas del *Madrid Cómico*[54] y los libretistas del género chico?[55]

Hago esta advertencia porque la forma es lo que primeramente toca a las muchedumbres. Yo no soy un poeta para las muchedumbres. Pero sé que indefectiblemente tengo que ir a ellas.

Cuando dije que mi poesía era *mia, en mí*, sostuve la primera condición de mi existir, sin pretensión ninguna de causar sectarismo en mente o voluntad ajena y en un intenso amor a lo absoluto de la belleza.

Al seguir la vida que Dios me ha concedido tener, he buscado expresarme lo más noble y altamente en mi comprensión; voy diciendo mi verso con una modestia tan orgullosa, que solamente las espigas comprenden, y cultivo, entre otras flores, una rosa rosada, concreción de alba, capullo de porvenir, entre el bullicio de la literatura.

Si en estos cantos hay política, es porque parece universal. Y si encontráis versos a un presidente, es porque son un clamor continental. Mañana podremos ser yanquis, y es lo más probable; de todas maneras, mi protesta queda escrita sobre las alas de los inmaculados cisnes, tan ilustres como Júpiter.

52. el verso de seis sílabas, compuesto de dáctilos y espondeos. 53. Giosuè Carducci (1836-1907), famoso poeta italiano. 54. semanario satírico de esos años. 55. en el teatro español, nombre dado a ciertas obras cortas de género festivo. 56. instrumento músico de viento, parecido al clarinete. 57. ninfa amada por el gigante Polifemo. Aquí, alusión a la « Fábula de Polifemo y Galatea » de don Luis de Góngora (1561-1627).

A J. ENRIQUE RODÓ

I

Yo soy aquel que ayer no más decía
el verso azul y la canción profana,
en cuya noche un ruiseñor había
que era alondra de luz por la mañana.

El dueño fuí de mi jardín de sueño,
lleno de rosas y de cisnes vagos;
el dueño de las tórtolas, el dueño
de góndolas y liras en los lagos;

y muy siglo diez y ocho y muy antiguo
y muy moderno; audaz, cosmopolita;
con Hugo fuerte y con Verlaine ambiguo,
y una sed de ilusiones infinita.

Yo supe de dolor desde mi infancia,
mi juventud . . . ¿fué juventud la mía?
Sus rosas aún me dejan la fragancia . . .
una fragancia de melancolía . . .

Potro sin freno se lanzó mi instinto,
mi juventud montó potro sin freno;
iba embriagada y con puñal al cinto;
si no cayó, fué porque Dios es bueno.

En mi jardín se vió una estatua bella;
se juzgó mármol y era carne viva;
una alma joven habitaba en ella,
sentimental, sensible, sensitiva.

Y tímida ante el mundo, de manera
que encerrada en silencio no salía,
sino cuando en la dulce primavera
era la hora de la melodía . . .

Hora de ocaso y de discreto beso;
hora crepuscular y de retiro;
hora de madrigal y de embeleso,
de « te adoro », de « ¡ay! » y de suspiro.

Y entonces era en la dulzaina[56] un juego
de misteriosas gamas cristalinas,
un renovar de notas del Pan griego
y un desgranar de músicas latinas.

Con aire tal y con ardor tan vivo,
que a la estatua nacían de repente
en el muslo viril patas de chivo
y dos cuernos de sátiro en la frente.

Como la Galatea[57] gongorina
me encantó la marquesa verleniana,
y así juntaba a la pasión divina
una sensual hiperestesia humana;

todo ansia, todo ardor, sensación pura
y vigor natural; y sin falsía,
y sin comedia y sin literatura . . . .
si hay una alma sincera, ésa es la mía.

La torre de marfil tentó mi anhelo;
quise encerrarme dentro de mí mismo,
y tuve hambre de espacio y sed de cielo
desde las sombras de mi propio abismo.

Como la esponja que la sal satura
en el jugo del mar, fué el dulce y tierno
corazón mío, henchido de amargura
por el mundo, la carne y el infierno.

Mas, por gracia de Dios, en mi conciencia
el Bien supo elegir la mejor parte;
y si hubo áspera hiel en mi existencia,
melificó toda acritud el Arte.

Mi intelecto libré de pensar bajo,
bañó el agua castalia el alma mía,
peregrinó mi corazón y trajo
de la sagrada selva la armonía.

¡Oh, la selva sagrada! ¡Oh, la profunda
emanación del corazón divino
de la sagrada selva! ¡Oh, la fecunda
fuente cuya virtud vence al destino!

Bosque ideal que lo real complica,
allí el cuerpo arde y vive y Psiquis vuela;
mientras abajo el sátiro fornica,
ebria de azul deslíe Filomela.

Perla de ensueño y música amorosa
en la cúpula en flor del laurel verde,
Hipsipila sutil liba en la rosa,
y la boca del fauno el pezón muerde.

Allí va el dios en celo tras la hembra,
y la caña de Pan se alza del lodo;
la eterna vida sus semillas siembra,
y brota la armonía del gran Todo.

El alma que entra allí debe ir desnuda,
temblando de deseo y fiebre santa,
sobre cardo heridor y espina aguda:
así sueña, así vibra y así canta.

Vida, luz y verdad, tal triple llama
produce la interior llama infinita.
El arte puro como Cristo exclama:
EGO SUM LUX ET VERITAS ET VITA![58]

Y la vida es misterio, la luz ciega
y la verdad inaccesible asombra;
la adusta perfección jamás se entrega,
y el secreto ideal duerme en la sombra.

Por eso ser sincero es ser potente;
de desnuda que está brilla la estrella;
el agua dice el alma de la fuente
en la voz de cristal que fluye de ella.

Tal fué mi intento, hacer del alma pura
mía, una estrella, una fuente sonora,
con el horror de la literatura
y loco de crepúsculo y de aurora.

Del crepúsculo azul que da la pauta
que los celestes éxtasis inspira,
bruma y tono menor — ¡toda la flauta!,
y Aurora, hija del Sol — ¡toda la lira!

Pasó una piedra que lanzó una honda;
pasó una flecha que aguzó un violento.
La piedra de la honda fué a la onda,
y la flecha del odio fuése al viento.

La virtud está en ser tranquilo y fuerte;
con el fuego interior todo se abrasa;
se triunfa del rencor y de la muerte,
y hacia Belén . . . ¡la caravana pasa!

[1904]

A ROOSEVELT[59]

¡Es con voz de la Biblia, o verso de Walt Whitman,
que habría que llegar hasta ti, cazador!
¡Primitivo y moderno, sencillo y complicado,
con un algo de Wáshington y cuatro de Nemrod![60]
Eres los Estados Unidos,
eres el futuro invasor
de la América ingenua que tiene sangre indígena,
que aún reza a Jesucristo y aún habla en español.

Eres soberbio y fuerte ejemplar de tu raza;
eres culto, eres hábil; te opones a Tolstoy.[61]
Y domando caballos, o asesinando tigres,
eres un Alejandro-Nabucodonosor.
(Eres un profesor de Energía,
como dicen los locos de hoy.)

Crees que la vida es incendio,
que el progreso es erupción;
que en donde pones la bala
el porvenir pones.

No.

58. « Yo soy la luz y la verdad y la vida » (San Juan, XIV, 6). 59. Theodore Roosevelt (1858-1919), presidente de los Estados Unidos de Norte América de 1901 a 1909. 60. rey fabuloso de Caldea, a quien la Biblia llama « robusto cazador ante Yavé » (Génesis, X, 8-10).
61. Alexei Tolstoi (1828-1910), el gran novelista ruso. 62. cuando el general Ulysses S. Grant visitó París en 1877, Victor Hugo escribió varios artículos en su contra. Probable referencia a la bandera norteamericana. (Nota de Arturo Torres Rioseco en su libro *Rubén Darío. Antología poética*, University of California Press, 1949, del cual están tomadas también muchas de estas notas). 63. dios de la riqueza en la mitología fenicia. 64. rey mexicano del siglo XV, poeta y filósofo. 65. el dios del vino, de quien se dice que aprendió de las Musas el alfabeto de Pan. 66. en la leyenda griega, la gran isla en el mar occidental; continente que los antiguos suponían haber existido en el Atlántico, al oeste de Gibraltar. A ella se refiere Platón en dos de sus diálogos. 67. Guatimozín, Cuauhtémoc, sobrino de Moctezuma y último emperador de los aztecas, a quien los conquistadores torturaron aplicándole fuego a los pies.

Los Estados Unidos son potentes y grandes.
Cuando ellos se estremecen hay un hondo temblor
que pasa por las vértebras enormes de los Andes.
Si clamáis, se oye como el rugir del león.
Ya Hugo a Grant[62] lo dijo: «Las estrellas son vuestras.»
(Apenas brilla, alzándose, el argentino sol
y la estrella chilena se levanta . . .) Sois ricos.
Juntáis al culto de Hércules el culto de Mammón;[63]
y alumbrando el camino de la fácil conquista,
la Libertad levanta su antorcha en Nueva York.

Mas la América nuestra que tenía poetas
desde los tiempos viejos de Netzahualcoyotl,[64]
que ha guardado las huellas de los pies del gran Baco;[65]
que el alfabeto pánico en un tiempo aprendió;
que consultó los astros, que conoció la Atlántida,[66]
cuyo nombre nos llega resonando en Platón;
que desde los remotos momentos de su vida
vive de luz, de fuego, de perfume, de amor;
la América del grande Moctezuma, del Inca,
la América fragante de Cristóbal Colón,
la América católica, la América española,
la América en que dijo el noble Guatemoc:[67]
« Yo no estoy en un lecho de rosas »; esa América
que tiembla de huracanes y que vive de amor;
hombres de ojos sajones y alma bárbara, vive.
Y sueña. Y ama, y vibra; y es la hija del Sol.
Tened cuidado. ¡Vive la América española!
Hay mil cachorros sueltos del León español.
Se necesitaría, Roosevelt, ser, por Dios mismo,
el Riflero terrible y el fuerte Cazador
para poder tenernos en vuestras férreas garras.

Y, pues contáis con todo, falta una cosa: ¡Dios!

[1904]

MARCHA TRIUNFAL

¡Ya viene el cortejo!
¡Ya viene el cortejo! Ya se oyen los claros clarines.
La espada se anuncia con vivo reflejo;
ya viene, oro y hierro, el cortejo de los paladines.

Ya pasa debajo los arcos ornados de blancas Minervas y Martes,
los arcos triunfales en donde las Famas erigen sus largas trompetas,
la gloria solemne de los estandartes,
llevados por manos robustas de heroicos atletas.
Se escucha el ruido que forman las armas de los caballeros,
los frenos que mascan los fuertes caballos de guerra,
los cascos que hieren la tierra
y los timbaleros
que el paso acompasan con ritmos marciales.
¡Tal pasan los fieros guerreros
debajo los arcos triunfales!

Los claros clarines de pronto levantan sus sones,
su canto sonoro,
su cálido coro,
que envuelve en un trueno de oro
la augusta soberbia de los pabellones.
Él dice la lucha, la herida venganza,
las ásperas crines,
los rudos penachos, la pica, la lanza,
la sangre que riega de heroicos carmines
la tierra;
los negros mastines
que azuza la muerte, que rige la guerra.

Los áureos sonidos
anuncian el advenimiento
triunfal de la Gloria:
dejando el picacho que guarda sus nidos,
tendiendo sus alas enormes al viento,
los cóndores llegan. ¡Llegó la victoria!

Ya pasa el cortejo.
Señala el abuelo los héroes al niño:
ved cómo la barba del viejo
los bucles de oro circunda de armiño.
Las bellas mujeres aprestan coronas de flores,
y bajo los pórticos vense sus rostros de rosa,
y la más hermosa
sonríe al más fiero de los vencedores.
¡Honor al que trae cautiva la extraña bandera;
honor al herido y honor a los fieles
soldados que muerte encontraron por mano extranjera:
¡Clarines! ¡Laureles!

Las nobles espadas de tiempos gloriosos,
desde sus panoplias saludan las nuevas coronas y lauros: —
Las viejas espadas de los granaderos, más fuertes que osos,
hermanos de aquellos lanceros que fueron centauros: —
Las trompas guerreras resuenan;
de voces los aires se llenan . . .
— A aquellas antiguas espadas,
a aquellos ilustres aceros,
que encarnan las glorias pasadas . . .

Y al sol que hoy alumbra las nuevas victorias ganadas,
y al héroe que guía su grupo de jóvenes fieros,
al que ama la insignia del suelo materno,
al que ha desafiado, ceñido el acero y el arma en la mano,
los soles del rojo verano,
las nieves y vientos del gélido invierno,
la noche, la escarcha
y el odio y la muerte, por ser por la patria inmortal,
¡saludan con voces de bronce las trompas de guerra que tocan la marcha triunfal! . . .

(1895)

CANCIÓN DE OTOÑO EN PRIMAVERA

Juventud, divino tesoro,
¡ya te vas para no volver!·
Cuando quiero llorar, no lloro . . .
y a veces lloro sin querer . . .

Plural ha sido la celeste
historia de mi corazón.
Era una dulce niña en este
mundo de duelo y de aflicción.

Miraba como el alba pura;
sonreía como una flor.
Era su cabellera obscura
hecha de noche y de dolor.

Yo era tímido como un niño.
Ella, naturalmente, fué,
para mi amor hecho de armiño,
Herodías y Salomé . . .

Juventud, divino tesoro,
¡ya te vas para no volver!
Cuando quiero llorar, no lloro . . .
y a veces lloro sin querer . . .

Y más consoladora y más
halagadora y expresiva,
la otra fué más sensitiva,
cual no pensé encontrar jamás.

Pues a su continua ternura
una pasión violenta unía.
En un peplo de gasa pura
una bacante se envolvía . . .

En sus brazos tomó mi sueño
y lo arrulló como a un bebé . . .
y le mató, triste y pequeño,
falto de luz, falto de fe . . .

Juventud, divino tesoro,
¡te fuiste para no volver!
Cuando quiero llorar, no lloro . . .
y a veces lloro sin querer . . .

Otra juzgó que era mi boca
el estuche de su pasión;
y que me roería, loca,
con sus dientes, el corazón,

poniendo en un amor de exceso
la mira de su voluntad,
mientras eran abrazo y beso
síntesis de la eternidad;

y de nuestra carne ligera
imaginar siempre un Edén,
sin pensar que la primavera
y la carne acaban también . . .

Juventud, divino tesoro,
¡ya te vas para no volver!.
Cuando quiero llorar, no lloro
y a veces lloro sin querer . . .

¡Y las demás! En tantos climas,
y en tantas tierras, siempre son,
si no pretextos de mis rimas,
fantasmas de mi corazón.

En vano busqué a la princesa
que estaba triste de esperar.
La vida es dura. Amarga y pesa.
¡Ya no hay princesa que cantar!.

Mas a pesar del tiempo terco,
mi sed de amor no tiene fin;
con el cabello gris me acerco
a los rosales del jardín . . .

Juventud, divino tesoro;
¡ya te vas para no volver!
Cuando quiero llorar, no lloro
y a veces lloro sin querer . . .

¡Mas es mía el Alba de oro!

MELANCOLÍA

Hermano, tú que tienes la luz, díme la mía.
Soy como un ciego. Voy sin rumbo y ando a tientas.
Voy bajo tempestades y tormentas
ciego de ensueño y loco de armonía.

Ése es mi mal. Soñar. La poesía
es la camisa férrea de mil puntas cruentas
que llevo sobre el alma. Las espinas sangrientas
dejan caer las gotas de mi melancolía.

Y así voy, ciego y loco, por este mundo amargo;
a veces me parece que el camino es muy largo,
y a veces que es muy corto . . .

Y en este titubeo de aliento y agonía,
cargo lleno de penas lo que apenas soporto.
¿No oyes caer las gotas de mi melancolía?

NOCTURNO

Los que auscultasteis el corazón de la noche;
los que por el insomnio tenaz habéis oído
el cerrar de una puerta, el resonar de un coche
lejano, un eco vago, un ligero ruido . . .

En los instantes del silencio misterioso,
cuando surgen de su prisión los olvidados,
en la hora de los muertos, en la hora del reposo,
¡sabréis leer estos versos de amargor impregnados! . . .

Como en un vaso vierto en ellos mis dolores
de lejanos recuerdos y desgracias funestas,
y las tristes nostalgias de mi alma, ebria de flores,
y el duelo de mi corazón, triste de fiestas.

Y el pesar de no ser lo que yo hubiera sido,
la pérdida del reino que estaba para mí,
el pensar que un instante pude no haber nacido,
y el sueño que es mi vida desde que yo nací.

Todo esto viene en medio del silencio profundo
en que la noche envuelve la terrena ilusión,
y siento como un eco del corazón del mundo
que penetra y conmueve mi propio corazón.

LO FATAL

Dichoso el árbol, que es apenas sensitivo,
y más la piedra dura, porque ésa ya no siente,
pues no hay dolor más grande que el dolor de ser vivo,
ni mayor pesadumbre que la vida consciente.

68. primera palabra de la oda de Horacio (Libro II, núm. XIV) que comienza con la exclamación « Eheu fugaces . . . » (Ah, fugitivos . . .). 69. de « nefele », nube en griego. Hombre que anda por las nubes. Soñador. 70. libro atribuído a Salomón, en el que se desarrolla la famosa máxima « vanidad de vanidades y todo vanidad. » 71. la frase completa, « memento homo, quia pulvis es et in pulverem reverteris », (recuerda, hombre, que eres polvo y en polvo te convertirás), está en la liturgia del Miércoles de Ceniza en varias iglesias cristianas. 72. poeta griego (565-478 a. de J. C.), cantor de los placeres sensuales. 73. Omar Kheyyam, poeta persa del siglo XIII, también cantor del amor y los placeres.

Ser, y no saber nada, y ser sin rumbo cierto,
y el temor de haber sido, y un futuro terror . . .
Y el espanto seguro de estar mañana muerto,
y sufrir por la vida, y por la sombra, y por

lo que no conocemos y apenas sospechamos.
Y la carne que tienta con sus frescos racimos,
y la tumba que aguarda con sus fúnebres ramos,
¡y no saber a dónde vamos,
ni de dónde venimos . . .!

(De *Cantos de vida y esperanza*, 1905)

¡EHEU![68]

Aquí, junto al mar latino,
digo la verdad:
siento en roca, aceite y vino,
yo mi antigüedad.

¡Oh, qué anciano soy, Dios santo!
¡Oh! qué anciano soy! . . .
¿De dónde viene mi canto?
Y yo, ¿a dónde voy?

El conocerme a mí mismo
ya me va costando
muchos momentos de abismo
y el cómo y el cuándo . . .

Y esta claridad latina,
¿de qué me sirvió
a la entrada de la mina
el yo y no yo? . . .

Nefelibata[69] contento,
creo interpretar
las confidencias del viento,
la tierra y el mar . . .

Unas vagas confidencias
del ser y el no ser,
y fragmentos de conciencias
de ahora y ayer.

Como en medio de un desierto
me puse a clamar;
y miré el sol como muerto
y me eché a llorar.

(De *El canto errante*, 1907)

POEMA DEL OTOÑO

Tú, que estás la barba en la mano
meditabundo,
¿has dejado pasar, hermano,
la flor del mundo?

Te lamentas de los ayeres
con quejas vanas:
¡aún hay promesas de placeres
en los mañanas!

Aún puedes casar la olorosa
rosa y el lis,
y hay mirtos para tu orgullosa
cabeza gris.

El alma ahíta cruel inmola
lo que la alegra,
como Zingua, reina de Angola,
lúbrica negra.

Tú has gozado de la hora amable,
y oyes después
la imprecación del formidable
Eclesiastés.[70]

El domingo de amor te hechiza;
mas mira cómo
llega el miércoles de ceniza;
Memento, homo . . .[71]

Por eso hacia el florido monte
las almas van,
y se explican Anacreonte[72]
y Omar Kayam.[73]

Huyendo del mal, de improviso
se entra en el mal,
por la puerta del paraíso
artificial.

Y, no obstante, la vida es bella,
por poseer
la perla, la rosa, la estrella
y la mujer.

Lucifer [74] brilla. Canta el ronco
mar. Y se pierde
Silvano[75] oculto tras el tronco
del haya verde.

Y sentimos la vida pura,
clara, real,
cuando la envuelve la dulzura
primaveral.

¿Para qué las envidias viles
y las injurias,
cuando retuercen sus reptiles
pálidas furias?

¿Para qué los odios funestos
de los ingratos?
¿Para qué los lívidos gestos
de los Pilatos[76]

¡Si lo terreno acaba, en suma,
cielo e infierno,
y nuestras vidas son la espuma
de un mar eterno!

Lavemos bien de nuestra veste
la amarga prosa;
soñemos en una celeste
mística rosa.

Cojamos la flor del instante;
¡la melodía
de la mágica alondra cante
la miel del día!

Amor a su fiesta convida
y nos corona.
Todos tenemos en la vida
nuestra Verona.[77]

Aun en la hora crepuscular
canta una voz:
« ¡Ruth, risueña, viene a espigar
para Booz! »[78]

Mas cojed la flor del instante,
cuando en Oriente
nace el alba para el fragante
adolescente.

¡Oh! Niño que con Eros[79] juegas,
niños lozanos,
danzad como las ninfas griegas
y los silvanos.

El viejo tiempo todo roe
y va de prisa;
sabed vencerle, Cintia, Cloe
y Cidalisa.

Trocad por rosas, azahares,
que suenan al son
de aquel Cantar de los Cantares
de Salomón.

Príapo[80] vela en los jardines
que Cipris[81] huella;
Hécate[82] hace aullar a los mastines;
mas Diana[83] es bella

y apenas envuelta en los velos
de la ilusión,
baja a los bosques de los cielos
por Endimión.[84]

74. llamado Venus a la hora del alba, y Vésper al atardecer. 75. genio de los bosques, ganados y pastores. 76. se refiere a los gestos de cobardía, recordando a Pilatos, el gobernador de Judea que entregó a sus jueces religiosos a Jesucristo, temiendo una sedición popular. 77. referencia a la ciudad del norte de Italia donde ocurren los amores de Julieta y Romeo. 78. los personajes que aparecen en el libro de Rut, en la Biblia. 79. Cupido, dios del Amor. 80. hijo de Baco y Afrodita, dios de los jardines y de las vides.

81. Cipria, Venus. 82. uno de los nombres que corresponden a dos deidades diferentes; la Hécate sencilla, divinidad lunar, identificada con Artemisa; y la triple Hécate, divinidad infernal, de tres cabezas o tres cuerpos, identificada con Perséfone, que vagaba con las almas de los muertos y cuya presencia era anunciada por el aullido de los perros. 83. diosa de la caza, también llamada Artemisa. 84. pastor famoso por su belleza. La Luna, o Selene, identificada en este mito con Diana y Artemisa, lo puso a dormir eternamente en un monte para poder besarle por las noches. 85. uno de los nombres de Venus. 86. el célebre escultor de la Grecia antigua (h. 500-431 a. de J. C.). 87. famosa cortesana griega, de la que Fidias hizo una estatua. 88. seres fabulosos, mitad mujeres y mitad peces. 89. deidades marinas. 90. seres fabulosos, mitad hombres, mitad caballos, hijos de Ixión y de la Nube. 91. faunesas, símbolo de la sensualidad y la alegría.

¡Adolescencia! Amor te dora
con su virtud;
goza del beso de la aurora,
¡oh, juventud!

¡Desventurado el que ha cogido
tarde la flor!
Y ¡ay de aquel que nunca ha sabido
lo que es amor!

Yo he visto en tierra tropical
la sangre arder,
como en un cáliz de cristal,
en la mujer.

Y en todas partes la que ama
y se consume
como una flor hecha de llama
y de perfume.

Abrasaos en esa llama
y respirad
ese perfume que embalsama
la Humanidad.

Gozad de la carne, ese bien
que hoy nos hechiza,
y después se tornará en
polvo y ceniza.

Gozad del sol, de la pagana
luz de sus fuegos;
gozad del sol, porque mañana
estaréis ciegos.

Gozad de la dulce armonía
que a Apolo invoca;
gozad del canto, porque un día
no tendréis boca.

Gozad de la tierra, que un
bien cierto encierra;
gozad, porque no estáis aún
bajo la tierra.

Apartad el temor que os hiela
y que os restringe;
la paloma de Venus vuela
sobre la Esfinge.

Aún vencen en muerte, tiempo y hado
las amorosas;
en las tumbas se han encontrado
mirtos y rosas.

Aún Anadiómena[85] en sus lidias
nos da su ayuda;
aún resurge en la obra de Fidias[86]
Friné[87] desnuda.

Vive el bíblico Adán robusto,
de sangre humana,
y aún siente nuestra lengua el gusto
de la manzana.

Y hace de este globo viviente
fuerza y acción
la universal y omnipotente
fecundación.

El corazón del cielo late
por la victoria
de este vivir, que es un combate
y es una gloria.

Pues aunque hay pena y nos agravia
el sino adverso,
en nosotros corre la savia
del universo.

Nuestro cráneo guarda el vibrar
de tierra y sol,
como el ruido de la mar
el caracol.

La sal del mar en nuestras venas
va a borbotones;
tenemos sangre de sirenas[88]
y de tritones.[89]

A nosotros encinas, lauros,
frondas espesas;
tenemos carne de centauros[90]
y satiresas.[91]

En nosotros la Vida vierte
fuerza y calor.
¡Vamos al reino de la Muerte
por el camino del Amor!

(De *El Poema del otoño*, 1910)

Al salir de la América Central, Rubén Darío la dejó desierta. Por el contrario, al ir a Buenos Aires, se vió rodeado por una muchedumbre modernista. Allí tuvo su gran escuela. LEOPOLDO LUGONES (Argentina; 1874-1938) trajo a la poesía de América aportes no menos valiosos que los de Rubén Darío. Fué, como Darío, un extraordinario gimnasta verbal. Exploró nuevos territorios. El Lugones de *Las montañas de oro* (1897) estaba a la izquierda del modernismo. Exageraba las tendencias anárquicas de la nueva poesía. Con un pandemónium de bellas pero chocantes imágenes incitaba a la revolución de los estilos. En *Los crepúsculos del jardín* (1905) aquella voz estentórea se hace meliflua. Lugones domina ahora el arte parnasiano y simbolista de asociar metáforas delicadamente. Versos magistrales, pero sino resonancia íntima. *Lunario sentimental* (1909) es el vivero donde se han transplantado desde la almáciga simbolista arbolillos de Moréas, Samain, Laforgue ¡sobre todo Laforgue! y, una vez recriados, se transponen a toda la poesía nueva del continente. Es el libro de Lugones que más influencia ha tenido en América y en España. Originalidad rebuscada, acrobacia en los conceptos y en los ritmos, humorismo que con un rápido trazo anima caricaturescamente las cosas inanimadas, arte deshumanizado, como se le llamaría después de la guerra mundial. En 1910 Rubén Darío había publicado su *Canto a la Argentina*. Lugones, no quiso quedarse atrás y escribió rápidamente su *Odas seculares* (1910) en las que salió de su cámara interior y se asomó al campo. Lo nuevo, en este tipo de literatura virgiliana, no fué tanto la imagen poética de los objetos de la realidad argentina como los esquemas de acción, las narraciones incoadas. En *El libro fiel* (1912) el amor, la naturaleza son los temas dominantes. Sobre todo el del amor. El tema de la naturaleza fué más patente en *El libro de los paisajes* (1912). Después de sus ensayos versolibristas Lugones vuelve a la ortodoxia poética: ritmos, rimas, estrofas tradicionales. Pero los chorros líricos, sinceros, cambiantes, suben libremente. El « Salmo pluvial » bastaría para hacernos respetar su fuerza imaginativa. En *Las horas doradas* (1922) el lirismo está entretejido con la reflexión: la hebra lírica es la más viva. Pero aun ese original lirismo parece menos potente que su don descriptivo y épico. En el *Romancero* (1924) aparece lo popular, lo castizo, lo hondo y común del hombre. Lugones siente que su canto es eco del canto de los otros hombres. Este salirse de sí mismo y enderezar hacia la realidad de todos se acentúa en *Poemas solariegos* (1928). En los *Romances del Río Seco* (1938) su voluntad de despersonalizarse, de que no se le distinga ni la voz ni el ademán, de sumirse en el pueblo anónimo, de despojarse de toda gala literaria y dar salida a su amor al país y a los temas colectivos — fe, amor, coraje, etc. — llega al extremo de lo posible. Su prosa no fué tan eximia como su poesía. Gran técnico de la prosa, no gran prosista. Lo que sí tenía era sensibilidad e imaginación, felices sobre todo en metáforas ópticas. Aun en *La guerra gaucha* (1905) hay pirotecnia de poeta. Son relatos históricos de las luchas por la independencia que introdujeron en la literatura argentina el norte montañés. Tenía talento de narrador: *Las fuerzas extrañas* (1906), *Cuentos fatales* (1924). Admirables fueron, en el primero de estos libros, sus cuentos

1. piedra preciosa de color verde amarillento. 2. cuadrado sobre el cual se asienta la columna.

fantásticos, unos originados en mitos clásicos (« La lluvía de fuego », « Los caballos de Abdera »), otros con apoyos en hechos seudocientíficos (« Yzur », « Viola Acherontia »).

Leopoldo Lugones

DELECTACIÓN MOROSA

La tarde, con ligera pincelada
que iluminó la paz de nuestro asilo,
apuntó en su matiz crisoberilo[1]
una sutil decoración morada.

Surgió enorme la luna en la enramada;
las hojas agravaban su sigilo,
y una araña en la punta de su hilo,
tejía sobre el astro, hipnotizada.

Poblóse de murciélagos el combo
cielo, a manera de chinesco biombo;
tus rodillas exangües sobre el plinto[2]

manifestaban la delicia inerte,
y a nuestros pies un río de jacinto
corría sin rumor hacia la muerte.

LA BLANCA SOLEDAD

Bajo la calma del sueño,
calma lunar de luminosa seda,
la noche
como si fuera
el blanco cuerpo del silencio,
dulcemente en la inmensidad se acuesta.
Y desata
su cabellera,
en prodigioso follaje
de alamedas.

Nada vive sino el ojo
del reloj en la torre tétrica,
profundizando inútilmente el infinito
como un agujero abierto en la arena.
El infinito.
Rodado por las ruedas
de los relojes,
como un carro que nunca llega.

La luna cava un blanco abismo
de quietud, en cuya cuenca
las cosas son cadáveres
y las sombras viven como ideas.
Y uno se pasma de lo próxima
que está la muerte en la blancura aquella.
De lo bello que es el mundo
poseído por la antigüedad de la luna llena.
Y el ansia tristísima de ser amado,
en el corazón doloroso tiembla.

Hay una ciudad en el aire,
una ciudad casi invisible suspensa,
cuyos vagos perfiles
sobre la clara noche transparentan,
como las rayas de agua en un pliego,
su cristalización poliédrica.
Una ciudad tan lejana,
que angustia con su absurda presencia.

¿Es una ciudad o un buque
en el que fuésemos abandonando la tierra,
callados y felices,
y con tal pureza,
que sólo nuestras almas
en la blancura plenilunar vivieran? . . .

Y de pronto cruza un vago
estremecimiento por la luz serena.
Las líneas se desvanecen,
la inmensidad cámbiase en blanca piedra,
y sólo permanece en la noche aciaga
la certidumbre de tu ausencia.

EL SOLTERÓN

Largas brumas violetas
flotan sobre el río gris,
y allá en las dársenas quietas
sueñan oscuras goletas
con un lejano país.

El arrabal solitario
tiene la noche a sus pies,
y tiembla su campanario
en el vapor visionario
de ese paisaje holandés.

El crepúsculo perplejo
entra a una alcoba glacial,
en cuyo empañado espejo
con soslayado reflejo
turba el agua del cristal.

El lecho blanco se hiela
junto al siniestro baúl,
y en su herrumbrada tachuela
envejece una acuarela
cuadrada de felpa azul.

En la percha del testero,
el crucificado frac
exhala un fenol severo,
y sobre el vasto tintero
piensa un busto de Balzac.

La brisa de las campañas,
con su aliento de clavel,
agita las telarañas
que son inmensas pestañas
del desusado cancel.

Allá por las nubes rosas
las golondrinas, en pos
de invisibles mariposas,
trazan letras misteriosas
como escribiendo un adiós.

En la alcoba solitaria,
sobre un raído sofá
de cretona centenaria,
junto a su estufa precaria
meditando un hombre está.

Tendido en postura inerte
masca su pipa de boj,
y en aquella calma advierte
¡qué cercana está la muerte
del silencio del reloj!

En su garganta reseca
gruñe una biliosa hez,
y bajo su frente hueca
la verdinegra jaqueca
maniobra un largo ajedrez.

¡Ni un gorjeo de alegrías!
¡Ni un clamor de tempestad!
Como en las cuevas sombrías
en el fondo de sus días
bosteza la soledad.

Y con vértigos extraños
en su confusa visión
de insípidos desengaños,
ve llegar los grandes años
con sus cargas de algodón.

A inverosímil distancia
se acongoja un violín,
resucitando en la estancia
como una ancestral fragancia
del humo de aquel esplín.

Y el hombre piensa. Su vista
recuerda las rosas té
de un sombrero de modista . . .
El pañuelo de batista . . .
Las peinetas . . . El corsé . . .

Y el duelo en la playa sola: —
Uno . . . dos . . . tres . . . Y el lucir
de la montada pistola . . .
y el son grave de la ola
convidando a bien morir.

Y al dar a la niña inquieta
la reconquistada flor
en la persiana discreta,
sintióse héroe y poeta
por la gracia del amor.

Epitalamios de flores
la dicha escribió a sus pies,
y las tardes de colores
supieron de esos amores
celestiales . . . Y después . . .

Ahora una vaga espina
le punza en el corazón,
si su coqueta vecina
saca la breve botina
por los hierros del balcón;

y si con voz pura y tersa,
la niña del arrabal
en su malicia perversa,
temas picantes conversa
con el canario jovial;

surge aquel triste percance
de tragedia baladí:
la novia . . . la flor . . . el lance . . .
veinte años cuenta el romance.
Turguenef tiene uno así.

¡Cuán triste era su mirada,
cuán luminosa su fe
y cuán leve su pisada!
¿Por qué la dejó olvidada? . . .
¡Si ya no sabe por qué!

En el desolado río
se agrisa el tono punzó
del crepúsculo sombrío,
como un imperial hastío
sobre un otoño de gró.

Y el hombre medita. Es ella
la visión triste que en un
remoto nimbo descuella;
es una ajada doncella
que le está aguardando aún.

Vago pavor le amilana,
y va a escribirla por fin
desde su informe nirvana . .
la carta saldrá mañana
y en la carta irá un jazmín.

La pluma en sus dedos juega;
ya el pliego tiene doblez;
y su alma en lo azul navega.
A los veinte años de brega
va a escribir *tuyo* otra vez.

No será trunca ni ambigua
su confidencia de amor
sobre la vitela exigua.
¡Si esa carta es muy antigua! . . .
Ya está turbio el borrador.

Tendrá su deleite loco
blancas sedas de amistad
para esconder su ígneo foco.
La gente reirá un poco
de esos novios de otra edad.

Ella, la anciana, en su leve
candor de virgen senil,
será un alabastro breve.
Su aristocracia de nieve
nevará un tardío abril.

Sus canas, en paz suprema,
en la alcoba sororal
darán olor de alhucema,
y estará en la suave yema
del fino dedo el dedal.

Cuchicheará a ras del suelo
su enagua un vago frú-frú,
¡y con qué afable consuelo
acogerá el terciopelo
su elegancia de bambú! . . .

Así está el hombre soñando
en el aposento aquel,
y su sueño es dulce y blando;
mas la noche va llegando
y está aún blanco el papel.

Sobre su visión de aurora,
un tenebroso crespón
los contornos descolora,
pues la noche vencedora
se le ha entrado al corazón.

Y como enturbiada espuma,
una idea triste va
emergiendo de su bruma:
¡qué mohosa está la pluma!
¡La pluma no escribe ya!

(De *Los Crepúsculos del jardín*, 1905)

DIVAGACIÓN LUNAR

Si tengo la fortuna
de que con tu alma mi dolor se integre,
te diré entre melancólico y alegre
las singulares cosas de la luna.

Mientras el menguante exiguo
a cuyo noble encanto ayer amaste,
aumenta su desgaste
de sequín antiguo,
quiero mezclar a tu champaña
como un buen astrónomo teórico,
su luz, en sensación extraña
de jarabe hidroclórico.
Y cuando te envenene
la pálida mixtura,

como a cualquier romántica Eloísa o Irene
tu espíritu de amable criatura
buscará una secreta higiene
en la pureza de mi desventura.

Amarilla y flacucha,
la luna cruza el azul pleno,
como una trucha
por un estanque sereno,
y su luz ligera,
indefiniendo asaz tristes arcanos,
pone una mortuoria translucidez de cera
en la gemela nieve de tus manos.

Cuando aún no estaba la luna, y afuera
como un corazón poético y sombrío
palpitaba el cielo de primavera,
la noche, sin ti, no era
más que un obscuro frío.
Perdida toda forma, entre tanta
obscuridad, eras sólo un aroma;
y el arrullo amoroso ponía en tu garganta
una ronca dulzura de paloma.
En una puerilidad de tactos quedos,
la mirada perdida en una estrella,
me extravié en el roce de tus dedos.
Tu virtud fulminaba como una centella . . .
Mas el conjuro de los ruegos vanos
te llevó al lance dulcemente inicuo,
y el coraje se te fué por las manos
como un poco de agua por un mármol oblicuo.

La luna fraternal, con su secreta
intimidad de encanto femenino,
al definirte hermosa te ha vuelto coqueta.
Sutiliza tus maneras un complicado tino;
en la lunar presencia,
no hay ya ósculo que el labio al labio suelde;
y sólo tu seno de audaz incipiencia,
con generosidad rebelde
continúa el ritmo de la dulce violencia.

Entre un recuerdo de Suiza
y la anécdota de un oportuno primo
tu crueldad virginal se sutiliza;
y con sumisión postiza
te acurrucas en pérfido mimo,
como un gato que se hace una bola
en la cabal redondez de su cola.

Es tu ilusión suprema
de joven soñadora,
ser la joven mora
de un antiguo poema.
La joven cautiva que llora
llena de luna, de amor y de sistema.

La luna enemiga
que te sugiere tanta mala cosa,
y de mi brazo cordial te desliga,
pone un detalle trágico en tu intriga
de pequeño mamífero rosa.
Mas al amoroso reclamo
de la tentación, en tu jardín alerta,
tu grácil juventud despierta
golosa de caricia y de *Yoteamo.*
En el albaricoque
un tanto marchito de tu mejilla,
pone el amor un leve toque
de carmín, como una lucecilla.
Lucecilla que a medias con la luna
tu rostro excava en escultura inerte,
y con sugestión oportuna
de pronto nos advierte
no sé qué próximo estrago,
como el rizo anacrónico de un lago
anuncia a veces el soplo de la muerte . . .

(De *Lunario sentimental,* 1909)

HISTORIA DE MI MUERTE

Soñé la muerte y era muy sencillo:
una hebra de seda me envolvía,
y cada beso tuyo
con una vuelta menos me ceñía.
Y cada beso tuyo
era un día;
y el tiempo que mediaba entre dos besos,
una noche. La muerte es muy sencilla.

Y poco a poco fué desenvolviéndose
la hebra fatal. Ya no la retenía
sino por sólo un cabo entre los dedos . . .
Cuando de pronto te pusiste fría,
y ya no me besaste . . .
Y solté el cabo, y se me fué la vida.

(De *El libro fiel,* 1912)

3. de « violeta » y « Aqueronte », el río de la muerte, de los infiernos, en la mitología griega. 4. (1735-1814) novelista francés. 5. Jules Michelet (1798-1874), historiador francés y autor de varias obras de vulgarización sobre la vida de la naturaleza. 6. Elías Magnus Fries (1794-1878), botánico sueco, especialista en micología. Se le debe la sistematización de los hongos. 7. John Gould (1804-1881), ornitólogo inglés. 8. Charles R. Darwin (1809-1882), el famoso naturalista y fisiólogo inglés. 9. Francis Bacon (1561-1626), uno de los creadores del método experimental. 10. Nuevo « Organum », en alusión al viejo « Organum », de Aristóteles.

SALMO PLUVIAL

Tormenta

Érase una caverna de agua sombría el cielo;
el trueno, a la distancia, rodaba su peñón;
y una remota brisa de conturbado vuelo,
se acidulaba en tenue frescura de limón.

Como caliente polen exhaló el campo seco
un relente de trébol lo que empezó a llover.
Bajo la lenta sombra, colgada en denso fleco,
se vió al cardal con vívidos azules florecer.

Una fulmínea verga rompió el aire al soslayo;
sobre la tierra atónita cruzó un vapor mortal;
y el firmamento entero se derrumbó en un rayo,
como en inmenso techo de hierro y de cristal.

Lluvia

Y un mimbreral vibrante fué el chubasco
[resuelto
que plantaba sus líquidas varillas al trasluz,
o en pajonales de agua se espesaba revuelto,
descerrajando al paso su pródigo arcabuz.

Saltó la alegre lluvia por taludes y cauces;
descolgó del tejado sonoro caracol;
y luego, allá a lo lejos, se desnudó en los sauces,
transparente y dorada bajo un rayo de sol.

Calma

Delicia de los árboles que abrevó el aguacero.
Delicia de los gárrulos raudales en desliz.
Cristalina delicia del trino del jilguero.
Delicia serenisima de la tarde feliz.

Plenitud

El cerro azul estaba fragante de romero,
y en los profundos campos silbaba la perdiz.

(De *El libro de los paisajes*, 1917)

VIOLA ACHERONTIA[3]

Lo que deseaba aquel extraño jardinero, era crear la flor de la muerte. Sus tentativas remontaban a diez años, con éxito negativo siempre, porque considerando al vegetal sin alma, ateníase exclusivamente a la plástica. Injertos, combinaciones, todo había ensayado. La producción de la rosa negra ocupóle un tiempo; pero nada sacó de sus investigaciones. Después interesáronlo las pasionarias y los tulipanes, con el único resultado de dos o tres ejemplares monstruosos, hasta que Bernardin de Saint-Pierre[4] lo puso en el buen camino, enseñándole cómo puede haber analogías entre la flor y la mujer encinta, supuestas ambas capaces de recibir por « antojo » imágenes de los objetos deseados.

Aceptar este audaz postulado, equivalía a suponer en la planta un mental suficientemente elevado para recibir, concretar y conservar una impresión; en una palabra, para sugestionarse con intensidad parecida a la de un organismo superior. Esto era, precisamente, lo que había llegado a comprobar nuestro jardinero.

Según él, la marcha de los vástagos en las enredaderas obedecía a una deliberación seguida por resoluciones que daban origen a una serie de tanteos. De aquí las curvas y acodamientos, caprichosos al parecer, las diversas orientaciones y adaptaciones a diferentes planos, que ejecutan las guías, los gajos, las raíces. Un sencillo sistema nervioso presidía esas obscuras funciones. Había también en cada planta su bulbo cerebral y su corazón rudimentario, situados respectivamente en el cuello de la raíz y en el tronco. La semilla, es decir, el ser resumido para la procreación, lo dejaba ver con toda claridad. El embrión de una nuez tiene la misma forma del corazón, siendo asaz parecida al cerebro la de los cotiledones. Las dos hojas rudimentarias que salen de dicho embrión, recuerdan con bastante claridad dos ramas bronquiales cuyo oficio desempeñan en la germinación.

Las analogías morfológicas suponen casi siempre otras de fondo; y por esto la sugestión ejerce una influencia más vasta de lo que se cree sobre la forma de los seres. Algunos clarovidentes de la historia natural, como Michelet[5] y Fries,[6] presintieron esta verdad que la experiencia va confirmando. El mundo de los insectos pruébalo enteramente. Los pájaros ostentan colores más brillantes en los países cuyo cielo es siempre puro (Gould).[7] Los gatos blancos y de ojos azules son comúnmente sordos (Darwin).[8] Hay peces que llevan fotografiadas en la gelatina de su dorso las olas del mar (Strindberg). El girasol mira constantemente al astro del día, y reproduce con fidelidad su núcleo, sus rayos y sus manchas (Saint-Pierre).

He aquí un punto de partida. Bacon[9] en su *Novum Organum*[10] establece que el canelero y otros odoríferos colocados cerca de lugares fétidos, retienen obstinadamente el aroma, rehusando su emisión, para impedir que se mezcle con las exhalaciones graves . . .

Lo que ensayaba el extraordinario jardinero con quien iba a verme, era una sugestión sobre las violetas. Habíalas encontrado singularmente nerviosas, lo cual demuestra, agregaba, la afección y el horror siempre exagerados que les profesan las histéricas, y quería llegar a hacerlas emitir un tósigo mortal sin olor alguno: una ponzoña fulminante e imperceptible. ¿Qué se proponía con ello?, si no era puramente una extravagancia, permaneció siempre misterioso para mí.

Encontré un anciano de porte sencillo, que me recibió con cortesía casi humilde. Estaba enterado de mis pretensiones, por lo cual entablamos acto continuo la conversación sobre el tema que nos acercaba.

Quería sus flores como un padre, manifestando fanática adoración por ellas. Las hipótesis y datos consignados más arriba, fueron la introducción de nuestro diálogo; y como el hombre hallara en mí un conocedor, se encontró más a sus anchas.

Después de haberme expuesto sus teorías con rara precisión, me invitó a conocer sus violetas.

— He procurado, decía mientras íbamos, llevarlas a la producción del veneno que deben exhalar, por una evolución de su propia naturaleza; y aunque el resultado ha sido otro, comporta una verdadera maravilla; sin contar con que no desespero de obtener la exhalación mortífera. Pero ya hemos llegado; véalas usted.

Estaban al extremo del jardín, en una especie de plazoleta rodeada de plantas extrañas. Entre las hojas habituales, sobresalían sus corolas que al pronto tomé por pensamientos, pues eran negras.

— ¡Violetas negras! exclamé.

— Sí, pues; había que empezar por el color, para que *la idea* fúnebre se grabara mejor en ellas. El negro es, salvo alguna fantasía china, el color natural del luto, puesto que lo es de la noche vale decir de la tristeza, de la disminución vital, y del sueño, hermano de la muerte. Además, estas flores no tienen perfume, conforme a mi propósito, y éste es otro resultado producido por un efecto de correlación. El color negro parece ser, en efecto, adverso al perfume; y así tiene usted que sobre mil ciento noventa y tres especies de flores blancas, hay ciento setenta y cinco perfumadas y doce fétidas; mientras que sobre dieciocho especies de flores negras, hay diecisiete inodoras y una fétida. Pero esto no es lo interesante del asunto. Lo maravilloso está en otro detalle, que requiere, desgraciadamente, una larga explicación . .

— No tema usted, respondí; mis deseos de aprender son todavía mayores que mi curiosidad.

— Oiga usted, entonces, cómo he procedido:

Primeramente, debí proporcionar a mis flores un medio favorable para el desarrollo de la idea fúnebre; luego, sugerirles esta idea por medio de una sucesión de fenómenos; después poner su sistema nervioso en estado de recibir la imagen y fijarla; por último, llegar a la producción del veneno, combinando en su ambiente y en su savia diversos tósigos vegetales. La herencia se encargaría del resto.

Las violetas que usted ve, pertenecen a una familia cultivada bajo ese régimen durante diez años. Algunos cruzamientos, indispensables para prevenir la degeneración, han debido retardar un tanto el éxito final de mi tentativa. Y digo éxito final, porque conseguir la violeta negra e inodora, ya es un resultado.

Sin embargo, ello no es difícil; redúcese a una serie de manipulaciones en las que entra por base el carbono con el objeto de obtener una variedad de añilina.[11] Suprimo el detalle de las investigaciones a que debí entregarme sobre las toluidinas y los xilenos,[12] cuyas enormes series me llevarían muy lejos, vendiendo, por otra parte, mi secreto. Puedo darle, no obstante, un indicio: el origen de los colores que llamamos añilinas es una combinación de hidrógeno y carbono; el trabajo químico posterior, se reduce a fijar oxígeno y nitrógeno, produciendo los álcalis[13] artificiales cuyo tipo es la añilina, y obteniendo derivados después. Algo semejante he hecho yo. Usted sabe que la clorófila[14] es muy sensible, y a esto se debe más de un resultado sorprendente. Exponiendo matas de hiedra a la luz solar, en un sitio donde ésta

11. anilina, alcaloide artificial, empleado en tintorería. 12. productos que se utilizan en la fabricación de colores artificiales. 13. sustancias químicas venenosas. 14. materia verde de los vegetales. 15. curva de dos ramas simétricas, inventada por el geómetra Diocles (entre los siglos II y I a. de J. C.) para resolver el problema de la duplicación del cubo. 16. sustancia muy venenosa contenida en algunas plantas de la familia de las solanáceas. 17. nombre del alcaloide que se extrae del estramonio. 18. planta solanácea narcótica. 19. alcaloides que provienen de la descomposición de materias orgánicas. 20. Agustín Piramo de Candolle (1778-1841), botánico suizo.

21. diversos géneros de plantas. Hay especies medicinales y alimenticias, y otras de formas muy originales y extrañas. 22. mamífero desdentado de movimientos muy lentos.

entraba por aberturas romboidales solamente, he llegado a alterar la forma de su hoja, tan persistente, sin embargo, que es el tipo geométrico de la curva cisoides;[15] y luego, es fácil observar que las hierbas rastreras de un bosque, se desarrollan imitando los arabescos de la luz a través del ramaje . . .

Llegamos ahora al procedimiento capital. La sugestión que ensayo sobre mis flores es muy difícil de efectuar, pues las plantas tienen su cerebro debajo de tierra: son seres inversos. Por esto me he fijado más en la influencia del medio como elemento fundamental. Obtenido el color negro de las violetas, estaba conseguida la primera nota fúnebre. Planté luego en torno los vegetales que usted ve: estramonio, jazmín y belladona. Mis violetas quedaban, así, sometidas a influencias química y fisiológicamente fúnebres. La solanina[16] es, en efecto, un veneno narcótico; así como la daturina[17] contiene hioscyamina y atropina, dos alcaloides dilatadores de la pupila que producen la megalopsia, o sea el agrandamiento de los objetos. Tenía, pues, los elementos del sueño y de la alucinación, es decir, dos productores de pesadillas; de modo que a los efectos específicos del color negro, del sueño y de las alucinaciones, se unía el miedo.

Debo añadirle que para redoblar las impresiones alucinantes, planté además el beleño[18] cuyo veneno radical es precisamente la hioscyamina.

— ¿Y de qué sirve, puesto que la flor no tiene ojos? pregunté.

— Ah, señor; no se ve únicamente con los ojos, replicó el anciano. Los sonámbulos ven con los dedos de la mano y con la planta de los pies. No olvide usted que aquí se trata de una sugestión.

Mis labios rebosaban de objeciones; pero callé, por ver hasta dónde iba a llevarnos el desarrollo de tan singular teoría.

— La solanina y la daturina, prosiguió mi interlocutor, se aproximan mucho a los venenos cadavéricos — ptomaínas y leucomaínas[19] — que exhalan olores de jazmín y de rosa. Si la belladona y el estramonio me dan aquellos cuerpos, el olor está suministrado por el jazminero y por ese rosal cuyo perfume aumento, conforme a una observación de de Candolle,[20] sembrando cebollas en sus cercanías. El cultivo de las rosas está ahora muy adelantado, pues los ingertos han hecho prodigios; en tiempo de Shakespeare se ingertó recién las primeras rosas en Inglaterra . . .

Aquel recuerdo que tendía a halagar visiblemente mis inclinaciones literarias, me conmovió.

— Permítame, dije, que admire de paso su memoria verdaderamente juvenil.

— Para extremar aún la influencia sobre mis flores, continuó él sonriendo vagamente, he mezclado a los narcóticos plantas cadavéricas. Algunos arum y orchis, una stapelia[21] aquí y allá, pues sus olores y colores recuerdan los de la carne corrompida. Las violetas sobrexcitadas por su excitación amorosa natural, dado que la flor es un órgano de reproducción, aspiran el perfume de los venenos cadavéricos añadido al olor del cadáver mismo; sufren la influencia soporífera de los narcóticos que las predisponen a la hipnosis, y la megalopsia alucinante de los venenos dilatadores de la pupila. La sugestión fúnebre comienza así a efectuarse con toda intensidad; pero todavía aumento la sensibilidad anormal en que la flor se encuentra por la inmediación de esas potencias vegetales, aproximándole de tiempo en tiempo una mata de valeriana y de espuelas de caballero cuyo cianuro la irrita notablemente. El etileno de la rosa colabora también en este sentido

Llegamos ahora al punto culminante del experimento, pero antes deseo hacerle esta advertencia: el ¡ay! humano es un grito de la naturaleza

Al oír este brusco aparte, la locura de mi personaje se me presentó evidente; pero él, sin darme tiempo a pensarlo bien siquiera, prosiguió:

— El ¡ay! es, en efecto, una interjección de todos los tiempos Pero lo curioso es que entre los animales sucede también así. Desde el perro, un vertebrado superior, hasta la esfinge calavera, una mariposa, el ¡ay! es una manifestación de dolor y de miedo. Precisamente el extraño insecto que acabo de nombrar, y cuyo nombre proviene de que lleva dibujada una calavera en el coselete, recuerda bien la fauna lúgubre en la cual el ¡ay! es común. Fuera inútil recordar a los buhos; pero sí debe mencionarse a ese extraviado de las selvas primitivas, el perezoso,[22] que parece llevar el dolor de su decadencia en el ¡ay! específico al cual debe uno de sus nombres . . .

Y bien; exasperado por mis diez años de esfuerzos, decidí realizar ante las flores escenas crueles que las impresionaran más aún, sin éxito también; hasta que un día . . .

. . . Pero aproxímese, juzgue por usted mismo.

Su cara tocaba las negras flores, y casi obligado hice lo propio. Entonces — cosa inaudita — me pareció percibir débiles quejidos. Pronto hube de convencerme. Aquellas flores se quejaban en efecto, y de sus corolas obscuras surgía una pululación de pequeños ayes muy semejantes a los de un niño. La sugestión habíase operado en forma completamente imprevista, y aquellas flores, durante toda su breve existencia, no hacían sino llorar.

Mi estupefacción había llegado al colmo, cuando de repente una idea terrible me asaltó. Recordé que al decir de las leyendas de hechicería, la mandrágora[23] llora también cuando se la ha regado con la sangre de un niño; y con una sospecha que me hizo palidecer horriblemente, me incorporé.

— Como las mandrágoras, dije.

— Como las mandrágoras, repitió él palideciendo aún más que yo.

Y nunca hemos vuelto a vernos. Pero mi convicción de ahora es que se trata de un verdadero bandido, de un perfecto hechicero de otros tiempos, con sus venenos y sus flores de crimen. ¿Llegará a producir la violeta mortífera que se propone? ¿Debo entregar su nombre maldito a la publicidad? . . .

[1906]

(De *Las fuerzas extrañas*, Buenos Aires, 1926)

RICARDO JAIMES FREYRE (Bolivia; 1868-1933) fué amigo de Rubén Darío y de Leopoldo Lugones y participó con ellos en la condenación de la rutina poética y en el denunciamiento de nuevos filones. Su primer libro — *Castalia bárbara*, 1897 — fué un laboratorio experimental de ritmos. Como los temas iniciales de *Castalia bárbara* eran de mitología escandinava, de paisajes nórdicos e invernales (los dramas líricos de Ricardo Wagner los habían difundido), el golpeteo de ritmos asombraba como cosa salvaje. El adjetivo « bárbara » convenía a esa poesía: tenía exotismo geográfico y religioso como los *Poèmes barbares* de Leconte de Lisle; e injertos de versificación como las *Odi barbare* de Giosuè Carducci. En general este primer libro de Jaimes Freyre tenía un mínimo de impresiones inmediatas percibidas de la vida directamente. En su segundo poemario — *Los sueños son vida*, 1917 — la libertad métrica es aún mayor. Hay un álbum de poesía parnasiana, con el estilo colectivo del modernismo. En « Tiempos idos . . . » Jaimes Freyre nos da la clave de la transposición artística: « Yo te he visto en los lienzos encantadores / donde se inmortalizan fiestas mundanas » / « tal vez en el *Embarque para Citeres* . . . » Es el mismo lienzo de Watteau que había inspirado a Darío algunas de las imágenes de « Era un aire suave. » Más íntima — « es ya tiempo de que suenen las orquestas interiores » — es una de las mejores composiciones de este libro: « Subliminar ». Otros temas, preocupados por el dolor universal de las masas, surgen ahora vigorosamente (« El clamor », *v. gr.*), y no falta la profecía, en « Rusia » (1906): « La hoguera que consuma los restos del pasado / saldrá de las entrañas del país de la nieve . . . »

23. planta cuyo fruto tiene olor fétido, y sobre la cual corrieron muchas leyendas en la antigüedad.

1. latín, « adios para siempre. » En la mitología germánica, el universo será destruído totalmente en un gran cataclismo que denominan Ragnarök, o sea, el ocaso de los dioses. 2. dios del trueno y de la guerra. Su hija, Thrud, era una giganta en estatura y fuerza, que a veces tomaba la forma de una nube. 3. Odin, el todopoderoso, creó el fresno Yggdrasil, que era el árbol del universo, el tiempo y la vida. 4. el mar, que se hallaba bajo una de las tres inmensas raíces del fresno Yggdrasil. 5. hija de uno de los gigantes, y diosa de la noche. 6. esta ave estaba posada en el fresno Yggdrasil y era conocedora de muchas cosas. 7. el primero y más grande de los dioses de la mitología germánica. En sus hombros se posaban dos cuervos, Hugin, el pensamiento, y Munin, la memoria. 8. Dos cisnes habitaban el charco Urd, debajo de la tercera raíz de Yggdrasil, el fresno. 9. palabra inventada por el autor. 10. esposa de Odín, diosa del amor y el matrimonio.

Ricardo Jaimes Freyre

AETERNUM VALE[1]

Un Dios misterioso y extraño visita la selva.
Es un Dios silencioso que tiene los brazos abiertos.
Cuando la hija de Thor[2] espoleaba su negro caballo,
le vió erguirse, de pronto, a la sombra de un añoso fresno.[3]
Y sintió que se helaba su sangre
ante el Dios silencioso que tiene los brazos abiertos.

De la fuente de Imer,[4] en los bordes sagrados, más tarde,
la Noche[5] a los Dioses absortos reveló el secreto;
el Aguila[6] negra y los Cuervos de Odín[7] escuchaban,
y los Cisnes[8] que esperan la hora del canto postrero;
y a los Dioses mordía el espanto
de ese Dios silencioso que tiene los brazos abiertos.

En la selva agitada se oían extrañas salmodias;
mecía la encina y el sauce quejumbroso viento;
el bisonte y el alce rompían las ramas espesas,
y a través de las ramas espesas huían mugiendo.
En la lengua sagrada de Orga[9]
despertaban del canto divino los divinos versos.

Thor, el rudo, terrible guerrero que blande la maza
— en sus manos es arma la negra montaña de hierro —,
va a aplastar, en la selva, a la sombra del árbol sagrado,
a ese Dios silencioso que tiene los brazos abiertos.
Y los Dioses la maza contemplan
que gira en los aires y nubla la lumbre del cielo.

Ya en la selva sagrada no se oyen las viejas salmodias,
ni la voz amorosa de Freya[10] cantando a lo lejos;
agonizan los Dioses que pueblan la selva sagrada,
y en la lengua de Orga se extinguen los divinos versos.
Solo, erguido a la sombra de un árbol,
hay un Dios silencioso que tiene los brazos abiertos.

LUSTRAL

Llamé una vez a la visión
y vino.

Y era pálida y triste, y sus pupilas
ardían como hogueras de martirios.
Y era su boca como un ave negra
de negras alas.

En sus largos rizos
había espinas. En su frente, arrugas.
Tiritaba.

Y me dijo:
— ¿Me amas aún?

Sobre sus negros labios
posé los labios míos;
en sus ojos de fuego hundí mis ojos
y acaricié la zarza de sus rizos.

Y uní mi pecho al suyo, y en su frente
apoyé mi cabeza.
Y sentí el frío
que me llegaba al corazón. Y el fuego
en los ojos.
Entonces
se emblanqueció mi vida como un lirio.

(De *Castalia bárbara,* 1899)

SIEMPRE

Peregrina paloma imaginaria
que enardeces los últimos amores,
alma de luz, de música y de flores,
peregrina paloma imaginaria,

vuela sobre la roca solitaria
que baña el mar glacial de los dolores;
haya, a tu paso, un haz de resplandores
sobre la adusta roca solitaria . . .

Vuela sobre la roca solitaria,
peregrina paloma, ala de nieve
como divina hostia, ala tan leve
como un copo de nieve; ala divina,
copo de nieve, lirio, hostia, neblina,
peregrina paloma imaginaria . . .

LO FUGAZ

La rosa temblorosa
se desprendió del tallo,
y la arrastró la brisa
sobre las aguas turbias del pantano.

Una onda fugitiva
le abrió su seno amargo,
y estrechando a la rosa temblorosa
la deshizo en sus brazos.

Flotaron sobre el agua
las hojas como miembros mutilados,
y confundidas con el lodo negro,
negras, aun más que el lodo, se tornaron.

Pero en las noches puras y serenas
se sentía vagar en el espacio
un leve olor de rosa
sobre las aguas turbias del pantano.

(De *Los sueños son vida,* 1917)

Ya Guillermo Valencia (Colombia; 1873-1943) había publicado su único libro original *Ritos* (1898) cuando conoció personalmente a Darío en París; pero en *Ritos* hay huellas de un conocimiento de Darío como poeta. Sin vacilaciones, sin penosos tanteos, armado de pies a cabeza en su primera jornada, Valencia se colocó en la vanguardia de los que estaban transformando la poesía. No iba a ser un adalid vociferante: era poeta parco, escaso, apretado como un metal, que dio su gran golpe y se retiró para siempre. Después no hará más que traducir (su *Catay,* 1928, son poemas antiguos de China). Con corazón de romántico, ojos de parnasiano y oído de simbolista Valencia ofreció un mundo poético diferente al de sus compañeros. Si tuviéramos que ponerle un solo rótulo sería el de parnasiano por más que sus preocupaciones sociales y su cerebralismo no fueran lo que esperamos de esa escuela de pura perfección formal. Tenía el don de la definición lírica; o sea, que con un mínimo de lengua conseguía reducir a sus límites la imagen que se le había formado en su fantasía. Las palabras son como esos gránulos de arena que, en uno de sus mejores poemas — « Los camellos » —, se ciñen a la forma de un camello ideal y lo visten. Escogía las palabras con tal economía que a veces la definición, aunque inteligente, no es inteligible. Parte de su oscuridad resultaba, pues, de concisión; otras zonas oscuras lo eran porque el poeta y sus símbolos se metían en una selva misteriosa. Su catolicismo no basta para descifrar el misterio.

1. región de África, al sur de Egipto. 2. animal fabuloso que vomitaba llamas y tenía cabeza de león, vientre de cabra y cola de dragón. 3. animal fabuloso, con busto de mujer, cuerpo y pies de león, y alas. Aquí se refiere especialmente a la Esfinge esculpida que hay en Egipto.

En « Cigüeñas blancas » es notable el atrevimiento de sus metáforas dibujadas en croquis como con tinta china. Ahí nos insinúa su Estética, que parece consistir en crear problemas difíciles para resolverlos o, más aún, para quedarse frente a ellos, en absoluto silencio. A pesar de la perfección parnasiana de sus descripciones, Valencia no prescindía de sus emociones. En esto, más cerca de Leconte de Lisle que de Heredia. Enriquece cada verso con impresiones, y siempre quiere sentir más, como dice en su traducción del soneto de D'Annunzio: « ¡Ah, quién pudiera darme otros nuevos sentidos! » (« Animal triste »). Aun su espíritu de protesta ante las desigualdades sociales se abrió camino hacia su poesía, y en « Anarkos » desafió la gazmoñería burguesa con la fuerza con que su espíritu de reforma poética desafiaba las academias.

Guillermo Valencia

LOS CAMELLOS

Dos lánguidos camellos, de elásticas cervices,
de verdes ojos claros y piel sedosa y rubia,
los cuellos recogidos, hinchadas las narices,
a grandes pasos miden un arenal de Nubia.[1]

Alzaron la cabeza para orientarse, y luego
al soñoliento avance de sus vellosas piernas
— bajo el rojizo dombo de aquel cenit de fuego —
pararon, silenciosos, al pie de las cisternas . . .

Un lustro apenas cargan bajo el azul magnífico,
y ya sus ojos quema la fiebre del tormento:
tal vez leyeron, sabios, borroso jeroglífico
perdido entre las ruinas de infausto monumento.

Vagando taciturnos por la dormida alfombra,
cuando cierra los ojos el moribundo día,
bajo la virgen negra que los llevó en la sombra,
copiaron el desfile de la Melancolía.

Son hijos del desierto: prestóles la palmera
un largo cuello móvil que sus vaivenes finge,
y en sus marchitos rostros que esculpe la Quimera[2]
¡sopló cansancio eterno la boca de la Esfinge![3]

Dijeron las Pirámides que el viejo sol rescalda:
« amamos la fatiga con inquietud secreta . . . »
y vieron desde entonces correr sobre una espalda,
tallada en carne viva, su triangular silueta.

Los átomos de oro que el torbellino esparce
quisieron en sus giros ser grácil vestidura,
y unidos en collares por invisible engarce
vistieron del giboso la escuálida figura.

Todo el fastidio, toda la fiebre, toda el hambre,
la sed sin agua, el yermo sin hembras, los despojos
de caravanas . . . huesos en blanquecino enjambre . . .
todo en el cerco bulle de sus dolientes ojos.

Ni las sutiles mirras, ni las leonadas pieles,
ni las volubles palmas que riegan sombra amiga,
ni el ruido sonoroso de claros cascabeles
alegran las miradas al rey de la fatiga.

¡Bebed dolor en ellas, flautistas de Bizancio
que amáis pulir el dáctilo al son de las cadenas;
sólo esos ojos pueden deciros el cansancio
de un mundo que agoniza sin sangre entre las venas!

¡Oh artistas! ¡Oh camellos de la llanura vasta
que váis llevando a cuestas el sacro Monolito!
¡Tristes de Esfinge! ¡Novios de la Palmera casta!
¡Sólo calmáis vosotros la sed de lo infinito!

¿Qué pueden los ceñudos? ¿Qué logran las melenas
de las zarpadas tribus cuando la sed oprime?
Sólo el poeta es lago sobre este mar de arenas,
sólo su arteria rota la Humanidad redime.

Se pierde ya a lo lejos la errante caravana
dejándome — camello que cabalgó el Excidio . . . —[4]
¡cómo buscar sus huellas al sol de la mañana,
entre las ondas grises de lóbrego fastidio!

¡No! Buscaré dos ojos que he visto, fuente pura
hoy a mi labio exhausta, y aguardaré paciente
hasta que suelta en hilos de mística dulzura
refresque las entrañas del lírico doliente.

Y si a mi lado cruza la sorda muchedumbre
mientras el vago fondo de esas pupilas miro,
dirá que vió un camello con honda pesadumbre
mirando, silencioso, dos fuentes de zafiro . . .

JUDITH Y HOLOFERNES[5]

Blancos senos, redondos y desnudos, que al paso
de la hebrea se mueven bajo el ritmo sonoro
de las ajorcas rubias y los cintillos de oro,
vivaces como estrellas sobre la tez de raso.

Su boca, dos jacintos en indecible vaso,
da la sutil esencia de la voz. Un tesoro
de miel hincha la pulpa de sus carnes. El lloro
no dió nunca a esa faz languideces de ocaso.

4. destrucción, ruina, asolamiento. 5. Holofernes, general de Nabucodonosor I. Por orden de su amo invadió la Palestina en 689 a. de J. C. En el sitio de Betulia fué muerto por Judit al final de un banquete.

Yacente sobre un lecho de sándalo, el Asirio
reposa fatigado; melancólico cirio
los objetos alarga y proyecta en la alfombra.

Y ella, mientras reposa la bélica falange,
muda, impasible, sola, y escondido el alfanje,
para el trágico golpe se recata en la sombra.

Y ágil tigre que salta de tupida maleza,
se lanzó la israelita sobre el héroe dormido,
y de doble mandoble, sin robarle un gemido,
del atlético tronco desgajó la cabeza.

Como de ánforas rotas, con urgida presteza,
desbordó en oleadas el carmín encendido,
y de un lago de púrpura y de sueño y de olvido,
recogió la homicida la pujante cabeza.

En el ojo apagado, las mejillas y el cuello,
de la barba, en sortijas, al ungido cabello
se apiñaban las sombras en siniestro derroche

sobre el lívido tajo de color de granada . . .
y fingía la negra cabeza destroncada
una lúbrica rosa del jardín de la Noche.

(De « Las dos cabezas », de *Ritos*, 1898.
Obras poéticas completas, 1948)

Los diez años de producción poética de Julio Herrera y Reissig (Uruguay; 1875-1910) son como un espejo donde se refleja de pies a cabeza la figura del modernismo. Escribía con la imaginación tan excitada por la literatura simbolista que su lenguaje tiene una rara cualidad antológica. Es difícil señalar una fuente precisa: sin embargo, al leerlo, uno tiene la indefinible impresión de estar leyendo una época. Respiraba la poesía, se alimentaba de poesía, paseaba sobre la poesía. Así, sus versos daban voz a un estilo poético que era el aire, la sustancia y el ánimo de su vida. Como los simbolistas, se desinteresó de la realidad práctica y volvió sus ojos nocturnos hacia las zonas más irracionales de su ser. Buscó allí lo que, por sus lecturas (¿de Baudelaire, Samain, Laforgue, Saint-Paul Roux? ¡qué importa!), lo que por sus lecturas sabía que otros poetas habían encontrado. Su punto de partida estaba, pues, en un estilo colectivo; pero el punto de llegada era su propio cuerpo, y lo que descubrió fué una prodigiosa fuente de metáforas. No hay, en nuestra poesía, otro ejemplo así de ametralladora metafórica. Por eso, cuando diez años después de su muerte los jóvenes que empezaban a escribir poemas leyeron *Los maitines de la noche* (1902), *Los éxtasis de la montaña* (1904-1907) y la « Tertulia lunática » en *La Torre de las Esfinges* (1909) se deslumbraron ante ese apretado tesoro de imágenes y lo consideraron como precursor del propio culto a la metáfora a que se entregaban.

Julio Herrera y Reissig

DESOLACIÓN ABSURDA

Noche de tenues suspiros
platónicamente ilesos:
vuelan bandadas de besos
y parejas de suspiros;
ebrios de amor los cefiros
hinchan su leve plumón,
y los sauces en montón
obseden los camalotes
como torvos hugonotes
de una muda emigración.

Es la divina hora azul
en que cruza el meteoro,
como metáfora de oro
por un gran cerebro azul.
Una encantada Estambul[1]
surge de tu guardapelo,
y llevan su desconsuelo
hacia vagos ostracismos
floridos sonambulismos
y adioses de terciopelo.

En este instante de esplín,
mi cerebro es como un piano
donde un aire wagneriano
toca el loco del esplín.
En el lírico festín
de la ontológica altura,
muestra la luna su dura
calavera torva y seca
y hace una rígida mueca
con su mandíbula oscura.

El mar, como un gran anciano,
lleno de arrugas y canas,
junto a las playas lejanas
tiene rezongos de anciano.
Hay en acecho una mano
dentro del tembladeral;
y la supersustancial
vía láctea se me finge
la osamenta de una Esfinge
dispersada en un erial.

Cantando la tartamuda
frase de oro de una flauta,
recorre el eco su pauta
de música tartamuda.
El entrecejo de Buda
hinca el barranco sombrío,
abre un bostezo de hastío
la perezosa campaña,
y el molino es una araña
que se agita en el vacío.

¡Deja que incline mi frente
en tu frente subjetiva,
en la enferma, sensitiva
media luna de tu frente;
que en la copa decadente
de tu pupila profunda
beba el alma vagabunda
que me da ciencias astrales
en las horas espectrales
de mi vida moribunda!

¡Deja que rime unos sueños
en tu rostro de gardenia,
Hada de la neurastenia,
trágica luz de mis sueños!
Mercadera de beleños
llévame al mundo que encanta;
¡soy el genio de Atalanta[2]
que en sus delirios evoca
el ecuador de tu boca
y el polo de tu garganta!

Con el alma hecha pedazos,
tengo un Calvario en el mundo;
amo y soy un moribundo,
tengo el alma hecha pedazos:
¡cruz me deparan tus brazos,
hiel tus lágrimas salinas,
y dos clavos luminosos
los aleonados y briosos
ojos con que me fascinas!

1. nombre turco de la ciudad de Constantinopla. 2. hija de un rey de Esciros, célebre por su agilidad en la carrera. 3. en la religión budista, estado de gracia eterna concedido al justo, que consiste en el completo anonadamiento por absorción en el seno de la divinidad. 4. Felix Mendelssohn (1809-1847), célebre compositor alemán. 5. laguna del infierno mitológico griego. 6. Charles Baudelaire (1821-1867), gran poeta francés.

¡Oh mariposa nocturna
de mi lámpara suicida,
alma caduca y torcida,
evanescencia nocturna;
linfática taciturna
de mi Nirvana[3] opioso
en tu mirar sigiloso
me espeluzna tu erotismo
que es la pasión del abismo
por el Ángel Tenebroso.

(Es media noche) Las ranas
torturan en su acordeón
un « piano » de Mendelssohn[4]
que es un gemido de ranas;
habla de cosas lejanas
un clamoreo sutil;
y con aire acrobatil,
bajo la inquieta laguna,
hace piruetas la luna
sobre una red de marfil.

Juega el viento perfumado,
con los pétalos que arranca,
una partida muy blanca
de un ajedrez perfumado;
pliega el arroyo en el prado
su abanico de cristal,
y genialmente anormal
finge el monte a la distancia
una gran protuberancia
del cerebro universal.

¡Vengo a ti, serpiente de ojos
que hunden crímenes amenos,
la de los siete venenos
en el iris de sus ojos;
beberán tus llantos rojos
mis estertores acerbos,
mientras los fúnebres cuervos,
reyes de las sepulturas,
velan como almas oscuras
de atormentados protervos!

¡Tú eres pústuma y marchita
misteriosa flor erótica,
miliunanochesca, hipnótica,
flor de Estigia[5] ocre y marchita;
tú eres absurda y maldita,
desterrada del Placer,
la paradoja del ser
en el borrón de la Nada,
una hurí desesperada
del harem de Baudelaire![6]

¡Ven, reclina tu cabeza
de honda noche delincuente
sobre mi tétrica frente,
sobre mi aciaga cabeza;
deje su indócil rareza
tu numen desolador,
que en el drama inmolador
de nuestros mudos abrazos
yo te abriré con mis brazos
un paréntesis de amor!

JULIO

Flota sobre el esplín de la campaña
una jaqueca sudorosa y fría,
y las ranas celebran en la umbría
una función de ventriloquia extraña.

La Neurastenia gris de la montaña
piensa, por singular telepatía,
con la adusta y claustral monotonía
del convento senil de la Bretaña.

Resolviendo una suma de ilusiones,
como un Jordán de cándidos vellones
la majada eucarística se integra;

y a lo lejos el cuervo pensativo
sueña acaso en un Cosmos abstractivo
como una luna pavorosa y negra.

(De *Los maitines de la noche*, 1902)

COLOR DE SUEÑO

Anoche vino a mí, de terciopelo;
sangraba fuego de su herida abierta;
era su palidez de pobre muerta
y sus náufragos ojos sin consuelo . . .

Sobre su mustia frente descubierta
languidecía un fúnebre asfodelo.
Y un perro aullaba, en la amplitud de hielo,
al doble cuerno de una luna incierta . . .

Yacía el índice en su labio, fijo
como por gracia de hechicero encanto,
y luego que, movido por su llanto,

quién era, al fin, la interrogué, me dijo:
— Ya ni siquiera me conoces, hijo:
¡si soy tu alma que ha sufrido tanto! . . .

(De *Los parques abandonados*, primera serie, 1901)

EL DESPERTAR

Alisia y Cloris abren de par en par la puerta
y torpes, con el dorso de la mano haragana,
restréganse los húmedos ojos de lumbre incierta,
por donde huyen los últimos sueños de la
[mañana . . .

La inocencia del día se lava en la fontana,
el arado en el surco vagaroso despierta
y en torno de la casa rectoral, la sotana
del cura se pasea gravemente en la huerta . . .

Todo suspira y ríe. La placidez remota
de la mañana sueña celestiales rutinas.
El esquilón repite siempre su misma nota

de grillo de las cándidas églogas matutinas.
Y hacia la aurora sesgan agudas golondrinas
como flechas perdidas de la noche en derrota.

(De *Los éxtasis de la montaña*, 1904)

ALMAS PÁLIDAS

Mi corazón era una selva huraña . . .
El suyo, asaz discreto, era una urna . . .
Soñamos . . . Y en la hora taciturna
vibró, como un harmonium la campaña.

La Excéntrica, la Esfinge, la Saturna,
acongojóse en su esquivez extraña;
y torvo yo miraba la montaña
hipertrofiarse de ilusión nocturna.

— ¿Sufres, me dijo, de algún mal interno . . .
o es que de sufrimiento haces alarde? . . .
¡Esplín! . . . — la respondí — ¡mi esplín eterno!

— ¿Sufres? . . . — la dije, al fin —. En tu ser arde
algún secreto . . . ¡Cuéntame tu invierno!
— ¡Nada! — Y llorando: — ¡Cosas de la tarde!

(De *Los parques abandonados*, segunda serie, 1908)

A pesar de las tempranas innovaciones de González Prada — versos pulidos en talleres cosmopolitas, con facetas del Parnaso, con luces del simbolismo, con técnicas polirrítmicas —, el Perú acogió el modernismo muy tarde. Pero los dos nombres que ofrece son de importancia: Chocano y Eguren. El viento se ha llevado casi toda la obra de José Santos Chocano (Perú; 1875-1934) porque tenía la elocuencia de las palabras declamadas en la plaza pública. Estaba más cerca de Díaz Mirón que de Rubén Darío; y si se lo agrupa con Darío y otros modernistas es porque era un visual que había aprendido a pintar lo que veía con el lenguaje parnasiano. Lo que vió, sin embargo, fué diferente a la realidad de los modernistas. Chocano se dedicaba a cantar los exteriores de América: naturaleza, leyendas y episodios históricos, relatos con indios, temas de la acción política. Se puso a la cabeza del movimiento modernista en el Perú. Tenía, para ello, la egolatría de un caudillo y un verbo torrencial. Además, su dominio de las técnicas nuevas del verso servía en el fondo a temas fáciles y populares. Un poeta de la élite, pero en la calle. Es natural que lo aplaudieran. Sus libros más famosos — *Alma América, poemas indo-españoles*, 1906, y *¡Fiat Lux!*, 1908 — fueron expresión de lo objetivo, nacionalista de la poesía de esos años.

José Santos Chocano

LA MAGNOLIA

En el bosque, de aromas y de músicas lleno,
la magnolia florece delicada y ligera,
cual vellón que en las zarzas enredado estuviera
o cual copo de espuma sobre lago sereno.

Es un ánfora digna de un artífice heleno,
un marmóreo prodigio de la Clásica Era;
y destaca su fina redondez a manera
de una dama que luce descotado su seno.

No se sabe si es perla, ni se sabe si es llanto.
Hay entre ella y la luna cierta historia de encanto,
en la que una paloma pierde acaso la vida;

porque es pura y es blanca y es graciosa y es [leve,
como un rayo de luna que se cuaja en la nieve
o como una paloma que se queda dormida . . .

(De *Alma América, poemas indo-españoles*, 1906)

LA CANCIÓN DEL CAMINO

Era un camino negro.
La noche estaba loca de relámpagos. Yo iba
en mi potro salvaje
por la montaña andina.
Los chasquidos alegres de los cascos,
como masticaciones de monstruosas mandíbulas,
destrozaban los vidrios invisibles
de las charcas dormidas.
Tres millones de insectos
formaban una como rabiosa inarmonía.

Súbito, allá, a lo lejos,
por entre aquella mole doliente y pensativa
de la selva,
ví un puñado de luces, como un tropel de avispas.
¡La posada! El nervioso
látigo persignó la carne viva
de mi caballo, que rasgó los aires
con un largo relincho de alegría.

Y como si la selva
lo comprendiese todo, se quedó muda y fría.

Y hasta mí llegó, entonces,
una voz clara y fina
de mujer que cantaba. Cantaba. Era su canto
una lenta . . . muy lenta . . . melodía:
algo como un suspiro que se alarga
y se alarga y se alarga . . . y no termina.

Entre el hondo silencio de la noche,
y a través del reposo de la montaña, oíanse
los acordes
de aquel canto sencillo de una música íntima,
como si fuesen voces que llegaran
desde la otra vida . . .

Sofrené mi caballo;
y me puse a escuchar lo que decía:

— Todos llegan de noche,
todos se van de día . . .

Y, formándole dúo,
otra voz femenina
completó así la endecha
con ternura infinita:

— El amor es tan sólo una posada
en mitad del camino de la vida . . .

Y las dos voces, luego,
a la vez repitieron con amargura rítmica:
— Todos llegan de noche,
todos se van de día . . .

Entonces, yo bajé de mi caballo
y me acosté en la orilla
de una charca.

Y fijo en ese canto que venía
a través del misterio de la selva,
fuí cerrando los ojos al sueño y la fatiga.

Y me dormí, arrullado; y, desde entonces,
cuando cruzo las selvas por rutas no sabidas,
jamás busco reposo en las posadas;
y duermo al aire libre mi sueño y mi fatiga,
porque recuerdo siempre
aquel canto sencillo de una música íntima:

— ¡Todos llegan de noche,
todos se van de día!
El amor es tan sólo una posada
en mitad del camino de la vida . . .

(De *¡Fiat Lux!*, [poemas varios], 1908)

Chocano seguía cantando cuando de pronto surgió un anti-Chocano (antiépico, antideclamatorio, antirrealista, antiobvio) que inauguró un nuevo estilo poético: JOSÉ M. EGUREN (Perú; 1874-1942). Fué un « raro » en el sentido exquisito que la palabra había cobrado desde *Los raros* de Rubén Darío; pero su rareza no era ya la del modernismo, sino la que vino después. Su primer poemario se llamaba *Simbólicas* (1911): pero el título era ajeno al simbolismo que hicieron conocer los simbolistas. En *La canción de las figuras* (1916) y en *Sombra* y *Rondinelas* (editadas ambas en 1929, junto con una colección de las obras primeras con el título *Poesías*) Eguren se hizo aún más interior, como si entornara los ojos y, párpados adentro, estuviera mirando alucinantes fosforescencias. Su poesía tiene la incoherencia del sueño y la pesadilla. Las figuras aparecen y se desvanecen como fantasmas en nubes de opio. Los colores increíbles — sangre celeste, oros azulinos, noches purpúreas, barbas verdes — brillan un instante y luego se matizan, se funden y acaban por deshacerse en tinieblas. No hay acción, por lo menos acción con sentido. Algo se mueve en esa atmósfera deformante e irreal, pero no lo comprendemos. Es como si los hombres, sonámbulos, hubieran atravesado no sabemos qué espejos mágicos y ahora se deslizaran como bellas siluetas deshumanizadas. Y animales, plantas, astros, cosas, paisajes se entregan también a maravillosas metamorfosis. El poeta mezcla las sensaciones en desordenadas impresiones, y sólo dos clases de orden parece respetar: el orden de un vocabulario artístico muy elegido; el orden de esquemas musicales fijos.

José M. Eguren

LA DAMA i

La dama i, vagarosa
en la niebla del lago,
canta las finas trovas.

Va en su góndola encantada,
de papel, a la misa
verde de la mañana.

Y en su ruta va cogiendo
las dormidas umbelas
y los papiros muertos.

Los sueños rubios de aroma
despierta blandamente
su sardana en las hojas.

Y parte dulce, adormida,
a la borrosa iglesia
de la luz amarilla.

1. La tardía, la Muerte, que a veces llega tarde.

LAS TORRES

Brunas lejanías . . .
batallan las torres
presentando
siluetas enormes.

Áureas lejanías . . .
las torres monarcas
se confunden
en sus iras llamas.

Rojas lejanías . . .
se hieren las torres;
purpurados
se oyen sus clamores.

Negras lejanías . . .
horas cenicientas
se oscurecen,
¡ay!, las torres muertas.

LA TARDA[1]

Despunta por la rambla amarillenta,
donde el puma se acobarda;
viene de lágrimas exenta
la Tarda.

Ella del esqueleto madre
al puente baja inescuchada,
y antes que el rondín ladre
a la alborada,
lanza ronca carcajada.

Y con sus epitalamios rojos,
sus vacíos ojos
y su extraña belleza,
pasa sin ver por la senda bravía,
sin ver que hoy me he muerto de tristeza
y de monotonía.

Va a la ciudad, que duerme parda,
por la muerta avenida,
sin ver el dolor, distraída,
la Tarda.

LOS MUERTOS

Los nevados muertos,
bajo triste cielo,
van por la avenida
doliente que nunca termina.

Van con mustias formas
entre las auras silenciosas:
y de la muerte dan el frío
a sauces y lirios.

Lentos brillan blancos
por el camino desolado;
y añoran las fiestas del día
y los amores de la vida.

Al caminar los muertos una
esperanza buscan:
y miran sólo la guadaña,
la triste sombra ensimismada.

En yerma noche de las brumas
y en el penar y la pavura,
van los lejanos caminantes
por la avenida interminable.

(De *Simbólicas*, 1911)

LA NIÑA DE LA LÁMPARA AZUL

En el pasadizo nebuloso,
cual mágico sueño de Estambul,
su perfil presenta destelloso
la niña de la lámpara azul.

Ágil y risueña se insinúa
y su llama seductora brilla,
tiembla en su cabello la garúa
de la playa de la maravilla.

Con voz infantil y melodiosa
con fresco aroma de abedul,
habla de una vida milagrosa
la niña de la lámpara azul.

Con cálidos ojos de dulzura
y besos de amor matutino,
me ofrece la celeste criatura
un mágico y celeste camino.

De encantación en un derroche,
hiende leda vaporoso tul;
y me guía a través de la noche
la niña de la lámpara azul.

PEREGRÍN, CAZADOR DE FIGURAS

En el mirador de la fantasía,
al brillar del perfume
tembloroso de armonía;
en la noche que llamas consume;
cuando duerme el ánade implume,
los oríficos insectos se abruman
y luciérnagas fuman;
cuando lucen los silfos galones, entorcho,
y vuelan mariposas de corcho
o los rubios vampiros cecean,
o las firmes jorobas campean,
por la noche de los matices,
de ojos muertos y largas narices;
en el mirador distante,
por las llanuras;
Peregrín cazador de figuras,
con ojos de diamante
mira desde las ciegas alturas.

(De *La canción de las figuras*, 1916)

México se convirtió, en estos años, en centro de producción modernista. Ante todo, Amado Nervo (1870-1919).

Alguna vez la extensa obra de Amado Nervo — más de treinta volúmenes en que hay poesía, novela, cuentos, críticas, crónicas, poemas en prosa, ensayos y hasta una pieza teatral — cubrió la admiración de todo el mundo hispánico. Hoy la porción admirable de esa obra se ha encogido a un buen ramo de poesías y a una media docena de cuentos. Su poesía ha recorrido un camino de la opulencia a la sencillez, de lo sensual a lo religioso, del juego a la sobriedad. Nació su poesía en la edad de piedras preciosas, oropeles, exotismos, mórbidas sensaciones, exquisiteces, afectaciones satánicas, voluptuosidades, misterios y primores técnicos. Sus primeros poemarios — *Perlas negras*, 1898, *Poemas*, 1901, *Jardines interiores*, 1905 — pertenecen al modernismo. Después — *En voz baja*, 1909 — Nervo empieza a desnudarse; y en *Serenidad*, 1914 y *Elevación*, 1917 — « de hoy más, sea el silencio mi mejor poesía » — tanto se ha desnudado que nos parece disminuído. Se ha dicho que más que cambio estético fué una crisis moral: después de diez años de amor a una mujer — Ana, la « Amada inmóvil », que murió en 1912 — Nervo había atormentado su erotismo hasta volverse hacia Dios. Lo cierto es que Nervo siguió amando mujeres hasta su propia muerte. La vida del hombre no explica necesariamente el arte del poeta. Lo que importa, pues, es la transición estética, no los siete años de viudez más o menos desconsolada; y en esos años escribió algunas de sus mejores poesías. De publicación póstuma: *La amada inmóvil* y *El arquero divino*. Se ofreció caritativamente a consolar, predicar y aun catequizar con sus nociones de elevación y renunciamiento. Las gentes agradecieron sus buenos sentimientos; los lectores más exigentes lamentaron la impureza lírica de su pureza moral. En la prosa recorrió el mismo camino de simplificación desde « los períodos extensos, los giros pomposos, el léxico fértil » — como él mismo describía su propia manera — hasta un estilo más nervioso y aforístico. Sin embargo, no descolló como prosista. Tiene cuentos fantásticos en los que juega con ciencias imaginarias al modo de las de H. G. Wells, a quien leía, o con visiones metafísicas (como las del « eterno retorno » de Nietzsche o de la pitagórica transmigración de las almas), o con raras experiencias metapsíquicas, que sacaba de sí y también de lecturas religiosas orientales, de magia espiritista y de filosofías irracionales.

Amado Nervo

VIEJO ESTRIBILLO

¿Quién es esa sirena de la voz tan doliente,
de las carnes tan blancas, de la trenza tan bruna?
— Es un rayo de luna que se baña en la fuente,
es un rayo de luna . . .

¿Quién gritando mi nombre la morada recorre?
¿Quién me llama en las noches con tan trémulo acento?
— Es un soplo de viento que solloza en la torre,
es un soplo de viento . . .

Di ¿quién eres, arcángel cuyas alas se abrasan
en el fuego divino de la tarde y que subes
por la gloria del éter?
— Son las nubes que pasan;
mira bien, son las nubes . . .

¿Quién regó sus collares en el agua, Dios mío?
Lluvia son de diamantes en azul terciopelo.
— Es la imagen del cielo que palpita en el río,
es la imagen del cielo . . .

¡Oh, Señor! La Belleza sólo es, pues, espejismo,
nada más Tú eres cierto: sé Tú mi último Dueño.
¿Dónde hallarte, en el éter, en la tierra, en mí mismo?
— Un poquito de ensueño te guiará en cada abismo,
un poquito de ensueño . . .

(De *El éxodo y las flores del camino*, 1902)

A LEONOR

Tu cabellera es negra como el ala
del misterio; tan negra como el lóbrego
jamás, como un adiós, como un « ¡quién sabe! »
Pero hay algo más negro aún: ¡tus ojos!

Tus ojos son dos magos pensativos,
dos esfinges que duermen en la sombra,
dos enigmas muy bellos . . . Pero hay algo
pero hay algo más bello aún: tu boca.

Tu boca, ¡oh sí!, tu boca, hecha divina-
mente para el amor, para la cálida
comunión del amor, tu boca joven;
pero hay algo mejor aún: ¡tu alma!

Tu alma, recogida y silenciosa,
de piedades tan hondas como el piélago,
de ternuras tan hondas . . .
Pero hay algo,
pero hay algo más hondo aún: ¡tu ensueño!

(De *En voz baja*, 1909)

GRATIA PLENA

Todo en ella encantaba, todo en ella atraía:
su mirada, su gesto, su sonrisa, su andar . . .
El ingenio de Francia de su boca fluía.
Era *llena de gracia*, como el Avemaría;
¡quien la vió no la pudo ya jamás olvidar!

Ingenua como el agua, diáfana como el día,
rubia y nevada como margarita sin par,
al influjo de su alma celeste, amanecía . . .
Era *llena de gracia*, como el Avemaría;
¡quien la vió no la pudo ya jamás olvidar!

Cierta dulce y amable dignidad la investía
de no sé qué prestigio lejano y singular.
Más que muchas princesas, princesa parecía:
era *llena de gracia* como el Avemaría;
¡quien la vió no la pudo ya jamás olividar!

Yo gocé el privilegio de encontrarla en mi vía
dolorosa: por ella tuvo fin mi anhelar,
y cadencias arcanas halló mi poesía.
Era *llena de gracia* como el Avemaría;
¡quien la vió no la pudo ya jamás olvidar!

¡Cuánto, cuánto la quise! Por diez años fué mía;
pero flores tan bellas nunca pueden durar!
Era *llena de gracia*, como el Avemaría;
y a la Fuente de gracia de donde procedía,
se volvió . . . ¡como gota que se vuelve a la mar!

(De *La Amada Inmovil*, pub. 1929)

Y TÚ, ESPERANDO . . .

Pasan las hoscas noches cargadas de astros,
pasan los cegadores días bermejos,
pasa el gris de las lluvias, huyen las nubes,
. . . ¡y tú, esperando!

¡Tú, esperando y las horas no tienen prisa!
¡Con qué pereza mueven las plantas torpes!
Las veinticuatro hermanas llevar parecen
zuecos de plomo.

Esa rosa encendida ya se presiente,
entre los gajos verdes de su justillo.
Entre los gajos verdes su carne santa
es un milagro.

¡Pero cuándo veremos la rosa abierta!
Dios eterno, tú nunca te precipitas;
mas el hombre se angustia porque es efímero.
¡Señor, cuándo veremos la rosa abierta!

(De *El arquero divino*, 1915-1918)

LA SED

Inútil la fiebre que aviva tu paso;
no hay fuente que pueda saciar tu ansiedad,
por mucho que bebas . . .
El alma es un vaso
que sólo se llena con eternidad.

¡Qué mísero eres! Basta un soplo frío
para helarte . . . Cabes en un ataúd;
¡y en cambio a tus vuelos es corto el vacío,
y la luz muy tarda para tu inquietud!

¿Quién pudo esconderte, misteriosa esencia,
entre las paredes de un vil cráneo? ¿Quién
es el carcelero que con la existencia
te cortó las alas? ¿Por qué tu conciencia,
si es luz de una hora, quiere el sumo Bien?

Displicente marchas del orto al ocaso;
no hay fuente que pueda saciar tu ansiedad
por mucho que bebas . . .
¡El alma es un vaso
que sólo se llena con eternidad!

(De *El estanque de los lotos*, 1919)

Por la edad ENRIQUE GONZÁLEZ MARTÍNEZ (1871-1952) pertenecía al grupo de poetas mexicanos formado por Nervo y Tablada; o, fuera de México, al de Lugones, Valencia y Jaimes Freyre. En este sentido corresponde presentarlo aquí. Sin embargo, es después de 1910 cuando González Martínez logra sus mejores libros y se convierte en uno de los dioses mayores de los cenáculos. Como Lugones, fué admirado y seguido aun por los jóvenes que, poco después de 1920, aparecieron rompiendo a pedradas las lámparas modernistas. Sus dos primeros libros — *Preludios*, 1903; *Lirismos*, 1909 — eran ya nobles, serios, sinceros. Pero fué en los dos libros siguientes — *Silénter*, 1909, y *Los senderos ocultos*, 1911 — donde González Martínez admiró a todos — y desde entonces no dejó de admirar — por la límpida serenidad con que se interrogaba. « Busca en todas las cosas un alma y un sentido / oculto; no te ciñas a la apariencia vana. » Poesía lírica, personal; pero el poeta no nos canta los accidentes exteriores de su vida cotidiana, sino una autobiografía decantada, hecha puro espíritu, con la esencia de sus emociones y pensamientos. Uno de los poemas de *Los senderos ocultos*, el famoso soneto « Tuércele el cuello al cisne », indica cómo, en la escala de valores de González Martínez, se invertía la dirección de su exquisitez: no ya hacia el cisne de engañoso plumaje « que da su nota blanca al azul de la fuente; / él pasea su gracia no más, pero no siente / el alma de las cosas ni la voz del paisaje », sino hacia el sapiente buho: « él no tiene la gracia del cisne, mas su inquieta / pupila que se clava en la sombra interpreta / el misterioso libro del silencio nocturno ». Algunos críticos observaron en este soneto ciertas intenciones de manifiesto estético; no faltaron otros que, seducidos por la imagen del primer verso — « Tuércele el cuello al cisne de engañoso plumaje » —, creyeron que ese cuello era en verdad el de Rubén Darío. Lo cierto es que no sólo Rubén Darío había retorcido cuellos de cisne antes que González Martínez, sino que, desde *Cantos de vida y esperanza* (1905), nadie podía acusarlo de frivolidad y superficial esteticismo. En sus memorias — publicadas con los títulos de *El hombre del buho*, 1944, y *La apacible locura*, 1951 — González Martínez ha aclarado, a quienes necesitaban de la aclaración, que no reaccionó contra Rubén Darío, sino contra ciertos tópicos « modernistas » usados por imitadores de Rubén Darío. En su próximo libro — *La muerte del cisne*, 1915 — el soneto reapareció en primer término, con el título de « El símbolo »: otra vez el equívoco de quienes supusieron que González Martínez había liquidado su pasado modernista y ahora se encaminaba hacia otro signo poético. No. En todos los libros que vengan — maduros, otoñales, invernales — González Martínez conservará su inicial tono de nobleza, de austeridad, de fidelidad a su estética. No es de los poetas que hacen piruetas cuando envejecen, para atraerse a los jóvenes. No hay en sus libros — el final: *El nuevo Narciso*, 1952 — saltos sobre el vacío de una estética a otra, sino ascensión por dentro de su modo de ser hacia un arte cada vez más preocupado por los problemas últimos. La desesperanza, el sollozo, la duda y la sonrisa, el angustioso sentimiento de la vida, de la muerte, del tiempo, se depuran en una admirable serenidad.

Enrique González Martínez

TUÉRCELE EL CUELLO AL CISNE . . .

Tuércele el cuello al cisne de engañoso plumaje
que da su nota blanca al azul de la fuente;
él pasea su gracia nomás, pero no siente
el alma de las cosas ni la voz del paisaje.

Huye de toda forma y de todo lenguaje
que no vayan acordes con el ritmo latente
de la vida profunda . . . y adora intensamente
la vida, y que la vida comprenda tu homenaje.

Mira el sapiente buho cómo tiende las alas
desde el Olimpo,[1] deja el regazo de Palas[2]
y posa en aquel árbol el vuelo taciturno . . .

Él no tiene la gracia del cisne, mas su inquieta
pupila que se clava en la sombra, interpreta
el misterioso libro del silencio nocturno.

1. conjunto de los dioses del paganismo; el cielo, el empíreo.
2. uno de los nombres de Minerva, diosa de la sabiduría y de las artes.
3. latín, « canta y calla »; tal vez « canta calladamente. »

LAS TRES COSAS DEL ROMERO

Sólo tres cosas tenía
para su viaje el Romero:
los ojos abiertos a la lejanía,
atento el oído y el paso ligero.

Cuando la noche ponía
sus sombras en el sendero,
él miraba cosas que nadie veía,
y en su lejanía
brotaba un lucero.

De la soledad que huía
bajo el silencio agorero,
¡qué canción tan honda la canción que oía
y que repetía temblando el viajero!

En la noche y en el día,
por el llano y el otero,
aquel caminante no se detenía,
al aire la frente, y el ánimo entero
como el primer día . . .

Porque tres cosas tenía
para su viaje el Romero:
los ojos abiertos a la lejanía,
atento el oído y el paso ligero.

UN FANTASMA

El hombre que volvía de la muerte
se llegó a mí, y el alma quedó fría,
trémula y muda . . . De la misma suerte
estaba mudo el hombre que volvía
de la muerte . . .

Era sin voz, como la piedra . . . Pero
había en su mirar ensimismado
el solemne pavor del que ha mirado
un gran enigma, y torna mensajero
del mensaje que aguarda el orbe entero . . .
El hombre mudo se posó a mi lado.

Y su faz y mi faz quedaron juntas,
y me subió del corazón un loco
afán de interrogar . . . Mas, poco a poco,
se helaron en mi boca las preguntas . . .

Se estremeció la tarde con un fuerte
gemido de huracán . . . Y paso a paso,
perdióse en la penumbra del ocaso
el hombre que volvía de la muerte . . .

(De *El Romero alucinado*, 1920-1922, publicado en 1925)

PSALLE ET SILE[3]

No turbar el silencio de la vida,
ésa es la ley . . . Y sosegadamente
llorar, si hay que llorar, como la fuente
escondida.

Quema a solas (¡a solas!) el incienso
de tu santa inquietud, y sueña, y sube
por la escala del sueño . . . Cada nube
fué desde el mar hasta el azul inmenso . . .

Y guarda la mirada
que divisaste en el sendero . . . (una
a manera de ráfaga de luna
que filtraba el tamiz de la enramada):
el perfume sutil de un misterioso
atardecer, la voz cuyo sonido
te murmuró mil cosas al oído,
el rojo luminoso
de una cumbre lejana,
la campana
que daba al viento su gemido vago . . .

La vida debe ser como un gran lago
cuajado al soplo de invernales brisas,
que lleva en su blancura sin rumores
las estelas de todas las sonrisas
y los surcos de todos los dolores.

Toda emoción sentida,
en lo más hondo de tu ser impresa
debe quedar, porque la ley es ésa:
no turbar el silencio de la vida,
y sosegadamente
llorar, si hay que llorar, como la fuente
escondida . . .

(De *Los senderos ocultos*, 1911)

MI AMIGO EL SILENCIO

Llegó una vez, al preludiar mi queja
bajo el amparo de la tarde amiga,
y posó su piedad en mi fatiga,
y desde aquel momento no me deja.

Con blanda mano, de mi labio aleja
el decidor afán y lo mitiga,
y a la promesa del callar obliga
la fácil voz de la canción añeja.

Vamos por el huir de los senderos,
y nuestro mudo paso de viajeros
no despierta a los pájaros . . . Pasamos

solos por la región desconocida;
y en la vasta quietud, no más la vida
sale a escuchar el verso que callamos.

(De *La muerte del cisne*, 1915)

LA NOVIA DEL VIENTO

Amé el augurio de sus ojos,
hondo cristal de lago quieto;
pero sus ojos no miraban
sino fantasmas de allá lejos . . .
Porque era la novia del viento.

Quise embriagarme en su divina
voz inefable, mas su acento
era tan sólo un simulacro
de canción, y el eco de un eco . . .

Quise envolverme con el manto
de su cabellera de fuego;
pero sus cabellos flotaban
inasibles en el misterio . . .

Imploré el signo de sus manos,
nevada flor de finos pétalos;
mas sus manos tejían hilos
entre las mallas del invierno . . .

Se fué, llamada por un grito
que provenía del desierto . . .
Se fué . . . Ya no ha de volver nunca,
porque era la novia del viento.

(De « Poemas truncos » en *Poesía*, 1898-1938, tomo III, 1940)

LA CITA

La sentí llegar. Ví sus ojos
de un gris azul, entre humo y cielo;
su palidez era de luna
sobre la noche del desierto;
sus manos largas ascendían
por la escala de los cabellos
cual si ensayaran tenues ritmos
sobre las arpas del silencio . . .
Poco después, posó en mis hombros
la crispatura de sus dedos,
y me miró, con las pupilas
vagas y absortas de los ciegos . . .
No me habló; pero de sus labios
sin color, delgados y trémulos,
brotó un murmurio imperceptible,
un misterioso llamamiento
como de voces irreales
que sólo oímos entre sueños,
como la palabra extinguida
de aquellas almas que se fueron
sin dejar signo de su paso
en los arenales del tiempo . . .

De sus labios y de sus ojos
fluía un mensaje secreto;
pero su mirar era sombra
y su voz fantasma del viento.

Me conturbaba y me atraía,
a la par memoria y deseo.
Quise apartarme de su lado
y me sentí su prisionero.
La codiciaba y la temía;
quise besarla y tuve miedo
de atarme al nudo de sus brazos
y morir de su abrazo eterno . . .

Se alejó de mí . . . Quedé solo;
mas yo supe que aquel encuentro
era anuncio de que vendría
pronto a visitarme de nuevo . . .
Y con un guiño misterioso,
bajo las antorchas del cielo,
concertamos la cita próxima,
sin fijar el sitio ni el tiempo,
sin más aviso que sus pasos
entre los árboles del huerto,
en la claridad opalina
de algún plenilunio de invierno.

10 de noviembre de 1946.

(De *Vilano al viento*, 1948)

En Puerto Rico, uno de los poetas interesantes fué Luis Lloréns Torres (1878-1944). Sus relaciones con el Modernismo no fueron muy íntimas. Sus libros — *Al pie de la Alhambra*, *Visiones de mi musa*, *Sonetos sinfónicos*, *Voces de la campana mayor*, *Alturas de América* — lo muestran como poeta conservador, popular, orgulloso de su tradición hispánica, nacionalista en el amor a su isla, con preferencia por temas históricos, civiles o criollos. Su tono más personal fué el erótico.

Luis Llorréns Torres

BOLÍVAR

Político, militar, héroe, orador y poeta.
Y en todo, grande. Como las tierras libertadas por
Por él, que no nació hijo de patria alguna, [él.
sino que muchas patrias nacieron hijas de él.

Tenía la valentía del que lleva una espada.
Tenía la cortesía del que lleva una flor.
Y entrando en los salones arrojaba la espada.
Y entrando en los combates arrojaba la flor.

Los picos del Ande no eran más, a sus ojos,
que signos admirativos de sus arrojos.

Fué un soldado poeta. Un poeta soldado.
Y cada pueblo libertado
era una hazaña del poeta y era un poema del
[soldado.

Y fué crucificado . . .

(De *Sonetos sinfónicos*, 1914)

CAFÉ PRIETO

Se le cae el abrigo a la noche.
Ya el ártico Carro la cuesta subió.
Río abajo va el último beso
caído del diente del Perro Mayor.

Se desmaya en mis brazos la noche.
Su Virgo de oro llorando se fué.
Los errantes luceros empaña
el zarco resuello del amanecer.

Se me muere en los brazos la noche.
La envenena el zumoso azahar.
Y la tórtola azul, en su vuelo,
una azul puñalada le da.

La neblina se arisca en el monte.
Las hojas despierta rocío sutil.
Y en la muda campana del árbol,
el gallo repica su quiquiriquí.

Al reflejo del vaho del alba,
el pez en la onda, la abeja en la flor,
con la fe de su crédulo instinto,
descubren la miga segura de Dios.

De la choza que está en la vereda,
un humito saliendo se ve.
La ventana se abre. Y la doña
me da un trago de prieto café.

(De *Alturas de América*, 1940)

GERMINAL

¿Qué me dicen desplegadas las nubes,
esas nubes de tus tristes ojeras?
¿Qué me dicen desquiciadas las curvas,
esas curvas de tus nobles caderas?

¿Qué me dicen tus mejillas tan pálidas,
tus dos cisnes ahuecando su encaje,
tus nostalgias, tus volubles anhelos
y el descuido maternal de tu traje?

Oh, yo escucho cuando tocas a risa
un alegro que del cielo me avisa.
Y vislumbro cuando el llanto te anega,

en los lagos de tus ojos en calma,
las estelas de la nao de mi alma
que en el cosmos de tu sangre navega.

(De *Poesía puertorriqueña*, Cuadernos de la Universidad de Puerto Rico, 1954)

La prosa modernista. Algunos de los poetas mencionados fueron excelentes prosistas. Del mismo modo, fueron poetas algunos de los prosistas que pasaremos a mencionar. Con frecuencia hacían prosa con la misma tensión lírica con que hacían versos.

Los orífices de la prosa — y eso de « orífices » no siempre es un elogio, pues los hubo de mal gusto — doraron aun las páginas de los periódicos. El primer nombre que acude en este punto es el de ENRIQUE GÓMEZ CARRILLO (Guatemala; 1873-1927). Educó su gusto en Europa, adonde fué por primera vez en 1889. A pesar de la humildad de su oficio — comentar creaciones ajenas —, su prosa fué de las más ágiles de su tiempo. Su información de toda la literatura europea contemporánea era fabulosa. Era un impresionista: impresiones, más que de la vida, de la vida literaria. Viajó mucho, y de los viajes le nacían libros: *La Rusia actual*, *El Japón heroico y galante*, *La sonrisa de la Esfinge* [Egipto], *La Grecia eterna*, *Jerusalén y la Tierra Santa*, etc. Estas tierras eran provincias de su alma afrancesada. « Yo — decía — no busco nunca en los libros de viaje el alma de los países que me interesan. Lo que busco es algo más frívolo, más sutil, más positivo: la sensación. » Era un cronista de genio. En parte porque percibió que la « crónica » era un género literario valioso y se dedicó a él con la fuerza de una vocación lírica. Renovó el estilo periodístico de lengua española dándole vivacidad, desenvoltura, elegancia y brillo.

Enrique Gómez Carrillo

DANZA DE BAYADERA[1]

Nuestro guía iba delante sin prisa, y el farolillo que llevaba en la diestra hacía sobre el suelo rojo grandes jeroglíficos de luz. Habíamos andado cerca de dos horas. Después de las calles floridas en que los europeos construyen sus benglows[2] paradisíacos a la sombra de las palmeras, encontramos el barrio indígena con sus vías estrechas, con sus casitas bajas, con sus techos enormes. Y luego, nada, ni una vivienda, ni una luz; nada más que la verdura, las móviles arquitecturas de los árboles, el follaje espeso, las cúpulas palpitantes. Al fin, entre las hojas, una puertecilla. El guía se detuvo, abrió, y, gravemente, como si fuera nuestro jefe y no nuestro servidor, penetró, haciéndonos seña de seguirle hacia un patio interior, en el cual encontramos, amontonada en el suelo, a una multitud silenciosa.

Al principio no vimos sino torsos humildes cubiertos de camisas blancas, y torsos más humildes aún completamente desnudos. Pero poco a poco fuimos descubriendo, perdidos entre la masa, algunos suntuosos trajes de seda y cuatro o cinco mantos amarillos de sacerdotes de Budha. Nos sentamos, como todo el mundo, en una estera y esperamos. La danza no había comenzado aún. Una música angustiosa, de una monotonía y de una tristeza infinitas; una música que parecía no haber comenzado nunca y no deber terminar jamás; una música que era como un quejido entrecortado, como un quejido infantil y salvaje, vagaba en el aire, sin que uno supiera de qué rincón salía. ¿En dónde habíamos oído aquellos acordes? ¿Por que aquel ritmo nos producía una sensación tan honda de malestar?

De pronto, silenciosa cual una sombra, apareció la bayadera.

¡Las bayaderas! En Benarés la Santa[3] y en otras ciudades de las riberas del Ganges, las hay que son graves y suntuosas sacerdotisas. Las hay servidoras del dios Siva, que tienen algo de sagrado en sus cuerpos de bronce y que, al aparecer ante las multitudes absortas, determinan milagros de adoración. Desde el fondo del Asia, los que sufren mal de amores van hacia ellas en romerías delirantes; y cuando las ven, cuando ante sus bellezas la obsesión de otras bellezas se esfuma en suaves ondas de olvido, vuelven a sus tierras como los peregrinos de las leyendas que, después de obtener lo que pedían, alejábanse del templo bañados de éxtasis.

Las hay también que en los palacios de los maharadjahs hacen revivir, con el prestigio fabuloso de sus danzas, el esplendor abolido de las antiguas cortes indianas. Para éstas, Ceylán

1. bailarina y cantora de la India. 2. bungalows, casa de campo. 3. ciudad sagrada de la India, a orillas del río Ganges. 4. capital de la isla de Ceylán. 5. mujeres de la India, de la clase Brahma, que se consagran a la religión. Visten de blanco y viven en los templos hindúes.

no tiene perlas bastante bellas, ni Golconda zafiros bastante puros. Son ídolos luminosos; son figulinas de oro oscuro, incrustadas de gemas; son astros humanos que giran en un horizonte de esmaltes, de pórfiros, de filigranas. Las hay, en fin, que viviendo del ejercicio de su arte, recorren las grandes capitales del mundo, y modifican insensiblemente, a medida que viajan y que aprenden, sus nativas armonías.

La nuestra, que acaba de aparecer en este patio de Colombo,[4] no pertenece a esas altas castas. No es ni una joya sagrada ni una flor de suntuosidad.

Es la bailadora popular, la planta indígena, el fruto de la tierra. Su piel de bronce no fué nunca macerada entre esencias, y las uñas de sus pies no han sido doradas sino por el sol. Ninguna influencia sabia adultera su arte instintivo. Ningún ritual mide sus pasos. Y lo más probable es que, entre todas las pedrerías que la adornan, sólo los dos grandes diamantes negros de sus ojos no sean falsos. Pero, ¡qué importa! Tal como es, humilde y divina, hecha, no para divertir a los príncipes, sino para completar la embriaguez voluptuosa de los marineros malabares y de los trabajadores cingaleses; tal como es y tal como se presenta esta noche entre modestas ofrendas de flores, bajo el manto fosforescente del cielo, parece digna hermana de las místicas devadashis[5] de otro tiempo.

* * *

¡Ya sé en dónde hemos oído esta música! ¡Ya comprendo por qué mis compañeros y yo, desde el principio, sentimos una impresión tan angustiosa al escucharla! Es el mismo ritmo adormecedor y uniforme con que los kritinas de ojos de fuego encantan a las serpientes. Lo he notado al ver de qué modo la bayadera yergue su cuello y cómo mueve la cabeza. ¡Es el ritmo de la serpiente! ¡Y esas ondulaciones de los brazos redondos, y esos movimientos de ascensión de las piernas, y esas espirales del cuerpo, también son de serpiente, de serpiente sagrada! Hay algo de anilloso en todo su ser. La elasticidad dura de sus músculos no se parece a la de nuestras bailadoras occidentales. Su carne juvenil conserva, aun después de largas fatigas, una frigidez que sorprende al tacto.

Pero alejemos de nuestro espíritu tales locuras. Lo que baila, según nuestro guía, la admirable bayadera, es una danza de seducción.

* * *

Suavemente, resbalando más que andando, la bella bailadora se adelanta hasta tocar con el extremo de sus pies descalzos a los primeros espectadores. Las argollas doradas que aprisionan sus tobillos, y las otras, más numerosas y más ricas, que le sirven de brazaletes, marcan con un ligero rumor de cascabeles rotos todos sus ritmos. En el cuello, un triple collar de piedras multicolores palpita sin cesar, haciendo ver que aun en los minutos en que hay una apariencia de quietud, el movimiento persiste. Y no es un movimiento de brazos y de piernas, no; ni un movimiento de la cintura y del cuello, sino del cuerpo entero.

La piel misma se anima. Y hay tal armonía, o mejor dicho, tal unidad en el ser completo, que cuando los labios sonríen, el pecho sonríe también, y también los brazos y también los pies. Todo vive, todo vibra, todo goza, todo ama. Es una pantomina de amor más que un baile lo que la bayadera ejecuta. Sus gestos son de seducción. Haciendo sonar sus joyas, se acerca hacia el elegido y le hace ver en detalle los tesoros de belleza que le ofrece. ¡Cuánta coquetería instintiva y sublime en cada ademán! « ¡Estos ojos — parece decirle — estos ojos de sombra y de tristeza; estos ojos y estos labios de sangre; estos brazos que son cadenas voluptuosas; todo este cuerpo que tiembla, es tuyo, es para ti; contémplalo! » Y con objeto de hacerse ver mejor, se acerca; mas luego se aleja; luego gira.

Sus miradas son como un filtro de hechizo. Sus manos, de dedos afiladísimos, que apenas parecen poder soportar el peso de tanta sortija, entreábrense en un perpetuo implorar de caricias. Y es tal el sortilegio, que, poco a poco, atraída por la belleza, comulgando en una general embriaguez del alma, la multitud se aproxima, estrecha el círculo en que la bailadora evoluciona y en un místico transporte, saborea idealmente la suprema ventura de amar y de sentirse amada.

* * *

Sin sacudimientos ni brusquedades, la danza continúa largo tiempo, en series armoniosas de pasos que se alejan y de pasos que se acercan. Poco a poco, el círculo se estrecha. Guirnaldas humildes de jazmines amontónanse a los pies de la bayadera, sin que el menor ruido ni el más ligero gesto anuncie su caída.

Parece que esas flores, tributo de amor popular, surgieran solas del suelo. Después de las flores, vienen las ramas. Manos de bronce, temblorosas y ardientes, alárganse con cautela para depositar hojas de palmeras y follajes de canela. El ídolo dorado aparece así, al fin, en un zócalo vegetal que la impide dar un paso. Sus narices, en las que brillan dos rubíes, respiran voluptuosamente el aire preñado de espesos perfumes, y sus ojos se entornan no dejando pasar, entre los párpados pintados de azul, sino un rayo de luz diamántica. El cuerpo siempre palpitante, yérguese de nuevo, cual en un principio, retorciéndose en anillosas espirales.

Los brazos que se alzan ondulando, parecen subir sin cesar. ¡Es la serpiente sagrada de la India! La música, que encuentra al fin su verdadero empleo, redobla su penetrante, su angustiante, su exasperante melancolía. Y alucinados por el ritmo acabamos por no ver, allá en el centro, entre ramas y flores, en medio de la multitud extática, sino una bella serpiente cubierta de pedrerías, una serpiente de voluptuosidad, una serpiente de oro que danza.

(De *Desfile de visiones*, 1906)

En Venezuela — país de novelistas — la dirección artística está representada por Pedro Emilio Coll, Pedro César Domínici, Luis Manuel Urbaneja Achelpohl y Díaz Rodríguez. Los tres primeros lanzaron en 1894 su revista *Cosmópolis*, respiradero de « todas las escuelas literarias de todos los países. » El mayor de esos venezolanos, y uno de los mayores novelistas de toda esta época hispanoamericana, fué Manuel Díaz Rodríguez (1868-1927). Caso ejemplar de prosa que discretamente, mesuradamente, se desliza entre los escollos del preciosismo que no sabe novelar y el naturalismo que novela sin saber escribir. Sus primeros libros — *Confidencias de Psiquis* y *Sensaciones de viaje*, ambos de 1896, *De mis romerías*, 1898, *Cuentos de color*, 1899 — se solazan en la civilización europea: había vivido en Francia, en Italia, y su óptica era la de Barrès, la de D'Annunzio. En sus cuentos no hay héroes: atmósferas impresionísticas son los personajes móviles. Cuentos de color, también de músicas, de perfumes, de caricias, de gustos un poco parnasianos, un poco simbolistas. En su segundo grupo de obras — *Ídolos rotos*, 1901; *Sangre patricia*, 1902 — Díaz Rodríguez choca con la realidad venezolana y la repudia estéticamente. Su ideal de hombre era el « distinguido » de Nietzsche; pero sus personajes no luchan. Son pesimistas, derrotistas, inadaptados que van al destierro o al suicidio. En los últimos años de su vida — *Peregrina o el pozo encantado*, 1922, que incluía otros relatos — Díaz Rodríguez intentó la narración criolla, en que sus ideales artísticos trabajaron, y bien, en la tierra y sus hombres. Es como si, desilusionado, se refugiara en la vida campesina, en la emoción directa del paisaje.

Manuel Díaz Rodríguez

ÉGLOGA DE VERANO

¡Alza la cabeza, Clavelito! ¡Arrímate, Fragante!

Después de arrear la yunta, para sus adentros monologaba Sandalio: « ¡Mal principio! », recordando cómo aquella mañana su mujer se levantó, le preparó y sirvió el café, y por último le dejó ir sin decirle ni siquiera « hasta luego. » En seguida abandonó el monólogo interior para seguirlo en voz alta:

— ¡Ayayay! ¡Mal principio! ¡Ah, buey! ¡Arrímate, buey! ¡Ah, buey sinvergüenza!

1. ingenio de azúcar; molino para extraer el jugo de la caña. 2. montaña situada entre Caracas y el mar Caribe. 3. nombre de dos ríos de Venezuela, uno de los cuales pasa cerca de Caracas. 4. légamo que dejan los ríos en las crecidas; escoria; desperdicios, basuras. 5. propio de liebre o de su color. 6. nombre de unos arácnidos que se fijan en la piel de ciertos animales como bueyes, perros, etc., para chuparles la sangre. 7. colchado de material basto que se pone a los bueyes entre su frente y la coyunda para que ésta no les moleste.

Y desahogó los temores de su conciencia algo turbia en el pinchazo de garrocha con que picó al moroso Clavelito en el anca. Inmediatamente, como si no le hubiera dado el garrochazo al buey, sino que se lo hubiera dado a sí mismo, olvidó el incomprensible silencio de Justa, para pensar en la sed que lo torturaba. Del continuo trasnochar y del mucho beber caña en la mesa de juego todas las noches, las fauces, la boca y los labios resecos le ardían. Muy temprano, antes de enyugar, había ido a extinguir o adormecer aquel fuego hasta la casa de la hacienda, en la acequia siempre límpida, que pasa cantando a la sombra de mangos y bucares, frente a las tapias del trapiche,[1] y ahí, de bruces en la borda suave de la acequia, a la medida de su enorme sed bebió del agua cristalina, fresca y sabrosa, que es un presente del Ávila.[2] Ahora la acequia le quedaba muy lejos. Era demasiado temprano para ir hasta allá, y, de ir, se aventuraba a ser visto del mayordomo. « ¡Quién sabe si el severo malaspulgas del mayordomo no estaba siguiéndolo como un vigía desde el corte de caña! » Instintivamente volvió los ojos al cerro. Los raudales que en lo alto del Ávila dan principio al Pajarito y al Sebucán,[3] lucieron, en las partes libres de bosque, deslumbrándolo con su fulgor de inmensos copos de espuma. « ¿Por qué lo habían mandado allá abajo a romper tierra, en vez de mandarlo a carretear caña como a los otros? » « Así, a cada viaje, habría tenido ocasión de beber agua en el trapiche. » De cuando en cuando los gritos de sus compañeros y el traqueteo de los carros vacíos o colmos de caña a lo largo de los callejones iban a tentarle como una música. De lejos, el múltiple ruido del corte — ruido hecho con el chischás de los machetes que abaten las cañas, perfumándose de miel, con el infinito rozarse de los verdes y ásperos cogollos entre sí, con la algazara de los peones, que hablan y ríen mientras cortan o emburran las cañas, o llenan de éstas los carros, y con el estrépito de los carreteros y carretas, precipitados en busca del cogollo — le sonaba aquella mañana como un suavísimo y dulce rumor de seda.

Luego desvió los ojos del Ávila y de sus torrentes, que blanqueaban al sol, como de un miraje demasiado cruel para un sitibundo, y los volvió al sur, hacia donde estaba el río. Ahí cerca, por la linde misma del tablón de tierra polvillosa que él estaba rompiendo, pasaba el Guaire. Hasta Sandalio venía, claro y preciso, el cantar provocador del agua corriente. Una estrecha cinta de cañaveral, de caña-amarga, señalaba y acompañaba del ocaso a la aurora, a una y otra margen, el sesgado curso del río. Algunas trepadoras florecían en lo alto de las cañas. Las grandes flores de la nicua invitaban a beber en sus candidísimas copas. A través de un claro del cañaveral, Sandalio, en una de sus idas y venidas con los bueyes, vió una de esas grandes flores abierta al mismo ras del agua, como tendida a llenarse en la corriente obscura. Y tentado por la flor, sintió impulsos de correr hasta el río, a echarse en la orilla boca abajo y beber hasta saciarse de agua puerca. Sin embargo, se contentó con lanzar en la atmósfera serena un vocablo rudo y sonoro. Luego dijo:

— ¡Maldita sea!

Pensaba en Caracas, en la ciudad que le impedía apagar la sed, porque, haciendo del Guaire un desaguadero de horruras[4] cambiaba su linfa en infecto humor de carroña:

— ¡Maldita sea! ¡No bebo yo de esa pudrición ni por casualidá!

Como supremo recurso ideó llegarse en un brinco hasta su propio rancho. Agazapado sobre una cuesta suave, al otro lado del río, su rancho era, sin duda, el paraje más próximo en donde podía encontrarse agua buena. Pero desechó también esa idea, al representarse de nuevo el aire y el silencio de Justa.

— ¡Ni por pienso! ¡Malo! ¡Malo! . . . Mal principio.

Y desahogó los tumultos de su conciencia turbada, en el puntazo de garrocha, que esta vez hincó, no el anca de oro de Clavelito, sino el anca negra de Fragante. Menos paciente, el buey negro contestó dando una coz y un bufido, y arrastrando por un instante al compañero lebruno[5] a campo traviesa con ímpetu diabólico.

— Só, buey. Soo, soo . . ., soo . . ., buey . . .

Cuando sujetó la yunta, quiso corregir su imprudencia, repartiendo suaves palmadas y voces a Clavelito y Fragante. Mañero, no dejó de acariciarlos hasta desvanecerles a caricias el temblor brioso de los remos. Entonces los limpió de algunas garrapatas.[6] Por último, les manoseó los cuernos, mientras les reajustaba la coyunda, y por debajo de los mismos cuernos airosos les reacomodaba los frontiles.[7] Entretanto, gracias al sol, ya alto y vivo, y al esfuerzo hecho por dominar la yunta, el sudor lo inundaba, empapándole toda la ropa, bajándole del nacimiento del pelo a gotear en la punta de la nariz y en el extremo de la barba. Al mismo tiempo se sorprendió en la boca una sensación de frescura. La sed se le había hecho más llevadera, o lo abandonaba de golpe. Se había ido quizás en el sudor, con el demonio del aguardiente. Libre de la sed, echó el resto en olvido.

Oyendo el distante rumor del corte de caña y el traqueteo de los carros por los callejones de la hacienda, su corazón, ya sereno, fué llenándosele de música, y al compás de esa música se puso a cantar en la besana.[8]

* * *

No se acordó más de su mujer hasta no verla llegar con el atadijo del almuerzo en una mano y la cafetera colgando de la otra. La acompañaba Coralín, su perro. Después de observar que Justa se dejaba ver simplemente de él, sin llamarlo a gritos, como de ordinario, Sandalio se movió a poner los bueyes a la sombra. Los instaló a mordisquear gamelote y lengua-de-vaca[9] en un bajo siempre húmedo, por donde pasaba un caz[10] en otros tiempos, a la parte de arriba y a la sombra del bucare que, en la vereda abierta hacia el Guaire en zig-zag, apenas comenzaba a florecer, con muy notable retardo respecto de sus congéneres de los próximos fundos de café, ya ataviados de púrpura en la inminencia de la Epifanía. A la parte de abajo del bucare y en su misma sombra, con el almuerzo prevenido, lo aguardaba Justa.

Satisfecha la sed, porque hacia las once pudo ir a beber agua al trapiche, y aligerado de alcohol con el mucho sudar, Sandalio no sentía como en la mañana, mientras avanzaba hacia Justa, ningún escrúpulo de conciencia. Más bien se decia entonces:

— ¡Que no me vaya a venir con zoquetadas![11]

Pero ella no despegó sus labios durante el almuerzo. Bajo la dulzura doliente de los ojos, negros y embrujadores como suelen centellear en las mulatas de piel de cobre o de canela, sus demás facciones pregonaban, con líneas netas y precisas, la actitud resuelta de quien tiene un secreto y contra toda violencia lo calla, o de quien tomó su partido y contra el querer de los otros lo cumple. Sólo cuando readerezaba su atado con las sobras de la frugal colación, preparándose a la vuelta, dijo:

— Mira, Sandalio. Juega tu jornal, que pa eso es tuyo, o bébetelo de aguardiente, so borracho. Pero te participo, óyelo bien, que hay un hombre que me persigue, que me sale siempre por donde quiera que yo voy, en el paso del río, de entre el cañaveral, de detrás de los palos, y que se ha atrevido a pasar por el mismito patio del rancho y a decirme palabritas dulces. Como él anda siempre en la patrulla, y tú nunca estás en casa, y todas la noches me dejas íngrima y sola . . . Si tú no tienes vergüenza, yo sí tengo, y no me quiero ver en un mal paso.

Recriminaciones, quejas, lágrimas, todo lo esperaba él, menos una semejante salida. Anonadado un minuto, su reacción fué tremenda. Se le inyectaron los ojos. Asió a la mujer por los brazos y la sacudió con toda su fuerza, mientras rugía:

— ¿Qué estás ahí diciendo? ¿Qué estás ahí diciendo, Justa?

— La verdá, la pura verdá. Pero ¡suéltame!, ¡suéltame! ¿Es conmigo que te debes agarrar o es con otro?

Sandalio, avergonzado, la soltó:

— Es verdá. Tienes razón, Justa. Pero me has clavado una puñalada y no sé lo que hago. Dime quién es el hombre.

Una pausa.

— ¡Que me digas quién es! ¿No escuchas?

— Teodoro.

— ¿Qué Teodoro? ¿Guacharaco?

— El mismo.

— Pues hoy mismito le arreglaré sus cuentas, hoy mismito. No tengas cuidado. Hoy mismito . . . Oye, Justa, mira, yo te prometo . . .

Ella, como si supiera de memoria cuánto iba a prometerle Sandalio, no lo escuchó; antes, encogiéndose de hombros, le dió la espalda y, seguida de su perro, como al llegar, se fué con rumbo al río.

El, corrido, se encaminó adonde sesteaban los bueyes. Apenas dió tres o cuatro vueltas con la yunta, decidió dejar el trabajo e ir inmediatamente a excusarse, contándole cualquiera conseja al mayordomo. « Le diría, por ejemplo, que le había dado un gran dolor, tan grande que no pudo sino tumbarse y revolcarse en el suelo, como el buey lebruno Clavelito aquella vez que de un cólico se echó bramando en la besana. »

8. labor que se hace con el arado, consistente en abrir surcos paralelos; también se aplica el nombre al primer surco practicado. 9. plantas de terreno húmedo y bajo. 10. canal construído junto a los ríos para tomar el agua de ellos y llevarla adonde conviene.
11. impertinencias. 12. en los ingenios de azúcar, el encargado del manejo y operación de las pailas, que son unas vasijas grandes de metal empleadas en la fabricación de aquel producto. 13. tierra labrantía que no se siembra en uno o más años; primera labor que se hace con el arado para sembrarla. 14. lugar de los ingenios de azúcar destinado a echar el bagazo o residuo que queda de la caña después de exprimida, para que sirva de combustible. 15. en algunos países de América, personas que viven en la ociosidad. 16. necio, bobalicón.

En cuanto desunció y puso a los animales en donde comieran, se dió a correr, viendo al norte. Por toda la falda del Ávila, desde el Tócoma al Pajarito, se tendía, celando la espuma de los raudales, un largo plumón de niebla. Más arriba del plumón, el cerro, en lo más fragoso de él, aparecía como lavado, casi bruñido, con una suave luz rosa. Para Sandalio, aquella rosa discreta fué un augurio de sangre.

Sin embargo, su estratagema resultó inútil, porque no halló a Guacharaco en el corte, ni en la casa de la hacienda, ni en la pulpería. Según le contestaban al preguntar por él, en todas partes había estado y le vieron, mas ya no estaba en ninguna. Y Sandalio pensaba: ¡« Si no me habrá visto venir el muy sinvergüenza y ha puesto los pies en polvorosa! » Por fin se resignó a disimular para ir sobre seguro, quedándose en atisbo de la ocasión en que el otro no tuviese escape, como sucedería, por ser Teodoro pailero[12] en la sala de pailas del trapiche, cuando empezaran la molienda.

A pesar de este propósito, su inquietud fué creciendo y no le dejaba las piernas tranquilas. Caminó primero largo tiempo al sol de los cañaverales. Caminando, caminando, subió hasta el pie del cerro. Largo rato arrastró su inquietud por la sabana entre pedruscos y peñones. En seguida se internó desesperado en una hacienda de café, y ahí le fué peor, aunque pasara del duro sol de los barbechos[13] a la fresca umbría de los cafetales. Pretendió en el suelo del cafetal, mullido con hojas de guamo y de bucare, dormir, mas no concilió el sueño: el cafetal se le entraba por los oídos como un inmenso órgano vibrante de música. Sonoro de cigarras, el cafetal era, en efecto, como un órgano en que hicieran de flautas los árboles de varia alteza, de tiples rudos y estridentes las chicharras y de bajos las cocas. Desesperado de no poder dormir, huyó del cafetal, y a su paso por la confluencia del Sebucán y el Pajarito, en un manantialejo que ahí brota, hundió y por un buen momento sostuvo la cabeza en el agua. Pero no le valió la frescura. Al través de la rendija abierta por los celos, el mediodía de verano con su sol vivísimo, con sus flores de púrpura, con su música de chicharras, había penetrado en su corazón y lo quemaba como un incendio.

***

Al día siguiente, viendo al gañán pocacosa y flacucho junto al pailero gigantón, a cualquiera se le habría ocurrido que éste, de querer, podía deshacerse del otro con sólo una débil puñada. Sin embargo, el pailero, al notar el aire decidido del gañán, cuando en la sala de pailas entró y fué a él en derechura, se llenó de respeto. Apenas le dijo Sandalio: « Tengo que hablar contigo, Teodoro », Guacharaco, afectando fineza, repuso: « En cuantico me desocupe, Sandalio. » Y aunque, avisado por su malicia, inmediatamente pensase en el modo de salir del repentino atolladero, fingió entregarse a su tarea en cuerpo y alma haciéndose el meticuloso.

Ante esa inocente apariencia de hombre muy abstraído en su trabajo, Sandalio sintió el primer cosquilleo de la duda: « ¡Como no sean exageraciones! ¡Como él es así, tan . . . » Y de tanto mirar el cuidado escrupuloso del pailero se encontró divertido, siguiendo las vicisitudes del guarapo, desde que en la primera paila cae con el sucio color de la tierra para ir por la espumadera aliviado de la más gruesa borra, con las pagayas depurado de cachaza, peinado, alisado y aplacado por las mismas cuando hierve y se amontona y sube en espumarajos de oro semejantes a enormes avisperos de ericas rubias, de paila en paila trasegado por los remillones, tomando todos los matices del cobre, del oro y de la miel, hasta caer en la tacha con un cálido tinte rojizo.

Un ruido cualquiera lo sacó de su contemplación del guarapo y lo llevó adonde una mujer lavaba, acicalaba y ahilaba las hormas en que, ya bien templado, se conformaría definitivamente el azúcar. Desde ahí admiró la panza garrafal de un alambique decrépito y, para hacer la espera menos fastidiosa, dió una vuelta por toda la oficina y fué a salir para la bagacera[14] grande. Ahí se paró a matar el tiempo conversando con un su compadre, entre otras cosas, de cómo se había asentado el verano muy más rudo a raíz de ciertos imprevistos aguaceros de los días anteriores.

Cuando volvió a la sala de pailas, ya Guacharaco, armado con sus grandes recursos, disertaba muy garboso, en medio a un corrillo de bausanes[15] boquiabiertos. Alto y fornido, causaba deleite ver cómo en el pecho y los brazos desnudos resaltaban y en la misma quietud se le arqueaban los músculos de bronce. Pero, más que en los músculos, tenía lo mejor de su fuerza en los labios. Guacharaco lo apodaban porque, habiéndose ido a la guerra, cuando lo reclutaron, motolito[16] y taciturno, regresó, al cabo de poco más de un año de guerrillear, no sólo con ínfulas de valiente, sino hablando mucho y con alboroto, como suelen mañana y tarde, al abrirse y al ponerse el sol, en las quiebras nemorosas del Ávila y en los rastrojos del otro lado del río, a la orilla de los conucos, las guacharacas[17] vocingleras. Hablaba siempre de cosas lejanas, fantásticas y fabulosas, difíciles de verificar, que precisamente por ser difíciles de verificar le granjearon considerable prestigio. En el trapiche, en la pulpería, frente a ésta en el camino real durante el juego de bolas, en la plaza del pueblo, en el corro formado junto a la pesa de carne o la puerta de la gallera, en donde él estuviese, no había más héroe ni más personaje que él, y nadie le disputaba su triunfo. Su incipiente prestigio conmovió al jefe civil del pueblo, a tal punto, que esa autoridad llamó una vez a Guacharaco para ensalzarlo a los honores de la comisaría. Ya comisario, fué llamado otra vez, y entonces le encomendaron de un todo la organización de las patrullas. Verdad es que, a la nueva organización de las patrullas, por una coincidencia fatal, empezaron a desaparecer de los gallineros peor tenidos las piezas más preciadas y a encontrarse en el centro de los tablones de caña, al siguiente día de las noches de luna, mayúsculos vestigios de chupadores.[18] La aureola de Guacharaco no se apagaba a pesar de eso: cuando amenazaba obscurecerse, la reencendía él con el fuego de su labia.

Contaba maravillas truculentas de la guerra, escenas de campos de batalla en lo recio del combatir, o de abandonados campos de batalla donde banqueteaban macabramente los zamuros.[19] A menudo provocaba la envidia y la avidez amorosa de los oyentes, presentándoseles como actor feliz en historias de lindas doncellas violadas. También con frecuencia les pintaba las bellezas de los Llanos, porque él había ido hasta los Llanos del Apure, y les inventaba marchas y contramarchas con el agua al cinto por entre ciénagas limosas; o les decía de cómo una vez a la orilla de un río vió moverse unas peñas, y eran caimanes; o de cómo otra vez miró que toda una fanegada de tierra se empezó a mover y a caminar, y eran tortugas; o de cómo otra vez le pasaron por encima unas grandes nubes blancas, y eran garzas que se levantaban del garcero. Aquella tarde los embebecía, relatándoles enormidades de una tierra para ellos misteriosa, porque no se la habían oído mentar sino a él, donde, según él decía, unos indios borrachos y muy brutos cosechan caucho y cacao silvestres para el solo beneficio de unos cuantos gamonales,[20] donde una migaja de queso vale un fuerte[21] y cualquiera otra cosa de comerse o de vestir cuesta una esterlina,[22] donde hay un pueblo que bañan cuatro ríos, codiciado, según le dijeron, por los musiúes,[23] y donde, por todas partes anchos ríos de aguas negras corren sobre lechos de basalto rojo.

— Una piedra coloradita, coloradita, mucho más que ese guarapo, mucho más que ese papelón, como la misma sangre.

Desde que Sandalio se aproximó al grupo, Guacharaco parecía no hablar sino para Sandalio; a él casi únicamente se dirigía, exponiéndole hábiles dudas, consultándole su opinión como si él fuera el solo capaz de comprenderle. Poco a poco alrededor de Sandalio, fué tramando la sonora telaraña de su elocuencia hasta cazar en ella al gañán por la suave lisonja desvanecido. Si a todos encantusaba con su facundia, el gañán era el más encantusado. De manera nebulosa, mientras hablaba Guacharaco, Sandalio empezó a preguntarse por dentro si no era insensato creer ninguna mala pasada de parte de aquel hombre que tan cariñosamente le distinguía en público. Terminó por avergonzarse de los reproches que proyectara hacer al pailero, y no pensó ya sino en el modo de escurrirse. Marchóse con disimulo sin decir adiós, como si él fuera el culpable. Y luego se avergonzó de haberse avergonzado, al encontrarse lejos del trapiche, lejos de aquella voz de sortilegio que lo embrujaba con su pérfida música. Resuelto de nuevo a cumplir su primitivo propósito, regresó al trapiche, pero ya Guacharaco no estaba.

Desde ese punto se trabó en el ánimo del gañán un combate que duró largos días. Ya meditaba llegarse a Guacharaco bruscamente y abrumarlo a reproches; pero Guacharaco, sobre aviso, al verle venir lo desarmaba. Ya meditaba esperarlo hacia la tardecita en aquella parte del camino real en donde dos colosales mijaos[24] vuelven más densa la noche, y allí, en lo obscuro y sin decirle palabra, clavarle media vara de hierro en el vientre; pero, bajo el hechizo de Guacharaco, su pensamiento medroso le sugería: « ¿Y si son exageraciones de Justa? »

17. ave del orden de las gallináceas, muy ruidosa. 18. alimañas que se prenden a otros animales y les chupan la sangre. 19. en Colombia y Venezuela, nombre que se da al aura, ave de rapiña que se alimenta de carnes muertas. 20. el ricacho que se hace cacique de un pueblo. 21. real fuerte, moneda de plata. 22. libra esterlina, moneda. 23. extranjeros. 24. cierta clase de árbol de gran tamaño, y muy frondoso. 25. el baile nacional de Venezuela. 26. en ciertos países de la América del Sur, paredes de cañas y tierra, con grandes aleros. En Cuba, choza pequeña.

Mientras tanto, si no satisfecha, Justa se contentaba con que ya el marido no saliera de noche.

Lentamente, en lo interior del gañán se calmó la empeñadísima lucha, llevándose el sutil hablador la ventaja. Sandalio acabó por decirse: « De seguro que son exageraciones de Justa. Como él es tan confianzúo y tan relambío, y ella es como es . . . Porque, eso sí, ella es mujer de mucha vergüenza y de mucho punto. » Y entonces una palabra, cualquiera pulla dirigida a su formalidad presente, bastó para que Sandalio tomase de nuevo todas las noches el camino de la pulpería.

* * *

Claro de luna. Aúlla un perro a lo lejos, otro de más allá le responde, y así va por todo el valle tendiéndose una cadena de aullidos. La brisa trae de cuando en cuando la tonada única del joropo.[25] La voz del Guaire, alta y distinta en el silencio, llega hasta el rancho y acompaña gravemente la monótona serenata de los grillos.

— ¿Quién es? — dice Justa incorporándose en el catre, porque entredormida ha escuchado tocar a la puerta. Como nadie contesta, y quiere asegurarse de si en efecto han llamado, otra vez pregunta:

— ¿Quién es?

— Soy yo, Justa. ¡Abre!

— ¿Quién yo? — vuelve a preguntar Justa, aunque ya ha reconocido la voz, y de un todo despierta se acurruca en la cabecera del catre, contra el ángulo de alcoba en donde va la cabecera. Luego, fingiendo hablar al marido, añade: — ¡Sandalio! Oye, Sandalio, están tocando; levántate a ver quién es.

— No, Justa — replica la voz de afuera —, no puedes engañarme. Yo sé que Sandalio no está aquí; lo dejé ahorita mismo en la pulpería del pueblo, jugando. . Y no vendrá hasta la madrugada, de seguro . . . si acaso viene, porque puede irse a amanecer en el joropo. Todos, todos los de la hacienda y muchos del pueblo se van pal joropo. ¡Abreme! ¡Ábreme por vía tuyita, Justa!

Sin atender a cuanto decía el de afuera, y con la cabeza entre ambas manos, Justa, en su desesperación, buscaba una salida. « ¡Borracho! ¡borracho! », pensaba, acordándose de Sandalio: « Hasta se llevó el perro esta noche. Siquiera haciendo bulla, Coralín podría defenderme. »

Tras de una breve pausa volvió a sonar la voz de afuera, haciéndose poco a poco más humilde y más dulce:

— Oye, mira, Justa; ábreme. Nadie lo sabrá. Todos están en el joropo. Esta noche nadie pasará por aquí. Yo he arreglado las cosas muy bien, ¿no ves que soy de la patrulla? Ábreme. Yo te lo prometo; no lo sabrá ningunito, ningunito.

— No, no, Guacharaco: sigue tu camino. Te has equivocado de puerta y de mujer, Guacharaco. Mira que yo tengo mi marido, mi hombre.

— ¿Tu hombre? ¡Bueno está tu hombre! ¡Y pa lo que te quiere! Todo se lo juega o se lo bebe de caña en la pulpería. Yo sí que te quiero y te quiero de verdá, verdá . . . Desde antes de la guerra. Pero por aquella maldita pena que yo tenía no te lo dije nunca. ¡Nunca! Si acaso te lo dije con los ojos . . . Todavía si tú quisieras podría arreglase todo pa ti y pa mí, porque yo no le tengo a nadie miedo.

Entonces fué la voz de adentro la que se volvió muy suave, muy dulce, convirtiendo las palabras en otras tantas caricias:

— ¿Qué vas tú a quererme, Guacharaco? Si me quisieras como dices, no harías eso . . . eso que estás haciendo esta noche. ¡Buenas maneras de tratar mujeres como yo! Si fuera verdá, si me quisieras de verdá, verdá, como tú dices, no me tratarías como esta noche. Harías de otro modo, Guacharaco.

— Bueno. Pues dime de qué modo, Justa.

— Te lo diría . . . con tal que te fueras ahora. Te lo diría mañana. Vete, y te ofrezco decírtelo mañana, en la línea, a la hora del primer tren, que es la hora en que yo voy al pueblo.

Turbado por las palabras que lo embriagaban como caricias, y por el rápido rendimiento de Justa, Guacharaco no halló al pronto qué decir, y se puso a dar vueltas en el patio del rancho. Justa lo sintió ir y venir, lo sintió caminar en la especie de corredorcito que daba entrada al rancho, y beber agua de la tinaja que ahí, en un ángulo del corredor y sobre una especie de trípode rústica se alzaba, protegida por anchas hojas de plátanos limpísimas, del tiznado y polvoroso bahareque.[26] Ya ella cobraba confianza, cuando Guacharaco volvió, y le dijo:

— Oye, Justa. Eso que tú me dices ahí, es pa engatusame. Eso es pa que me vaya ahora . . . Y mañana . . . y después, nada, nadita. Ábreme, Justa.

— No, no, Guacharaco.

— Pues me abriré yo mismo.

Y diciendo así, Guacharaco arremetió con tal envión de sus hombros hercúleos a la puerta del rancho, que el rancho todo se puso a temblar, aunque la puerta misma no cedió, porque estaba muy bien atrancada por dentro. Justa, como por el mismo envión proyectada, saltó del catre, hizo luz, echóse encima desordenadamente la ropa y se dispuso a dar la cara al peligro.

— No importa que no me abras. Ya sé por dónde entrar — dijo entonces Guacharaco, insinuando su machete al través de una ancha rendija que, abierta al ras del piso en el bahareque, dió salida a la luz cuando Justa encendió la vela.

Mientras con el machete al principio, y luego con las dos manos locas de rabia, Guacharaco trataba de ensanchar la hendedura, Justa apagó la vela y corrió a guarecerse y acurrucarse en otra esquina de la alcoba. En su angustia, se llevaba las manos a la cabeza, o una contra otra se las restregaba. De repente sus manos tropezaron con algo suave y liso. Era el ástil de araguaney[27] del hacha con que ella solía cortar leña en los cafetales o en el monte. Como un resorte se enderezó, libertándose de la angustia. Corrió en sentido contrario al de la otra vez, a ponerse a un paso del sitio en donde el hombre trabajaba y tenía ya hecha una entrada poco menos que perfecta.

— ¡Por última vez, Justa, ábreme!

— No, y no — dijo ella con voz impregnada de cólera —. Vete, si no quieres perderme. Vete ¡en el nombre de Dios, Guacharaco!

— Pues entraré en el rancho y serás mía, más que no quieras.

— Nunca.

— ¿Nunca? Ya lo verás.

Multiplicado por la furia, siguió ensanchando el agujero. Un instante se detuvo a limpiarse el sudor: se apartó del agujero, y por éste se entró en el rancho el claro de la luna.

En su impaciencia, al ver ya avanzada la tarea, e imaginándose que un solo empuje de sus hombros la perfeccionaría, Guacharaco se arriesgó a meterse de cabeza por la abertura, en el preciso momento en que, dentro del rancho, la mujer, sutilizada la vista por el peligro y la obscuridad, y con su misma destreza de cuando cortaba leña, blandió en el aire su hacha y la descargó de un golpe. Sonó un grito. Justa nunca supo decir de quién fué, si de ella o de Guacharaco, aquel grito.

Reinan de nuevo el silencio de la noche y el claro de la luna. La voz del Guaire llega hasta el rancho alta y distinta en el silencio. En el patio los grillos continúan su monótona serenata. De cuando en cuando aúlla un perro, y otro de más allá le responde, y así va por todo el valle tendiéndose una cadena de aullidos.

* * *

Justa, inmóvil y en pie, en donde mismo estaba al descargar su hachazo, espera. Largo tiempo erige su incomparable y súbita lucidez de conciencia encima de las piernas y los pies inútiles, como afectados de parálisis por lo entumecidos y torpes. Al fin, hacia al amanecer, escucha ladridos familiares: los de Coralín que parece retroceder, avanzar y dar vueltas en el patio, oliscando algo nuevo. Casi inmediatamente se alza la voz de Sandalio:

— ¡Justa! ¡Justa! ¿Qué es esto? ¿Quién es este hombre? ¡Abre, abre, Justa!

— Ahora no. Vete volando al pueblo, y tráete al jefe civil. Entonces abriré.

Sandalio, desembriagado de repente, salió hacia el pueblo a escape. Dió y habló con el jefe civil fácilmente. Más difícil fué dar con el Secretario de la Jefatura, pues aunque no faltaba casi nada para amanecer, se hallaba todavía en el joropo. De ahí, adonde le fueron a buscar, salió tambaleándose y más cargado de aguardiente que un pipote[28] del trapiche. Por el camino se encargó de animar a Sandalio:

— No se asuste, socio, no se asuste. Eso no es nada. Con el general — así por antonomasia, designaban al jefe civil del pueblo — con el general, conmigo que soy un secretario en la guama[29] y con Guacharaco, el jefe de la patrulla, tiene usté, socio, todas las garantias. Créame, socio, usté tiene garantías, todas las garantías.

Cuando Justa abrió la puerta y entraron todos en el rancho, también todos abrieron enormemente los ojos. La cabeza de Guacharaco, tendida en el esfuerzo por entrar cuando fué cortada a cercén, brincó, y tal vez en un movimiento convulsivo se asió con los dientes a la sábana del catre. Así la encontraron todavía, colgando de la sábana, que sin duda no cedió a la extraña pesadumbre de la cabeza, por hallarse del otro lado cogida entre el catre y un horcón[30] del bahareque.

Justa refirió con fidelidad extremosa cuanto había pasado. Luego de terminar su relación, y mientras el jefe civil, que hasta ese día nunca se viera en un semejante aprieto, no hallaba qué resolver, añadió:

27. árbol de Venezuela, de madera muy dura. 28. pipa o tonel pequeño. 29. (estar) en la guama significa aquí « estar contento con la suerte ». 30. poste de ángulo de una casa de madera.

— Pa lo que usté quiera, yo estaré con mi familia en el pueblo; usté la conoce.

Y se dirigió a la puerta del rancho.

— ¿Pa ónde vas tú, Justa? — preguntó Sandalio interponiéndose.

— Como yo sé ya que puedo valerme yo misma, estoy mejor sola, Sandalio. Además, tampoco estaré sola, porque como voy caje mi familia, allí tendré quien me acompañe — contestó Justa, y apartó a Sandalio con un gesto.

Al trasponer la puerta y simultáneamente ver el cuerpo mutilado y el negro cuajarón de sangre que iba del bahareque al mismo centro del patio, la sacudió un calofrío y tuvo un miedo como no lo sintiera hasta entonces. Partió llevándose en las retinas aquel inmenso coágulo rojo-negruzco. Amanecía. Aunque el sol no se hubiera alzado aún sobre los cerros del oriente, ya lo iluminaba todo. Pero Justa, a pesar de eso, todo lo veía color de sangre: le pareció que el río arrastraba sangre, no agua; se turbó ante la visión de un alba campánula pascual que se balanceaba abierta al mismo ras del agua, como tendida a llenarse en la corriente; se horrorizó a la vista de los cafetales remotos incendiados bajo flameantes bucares de púrpura; y, cuando se vió del otro lado del Guaire, echó a correr desatentadamente hacia el pueblo, mientras un claro son de campanas volaba de la iglesia del pueblo a todo el valle, anunciando la Epifanía.

(De *Peregrina o El pozo encantado*, 1922)

Cuentos y novelas sobre realidades anormales, sea que la anormalidad estuviera en las circunstancias o en las mentes de los personajes, se habían escrito en la época romántica. Ahora, al cultivar esa anormalidad, los autores no disimularon que les gustaba representar el papel estético de raros, de decadentes, de neuróticos. No faltó, en este grupo especializado en lo anormal, el loco: MACEDONIO FERNÁNDEZ (Argentina; 1874-1952). Por la edad pertenece a este capítulo; por sus escritos, al capítulo siguiente; pero por la fascinación que su locura metafísica ejerció sobre los bromistas de la literatura de vanguardia, posterior a la primera guerra mundial, pertenece al capítulo en que veremos a Girondo, Borges, Marechal y González Lanuza, sus propagandistas. Su libro, lleno de disparates, fué *No toda es Vigilia la de los Ojos Abiertos* (1928). Los demás libros que se publicaron después fueron páginas viejas arrancadas, contra su voluntad, por amigos devotos: *Papeles de Recienvenido* (1930), *Una novela que comienza* (1941), *Continuación de la Nada* (1944), *Poemas* (1953). El mejor Macedonio es el de la carta a Borges, magia verbal que se publicó en *Proa*. El resto es ilegible digresión, a menos que se busque, entre las ruinas de esa prosa (de esa razón) toda rota por dentro, larvas de locura solipsista y sorprendente, ingeniosa y aun poética. Nos dió una visión humorística del Universo. Un Universo que, después de las operaciones a que lo sometían la imaginación y la sofística de Macedonio Fernández, queda en ridículo, junto con todos los hombres que lo habitamos. Fué un escritor de formas desaliñadas; pero tuvo intuiciones tan contrarias a los sanos hábitos mentales que deslumbraron a los jóvenes que buscan en la literatura capricho, fantasía y rebeldía.

Macedonio Fernández

CARTA A JORGE LUIS BORGES

Querido Jorge:

Iré esta tarde y me quedaré a comer si hay inconveniente y estamos con ganas de trabajar. (Advertirás que las ganas de cenar ya las tengo y sólo falta asegurarme las otras.)

Tienes que disculparme el no haber ido anoche. Soy tan distraído que iba para allá y en el camino me acuerdo de que me había quedado en casa. Estas distracciones frecuentes son una vergüenza y hasta me olvido de avergonzarme.

Estoy preocupado con la carta que ayer concluí y estampillé para vos; como te encontré antes de echarla al buzón tuve el aturdimiento de romperle el sobre y ponértela en el bolsillo: otra carta que por falta de dirección se habrá extraviado. Muchas de mis cartas no llegan, porque omito el sobre o las señas o el texto. Esto me trae tan fastidiado que te rogaría vinieras a leer ésta a casa.

Su objeto es explicarte que si anoche tú y Pérez Ruiz en busca de Bartolomé Galíndez no dieron con la calle Coronda, debe ser, creo, porque la han puesto presa para concluir con los asaltos que en ella se distribuían de continuo. A un español le robaron hasta la zeta, que tanto la necesitan para pronunciar la ese y aún para toser. Además, los asaltantes que prefieren esa calle por comodidad, quejáronse de que se la mantenía tan oscura que escaseaba la luz hasta para el trabajo de ellos y se veían forzados a asaltar de día, cuando debían descansar y dormir.

De modo que la calle Coronda antes era ésa y frecuentaba ese paraje, pero ahora es otra; creo que atiende al público de 10 a 4, seis horas. Lo más del tiempo lo pasa cruzada de veredas en alguna de sus casas: quizá anoche estaba metida en la de Galíndez: ese día le tocó a Galíndez vivir en la calle.

Es por turnos y éste es el turno de que yo me calle,

Macedonio.

(Carta publicada originariamente en *Proa.*)

UNA NOVELA PARA NERVIOS SÓLIDOS

Se estaba produciendo una lluvia de día domingo con completa equivocación porque estábamos en martes, día de semana seco por excelencia. Pero con todo esto no estaba sucediendo nada: la orden de huelga de sucesos se cumplía.

Sin contrariar este revuelto estado de cosas empujé hacia atrás con un movimiento decidido la silla que ocupaba, y luego de este ruido oficinesco y autoritario de 20. Jefe burocrático que tiene temblándole veinte bostezantes sobresaltados, le retiré la percha al sombrero y en las mangas de éste introduje ambos brazos, dí cuerda al almanaque, arranqué la hojita del día al reloj y eché carbón a la heladera, aumenté hielo a la estufa, añadí al termómetro colgado todos los termómetros que tenía guardados para combatir el frío que empezaba, y como pasaba alcanzablemente un lento tranvía dí el salto hacia la vereda y caí cómodamente sentado en mi buen sillón de escritorio.

Por cierto que había mucho que pensar; los días transcurrían de un tiempo a esta parte y sin embargo no se aclaraba el misterio (todos ignorábamos que hubiera uno) en el puente proyectado. Primero se nos hizo conocer un dibujo del puente tal y cómo estaban de adelantados sus trabajos antes de que nadie hubiera pensado en hacerlo existir; Segundo: dibujo de cómo era el puente cuando alguien pensó en él; Tercero: fotografía de transeúnte del puente; Cuarto: ya está el primer tramo empezado. En suma: que el puente ya estaba concluído, sólo que había que hacerlo llegar a la otra orilla porque por una módica equivocación había sido dirigida su colocación de una orilla a la misma orilla.

Ahora bien ¿por qué en el meditado discurso que el Ministro le tosió al puente por hallarse medio resfriado aquél, o éste, no estoy muy seguro, se acusó de ingratitud para con el Gobierno?

Sabido es cuánto ha sufrido la humanidad por ingratitudes de puentes. Pero en éste ¿dónde estaba la ingratitud? En la otra orilla no puede ser, porque el puente no apuntaba hacia la otra orilla y en verdad el arduo problema del momento era torcer el río de modo que pasase por debajo del puente. Esto era lo menos que se podía molestar, y esperar de un río que no se había tomado trabajo ninguno en el asunto puente.

(Publicada en *Orígenes*, La Habana, año V, núm. 19, 1948)

El gran narrador de temas anormales — con curiosa aleación de esteticismo y naturalismo — fué HORACIO QUIROGA (Uruguay; último día de 1878-1937). Si bien escribió ocasionalmente versos y prosas artísticas (*Los arrecifes de coral*, 1901), novelas (*Historia de un amor turbio*, 1908, y *Pasado amor*, 1929), novelín (*Los perseguidos*, 1905), drama (*Las sacrificadas*, 1920), Horacio Quiroga sobresalió en el cuento corto. Publicó varias colecciones: *El crimen del otro* (1904), *Cuentos de amor, de locura y de muerte* (1917), *Cuentos de la selva* (1918), *El salvaje* (1920), *Anaconda* (1921), *El desierto* (1924), *La gallina degollada y otros cuentos* (1925), *Los desterrados* (1926) y *Más allá* (1935). A estos títulos podrían agregarse cuentos dispersos en periódicos, reunidos ya en varias ediciones póstumas. Quizá sus mejores cuentos aparecieron entre 1907 (« El almohadón de plumas ») y 1928 (« El hijo »). Se ha observado que, en los últimos años, Quiroga pareció desviarse del cuento al periodismo: artículos, crónicas, comentarios. Sin embargo, escribió cuentos hasta el último instante, si bien no tan buenos como los de la serie que culmina en « El hijo. » La acción de gran parte de sus cuentos transcurre en medio de la naturaleza bárbara; a veces sus protagonistas son animales; y, si son hombres, suelen aparecer deshechos por las fuerzas naturales. Y este hombre Quiroga, para quien la naturaleza era un tema literario, no tenía nada de primitivo. Era autor de compleja espiritualidad, refinado en su cultura, con una mórbida organización nerviosa. Había comenzado como modernista; y nunca rompió con esa iniciación. Su prosa se hizo cada vez más desmañada; su técnica narrativa, cada vez más realista. Pero permaneció fiel a su estética de la primera hora: expresar percepciones delicuescentes, oscuras, raras, personales. Tenía una teoría de lo que debía ser el cuento: véanse el «Decálogo del perfecto cuentista», « La retórica del cuento », « Ante el tribunal », etc. Y aunque no hubiera citado sus maestros uno reconocería las influencias que recibió. Pero los citó: «Creo en un maestro — Poe, Maupassant, Kipling, Chejov — como en Dios mismo », dijo. Y pudo haber mencionado otros porque leyó mucho. No, no era un primitivo; y aun su visión de la selva era la de un ojo excepcionalmente educado. Los tonos de sus cuentos son variados: no falta el humorístico. Sin embargo, una buena antología se inclinaría hacia sus cuentos crueles, en los que se describe la enfermedad, la muerte, el fracaso, la alucinación, el miedo a lo sobrenatural, el alcoholismo. No le conocemos ningún cuento perfecto: en general escribía demasiado rápidamente y cometía fallas, no sólo de estilo, sino de técnica narrativa. Pero la suma de sus cuentos revela un cuentista de primera fila en nuestra literatura. Recuérdese el esquema dinámico de emociones en « La gallina degollada », « A la deriva », « El hijo », « El desierto », « El hombre muerto », «Juan Darién » y diez más.

Horacio Quiroga

LA GALLINA DEGOLLADA

Todo el día, sentados en el patio, en un banco, estaban los cuatro hijos idiotas del matrimonio Mazzini-Ferraz. Tenían la lengua entre los labios, los ojos estúpidos, y volvían la cabeza con toda la boca abierta.

El patio era de tierra, cerrado al Oeste por un cerco de ladrillos. El banco quedaba paralelo a él, a cinco metros, y allí se mantenían inmóviles, fijos los ojos en los ladrillos. Como el sol se ocultaba tras el cerco al declinar, los idiotas tenían fiesta. La luz enceguecedora llamaba su atención al principio; poco a poco sus ojos se animaban; se reían al fin estrepitosamente, congestionados por la misma hilaridad ansiosa, mirando el sol con alegría bestial, como si fuera comida.

Otras veces, alineados en el banco, zumbaban horas enteras imitando al tranvía eléctrico. Los ruidos fuertes sacudían asimismo su inercia, y corrían entonces alrededor del patio, mordiéndose la lengua y mugiendo. Pero casi siempre estaban apagados en un sombrío letargo de idiotismo, y pasaban todo el día sentados en su banco, con las piernas colgantes y quietas, empapando de glutinosa saliva el pantalón.

El mayor tenía doce años y el menor, ocho. En todo su aspecto sucio y desvalido se notaba la falta absoluta de un poco de cuidado maternal.

Esos cuatro idiotas, sin embargo, habían sido un día el encanto de sus padres. A los tres meses de casados, Mazzini y Berta orientaron su estrecho amor de marido y mujer y mujer y marido hacia un porvenir mucho más vital: un hijo. ¿Qué mayor dicha para dos enamorados que esa honrada consagración de su cariño, libertado ya del vil egoísmo de un mutuo amor sin fin ninguno y, lo que es peor para el amor mismo, sin esperanzas posibles de renovación?

Así lo sintieron Mazzini y Berta, y cuando el hijo llegó, a los catorce meses de matrimonio, creyeron cumplida su felicidad. La criatura creció bella y radiante hasta que tuvo año y medio. Pero en el vigésimo mes sacudiéronlo una noche convulsiones terribles y a la mañana siguiente no conocía más a sus padres. El médico lo examinó con esa atención profesional que está visiblemente buscando la causa del mal en las enfermedades de los padres.

Después de algunos días los miembros paralizados de la criatura recobraron el movimiento; pero la inteligencia, el alma, aun el instinto, se habían ido del todo. Había quedado profundamente idiota, baboso, colgante, muerto para siempre sobre las rodillas de su madre.

— ¡Hijo, mi hijo querido! — sollozaba ésta sobre aquella espantosa ruina de su primogénito.

El padre, desolado, acompañó al médico afuera.

— A usted se le puede decir: creo que es un caso perdido. Podrá mejorar, educarse en todo lo que le permita su idiotismo, pero no más allá.

— ¡Sí! . . ., ¡sí! . . . — asentía Mazzini —. Pero dígame: ¿Usted cree que es herencia, que . . .?

— En cuanto a la herencia paterna, ya le dije lo que creí cuando ví a su hijo. Respecto a la madre, hay allí un pulmón que no sopla bien. No veo nada más, pero hay un soplo un poco rudo. Hágala examinar detenidamente.

Con el alma destrozada de remordimiento, Mazzini redobló el amor a su hijo, el pequeño idiota que pagaba los excesos del abuelo. Tuvo asimismo que consolar, sostener sin tregua a Berta, herida en lo más profundo por aquel fracaso de su joven maternidad.

Como es natural, el matrimonio puso todo su amor en la esperanza de otro hijo. Nació éste, y su salud y limpidez de risa reencendieron el porvenir extinguido. Pero a los dieciocho meses las convulsiones del primogénito se repetían, y al día siguiente el segundo hijo amanecía idiota.

Esta vez los padres cayeron en honda desesperación. ¡Luego su sangre, su amor estaban malditos! ¡Su amor, sobre todo! Veintiocho años él, veintidós ella, y toda su apasionada ternura no alcanzaba a crear un átomo de vida normal. Ya no pedían más belleza e inteligencia, como en el primogénito; ¡pero un hijo, un hijo como todos!

Del nuevo desastre brotaron nuevas llamaradas de dolorido amor, un loco anhelo de redimir de una vez para siempre la santidad de su ternura. Sobrevinieron mellizos, y punto por punto repitióse el proceso de los dos mayores.

Mas por encima de su inmensa amargura quedaba a Mazzini y Berta gran compasión por sus cuatro hijos. Hubo que arrancar del limbo de la más honda animalidad no ya sus almas, sino el instinto mismo, abolido. No sabían deglutir, cambiar de sitio, ni aun sentarse. Aprendieron al fin a caminar, pero chocaban contra todo, por no darse cuenta de los obstáculos. Cuando los lavaban mugían hasta inyectarse de sangre el rostro. Animábanse sólo al comer o cuando veían colores brillantes u oían truenos. Se reían entonces, echando afuera lengua y ríos de baba, radiantes de frenesí bestial. Tenían, en cambio, cierta facultad imitativa; pero no se pudo obtener nada más.

Con los mellizos pareció haber concluído la aterradora descendencia. Pero pasados tres años, Mazzini y Berta desearon de nuevo ardientemente otro hijo, confiando en que el largo tiempo transcurrido hubiera aplacado a la fatalidad.

No satisfacían sus esperanzas. Y en ese ardiente anhelo que se exasperaba en razón de su infructuosidad, se agriaron. Hasta ese momento cada cual había tomado sobre sí la parte que le correspondía en la miseria de sus hijos; pero la desesperanza de redención ante las cuatro bestias que habían nacido de ellos echó afuera esa imperiosa necesidad de culpar a los otros, que es patrimonio específico de los corazones inferiores.

Iniciáronse con el cambio de pronombres: *tus* hijos. Y como a más del insulto había la insidia, la atmósfera se cargaba.

— Me parece — díjole una noche Mazzini, que acababa de entrar y se lavaba las manos — que podrías tener más limpios a los muchachos.

Berta continuó leyendo como si no hubiera oído.

— Es la primera vez — repuso al rato — que te veo inquietarte por el estado de tus hijos.

Mazzini volvió un poco la cara a ella con una sonrisa forzada.

— De nuestros hijos, me parece . . .

— Bueno, de nuestros hijos. ¿Te gusta así? — alzó ella los ojos.

Esta vez Mazzini se expresó claramente:

— Creo que no vas a decir que yo tenga la culpa, ¿no?

— ¡Ah, no! — se sonrió Berta, muy pálida—; pero yo tampoco, supongo . . . ¡No faltaba más! . . . — murmuró.

— ¿Que no faltaba más?

— ¡Que si alguien tiene la culpa no soy yo, entiéndelo bien! Eso es lo que te quería decir.

Su marido la miró un momento, con brutal deseo de insultarla.

— ¡Dejemos! — articuló al fin, secándose las manos.

— Como quieras; pero si quieres decir . . .

— ¡Berta!

— ¡Como quieras!

Éste fué el primer choque, y le sucedieron otros. Pero en las inevitables reconciliaciones sus almas se unían con doble arrebato y ansia por otro hijo.

Nació así una niña. Vivieron dos años con la angustia a flor de alma, esperando siempre otro desastre.

Nada acaeció, sin embargo, y los padres pusieron en su hija toda su complacencia, que la pequeña llevaba a los más extremos límites del mimo y la mala crianza.

Si aun en los últimos tiempos Berta cuidaba siempre de sus hijos, al nacer Bertita olvidóse casi del todo de los otros. Su solo recuerdo la horrorizaba como algo atroz que la hubieran obligado a cometer. A Mazzini, bien que en menor grado, pasábale lo mismo.

No por eso la paz había llegado a sus almas. La menor indisposición de su hija echaba ahora afuera, con el terror de perderla, los rencores de su descendencia podrida. Habían acumulado hiel sobrado tiempo para que el vaso no quedara distendido, y al menor contacto el veneno se vertía afuera. Desde el primer disgusto emponzoñado habíanse perdido el respeto; y si hay algo a que el hombre se siente arrastrado con cruel fruición es, cuando ya se comenzó, a humillar del todo a una persona. Antes se contenían por la mutua falta de éxito; ahora que éste había llegado, cada cual, atribuyéndolo a sí mismo, sentía mayor la infamia de los cuatro engendros que el otro habíale forzado a crear.

Con estos sentimientos, no hubo ya para los cuatro hijos mayores afecto posible. La sirvienta los vestía, les daba de comer, los acostaba, con visible brutalidad. No los lavaban casi nunca. Pasaban casi todo el día sentados frente al cerco, abandonados de toda remota caricia.

De ese modo Bertita cumplió cuatro años, y esa noche, resultado de las golosinas que sus padres eran incapaces de negarle, la ciatura tuvo algún escalofrío y fiebre. Y el temor a verla morir o quedar idiota tornó a reabrir la eterna llaga.

Hacía tres horas que no hablaban, y el motivo fué, como casi siempre, los fuertes pasos de Mazzini.

— ¡Mi Dios! ¿No puedes caminar más despacio? ¿Cuántas veces . . .?

— Bueno, es que me olvido; ¡se acabó! No lo hago a propósito.

Ella se sonrió, desdeñosa:

— ¡No, no te creo tanto!

— Ni yo jamás te hubiera creído tanto a ti . . ., ¡tisiquilla!

— ¡Qué! ¿qué dijiste? . . .

— ¡Nada!

— ¡Sí, te oí algo! Mira: ¡no sé lo que dijiste; pero te juro que prefiero cualquier cosa a tener un padre como el que has tenido tú!

Mazzini se puso pálido.

— ¡Al fin! — murmuró con los dientes apretados — . ¡Al fin, víbora, has dicho lo que querías!

— ¡Sí, víbora, sí! ¡Pero yo he tenido padres sanos, ¿oyes? ¡sanos! ¡Mi padre no ha muerto de delirio! ¡Yo hubiera tenido hijos como los de todo el mundo! ¡Ésos son hijos tuyos, los cuatro tuyos!

Mazzini explotó a su vez.

— ¡Víbora tísica! ¡Eso es lo que te dije, lo que te quiero decir! ¡Pregúntale, pregúntale al médico quién tiene la mayor culpa de la meningitis de tus hijos; mi padre o tu pulmón picado, víbora!

Continuaron cada vez con mayor violencia, hasta que un gemido de Bertita selló instantáneamente sus bocas. A la una de la mañana la ligera indigestión había desaparecido y, como pasa fatalmente con todos los matrimonios jóvenes que se han amado intensamente una vez siquiera, la reconciliación llegó, tanto más efusiva cuanto infames fueran los agravios.

Amaneció un espléndido día, y mientras Berta se levantaba escupió sangre. Las emociones y mala noche pasada tenían, sin duda, gran culpa. Mazzini la retuvo abrazada largo rato y ella lloró desesperadamente, pero sin que ninguno se atreviera a decir una palabra.

A las diez decidieron salir, después de almorzar. Como apenas tenían tiempo, ordenaron a la sirvienta que matara una gallina.

El día, radiante, había arrancado a los idiotas de su banco. De modo que mientras la sirvienta degollaba en la cocina al animal, desangrándolo con parsimonia (Berta había aprendido de su madre este buen modo de conservar la frescura de la carne), creyó sentir algo como respiración tras ella. Volvióse, y vió a los cuatro idiotas, con los hombros pegados uno a otro, mirando estupefactos la operación. Rojo . . . rojo . . .

— ¡Señora! Los niños están aquí en la cocina.

Berta llegó; no quería que jamás pisaran allí. ¡Y ni aun en estas horas de pleno perdón, olvido y felicidad reconquistada podía evitarse esa horrible visión! Porque, naturalmente, cuanto más intensos eran los raptos de amor a su marido e hija, más irritado era su humor con los monstruos.

— ¡Que salgan, María! ¡Échelos! ¡Échelos, le digo!

Las cuatro bestias, sacudidas, brutalmente empujadas, fueron a dar a su banco.

Después de almorzar salieron todos. La sirvienta fué a Buenos Aires y el matrimonio a pasear por las quintas. Al bajar el sol volvieron; pero Berta quiso saludar un momento a sus vecinas de enfrente. Su hija escapóse en seguida a casa.

Entretanto los idiotas no se habían movido en todo el día de su banco. El sol había traspuesto ya el cerco, comenzaba a hundirse, y ellos continuaban mirando los ladrillos, más inertes que nunca.

De pronto algo se interpuso entre su mirada y el cerco. Su hermana, cansada de cinco horas paternales, quería observar por su cuenta. Detenida al pie del cerco, miraba pensativa la cresta. Quería trepar, eso no ofrecía duda. Al fin decidióse por una silla desfondada, pero aun no alcanzaba. Recurrió entonces a un cajón de kerosene, y su instinto topográfico hízole colocar vertical el mueble, con lo cual triunfó.

Los cuatro idiotas, la mirada indiferente, vieron cómo su hermana lograba pacientemente dominar el equilibrio y cómo en puntas de pie apoyaba la garganta sobre la cresta del cerco, entre sus manos tirantes. Viéronla mirar a todos lados y buscar apoyo con el pie para alzarse más.

Pero la mirada de los idiotas se había animado; una misma luz insistente estaba fija en sus pupilas. No apartaban los ojos de su hermana, mientras creciente sensación de gula bestial iba cambiando cada línea de sus rostros. Lentamente avanzaron hacia el cerco. La pequeña, que habiendo logrado calzar el pie, iba ya a montar a horcajadas y a caerse del otro lado, seguramente, sintióse cogida de una pierna. Debajo de ella, los ocho ojos clavados en los suyos le dieron miedo.

— ¡Soltáme!, ¡dejáme! — gritó sacudiendo la pierna. Pero fué atraída.

— ¡Mamá! ¡Ay, mamá! ¡Mamá, papá! — lloró imperiosamente. Trató aún de sujetarse del borde, pero sintióse arrancada y cayó.

— ¡Mamá! ¡Ay, ma . . .! — no pudo gritar

más. Uno de ellos le apretó el cuello, apartando los bucles como si fueran plumas, y los otros la arrastraron de una sola pierna hasta la cocina, donde esa mañana se había desangrado la gallina, bien sujeta, arrancándole la vida segundo por segundo.

Mazzini, en la casa de enfrente, creyó oír la voz de su hija.

— Me parece que te llama — le dijo a Berta.

Prestaron oído, inquietos, pero no oyeron más. Con todo, un momento después se despidieron, y mientras Berta iba a dejar su sombrero, Mazzini avanzó en el patio:

— ¡Bertita!

Nadie respondió.

— ¡Bertita! — alzó más la voz, ya alterada.

Y el silencio fué tan fúnebre para su corazón siempre aterrado, que la espalda se le heló del horrible presentimiento.

— ¡Mi hija, mi hija! — corrió ya desesperado hacia el fondo. Pero al pasar frente a la cocina vió en el piso un mar de sangre. Empujó violentamente la puerta, entornada, y lanzó un grito de horror.

Berta, que ya se había lanzado corriendo a su vez al oír el angustioso llamado del padre, oyó el grito y respondió con otro. Pero al precipitarse en la cocina, Mazzini, lívido como la muerte, se interpuso, conteniéndola:

— ¡No entres! ¡No entres!

Berta alcanzó a ver el piso inundado de sangre. Sólo pudo echar sus brazos sobre la cabeza y hundirse a lo largo de él con un ronco suspiro.

(De *Cuentos de amor, de locura y de muerte,* 1917)

JUAN DARIÉN

Aquí se cuenta la historia de un tigre que se crió y educó entre los hombres, y que se llamaba Juan Darién. Asistió cuatro años a la escuela vestido de pantalón y camisa, y dió sus lecciones corrientemente, aunque era un tigre de las selvas; pero esto se debe a que su figura era de hombre, conforme se narra en las siguientes líneas:

Una vez, a principios de otoño, la viruela visitó un pueblo de un país lejano y mató a muchas personas. Los hermanos perdieron a sus hermanitas, y las criaturas que comenzaban a caminar quedaron sin padre ni madre. Las madres perdieron a su vez a sus hijos, y una pobre mujer joven y viuda llevó ella misma a enterrar a su hijito, lo único que tenía en este mundo. Cuando volvió a su casa, se quedó sentada pensando en su chiquito. Y murmuraba:

— Dios debía haber tenido más compasión de mí, y me ha llevado a mi hijo. En el cielo podrá haber ángeles, pero mi hijo no los conoce. Y a quién él conoce bien es a mí, ¡pobre hijo mío!

Y miraba a lo lejos, pues estaba sentada en el fondo de su casa, frente a un portoncito por donde se veía la selva.

Ahora bien, en la selva había muchos animales feroces que rugían al caer la noche y al amanecer. Y la pobre mujer, que continuaba sentada, alcanzó a ver en la oscuridad una cosa chiquita y vacilante que entraba por la puerta, como un gatito que apenas tuviera fuerzas para caminar. La mujer se agachó y levantó en las manos un tigrecito de pocos días, pues tenía aún los ojos cerrados. Y cuando el mísero cachorro sintió el contacto de las manos, runruneó de contento, porque ya no estaba solo. La madre tuvo largo rato suspendido en el aire aquel pequeño enemigo de los hombres, a aquella fiera indefensa que tan fácil le hubiera sido exterminar. Pero quedó pensativa ante el desvalido cachorro que venía quién sabe de dónde, y cuya madre con seguridad había muerto. Sin pensar bien en lo que hacía, llevó el cachorrito a su seno, y lo rodeó con sus grandes manos. Y el tigrecito, al sentir el calor del pecho, buscó postura cómoda, runruneó tranquilo y se durmió con la garganta adherida al seno maternal.

La mujer, pensativa siempre, entró en la casa. Y en el resto de la noche, al oír los gemidos de hambre del cachorrito, y al ver cómo buscaba su seno con los ojos cerrados, sintió en su corazón herido que ante la suprema ley del Universo, una vida equivale a otra vida.

Y dió de mamar al tigrecito.

El cachorro estaba salvado, y la madre había hallado un inmenso consuelo. Tan grande su consuelo, que vió con terror el momento en que aquél le sería arrebatado, porque si se llegaba a saber en el pueblo que ella amamantaba a un ser salvaje, matarían con seguridad a la pequeña fiera. ¿Qué hacer? El cachorro, suave y cariñoso — pues jugaba con ella sobre su pecho —, era ahora su propio hijo.

En estas circunstancias, un hombre que una noche de lluvia pasaba corriendo ante la casa de la mujer, oyó un gemido áspero, — el ronco gemido de las fieras que, aun recién nacidas, sobresaltan al ser humano. El hombre se detuvo bruscamente, y mientras buscaba a tientas el revólver, golpeó a la puerta. La madre, que había oído los pasos, corrió loca de angustia a ocultar al tigrecito en el jardín. Pero su buena suerte quiso que al abrir la puerta del fondo se hallara ante una mansa, vieja y sabia serpiente que le cerraba el paso. La desgraciada madre iba a gritar de terror, cuando la serpiente habló así:

— Nada temas, mujer — le dijo —. Tu corazón de madre te ha permitido salvar una vida del Universo, donde todas las vidas tienen el mismo valor. Pero los hombres no te comprenderán, y querrán matar a tu nuevo hijo. Nada temas, ve tranquila. Desde este momento tu hijo tiene forma humana; nunca lo reconocerán. Forma su corazón, enséñale a ser bueno como tú, y él no sabrá jamás que no es hombre. A menos . . . a menos que una madre de entre los hombres lo acuse; a menos que una madre no le exija que devuelva con su sangre lo que tú has dado por él, tu hijo será siempre digno de ti. Ve tranquila, madre, y apresúrate, que el hombre va a echar la puerta abajo.

Y la madre creyó a la serpiente, porque en todas las religiones de los hombres, la serpiente conoce el misterio de las vidas que pueblan los mundos. Fué, pues, corriendo a abrir la puerta, y el hombre, furioso, entró con el revólver en la mano, y buscó por todas partes sin hallar nada. Cuando salió, la mujer abrió, temblando, el rebozo bajo el cual ocultaba al tigrecito sobre su seno, y en su lugar vió a un niño que dormía tranquilo. Traspasada de dicha, lloró largo rato en silencio sobre su salvaje hijo hecho hombre, lágrimas de gratitud que doce años más tarde ese mismo hijo debía pagar con sangre sobre su tumba.

Pasó el tiempo. El nuevo niño necesitaba un nombre: se le puso Juan Darién. Necesitaba alimentos, ropa, calzado: se le dotó de todo, para lo cual la madre trabajaba día y noche. Ella era aún muy joven, y podría haberse vuelto a casar, si hubiera querido; pero le bastaba el amor entrañable de su hijo, amor que ella devolvía con todo su corazón.

Juan Darién era, efectivamente, digno de ser querido: noble, bueno y generoso como nadie. Por su madre, en particular, tenía una veneración profunda. No mentía jamás. ¿Acaso por ser un ser salvaje en el fondo de su naturaleza? Es posible; pues no se sabe aún qué influencia puede tener en un animal recién nacido, la pureza de una alma bebida con la leche en el seno de una santa mujer.

Tal era Juan Darién. E iba a la escuela con los chicos de su edad, los que se burlaban a menudo de él, a causa de su pelo áspero y su timidez. Juan Darién no era muy inteligente; pero compensaba esto con su gran amor al estudio.

Así las cosas, cuando la criatura iba a cumplir diez años, su madre murió. Juan Darién sufrió lo que no es decible, hasta que el tiempo apaciguó su pena. Pero fué en adelante un muchacho triste, que sólo deseaba instruirse.

Algo debemos confesar ahora: a Juan Darién no se le amaba en el pueblo. Las gentes de los pueblos encerrados en la selva no gustan de los muchachos demasiado generosos y que estudian con toda el alma. Era, además, el primer alumno de la escuela. Y este conjunto precipitó el desenlace con un acontecimiento que dió razón a la profecía de la serpiente.

Aprontábase el pueblo a celebrar una gran fiesta, y de la ciudad distante habían mandado fuegos artificiales. En la escuela se dió un repaso general a los chicos, pues un inspector debía venir a observar las clases. Cuando el inspector llegó, el maestro hizo dar la lección al primero de todos, a Juan Darién. Juan Darién era el alumno más aventajado; pero con la emoción del caso, tartamudeó y la lengua se le trabó con un sonido extraño.

El inspector observó al alumno un largo rato, y habló en seguida en voz baja con el maestro.

— ¿Quién es ese muchacho? — le preguntó — . ¿De dónde ha salido?

— Se llama Juan Darién — respondió el maestro — y lo crió una mujer que ya ha muerto; pero nadie sabe de dónde ha venido.

— Es extraño, muy extraño . . . — murmuró el inspector, observando el pelo áspero y el reflejo verdoso que tenían los ojos de Juan Darién cuando estaba en la sombra.

El inspector sabía que en el mundo hay cosas mucho más extrañas que las que nadie puede inventar; y sabía al mismo tiempo que con preguntar a Juan Darién nunca podría averiguar si el alumno había sido antes lo que él temía: esto es, un animal salvaje. Pero así como hay hombres que en estados especiales recuerdan cosas que les han pasado a sus abuelos, así era también posible que, bajo una sugestión hipnótica, Juan Darién recordara su vida de bestia salvaje. Y los chicos que lean esto y no sepan de qué se habla, pueden preguntarlo a las personas grandes.

Por lo cual el inspector subió a la tarima y habló así:

— Bien, niño. Deseo ahora que uno de ustedes nos describa la selva. Ustedes se han criado en ella y la conocen bien. ¿Cómo es la selva? ¿Qué pasa en ella? Esto es lo que quiero saber. Vamos a ver, tú — añadió dirigiéndose a un alumno cualquiera —. Sube a la tarima y cuéntanos lo que hayas visto.

El chico subió, y aunque estaba asustado, habló un rato. Dijo que en el bosque hay árboles gigantes, enredaderas y florecillas. Cuando concluyó, pasó otro chico a la tarima, y después otro. Y aunque todos conocían bien la selva, todos respondieron lo mismo, porque los chicos y muchos hombres no cuentan lo que ven sino lo que han leído sobre lo mismo que acaban de ver. Y al fin el inspector dijo: Ahora le toca al alumno Juan Darién.

Juan Darién subió a la tarima, se sentó y dijo más o menos lo que los otros. Pero el inspector, poniéndole la mano sobre el hombro, exclamó:

— No, no. Quiero que tú recuerdes bien lo que has visto. Cierra los ojos.

Juan Darién cerró los ojos.

— Bien — prosiguió el inspector —. Dime lo que ves en la selva.

Juan Darién, siempre con los ojos cerrados, demoró un instante en contestar.

— No veo nada — dijo al fin.

— Pronto vas a ver. Figurémonos que son las tres de la mañana, poco antes del amanecer. Hemos concluído de comer, por ejemplo . . . Estamos en la selva, en la oscuridad . . . Delante de nosotros hay un arroyo . . . ¿Qué ves?

Juan Darién pasó otro momento en silencio. Y en la clase y en el bosque próximo había también un gran silencio. De pronto, Juan Darién se estremeció, y con voz lenta, como si soñara, dijo:

— Veo las piedras que pasan y las ramas que se doblan . . . Y el suelo . . . Y veo las hojas secas que se quedan aplastadas sobre las piedras . . .

— ¡Un momento! — le interrumpió el inspector —. Las piedras y las hojas que pasan: ¿a qué altura las ves?

El inspector preguntaba esto porque si Juan Darién estaba « viendo » efectivamente lo que él hacía en la selva cuando era animal salvaje e iba a beber después de haber comido, vería también que las piedras que encuentran un tigre o una pantera que se acercan muy agachados al río, pasan a la altura de los ojos. Y repitió:

— ¿A qué altura ves las piedras?

Y Juan Darién, siempre con los ojos cerrados, respondió:

— Pasan sobre el suelo . . . Rozan las orejas . . . Y las hojas sueltas se mueven con el aliento . . . Y siento la humedad del barro en . . .

La voz de Juan Darién se cortó.

— ¿En dónde? — preguntó con voz firme el inspector —. ¿Dónde sientes la humedad del agua?

— ¡En los bigotes! — dijo con voz ronca Juan Darién, abriendo los ojos espantado.

Comenzaba el crepúsculo, y por la ventana se veía cerca la selva ya lóbrega. Los alumnos no comprendieron lo terrible de aquella evocación; pero tampoco se rieron de esos extraordinarios bigotes de Juan Darién, que no tenía bigote alguno. Y no se rieron, porque el rostro de la criatura estaba pálido y ansioso.

La clase había concluído. El inspector no era un mal hombre; pero como todos los hombres que viven muy cerca de la selva, odiaba ciegamente a los tigres; por lo cual dijo en voz baja al maestro:

— Es preciso matar a Juan Darién. Es una fiera del bosque, posiblemente un tigre. Debemos matarlo, porque si no él, tarde o temprano, nos matará a todos. Hasta ahora su maldad de fiera no ha despertado; pero explotará un día u otro, y entonces nos devorará a todos, puesto que le permitimos vivir con nosotros. Debemos, pues, matarlo. La dificultad está en que no podemos hacerlo mientras tenga forma humana, porque no podremos probar ante todos que es un tigre. Parece un hombre, y con los hombres hay que proceder con cuidado. Yo sé que en la ciudad hay un domador de fieras. Llamémosle, y él hallará modo de que Juan Darién vuelva a su cuerpo de tigre. Y aunque no pueda convertirlo en tigre, las gentes nos creerán y podremos echarlo a la selva. Llamemos en seguida al domador, antes que Juan Darién se escape.

Pero Juan Darién pensaba en todo, menos en escaparse, porque no se daba cuenta de nada. ¿Cómo podía creer que él no era un hombre, cuando jamás había sentido otra cosa que amor a todos, y ni siquiera tenía odio a los animales dañinos?

Mas las voces fueron corriendo de boca en boca, y Juan Darién comenzó a sufrir sus efectos. No le respondían una palabra, se apartaban vivamente a su paso, y lo seguían desde lejos de noche.

— ¿Qué tendré? ¿Por qué son así conmigo? — se preguntaba Juan Darién.

Y ya no solamente huían de él, sino que los muchachos le gritaban:

— ¡Fuera de aquí! ¡Vuélvete al lugar de donde has venido! ¡Fuera!

Los grandes también, las personas mayores, no estaban menos enfurecidas que los muchachos. Quién sabe qué llega a pasar, si la misma tarde de la fiesta no hubiera llegado por fin el ansiado domador de fieras. Juan Darién estaba en su casa preparándose la pobre sopa que tomaba, cuando oyó la gritería de las gentes que avanzaban precipitadas hacia su casa. Apenas tuvo tiempo de salir a ver qué era. Se apoderaron de él, arrastrándolo hasta la casa del domador.

— ¡Aquí está! — gritaban, sacudiéndolo —. ¡Es éste! ¡Es un tigre! ¡No queremos saber nada con tigres! ¡Quítele su figura de hombre y lo mataremos!

Y los muchachos, sus condiscípulos a quienes más quería, y las mismas personas viejas, gritaban:

— ¡Es un tigre! ¡Juan Darién nos va a devorar! ¡Muera Juan Darién!

Juan Darién protestaba y lloraba porque los golpes llovían sobre él, y era una criatura de doce años. Pero en ese momento la gente se apartó, y el domador, con grandes botas de charol, levita roja y un látigo en la mano, surgió ante Juan Darién. El domador lo miró fijamente, y apretó con fuerza el puño del látigo.

— ¡Ah! — exclamó — . ¡Te reconozco bien! ¡A todos puedes engañar, menos a mí! ¡Te estoy viendo, hijo de tigres! ¡Bajo tu camisa estoy viendo las rayas del tigre! ¡Fuera la camisa, y traigan los perros cazadores! ¡Veremos ahora si los perros te reconocen como hombre o como tigre!

En un segundo arrancaron toda la ropa a Juan Darién, y lo arrojaron dentro de la jaula para fieras.

— ¡Suelten los perros, pronto! — gritó el domador —. ¡Y encomiéndate a los dioses de tu selva, Juan Darién!

Y cuatro feroces perros cazadores de tigres fueron lanzados dentro de la jaula.

El domador hizo esto porque los perros reconocen siempre el olor del tigre; y en cuanto olfatearan a Juan Darién sin ropa, lo harían pedazos, pues podrían ver con sus ojos de perros cazadores las rayas de tigre ocultas bajo la piel de hombre.

Pero los perros no vieron otra cosa en Juan Darién que al muchacho bueno que quería hasta a los mismos animales dañinos. Y movían apacibles la cola al olerlo.

— ¡Devóralo! ¡Es un tigre! ¡Toca! ¡Toca! — gritaban a los perros. Y los perros ladraban y saltaban enloquecidos por la jaula, sin saber a qué atacar.

La prueba no había dado resultado.

— ¡Muy bien! — exclamó entonces el domador —. Éstos son perros bastardos, de casta de tigre. No lo reconocen. ¡Pero yo te reconozco, Juan Darién, y ahora nos vamos a ver nosotros!

Y así diciendo entró él en la jaula y levantó el látigo.

— ¡Tigre! — gritó —. ¡Estás ante un hombre, y tú eres un tigre! ¡Allí estoy viendo, bajo tu piel robada de hombre, las rayas de tigre! ¡Muestra las rayas!

Y cruzó el cuerpo de Juan Darién de un feroz latigazo. La pobre criatura desnuda lanzó un alarido de dolor, mientras las gentes enfurecidas repetían:

— ¡Muestra las rayas de tigre!

Durante un rato prosiguió el atroz suplicio; y no deseo que los niños que me oyen vean martirizar de este modo a ser alguno.

— ¡Por favor! ¡Me muero! — clamaba Juan Darién.

— ¡Muestra las rayas! — le respondían.

— ¡No, no! ¡Yo soy hombre! ¡Ay, mamá! — sollozaba el infeliz.

— ¡Muestra las rayas!

Por fin el suplicio concluyó. En el fondo de la jaula, arrinconado, aniquilado en un rincón, sólo quedaba un cuerpecito sangriento de niño, que había sido Juan Darién. Vivía aún, y aún podía caminar cuando se le sacó de allí; pero lleno de tales sufrimientos como nadie los sentirá nunca.

Lo sacaron de la jaula, y empujándolo por el medio de la calle, lo echaban del pueblo. Iba cayéndose a cada momento, y detrás de él iban los muchachos, las mujeres y los hombres maduros, empujándolo.

— ¡Fuera de aquí, Juan Darién! ¡Vuélvete a la selva, hijo de tigre y corazón de tigre! ¡Fuera, Juan Darién!

Y los que estaban lejos y no podían pegarle, le tiraban piedras.

Juan Darién cayó del todo, por fin, tendiendo en busca de apoyo sus pobres manos de niño. Y su cruel destino quiso que una mujer, que estaba parada a la puerta de su casa sosteniendo en los brazos a una inocente criatura, interpretara mal ese ademán de súplica.

— ¡Me ha querido robar mi hijo! — gritó la mujer —. ¡Ha tendido las manos para matarlo!

¡Es un tigre! ¡Matémosle en seguida, antes que él mate a nuestros hijos!

Así dijo la mujer. Y de este modo se cumplía la profecía de la serpiente: Juan Darién moriría, cuando una madre de los hombres le exigiera la vida y el corazón de hombre que otra madre le había dado con su pecho.

No era necesaria otra acusación para decidir a las gentes enfurecidas. Y veinte brazos con piedras en la mano se levantaban ya para aplastar a Juan Darién, cuando el domador ordenó desde atrás con voz ronca:

— ¡Marquémoslo con rayas de fuego! ¡Quemémoslo en los fuegos artificiales!

Ya comenzaba a oscurecer, y cuando llegaron a la plaza era noche cerrada. En la plaza habían levantado un castillo de fuegos de artificio, con ruedas, coronas y luces de Bengala. Ataron en lo alto del centro a Juan Darién, y prendieron la mecha desde un extremo. El hilo de fuego corrió velozmente subiendo y bajando, y encendió el castillo entero. Y entre las estrellas fijas y las ruedas girantes de todos colores, se vió allá arriba a Juan Darién sacrificado.

— ¡Es tu último día de hombre, Juan Darién! — clamaban todos — ¡Muestra las rayas!

— ¡Perdón, perdón! — gritaba la criatura, retorciéndose entre las chispas y las nubes de humo. Las ruedas amarillas, rojas y verdes giraban vertiginosamente, unas a la derecha y otras a la izquierda. Los chorros de fuego tangente trazaban grandes circunferencias; y en el medio, quemado por los regueros de chispas que le cruzaban el cuerpo, se retorcía Juan Darién.

— ¡Muestra las rayas! — rugían aún de abajo.

— ¡No, perdón! ¡Yo soy hombre! — tuvo aún tiempo de clamar la infeliz criatura. Y tras un nuevo surco de fuego, se pudo ver que su cuerpo se sacudía convulsivamente; que sus gemidos adquirían un timbre profundo y ronco; y que su cuerpo cambiaba poco a poco de forma. Y la muchedumbre, con un grito salvaje de triunfo, pudo ver surgir por fin bajo la piel de hombre, las rayas negras, paralelas y fatales del tigre.

La atroz obra de crueldad se había cumplido; habían conseguido lo que querían. En vez de la criatura inocente de toda culpa, allá arriba no había sino un cuerpo de tigre que agonizaba rugiendo.

Las luces de Bengala se iban también apagando. Un último chorro de chispas con que moría una rueda alcanzó la soga atada a las muñecas — no: a las patas del tigre, pues Juan Darién había concluído —, y el cuerpo cayó pesadamente al suelo. Las gentes lo arrastraron hasta la linde del bosque, abandonándolo allí, para que los chacales devoraran su cadáver y su corazón de fiera.

Pero el tigre no había muerto. Con la frescura nocturna volvió en sí, y arrastrándose presa de horribles tormentos se internó en la selva. Durante un mes entero no abandonó su guarida en lo más tupido del bosque, esperando con sombría paciencia de fiera que sus heridas curaran. Todas cicatrizaron por fin, menos una, una profunda quemadura en el costado, que no cerraba, y que el tigre vendó con grandes hojas.

Porque había conservado de su forma recién perdida tres cosas: el recuerdo vivo del pasado, la habilidad de sus manos, que manejaba como un hombre, y el lenguaje. Pero en el resto, absolutamente en todo era una fiera, que no se distinguía en lo más mínimo de los otros tigres.

Cuando se sintió por fin curado, pasó la voz a los demás tigres de la selva para que esa misma noche se reunieran delante del gran cañaveral que lindaba con los cultivos. Y al entrar la noche, se encaminó silenciosamente al pueblo. Trepó a un árbol de los alrededores, y esperó largo tiempo inmóvil. Vió pasar bajo él, sin inquietarse a mirar siquiera, pobres mujeres y labradores fatigados, de aspecto miserable; hasta que al fin vió avanzar por el camino a un hombre de grandes botas y levita roja.

El tigre no movió una sola ramita al recogerse para saltar. Saltó sobre el domador, de una manotada lo derribó desmayado, y cogiéndolo entre los dientes por la cintura, lo llevó sin hacerle daño hasta el juncal.

Allí, al pie de las inmensas cañas que se alzaban invisibles, estaban los tigres de la selva moviéndose en la oscuridad, y sus ojos brillaban como luces que van de un lado para otro. El hombre proseguía desmayado. El tigre dijo entonces:

— Hermanos: Yo viví doce años entre los hombres, como un hombre mismo. Y yo soy un tigre. Tal vez pueda con mi proceder borrar más tarde esta mancha. Hermanos: esta noche rompo el último lazo que me liga al pasado.

Y después de hablar así, recogió en la boca al hombre que proseguía desmayado y trepó con él a lo más alto del cañaveral, donde lo dejó atado entre dos bambúes. Luego prendió fuego a las hojas secas del suelo, y pronto una llamarada crujiente ascendió.

Los tigres retrocedían espantados ante el fuego. Pero el tigre les dijo:

— Paz, hermanos. — Y aquéllos se apaciguaron, sentándose de vientre con las patas cruzadas a mirar.

El juncal ardía como un inmenso castillo de artificio. Las cañas estallaban como bombas, y sus ases[1] se cruzaban en agudas flechas de color. Las llamaradas ascendían en bruscas y sordas bocanadas, dejando bajo ellas lívidos huecos; y en la cúspide, donde aún no llegaba el fuego, las cañas se balanceaban crispadas por el calor.

Pero el hombre tocado por las llamas había vuelto en sí. Vió allá abajo a los tigres con los ojos cárdenos alzados a él, — y lo comprendió todo.

— ¡Perdón, perdónenme! — gritó retorciéndose — ¡Pido perdón por todo!

Nadie contestó. El hombre se sintió entonces abandonado de Dios, y gritó con toda su alma:

— ¡Perdón, Juan Darién!

Al oír esto, Juan Darién alzó la cabeza y dijo fríamente:

— Aquí no hay nadie que se llame Juan Darién. No conozco a Juan Darién. Este es un nombre de hombre, y aquí todos somos tigres.

Y volviéndose a sus compañeros, como si no comprendiera, preguntó:

— ¿Alguno de ustedes se llama Juan Darién?

Pero ya las llamas habían abrasado el castillo hasta el cielo. Y entre las agudas luces de Bengala que entrecruzaban la pared ardiente, se pudo ver allá arriba un cuerpo negro que se quemaba, humeando.

— Ya estoy pronto, hermanos — dijo el tigre — . Pero aún me queda algo por hacer.

Y se encaminó de nuevo al pueblo, seguido por los tigres sin que él lo notara. Se detuvo ante un pobre y triste jardín, saltó la pared, y pasando al costado de muchas cruces y lápidas, fué a detenerse ante un pedazo de tierra sin ningún adorno, donde estaba enterrada la mujer a quien había llamado madre ocho años. Se arrodilló — se arrodilló como un hombre—, y durante un rato no se oyó nada.

— ¡Madre! — murmuró por fin el tigre con profunda ternura —. Tú sola supiste, entre todos los hombres, los sagrados derechos a la vida, de todos los seres del universo. Tú sola comprendiste que el hombre y el tigre se diferencian únicamente por el corazón. Y tú me enseñaste a amar, a comprender, a perdonar. ¡Madre! Estoy seguro de que me oyes. Soy tu hijo siempre, a pesar de lo que pase en adelante, pero de ti sólo. ¡Adiós, madre mía!

Y viendo al incorporarse los ojos cárdenos de sus hermanos que lo observaban tras la tapia, se unió otra vez a ellos.

El viento cálido les trajo en ese momento, desde el fondo de la noche, el estampido de un tiro.

— Es en la selva — dijo el tigre —. Son los hombres, Están cazando, matando, degollando.

Volviéndose entonces hacia el pueblo que iluminaba el reflejo de la selva encendida, exclamó:

— ¡Raza sin redención! ¡Ahora me toca a mí!

Y retornando a la tumba en que acababa de orar, arrancóse de un manotón la venda de la herida, y escribió en la cruz con su propia sangre, en grandes caracteres, debajo del nombre de su madre:

Y

JUAN DARÍEN

— Ya estamos en paz, — dijo. Y enviando con sus hermanos un rugido de desafío al pueblo aterrado, concluyó:

— Ahora, a la selva. ¡Y tigre para siempre!

(De *El desierto*, 1924)

Hablamos ya, a propósito de Díaz Rodríguez, de la corriente artística de la narrativa venezolana. En la otra corriente, la realista, hay que situar a RUFINO BLANCO FOMBONA (Venezuela; 1874-1944). Sus primeros versos salieron del alambique modernista; pero de ese estilo sólo la exaltación de las personalidades violentas le convenía, pues era eso, un violento. Él decía sentirse « más cerca de los románticos, aun cuando no me alejo nunca de la verdad que ven mis ojos. » Reprochó a los modernistas su blandura, su exotismo, su espíritu de imitación, su

1. en Chile: as = haz (atado, lío).

1. « Nada nuevo bajo el sol », palabras de Salomón en el *Eclesiastés*, (I, 10).

ceguera para las cosas de América. Él, es cierto, se preocupó por América más que otros modernistas, en su labor de historiador, panfletario político y crítico; pero su obra de pura creación literaria no resultó tan buena como su programa de un arte americano original había prometido. Su verdadero mérito está en los *Cuentos americanos* (1904) — aumentados en la edición titulada *Dramas mínimos*, 1920 — y en las novelas *El hombre de hierro* (1907), *El hombre de oro* (1915), *La mitra en la mano* (1927), etc. Desgraciadamente aun aquí sólo mostró la garra con que se escriben novelas, no las novelas que se logran con esa garra. Dejó caricaturas, no personajes. Su pasión política, sus propósitos satíricos, su orgullo en ser instintivo y bárbaro, sus recursos periodísticos aplicados al arte echaron a perder su visión creadora. Si se le llama « realista » es por contraste con el preciosismo de otros narradores. En realidad, Blanco Fombona se desahogaba demasiado para narrar con objetividad. Estaba obsesionado por la estupidez, la maldad y la sordidez de las gentes — aunque él mismo no fué hombre moralmente ejemplar — y cuando no deformaba la realidad con sus diatribas la empobrecía con el sexo. En fin, que Blanco Fombona, si bien no escribió ningún libro realmente poderoso, dejó una obra de conjunto lo bastante considerable para que nos interesemos por su personalidad humana y, en este sentido, gustemos el Diario de su vida, de 1906 a 1914, que publicó en 1933 con el título de *Camino de imperfección;* diario que va desplegando un anecdotario erótico, político y literario siempre vanidoso y a veces brillante.

Rufino Blanco Fombona

CAMINO DE IMPERFECCIÓN. DIARIO DE MI VIDA

1906. Caracas

2 de abril. Quisiera, al morir, poder inspirar una pequeña necrología por el estilo de la siguiente:

Este hombre, como amado de los dioses, murió joven. Supo querer y odiar con todo su corazón. Amó campos, ríos, fuentes; amó el buen vino, el mármol, el acero, el oro; amó las núbiles mujeres y los bellos versos. Despreció a los timoratos, a los presuntuosos y a los mediocres. Odió a los pérfidos, a los hipócritas, a los calumniadores, a los venales, a los eunucos y a los serviles. Se contentó con jamás leer a los fabricantes de literatura tonta. En medio de su injusticia, era justo. Prodigó aplausos a quien creyó que los merecía; admiraba a cuantos reconoció por superiores a él, y tuvo en estima a sus pares. Aunque a menudo celebró el triunfo de la garra y el ímpetu del ala, tuvo piedad del infortunio hasta en los tigres. No atacó sino a los fuertes. Tuvo ideales y luchó y se sacrificó por ellos. Llevó el desinterés hasta el ridículo. Sólo una cosa nunca dió: consejos. Ni en sus horas más tétricas le faltaron de cerca o de lejos la voz amiga y el corazón de alguna mujer. No se sabe si fué moral o inmoral o amoral. Pero él se tuvo por moralista, a su modo. Puso la verdad y la belleza — su belleza y su verdad — por encima de todo. Gozó y sufrió mucho espiritual y físicamente. Conoció el mundo todo y deseaba que todo el mundo lo conociera a él. Ni imperatorista ni acrático, pensaba que la inteligencia y la tolerancia debían gobernar los pueblos; y que debía ejercerse un máximum de justicia social, sin privilegio de clases ni de personas. Cuanto al arte, creyó siempre que se podía y debía ser original, sin olvidarse del *nihil novum sub sole.*[1] Su vivir fué ilógico. Su pensar fué contradictorio. Lo único perenne que tuvo parece ser la sinceridad, ya en la emoción, ya en el juicio. Jamás la mentira mancilló ni sus labios ni su pluma. No le temió nunca a la verdad, ni a las consecuencias que acarrea. Por eso afrontó puñales homicidas; por eso sufrió cárceles largas y larguísimos destierros. Predicó la libertad con el ejemplo: fué libre. Era un alma del siglo XVI y un hombre del siglo XX. Descanse en paz, por la primera vez. La tierra, que amó, le sea propicia.

3 de diciembre. El balneario de Macuto rebosa en gente; todo Caracas está aquí, sin contar mucho personaje político de las provincias, que viene a acechar la agonía de Castro,[2] porque Castro agoniza en Macuto, en su quinta de la Guzmanía.[3] Pero a Macuto no le importa. Macuto se divierte. ¿Se divierte? No. En Venezuela nadie se divierte sino finje divertirse. Faltan sinceridad, ingenuidad, tolerancia; sobran hipocresía, orgullo y estupidez. Lo que pasa en Macuto es curiosísimo. Unas familias no se juntan con otras porque se creen mejores o de más claro linaje, como si aquí hubiese linaje sin algo de tenebroso. Algunas señoras piensan que el buen tono consiste en huir de las distracciones y aburrirse en la soledad. Y no falta quien las imite. Una panadera — vieja antipática y presuntuosa — mujer de un pobre diablo de panadero, da el tono y se cree de sangre azul. Quizás como la tinta: azul negra. La otra noche en el casino, después de una audición de fonógrafo — colmo de las distracciones locales — alguien sentóse al piano y tocó un vals. Los jóvenes quisieron bailar; pero la hija de la panadera — una chica idiota de catorce años, incapaz de coordinar dos palabras — se levantó, acaso por miedo de que nadie la sacara a bailar, acaso porque no sabía. Eso bastó. Retirándose la hija de la panadera ¡cómo se iban a quedar las otras muchachas! Todas fueron partiendo, una a una, a fastidiarse, por supuesto, en su casa. Se propone un paseo a los alrededores de Macuto, que son pintorescos: no falta imbécil de señora que exclame cuando invitan a sus hijas, como si le propusiera llevarlas a un burdel:

— Mis hijas no han venido aquí para eso.

¡Qué gente más repugnante y más fastidiosa! El orgullo los devora a todos; un orgullo absurdo, por infundado. Todo el mundo se cree mejor que el prójimo; y es, a menudo, el único en tal opinión. Para probar superioridad, trata de denigrar o ridiculizar al vecino, cuando no lo calumnia, y, desde luego, lo mira con aire de protección, sin querer rozarse con él. El otro paga el desdén, con desdén y con odio.

La ignorancia es igual a la presunción. ¡Qué mujeres, qué hombres tan ignorantes! ¡Y hablan de todo con tonillo tan doctoral, tan solemne, tan contundente! Lo que dicen ciertos viejos o ciertas viejas no admite réplica. Meros lacayos, como el farsante y molieresco Mascarilla,[4] hácense pasar ante los incautos, ridículos aunque no preciosos, por « grandes », como se decía en tiempos de maricastaña,[5] por empingorotados señorones; y como el picaresco Mascarilla, piensan que la gente de calidad puede saber de todo, sin haber estudiado nada. Por eso opinan.

Las muchachas, enclaustradas todo el año en sus casas de Caracas, ociosas, fastidiadas, despechugadas, sudando, tienen por única distracción asomarse de tarde a las rejas de las ventanas. Lo natural sería que anhelaran solazarse aquí, dando al traste vanas presunciones. Pero tienen tan en la sangre la necedad ancestral, y tan envenenadas de estupidez fueron por el ejemplo y la educación, que se creen las más hermosas mujeres del orbe, nietas de María Santísima, superiores en alcurnia a una Rohan,[6] a una Colonna,[7] a una Medinaceli.[8] Olvidan que Boves[9] hizo fornicar a todas nuestras abuelas con sus llaneros de todos colores. Para esas infelices desmemoriadas y presuntuosas, todos los hombres tienen defectos. ¡Pobrecitas! Cuando vienen a adquirir experiencia, cuando vienen a abrir los ojos a la verdad de la vida, ya la frescura de sus abriles se ha marchitado, y condenadas al celibato se hacen místicas. Entonces adoran a Dios, pero odian a la humanidad. Estas beatas que suspiran por el cielo, convierten el hogar de sus padres en infierno, acaso en venganza de sus padres que no supieron endere-

2. Cipriano Castro (1858-1924), presidente y dictador de Venezuela de 1900 a 1909. 3. el régimen de Antonio Guzmán Blanco (1829-1899), presidente y dictador de Venezuela de 1864 a 1887. 4. el famoso personaje de algunas obras de Molière; criado ingenioso y atrevido, centro de la intriga de « Las preciosas ridículas. » 5. expresión con la que se alude a tiempos muy lejanos. 6. Mme de Rohan (1600-1679), ilustre dama de la corte de Luis XIII, francesa, enemiga del Cardenal Richelieu. 7. Victoria Colonna, poetisa italiana, celebrada por Miguel Ángel, y escribió varios hermosos sonetos a la muerte de su esposo, el Marqués de Pescara. 8. posible referencia genérica a una dama de la más alta aristocracia. 9. Tomás Boves (m. en 1814), guerrillero español que al frente de sus feroces llaneros combatió contra los patriotas venezolanos en la guerra de la independencia. 10. en el pecho, para sus adentros.

11. Benvenuto Cellini (1500-1571), celebre artista italiano del Renacimiento. 12. « en mitad del camino de nuestra vida », famoso verso con que comienza Dante su *Divina Commedia.*

zarlas, cuando jóvenes, hacia el marido y la felicidad.

La gente de Macuto, es decir, de Caracas, piensa y opina que el colmo del honor es ser comerciante. A un pobre infeliz, vendedor de cintas, de pescado seco, de café; a un importador de trapos europeos; a todo hombre atareado, sudado, oloroso al queso que expende o al tabaco que acapara en su almacén, lo imaginan un personaje, y su importancia se mide por la de sus negocios. Generalmente los comerciantes son conservadores cuyos padres, o ellos mismos, dejaron escapar de sus ineptas manos el poder, hace cuarenta años. Aunque refugiados en el comercio, se suponen todavía los únicos con derecho a gobernar y ser árbitros de la República, y se permiten despreciar — *in pectore*,[10] por supuesto — a los políticos, sin que el despreciarlos sea óbice para que los adulen y hasta exploten.

Esta gente vive una vida tirada a cordel, árida, isócrona, hipócrita, carneril, aburrida. Salirse por la palabra o por la acción del círculo de hastío que trazaron la estupidez y la pereza es salirse de su estimación o incurrir en su reproche. No hay medio. Todo el mundo debe aburrirse a compás. Si no, es un bandido.

Los jóvenes de sociedad son todavía peores que las jóvenes. Ellas, víctimas de la educación, las pobres, por su belleza — abundante hasta lo increíble en las mejores clases — y por su sexo y su mayor infortunio se hacen a la postre perdonar. Pero ellos, cínicos o hipócritas sin término medio, roídos por la sífilis, envenenados por el alcohol, mueren prematuramente o vegetan toda la vida, en ignominia y holgazanería, alimentados por el padre, por el tío rico o por la hermana casada. Tienen tanto horror al trabajo que prefieren todo, hasta la muerte, antes que trabajar. Por eso engrosan a menudo las filas revolucionarias, en las guerras civiles. Esperan ser coroneles y generales; asaltar el poder y robar bastante.

1908. París.

27 de enero. Cotejando ambas lenguas, española y francesa, comprendo, por primera vez, la superioridad de nuestra lengua castellana. Tiene más palabras, más giros, más hermosura resonante que el francés. Parece enfática porque los escritores españoles — los malos — son altisonantes y solemnes; pobre, porque España de siglo y medio a esta parte, con rarísimas excepciones, no ha producido sino por excepción grandes artistas de pluma, aunque empieza de nuevo abundantemente a producirlos. Pobres fueron los escritores, no la lengua de Quevedo y de Cervantes, de Luis de Granada y Góngora. El oro es oro lo mismo en cuarzo, lo mismo en pieza de troquel defectuoso, que en la sortija labrada por el cincel de Benvenuto.[11] ¿No resplandece el castellano moderno, no vuela con alas de mariposa en las obras maestras de Rubén Darío, de Gutiérrez Nájera, de José Martí, de Díaz Rodríguez, de Rodó, de tantos otros poetas y prosadores jóvenes de América? ¿Y en algunos españoles emparentados por la sensibilidad con éstos, como Valle Inclán? La ventaja del francés consiste en que esa lengua fué puesta sobre el yunque y cincelada por habilísimos y graciosos artistas, ya que en Francia a los Chenier han sucedido los Hugo, a los Hugo los Gautier, a los Gautier los Heredia, a los Heredia los Verlaine; y entre los prosadores lo mismo: desde Bossuet hasta Voltaire y desde Voltaire hasta Renan y Anatole France, la cadena no se interrumpe. Hispano-América no necesitó crear una lengua. Se encontró con ese regalo de España. Pero el alma hispanoamericana — que no necesitó crear una lengua —, ha infundido al idioma de nuestros padres un intrépido aliento de juventud. La lluvia de los cielos americanos, la ráfaga abrileña ha cubierto de pimpollos y de ramas florecidas el viejo tronco; y entre el follaje verde cantan, con un nuevo canto inaudito, los nuevos pájaros.

1909. Caracas

31 de abril. Un mes de vida más, un mes de juventud perdido. No he hecho nada. El ansia, la inquietud, la zozobra, la tensión de nervios, la intranquilidad de espíritu, la incertidumbre del porvenir, me tornan estéril para todo: para pensar, para escribir, para querer, para obrar, para todo. ¿Y esto es la vida? ¿Y esto es la juventud? ¡Una y otra corren, pasan en la inacción, en la esterilidad! Espero algo; ¿pero qué espero? ¿Cómo va a cambiar mi existencia, o mejor, cómo va a fijarse, por fin? Que éste es un período provisional en la vida pública de Venezuela, se me arguye. Pero, bien: nuestra juventud, nuestra existencia ¿no son también provisionales, transitorios, fugaces? ¿Cómo es posible dilapidar los mejores años y llegar al *mezzo del cammin di nostra vita*[12] haciéndonos la ilusión de estar atravesando un puente? No; no hay nada transitorio, ni provisional, ni efímero, sino nosotros mismos. ¡Que la hora es fugaz! ¿Por qué, pues, verla volar en la inacción, llenos de quimeras imaginarias e infecundas, y no ponerle nuestro mensaje en el cuello o bajo las alas a esa paloma viajera?

1911. París.

25 de abril. En nuestra América necesitamos crear, en arte, el nacionalismo. Es decir, el arte propio. No lo tenemos; por el camino que vamos no lo tendremos nunca. Somos artistas y espíritus reflejos. Carecemos del pudor de imitar. Nos faltan la decisión y la desfachatez de ser nosotros mismos. Mucho se obtendría ya si lográsemos la sinceridad. Necesitamos arte, no artificio. Personalidades, no escuelas. Americanos, no europeos trasplantados.

Naturalmente, no debemos erigir murallas de China contra nada ni contra nadie. Las ideas vuelan por encima de las murallas. Tampoco imaginar que se nace por generación espontánea, ni que debemos ser extraños a las formas y novedades del arte extranjero. Conozcámoslo todo, sin ceder a nada. A nada, sino a nosotros mismos. Y si nosotros mismos sentimos la tendencia a la sumisión ¿por qué no recordar que podemos ser, espiritualmente, señores y no lacayos? Cuestión de inteligencia, de sensibilidad, de voluntad.

En cuanto a las ideas, las ideas una vez puestas en circulación pertenecen al patrimonio común de todos los hombres. Sería ridículo pretender sustraernos a la corriente universal de ideas que es, en nuestra época, la atmósfera intelectual de todo hombre moderno. Pero contentémonos con cultivar nuestro espíritu; con sembrar en él nobles simientes, provengan de donde provengan, procurando que nuestro espíritu, por una química superior parecida a la de la tierra, eche fuera sus frutos y no nos emborrachemos en el momento de crear con aguardiente ni menos con libros.

De lo contrario, nuestro pensamiento no sería nuestro. De lo contrario, nuestro arte será un arte híbrido, violento, contra natura; y no produciremos sino literatura de artificio, prosa mestiza, poesía descastada, una obra sin arraigo en el suelo de donde surje, planta exótica, pronta a morir.

Es necesario, en suma, que obedezcamos a nuestros ojos, a nuestros nervios, a nuestro cerebro, a nuestro panorama físico y a nuestro mundo moral. Es necesario que creemos el nacionalismo en literatura, el arte propio, criollo, exponente de nuestros criollos sentir y pensar.

La patria intelectual no es el terruño; pero procuremos que pueda serlo.

13. Theodor Mommsen (1817-1903), historiador y filólogo alemán.

La principal deficiencia del Modernismo en América — de la escuela literaria conocida con ese nombre y que tantos y tan excelsos poetas ha producido — el germen ponzoñoso que iba a darle temprana muerte, ha sido el exotismo. ¡Abajo el exotismo! El enemigo es París. ¡Muera París!

1912. París

14 de enero. Veo en París argentinos, chilenos, brasileños, colombianos, venezolanos, gentes de toda América, orgullosos unos de su dinero, otros de su talento, y otros de su país. ¡Qué lástima me dan; y qué desprecio me inspiran! ¿No dejarán nunca de ser colonos?

Los pueblos americanos han podido ser, en la historia, una cosa absolutamente original. Sobre la cultura de Europa — o por lo menos sin desconocerla — han podido fundar una cultura propia, deliberadamente diferenciada. Aún sería tiempo. Pero nadie desea la originalidad, sino la imitación: continuar a Europa, simularla, similarla. El mono es animal del Nuevo Mundo. Haremos con la cultura lo que hizo con la navaja el orangután que vió afeitarse a un hombre: nos degollaremos.

Entretanto ¿a qué quedamos reducidos? Pudiendo ser cabeza de ratón, somos cola de león. Aún quedamos reducidos a menos que a cola de animal: la del pavo real hace buen papel en cualquier parte. Quedamos ya no en cola, sino en baticola de Europa. ¡Y hay americanos orgullosos del puesto que ocupan! Muy bien. Ésos están en donde merecen.

1913. París

7 de abril. Lo que más me interesa en un libro es el autor, el alma del autor. Por eso no leo libros tontos o vulgares; a la segunda página sé si debo continuarlo o no. La lectura que prefiero es la de un Diario íntimo; o de unas Memorias, sobre todo si no son políticas ni de algún militar: los soldados resultan prolijos y carecen de alma como las bestias. Después, me complacen las biografías de hombres célebres; después, las biografías de hombres corrientes, es decir, las novelas modernas; después, los estudios de crítica y, por último, las obras de psicología, de psiquiatría y aun de lo que llaman ahora los alemanes

1. forma rústica, de tropiezo; del verbo tropezar. 2. departamento del Perú y capital del mismo nombre. 3. guisado de carne con verduras.

y austriacos, psico-análisis. Leo con agrado la historia: la de un Mommsen,[13] de un Taine. No me interesa la aparatosa, mentirosa, teatral, la que pinta a las almas de etiqueta, de parada y no en la intimidad de todos los días, en la realidad, en los altibajos cotidianos de todo el mundo. Tampoco la elocuente y partiprista. Almas quiero y no literatura.

A los poemas hago puesto especial. Los poetas son para un escritor como el agua y el sol para las plantas: lo mantienen lozano. ¡Ay de aquel que no lee a los poetas! Su alma quedará pronto como un Sahara: vacío, tórrido, polvoriento, arenoso, estéril, sin una nube en el cielo, sin una vena de agua en la tierra, sin un pájaro en el aire. Morirá abrasado, seco, entre remolinos de arena, oyendo el ruido de los chacales que lo buscan.

11 de octubre. Observo que a pesar de mi egotismo recalcitrante, me preocupan el destino del hombre en general y la idea de la justicia. Como no soy filósofo sino literato, estas y otras ideas se traducen en mí, literariamente. ¿Qué es mi novela *El hombre de hierro*, bajo su máscara concreta y localista? Es la idea angustiosa de la injusticia triunfante en la tierra; de la bondad arrastrada por los suelos; una protesta contra la ironía y la crueldad de la vida.

No he dado, casi nunca, una plumada verdaderamente egoísta, a pesar de ser un pagano. Llamo egoísta a aquello en que no se trasluce una noble preocupación de orden trascendental. Léanse todos mis *Cuentos* con atención y en cada uno se encontrará, dentro de la cáscara, la almendra. Sólo en mi Diario aparezco como el animal que se contenta con vivir.

1914. Madrid

17 de octubre. Si en mi Diario no existiesen contradicciones me parecería que no trataba de mí, naturaleza contradictoria. Contradictoria fuera de ciertas normas esenciales — incluso las del honor —, a que no he faltado nunca. Además, la vida no es lógica. La lógica le parece el mayor absurdo.

(De *Camino de imperfección*, 1933)

El naturalismo, con su psiquiatría, sus monstruosas flores de sordidez y su extraña estética de fealdad, entraba a veces en la literatura poética del modernismo. Pero seguía su propio cauce, hacia una descripción objetiva de la realidad. Por su parte, los escritores modernistas solían bajar los ojos a las costumbres y paisajes de su región, entreteniéndose en una especie de criollismo y hasta de indianismo.

En el Perú el más vigoroso de los narradores realistas es ENRIQUE LOPEZ ALBÚJAR (1872). Más que cuentos son los suyos apuntes de la vida serrana, con honda comprensión para el alma indígena y un espíritu de protesta y reforma contra las injusticias. Escribió varios libros de cuentos (*Cuentos andinos*, *Nuevos cuentos andinos*, etc.) y una novela (*Matalaché*).

Enrique López Albújar

EL TROMPIEZO[1]

I

A su vuelta de Tacna[2] Carmelo Maquera notó algo extraño en su mujer. La había dejado diligente y la encontraba perezosa. El huso no giraba ya entre sus manos como de costumbre y el locro[3], con el que le esperaba todas las mañanas después del trabajo, no tenía la sazón de otros días. Suspiraba mucho y, a lo mejor, se quedaba ensimismada y sin prestarle atención a lo que le decía. El esquileo lo estaba haciendo mal y lentamente, sin importarle el compromiso contraído por Carmelo de entregar la lana lo más pronto para cancelar un adelanto que se estaba envejeciendo.

¿Qué le podía pasar a la Isidora? Y no era esto solamente lo que tenía escamado al indio, sino las negativas de su mujer a juntar los pellejos a la hora de acostarse. Lo venía haciendo desde la misma noche del regreso, trancándole la puerta y negándose a abrírsela, por más que amenazaba con echarla abajo. Esto era lo más grave.

Durante los tres años de casados que llevaban, los pellejos que les servían de cama no se habían separado nunca, ni peleados ni enfermos. No; la bendición del señor Cura no había sido para dormir cada uno por su lado, sino para estar juntos, siempre juntos, especialmente en las noches, que en esto consistía el matrimonio.

¿Por qué, pues, la Isidora se negaba a recibirle? ¿Por qué prefería dejarle fuera, sufriendo las tarascadas del frío, ovillado entre la rosca pulguienta de sus perros? La cosa merecía consultarse, ir a Tarata[4] a exponérselo a quien los casó o a su padrino Callata, que tan a mano lo tenía.

¿No estaría « el gavilán » revoloteando por encima de su choza? ¿No habría por ahí algún zorro venteándole su comida, esa que le sirvieron en la iglesia para él solito y por la cual pagara tan buenos soles? ¿No estaría comiéndosela ya?

Y como todas estas interrogaciones no le permitieran lampear[5] bien ni pastorear el ganado, una tarde, lleno de súbita cólera, sin esperar que oscureciera y que todos sus animales estuvieran juntos para acorralarlos, abandonó todo y tornó a su choza, en momentos en que su mujer moqueaba y se restregaba los ojos con el faldellín.

— ¡Estabas llorando! . . . ¿Qué cosa fea has visto para que se te ñublen los ojos así? ¿Se te ha muerto alguno que te duela más que yo?

— El humo de la yareta,[6] Carmelo. Humo juerte.

— Nunca vide que te hizo llorar hasta aura. Te estás volviendo delicada como las señoritas de allá bajo. ¿No será pena?

— Acaso . . .

— ¿Puedo yo curarla? . . .

— ¡Nunca! No es corte de cuchillo, ni golpe de piedra ni de mano.

— ¿Qu'es, pues, entonces?

— Si yo te lo dijera, Carmelo . . .

— ¿Te está rondando el zorro?

— Peor que eso. Me ha salido al camino.

— ¿Y tú qué le hiciste?

— No pude hacer nada; estaba sola. Ni cómo evitar el *trompiezo*.

El indio se inmutó y arrojando violentamente al suelo el atado que tenía a la espalda, desfigurado el semblante por una mueca rabiosa, se acercó a su mujer hasta casi tocarle el rostro con el suyo y barbotó estas palabras.

— ¡Un *trompiezo*! ¿Con quién?

— Te diré.

Y la mujer, como alentada por esta amenazadora actitud de su marido, más que atemorizada por ella, comenzó a relatarle toda la historia del hecho que había venido a interpolarse en su vida y a ensombrecerla.

Fué en la chacra de « Capujo », la tarde del domingo anterior al de la vuelta de Carmelo, al oscurecer. Ella estaba haciendo una tapa[7] en la acequia para regar, cuando de pronto sintió en la espalda una sensación desagradable que la hizo volverse, y al volverse, entre los maizales, descubrió dos ojos malignos que la estaban espiando: eran los de su vecino Leoncio Quelopana. Tuvo miedo y quiso tirar la lampa y echarse a correr, pero le dió vergüenza. Aunque mujer, no estaba bien que hiciera lo que las vizcachas[8] cuando ven gente.

Sonrió para disimular y acabó preguntándole a Leoncio por su mujer. Entonces éste, saliendo del maizal y avanzando hasta el borde del surco en que ella se había replegado, sin decirle siquiera una palabra, saltó sobre ella como un puma, agarrándola de las manos. Después un forcejeo, dos o tres mordiscos para que la soltara, gritos que nadie pudo oír, porque nadie había en el contorno, y el sol, único testigo, que acabó de esconderse pronto, para no ver el abuso de ese mal hombre. Pasó, pues, lo que había de pasar. Pero no con su gusto. Podía jurarlo. Todavía se sentía rabiosa de lo que le había hecho aquella tarde el maldito Leoncio, que el diablo habría de llevárselo para castigo de su culpa.

4. provincia de Bolivia, y su capital. 5. en el Perú y Chile, trabajar con la lampa (la azada). 6. género de plantas umbilíferas, (Bol.) que sirve para hacer lumbre. 7. compuerta. 8. género de roedores del tamaño de una liebre que viven en las montañas del Perú y en las pampas de la Argentina. 9. papá, en este caso Dios. 10. tribu de indios de la región del Titicaca.

11. pared de cañas y barro (Perú y Chile). 12. tramposo. 13. el hombre blanco. 14. (quechua) casta, linaje, comunidad. 15. de rábula, abogado charlatán. 16. de tinterillo, abogado de poco valor, picapleitos. 17. finca rústica pequeña; huerto. 18. alpacas (*voz quechua:* rojizo), cuadrúpedo rumiante de la familia de las llamas.

Y concluyó en estos términos:

— Cuando me dejó quise correr adonde nuestro padrino Callata, a contarle todo, pero temí que Leoncio me atajara en el camino y quisiera repetir el *trompiezo*. No fuí, pues. Más bien me vine a la casa y tranqué bien la puerta, por si al hombre se le ocurriera venir en la noche. Ahí solita le pedí a Dios que volvieras pronto. Y el Tata[9] me ha oído, Carmelo, porque a la semanita llegaste.

El relato no podía ser más minucioso, ni la verdad más ruda y dolorosa. Así ingenuo y medio montaraz como era este aymara,[10] su credulidad no quedó satisfecha. ¿No habría alentado la Isidora, de algún modo, a Quelopana? ¿Por qué siendo ésta tan recia para el trabajo y tan fuerte con la lampa no había sabido defenderse? Él nunca había podido hacer lo que aquel indio salteador de mujeres. Cuantas veces lo intentara había quedado desairado y corrido.

Una cólera fría le apagó la llama que por un momento hiciera brillar en sus ojos su dignidad de hombre y de marido, y después de mirar furtivamente el desmesurado cuchillo que colgaba en la quincha[11], se resolvió a decir:

— ¿Conque el marido de mi hermana ha sido el ladrón? Peor entonces; tendré que ensuciar en él mi cuchillo dos veces; darle dos golpes en el corazón a ese traposo.[12]

— No, Carmelo. No lo vas a matar. Si lo haces me quedaré sola, abandonada y entonces vendrán otros *trompiezos*. Por eso no quería decírtelo, pero mi pecho estaba ahogándose . . .

— Si no lo hago, Leoncio va a creer que es por miedo. Me perderá el respeto y ya no te dejará tranquila, y yo no podré ir lejos a vender las cosechas ni la lana.

— No creas, Carmelo. Si vuelve seré yo quien le meta el cuchillo. ¿Has visto tu cuchillo, que estái colgado? Sácalo y verás cómo le he puesto su filo. Pa que me acompañe cuando salga sola.

II

Después de esta confesión pareció que el indio quedaba aquietado. Pero una voz íntima le decía que si bien su mujer había hablado toda la verdad, algo le quedaba a él por hacer: cobrarse el daño o matar. De no proceder así tenía que resignarse a vivir toda la vida fingiendo ignorar lo que tal vez sabía ya todo Cairani.

¿Cómo iba a ser posible esto? Ante el *misti*[13] se puede fingir, se debe fingir, porque el fingimiento es la mejor arma del indio para luchar contra él. Es una ley de la raza. Pero ante otro indio, ante otro igual, la ficción es una cobardía inconcebible, una llaga moral pestilente que no deja respirar a quien la lleva. Y entre indios hay que cobrarse todo. Al *misti* engañarle, robarle, mentirle, trampearle todo lo que se pueda; al indio, al hermano, no. Las deudas y los agravios hay que cobrarlos inmediatamente, de igual a igual, de hombre a hombre y sin ventajas.

¿Por qué no iba, pues, a cobrarle a Leoncio el daño que le había hecho a su honra, aprovechándose de su ausencia? El que hace un daño debe repararlo. Este principio, que es uno de los puntales del edificio ético, económico y social del ayllo[14], lo había venido oyendo repetir desde su infancia. Y el rabulismo[15] y el tinterillaje[16] se lo habían confirmado después, en las veces que había tenido que recurrir al papel sellado para defenderse de alguna usurpación.

¿No le había quitado Quelopana su honor? Pues que se lo pagara. La idea le pareció digna de una buena venganza. ¿Para qué herir al otro en el cuerpo cuando bien podía herirle en la bolsa, que era donde más podía dolerle, y sin consecuencias? Así se libraría de ir a parar él a la cárcel o de convertirse en un indio cimarrón y mostrenco.

Y la mezquina imaginación de Carmelo Maquera comenzó a exaltarse. Ya se vió ante el juez interponiendo su queja; luego, a su contrario confesando su culpa, anonadado por los juramentos y lágrimas de la Isidora. En seguida el acta, en que se hacía constar todo esto, autorizada por el juez y los testigos, y la pena remuneradora. ¡La pena! Una buena suma; algo que seguramente Leoncio no iba a poder pagar inmediatamente. Entonces sobrevendría el embargo, y el embargo tendría que recaer en la chacra,[17] en las llamas y pacos[18], en los alfalfares, en todo lo que fuera suyo . . . Porque él no iba a contentarse con lo que Quelopana quisiera darle buenamente. Para eso tenía en Cairani y Tarata quien lo patrocinara y defendiera. Y si era preciso llevar su causa a Tacna, pues allá también la llevaría. Para eso Dios le había dado con qué pleitear.

Persuadido por estos pensamientos, pero, a la vez, atado por la cadena de sus tradiciones seculares, se resolvió a tentar primero por el camino de la componenda amigable, a llevar a Quelopana ante un consejo de vecinos, que en estos casos era obligación de quien quería el arreglo, convocar y oír.

Comenzó, como era de ritual, por ir primero a la casa de su padrino de matrimonio Callata, llamado a presidir ese consejo. Ahí, después de cambiar dos o tres libaciones de aguardiente, llevado con ese objeto por él mismo, solemne, por no permitir el ceremonial familiaridad, Maquera repitió, sin perder letra, toda la confesión de su mujer. Hasta estuvo patético. Habría jurado que cuando la Isidora le contaba todo, su cuchillo, que, naturalmente, había estado oyendo, se estremeció. Y hasta parece que le pidiera sacarlo de la vaina. Pero él prefirió dejarlo quieto hasta que su padrino resolviera lo que fuera mejor.

Callata se rascó la cabeza, pidió otra copa, hizo con el trago una especie de enjuague y después de echarle una mirada sibilina al techo, devolvió la buchada coruscante ruidosamente.

— ¡Bueno! Te he oído con interés, como nuestra costumbre manda que se oiga al ahijado que viene a contarnos su agravio y pedirnos consejo. Has hecho bien en no haberle obedecido a tu cuchillo. El agravio que te ha hecho Leoncio Quelopana no es completo.

Maquera, sacudido por la palabra última, golpeó reciamente la mesa con la botella, y, lleno de asombro, interrumpió el discurso de su padrino.

— Cómo, ¿todavía le falta algo?

— Sí; el agravio no ha sido completo; te lo ha hecho Quelopana solo, sin consentimiento de la Isidora. Y como ella no ha puesto nada en el *trompiezo*, la ofensa no ha sido sino a medias. Si ella no lo impidió fué porque no pudo. ¿Qué puede hacer la gallina cuando el zorro la sorprende y la coge del pescuezo mientras su gallo duerme o canta en otro corral? La ocasión hace al ladrón dicen los *mistis*, y me parece verdad. No olvides, ahijado Carmelo, que al dinero y la mujer hay que tenerlos siempre al cinto o encuevados, para que no venga el ladrón y se los lleve, más que sea a la fuerza . . . ¿Por qué no te llevaste a la Isidora a Tacna?

— No tenía a quién dejar en la chacra pa que me cuidase mi alfalfita y mis llamos.

— Sí, la chacra y los llamos valen mucho; a veces más que la mujer, pero la tuya vale más que todos tus ganados. No has debido dejarla sola. Yo voy creyendo, Carmelo, que la Isidora te estorba cuando vas a Tacna. He oído decir que hay allí gallinitas para toda clase de zorros y a todo precio. ¿Será verdad?

Maquera, a pesar de la solemnidad del acto, sonrió maliciosamente.

— Tú sabes mucho, padrino Callata. Aconséjame, pues, cómo arreglaré con Leoncio, ya que ni tú ni la Isidora quieren que le cobre la deuda con mi cuchillo.

— Basta con que te pague bien tu honor. ¡Qué más! . . . ¿Le recibirías doscientos soles[19] . . .?

— ¡Poco! La Isidora no es vieja. Leoncio tiene buenos ganados. ¿Por qué no quinientos?

— ¿Que estás loco, Maquera? ¿De dónde va a sacar tanto ese cazafaldas? En fin, anda a verte tú con los otros que deben asistir al arreglo esta noche y déjame a mí lo demás, que ya me encargaré yo de que Quelopana y su mujer no falten.

III

Por supuesto que nadie faltó a la cita, a pesar de lo avanzado y crudo de la noche: cuatro de la mañana. Pero había que cumplir los preceptos del ayllo. Asuntos de esta clase había que tratarlos entre las sombras de la noche, para que los que no asisten no se enteren del arreglo y el sol no se escandalice. Al sol no le gustan estas cosas. Se enoja, lo mismo que los cerros, y daña las cosechas. El arreglo debe ser, pues, antes de que se despierte y comience a desperezarse sobre el lomo de las cumbres.

Callata, revestido de importancia y seriedad, esparció una mirada en torno suyo, para cerciorarse de que todos los invitados estaban presentes. El consejo estaba completo. Allí, formando rueda, desmenuzando bostezos y cascándose, disimuladamente, los piojos, estaban Manuel Mamani, Inocencio Cahuana, Narciso López, Tomás Condori y, naturalmente, los suegros del ofendido y éste y Quelopana, con sus respectivas costillas, la Isidora y la Carlota, hermana de Maquera. Quelopana venía a ser, pues, cuñado de Carmelo, y esto era lo que aumentaba la gravedad del caso *sujeto a materia*, como se dice en la jerga judicial. Ni esto había sabido tener en cuenta el ofensor.

Era lo que más había conmovido los principios morales de Callata y lo que seguramente iba a producir indignación en los asistentes. Una circunstancia agravante, que había que hacerla valer en favor del ahijado para el mejor éxito de lo que iba a proponer.

Una vez todos arrodillados y contritos y en círculo perfecto, como si estuvieran en misa, Callata, dirigiéndose a la Isidora, exclamó:

19. moneda peruana.

— Isidora Coahila, mujer de Carmelo Maquera, vas a hacer tu obligación.

Inmediatamente la Coahila comenzó a sacar puñaditos de coca del talego que había mantenido oculto bajo la manta y a invitarles, principiando por su padrino, a la vez que decía a cada cual:

— Perdón por el « trompiezo », que es la primera vez . . .

En seguida el testigo Cahuana, por ser el más viejo, preguntó:

— Leoncio Quelopana, ¿Cierto lo que dice la Isidora?

El interrogado, después de un largo silencio y con la cabeza inclinada, como un reo ante la guillotina, respondió:

— ¡Verdad! ¡Verdad! ¡Perdónenme el « trompiezo » por primera vez!

— ¿Nada más? — le increpó Callata.

— Que diga Carmelo cuánto cobra por su honor.

— Yo — dijo el aludido — llevo ya gastados más de cien soles en ir a Tarata. Mi apoderado Calisaya le gusta que paguen bien sus servicios. Que me pague Quelopana quinientos soles.

— Me parece mucho. Los títulos de mi terreno los tengo empeñados, los llamos y los pacos se me están muriendo; la cosecha no me ha dejado nada este año y la Carlota ha tenido que vender sus sortijas, sus aretes y todo el orito que tenía, pa pagarle sus derechos al cura en la fiesta de nuestro patrón. ¿De dónde voy sacar tanta plata?

Callata creyó conveniente intervenir.

— Leoncio, el que hace un daño debe pagarlo, y cuando el daño es tan grande como el que has hecho tú, no hay que apretarle mucho el ñudo a la bolsa. ¿Quién te mandó a beber agua ajena? La has ensuciado y hay que volverla limpia, como quiere su dueño.

— ¿Te parece bien trescientos, tata Callata?

Callata tuvo un movimiento de sorpresa, pero tan imperceptible que sólo Carmelo, que no lo perdía de vista, lo advirtió. Ambos se miraron fijamente y se entendieron.

— ¡Está bueno! — dijo Callata en tono sentencioso. — Que vaya al instante por ellos.

— No podría, tata, porque no los tengo. Iré mañana a Tarata a buscar quién me los preste.

— No hace falta. Te los prestaré yo. Que Cahuana haga el recibo para que tú lo firmes.

Quelopana, cogido en su propia red, no tuvo más remedio que aceptar y firmar, mientras su mujer, profundamente dolida del arreglo, gemía: « ¡Mucho, mucho por el *trompiezo*, mucho! », a la vez que todos, todavía arrodillados, se pedían perdón mutuamente.

Terminada la ceremonia, cada cual, después de brindar un trago con Carmelo y recibir otro puñado de coca de manos de la Maquera, quien ya en este instante sonreía y hasta se había atrevido a posar la mirada en Leoncio, se fué despidiendo, no sin decirle antes a ésta: «Tienes un buen marido, Isidora. Cuidado no más con otro *trompiezo* », y a Quelopana: « Que no se te antoje, indio *faltativo*, *descasador*, con trompezarte con mi mujer. Yo tengo en mi casa un buen cuchillo y una buena carabina. »

Llegado el momento de retirarse también los Maquera, Callata, dejando a un lado toda su prosopopeya, después de darle a cada uno un ceñido abrazo, exclamó, reforzando la intención con una sonrisa:

— ¡Bueno ha estado el arreglo! ¿Cuánto me va a tocar a mí?

— Tú dirás, padrino.

— ¿Te parece bien cincuenta soles?

— Tómalos, pues, y dame el resto.

Ya en pleno campo, en dirección a su estancia, Carmelo, medio embriagado por la dicha que le producía verse con tantos billetes en la mano, cosa que no le pasaba en mucho tiempo, se sobreparó y le dijo a su mujer, un poco mimoso:

— Oye, Isidora, con un *trompiezo* de éstos cada mes, acabaríamos por comprar todas las tierras de Cairani.

— Entonces no quieres que lleve ya el cuchillo cuando vaya sola a Copaja . . .

(De *Nuevos cuentos andinos*, 1937)

Alcides Arguedas (Bolivia; 1879-1946) se ensayó con una novela indígena — *Wata-Wara*, 1904 — y con una novela de la ciudad — *Vida criolla*, 1905 —, pero se incorporó a la serie de grandes novelistas hispanoamericanos con un solo libro: *Raza de Bronce* (1919). Su tema fué la lucha entre indios y blancos en una comunidad del Altiplano boliviano; propietarios de tierra — que la consiguieron por viles medios — explotan a los indios en forma inhumana; los indios se rebelan, violenta, incendiaria, homicidamente, y todo termina en tragedia. No hay protagonistas, como no sea la misma raza indígena. Se ve que el fin de Arguedas, en *Raza de Bronce*, fué llamar la atención sobre el indio, su condición de explotado, sus costumbres y supersticiones, sus vicios y padecimientos, sus combates contra la naturaleza y, sobre todo, contra el blanco. La indignación moral, la pasión por la justicia se hacen elocuentes y, a veces, artísticas. La manera sincera, moralizadora y polémica de juzgar los males de Bolivia lo llevó a escribir *Pueblo enfermo: contribución a la psicología de los pueblos hispanoamericanos* (1909). Este despiadado análisis sociológico, más los estudios de su *Historia de Bolivia* (de 1920 en adelante), revelaron un conocimiento profundo, aunque apasionado y pesimista, de la realidad de su país. El mismo conocimiento se advierte en sus narraciones, como la « Venganza aymará » que a continuación publicamos.

Alcides Arguedas

VENGANZA AYMARÁ[1]

Inclinó la cabeza, de un golpe se encajó el sombrero hasta la nuca y, a grandes zancadas, se apartó del grupo sin saludar, hosco, sombrío.

Así, siempre con la cabeza gacha como un toro bajo su yugo, llegó a su casa, que estaba en la cuesta de Coscochaca, y entrando en su habitación, adornada con estampas de color que representaban los episodios de la guerra francoalemana, tumbóse en el lecho, y hundiendo el rostro en la mugrienta almohada, lloró largo rato, silenciosa, calladamente, con hipidos menudos.

Eso ya no tiene remedio posible. Las palabras de Clotilde habían sido contundentes: « Seré no más tu amiga, pero no tu mujer . . . » ¡Cristo! ¡Eso sí que no! Él la había conocido antes, de mocosa, cuando con los pies desnudos iban a buscar agua a la pila de Challapampa, deteniéndose en el cenizal[2] para arrojar piedras a los cerdos que hociqueaban la basura del río. Juntos aprendieron a leer en la escuela, aunque después el ningún ejercicio y los rudos afanes de la vida les hicieran olvidar lo aprendido. Y en tanto que él, Juanillo, se fuera a la herrería de su padre a tirar del fuelle y a achicharrarse las carnes con las sapilcaduras de hierro candente batido en el yunque, ella se había metido a servir en la casa de un ricachón, donde conociera al Chungara, mozo del hotel unas veces, cochero otras, vago las más. Que era elegante el Chungara y tenía mejor cara que él, sí, cierto; pero ¡caramba! era un mozo no más, y él había heredado el taller de su padre, allí, en medio de la ciudad, en los bajos de la Catedral, y ya era patrono . . . Todas las curiosidades salían de sus manos: herrajes, chapas, rejas de sepulcros, llaves, candados. Entre sus clientes estaba nada menos que el presidente de la República, a cuyos caballos ponía herrajes . . . ¿Es que acaso con sus economías y ahorros no había comprado esta su casita de dos pisos, con jardín y corral? ¡Claro! Y si él quisiera y le apurasen aún podría comprar una finca, porque allí, donde él solito sabía, muy oculto, guardaba íntegro el legado de su madre: anillos con diamantes, orejeras guarnecidas de perlas, pendientes, cadenas, topos[3] . . . ¿Fuerzas? Ya sus enemigos podían atestiguar que las tenía de sobra, acaso demasiadas, y ya una vez estuvo a punto de ir a la cárcel por haber intentado, en una jarana y por apuesta, alzar de golpe a cinco hombres juntos: uno de ellos había rodado con las costillas hundidas. ¡Claro! No en balde se llega a los treinta años habiendo batido quince el hierro . . . Todo tenía el Juanillo, menos suerte

1. de la nación india aymará, de Bolivia, sur del Perú y norte de la Argentina. 2. conjunto de arbustos. 3. prendenor grande, de plata u oro, con la cabeza de varias formas. 4. interjección que expresa disgusto o sorpresa. 5. lo venció, lo apartó a un lado. 6. mujer de origen humilde; sirvienta. 7. soportes sobre los que se lleva a la Virgen en las procesiones. 8. cantón del departamento de La Paz, Bolivia. 9. tienda donde se vende chicha, bebida alcoholica. 10. la Asunción (de la Virgen), el 15 de agosto.

para enamorarse. ¡Pucha[4] con su cara fea! Ya una vez lo barrió[5] la Supaya, mas eso no le hizo mella: la conocía fácil y tornadiza y la habría matado a puntapiés.

Otra vez, Candelaria, su novia, se casó con el rival, en tanto que él peregrinaba en romería por Copacabana. Tampoco le hizo mella: Candelaria tenía un hijo de un ricachón de la ciudad, y no debía ser bueno dar cariño a hijos que no son de propia hechura . . . Es en Clota que pensaba siempre, en Clota, la china[6] que él vió crecer, desarrollarse y llegar a hembra garrida, fuerte. Tenía no sólo inclinaciones por ella, sino derecho legítimo, porque la muy bribona le había prometido casarse con él desde mocosa y antes de que conociese al Chungara, y sólo después . . . ¡Dios!, ¡eso sí que no lo permitiría jamás; primero los degollaría a los dos y después él se mataría! . . . Robar, mentir, clavar una puñalada cuando se tiene cólera, romperle por detrás los pulmones a un enemigo, jurar en falso . . . bueno, pase; pero no hay que jugar con el corazón, ¡con el corazón!, sólo lo que nos hace alegres, que lo feo vuelve bonito, dulce lo amargo, bueno lo malo . . . El corazón es cosa de no jugar; es como las andas[7] de la Virgen de la Asunta,[8] lo sólo santo . . . Además . . .

Aquí se cortaron las meditaciones de Juanillo. Algo tumultuoso y extraño sintió dentro de su ser, un deseo impreciso de llorar o hacer llorar . . . Se levantó de un salto del lecho, restregóse los ojos, y fijándolos en la pared donde había clavado un cuchillo mohoso, púsose a pasear la reducida estancia . . . Las manos le ardían, le hormigueaban, y sentía vehementes ansias de calmarlas con el frío de un acero. Quería estrujar, hundir las uñas en la carne palpitante, matar. Su injerta sangre de indio esclavo rebullía tumultuosa dentro de sus venas. Y la idea de la venganza, una sorda idea de hacer daño, cometer una fea acción, se le había clavado fijamente en la conciencia.

Ella era su todo; nada conocía sino el amor . . . ¡y se lo quitaban! . . . ¿Por qué? ¡Nada! Porque el otro era más bonito y tenía mejor cara . . . ¿Por eso sólo le daba derecho a quitársela? ¡Eso sí que no! Se tiene derecho sobre lo que no se encuentra de balde; pero eso, la Clota, era de él solito; de él, que la había conocido de pequeña, criado, mimado . . . ¡No, por Dios! Iría donde el Chungara, le hablaría de a buenas no más para que no se enoje, le haría ceder, y si no . . . ¡Cristo! ¡Correría la sangre! . . . ¡La vida! ¿Para qué sin ella? Arrancó el cuchillo de la pared, embozóse su chal de vicuña al cuello y . . . ¡a la calle!, ¡a casa del rival!

Le encontró, a poco andar, en la puerta de una chichería[9], al pie mismo de un foco de luz eléctrica. Le llamó.

— Oí, Chungara; tengo que hablarte dos palabritas.

Su voz, ruda y áspera, temblaba. Chungara se le acercó sonriendo, mas no sin cierta inquietud. ¡Vaya con la color de la cara del tipo! ¡Si parecía que tuviera tercianas!

— ¿Qué quieres? Habla pronto, ché; m'espera la Clota . . .

— ¿La Clota? ¡Bueno; d'eso venía a'blarte. ¿La quieres endeveras?

— ¡Yaaa, el tipo, ché! ¿Acaso no sabes que me caso pa la Asunta?[10]

A Juanillo le dió un vuelco el corazón. ¡Santo! ¡Y cómo apretó la empuñadura de su cuchillo, fuertemente cogido dentro del bolsillo!

— ¿Conque la quieres endeveras, ché? ¡Bueno! Pues yo también la quiero . . . ¿Sabes?

Chungara retrocedió un paso, temeroso: había visto pasar por los ojos de su rival un fulgor extraño y, ¡pucha!, había que andar con cuidado con Juanillo, a quien fácilmente le subía la sangre a la cabeza. Además, francamente, él no tenía confianza en el cariño de la Clota. La notaba esquiva, y aun desdeñosa, y no eran sus intenciones casarse con ella, solicitado como se veía por gente que valía muchísimo más que la Clota. Ni aun condescendiente era ahora con él. Antes, por lo menos, consentía en bajar a la puerta de la calle cuando todo el mundo dormía en casa de sus patrones, y conversaban largo rato hasta coger frío en los huesos; pero desde hacía algún tiempo, no sólo no acudía a ninguna cita, sino que evitaba encontrarse a solas con él y jamás le decía nada de su próximo matrimonio por el que le parecía todos los días más alejada.

— No sé; pero yo la quiero . . . ¿Te recuerdas de tu madre? Pues yo la quiero más a la Clota. Por ella ya he olvidado reunirme con los compinches, y mis ayudantes me dicen que me parezco a un animal enfermo, qu'e perdío la color, que no me río y que debo tener malos pensares . . . Ella es mi vida, mi corazón, mis brazos, mi todo . . . ¿Sabes? El otro día la'e visto rezando ante la mamita de la Asunta, en la iglesia de Churubamba y . . . ¡endeveras te juro, ché Chungara! me'a parecío más mejor, más linda qu'ella . . .

— ¡No hables así, ché! — le interrumpió el Chungara, asustado por la blasfemia.

— ¡Sí, ché! — insistió Juanillo, con convicción exaltada — ¡Sí, ché; más linda y más buena! . . . La quiero pa toda la vida, y . . . ¡oí, Chungara!, no me la quites, porque si no . . . ¡te mataría! — sollozó Juanillo, con el pecho palpitante y apretando fuertemente su arma hasta incrustarse las uñas en la palma de la nerviosa mano.

Se atemorizó el Chungara, mas no quiso que creyera que le tenía miedo. Repuso con voz insegura:

— Mátame, ché; pero yo también la quiero . ..

Un estremecimiento sacudió el cuerpo de Juanillo. Y con voz humilde volvió a rogarle, cogiendo a Chungara amigablemente por el brazo:

— Mira, Chungara, q'estoy resuelto a todo. No me tientes, ché; me dolería el corazón si te hiciera algo, porque eres mi amigo. Te juro (besando la cruz de la mano), te juro por la mamita de Copacabana qu'a de suceder una desgracia. Anoche he soñado con toros, ya sabes qu'eso quiere decir sangre, y esta mañana ha salido, volando, un taparacu[11], de la tienda, ya sabes que dice muerte . . . Déjame la Clota, Chungara, y seremos amigos más bien. Vos puedes tropezar con otra más mejor y más bonita; ya sabes que hay otras más mejores y más bonitas que la Clota; vos tienes buena cara, vistes bien, eres futre,[12] y yo sólo me ocupo de trabajar para dar de comer a mis güerfanitos[13] y no quiero más que a ella . . . Dámela, Chungara, y te juro que haiga o no haiga suerte en mi vida siempre te querré y te respetaré, mientras que si me la quitas, puede que todos seamos desgraciados . . . Mírame bien, Chungara; aquí, a la luz; estoy llorando, y ya sabes que las lágrimas de un hombre son kenchas[14] y traen desgracia . . . Déjame ser feliz con la Clota y oí mi consejo: no te cases con ella. Vos seguramente has de ser munícipe[15] y diputado después, y entonces puede que te dé vergüenza la Clota, qu'a servido en las casas . . . Además, francamente, ché Chungara; yo creo que tampoco te quiere la Clota. Así me lo'a dicho endenantes.

El Chungara se sintió herido en lo más hondo de su orgullo, y habría cedido si el otro hubiese continuado rogándole con ese tono amigable y sin hacer mención de su fracaso; pero aulló su vanidad de buen mozo acostumbrado a los triunfos mujeriles y a las galantes conquistas de gentes superiores en rango a la sirvienta. Y la idea de ver proclamada por el rival la vergüenza de un rechazo, mortificó su amor propio, y repuso con arrogancia y desplante:

— ¿No me quiere? Mientes, ché. Es a vos que no te quiere esa cochina, y si aura está hablando que no me quiere es porque yo la he despreciado. Es ropa vieja . . .

— ¿Endeveras dices, ché Chungara? — preguntó, temblando, Juanillo.

— Endeveras.

Juanillo levantó la mano y una centella se vió surgir de ella, rápida y fugaz.

— ¡Pues toma! . . .

Fué un golpe brutal, salvaje. La hoja penetró hasta el cabo en el pecho del Chungara, que al caer se asió a las ropas de Juanillo y dió con él en el suelo. Una mujer que pasaba, único testigo del golpe, dió un grito horrible. Corrieron algunos curiosos y separaron a viva fuerza a los hombres, que se revolcaban por tierra. Juanillo se puso en pie sin bufanda y sin sombrero. Chungara quiso hacer lo mismo, y sólo alcanzó a poner una rodilla en tierra y a erguirse sobre sus piernas dobladas. Y, mirando con ojos desorbitados a su agresor, pudo articular, en medio de dos borbotones de sangre negra que se le escapaban por la boca, señalando a su asesino:

— ¡Ése . . . ése me'a matado . . ., ése!

Le vino otra bocanada de sangre negra y cayó de bruces al suelo.

Juanillo quiso huir, pero media docena de brazos le detuvieron. Algunos transeúntes, viendo que el hombre que yacía en el suelo se retorcía con los hipos de la agonía, levantaron los brazos, indignados, contra Juanillo. Entonces éste, inclinando humildemente la cabeza, los ojos ahogados en terror y la voz temblona, dijo:

— ¡Sí; yo lo he matado! La Clota me'a dicho que lo mate . . . ¡La perra!

(De *El Comercio*, La Paz, 1930)

La historia literaria de Honduras ofrece en estos años figuras interesantes: Juan Ramón Molina, Alfonso Guillén Zelaya y Froilán Turcios (1878-1943).

Turcios comenzó, todavía adolescente, con un libro de versos y prosas: *Mariposas*.

11. mariposa negra. 12. lechuguino, petimetre, pisaverde. 13. huérfanos pequeños. 14. cosas de mal agüero. 15. miembro del Consejo Municipal; en su primera acepción es sólo vecino de un municipio.

Siguió cultivando ambas formas en *Renglones* (1899), *Hojas de Otoño* (1905) y *Tierra maternal* (1911). Como poeta era elegante, recatado, sobrio, pero su labor de cuentista es la que le ha valido un lugar de privilegio en las letras centroamericanas. En *Prosas nuevas* (1914) y en los *Cuentos crueles* (recogidos en *Hojas de Otoño*) su prosa es impecable. También escribió novelas, pero su talento estaba más bien en la narración breve. De sus *Cuentos del amor y de la muerte* (1930) hemos escogido « La mejor limosna. » Es un caso de cruel eutanasia contado de una manera fría e indirecta. Turcios, que era hombre triste y pesimista, no nos da aquí una escena real, sino que lleva al extremo una idea sobre la muerte como alivio del dolor humano.

Froilán Turcios

LA MEJOR LIMOSNA

I

Horrendo espanto produjo en la región el mísero leproso. Apareció súbitamente, calcinado y carcomido, envuelto en sus harapos húmedos de sangre, con su ácido olor a podredumbre.

Rechazado a latigazos de las aldeas y viviendas campesinas; perseguido brutalmente como perro hidrófobo por jaurías de crueles muchachos, arrastrábase moribundo de hambre y de sed bajo los soles de fuego, sobre los ardientes arenales, con los podridos pies llenos de gusanos.

Así anduvo meses y meses, vil carroña humana, hartándose de estiércoles y abrevando en los fangales de los cerdos, cada día más horrible, más execrable, más ignominioso.

II

El siniestro Manco Mena, recién salido de la cárcel donde purgó su vigésimo asesinato, constituía otro motivo de terror en la comarca, azotada de pronto por furiosos temporales. Llovía sin cesar a torrentes; frenéticos huracanes barrían los platanares y las olas atlánticas reventaban sobre la playa con ásperos estruendos.

En una de aquellas pavorosas noches el temible criminal leía en su cuarto, a la luz de una lámpara, un viejo libro de trágicas aventuras, cuando sonaron en su puerta tres violentos golpes.

De un puntapié zafó la gruesa tranca, apareciendo en el umbral con el pesado revólver en la diestra. En la faja de claridad que se alargó hacia fuera vió al leproso destilando cieno, con los ojos como ascuas en las cuencas áridas, el mentón en carne viva, las manos implorantes.

— Una limosna! — gritó —. ¡Tengo hambre! ¡Me muero de hambre!

Sobrehumana piedad asaltó el corazón del bandolero.

— ¡Tengo hambre! ¡Me muero de hambre!

El Manco le tendió muerto de un tiro, exclamando:

— Ésta es la mejor limosna que puedo darte.

(De *Cuentos del amor y de la muerte*, 1930)

Prosa de ideas. El modernismo espiritualizó la prosa de ideas; y hasta puede decirse que inicia un movimiento filosófico espiritualista. En la segunda mitad del siglo XIX las ciencias naturales se habían impuesto como el modelo de todo conocimiento, pero en los últimos años hubo recias polémicas y el determinismo fué cediendo. Su base era la sistematización científica: la epistemología le arrancó esa base. Así como los libros del positivismo europeo llegaron tardíamente a América, también fué tardía la llegada de los libros europeos antipositivistas. En América lo que había dominado era más bien un positivismo en acción, difuso, surgido de las necesidades prácticas de nuestra vida social. El positivismo clásico que se conocía era el de Comte y Spencer, con algo de Stuart Mill y mucha lectura de Renan y Taine. Los intentos de una nueva gnoseología positivista en Europa aquí no tuvieron eco. Nada extraño, pues, que la primera señal de la crisis del positivismo apareciera en las letras hispanoamericanas antes que en nuestras cátedras de filosofía. La estética del modernismo implicaba un repudio a la teoría mecánica de la vida. El arte era un refugio, una fe, una liberación donde nada se repetía, donde nada era explicable con la lógica del físico. El pensador que mejor fundió la literatura del modernismo con el espiritualismo fué JOSÉ ENRIQUE RODÓ (Uruguay; 1871-1917). Su cultura de adolescencia y juventud fué la de un humanista: clásicos griegos, romanos y modernos (Platón, Marco Aurelio, Montaigne, Renan). Este humanismo le dió inquietud, afán de exaltación espiritual; de modo que al recibir las influencias de los positivistas del siglo XIX no extremó el naturalismo implícito en ellos. Comte, Spencer, Renan, Guyau fueron sus lecturas filosóficas. Pero de ellos aprovechó materiales sólo para cimentar su concepción del espíritu: el remate de su edificio tenía una bandera que flameaba a los vientos antipositivistas de Main de Biran, Renouvier, Boutroux y Bergson. Su primera obra importante fué *Ariel* (1900). Después de la guerra de 1898 entre los Estados Unidos y España tuvo Rodó recelos del imperialismo norteamericano. Preocupado por el crecimiento de los Estados Unidos a costa de la América española pero sin limitarse al tema político, Rodó escribió *Ariel*, que le valió un prestigio internacional y le dió ascendiente extraordinario en la formación moral de la juventud. Desgraciadamente algunos lectores redujeron *Ariel* a esquemas que desvirtúan su intención: Ariel *versus* Calibán simbolizaría, para esos lectores, la América hispana *versus* la América sajona, el espíritu *versus* la técnica, etc. Reducido el libro a tales esquemas no parece ser una incitación al esfuerzo, antes bien, una cátedra de conformismo. Si nuestros países, atrasados, ignorantes, desnutridos, sometidos al capital extranjero, desiertos, rutinarios, tradicionalistas, anárquicos tienen a pesar de todo una espiritualidad superior a los Estados Unidos deberíamos darnos por satisfechos . . . Nada de esto es *Ariel*. Desde el punto de vista de la incitación al trabajo *Ariel* continúa la serie de otros libros solidarizados con los Estados Unidos: los de Sarmiento, por ejemplo. El tema de los Estados Unidos es sólo un accidente, una ilustración de una tesis sobre el espíritu. Tan distante de la intención de Rodó ha sido oponer las dos Américas y lanzar un manifiesto de tipo político, que *Ariel* no fué una obra antimperialista. Sólo alude al imperialismo moral no tanto ejercido por los Estados Unidos como creado por su imitación en la América española. Se le criticó precisamente haber descuidado el problema del imperialismo económico. Pero Rodó no se propuso ese problema. Lo que él quería era oponer el espíritu a la concupiscencia. Ensayo moral, idealista, que anticipa su obra maestra: *Motivos de Proteo* (escrita de 1904 a 1907; publicada en 1909). También aquí Rodó se propone describir el alma en su esencial unidad y señalar los peligros de mutilarla con especializaciones excluyentes. ¿Qué intuición tenía Rodó de la conciencia? ¿Cuál era su metafísica del espíritu? Ante todo se advierte un desvío (más aún: una reacción) contra la filosofía asociacionista, atomista, mecanicista, explicativa que había dominado durante el positivismo. Rodó, con o sin influencia de Bergson, afirma la temporalidad de la vida psíquica. Participamos, dice, del proceso universal; pero, además, tenemos un tiempo propio. De esta doble temporalidad de nuestra vida arranca su ética del devenir: « Hija de la necesidad es esta transformación continua; pero servirá de marco en que se destaque la energía racional y libre. » Si no tomamos la iniciativa de nuestros propios cambios, la personalidad se nos desvanece en el mundo material. Nuestra personalidad es programática, prospectiva, teleológica. Su sentido se nos revela en la vocación. Y sigue Rodó el admirable paseo por su tema. El aspecto de los *Motivos* es fragmentario. La variedad de formas usadas — la parábola, el poema en prosa, el análisis, la especulación teórica, la anécdota — contribuye también a ese aspecto de mosaico. Hay, sin embargo, una dialéctica. La perspectiva de *Motivos de Proteo*, tan amplia, tan abierta, da unidad aun a las páginas que quedaron dispersas y fueron posteriormente recogidas (*El camino de Paros*, 1918; *Nuevos motivos de Proteo*, 1927; y *Los últimos motivos de Proteo*, 1932). Además su pensamiento iba completándose en sus ensayos sobre tema no aparentemente filosófico: por ejemplo los admirables de *El mirador de Próspero*, 1913. Era un pensador; era también un artista. Su prosa se benefició de ambos talentos. Las frases se yuxtaponen, se coordinan, se subordinan en arquitectura digna, serena, noble, esmerada. Todo es armonioso y bello. Prosa fría, sí, con la frialdad del mármol — o, mejor, con la fríaldad de las formas parnasianas —, pero perfecta. Era muy imaginativo, aunque su imaginación admitía la disciplina.

José Enrique Rodó

ARIEL

[*Fragmentos*]

Aquella tarde, el viejo y venerado maestro, a quien solían llamar Próspero, por alusión al sabio mago de *La Tempestad* shakespiriana, se despedía de sus jóvenes discípulos, pasado un año de tareas, congregándolos una vez más a su alrededor.

Ya habían llegado ellos a la amplia sala de estudio, en la que un gusto delicado y severo esmerábase por todas partes en honrar la noble presencia de los libros, fieles compañeros de Próspero. Dominaba en la sala — como numen de su ambiente sereno — un bronce primoroso, que figuraba al Ariel de *La Tempestad*. Junto a este bronce se sentaba habitualmente el maestro, y por ello le llamaban con el nombre del mago a quien sirve y favorece en el drama el fantástico personaje que había interpretado el escultor. Quizá en su enseñanza y en su carácter había, para el nombre, una razón y un sentido más profundos.

Ariel, genio del aire, representa, en el simbolismo de la obra de Shakespeare, la parte noble y alada del espíritu. Ariel es el imperio de la razón y el sentimiento sobre los bajos estímulos de la irracionalidad; es el entusiasmo generoso, el móvil alto y desinteresado en la acción, la espiritualidad de la cultura, la vivacidad y la gracia de la inteligencia, el término ideal a que asciende la selección humana, rectificando en el hombre superior los tenaces vestigios de Calibán, símbolo de sensualidad y de torpeza, con el cincel perseverante de la vida.

La estatua, de real arte, reproducía al genio aéreo en el instante en que, libertado por la magia de Próspero, va a lanzarse a los aires para desvanecerse en un lampo. Desplegadas las alas; suelta y flotante la leve vestidura, que la caricia de la luz en el bronce damasquinaba de oro; erguida la amplia frente; entreabiertos los labios por serena sonrisa, todo en la actitud de Ariel acusaba admirablemente el gracioso arranque del vuelo; y con la inspiración dichosa, el arte que había dado firmeza escultural a su imagen, había acertado a conservar en ella, al mismo tiempo, la apariencia seráfica y la levedad ideal.

Próspero acarició, meditando, la frente de la estatua, dispuso luego al grupo juvenil en torno suyo, y con su firme voz — voz *magistral*, que tenía para fijar la idea e insinuarse en las profundidades del espíritu, bien la esclarecedora penetración del rayo de luz, bien el golpe incisivo del cincel en el mármol, bien el toque impregnante del pincel en el lienzo o de la onda en la arena —, comenzó a decir, frente a una atención afectuosa:

Junto a la estatua que habéis visto presidir, cada tarde, nuestros coloquios de amigos, en los que he procurado despojar a la enseñanza de toda ingrata austeridad, voy a hablaros de nuevo, para que sea nuestra despedida como el sello estampado en un convenio de sentimientos y de ideas.

Invoco a Ariel como mi numen. Quisiera ahora para mi palabra la más suave y persuasiva unción que ella haya tenido jamás. Pienso que hablar a la juventud sobre nobles y elevados motivos, cualesquiera que sean, es un género de oratoria sagrada. Pienso también que el espíritu de la juventud es un terreno generoso donde la simiente de una palabra oportuna suele rendir, en corto tiempo, los frutos de una inmortal vegetación. [. . .]

La juventud que vivís es una fuerza de cuya aplicación sois los obreros y un tesoro de cuya inversión sois responsables. Amad ese tesoro y esa fuerza; haced que el altivo sentimiento de su posesión permanezca ardiente y eficaz en vosotros. Yo os digo con Renán.[1] « La juventud es el descubrimiento de un horizonte inmenso, que es la Vida. » El descubrimiento que revela las tierras ignoradas necesita completarse con el esfuerzo viril que las sojuzga. Y ningún otro espectáculo puede imaginarse más propio para cautivar a un tiempo el interés del pensador y el entusiasmo del artista, que el que presenta una generación humana que marcha al encuentro del futuro, vibrante con la impaciencia de la acción, alta la frente, en la sonrisa un altanero desdén del desengaño, colmada el alma por dulces y remotos mirajes que derraman en ella misteriosos estímulos, como las visiones de Cipango[2] y El Dorado en las crónicas heroicas de los conquistadores. [. . .]

La humanidad, renovando de generación en generación su activa esperanza y su ansiosa fe en un ideal, al través de la dura experiencia de los siglos, hacía pensar a Guyau[3] en la obsesión de aquella pobre enajenada cuya extraña y conmovedora locura consistía en creer llegado, constantemente, el día de sus bodas. Juguete de su ensueño, ella ceñía cada mañana a su frente pálida la corona de desposada y suspendía de su cabeza el velo nupcial. Con una dulce sonrisa, disponíase luego a recibir al prometido ilusorio, hasta que las sombras de la tarde, tras el vano esperar, traían la decepción a su alma. Entonces tomaba un melancólico tinte su locura. Pero su ingenua confianza reaparecía con la aurora siguiente; y ya sin el recuerdo del desencanto pasado, murmurando: *Es hoy cuando vendrá*, volvía a ceñirse la corona y el velo y a sonreír en espera del prometido.

Es así como, no bien la eficacia de un ideal ha muerto, la humanidad viste otra vez sus galas nupciales para esperar la realidad del ideal soñado con nueva fe, con tenaz y conmovedora locura. Provocar esa renovación, inalterable como un ritmo de la Naturaleza, es en todos los tiempos la función y la obra de la juventud. De las almas de cada primavera humana está tejido aquel tocado de novia. Cuando se trata de sofocar esta sublime terquedad de la esperanza, que brota alada del seno de la decepción, todos los pesimismos son vanos. [. . .]

Hay veces en que, por una aparente alteración
Hay veces en que, por una aparente alteración
del ritmo triunfal, cruzan la historia humana generaciones destinadas a personificar, desde la cuna, la vacilación y el desaliento. Pero ellas pasan — no sin haber tenido quizá su ideal como las otras, en forma negativa y con amor inconsciente —, y de nuevo se ilumina en el espíritu de la humanidad la esperanza en el Esposo anhelado, cuya imagen, dulce y radiosa como en los versos de marfil de los místicos, basta para mantener la animación y el contento de la vida, aun cuando nunca haya de encarnarse en la realidad. [. . .]

1. Ernest Renan (1823-1892), sabio filólogo e historiador francés, que influyó mucho en el pensamiento de esa época. 2. nombre antiguo del Japón. 3. Jean Marie Guyau (1854-1888), filósofo francés. 4. referencia a la obra de Terencio (194-159 a. de J. C.), *El verdugo de sí mismo.* 5. hijo de Abrahán y de Agar, tronco de los ismaelitas o árabes. Referencia a la vida nómada. 6. nombre de varias ciudades de la antigua Grecia.

La divergencia de las vocaciones personales imprimirá diversos sentidos a vuestra actividad, y hará predominar una disposición, una aptitud determinada, en el espíritu de cada uno de vosotros. Los unos seréis hombres de ciencia; los otros seréis hombres de arte; los otros seréis hombres de acción. — Pero por encima de los afectos que hayan de vincularos individualmente a distintas aplicaciones y distintos modos de la vida, debe velar, en lo íntimo de vuestra alma, la conciencia de la unidad fundamental de nuestra naturaleza, que exige que cada individuo humano sea, ante todo y sobre toda otra cosa, un ejemplar no mutilado de la humanidad, en el que ninguna noble facultad del espíritu quede obliterada y ningún alto interés de todos pierda su virtud comunicativa. Antes que las modificaciones de profesión y de cultura está el cumplimiento del destino común de los seres racionales. « Hay una profesión universal, que es la de *hombre* », ha dicho admirablemente Guyau. Y Renán, recordando, a propósito de las civilizaciones desequilibradas y parciales, que el fin de la criatura humana no puede ser exclusivamente saber, ni sentir, ni imaginar, sino ser real y enteramente *humana*, define el ideal de perfección a que ella debe encaminar sus energías como la posibilidad de ofrecer en un tipo individual un cuadro abreviado de la especie.

Aspirad, pues, a desarrollar en lo posible, no un solo aspecto, sino la plenitud de vuestro ser. No os encojáis de hombros delante de ninguna noble y fecunda manifestación de la naturaleza humana, a pretexto de que vuestra organización individual os liga con preferencia a manifestaciones diferentes. Sed espectadores atentos allí donde no podáis ser actores. — Cuando cierto falsísimo y vulgarizado concepto de la educación, que la imagina subordinada exclusivamente al fin utilitario, se empeña en mutilar, por medio de ese utilitarismo y de una especialización prematura, la integridad natural de los espíritus, y anhela proscribir de la enseñanza todo elemento desinteresado e ideal, no repara suficientemente en el peligro de preparar para el porvenir espíritus estrechos, que, incapaces de considerar más que el único aspecto de la realidad con que están inmediatamente en contacto, vivirán separados por helados desiertos de los espíritus que, dentro de la misma sociedad, se hayan adherido a otras manifestaciones de la vida.

Lo necesario de la consagración particular de cada uno de nosotros a una actividad determinada, a un solo modo de cultura, no excluye, ciertamente, la tendencia a realizar, por la íntima armonía del espíritu, el destino común de los seres racionales. Esa actividad, esa cultura, serán sólo la nota fundamental de la armonía. — El verso célebre en que el esclavo de la escena antigua afirmó que, pues era hombre, no le era ajeno nada de lo humano,[4] forma parte de los gritos que, por su sentido inagotable, resonarán eternamente en la conciencia de la humanidad. Nuestra capacidad de comprender, sólo debe tener por límite la imposibilidad de comprender a los espíritus estrechos. Ser incapaz de ver de la Naturaleza más que una faz; de las ideas e intereses humanos más que uno solo, equivale a vivir envuelto en una sombra de sueño horadada por un solo rayo de luz. La intolerancia, el exclusivismo, que cuando nacen de la tiránica absorción de un alto entusiasmo, del desborde de un desinteresado propósito ideal, pueden merecer justificación, y aun simpatía, se convierten en la más abominable de las inferioridades cuando, en el círculo de la vida vulgar, manifiestan la limitación de un cerebro incapacitado para reflejar más que una parcial apariencia de las cosas. [. . .]

Yo os ruego que os defendáis, en la milicia de la vida, contra la mutilación de vuestro espíritu por la tiranía de un objetivo único e interesado. No entreguéis nunca a la utilidad o a la pasión, sino una parte de vosotros. Aun dentro de la esclavitud material, hay la posibilidad de salvar la libertad interior: la de la razón y el sentimiento. No tratéis, pues, de justificar, por la absorción del trabajo o el combate, la esclavitud de vuestro espíritu.

Encuentro el símbolo de lo que debe ser nuestra alma en un cuento que evoco de un empolvado rincón de mi conciencia. Era un rey patriarcal, en el Oriente indeterminado e ingenuo donde gusta hacer nido la alegre bandada de los cuentos. Vivía su reino la candorosa infancia de las tiendas de Ismael[5] y los palacios de Pilos.[6] La tradición le llamó después, en la memoria de los hombres, el rey hospitalario. Inmensa era la piedad del rey. A desvanecerse en ella tendía, como por su propio peso, toda desventura. A su hospitalidad acudían lo mismo por blanco pan el miserable, que el alma desolada por el bálsamo de la palabra que acaricia. Su corazón reflejaba como sensible placa sonora, el ritmo de los otros. Su palacio era la casa del pueblo. Todo era libertad y animación dentro de este augusto recinto, cuya entrada nunca hubo guardas que vedasen. En los abiertos pórticos, formaban corro los pastores cuando consagraban a rústicos conciertos sus ocios; platicaban al caer la tarde los ancianos, y frescos grupos de mujeres disponían, sobre trenzados juncos, las flores y los racimos de que se componía únicamente el diezmo real. Mercaderes de Ofir,[7] buhoneros de Damasco,[8] cruzaban a toda hora las puertas anchurosas, y ostentaban en competencia, ante las miradas del rey, las telas, las joyas, los perfumes. Junto a su trono reposaban los abrumados peregrinos. Los pájaros se citaban al mediodía para recoger las migajas de su mesa; y con el alba, los niños llegaban en bandadas bulliciosas al pie del lecho en que dormía el rey de barba de plata y le anunciaban la presencia del sol. Lo mismo a los seres sin ventura que a las cosas sin alma alcanzaba su liberalidad infinita. La Naturaleza sentía también la atracción de su llamado generoso; vientos, aves y plantas parecían buscar — como en el mito de Orfeo[9] y en la leyenda de San Francisco de Asís[10] —, la amistad humana en aquel oasis de hospitalidad. Del germen caído al acaso, brotaban y florecían, en las junturas de los pavimentos y los muros, los alhelíes de la ruinas, sin que una mano cruel los arrancase ni los hollara un pie maligno. Por las francas ventanas se tendían al interior de las cámaras del rey las enredaderas osadas y curiosas. Los fatigados vientos abandonaban largamente sobre el alcázar real su carga de aromas y armonías. Empinándose desde el vecino mar, como si quisieran ceñirle en un abrazo, le salpicaban las olas con su espuma. Y una libertad paradisial, una inmensa reciprocidad de confianzas, mantenían por dondequiera la animación de una fiesta inextinguible...

Pero dentro, muy dentro, aislada del alcázar ruidoso por cubiertos canales, oculta a la mirada vulgar — como la « perdida iglesia » de Uhland[11] en lo esquivo del bosque —, al cabo de ignorados senderos, una misteriosa sala se extendía, en la que a nadie era lícito poner la planta, sino al mismo rey, cuya hospitalidad se trocaba en sus umbrales en la apariencia de ascético egoísmo. Espesos muros la rodeaban. Ni un eco del bullicio exterior, ni una nota escapada al concierto de la Naturaleza, ni una palabra desprendida de labios de los hombres, lograban traspasar el espesor de los sillares de pórfido y conmover una onda del aire en la prohibida estancia. Religioso silencio velaba en la castidad del aire dormido. La luz, que tamizaban esmaltadas vidrieras, llegaba lánguida, medido el paso por una inalterable igualdad, y se diluía, como copo de nieve que invade un nido tibio, en la calma de un ambiente celeste. Nunca reinó tan honda paz, ni en oceánica gruta ni en soledad nemorosa. Alguna vez — cuando la noche era diáfana y tranquila —, abriéndose a modo de dos valvas de nácar la artesonada techumbre, dejaba cernerse en su lugar la magnificencia de las sombras serenas. En el ambiente flotaba como una onda indisipable la casta esencia del nenúfar, el perfume sugeridor del adormecimiento penseroso y de la contemplación del propio ser. Graves cariátides custodiaban las puertas de marfil en la actitud del silenciario. En los testeros, esculpidas imágenes hablaban de idealidad, de ensimismamiento, de reposo . . . Y el viejo rey aseguraba que, aun cuando a nadie fuera dado acompañarle hasta allí, su hospitalidad seguía siendo en el misterioso seguro tan generosa y grande como siempre, sólo que los que él congregaba dentro de sus muros discretos eran convidados impalpables y huéspedes sutiles. En él soñaba, en él se libertaba de la realidad, el rey legendario; en él sus miradas se volvían a lo interior y se bruñían en la meditación de sus pensamientos como las guijas lavadas por la espuma; en él se desplegaban sobre su noble frente las blancas alas de Psiquis . . .[12] Y luego, cuando la muerte vino a recordarle que él no había sido sino un huésped más en su palacio, la impenetrable estancia quedó clausurada y viuda para siempre, para siempre abismada en su reposo infinito; nadie la profanó jamás, porque nadie hubiera osado poner la planta irreverente allí donde el viejo rey quiso estar solo con sus sueños y aislado en la última Thule[13] de su alma.

Yo doy al cuento el escenario de vuestro reino interior. Abierto con una saludable liberalidad, como la casa del monarca confiado, a todas las corrientes del mundo, exista en él, al mismo tiempo, la celda escondida y misteriosa que desconozcan los huéspedes profanos y que a nadie

7. comarca de Oriente, acaso el Yemen, adonde mandó Salomón a buscar oro. 8. ciudad de Asia, antigua residencia de califas. 9. personaje de la mitología griega; su música era tan melodiosa que las fieras acudían a oírla, olvidando su ferocidad. 10. que hablaba con los animales y ellos le escuchaban.
11. Ludwig Uhland (1787-1862), poeta lírico alemán. 12. o Psique, joven de gran belleza, querida del Amor; personificación del alma. 13. o Tule, nombre dado por los romanos a una isla al norte de Europa, probablemente una de las Shetland. En la literatura suele indicar el lugar más apartado del mundo, un reino fantástico alejado de todo. 14. Michel de Montaigne (1533-1592), célebre moralista francés, autor de unos famosos *Ensayos*. 15. filósofo estoico del siglo III antes de J. C. 16. filósofo griego nacido a fines del siglo IV antes de J. C., fundador del estoicismo. 17. Immanuel Kant (1724-1804), filósofo alemán.

más que a la razón serena pertenezca. Sólo cuando penetréis dentro del inviolable seguro podréis llamaros, en realidad, hombres libres. No lo son quienes, enajenando insensatamente el dominio de sí a favor de la desordenada pasión o el interés utilitario, olvidan que, según el sabio precepto de Montaigne,[14] nuestro espíritu puede ser objeto de préstamo, pero no de cesión. Pensar, soñar, admirar: he ahí los nombres de los sutiles visitantes de mi celda. Los antiguos los clasificaban dentro de su noble inteligencia del *ocio*, que ellos tenían por el más elevado empleo de una existencia verdaderamente racional, identificándolo con la libertad del pensamiento emancipado de todo innoble yugo. El ocio noble era la inversión del tiempo que oponían, como expresión de la vida superior, a la actividad económica. Vinculando exclusivamente a esa alta y aristocrática idea del reposo su concepción de la dignidad de la vida, el espíritu clásico encuentra su corrección y su complemento en nuestra moderna creencia en la dignidad del trabajo útil; y entrambas atenciones del alma pueden componer, en la existencia individual, un ritmo, sobre cuyo mantenimiento necesario nunca será inoportuno insistir. La escuela estoica, que iluminó el ocaso de la antigüedad como por un anticipado resplandor del cristianismo, nos ha legado una sensible y conmovedora imagen de la salvación de la libertad interior, aun en medio a los rigores de la servidumbre, en la hermosa figura de Cleanto,[15] de aquel Cleanto que, obligado a emplear la fuerza de sus brazos de atleta en sumergir el cubo de una fuente y mover la piedra de un molino, concedía a la meditación las treguas del quehacer miserable y trazaba, con encallecida mano, sobre las piedras del camino, las máximas oídas de labios de Zenón.[16] Toda educación racional, todo perfecto cultivo de nuestra naturaleza, tomarán por punto de partida la posibilidad de estimular en cada uno de nosotros la doble actividad que simboliza Cleanto.

Una vez más: el principio fundamental de vuestro desenvolvimiento, vuestro lema en la vida, deben ser mantener la integridad de vuestra condición humana. Ninguna función particular debe prevalecer jamás sobre esa finalidad suprema. Ninguna fuerza aislada puede satisfacer los fines racionales de la existencia individual, como no puede producir el ordenado concierto de la existencia colectiva. Así como la deformidad y el empequeñecimiento son, en el alma de los individuos, el resultado de un exclusivo objeto impuesto a la acción y un solo modo de cultura, la falsedad de lo artificial vuelve efímera la gloria de las sociedades que han sacrificado el libre desarrollo de su sensibilidad y su pensamiento, ya a la actividad mercantil, como en Fenicia; ya a la guerra, como en Esparta; ya al misticismo, como en el terror milenario; ya a la vida de sociedad y de salón, como en la Francia del siglo XVIII. Y preservándoos contra toda mutilación de vuestra naturaleza moral, aspirando a la armoniosa expansión de vuestro ser en todo noble sentido, pensad al mismo tiempo en que la más fácil y frecuente de las mutilaciones es, en el carácter actual de las sociedades humanas, la que obliga al alma a privarse de ese género de *vida interior*, donde tienen su ambiente propio todas las cosas delicadas y nobles que, a la intemperie de la realidad, quema el aliento de la pasión impura y el interés utilitario proscribe: la vida de que son parte la meditación desinteresada, la contemplación ideal, el *ocio* antiguo, la impenetrable estancia de mi cuento. [. . .]

*

Yo creo indudable que el que ha aprendido a distinguir de lo delicado lo vulgar, lo feo de lo hermoso, lleva hecha media jornada para distinguir lo malo de lo bueno. No es, por cierto, el buen gusto, como querría cierto *dilettantismo* moral, el único criterio para apreciar la legitimidad de las acciones humanas; pero menos debe considerársele, con el criterio de un estrecho ascetismo, una tentación del error y una sirte engañosa. No le señalaremos nosotros como la senda misma del bien; sí como un camino paralelo y cercano que mantiene muy aproximados a ella el paso y la mirada del viajero. A medida que la humanidad avance, se concebirá más claramente la ley moral como una estética de la conducta. Se huirá del mal y del error como de una disonancia; se buscará lo bueno como el placer de una armonía. Cuando la severidad estoica de Kant[17] inspira, simbolizando el espíritu de su ética, las austeras palabras: « Dormía, y soñé que la vida era belleza; desperté, y advertí que ella es deber », desconoce que, si el deber es la realidad suprema, en ella puede hallar realidad el objeto de su sueño, porque la conciencia del deber le dará, con la visión clara de lo bueno, la complacencia de lo hermoso. [. . .]

Indudablemente, ninguno más seguro entre los resultados de la estética que el que nos enseña a distinguir en la esfera de lo relativo, lo bueno y lo verdadero, de lo hermoso, y a aceptar la posibilidad de una belleza del mal y del error.

Pero no se necesita desconocer esta verdad, *definitivamente* verdadera, para creer en el encadenamiento simpático de todos aquellos altos fines del alma, y considerar a cada uno de ellos como el punto de partida, no único, pero sí más seguro, de donde sea posible dirigirse al encuentro de los otros.

La idea de un superior acuerdo entre el buen gusto y el sentido moral es, pues, exacta, lo mismo en el espíritu de los individuos que en el espíritu de las sociedades. [. . .]

Con frecuencia habréis oído atribuir a dos causas fundamentales el desborde del espíritu de utilidad que da su nota a la fisonomía moral del siglo presente, con menoscabo de la consideración *estética* y desinteresada de la vida. Las revelaciones de la ciencia de la naturaleza — que, según intérpretes, ya adversos, ya favorables a ellas, convergen a destruir toda idealidad por su base, son la una, la universal difusión; y el triunfo de las ideas democráticas, la otra. Yo me propongo hablaros exclusivamente de esta última causa [...]

*

Abandonada a sí misma, — sin la constante rectificación de una activa autoridad moral que la depure y encauce su tendencia en el sentido de la dignificación de la vida —, la democracia extinguirá gradualmente toda idea de superioridad que no se traduzca en una mayor y más osada aptitud para las luchas del interés, que son entonces la forma más innoble de las brutalidades de la fuerza. La selección espiritual — el enaltecimiento de la vida por la presencia de estímulos desinteresados, el gusto, el arte, la suavidad de las costumbres, el sentimiento de admiración por todo perseverante propósito ideal y de acatamiento a toda noble supremacía, serán como debilidades indefensas allí donde la igualdad social que ha destruído las jerarquías imperativas e infundadas, no las substituya con otras, que tengan en la influencia moral su único modo de dominio y su principio en una clasificación racional.

Toda igualdad de condiciones es en el orden de las sociedades, como toda homogeneidad en el de la Naturaleza, un equilibrio instable. Desde el momento en que haya realizado la democracia su obra de negación con el allanamiento de las superioridades injustas, la igualdad conquistada no puede significar para ella sino un punto de partida. Resta la afirmación. Y lo afirmativo de la democracia y su gloria consistirán en suscitar, por eficaces estímulos, en su seno, la revelación y el dominio de las *verdaderas* superioridades humanas.

Es indudable que nuestro interés egoísta debería llevarnos, — a falta de virtud —, a ser hospitalarios. Ha tiempo que la suprema necesidad de colmar el vacío moral del desierto, hizo decir a un publicista ilustre que, en América, *gobernar es poblar*.[18] Pero esta fórmula famosa encierra una verdad contra cuya estrecha interpretación es necesario prevenirse, porque conduciría a atribuir una incondicional eficacia civilizadora al valor cuantitativo de la muchedumbre. — Gobernar es poblar, asimilando, en primer término; educando y seleccionando, después. [. . .]

La multitud, la masa anónima, no es nada por sí misma. La multitud será un instrumento de barbarie o de civilización según carezca o no del coeficiente de una alta dirección moral. Hay una verdad profunda en el fondo de la paradoja de Emerson que exige que cada país del globo sea juzgado según la minoría y no según la mayoría de sus habitantes. La civilización de un pueblo adquiere su carácter, no de las manifestaciones de su prosperidad o de su grandeza material, sino de las superiores maneras de pensar y de sentir que dentro de ellas son posibles. [. . .]

Es en la escuela, por cuyas manos procuramos que pase la dura arcilla de las muchedumbres, donde está la primera y la más generosa manifestación de la equidad social, que consagra para todos la accesibilidad del saber y de los medios más eficaces de superioridad. Ella debe complementar tan noble cometido, haciendo objetos de una educación preferente y cuidadosa el sentido de orden, la idea y la voluntad de la justicia, el sentimiento de las legítimas autoridades morales.

Ninguna distinción más fácil de confundirse y anularse en el espíritu del pueblo que la que enseña que la igualdad democrática puede significar una igual *posibilidad*, pero nunca una igual *realidad*, de influencia y de prestigio, entre los miembros de una sociedad organizada. En todos ellos hay un derecho idéntico para aspirar a las superioridades morales que deben dar razón y fundamento a las superioridades efectivas; pero

18. Juan Bautista Alberdi (1814-1886), estadista argentino, autor de dicha frase. 19. Alfred Fouillée (1838-1912), filósofo y moralista francés. 20. Friedrich Nietzsche (1844-1900), célebre filósofo alemán.

21. Henry Bérenger (Francia; 1867), autor de *La aristocracia intelectual.*

sólo a los que han alcanzado realmente la posesión de las primeras, debe ser concedido el premio de las últimas. El verdadero, el digno concepto de la igualdad, reposa sobre el pensamiento de que todos los seres racionales están dotados por naturaleza de facultades capaces de un desenvolvimiento noble. El deber del Estado consiste en colocar a todos los miembros de la sociedad en indistintas condiciones de tender a su perfeccionamiento. El deber del Estado consiste en predisponer los medios propios para provocar, uniformemente, la revelación de las superioridades humanas, dondequiera que existan. De tal manera, más allá de esta igualdad inicial, toda desigualdad estará justificada, porque será la sanción de las misteriosas elecciones de la Naturaleza o del esfuerzo meritorio de la voluntad. Cuando se la concibe de este modo, la igualdad democrática, lejos de oponerse a la selección de las costumbres y de las ideas, es el más eficaz instrumento de selección espiritual, es el ambiente *providencial* de la cultura. La favorecerá todo lo que favorezca al predominio de la energía inteligente. [. . .]

Racionalmente concebida, la democracia admite siempre un imprescriptible elemento aristocrático, que consiste en establecer la superioridad de los mejores, asegurándola sobre el consentimiento libre de los asociados. Ella consagra, como las aristocracias, la distinción de calidad; pero las resuelve a favor de las calidades realmente superiores — las de la virtud, el carácter, el espíritu —, y sin pretender inmovilizarlas en clases constituídas aparte de las otras, que mantengan a su favor el privilegio execrable de la casta, renueva sin cesar su aristocracia dirigente en las fuentes vivas del pueblo y la hace aceptar por la justicia y el amor. Reconociendo, de tal manera, en la selección y la predominancia de los mejor dotados una necesidad de todo progreso, excluye de esa ley universal de la vida, al sancionarla en el orden de la sociedad, el efecto de humillación y de dolor que es, en las concurrencias de la Naturaleza y en las de las otras organizaciones sociales, el duro lote del vencido. « La gran ley de la selección natural — ha dicho luminosamente Fouillée[19] —, continuará realizándose en el seno de las sociedades humanas, sólo que ella se realizará de más en más por vía de libertad. » El carácter odioso de las aristocracias tradicionales se originaba de que ellas eran injustas por su fundamento, y opresoras, por cuanto su autoridad era una imposición. Hoy sabemos que no existe otro límite legítimo para la igualdad humana que el que consiste en el dominio de la inteligencia y la virtud, consentido por la libertad de todos. Pero sabemos también que es necesario que este límite exista en realidad. Por otra parte, nuestra concepción cristiana de la vida nos enseña que las superioridades morales, que son un motivo de derechos, son principalmente un motivo de deberes, y que todo espíritu superior se debe a los demás en igual proporción que los excede en capacidad de realizar el bien. El antiigualitarismo de Nietzsche[20] — que tan profundo surco señala en la que podríamos llamar nuestra moderna *literatura de ideas* —, ha llevado a su poderosa reivindicación de los derechos que él considera implícitos en las superioridades humanas, un abominable, un reaccionario espíritu, puesto que, negando toda fraternidad, toda piedad, pone en el corazón del *superhombre* a quien endiosa, un menosprecio satánico para los desheredados y los débiles; legitima en los privilegiados de la voluntad y de la fuerza el ministerio del verdugo; y con lógica resolución llega, en último término, a afirmar que « la sociedad no existe para sí, sino para sus elegidos. » No es, ciertamente, esta concepción monstruosa la que puede oponerse, como lábaro, al falso igualitarismo que aspira a la nivelación de todos por la común vulgaridad. ¡Por fortuna, mientras exista en el mundo la posibilidad de disponer dos trozos de madera en forma de cruz, es decir, siempre, la humanidad seguirá creyendo que es el amor el fundamento de todo orden estable y que la superioridad jerárquica en el orden no debe ser sino una superior capacidad de amar!

Fuente de inagotables inspiraciones morales, la ciencia nueva nos sugiere al esclarecer las leyes de la vida, cómo el principio democrático puede conciliarse, en la organización de las colectividades humanas, con una *aristarquía* de la moral y la cultura. Por una parte — como lo ha hecho notar una vez más, en su simpático libro, Henri Bérenger[21] —, las afirmaciones de la ciencia contribuyen a sancionar y fortalecer en la sociedad un espíritu de la democracia, revelando cuánto es el valor natural del esfuerzo colectivo; cuál la grandeza de la obra de los pequeños; cuán inmensa la parte de acción reservada al colaborador anónimo y obscuro en cualquiera manifestación del desenvolvimiento universal. Realza, no menos que la revelación cristiana, la dignidad de los humildes, esta nueva revelación que atribuye, en la Naturaleza, a la obra de los infinitamente pequeños, a la labor del nummulite y el briozóo en el fondo obscuro del abismo, la construcción de los cimientos geológicos; que hace surgir de la vibración de la célula informe y primitiva, todo el impulso ascendente de las formas orgánicas; que manifiesta el poderoso papel que en nuestra vida psíquica es necesario atribuir a los fenómenos más inaparentes y más vagos, aun a las fugaces percepciones de que no tenemos conciencia; y que, llegando a la sociología y a la historia, restituye al heroísmo, a menudo abnegado, de las muchedumbres, la parte que le negaba el silencio en la gloria del héroe individual, y hace patente la lenta acumulación de las investigaciones que, al través de los siglos, en la sombra, en el taller, o el laboratorio de obreros olvidados, preparan los hallazgos del genio. [. . .]

Ante la posteridad, ante la historia, todo gran pueblo debe aparecer como una vegetación cuyo desenvolvimiento ha tendido armoniosamente a producir un fruto en el que su savia acrisolada ofrece al porvenir la idealidad de su fragancia y la fecundidad de su simiente. Sin este resultado duradero, *humano*, levantado sobre la finalidad transitoria de lo *útil*, el poder y la grandeza de los imperios no son más que una noche de sueño en la existencia de la humanidad; porque, como las visiones personales del sueño, no merecen contarse en el encadenamiento de los hechos que forman la trama activa de la vida.

Gran civilización, gran pueblo — en la acepción que tiene valor para la historia —, son aquellos que, al desaparecer materialmente en el tiempo, dejan vibrante para siempre la melancolía surgida de su espíritu y hacen persistir en la posteridad su legado imperecedero — según dijo Carlyle[22] del alma de sus « héroes » —, *como una nueva y divina porción de la suma de las cosas*. Tal, en el poema de Goethe, cuando la Elena evocada del reino de la noche vuelve a descender al Orco[23] sombrío, deja a Fausto su túnica y su velo. Estas vestiduras no son la misma deidad; pero participan, habiéndolas llevado ella consigo, de su alteza divina, y tienen la virtud de elevar a quien las posee por encima de las cosas vulgares.

Una sociedad definitivamente organizada que limite su idea de la civilización a acumular abundantes elementos de prosperidad, y su idea de la justicia a distribuirlos equitativamente entre los asociados, no hará de las ciudades donde habite nada que sea distinto, por esencia, del hormiguero o la colmena. No son bastantes, ciudades populosas, opulentas, magníficas, para probar la constancia y la intensidad de una civilización. La gran ciudad es, sin duda, un organismo necesario de la alta cultura Es el ambiente natural de las más altas manifestaciones del espíritu. No sin razón ha dicho Quinet[24] que « el alma que acude a beber fuerzas y energías en la íntima comunicación con el linaje humano, esa alma que constituye el grande hombre, no puede formarse y dilatarse en medio de los pequeños partidos de una ciudad pequeña. » Pero así la grandeza cuantitativa de la población como la grandeza material de sus instrumentos, de sus armas, de sus habitaciones, son sólo *medios* del genio civilizador, y en ningún caso resultados en los que él pueda detenerse. De las piedras que compusieron a Cartago, no dura una partícula transfigurada en espíritu y en luz. La inmensidad de Babilonia y de Nínive no representa en la memoria de la humanidad el hueco de una mano si se la compara con el espacio que va desde la Acrópolis al Pireo.[25] Hay una perspectiva ideal en la que la ciudad no aparece grande sólo porque prometa ocupar el área inmensa que había edificada en torno a la torre de Nemrod; ni aparece fuerte sólo porque sea capaz de levantar de nuevo ante sí los muros babilónicos sobre los que era posible hacer pasar seis carros de frente; ni aparece hermosa sólo porque, como Babilonia, luzca en los paramentos de sus palacios losas de alabastro y se enguirnalde con los jardines de Semíramis.[26]

Grande es en esa perspectiva la ciudad, cuando los arrabales de su espíritu alcanzan más allá de las cumbres y los mares, y cuando, pronunciado su nombre, ha de iluminarse para la posteridad toda una jornada de la historia humana, todo un horizonte del tiempo. La ciudad es fuerte y hermosa cuando sus días son algo más que la invariable repetición de un mismo eco, reflejándose indefinidamente de uno en otro círculo de una eterna espiral; cuando hay algo en ella que flota por encima de la muchedumbre; cuando

22. Thomas Carlyle (1724-1804), historiador escocés, autor de *Los héroes y el culto de los héroes*. 23. infierno, averno; lugar donde iban las almas después de la muerte, según las creencias paganas. 24. Edgar Quinet (1803-1875), filósofo e historiador francés. 25. el puerto de Atenas, en Grecia. 26. reina legendaria de Asiria y de Babilonia a quien se atribuye la tradición de la fundación de esta última ciudad y de sus jardines colgantes. 27. Alfred, Lord Tennyson (1809-1892), famoso poeta inglés. 28. Mariano Moreno (1778-1811), patriota argentino, uno de los principales caudillos de la revolución de independencia en 1810. 29. Bernardino Rivadavia (1780-1845), político argentino, presidente de la República en 1826. 30. filósofo griego (413-323 antes de J. C.). Referencia a la anécdota que se cuenta de que un día, asistiendo a una lección del escéptico Zenón, que negaba el movimiento, Diógenes se levantó y se puso a andar, para responder al sofista.

entre las luces que se encienden durante sus noches está la lámpara que acompaña la soledad de la vigilia inquietada por el pensamiento y en la que se incuba la idea que ha de surgir al sol del otro día convertida en el grito que congrega la fuerza que conduce las almas.

Entonces sólo, la extensión y la grandeza material de la ciudad pueden dar la medida para calcular la intensidad de su civilización. Ciudades regias, soberbias aglomeraciones de casas, son para el pensamiento un cauce más inadecuado que la absoluta soledad del desierto, cuando el pensamiento no es el señor que las domina. Leyendo el *Maud* de Ténnyson,[27] hallé una página que podría ser el símbolo de ese tormento del espíritu allí donde la sociedad humana es para él un género de soledad. Presa de angustioso delirio, el héroe del poema se sueña muerto y sepultado, a pocos pies dentro de tierra, bajo el pavimento de una calle de Londres. A pesar de la muerte, su conciencia permanece adherida a los fríos despojos de su cuerpo. El clamor confuso de la calle, propagándose en sorda vibración hasta la estrecha cavidad de la tumba, impide en ella todo sueño de paz. El peso de la multitud indiferente gravita a toda hora sobre la triste prisión de aquel espíritu, y los cascos de los caballos que pasan parecen empeñarse en estampar sobre él un sello de oprobio. Los días se suceden con lentitud inexorable. La aspiración de Maud consistiría en hundirse más dentro, mucho más dentro, de la tierra. El ruido ininteligente del tumulto sólo sirve para mantener en su conciencia desvelada el pensamiento de su cautividad.

Existen ya, en nuestra América latina, ciudades cuya grandeza material y cuya suma de civilización aparente, las acercan con acelerado paso a participar del primer rango en el mundo. Es necesario temer que el pensamiento sereno que se aproxime a golpear sobre las exterioridades fastuosas, como sobre un cerrado vaso de bronce, sienta el ruido desconsolador del vacío. Necesario es temer, por ejemplo, que ciudades cuyo nombre fué un glorioso símbolo en América; que tuvieron a Moreno,[28] a Rivadavia,[29] a Sarmiento; que llevaron la iniciativa de una inmortal Revolución; ciudades que hicieron dilatarse por toda la extensión de un continente, como en el armonioso desenvolvimiento de las ondas concéntricas que levanta el golpe de la piedra sobre el agua dormida, la gloria de sus héroes y la palabra de sus tribunos, puedan terminar en Sidón, en Tiro, en Cartago.

A vuestra generación toca impedirlo; a la juventud que se levanta, sangre y músculo y nervio del porvenir. Quiero considerarla personificada en vosotros. Os hablo ahora figurándome que sois los destinados a guiar a los demás en los combates por la causa del espíritu. La perseverancia de vuestro esfuerzo debe identificarse en vuestra intimidad con la certeza del triunfo. No desmayéis en predicar el Evangelio de la delicadeza a los escitas, el Evangelio de la inteligencia a los beocios, el Evangelio del desinterés a los fenicios.

Basta que el pensamiento insista en *ser* — en demostrar que existe, con la demostración que daba Diógenes[30] del movimiento —, para que su dilatación sea ineluctable y para que su triunfo sea seguro.

El pensamiento se conquistará, palmo a palmo, por su propia espontaneidad, todo el espacio de que necesite para afirmar y consolidar su reino, entre las demás manifestaciones de la vida. Él, en la organización individual, levanta y engrandece, con su actividad continuada, la bóveda del cráneo que le contiene. Las razas pensadoras revelan, en la capacidad creciente de sus cráneos, ese empuje del obrero interior. Él, en la organización social, sabrá también engrandecer la capacidad de su escenario, sin necesidad de que para ello intervenga ninguna fuerza ajena a él mismo. Pero tal persuasión, que debe defenderos de un desaliento cuya única utilidad consistiría en eliminar a los mediocres y los pequeños, de la lucha, debe preservaros también de las impaciencias que exigen vanamente la alteración de su ritmo imperioso.

Todo el que se consagre a propagar y defender, en la América contemporánea, un ideal desinteresado del espíritu — arte, ciencia, moral, sinceridad religiosa, política de ideas —, debe educar su voluntad en el culto perseverante del porvenir. El pasado perteneció todo entero al brazo que combate; el presente pertenece, casi por completo también, al tosco brazo que nivela y construye; el porvenir — un porvenir tanto más cercano cuanto más enérgicos sean la voluntad y el pensamiento de los que le ansían — ofrecerá, para el desenvolvimiento de superiores facultades del alma, la estabilidad, el escenario y el ambiente.

¿No la veréis vosotros, la América que nosotros soñamos; hospitalaria para las cosas del espíritu, y no tan sólo para las muchedumbres que se amparen a ella; pensadora, sin menoscabo de su aptitud para la acción; serena y firme a pesar de sus entusiasmos generosos; resplandeciente con el encanto de una seriedad temprana y suave, como la que realza la expresión de un rostro infantil cuando en él se revela, al través de la gracia intacta que fulgura, el pensamiento inquieto que despierta? . . . Pensad en ella a lo menos; el honor de vuestra historia futura depende de que tengáis constantemente ante los ojos del alma la visión de esa América regenerada, cerniéndose de lo alto sobre las realidades del presente, como en la nave gótica el vasto rosetón que arde en luz sobre lo austero de los muros sombríos. — No seréis sus fundadores, quizá; seréis los precursores que inmediatamente la precedan. En las sanciones glorificadoras del futuro hay también palmas para el recuerdo de los precursores. Edgard Quinet, que tan profundamente ha penetrado en las armonías de la historia y la Naturaleza, observa que para preparar el advenimiento de un nuevo tipo humano, de una nueva unidad social, de una personificación nueva de la civilización, suele precederles de lejos un grupo disperso y prematuro, cuyo papel es análogo en la vida de las sociedades al de las *especies proféticas* de que a propósito de la evolución biológica habla Hébert.[31] El tipo nuevo empieza por significar, apenas, diferencias individuales y aisladas; los individualismos se organizan más tarde en « variedad »; y por último, la variedad encuentra para propagarse un medio que la favorece, y entonces ella asciende quizá al rango específico: entonces — digámoslo con las palabras de Quinet — *el grupo se hace muchedumbre, y reina.*

He ahí por qué vuestra filosofía moral en el trabajo y el combate debe ser el reverso del *carpe diem* horaciano,[32] una filosofía que no se adhiera a lo presente sino como al peldaño donde afirmar el pie o como a la brecha por donde entrar en muros enemigos. No aspiraréis, en lo inmediato, a la consagración de la victoria definitiva, sino a procuraros mejores condiciones de lucha. Vuestra energía viril tendrá en ello un estímulo más poderoso, puesto que hay la virtualidad de un interés dramático mayor en el desempeño de ese papel, activo esencialmente, de renovación y de conquista, propio para acrisolar las fuerzas de una generación heroicamente dotada, en la serena y olímpica actitud que suelen las edades de oro del espíritu imponer a los oficiantes solemnes de su gloria. — « No es la posesión de los bienes — ha dicho profundamente Taine[33] hablando de las alegrías del Renacimiento —; no es la posesión de bienes, sino su adquisición, lo que da a los hombres el placer y el sentimiento de su fuerza. »

Acaso sea atrevida y candorosa esperanza creer en un aceleramiento tan continuo y dichoso de la evolución, en una eficacia tal de vuestro esfuerzo, que baste el tiempo concedido a la duración de una generación humana para llevar en América las condiciones de la vida intelectual, desde la incipiencia en que las tenemos ahora, a la categoría de un verdadero interés social y a una cumbre que de veras domine. Pero donde no cabe la transformación total, cabe el progreso; y aun cuando supierais que las primicias del suelo penosamente trabajado, no habrían de servirse en vuestra mesa jamás, ello sería, si sois generosos, si sois fuertes, un nuevo estímulo en la intimidad de vuestra conciencia. La obra mejor es la que se realiza sin las impaciencias del éxito inmediato; y el más glorioso esfuerzo es el que pone la esperanza más allá del horizonte visible; y la abnegación más pura es la que se niega en lo presente, no ya a la compensación del lauro y el honor ruidoso, sino aun a la voluptuosidad moral que se solaza en la contemplación de la obra consumada y el término seguro.

Hubo en la antigüedad altares para los « dioses ignorados ». Consagrad una parte de vuestra alma al porvenir desconocido. A medida que las sociedades avanzan, el pensamiento del porvenir entra por mayor parte como uno de los factores de su evolución y una de las inspiraciones de sus obras.

Desde la imprevisión obscura del salvaje, que sólo divisa del futuro lo que falta para el terminar de cada período de sol y no concibe cómo los días que vendrán pueden ser gobernados en parte desde el presente, hasta nuestra preocupación solícita y previsora de la posteridad, media un espacio inmenso, que acaso parezca breve y miserable algún día. Sólo somos capaces de progreso en cuanto lo somos de adaptar nuestros actos a condiciones cada vez más distantes

31. Jacques René Hébert (1757-1794), orador francés y autor de varios folletos revolucionarios. 32. « carpe diem », palabras de Horacio (Odas I, 11, 8) que se traducen como « aprovecha el momento presente. » 33. Hipolyte Taine (1828-1893), filósofo, historiador y crítico francés. 34. Eduard von Hartmann (1842-1906), filósofo alemán, autor de la famosa *Filosofía de lo Inconsciente*. 35. referencia al drama de Lord Byron, que tiene alguna semejanza con el *Fausto* de Goethe. 36. río del Indostán que riega Benarés y desagua en el golfo de Bengala. 37. Suniom, cabo de la Grecia septentrional, en cuya cima se ven las ruinas de un templo de Atenea. 38. lugar de la Toscana, en Italia, donde San Francisco de Asís recibió la impresión de las llagas de Jesucristo.

de nosotros, en el espacio y en el tiempo. La seguridad de nuestra intervención en una obra que haya de sobrevivirnos, fructificando en los beneficios del futuro, realza nuestra dignidad humana, haciéndonos triunfar de las limitaciones de nuestra naturaleza. Si, por desdicha, la humanidad hubiera de desesperar definitivamente de la inmortalidad de la conciencia individual, el sentimiento más religioso con que podría substituirla sería el que nace de pensar que, aun después de disuelta nuestra alma en el seno de las cosas, persistiría en la herencia que se trasmiten las generaciones humanas, lo mejor de lo que ella ha sentido y ha soñado, su esencia más íntima y más pura, al modo como el rayo lumínico de la estrella extinguida persiste en lo infinito y desciende a acariciarnos con su melancólica luz.

Los hombres y los pueblos trabajan, en sentir de Fouillée, bajo la inspiración de las ideas, como los irracionales bajo la inspiración de los instintos; y la sociedad que lucha y se esfuerza, a veces sin saberlo, por imponer una idea a la realidad, imita, según el mismo pensador, la obra instintiva del pájaro que, al construir el nido bajo el imperio de una imagen interna que le obsede, obedece a la vez a un recuerdo inconsciente del pasado y a un presentimiento misterioso del porvenir.

Eliminando la sugestión del interés egoísta de las almas, el pensamiento inspirado en la preocupación por destinos ulteriores a nuestra vida, todo lo purifica y serena, todo lo ennoblece; y es un alto honor de nuestro siglo el que la fuerza obligatoria de esa preocupación por lo futuro, el sentimiento de esa elevada imposición de la dignidad del ser racional, se hayan manifestado tan claramente en él, que aun en el seno del más absoluto pesimismo, aun en el seno de la amarga filosofía que ha traído a la civilización occidental, dentro del loto de Oriente, el amor de la disolución y la nada, la voz de Hartmann[34] ha predicado, con la apariencia de la lógica, el austero deber de continuar la obra del perfeccionamiento, de trabajar en beneficio del porvenir, para que, acelerada la evolución por el esfuerzo de los hombres, llegue ella con más rápido impulso a su étrmino final, que será el término de todo dolor y toda vida.

Pero no, como Hartmann, en nombre de la muerte, sino en el de la vida misma y la esperanza, yo os pido una parte de vuestra alma para la obra del futuro. Para pedírosla, he querido inspirarme en la imagen dulce y serena de mi Ariel. El bondadoso genio en quien Shakespeare acertó a infundir, quizá con la divina inconsciencia frecuente en las adivinaciones geniales, tan alto simbolismo, manifiesta claramente en la estatua su significación ideal, admirablemente traducida por el arte en líneas y contornos. Ariel es la razón y el sentimiento superior. Ariel es este sublime instinto de perfectibilidad, por cuya virtud se magnifica y convierte en centro de las cosas, la arcilla humana a la que vive vinculada su luz, la *miserable arcilla* de que los genios de Arimanes hablaban a Manfredo.[35] Ariel es, para la Naturaleza, el excelso coronamiento de su obra, que hace terminarse el proceso de ascensión de las formas organizadas, con la llamarada del espíritu. Ariel triunfante, significa idealidad y orden en la vida, noble inspiración en el pensamiento, desinterés en moral, buen gusto en arte, heroísmo en la acción, delicadeza en las costumbres. Es el héroe epónimo en la epopeya de la especie; él es el inmortal protagonista; desde que con su presencia inspiró los débiles esfuerzos de racionalidad del primer hombre prehistórico, cuando por primera vez dobló la frente obscura para labrar el pedernal o dibujar una agorera imagen en los huesos de reno; desde que con sus alas avivó la hoguera sagrada que el ario primitivo, progenitor de los pueblos civilizados, amigo de la luz, encendía en el misterio de las selvas del Ganges,[36] para forjar con su fuego divino el cetro de las razas superiores, se cierne, deslumbrante, sobre las almas que han extralimitado las cimas naturales de la humanidad; lo mismo sobre los héroes del pensamiento y el ensueño que sobre los de la acción y el sacrificio; lo mismo sobre Platón en el promontorio de Súnium,[37] que sobre San Francisco de Asís en la soledad del Monte Albernia.[38] Su fuerza incontrastable tiene por impulso todo el movimiento ascendente de la vida. Vencido una y mil veces por la indomable rebelión de Calibán, proscripto por la barbarie vencedora, asfixiado por el humo de las batallas, manchadas las alas transparentes al rozar el « eterno estercolero de Job », Ariel resurge inmortalmente, Ariel recobra su juventud y su hermosura, y acude ágil, como al mandato de Próspero, al llamado de cuantos le aman e invocan en la realidad. Su benéfico imperio alcanza, a veces, aun a los que le niegan y le desconocen. Él dirige a menudo las fuerzas ciegas del mal y la barbarie para que concurran, como las otras, a la obra del bien. Él cruzará la historia humana, entonando como en el drama de Shakespeare, su canción melodiosa, para animar a los que trabajan y a los que luchan, hasta que el cumplimiento del plan ignorado a que obedece, le permita — cual se liberta, en el drama, del servicio de Próspero —, romper sus lazos materiales y volver para siempre al centro de su lumbre divina.

Aun más que para mi palabra, yo exijo de vosotros un dulce e indeleble recuerdo para mi estatua de Ariel. Yo quiero que la imagen leve y graciosa de este bronce se imprima desde ahora en la más segura intimidad de vuestro espíritu. Recuerdo que una vez que observaba el monetario de un museo, provocó mi atención en la leyenda de una vieja moneda, la palabra *Esperanza*, medio borrada sobre la palidez decrépita del oro. Considerando la apagada incripción, yo meditaba en la posible realidad de su influencia. ¿Quién sabe qué activa y noble parte sería justo atribuir, en la formación del carácter y en la vida de algunas generaciones humanas, a ese lema sencillo actuando sobre los ánimos como una insistente sugestión? ¿Quién sabe cuántas vacilantes alegrías persistieron, cuántas generosas empresas maduraron, cuántos fatales propósitos se desvanecieron, al chocar las miradas con la palabra alentadora, impresa, como un gráfico grito, sobre el disco metálico que circuló de mano en mano? . . . Pueda la imagen de este bronce — troquelados vuestros corazones en ella — desempeñar en vuestra vida el mismo inaparente pero decisivo papel. Pueda ella, en las horas sin luz del desaliento, reanimar en vuestra conciencia el entusiasmo por el ideal vacilante, devolver a vuestro corazón el calor de la esperanza perdida. Afirmado primero en el baluarte de vuestra vida interior, Ariel se lanzará desde allí a la conquista de las almas. Yo le veo, en el porvenir, sonriéndoos con gratitud, desde lo alto, al sumergirse en la sombra vuestro espíritu. Yo creo en vuestra voluntad, en vuestro esfuerzo; y más aún, en los de aquellos a quienes daréis la vida y trasmitiréis vuestra obra. Yo suelo embriagarme con el sueño del día en que las cosas reales harán pensar que la Cordillera que se yergue sobre el suelo de América ha sido tallada para ser el pedestal definitivo de esta estatua, para ser el ara inmutable de su veneración.

*

Así habló Próspero. Los jóvenes discípulos se separaron del maestro después de haber estrechado su mano con afecto filial. De su suave palabra, iba con ellos la persistente vibración en que se prolonga el lamento del cristal herido, en un ambiente sereno. Era la última hora de la tarde. Un rayo del moribundo sol atravesaba la estancia, en medio de discreta penumbra, y tocando la frente de bronce de la estatua, parecía animar en los altivos ojos de Ariel la chispa inquieta de la vida. Prolongándose luego, el rayo hacía pensar en una larga mirada que el genio, prisionero en el bronce, enviase sobre el grupo juvenil que se alejaba. Por mucho espacio marchó el grupo en silencio. Al amparo de un recogimiento unánime se verificaba en el espíritu de todos ese fino destilar de la meditación, absorta en cosas graves, que un alma santa ha comparado exquisitamente a la caída lenta y tranquila del rocío sobre el vellón de un cordero. Cuando el áspero contacto de la muchedumbre les devolvió a la realidad que les rodeaba, era la noche ya. Una cálida y serena noche de estío. La gracia y la quietud que ella derramaba de su urna de ébano sobre la tierra, triunfaban de la prosa flotante sobre las cosas dispuestas por manos de los hombres. Sólo estorbaba para el éxtasis la presencia de la multitud. Un soplo tibio hacía estremecerse el ambiente con lánguido y delicioso abandono, como la copa trémula en la mano de una bacante. Las sombras, sin ennegrecer el cielo purísimo, se limitaban a dar a su azul el tono obscuro en que parece expresarse una serenidad pensadora. Esmaltándolas, los grandes astros centelleaban en medio de un cortejo infinito; Aldebarán, que ciñe una púrpura de luz; Sirio, como la cavidad de un nielado cáliz de plata volcado sobre el mundo; el Crucero, cuyos brazos abiertos se tienden sobre el suelo de América como para defender una última esperanza . . .

Y fué entonces, tras el prolongado silencio, cuando el más joven del grupo, a quien llamaban *Enjolrás* por su ensimismamiento reflexivo, dijo, señalando sucesivamente la perezosa ondulación del rebaño humano y la radiante hermosura de la noche:

— Mientras la muchedumbre pasa, yo observo que, aunque ella no mira al cielo, el cielo la mira. Sobre su masa indiferente y obscura, como tierra del surco, algo desciende de lo alto. La vibración de las estrellas se parece al movimiento de unas manos de sembrador.

39. dios marino que para librarse de los que le acosaban cambiaba de forma a voluntad. 40. Charles-Augustin Sainte-Beuve (1804-1869), crítico francés.
41. obra maestra del poeta dramático francés, Jean Racine (1639-1699). 42. nombre de cada uno de los dioses de un grupo de deidades semíticas considerados como protectores de la fertilidad. 43. probable referencia a Aristóteles. 44. Lucio Anneo Séneca (4?-65), filósofo estoico nacido en Córdoba.

MOTIVOS DE PROTEO[39]

I

Reformarse es vivir. Y, desde luego, nuestra transformación personal en cierto grado, ¿no es ley constante e infalible en el tiempo? ¿Qué importa que el deseo y la voluntad queden en un punto si el tiempo pasa y nos lleva? El tiempo es el sumo innovador. Su potestad, bajo la cual cabe todo lo creado, se ejerce de manera tan segura y continua sobre las almas como sobre las cosas. Cada pensamiento de tu mente, cada movimiento de tu sensibilidad, cada determinación de tu albedrío, y aún más: cada instante de la aparente tregua de indiferencia o de sueño, con que se interrumpe el proceso de tu actividad consciente, pero no el de aquella otra que se desenvuelve en ti sin participación de tu voluntad y sin conocimiento de ti mismo, son un impulso más en el sentido de una modificación, cuyos pasos acumalados producen esas transformaciones visibles de edad a edad, de decenio a decenio: mudas de alma, que sorprenden acaso a quien no ha tenido ante los ojos el gradual desenvolvimiento de una vida, como sorprende al viajero que torna, tras larga ausencia, a la patria, ver las cabezas blancas de aquellos a quienes dejó en la mocedad.

Cada uno de nosotros es, sucesivamente, no *uno*, sino *muchos*. Y estas personalidades sucesivas, que emergen las unas de las otras, suelen ofrecer entre sí los más raros y asombrosos contrastes. Sainte-Beuve[40] significaba la impresión que tales metamorfosis psíquicas del tiempo producen en quien no ha sido espectador de sus fases relativas, recordando el sentimiento que experimentamos ante el retrato del Dante adolescente, pintado en Florencia: el Dante, cuya dulzura casi jovial es viva antítesis del gesto amargo y tremendo con que el Gibelino dura en el monetario de la gloria; o bien, ante el retrato del Voltaire de los cuarenta años, con su mirada de bondad y ternura, que nos revela un mundo íntimo helado luego por la malicia senil del demoledor.

¿Qué es, si bien se considera, la « Atalía », de Racine,[41] sino la tragedia de esta misma transformación fatal y lenta? Cuando la hiere el fatídico sueño, la adoradora de Baal[42] advierte que ya no están en su corazón, que el tiempo ha domado, la fuerza, la soberbia, la resolución espantable, la confianza impávida, que la negaban al remordimiento y la piedad. Y para transformaciones como éstas, sin exceptuar las más profundas y esenciales, no son menester bruscas rupturas, que cause la pasión o el hado violento. Aun en la vida más monótona y remansada son posibles, porque basta para ellas una blanda pendiente. La eficiencia de las *causas actuales*, por las que el sabio[43] explicó, mostrando el poder de la acumulación de acciones insensibles, los mayores cambios del orbe, alcanza también a la historia del corazón humano. Las *causas actuales* son la clave de muchos enigmas de nuestro destino. — ¿Desde qué día preciso dejaste de creer? ¿En qué preciso día nació el amor que te inflama? — Pocas veces hay respuesta para tales preguntas. Y es que cosa ninguna pasa en vano dentro de ti; no hay impresión que no deje en tu sensibilidad la huella de su paso; no hay imagen que no estampe una leve copia de sí en el fondo inconsciente de tus recuerdos; no hay idea ni acto que no contribuyan a determinar, aun cuando sea en proporción infinitesimal, el rumbo de tu vida, el sentido sintético de tus movimientos, la forma fisonómica de tu personalidad. El dientecillo oculto que roe en lo hondo de tu alma; la gota de agua que cae a compás en sus antros oscuros; el gusano de seda que teje allí hebras sutilísimas, no se dan tregua ni reposo; y sus operaciones concordes, a cada instante te matan, te rehacen, te destruyen, te crean . . . Muertes cuya suma es la muerte; resurrecciones cuya persistencia es la vida. — ¿Quién ha expresado esta instabilidad mejor que Séneca,[44] cuando dijo, considerando lo fugaz y precario de las cosas: « Yo mismo, en el momento de decir que todo cambia, ya he cambiado? » Perseveremos sólo en la continuidad de nuestras modificaciones; en el orden, más o menos regular, que las rige; en la fuerza que nos lleva adelante hasta arribar a la transformación más misteriosa y trascendente de todas . . . Somos la estela de la nave, cuya entidad material no permanece la misma en dos momentos sucesivos, porque sin cesar muere y renace de entre las ondas: la estela, que es, no una persistente realidad, sino una forma andante, una sucesión de impulsos rítmicos, que obran sobre un objeto constantemente renovado.

VII

Rítmica y lenta evolución de ordinario; reacción esforzada, si es preciso; cambio preciso y orientado, siempre. O es perpetua renovación o es una lánguida muerte nuestra vida. Conocer lo que dentro de nosotros ha muerto y lo que es justo que muera, para desembarazar el alma de este peso inútil; sentir que el bien y la paz de que se goce después de la jornada, han de ser, con cada sol, nueva conquista, nuevo premio, y no usufructo de triunfos que pasaron; no ver término infranqueable en tanto haya acción posible, ni imposibilidad de acción mientras la vida dura; entender que toda circunstancia fatal para la subsistencia de una forma de actividad, de dicha, de amor, trae en sí como contrahaz y resarcimiento, la ocasión propicia a otras formas; saber de lo que dijo el sabio cuando afirmó que todo fué hecho hermoso en su tiempo: cada oportunidad, única para su obra: cada día, interesante en su originalidad; anticiparse al agotamiento y el hastío, para desviar al alma del camino en que habría de encontrarse con ellos, y si se adelantan a nuestra previsión, levantarse sobre ellos por un *invento* de la voluntad (la voluntad es, tanto como el pensamiento, una potencia inventora) que se proponga y fije nuevo objetivo; renovarse, transformarse, rehacerse . . . ¿no es ésta toda la filosofía de la acción y de la vida; no es ésta la vida misma, si por tal hemos de significar, en lo humano, cosa diferente en esencia del sonambulismo del animal y del vegetar de la planta? . . . Y ahora he de referirte cómo ví jugar, no ha muchas tardes, a un niño, y cómo de su juego ví que fluía una enseñanza parabólica.

VIII

Jugaba el niño en el jardin de la casa con una copa de cristal que, en el límpido ambiente de la tarde, un rayo de sol tornasolaba como un prisma. Manteniéndola, no muy firme, en una mano, traía en la otra un junco con el que golpeaba acompasadamente en la copa. Después de cada toque, inclinando la graciosa cabeza, quedaba atento, mientras las ondas sonoras, como nacidas de vibrante trino de pájaro, se desprendían del herido cristal y agonizaban suavemente en los aires. Prolongó así su improvisada música hasta que, en un arranque de volubilidad, cambió el motivo de su juego: se inclinó a tierra, recogió en el hueco de ambas manos la arena limpia del sendero y la fué vertiendo en la copa hasta llenarla. Terminada esta obra, alisó, por primor, la arena desigual de los bordes. No pasó mucho tiempo sin que quisiera volver a arrancar al cristal su fresca resonancia: pero el cristal, enmudecido, como si hubiera emigrado un alma de su diáfano seno, no respondía más que con un ruido de seca percusión al golpe del junco. El artista tuvo un gesto de enojo para el fracaso de su lira. Hubo de verter una lágrima, mas la dejó en suspenso. Miró, como indeciso, a su alrededor; sus ojos húmedos se detuvieron en una flor muy blanca y pomposa, que a la orilla de un cantero cercano, meciéndose en la rama que más se adelantaba, parecía rehuir la compañía de las hojas, en espera de una mano atrevida. El niño se dirigió, sonriendo, a la flor; pugnó por alcanzar hasta ella; y aprisionándola, con la complicidad del viento, que hizo abatirse por un instante la rama, cuando la hubo hecho suya, la colocó graciosamente en la copa de cristal, vuelta un ufano búcaro, asegurando el tallo endeble merced a la misma arena que había sofocado el alma musical de la copa. Orgulloso de su desquite, levantó cuan alto pudo, la flor entronizada, y la paseó, como en triunfo, por entre la muchedumbre de las flores.

IX

¡Sabia, candorosa filosofía! — pensé. — Del fracaso cruel no recibe desaliento que dure, ni se obstina en volver a goce que perdió, sino que de las mismas condiciones que determinaron el fracaso toma la ocasión de nuevo juego, de nueva idealidad, de nueva belleza . . . ¿No hay aquí todo un polo de sabiduría para la acción? ¡Ah, si en el transcurso de la vida todos imitáramos al niño! ¡Si ante los límites que pone sucesivamente la fatalidad a nuestros sueños, hiciéramos todos como él! . . . El ejemplo del niño dice que no debemos empeñarnos en arrancar sonidos de la copa con que nos embelesamos un día, si la naturaleza de las cosas quiere que enmudezca. Y dice luego que es necesario buscar, en derredor de donde estemos, una reparadora flor, una flor que poner sobre la arena por quien el cristal se tornó mudo . . . No rompamos torpemente la copa contra las piedras del camino sólo porque haya dejado de sonar. Tal vez la flor reparadora existe. Tal vez está allí cerca. Esto declara la parábola del niño, y toda filosofía viril, *viril* por el espíritu que la anima, confirmará su enseñanza fecunda.

45. drama en verso de Ibsen (1828-1906), en el que se describe al héroe como típico representante de abulia y fantasmagoría.

XXIV

Hombres hay, muchísimos hombres, inmensas multitudes de ellos, que mueren sin haber nunca conocido su ser verdadero y radical, sin saber más que de la superficie de su alma, sobre la cual su conciencia pasó moviendo apenas lo que del alma está en contacto con el aire ambiente del Mundo, como el barco pasa por la superficie de las aguas, sin penetrar más de algunos palmos bajo el haz de la onda. Ni aun cabe, en la mayor parte de los hombres, la idea de que fuera posible saber de sí mismos algo que no saben. ¡Y eso que ignoran es, acaso, la verdad que los purificaría, la fuerza que los libertaría, la riqueza que haría resplandecer su alma como el metal separado de la escoria y puesto en manos del platero! . . . Por ley general, un alma humana podría dar de sí más de lo que su conciencia cree y percibe, y mucho más de lo que su voluntad convierte en obra. Piensa, pues, cuántas energías sin empleo, cuántos nobles gérmenes y nunca aprovechados dones suele llevar consigo al secreto, cuyos sellos nadie profanó jamás, una vida que acaba. Dolerse de esto fuera tan justo, por lo menos, cual lo es dolerse de las fuerzas en acto, o en conciencia precursora del acto, que la muerte interrumpe y malogra. ¡Cuántos espíritus disipados en estéril vivir, o reducidos a la teatralidad de un papel que ellos ilusoriamente piensan ser cosa de su naturaleza; todo por ignorar la vía segura de la observación interior; por tener de sí una idea incompleta, cuando no absolutamente falsa, y ajustar a esos límites ficticios su pensamiento, su acción y el vuelo de sus sueños! ¡Cuán fácil es que la conciencia de nuestro ser real quede ensordecida por el ruido del Mundo, y que con ella naufrague lo más noble de nuestro destino, lo mejor que había de nosotros virtualmente! ¡Y cuánta debiera ser la desazón de aquel que toca el borde de la tumba sin saber si dentro de su alma hubo un tesoro que, por no sospecharlo o no buscarlo, ha ignorado y perdido!

XXV

Este sentimiento de la vida que se acerca a su término, sin haber llegado a convertir, una vez, en cosa que dure, fuerzas que ya no es tiempo de emplear, ¿quién lo ha expresado como Ibsen, ni dónde está como en el desenlace de *Peer Gynt*,[45] que es para mí el zarpazo maestro de aquel formidable oso blanco? — Peer Gynt ha recorrido el Mundo, llena la mente de sueños de ambición, pero falto de voluntad para dedicar a alguno de ellos las veras de su alma, y conquistar así la fuerza de personalidad que no perece. Cuando ve su cabeza blanca después de haber aventado el oro de ella en vana agitación tras de quimeras que se han deshecho como el humo, este pródigo de sí mismo quiere volver al país donde nació. — Camino de la montaña de su aldea, se arremolinan a su paso las hojas caídas de los árboles. « Somos, le dicen, las palabras que debiste pronunciar. Tu silencio tímido nos condena a morir disueltas en el surco. » Camino de la montaña de su aldea, se desata la tempestad sobre él; la voz del viento le dice: — « Soy la canción que debiste entonar en la vida y no entonaste, por más que, empinada en el fondo de tu corazón, yo esperaba una seña tuya. » Camino de la montaña, el rocío que, ya pasada la tempestad, humedece la frente del viajero le dice: — « Soy las lágrimas que debiste llorar y que nunca asomaron a tus ojos: ¡necio si creíste que por eso la felicidad sería contigo! » Camino de la montaña, dícele la hierba que va hollando su pie: — « Soy los pensamientos que debieron morar en tu cabeza; las obras que debieron tomar impulso de tu brazo; los bríos que debieron alentar tu corazón. » Y cuando piensa el triste llegar al fin de la jornada, el « Fundidor Supremo », — nombre de la justicia que preside en el Mundo a la integridad del orden moral, al modo de la Némesis antigua —, le detiene para preguntarle dónde están los frutos de su alma, porque aquellas que no rinden fruto deben ser refundidas en la inmensa hornaza de todas, y sobre su pasada encarnación debe asentarse el olvido, que es la eternidad de la nada.

¿No es ésta una alegoría propia para hacer paladear por vez primera lo amargo del remordimiento a muchas almas que nunca militaron bajo las banderas del Mal? ¡Peer Gynt! ¡Peer Gynt! tú eres legión de legiones.

XXVI

. . . .

. . . Pero admito que sea algo que nazca del real desenvolvimiento de tu ser, y no un carácter adventicio, lo que se refleja presentemente en tu conciencia y se manifiesta por tus sentimientos y tus actos. Aun así, nada definitivo y absoluto te será lícito afirmar de aquella realidad, que no es, en ninguno de nosotros, campo cerrado, inmóvil permanencia, sino perpetuo llegar a ser, cambio continuo, mar por donde van y vienen las olas. El saber de sí mismo no arriba a término que permita jurar: « Tal soy, tal seré siempre. » Ese saber es recompensa de una obra que se renueva cada día, como la fe que se prueba en la contradicción, como el pan que santifica el trabajo. Las tendencias que tenemos por más fundamentales y características de la personalidad de cada uno, no se presentan nunca sin alguna interrupción, languidez o divergencia; y aun su estabilidad como resumen o promedio de las manifestaciones morales, ¡cuán distante está de poder confiar siempre en lo futuro; cuán distante de la seguridad de que la pasión que hoy soberanamente nos domina, no cede alguna vez su puesto a otra diversa o antagónica, que trastorne por natural desenvolvimiento de su influjo, todo el orden de la vida moral! Quien se propusiera obtener para su alma una unidad absolutamente previsible, sin vacilaciones, sin luchas, padecería la ilusión del cazador demente que, entrando, armado de toda suerte de armas, por tupida selva del trópico, se empeñara, con frenético delirio, en abatir cuanta viviente criatura hubiese en ella, y cien y cien veces repitiera la feral persecución, hasta que un ruido de pasos, o de alas, o un rugido, o un gorjeo o un zumbar cenzalino, le mostrasen otras tantas veces la imposibilidad de lograr completa paz y silencio. *Bosques de espesura* llamó a los hombres el rey Don Alfonso el Sabio.[46]

Hay siempre en nuestro espíritu una parte irreductible a disciplina, sea que en él prevalezca la disciplina del bien o la del mal, y la de la acción o la de la inercia. Gérmenes y propensiones rebeldes se agitan siempre dentro de nosotros, y su ocasión natural de despertar coincide acaso con el instante en que más firmes nos hallábamos en la pasión que daba seguro impulso a nuestra vida; en la convicción o la fe que la concentraban y encauzaban; en el sosiego que nos parecía haber sellado para siempre la paz de nuestras potencias interiores.

Filosofía del espíritu humano; investigación en la historia de los hombres y los pueblos; juicio sobre un carácter, una aptitud o una moralidad; propósito de educación o de reforma, que no tomen en cuenta, para cada uno de sus fines, esta complejidad de la persona moral, no se lisonjeen con la esperanza de la verdad ni del acierto.

XXVII

. . . Pasó que, huésped en una casa de campo de Megara[47] un prófugo de Atenas, acusado de haber pretendido llevarse bajo el manto, para reliquia de Sócrates, la copa en que bebían los reos la cicuta, se retiraba a meditar, al caer las tardes, a lo esquivo de extendidos jardines, donde sombra y silencio consagraban un ambiente propicio a la abstracción. Su gesto extático algo parecía asir en su alma: dócil a la enseñanza del maestro, ejercitaba en sí el desterrado la atención del conocimiento propio.

Cerca de donde él meditaba, sobre un fondo de sauces melancólicos, un esclavo, un vencido de Atenas misma o de Corinto,[48] en cuyo semblante el envilecimiento de la servidumbre no había alcanzado a desvanecer del todo un noble sello de naturaleza, se ocupaba en sacar agua de un pozo para verterla en una acequia vecina. Llegó ocasión en que se encontraron las miradas del huésped y el esclavo. Soplaba el viento de la Libia,[49] productor de fiebres y congojas. Abrasado por su aliento, el esclavo, después de mirar cautelosamente en derredor, interrumpió su tarea, dejó caer los brazos extenuados, y abandonando sobre el brocal de piedra, como sobre su cruz, el cuerpo flaco y desnudo: — « Compadéceme — dijo al pensador; — compadéceme, si eres capaz de lágrimas, y sabe, para compadecerme bien, que ya apenas queda en mi memoria rastro de haber vivido despierto, si no es en este mortal y lento castigo. ¡Ve cómo el surco de la cadena que suspendo abre las carnes de mis manos; ve cómo mis espaldas se encorvan! Pero lo que más exacerba mi martirio es que, cediendo a una fascinación que nace del tedio y el cansancio, no soy dueño de apartar la mirada de esta imagen de mí que me pone delante el reflejo del agua cada vez que encaramo sobre el brocal el cubo del pozo. Vivo mirándola, mirándola, más petrificado, en realidad, que aquella estatua cabizbaja de Hipnos[50] porque ella sólo a ciertas horas de sol tiene los ojos fijos en su propia sombra. De tal manera conocí mi angustia, y veré cómo el tiempo ahonda en la máscara las huellas de su paso, y cómo se acercan y la tocan las sombras de la muerte . . . Sólo tú, hombre extraño, has logrado desviar algunas veces la atención de mis ojos con tu actitud y con tu ensimismamiento de esfinge. ¿Sueñas despierto? ¿Maduras algo heroico? ¿Hablas a la callada con algún dios que te posee? . . . ¡Oh cómo envidio tu concentración y tu quietud! ¡Dulce cosa debe ser la ociosidad que tiene espacio para el vagar del pensamiento! »

46. rey de Castilla y León (1221-1284). 47. ciudad antigua de Grecia, en la que hubo una escuela filosófica fundada por Euclides, discípulo de Sócrates. 48. ciudad griega, situada en el istmo de ese nombre. 49. gran desierto en el NE. de África. 50. divinidad griega, personificación del sueño. 51. el gran artista del Renacimiento italiano (1452-1519).

— « No son éstos los tiempos de los coloquios con los dioses, ni de las heroicas empresas — dijo el meditador; — y en cuanto a los sueños deleitosos, son pájaros que no hacen nido en cumbres calvas . . . Mi objeto es ver dentro de mí. Quiero formar cabal idea y juicio de éste que soy yo, de éste por quien merezco castigo o recompensa . . .; y en tal obra me esfuerzo y peno más que tú. Por cada imagen tuya que levantas de lo hondo del pozo, yo levanto también de las profundidades de mi alma una imagen nueva de mí mismo; una imagen contradictoria con la que la precedió, y que tiene por rasgo dominante un acto, una intención, un sentimiento, que cada día de mi vida presenta, como cifra de su historia, al traerle al espejo de la conciencia bruñido por la soledad; sin que aparezca nunca el fondo estable y seguro bajo la ondulación de estas imágenes que se suceden. He aquí que parece concretarse una de ellas en firmes y preciosos contornos; he aquí que un recuerdo súbito la hiere y, como las formas de las nubes, tiembla y se disipa. Alcanzaré al extremo de la ancianidad; no alcanzaré al principio de la ciencia que busco. Desagotarás tu pozo; no desagotaré mi alma. ¡Esta es la ociosidad del pensamiento! » . . . Llegó un rumor de pasos que se aproximaban; volvió el esclavo a su faena, el desterrado a lo suyo; y no se oyó más que la áspera quejumbre de la garrucha del pozo, mientras el sol de la tarde tendía las sombras alargadas del meditador y el esclavo, juntándolas en un ángulo cuyo vértice tocaba al pie de la estatua cabizbaja de Hipnos.

XXVIII

En verdad ¡cuán varios y complejos somos! ¿Nunca te ha pasado sentirte distinto de ti mismo? ¿No has tenido nunca para tu propia conciencia algo del desconocido y el extranjero? ¿Nunca un acto tuyo te ha sorprendido, después de realizado, con la contradicción de una experiencia que fiaban cien anteriores hechos de tu vida? ¿Nunca has hallado en ti cosas que no esperabas ni dejado de hallar aquellas que tenías por más firmes y seguras? Y ahondando, ahondando, con la mirada que tiene su objeto del lado de adentro de los ojos, ¿nunca has entrevisto, allí donde casi toda luz interior se pierde, alguna vaga y confusa sombra, como de *otro que tú*, flotando sin sujeción al poder de tu voluntad consciente; furtiva sombra, comparable a esa que corre por el seno de las aguas tranquilas cuando la nube o el pájaro pasan sobre ellas?

¿Nunca, apurando tus recuerdos, te has dicho: si aquella extraña intención que cruzó un día por mi alma, llegó hasta el borde de mi voluntad y se detuvo, como en la liza el carro triunfador rasaba la columna del límite sin tocarla; si aquel rasgo inconsecuente y excéntrico que una vez rompió el equilibrio de mi conducta, en el sentido del bien o en el del mal, hubieran sido, dentro del conjunto de mis actos, no pasajeras desviaciones, sino nuevos puntos de partida ¡cuán otro fuera ahora yo; cuán otras mi personalidad, mi historia, y la idea que de mí quedara!?

XLI

La vocación es la conciencia de una aptitud determinada. Quien tuviera consciente aptitud para toda actividad, no tendría, en rigor, más vocación que el que no se conoce aptitud para ninguna; no oiría singular que le llamase, porque podría seguir la dirección que a la ventura eligiera o que le indicase el destino, con la confianza de que allí adonde ella le llevara, allí encontraría modo de dar superior razón de sí; y esto, si bien caso estupendo y peregrino, no sale fuera de lo humano: hay espíritus en que se realiza. Cuando Carlyle escribe: « No sé de hombre verdaderamente grande que no pudiera ser toda manera de hombre », yerra en lo absoluto de la proposición, ya que el grande hombre, *héroe*, el genio, presenta, a veces, por carácter, una determinación tan precisa y estrecha que raya en el monodeísmo del obsesionado; pero acertaría si sólo se refiriese a ciertas almas, en quienes la altura excelsa e igual se une a la extensión indefinida, y de quienes diríase que alcanzaron la omnipotencia y la omnisciencia, en los relativos límites de nuestra condición.

Puesto que hemos de hablar de vocaciones, demos paso, primero, a estas figuras múltiples de aspectos, tanto más raras cuanto más cerca de lo actual se las busque, y en ningún caso adecuadas para ser propuestas por ejemplo a quien ha de trazarse el rumbo de su actividad; pero que determinan y componen un positivo orden de espíritus, y son magnífica demostración de la suma de fuerzas y virtualidades que pueden agruparse en derredor del centro único de una personalidad humana. [. . .]

La novadora energía del Renacimiento se infunde en una personificación suprema: la personificación de Leonardo de Vinci[51]. Jamás figura más bella tuvo, por pedestal, tiempo más merecedor de sustentarla. Naturaleza y arte son los términos en que se cifra la obra de aquella grande época humana: naturaleza restituída plenamente al amor del hombre, y a su atención e interés; y arte regenerado por la belleza y la verdad. Y ambos aspectos de tal obra, deben a aquel soberano espíritu inmensa parte de sí. Con los manuscritos de Leonardo, la moderna ciencia amanece. Frente a los secretos del mundo material, él es quien reivindica y pone en valiente actividad el órgano de la *experiencia*, tentáculo gigante que ha de tremolar en la cabeza de la sabiduría, sustituyendo a las insignias de la autoridad y de la tradición. Galileo,[52] Newton,[53] Descartes,[54] están en germen y potencia en el pensamiento de Leonardo. Para él el conocer no tiene límites artificiosos, porque su intuición abarca, con mirar de águila, el espectáculo del mundo, cuan ancho y cuan hondo es. Su genio de experimentador no es óbice para que levante a grado eminente la especulación matemática, sellando la alianza entre ambos métodos, que en sucesivos siglos llevarán adelante la conquista de la Naturaleza. Como del casco de la Atenea del Partenón[55] arrancaban en doble cuadriga ocho caballos de frente, simbolizando la celeridad con que se ejecuta el pensamiento divino, así de la mente de Leonardo parten a la carrera todas las disciplinas del saber, disputándose la primacía en el descubrimiento y en la gloria. No hubo, después de Arquímedes,[56] quien, en las ciencias del cálculo, desplegara más facultad de abstraer, y en su aplicación, más potencia inventiva; ni hubo, antes de Galileo, quien con más resuelta audacia aplicase al silencio de las cosas « el hierro y el fuego » de la imagen baconiana. Inteligencia de las leyes del movimiento; observación de los cuerpos celestes; secretos del agua y de la luz; comprensión de la estructura humana; vislumbres de la geología; intimidad con las plantas: todo le fué dado. Él es el Adán de un mundo nuevo, donde la serpiente tentadora ha movido el anhelo del saber infinito; y comunicando a las revelaciones de la ciencia el sentido esencialmente moderno de la práctica y la utilidad, no se contiene en la pura investigación, sino que inquiere el modo de consagrar cada verdad descubierta a aumentar el poder o la ventura de los hombres. A manera de un joven cíclope, ebrio, con la mocedad, de los laboriosos instintos de su raza, recorre la Italia de aquel tiempo como su antro, meciendo en su cabeza cien distintos proyectos; ejecutados, unos, indicados o esbozados otros, realizables y preciosos los más: canales que parten luengas tierras; forma de abrir y traspasar montañas; muros inexpugnables; inauditas máquinas de guerra; grúas y cabrestantes con que remover cuerpos de enorme pesadumbre. En medio de estos planes ciclópeos, aun tiene espacio y fuerza libre para dar suelta a la jovialidad de la invención en mil ingeniosos alardes; y así como Apolo Esminteo[57] no desdeñaba cazar a los ratones del campo con el arco insigne que causó la muerte de Pythón,[58] así Leonardo emplea los ocios de su mente en idear juguetes de mecánica, trampas para burlas, pájaros con vuelo de artificio, o aquel simbólico león que destinó a saludar la entrada a Milán del Rey de Francia, y que, deteniéndose después de avanzar algunos pasos, abría el pecho y lo mostraba henchido de lirios . . . Nunca un grito de orgullo ha partido de humanos labios más legitimado por las obras, que estas palabras con que el maravilloso florentino ofrecía al duque de Milán los tesoros de su genio: « *Yo soy capaz de cuanto quepa esperar de criatura mortal* » Pero si la ciencia, en Leonardo, es portentosa, y si su maestría en el complemento de la ciencia, en las artes de utilidad, fué, para su época como don de magia, su excelsitud en el arte puro, en el arte de belleza, ¿qué término habrá que la califique? . . . Quien se inclinara a otorgar el cetro de la pintura a Leonardo, hallaría quien le equiparara rivales; no quien le sobrepusiera vencedores. Poseído de un sentimiento profético de la expresión, en tiempos en que lo plástico era el triunfo a que, casi exclusivamente, aspiraba un arte arrebatado de amor por las fuerzas y armonías del cuerpo, no pinta formas sólo: pinta el sonreír y el mirar de Mona Lisa, la gradación de afectos de *La Cena*: pinta fisonomías, pinta almas. Y con ser tan grande en la hermosura

52. Galileo Galilei (1564-1642), físico y astrónomo italiano. 53. Isaac Newton (1642-1727), matemático y físico inglés. 54. René Descartes (1596-1650), filósofo francés. 55. Atenea, o Minerva, una de las diosas de la mitología griega de la que era santuario el Partenón, obra maestra de la arquitectura griega. 56. (nació 285 a. de J. C.); uno de los sabios más famosos de la antigüedad, matemático y físico. 57. Las Esmintias eran unas fiestas celebradas en Grecia en honor del dios Esminteo, identificado con Apolo o Dionisos. 58. Pitón, la serpiente monstruosa a que dió muerte Apolo en las cercanías de Delfos, al pie del monte Parnaso. 59. príncipe, guerrero y político italiano (1474-1507), famoso por su ambición y su falta de escrúpulos. 60. príncipe italiano, protector de Leonardo de Vinci.

61. tercer hijo de David (II *Sam.*, caps. XIII-XVIII), que se rebeló contra su padre y murió, enredada su cabellera entre el ramaje de un árbol, y atravesado el pecho por la lanza de Joab. 62. héroe griego, que entre otros trabajos, cortó la cabeza a Medusa, una de las Gorgonas o monstruos infernales de la mitología.

que se fija en la tela, aun disputa otros lauros su genio de artista: el cincel de Miguel Ángel cabe también en su mano, y cuando le da impulso para perpetuar una figura heroica, no se detiene hasta alcanzar el tamaño gigantesco; el numen de la euritmia arquitectónica le inspira: difunde planos mil; César Borgia[59] le confía sus castillos y sus palacios; sabe tejer los aéreos velos de la música, y para que el genio inventor no le abandone ni aun en esto, imagina nuevo instrumento de tañir, lo esculpe lindamente en plata, dándole, por primor, la figura de un cráneo equino, y acompañado de él, canta canciones suyas en la corte de Luis Sforza.[60] Cuando a todo ello agregues una belleza de Absalón[61] una fuerza de toro, una agilidad de Perseo,[62] un alma generosa como la de un primitivo, refinada como la de un cortesano, habrás redondeado el más soberbio ejemplar de nobleza humana que pueda salir de manos de la Naturaleza; y al pie de él pondrás, sin miedo de que la más rigurosa semejanza te obligue a rebajarlo en un punto: — *Éste fué Leonardo de Vinci.*

(De *Motivos de Proteo,* 1909)

Uruguay dió, además de Rodó, otro gran refutador de las falacias del Positivismo, éste ya filósofo de escuela: CARLOS VAZ FERREIRA (1873-1958). Vaz es una de las mentalidades más originales y analíticas de América. Ha recorrido todos los temas — la gnoseología, la lógica, la ética, la estética, la pedagogía, la política — y en cada caso supo fundir la teoría con la vida. Rigurosa indagación de las raíces de los problemas, pero tal como existen en la realidad. Su iniciación de pensador fué el Positivismo — más próximo a Stuart Mill que a Comte o a Spencer —, pero no le satisfacía el aparente rigor de los sistemas y prefirió la expresión fragmentaria, como la de su admirable *Fermentario* (1938). De este libro hemos seleccionado el fragmento que va a leerse.

Carlos Vaz Ferreira

SOBRE CONCIENCIA MORAL

Que el remordimiento no es inseparable de la inmoralidad, ni proporcional a la inmoralidad (de la persona o de sus actos), se ha observado y se ha escrito. Pero existen todavía otros errores y hasta ciertas mistificaciones a propósito de la conciencia moral. Por ejemplo, creer, o hacer creer, o hacerse creer, que la tranquilidad de conciencia existe naturalmente en los buenos, que es normal en ellos, y hasta que es como un criterio o medida de su superioridad moral. Aquí hay una mezcla de error y de mistificación; de esa mistificación pedagógica en que a veces es tan difícil discernir la parte de sinceridad y la parte de hipocresía (más o menos inconsciente).

Poder vivir con la conciencia tranquila, lejos de constituir criterio de superioridad moral indica normalmente alguna inferioridad: ordinariamente, insensibilidad (salvo ciertos casos de gran simplicidad mental; en ese caso la inferioridad sería intelectual).

Y por más de una causa. En primer lugar, la opción, tal como la presentan a nuestra actuación las circunstancias reales de la vida, es ordinariamente entre actos o reglas de conducta que contienen cada una algún mal. Sólo en excepcionales casos, de los de la vida real, se presenta la opción entre una conducta buena y una o varias conductas malas. En todo caso es muy frecuente que la opción sólo se nos presente entre actos que tienen todos algo de malo, y de los cuales, si puede decirse que uno es mejor que los otros, es sólo porque produce o contiene menor mal.

Entonces, aun en la vida del hombre más elevado y puro, hay mal realizado, daño causado, dolor producido. Y aunque lógicamente, intelectualmente, eso no debiera dar lugar al sufrimiento y menos a remordimiento, de hecho, en el hombre sensible, los produce.

Además, hay la duda moral. Aun suponiendo un hombre que hubiera resuelto todas las dificultades morales de su vida, diríamos, objetivamente bien, si su organización moral psicológica es elevada, tiene la duda: duda moral sobre el pasado, en el presente y para el futuro. Ahora bien: duda moral es sufrimiento. Y es también intranquilidad de conciencia. Y la falta de duda moral, salvo una gran simplicidad mental, no es criterio de superioridad sino de inferioridad.

La ilusión puede producirse de afuera también, como sobre ciertos tipos históricos, en los cuales, sin embargo, aun suponiendo que hayan tenido la tranquilidad de conciencia que aparentan en las biografías o que los historiadores han supuesto en ellos, encontramos todavía, y hasta en los más altos, alguna insensibilidad o alguna deficiencia. Para ir lo más arriba posible: si Marco Aurelio,[1] por ejemplo, tenía la tranquilidad de conciencia que resulta de sus *Memorias*, aun en él sentimos como una deficiencia, como una insensibilidad de alma en un hombre responsable de las persecuciones y matanzas de cristianos. (La insensibilidad a que me refiero sería doble: insensibilidad al mal realmente hecho, e insensibilidad a los escrúpulos y a la duda moral.)

Otro estado u otra actitud absurda en lo relativo a « conciencia moral » es el pretender consolar con lo de la tranquilidad de conciencia: consolar a un hombre en circunstancias particulares, o consolar en general el alma humana del mal, de la injusticia, del dolor. Un funcionario, un hombre de acción que ha realizado una obra buena y a quien se la destruyen, sufre: siente y sufre porque amaba esa obra, no por vanidad (o no tanto por vanidad), sino porque hacía bien. Entonces, pretender consolarlo con la tranquilidad de conciencia, sería tan absurdo como si a un padre que ha perdido un hijo se le pretendiera consolar recordándole que hizo todo lo posible; que llamó al médico a tiempo, prestó todos los cuidados, etc.

Es claro que más aún sufriría si no lo hubiese hecho; pero eso es lo único que tiene que ver con el dolor la « conciencia tranquila. »

Y sobre esa base se organizan ciertas mistificaciones pedagógicas, más o menos bien intencionadas, pero de efectos en el fondo contraproducentes, aun desde el punto de vista pragmático. Es precisamente ése el aspecto antipático de cierta clase de libros que, al predicar la verdad y la justicia, aseguran la felicidad como un premio automático. (Inútil nombrar autores, que se sustituyen unos por otros; pero la tendencia es siempre la misma.) Los que pueden escribir esa clase de libros, o son insensibles o fingen: o no sienten el dolor del mal inevitable, de la injusticia inevitable, de la duda moral y del remordimiento inevitables, o son hipócritas; o escriben con palabras.

Hay, además, y sobre todo, en esos libros, como una falta de respeto al dolor, y a las víctimas de las injusticias de la naturaleza o de los hombres. Verdaderamente, si han podido ser escritos así esos libros para los cuales la tranquilidad de conciencia acompaña siempre al bien, y éste es premiado y recompensado, si han podido ser escritos (así, y no en el plano mucho más profundo en que eso vuelve a ser verdad, pero de otro modo), es porque sus autores no tienen bastante simpatía, ni bastante sentimiento del dolor humano; su estado mental prueba que no han sentido bastante, ni el dolor de los que sufren injustamente, ni el dolor de la injusticia misma y del mal. Los verdaderos libros moralizadores y buenos tienen que haber sido escritos por quien sea capaz de sentir el dolor y la injusticia y su parcial inevitabilidad.

En cuanto a esas frases como « No tener más guía, más juez que su conciencia », y, con su aprobación, vivir satisfecho y feliz, no olvidemos que la conciencia se acostumbra; y si hay un tipo de hombres temibles en la vida son los que han conseguido al mismo tiempo amaestrar su conciencia y no tener más juez que su conciencia.

(De *Fermentario*, 1938)

1. (reinó de 161 a 180). Emperador romano, famoso por su virtud y su sabiduría estoica.

José Vasconcelos (México; 1881-1959) escribió poesía, cuentos — *La cita*, 1945 —, teatro — *Prometeo vencedor*, 1920, *Los robachicos*, 1946 —, memorias — *Ulises criollo*, 1935, *La tormenta*, 1936, *El desastre*, 1938, *El proconsulado*, 1939 —. Cuentos, memorias bastarían para su fama. Sobresalió, sin embargo, como pensador, en una serie de macizos volúmenes. Acaso la gran figura filosófica que más influyó en el punto de partida de su filosofar fué Schopenhauer. Su posterior conversión al Catolicismo no cegó esa fuente, que ha seguido alimentándolo. Vasconcelos es un irracionalista. La vida humana es para él acción. También el mundo es producto de un principio activo que va logrando cambios cualitativos, desde la materia hasta el espíritu. Pero el hombre organiza su vida en una conducta ética. Sólo que esta Ética se transfigura en Estética porque, al actuar, el hombre crea emocionalmente su propia personalidad. Vasconcelos quiere poseer la realidad misma, en sus entes individuales y singulares; y su órgano de posesión es la Estética y la Mística. Su interpretación de la historia de México es abiertamente hispanófila. Como ejemplo de esta actitud — diferente a la del indianismo que defienden otros ensayistas — reproducimos parte del prólogo a su *Breve Historia de México*. Incluimos también una página de *Ulises criollo*, en la que puede advertirse su emocionada evocación de la infancia; y otra, breve e impresionante, de la Revolución, tomada de *La tormenta*.

José Vasconcelos

PRÓLOGO A LA HISTORIA DE MÉXICO

La historia de México empieza como episodio de la gran odisea del descubrimiento y ocupación del Nuevo Mundo. Antes de la llegada de los españoles, México no existía como nación; una multitud de tribus separadas por ríos y montañas y por el más profundo abismo de sus trescientos dialectos, habitaba las regiones que hoy forman el territorio patrio. Los aztecas dominaban apenas una zona de la meseta en constante rivalidad con los tlaxcaltecas, y al occidente los tarascos ejercitaban soberanía independiente; lo mismo por el sur los zapotecas. Ninguna idea nacional emparentaba las castas; todo lo contrario, la más feroz enemistad alimentaba la guerra perpetua, que sólo la conquista española hizo terminar. Comenzaremos, pues, nuestra exposición, en el punto en que México surge a la vista de la humanidad civilizada. Empezaremos a verlo tal y como lo contemplaron los soldados de la conquista y según nos lo dicen en sus amenas crónicas. Por fortuna, fueron españoles los que primero llegaron a nuestro suelo, y gracias a ello es rica la historia de nuestra región del Nuevo Mundo, como no lo es la de la zona ocupada por los puritanos. Todavía, a la fecha, cuanto se escribe de historia mexicana antigua tiene que fundarse en los relatos de los capitanes y los monjes de la conquista, guerreros y civilizadores, hombres de letras a la par que hombres de espada, según la clara exigencia de la institución de la caballería. Pues, propiamente, fué la de América, el dominio del planeta, la supremacía del futuro. Imagine quien no quiera reconocerlo, qué es lo que sería nuestro continente de haberlo descubierto y conquistado los musulmanes. Las regiones interiores del África actual pueden darnos una idea de la miseria y de la esclavitud, la degradación en que se hallarían nuestros territorios.

Desde que aparecemos en el panorama de la historia universal, en él figuramos como una accesión a la cultura más vieja y más sabia, más ilustre de Europa: la cultura latina. Este orgullo latino pervive a la fecha en el alma de todos los que tienen conciencia y orgullo; latinos se proclaman los negros cultos de las Antillas, y latinos son por el alma, según bien dijo nuestro Altamirano,[1] los indios de México y del Perú. Latino es el mestizo desde que se formó la raza nueva y habló por boca del inca Garcilaso en el sur, de Alba Ixtlixochitl en nuestro México. Incorporados, por obra de la conquista civilizadora, el indio y el negro a la rama latina de la cultura europea, nuestro patriotismo adquiere abolengo y entronca con una tradición prolongada y provechosa. De allí que todo corazón bien puesto de esta América hispana, indio, mestizo, mulato, negro o criollo, siente las glorias de la España creadora y de Italia y Roma con predilección sobre los otros pueblos de la tierra. El mismo idioma latino es un poco nuestro desde que en el culto católico halagó nuestros oídos a partir de la infancia. Tan superior es la tradición nuestra a los peregrinos del Mayflower, como grande fué la Nueva España en comparación de las humildes colonias del Norte.

Ingresamos en las filas de la civilización bajo el estandarte de Castilla, que a su modo heredaba al romano y lo superaba por su cristiandad. Y es inútil rebatir siquiera la fábula maligna de una nacionalidad autóctona que hubiera sido la víctima de nuestra nacionalidad mexicana, es decir, hispanoindígena. Se llegó en cierta época a tal punto de confusión, que no faltó quien pretendiese ver en México un caso parecido al del Japón, que al servirse de lo europeo, robándole la técnica, se ha mantenido autóctono, sin embargo, en el espíritu. ¿En qué espíritu nacional podríamos recaer nosotros, si prescindiésemos del sentir castellano que nos formó la Colonia? ¿Existe acaso en lo indígena, en lo precortesiano, alguna unidad de doctrina, o siquiera de sentimiento capaz de construir un alma nacional? ¿En dónde está un código parecido al de los samuráis que pudiera servir de base a un resurgimiento aborigen de México o del Perú? Desde el Popol Vuh de los mayas hasta las leyendas incaicas, no hay en la América precortesiana ni personalidad homogénea ni doctrina coherente. El Popol Vuh es colección de divagaciones ineptas, remozadas un tanto por los recopiladores españoles de la conquista que mejoraban la tradición verbal incoherente, incomprensible ya para las razas degeneradas que reemplazaron a las no muy capaces que crearon los monumentos. El continente entero, según advierte genialmente Keyserling,[2] estaba dominado por las fuerzas telúricas y no había nacido nunca para el espíritu, o era ya una decadencia cuando llegaron los españoles. Los españoles advirtieron la torpeza del pensamiento aborigen y, sin embargo, lo tradujeron, lo catalogaron, lo perpetuaron en libros y crónicas, y hoy ya sólo la ignorancia puede repetir el dislate de que los conquistadores destruyeron una civilización. Desde todos los puntos de vista, y con todos sus defectos, lo que creó la Colonia fué mejor que lo que existía bajo el dominio aborigen.

Nada destruyó España porque nada existía digno de conservarse cuando ella llegó a estos territorios, a menos de que se estime sagrada toda esa mala yerba del alma que son el canibalismo de los caribes, los sacrificios humanos de los aztecas, el despotismo embrutecedor de los incas. Y no fué un azar que España dominase en América en vez de Inglatera o de Francia. España tenía que dominar en el Nuevo Mundo, porque dominaba en el Viejo en la época de la colonización. Ningún otro pueblo de Europa tenía en igual grado que el español el poder de espíritu necesario para llevar adelante una empresa que no tiene paralelo en la historia entera de la humanidad; epopeya de geógrafos y de guerreros, de sabios y de colonizadores, de héroes y de santos que al ensanchar el dominio del hombre sobre el planeta, ganaban también para el espíritu las almas de los conquistados. Sólo una vez en la historia humana el espíritu ha soplado en afán de conquistas que, lejos de subyugar, libertan. La India de los Asokas[3] había visto conquistas inspiradas en el afán del proselitismo religioso; conquistas que, rebasando el esfuerzo del guerrero, se establecían en el alma de poblaciones remotas sin otra coerción que la del pensamiento egregio. Superior aun fué la obra de Castilla, y en mayor escala, tanto por las extensiones de territorios ganados para la cultura, como por el valor de la cultura que propagaba. La nobleza de Castilla, poderosa en el esfuerzo, virtuosa y clara en la acción, era la primera nobleza de Europa cuando se produjo la ocupación del Nuevo Mundo. Y fortuna fué de México el haber sido creado por la primera raza del mundo civilizado de entonces, y por instrumento

1. Ignacio Manuel Altamirano (1833-1893), el gran hombre de letras mexicanas. 2. el Conde de Keyserling (1880-1946), escritor y filósofo alemán, que se distinguió por sus estudios sobre la cultura tanto del mundo oriental como del occidental 3. Asoka (273-232 a. de J. C.) fué un soberano indio, protector del budismo. 4. Se refiere a la frontera entre Coahuila y Texas, y al pueblo de Piedras Negras. 5. talleres donde se construyen y recomponen los montajes para piezas de artillería. 6. Elisée Reclus (1830-1905), sabio geógrafo francés.

del primero de los capitanes de la época, el más grande de los conquistadores de todos los tiempos, Hernando Cortés, cuya figura nos envidia el anglosajón, más aún que los territorios que su conquista nos ha legado.

Y el más grave daño moral que nos han hecho los imperialistas nuevos es el habernos habituado a ver en Cortés un extraño. ¡A pesar de que Cortés es nuestro, en grado mayor de lo que puede serlo Cuauhtémoc! La figura del conquistador cubre la patria del mexicano desde Sonora hasta Yucatán, y más allá, en los territorios perdidos por nosotros, ganados por Cortés. En cambio Cuauhtémoc, es, a lo sumo, el antepasado de los otomíes de la meseta de Anáhuac, sin ninguna relación con el resto del país.

(De *Breve Historia de México*, 1937)

EL CALOR

El verano fronterizo[4] es polvoriento y sofocante. No alivian los baños diarios, ya no en bañera como en invierno, sino al aire libre, en el patio, con la ducha de una manguera destinada al riego del jardín. Luego, al caer la tarde, por las calles recién regadas y olientes a tierra humedecida, rodaban carruajes de tiro, alquilables por hora. En alguno de ellos íbamos al otro lado, a las neverías o en excursiones más largas hasta el río de la Villita. En familia, después del remojo en las aguas cristalinas y fluentes, nos sentábamos en la grama, semienvueltos en toallas o ya vestidos para devorar una de esas enormes sandías, orgullo de la frontera. Tomábamos cada quien su rebanada, grande, encendida y jugosa. Después el corazón colorado, casi quebradizo y dulce, era repartido en trozos entre gritos pedigüeños y risas de contento.

También eran agradables las cenas improvisadas en las mesas populares de la Plaza del Comercio, vulgarmente la Plaza del Cabrito, con el guiso predilecto que allí se servía. Aparte del cordero, daban tamales delgados, rellenos de pollo o de pasas y almendras, todo con café de olla, sobre manteles de hule y luz de quinqué. La clientela heterogénea, numerosa, comprendía obreros de la maestranza[5] en overol y señoritas bien polveadas, niños con los papás y « gringos » de turismo.

Después de la cena, el fronterizo goza del fresco a la puerta de su casa. Juega la brisa con las cortinas de encaje blanco y trabajan las mecedoras, en tanto languidece la charla. Enfrente, la plaza iluminada bulle de paseantes. Una o dos veces por semana, la banda militar toca en el quiosco marchas y sones cargados con imágenes de la ciudad, sus luchas y victorias. Al cruzarse, sonríen los vecinos. Es un hermoso milagro vivir. Por delante, la senda ofrece muchos años, repletos de dones apenas concebibles. En un espacio inmaterial se palpa el futuro semejante al desarrollo de la música con alzas y bajas, dulzuras y abismos. Una borrachera de pensamientos marea la cabeza. Cada pieza de la banda es como una copa de un ajenjo vagamente adivinatorio, que sugiere vislumbre de porvenir. Y en vez de ir a mezclarme al correteo de los menores, quedábame sentado al borde de la acera: próximo a la conversación de los mayores, pero sin oírla. Me conturbaba lo mío: se me deshacía el corazón como con llanto, me pesaba sobre los hombros la tarea que sólo el transcurso de los años va haciendo factible y ligera.

Algunas noches, cuando el calor arreciaba y no había serenatas, así que las cornetas del cuartel vecino tocaban la retreta, sacábamos al patio los catres de lona. Encima una sábana y otra más para envolvernos, sobre la bata, y a estarse en cama contemplando las estrellas antes de dormir. De todos los goces del verano fronterizo ninguno es más profundo. El clima caliente y seco invita a pernoctar bajo la bóveda celeste. En aquella topografía de llanuras devastadas, el cielo es más ancho que en otros sitios de la tierra, y las constelaciones refulgen dentro de una inmensidad engalanada de bólidos. Algo semejante observó Reclus[6] en las noches de Persia, cuya magnética incitación al ensueño produjo los cuentos de las Mil y Una Noches. Palabras cargadas de esplendor y de virtud mágica que construye con la fantasía todo lo que el esfuerzo humano jamás podrá cumplir en la tierra.

En aquellos cielos nuestros, desprovistos de literatura, la mente sondea, libre de sugerencias, como si recién descubriese el Cosmos. El alma se va por los espacios y divagando capta un maná de gracia más eficaz que el de Moisés. La memoria distraída repite sin atención los nombres de la media docena de constelaciones que la abuela conocía: La Osa y el Abanico; las Siete Cabrillas y el Lucero. En la dulzura de la noche, perdida toda noción finita, el tiempo que ya no corre porque se hizo eternidad. Reclinado el rostro sobre la almohada y al cerrar los ojos para dormir, una lágrima dichosa escurre por la mejilla. Después, no se llora así. El llanto se vuelve ácido a medida que se agria el vino interior.

(De *Ulises criollo*, 1935)

LA CAÑADA DE LA MUERTE

En previsión de la jornada larga que nos esperaba, se concedió hasta las once para vivaquear. Eulalio había vuelto a su costumbre fronteriza de cargar sacos de harina para evitarse la indigestión de las tortillas de maíz. Entre las ruinas de un rancho, al abrigo de una barda, una vieja cocía en un comal[7] gruesas tortillas de harina amasada con leche. Adriana me había señalado los panes y esperaba atenta mi regreso para almorzar en compañía de mi hermano Samuel y de Manuel Rivas, unas sardinas y frijoles. Pero las tortillas se cocían una por una y unos soldados habían hecho cerco; tomaba uno la suya y se retiraba dejando el sitio a otro. Esperé mi turno, pero empezaron a atravesarse manos indisciplinadas. Por temperamento soy de carácter considerado y blando; me quitaban una tortilla y sonriendo, paciente, aguardaba a que la otra estuviese de punto. Pero Adriana tenía fijos sobre mí los ojos. Y a la segunda o tercera vez que me robaron la oportunidad, ella sonrió con malicia. Y logró encenderme. La siguiente tortilla, me dije, es mía aunque me cueste la vida disputarla. Y en verdad que ya era tiempo de hacer algo, porque los soldados parecían desentenderse de mí, sin duda por el traje civil y por mi aire apacible. Así es que me abrí de piernas frente al comal y cuando se inclinó uno de tantos para tomar la tortilla que yo vigilaba, sorpresivamente le dí con el codo por las costillas y lo eché a rodar. Tomé con la izquierda mi botín caliente y con la derecha desenfundé la pistola por si buscaba el otro venganza. Pero se alejó sacudiendo la ropa y Adriana recibió con agrado la gruesa tortilla sabrosa que repartió en pedazos.

Se consiguieron magníficos guías y montamos para cruzar la sierra por veredas en dirección de Actopan. ¡Tomábamos, por fin, el camino de la meseta después de perder unos cuantos hombres, varias jornadas y buena parte de la moral de las tropas!

El cruce de la serranía fué magnífico de panoramas mientras hubo luz. Apenas se hizo noche parecía que no avanzábamos; se oía hablar de puertos y de ollas pero cada vez, cada nuevo puerto, daba acceso a otra olla en que nos hundíamos durante una o dos horas para emerger de nuevo a un panorama de cumbres oscuras.

Tras de mucho sube y baja, la senda empezó a descender por la frescura de una cañada. No se veían los árboles pero escuchábamos su rumor. El paso era tan difícil, que los caballos sueltos de la rienda, salvo para estirar en los tropezones, buscaban por sí solos el apoyo de cada casco en la vereda rocosa, estrechísima. Corría la voz en algunos sitios de que nos echáramos a pie, por el peligro de rodar con todo y caballo. Los hombres obedecíamos, caminando a tientas, tirando de la rienda al caballo. Adriana no tuvo que apearse porque « El Indio » en todo aquel trayecto se mantuvo fiel a su fama, seguro el paso, tranquilo en la marcha, infatigable. Con el fin de aliviar el tedio, alguien en nuestra vanguardia empezó a prender cerillos; luego aparecieron unas cuantas velas; entonces, envueltas en el resplandor, crecían las siluetas de los charros. La luz de un mísero rancho perdido en el fondo del abismo nos permitió apreciar lo escarpado del flanco en que se alargaba nuestra columna. De pronto, desgarró la noche un grito horrible.

— ¿Qué pasa? — inquirió alguien.

— Es que se ha desbarrancado una soldadera[8] — comentó tranquilamente un jinete . . .

Dejamos en su oscuridad la cañada y se advirtió terreno plano en el que fué posible avanzar al trote, en fila de tres o cuatro. El viento soplaba helado, cortante. Desde la mañana no habíamos vuelto a comer, y era casi media noche. Vimos luz en una casita al lado del camino. Llamamos y nos invitaron a entrar. En el único cuarto abandonado acababa de instalarse uno de los capitanes de Almanza, un excelente muchacho Villegas, con dos oficiales. Habían hecho lumbre que llenaba de humo el aire, pero lo calentaba. Sobre un banco de piedra adosado al muro interior echamos paja, improvisamos cama. En torno al fuego conversamos mientras hervía el café y se calentaba el salmón de unas latas recién abiertas. El previsor capitán contaba también con tortillas de maíz; enrollando dentro de ellas el salmón hicimos unos tacos que toda la vida he recordado como delicia de sibarita . . .

7. disco de barro que se usa para cocer las tortillas y para tostar el café y el cacao en México y la América Central. 8. mujeres que iban con los soldados en la Revolución mexicana.

Mientras comíamos, alguien recordó a los que habían caído en el precipicio, horas antes: tres soldaderas que habían rodado con todo y caballo, y yo pregunté con ingenuidad:

— ¿Las habrán recogido para curarlas y estarán en alguno de los ranchos . . .?

Y un Coronel barbón que espiaba por allí y se había quedado para participar del café y los cigarrillos exclamó:

— ¡Válgame, Licenciado! ¿y cómo quiere que nadie haga caso de una soldadera?

Lo observamos y no había en su gesto ferocidad; al contrario, cierta expresión triste y dulce ...

— No, señores, — profirió en tono de discurso . . . — si ustedes hubiesen visto lo que yo, entonces sabrían lo que es la revolución.

Y después de contar anécdotas macabras de su División del Norte, volviéndose hacia mí, insistió·

— Si supiera, Licenciado, si supiera qué malo es el hombre . . . es muy malo ser hombre . . . ¿Cómo le haremos, Licenciado, para que esta raza se salve?

Y se mesaba los cabellos y ponía los ojos despavoridos.

(De *La tormenta*, 1936)

NOTICIA COMPLEMENTARIA

De los poetas que no entraron en nuestra antología uno de los más importantes fué el aventurero y mudable JOSÉ JUAN TABLADA (México; 1871-1945). Inquieto por las promesas que entreveía en todos los horizontes poéticos tentó nuevas maneras y se renovó constantemente. Su ejemplo fué provechoso para los jóvenes que querían arriesgarse por nuevas sendas.

De los novelistas sería injusto no mencionar a ENRIQUE LARRETA (Argentina; 1873), autor de *La gloria de Don Ramiro* y de *Zogoibi*, de rica prosa impresionista; MARIANO AZUELA (México; 1873-1952), que abre con *Los de abajo* (1916) el ciclo de la novela de la Revolución Mexicana de 1910. Más tarde, con *La Luciérnaga*, renovó su técnica novelística. Otros buenos narradores: JESÚS CASTELLANOS (Cuba; 1879-1912) y TULIO MANUEL CESTERO (Santo Domingo; 1877-1954), realistas ambos.

En el teatro, la gran figura de este período fué la de FLORENCIO SÁNCHEZ (Uruguay; 1875-1910). Con él triunfó el realismo en el drama hispanoamericano. Uno de sus temas fué la vida en el campo, con los conflictos entre criollos e inmigrantes europeos o entre la tradición y el progreso. Su obra maestra fué *Barranca abajo*, la tragedia más sombría de nuestro teatro.

X

1910-1925

MARCO HISTÓRICO: *La Revolución social en México abre un nuevo ciclo político en nuestra historia. En la Argentina triunfan, sobre la oligarquía, nuevas fuerzas sociales, democráticas. Efectos de la primera Guerra Mundial.*

TENDENCIAS CULTURALES: *Mitigado el afán artificioso del Modernismo, los escritores se vuelven hacia una expresión más sencilla, más humana, más americana. Por otro lado, hay un grupo que se lanza hacia las aventuras del Cubismo, el Futurismo, el Dadaísmo. Las revistas de posguerra: el « Ultraísmo » y su disolución.*

Ramón López Velarde
Ricardo Miró
José Manuel Poveda
Evaristo Ribera Chevremont
Andrés Eloy Blanco
José Eustasio Rivera
Luis Carlos López
Porfirio Barba Jacob
Gabriela Mistral
Delmira Agustini
Juana de Ibarbourou
Baldomero Fernández Moreno
Alfonsina Storni
Mariano Brull
César Vallejo
Vicente Huidobro
Rafael Arévalo Martínez
Alfonso Hernández Catá
Rómulo Gallegos
Ventura García Calderón
Pedro Prado
Eduardo Barrios
Ricardo Güiraldes
Martín Luis Guzmán
Carmen Lyra
Mariano Latorre
Manuel Rojas
Pedro Henríquez Ureña
Francisco Romero
Ezequiel Martínez Estrada
Alfonso Reyes

Como en medio de estos años estalló la primera guerra mundial (1914-1918) se ha hablado de grupos literarios de la preguerra y de la posguerra. No exageremos, sin embargo, los efectos de la guerra europea sobre la literatura hispanoamericana. Ya antes de la guerra los gustos estaban cambiando rápidamente. Quizá sea mejor agrupar a los escritores de acuerdo a esos gustos.

Unos escritores permanecieron leales a los patrones tradicionales; otros, los aventureros, cultivaron formas idiomáticas inesperadas; y, al final de este período, apareció un grupo más juvenil que inició, desde las páginas de las revistas, un arte incoherente y juguetón.

Los mismos hombres escriben en verso y en prosa. Presentaremos primero a los que se destacaron principalmente en verso y luego a los que se destacaron principalmente en prosa.

Principalmente verso

Según dijimos hubo un primer grupo de poetas normales, continuadores de los estilos ya establecidos; un segundo grupo, donde la poesía es anormal, esto es, al margen de las normas reconocidas; y un tercer grupo de jóvenes escandalosos. Veámoslos en este orden.

En el capítulo anterior se vió cómo los autores de la plenitud del Modernismo continuaron escribiendo hasta muy entrado el siglo XX. En riguroso turno la muerte les fué haciendo soltar la pluma. Ya en 1910 estaban, todos, consagrados y, muchos, agotados. Algunos (Darío, Nervo, González Martínez) recogían del Simbolismo un flúido hondo, fresco, sereno. Otros (Leopoldo Lugones y José M. Eguren) eran exploradores de nuevas fuentes de juventud verbal y se rejuvenecieron al rodearse de la admiración de los que comenzaban.

No todos los que entraron en la literatura en 1910 usaron la misma puerta. Habían nacido junto con los versos y prosas artísticas del primer grupo modernista, desde las primicias parnasianas de 1880 hasta las *Prosas Profanas* de Darío, en 1896. Habían crecido junto con esa literatura esteticista, hermanos de libros que se habían hecho famosos, émulos de esas famas. La batalla estética había sido ya ganada por los padres: no había por qué repetir ni excederse. Aceptaban como ordinarias normas que habían sido extraordinarias: la aristocrática función de la poesía, el saber insinuar con leve ademán, el individualizarse con estilos esmerados.

Resulta casi imposible clasificar la nueva poesía. Sin embargo, si uno atiende a los mejores poetas de esta generación, se oirán distintos acordes.

Algunos poetas no disimulan que su punto de partida ha sido el Modernismo, aunque después se alejen hacia modos más conceptuales o formas más espontáneas (Rafael Cardona, Ricardo Miró, Medardo Ángel Silva, Claudio Peñaranda, Eloy Fariña Núñez, Evaristo Ribera Chevremont).

Otros se orientan hacia una poesía pura (José Manuel Poveda).

Otros son todo ojos para el paisaje (José Eustasio Rivera).

Otros se desvían hacia un trato más directo con la vida y la naturaleza. Son sencillos, humanos, sobrios (Fernández Moreno, Enrique Banchs).

Otros tienen un aire de sabiduría, de haber ido lejos y estar de vuelta con muchos secretos clásicos (Alfonso Reyes).

Otros, los más efusivos, confiesan sinceramente lo que les pasa, angustias, exaltaciones (Gabriela Mistral, Sabat Ercasty, Delmira Agustini, Juana de Ibarbourou, Alfonsina Storni, Barba Jacob).

Están los de sentido humorístico, como si los hijos sospecharan que había algo ridículo y cursi en la tradición familiar modernista (Luis Carlos López, José Z. Tallet).

Los hay cerebrales, fríos, recatados o especulativos (Emilio Oribe, Martínez Estrada).

O los de alma devota (López Velarde).

Y los de emoción civil (José Tadeo Arreaza Calatrava).

México. El poeta que hacia 1922 atrajo la atención de quienes hasta entonces la tenían puesta en González Martínez fué Ramón López Velarde (1888-1921). Escribió poco: los sentimentales versos de *La sangre devota* (1916), los sensuales de

Zozobra (1919) y, póstumo, *El son del corazón* (1932), donde se recogió su poema más conocido, « La suave patria ». Hay otros tomos póstumos: *El minutero* (1923), prosas de valor poético; *El don de febrero* (1952), ensayos de diversa índole; *Prosas políticas* (1953), y el libro misceláneo *Poesías, cartas, documentos* (1952). Después de la liquidación del Modernismo su obra, breve e intensa, es de las más duraderas. Mostró anhelo de renovación, pero no por la superficie sino por dentro: profundizó en lo subjetivo (su alma) y en lo objetivo (la intimidad de México). Su disposición amorosa está siempre presente. En *La sangre devota* aparecen los dos extremos del sentimiento amoroso, el puro, ideal, tendido hacia Fuensanta, y el de las tentaciones carnales, más patentes en *Zozobra*, su mejor libro. Aquí hay versos que muestran al poeta entregándose al amor; pero son más significativos los que revelan su desencanto y aun fracaso al no poder satisfacer ni el apetito de los sentidos ni la comunicación espiritual con la amada. En *El son del corazón* es más equilibrado puesto que el poeta parece hacer un balance de todo su desarrollo espiritual, pero es menos intenso. « La suave patria » nos habla de su provincia mexicana, pero el poeta no se queda allí: sin salirse de su propio jardín viaja por los jardines de otras literaturas.

Ramón López Velarde

MI PRIMA ÁGUEDA

Mi madrina invitaba a mi prima Águeda
a que pasara el día con nosotros,
y mi prima llegaba
con un contradictorio
prestigio de almidón y de temible
luto ceremonioso.

Águeda aparecía, resonante
de almidón, y sus ojos
verdes y sus mejillas rubicundas
me protegían contra el pavoroso
luto . . .

Yo era rapaz
y conocía la o por lo redondo,
y Águeda que tejía
mansa y perseverante, en el sonoro
corredor, me causaba
calofríos ignotos . . .
(Creo que hasta le debo la costumbre
heroicamente insana de hablar solo.)

A la hora de comer, en la penumbra
quieta del refectorio,
me iba embelesando un quebradizo
sonar intermitente de vajilla,
y el timbre caricioso
de la voz de mi prima.

Águeda era
(luto, pupilas verdes y mejillas
rubicundas) un cesto policromo
de manzanas y uvas
en el ébano de un armario añoso.

(De *La sangre devota*, 1916)

EL RETORNO MALÉFICO

Mejor será no regresar al pueblo,
al edén subvertido que se calla
en la mutilación de la metralla.

Hasta los fresnos mancos,
los dignatarios de cúpula oronda,
han de rodar las quejas de la torre
acribillada en los vientos de fronda.

Y la fusilería grabó en la cal
de todas las paredes
de la aldea espectral,

negros y aciagos mapas,
porque en ellos leyese el hijo pródigo
al volver a su umbral
en un anochecer de maleficio,
a la luz de petróleo de una mecha,
su esperanza deshecha.

Cuando la tosca llave enmohecida
tuerza la chirriante cerradura,
en la añeja clausura
del zaguán, los dos púdicos
medallones de yeso,
entornando los párpados narcóticos,
se mirarán y se dirán: «¿Qué es eso? »

Y yo entraré con pies advenedizos
hasta el patio agorero
en que hay un brocal ensimismado,
con un cubo de cuero
goteando su gota categórica
como un estribillo plañidero.

Si el sol inexorable, alegre y tónico,
hace hervir a las fuentes catecúmenas
en que bañábase mi sueño crónico;
si se afana la hormiga;
si en los techos resuena y se fatiga
de los buches de tórtola el reclamo
que entre las telarañas zumba y zumba;
mi sed de amar será como una argolla
empotrada en la losa de una tumba.

Las golondrinas nuevas, renovando
con sus noveles picos alfareros
los nidos tempraneros;
bajo el ópalo insigne
de los atardeceres monacales,
el lloro de recientes recentales
por la ubérrima ubre prohibida
de la vaca, rumiante y faraónica,
que al párvulo intimida;
campanario de timbre novedoso;
remozados altares;
el amor amoroso
de las parejas pares;
noviazgos de muchachas
frescas y humildes, como humildes coles,
y que la mano dan por el postigo
a la luz de dramáticos faroles;
alguna señorita
que canta en algún piano
alguna vieja aria;
el gendarme que pita . . .
. . . Y una íntima tristeza reaccionaria.

(De *Zozobra*, 1919)

LA SUAVE PATRIA

Proemio

Yo que sólo canté de la exquisita
partitura del íntimo decoro,
alzo hoy la voz a la mitad del foro
a la manera del tenor que imita
la gutural modulación del bajo,
para cortar a la epopeya un gajo.

Navegaré por las olas civiles
con remos que no pesan, porque van
como los brazos del correo Chuan[1]
que remaba la Mancha con fusiles.

Diré con una épica sordina:
la Patria es impecable y diamantina.

Suave Patria: permite que te envuelva
en la más honda música de selva
con que me modelaste por entero
al golpe cadencioso de las hachas,
entre risas y gritos de muchachas
y pájaros de oficio carpintero.

Primer Acto

Patria: tu superficie es el maíz,
tus minas el palacio del Rey de Oros,
y tu cielo las garzas en desliz
y el relámpago verde de los loros.

El Niño Dios te escrituró un establo
y los veneros de petróleo el diablo.

1. Chouan, referencia a un personaje de la época de la Revolución francesa que aparece en una novela de Barbey d'Aurevilly, *Le Chevalier des Touches*, y que tuvo una vez que atravesar el mar desde la isla de Guernesey a la costa francesa en un bote remando con los fusiles. 2. baile popular del estado de Jalisco, en México. 3. (o sésamo) planta cuyas semillas sirven para dar gusto a ciertos dulces y al pan. 4. el sacramento de la Eucaristía administrado a un enfermo en peligro de muerte. 5. último emperador azteca, sobrino de Moctezuma. 6. doña Marina, la intérprete y amante de Cortés.

Sobre tu Capital, cada hora vuela
ojerosa y pintada, en carretela;
y en tu provincia, del reloj en vela
que rondan los palomos colipavos,
las campanadas caen como centavos.

Patria: tu mutilado territorio
se viste de percal y de abalorio.

Suave Patria: tu casa todavía
es tan grande, que el tren va por la vía
como aguinaldo de juguetería.

Y en el barullo de las estaciones,
con tu mirada de mestiza, pones
la inmensidad sobre los corazones.

¿Quién, en la noche que asusta a la rana,
no miró, antes de saber del vicio,
del brazo de su novia, la galana
pólvora de los fuegos de artificio?

Suave Patria: en tu tórrido festín
luces policromías de delfín,
y con tu pelo rubio se desposa
el alma, equilibrista chuparrosa,
y a tus dos trenzas de tabaco, sabe
ofrendar aguamiel toda mi briosa
raza de bailadores de jarabe.[2]

Tu barro suena a plata, y en tu puño
su sonora miseria es alcancía;
y por las madrugadas del terruño,
en calles como espejos, se vacía
el santo olor de la panadería.

Cuando nacemos, nos regalas notas;
después, un paraíso de compotas,
y luego te regalas toda entera,
suave Patria, alacena y pajarera.

Al triste y al feliz dices que sí,
que en tu lengua de amor prueben de ti
la picadura del ajonjolí.[3]

¡Y tu cielo nupcial, que cuando truena
de deleites frenéticos nos llena!

Trueno de nuestras nubes, que nos baña
de locura, enloquece a la montaña,
requiebra a la mujer, sana al lunático,
incorpora a los muertos, pide el Viático,[4]
y al fin derrumba las madererías
de Dios, sobre las tierras labrantías.

Trueno del temporal: oigo en tus quejas
crujir los esqueletos en parejas;
oigo lo que se fué, lo que aún no toco,
y la hora actual con su vientre de coco.
Y oigo en el brinco de tu ida y venida,
¡oh, trueno!, la ruleta de mi vida.

Intermedio

(CUAUHTEMOC.[5])

Joven abuelo: escúchame loarte,
único héroe a la altura del arte.

Anacrónicamente, absurdamente,
a tu nopal inclínase el rosal;
al idioma del blanco, tú lo imantas
y es surtidor de católica fuente
que de responsos llena el victorial
zócalo de ceniza de tus plantas.

No como a César el rubor patricio
te cubre el rostro en medio del suplicio;
tu cabeza desnuda se nos queda,
hemisféricamente, de moneda.

Moneda espiritual en que se fragua
todo lo que sufriste: la piragua
prisionera, el azoro de tus crías,
el sollozar de tus mitologías,
la Malinche,[6] los ídolos a nado,
y por encima, haberte desatado
del pecho curvo de la emperatriz
como del pecho de una codorniz.

Segundo Acto

Suave Patria: tú vales por el río
de las virtudes de tu mujerío.
Tus hijas atraviesan como hadas,
o destilando un invisible alcohol,
vestidas con las redes de tu sol,
cruzan como botellas alambradas.

Suave Patria: te amo no cual mito,
sino por tu verdad de pan bendito,
como a niña que asoma por la reja
con la blusa corrida hasta la oreja
y la falda bajada hasta el huesito.

Inaccesible al deshonor, floreces;
creeré en ti mientras una mexicana
en su tápalo lleve los dobleces
de la tienda, a las seis de la mañana,
y al estrenar su lujo, quede lleno
el país, del aroma del estreno.

Como la sota moza, Patria mía,
en piso de metal, vives al día,
de milagro, como la lotería.

Tu imagen, el Palacio Nacional,
con tu misma grandeza y con tu igual
estatura de niño y de dedal.

Te dará, frente al hambre y al obús,
un higo San Felipe de Jesús.[7]

Suave Patria, vendedora de chía:[8]
quiero raptarte en la cuaresma opaca,
sobre un garañón, y con matraca,
y entre los tiros de la policía.

Tus entrañas no niegan un asilo
para el ave que el párvulo sepulta
en una caja de carretes de hilo,
y nuestra juventud, llorando, oculta
dentro de ti, el cadáver hecho poma
de aves que hablan nuestro mismo idioma.

Si me ahogo en tus julios, a mí baja
desde el vergel de tu peinado denso
frescura de rebozo y de tinaja:
y si tirito, dejas que me arrope
en tu respiración azul de incienso
y en tus carnosos labios de rompope.[9]

Por tu balcón de palmas bendecidas
el Domingo de Ramos, yo desfilo
lleno de sombra, porque tú trepidas.

Quieren morir tu ánima y tu estilo,
cual muriéndose van las cantadoras
que en las ferias, con el bravío pecho
empitonando la camisa, han hecho
la lujuria y el ritmo de las horas.

Patria, te doy de tu dicha la clave:
sé siempre igual, fiel a tu espejo diario;
cincuenta veces es igual el ave
taladrada en el hilo del rosario,
y es más feliz que tú, Patria suave.

Sé igual y fiel; pupilas de abandono;
sedienta voz, la trigarante[10] faja
en tus pechugas al vapor; y un trono
a la intemperie, cual una sonaja:
la carreta alegórica de paja.

(De *Son del corazón*, 1932)

Centroamérica. En todos los países de la América Central hubo poetas modernistas. En Nicaragua, SALOMÓN DE LA SELVA; en Guatemala, ARÉVALO MARTÍNEZ; en El Salvador, RAÚL CONTRERAS; en Costa Rica, RAFAEL CARDONA y JULIÁN MARCHENA; en Honduras, ALFONSO GUILLÉN ZELAYA. Quisiéramos, como expresión de la poesía centroamericana, elegir unos versos del panameño RICARDO MIRÓ (1883-1940).

Miró es el poeta más notable en toda la historia de la literatura de Panamá. Dirigió la revista *Nuevos ritos*. Los nuevos ritos poéticos de Miró eran los del Modernismo, a la manera de Guillermo Valencia y también, en el otro extremo, de José Santos Chocano. Su sensibilidad se expresó a veces en poemas próximos a los de la vanguardia juvenil. Miró es autor de *La leyenda del Pacífico*, *Frisos*, *Preludios* y *Caminos silenciosos*.

7. misionero franciscano, uno de los mártires del Japón, crucificados en Nagasaki en 1597. La alusión es al hecho de que una higuera de la casa en que el santo vivió en México, que estaba muerta, revivió el día de su martirio. 8. semilla de una especie de planta cuyo mucílago, mezclado con azúcar y limón es un refresco agradable, y común en México. 9. bebida hecha con aguardiente, leche, azucar y canela. 10. que incluye tres garantías. En México se dijo así del Plan de Iguala. Aquí la referencia es a los tres colores de la bandera mexicana.

1. Amatunte, antigua ciudad de Chipre, célebre por el culto de Adonis y Venus.

Ricardo Miró

VERSOS AL OÍDO DE LELIA

Óyeme, corazón. En cada rama
del bosque secular se esconde un nido
o una dulce pareja que se ama.

Cada una rosa del rosal resume
un corazón, feliz o dolorido,
que de amor en la brisa se consume.

La estrella que nos manda sus reflejos
no hace más que volver con su luz pura
los besos que le envían desde lejos.

Todo tiembla de amor . . . Hasta la piedra
a veces se estremece de ternura
y se vuelve un jardín bajo la yedra.

*

No importa ser mujer o ser paloma;
ser rosa de Amatonte,[1] estrella o palma,
importa tener alma y dar esa alma
en risas, en fulgores, o en aroma.

Triunfa el Amor sobre la Muerte. Nacen
las rosas para amar, y hasta las rosas
cuando al viento, marchitas, se deshacen,
se vuelven un tropel de mariposas.

Suspiro es un anhelo que, escapado
del corazón, se va a volar errante
buscando una ilusión que ya ha pasado
o algún sueño de luz que está delante.

Pues bien, la brisa pasa en blandos giros,
y no puede medir tu pensamiento
la interminable tropa de suspiros
que viaja en cada ráfaga de viento.

Tú que tienes los ojos soñadores
como una noche tropical, asoma
tu corazón a todos los amores
y sé estrella, sé flor o sé paloma.

Y ya verán tus ojos asombrados
ante la tarde que en el mar expira,
cuán hermosa es la tarde, si se mira
con dos ojos que están enamorados.

(De *Antología poética,* 1937)

Antillas. En Santo Domingo apenas hubo Modernismo: FABIO FIALLO, OSVALDO BAZIL, amigos de Rubén Darío; ALTAGRACIA SAVIÑÓN.

En Cuba los poetas más estimables en la continuación y renovación del Modernismo fueron REGINO E. BOTI, JOSÉ MANUEL POVEDA y AGUSTÍN ACOSTA; y, después del ímpetu que estos tres nombres dieron a las letras, aparecieron FELIPE PICHARDO MOYA, JOSÉ Z. TALLET, RUBÉN MARTÍNEZ VILLENA, REGINO PEDROSO y EMILIA BERNAL. Damos a continuación un poema de JOSÉ MANUEL POVEDA (1888-1926) que ilustra bien la tendencia de renovación estética que aparece dentro del llamado postmodernismo, y que habrá de desarrollarse y adquirir plenitud en los poetas de vanguardia. El único libro de Poveda, *Versos precursores* (1917), es por ello mismo revelador.

José Manuel Poveda

SOL DE LOS HUMILDES

Todo el barrio pobre,
el meandro de callejas, charcas y tablados, de repente
se ha bañado en el cobre
del poniente.

Fulge como una prenda falsa el barrio bajo,
y son de óxido verde los polveros
que, al volver del trabajo,
alza el tropel de obreros.

El sol alarga este ocaso,
contento al ver las gentes, los perros y los chicos,
saludarle con cariño al paso,
y no con el desdén glacial de los suburbios ricos.

Y así el sátiro en celo
del sol, no ve pasar una chiquilla
sin que, haciendo de jovial abuelo
le abrase a besos la mejilla.

Y así a todos en el barrio deja un mimo:
a las moscas de estiércol, en la escama,
al pantano, sobre el verde limo,
a la freidora, en la sartén que se inflama,
al vertedero, en los retales inmundos;
y acaba culebreando alegre el sol
en los negros torsos de los vagabundos
que juegan al *base-ball*.

Penetra en la cantina,
buen bebedor, cuando en los vasos arde
la cerveza, y se inclina,
sobre nosotros, a beber la tarde.

Pero entonces comprende
que se ha retrasado,
y en la especie de fuga que emprende
se sube al tejado.

Un minuto, y adviene la hora de esplín,
la oración misteriosa y sin brillo,
y el nocturno, medroso violín
del grillo.

(De *Versos precursores*, 1917)

De Puerto Rico hemos seleccionado uno de los poetas que, a pesar de sus incursiones en la poesía de vanguardia de postguerra, cabe aquí: EVARISTO RIBERA CHEVREMONT (1896). Al regresar de España en 1924 — donde vivió cinco años — difundió la poesía de vanguardia. Lo hizo en parte porque le interesaba experimentar con las nuevas técnicas. *La copa de Hebe* (1922) fué su experimento versolibrista. Con los años, sin embargo, volvió a las formas tradicionales.

Evaristo Ribera Chevremont

EL NIÑO Y EL FAROL

I

Por el jardín, de flores
de sombra, viene el niño;
un farol muy lustroso
le relumbra en la mano.

Alumbrada, la cara
del niño resplandece;
en su pelo, los años
dulcemente sonríen.

El niño, que levanta
el farol en su mano,
va hurgando los rincones
del jardín, ya sin nadie.

Va en busca de la gracia
de alguna fantasía.
El jardín sigue al niño,
agitadas sus plantas.

II

El niño, a la luz densa
de su farol, descubre
unos troncos negruzcos,
unas blancas paredes.

En las manchas de verde
del jardín, serpentea
el camino dorado
de las viejas ficciones.

El camino que, en sabias
madureces de tiempo,
reaparece, cargado
de sus mágicas lenguas.

Ir por ese camino
es hallarse en la gloria
de un pretérito pródigo
de ilusivas substancias.

III

Bajándolo y subiéndolo,
por el jardín el niño
lleva el farol. Las flores
de sombra se desmayan.

Contra amontonamiento
de masas vegetales,
se ven danzar figuras
de imaginario mundo.

Un chorro de colores
cae al jardin. El niño,
potente en su misterio,
domina esta belleza.

Más allá de las tapias
del jardín, es la noche
un tejido monstruoso
de nieblas y de astros.

IV

Nada duerme. Las cosas
en un vasto desvelo,
quitándose la máscara,
intensamente arden.

Con el pulso ligero
de un demonio, en las manos
prodigiosas del niño
el farol bailotea.

El jardín, deshojado
en sus flores de sombra,
hace tierna en el polvo
la pisada del niño.

Errabundo y sonámbulo,
anda el niño. Arco iris
de leyendas y cuentos
le ilumina la frente.

V

Y ahora escucha en los árboles,
que llamean y esplenden,
un rumor conocido
de remotas palabras.

¿Quién le habla? ¿Qué genio
arrancando raíces
y agitando ramajes,
le desnuda sus voces?

Tierra y madre le tocan,
con sus dedos untados
de ternura, la sangre,
la cual vibra y se inflama.

Otra vida lo mueve;
una vida que media
entre el musgo y el aire,
entre el aire y la nube.

VI

Ni juguetes, ni juegos,
ni confites, ni pastas
valen más que este rumbo
de pintado alborozo.

El jardín, todo ojos,
se recrea en el niño,
quien, borracho de fábulas,
su gobierno establece.

Agigántase el niño;
el farol agigántase,
y ambos cubren la noche,
de un azul que es de fuego.

Arropadas de estrellas,
se prolongan las calles
donde vela el silencio
en su mística guarda.

VII

En la noche, cruzada
de humedades y olores,
los insectos se agolpan
en su fiebre de música.

Mientras roncan los hombres
con un largo ronquido;
mientras ladran los perros,
vive el niño su noche.

En las manos del niño
el farol bailotea,
derramando un torrente
que es de soles y auroras.

Nunca, nunca la muerte
matará al niño. ¡Nunca!
Su farol milagroso
fulgirá ya por siempre.

(De *Tonos y formas*, 1943)

Venezuela. Después de los poetas próximos al Modernismo — ALFREDO ARVELO LARRIVA y JOSÉ TADEO ARREAZA CALATRAVA — surgió la « generación del año 18. » Es la más efectiva, la más resonante de la historia poética venezolana, pero no fué una generación con unidad de estilo. Se oyen en ella voces muy diferentes: FERNANDO PAZ CASTILLO, RODOLFO MOLEIRO, LUIS ENRIQUE MÁRMOL.

El más famoso fué ANDRÉS ELOY BLANCO (1897-1955), de rica madera, serio y donoso, brillante y matizado, excesivo pero íntimo, capaz de clasicismo pero romántico en sus zumos nativos y folklóricos. Su múltiple acento resonó en toda América, resonó en España. Fué el que traspasó las fronteras geográficas; con todo, él mismo fué un poeta-frontera. A sus espaldas, el Modernismo; al frente, las ganas de un cambio. Porque en Venezuela el Modernismo fué tardío y se prolongó más tiempo. Y también la batalla vanguardista iba a ser tardía.

Andrés Eloy Blanco

A FLORINDA EN INVIERNO

Al hombre mozo que te habló de amores
dijiste ayer, Florinda, que volviera,
porque en las manos te sobraban flores
para reírte de la Primavera.

Llegó el Otoño: cama y cobertores
te dió en su deshojar la enredadera
y vino el hombre que te habló de amores
y nuevamente le dijiste: — Espera.

Y ahora esperas tú, visión remota,
campiña gris, empalizada rota,
ya sin color el póstumo retoño

que te dejó la enredadera trunca,
porque cuando el amor viene en Otoño,
si le dejamos ir no vuelve nunca.

(De *Poda*, saldo de poemas, 1923-1928, segunda edición, 1942)

LA CITA

Pinar arriba,
pinar abajo,
la nube, el pinar, el viento,
la tarde y yo te esperamos.

¡Cómo tardas!
tú siempre ofreces tempranos
y siempre pagas con tardes.
Me van a crecer los pinos
esperándote.

La próxima vez,
ya sé a qué atenerme:
te voy a hacer esperar
una hora, sola, sola,
para que sepas entonces
cuántos pinos tiene una hora.

Ya se fastidió la nube;
se está lloviendo por dentro.
Eres mala;
a una nube de agua dulce
volverla de agua salada.

La próxima vez,
esperaré a que llueva a chorros;
ya te contará la nube
cómo esperamos nosotros
y nunca sabrás si el agua que te pasó por los labios
te la lloraron las nubes
o te la llovieron los ojos.

Ya se va el viento, diciendo
malas palabras de monte;
ya verás, cuando tú esperes, esperando y solitaria,
te dirá el viento unas cosas que te pondrán colorada.

Ahora se va la tarde;
se le está poniendo oscura la pena del horizonte;
ya verás, cuando estés sola,
y en un adiós de la tarde te quedes sola en la noche.

Se va el pinar; se está yendo
revuelto el verde hasta un negro
que se hace nube y se encoge
y se agavilla y se expande,
verde, negro, verde, gris,
y no se va pino a pino,
sino que se hace una cosa
de pinos que va a dormir.

Y yo ¿qué estoy esperando?
Ya me voy, solo. Eres mala;
a una tarde, hacerla noche,
a un pinar, hacerlo nube,
a una nube de agua dulce
hacerla de agua salada.

Ya me voy. ¡Pero aquí estas!
¡La tarde está regresando!
¡mira el viento! ¡se ve el viento!
¡la nube está echando lirios!
mira el pinar, como viene,
pino a pino, pino a pino . . .

(De *Giraluna*, 1955)

Colombia. Se llama « generación del Centenario » a los poetas colombianos que empezaron a publicar alrededor de 1910. Tuvieron más sentido cívico que los estetas que acompañaban a Rubén Darío, y se inspiraron en el patrimonio nacional. Sin embargo, los poetas « centenaristas » aprendieron su arte de modelos parnasianos y simbolistas y, dentro de Colombia, continuaron al modernista Valencia. Los más brillantes fueron José Eustasio Rivera, Ángel María Céspedes, Miguel Rasch Isla y Eduardo Castillo.

José Eustasio Rivera (1888-1928) fué uno de los primeros en apoyarse en el paisaje colombiano para hacer brincar allí su lirismo. Escribió sonetos admirables: *Tierra de promisión* (1921). La estructura fija del soneto se presta a que, verso tras verso, una acción se vaya desarrollando en un riguroso movimiento unitario que mantiene al lector alerta a lo que va a venir. La acción que Rivera pinta en sus sonetos es la de la naturaleza de Colombia: animales, plantas, ríos, montañas, luces del cielo . . . El último verso cierra esa acción y la deja perfecta, como un cuadro lleno de color. Lo que se ve en ese cuadro es una realidad virgen para la poesía: nadie, antes de Rivera, la había desarrebozado con tanta intensidad, desde un ángulo tan embellecedor. Pero la técnica literaria de pintar las cosas de la naturaleza, con tanta nitidez en el perfil, en el matiz, en el gesto, y de encuadrarlas en una forma aristocrática, es parnasiana. Las palabras elegidas por el poeta ennoblecen la sustancia bruta del paisaje y la transforman en preciosa materia. Cuando escribió su novela *La vorágine* (1924) Rivera mantuvo su alta tensión poética pero cambió de perspectiva. En vez de contemplar cuadros, se metió dentro de la naturaleza misma y sorprendió la nueva belleza del desorden y la violencia. Lirismo de pesadilla, de fiebre, de espanto. Las penosas aventuras de Arturo Cova, que huye de Bogotá con una mujer y se pierde en la selva, sacuden al lector con tanta fuerza dramática que a veces uno queda sin aliento. La compleja personalidad del protagonista-narrador — Cova —, que es poeta refinado pero de bárbaro empuje, da nervios a la naturaleza colombiana y cuando la vemos crispada, trágica, como un infierno verde, estamos viendo también el alma de Cova. En todo caso, vemos a la selva en el acto de tragarse a Cova, pero desde los ojos de Cova.

Aunque la popularidad de Rivera se debe a *La vorágine*, sus méritos son de poeta, como se podrá apreciar en los sonetos que reproducimos a continuación.

José Eustasio Rivera

TIERRA DE PROMISIÓN

Prólogo

Soy un grávido río, y a la luz meridiana
ruedo bajo los ámbitos reflejando el paisaje;
y en el hondo murmullo de mi audaz oleaje
se oye la voz solemne de la selva lejana.

1. bucare o búcare, árbol americano que sirve para proteger contra el sol los plantíos de cacao y de café. 2. arrayán, el mirto. 3. semillas de marojo, planta parecida al muérdago. 4. árbol alto y frondoso de la región del Caribe.

Flota el sol entre el nimbo de mi espuma liviana;
y peinando en los vientos el sonoro plumaje,
en las tardes un águila triunfadora y salvaje
vuela sobre mis tumbos encendidos en grana.

Turbio de pesadumbre y anchuroso y profundo,
al pasar ante el monte que en las nubes descuella
con mi trueno espumante sus contornos inundo;

y después, remansado bajo plácidas frondas,
purifico mis aguas esperando una estrella
que vendrá de los cielos a bogar en mis ondas.

Primera parte

4

La selva de anchas cúpulas, al sinfónico giro
de los vientos, preludia sus grandiosos maitines;
y al gemir de dos ramas como finos violines
lanza la móvil fronda su profundo suspiro.

Mansas voces se arrullan en oculto retiro;
los cañales conciertan moribundos flautines,
y al mecerse del cámbulo[1] florecido en carmines
entra por las marañas una luz de zafiro.

Curvada en el espasmo musical, la palmera
vibra sus abanicos en el aura ligera;
mas de pronto un gran trémolo de orquestados concentos

rompe las vainilleras . . .; y con grave arrogancia,
el follaje, embriagado con su propia fragancia,
como un león, revuelve la melena en los vientos.

9

Cantadora sencilla de una gran pesadumbre,
entre ocultos follajes, la paloma torcaz
acongoja las selvas con su blanca quejumbre,
picoteando arrayanas[2] y pepitas de agraz.[3]

Arrurrúuuu . . . canta viendo la primera vislumbre;
y después, por las tardes, al reflejo fugaz,
en la copa del guáimaro[4] que domina la cumbre
ve llenarse las lomas de silencio y de paz.

Entreabiertas las alas que la luz tornasola,
se entristece, la pobre, de encontrarse tan sola;
y esponjando el plumaje como leve capuz,

al impulso materno de sus tiernas entrañas,
amorosa se pone a arrullar las montañas . . .
y se duermen los montes . . . ¡Y se apaga la luz!

Tercera parte

3

Atropellados, por la pampa suelta,
los raudos potros en febril disputa,
hacen silbar sobre la sorda ruta
los huracanes en su crin revuelta.

Atrás dejando la llanura envuelta
en polvo, alargan la cerviz enjuta,
y en su carrera retumbante y bruta
cimbran los pindos[5] y la palma esbelta.

Ya cuando cruzan al austral peñasco,
vibra el relincho por las altas rocas;
entonces paran el triunfante casco,

resoplan, roncos, ante el sol violento,
y alzando en grupo las cabezas locas
oyen llegar al retrasado viento.

21

Sintiendo que en mi espíritu doliente
la ternura romántica germina,
voy a besar la estrella vespertina
sobre el agua ilusoria de la fuente.

Mas cuando hacia el fulgor cerulescente
mi labio melancólico se inclina,
oigo como una voz ultradivina
de alguien que me celara en el ambiente.

Y al pensar que tu espíritu me asiste,
torno los ojos a la pampa triste;
¡nadie! . . . sólo el crepúsculo de rosa.

Mas, ¡ay!, que entre la tímida vislumbre,
inclinada hacia mí, con pesadumbre,
suspira una palmera temblorosa.

(De *Tierra de Promisión*, 1921)

En la poesía colombiana de estos años aparece también un poeta no modernista — LUIS CARLOS LÓPEZ (1883-1950) — de versos elementales, esquemáticos. Escribió *De mi villorrio* (1908), *Los hongos de la Riba* (1909), *Por el atajo* (1928). López es a veces burdo en sus burlas a tipos y costumbres de la vida provincial, pero capaz de fina ironía y aun de hacer sonreír, líricamente, a un sentimiento que se avergüenza y esconde la cara.

5. árboles de espeso y hermoso follaje.

1. dios del bien en la mitología egipcia. Aquí está tomado como sinónimo del Sol. 2. versión castellana del primer verso de « A une ville morte », poema de José María de Heredia (1842-1905), dedicado a Cartagena de Indias, en *Les Trophées*.

Luis Carlos López

CROMO

En el recogimiento campesino,
que viola el sollozar de las campanas,
giran, como sin ganas,
las enormes antenas de un molino.

Amanece. Por el confín cetrino
atisba el sol de invierno. Se oye un trino
que semeja peinar ternuras canas,
y se escucha el dialecto de las ranas . . .

La campiña, de un pálido aceituna,
tiene hipocondria, una
dulce hipocondria que parece mía.

Y el viejo Osiris[1] sobre el lienzo plomo
saca el paisaje lentamente, como
quien va sacando una calcomanía . . .

(De *De mi villorrio*, 1908)

A MI CIUDAD NATIVA

« Ciudad triste, ayer
reina de la mar . . . »

J. M. de Heredia.[2]

Noble rincón de mis abuelos: nada
como evocar, cruzando callejuelas,
los tiempos de la cruz y de la espada,
del ahumado candil y las pajuelas . . .

Pues ya pasó, ciudad amurallada,
tu edad de folletín . . . Las carabelas
se fueron para siempre de tu rada . . .
— ¡Ya no viene el aceite en botijuelas! . . .

Fuiste heroica en los años coloniales,
cuando tus hijos, águilas caudales,
no eran una caterva de vencejos.

Mas hoy, con tu tristeza y desaliño,
bien puedes inspirar ese cariño
que uno le tiene a sus zapatos viejos . . .

A Miguel Ángel Osorio, conocido por su seudónimo PORFIRIO BARBA JACOB (Colombia; 1880-1942) suele considerársele como astro en la constelación de estos años. No obstante, Barba Jacob, todo lo inquieto, vehemente, desesperado que se quiera, no logró dar salida poética a ese mundo interior que le ahogaba el corazón. En « Canción ligera » se quejó de que las cosas estuvieran allí, frente a los ojos, y, sin embargo, uno no pudiera darles voz: « y nosotros, los míseros poetas, / temblando ante los vértigos del mar, / vemos la inesperada maravilla / y tan sólo podemos suspirar. » Y era verdad. Barba Jacob está todo dolorido de grandes interrogaciones, dudas, desánimos, rebeldías, deseos, lascivias, inmoralidades; pero se queda enfermo, en la oscuridad de su cueva, y más que cantos le oímos quejidos. Su lirismo es tan denso que a veces se oscurece, como en « Acuarimántima ». Sus mejores cantos son los de extravío y de soledad. La leyenda de su vida no nos interesa (aunque contribuyó a su fama), pero la leyenda de su poesía debe revisarse críticamente. Exageraba sus desgarramientos y, en su voluntad de escándalo, llegaba a simulaciones artísticas pero no poéticas. En sus momentos de sinceridad, por otra parte, no siempre vió claro en su propia hondura. Con todo, Barba Jacob es un nudo en el mismo hilo de la poesía colombiana donde antes vimos a Silva y a Valencia. No fué tan delicado y profundo como Silva ni tan artista como Valencia, pero sus temas eran románticos como en el primero y sus formas de corte modernista, como en el segundo.

Porfirio Barba Jacob

CANCIÓN DE LA VIDA PROFUNDA

El hombre es una cosa vana,
variable y ondeante . . .

Montaigne.

Hay días en que somos tan móviles, tan móviles,
como las leves briznas al viento y al azar.
Tal vez bajo otro cielo la gloria nos sonríe.
La vida es clara, undívaga y abierta como el mar.

Y hay días en que somos tan fértiles, tan fértiles,
como en abril el campo, que tiembla de pasión:
bajo el influjo próvido de espirituales lluvias,
el alma está brotando florestas de ilusión.

Y hay días en que somos tan plácidos, tan plácidos . . .
— ¡niñez en el crepúsculo! ¡lagunas de zafir! —
que un verso, un trino, un monte, un pájaro que cruza,
y hasta las propias penas nos hacen sonreír.

Y hay días en que somos tan sórdidos, tan sórdidos,
como la entraña oscura de oscuro pedernal:
la noche nos sorprende con sus profundas lámparas,
en rútiles monedas tasando el Bien y el Mal.

Y hay días en que somos tan lúbricos, tan lúbricos,
que nos depara en vano su carne la mujer:
tras de ceñir un talle y acariciar un seno,
la redondez de un fruto nos vuelve a estremecer.

Y hay días en que somos tan lúgubres, tan lúgubres,
como en las noches lúgubres el canto del pinar.
El alma gime entonces bajo el dolor del mundo,
y acaso ni Dios mismo nos pueda consolar.

Mas hay también, ¡oh Tierra!, un día . . . un día . . . un día
en que levamos anclas para jamás volver . . .
Un día en que discurren vientos ineluctables.
¡Un día en que ya nadie nos puede retener!

La Habana, 1914.

1. el monte en que se transfiguró Jesús, según los Evangelios.

ELEGÍA DE SEPTIEMBRE

Cordero tranquilo, cordero que paces
tu grama, y ajustas tu ser a la eterna armonía:
hundiendo en el lodo las plantas fugaces
huí de mis campos feraces
un día.

Ruiseñor de la selva encantada
que preludias el oro abrileño:
a pesar de la fúnebre Muerte y la sombra y la nada,
yo tuve un ensueño.

Sendero que vas del alcor campesino
a perderte en la azul lontananza:
los dioses me han hecho un regalo divino:
la ardiente esperanza.

Espiga que mecen los vientos, espiga
que conjuntas el trigo dorado:
al influjo de soplos violentos,
en las noches de amor he temblado.

Montaña que el sol transfigura,
Tabor[1] al febril mediodía,
silente deidad en la noche estelífera y pura:
¡nadie supo en la tierra sombría
mi dolor, mi temblor, mi pavura!

Y vosotros, rosal florecido,
lebreles sin amo, luceros, corpúsculos,
escuchadme esta cosa tremenda: ¡HE VIVIDO!
He vivido con alma, con sangre, con nervios, con músculos,
y voy al olvido . . .

La Habana, 1915.

FUTURO

Decid cuando yo muera . . . (¡y el día esté lejano!):
Soberbio y desdeñoso, pródigo y turbulento,
en el vital deliquio por siempre insaciado,
era una llama al viento . . .

Vagó, sensual y triste, por islas de su América;
en un pinar de Honduras vigorizó su aliento;
la tierra mexicana le dió su rebeldía,
su libertad, sus ímpetus . . . Y era una llama al viento.

De simas no sondadas subía a las estrellas:
un gran dolor incógnito vibraba por su acento;
fué sabio en sus abismos — y humilde, humilde, humilde —,
porque no es nada una llamita al viento . . .

Y supo cosas lúgubres, tan hondas y letales,
que nunca humana lira jamás esclareció,
y nadie ha comprendido su trémulo lamento . . .
Era una llama al viento y el viento la apagó.

Guatemala, julio 29 de 1923

(De *Antorchas contra el viento*, 1944)

Chile. Este país no había dado nada importante en poesía, pero de allí salió el único Premio Nobel de Literatura (1945) en nuestra América: GABRIELA MISTRAL (1889-1957). Por su poesía, áspera, desaliñada, Gabriela Mistral no parece pariente de los virtuosos del modernismo; sin embargo, sus metáforas tienen esa costumbre de la familia simbolista que consiste en saltar al abismo con una antorcha en la mano y en iluminar en la caída las anfractuosidades de la vida interior. Aunque diferente a los modernistas, Gabriela Mistral aprendió de ellos. De todos modos, escribió para quienes habían leído a los modernistas. Su gran tema es el amor; y todas sus poesías, variaciones a ese tema. Poesía amorosa, amatoria, pero no erótica. El primer grupo de esas variaciones se refiere a un triste episodio en la vida de Gabriela: su amor, primero y único, a un hombre que se suicidó por honor. Ella tenía diecisiete años cuando lo conoció. Estas poesías se recogieron en *Desolación*, su primer libro (edición príncipe, 1922; la definitiva, con adiciones, es de 1954). Nadie ha expresado con más fuerza lírica el despertar del amor, el sentirse arrebatada por la presencia del hombre y el no tener palabras para decirlo; el pudor de saberse mirada por él y la vergüenza de mirarse a sí misma y verse pobre en la desnudez; la dulce calentura del cuerpo; el miedo de no merecer el amado, el sobresalto de perderlo, los celos, la humillación, el desconsuelo; y después, cuando él se ha pegado un tiro en la sien, el consagrarle la propia vida, el rogar a Dios por la salvación del alma suicida y la congoja de querer saber qué hay más allá de la muerte y por qué tinieblas anda su muerto; la soledad, la espera inútil en los sitios que antes recorrieron juntos y, sin embargo, la obsesión de estar acompañada por su visita sobrenatural; el remordimiento de estar viva todavía, la llaga del recuerdo; el sello de la virginidad y el ansia maternal; y el tiempo que pasa y la propia carne que se va muriendo bajo el polvo de los huesos del muerto, y de pronto comprobar que ya no se puede recordar ni siquiera el rostro desaparecido; y la pobreza definitiva después de esa pérdida . . . Al llegar a los treinta años de edad — « ya en la mitad de mis días » — Gabriela Mistral continuó con otras variaciones al amor universal, amor a Dios, a la naturaleza, a la madre, a las buenas causas del mundo, a los humildes, perseguidos, dolientes y olvidados; y, sobre todo, a los niños, para quienes escribió rondas, canciones, cuentos. Así Gabriela Mistral, después de su depuración en el dolor, se eleva hacia un cándido, puro y transparente amor al prójimo. Ella sigue desolada, pero ahora canta su ternura. (*Ternura* 1924, es el título de un libro de poemas, en su mayoría desgajados de *Desolación*. Pero ese gajo ha crecido con brotes nuevos en la segunda edición de 1945). Otro de sus libros — el segundo libro original, *Tala*, 1938 — continúa el tema de *Desolación* pero aquí la visión de Gabriela, sobre todo la visión de la naturaleza, es más abstracta. En las poesías de su tercer y último libro, *Lagar* (1954), en su mayoría con ritmos de canción, se estiliza aún más el amor a la tierra y sus hombres. El vigor de Gabriela Mistral — vigor de poeta más que de poetisa — no se debe a las cosas que canta. No. Millares de poetas débiles han elegido temas fuertes. El vigor está en que ella levanta la realidad, se la derrama en las entrañas, la convierte en sangre y luego entona su noble y generoso canto de amor. Ha escrito también poemas en prosa, ensayos y cartas.

Gabriela Mistral

RUTH

1

Ruth moabita a espigar va a las eras,
aunque no tiene ni un campo mezquino.
Piensa que es Dios dueño de las praderas
y que ella espiga en un predio divino.

El sol caldeo su espalda acuchilla,
baña terrible su dorso inclinado;
arde de fiebre su leve mejilla,
y la fatiga le rinde el costado.

Booz se ha sentado en la parva abundosa.
El trigal es una onda infinita,
desde la sierra hasta donde él reposa,

que la abundancia ha cegado el camino . . .
Y en la onda de oro la Ruth moabita
viene, espigando, a encontrar su destino.

2

Booz miró a Ruth, y a los recolectores
dijo: « Dejad que recoja confiada . . . »
Y sonrieron los espigadores,
viendo del viejo la absorta mirada . . .

Eran sus barbas dos sendas de flores,
su ojo dulzura, reposo el semblante;
su voz pasaba de alcor en alcores,
pero podía dormir a un infante . . .

Ruth lo miró de la planta a la frente,
y fué sus ojos saciados bajando,
como el que bebe en inmensa corriente . . .

Al regresar a la aldea, los mozos
que ella encontró la miraron temblando.
Pero en su sueño Booz fué su esposo . . .

3

Y aquella noche el patriarca en la era
viendo los astros que laten de anhelo,
recordó aquello que a Abraham prometiera
Jehová: más hijos que estrellas dió al cielo.

Y suspiró por su lecho baldío,
rezó llorando, e hizo sitio en la almohada
para la que, como baja el rocío,
hacia él vendría en la noche callada.

Ruth vió en los astros los ojos con llanto
de Booz llamándola, y estremecida,
dejó su lecho, y se fué por el campo . . .

Dormía el justo, hecho paz y belleza.
Ruth, más callada que espiga vencida,
puso en el pecho de Booz su cabeza.

MIENTRAS BAJA LA NIEVE

Ha bajado la nieve, divina criatura,
el valle a conocer.
Ha bajado la nieve, esposa de la estrella.
¡Mirémosla caer!

¡Dulce! Llega sin ruido, como los suaves seres
que recelan dañar.
Así baja la luna y así bajan los sueños.
¡Mirémosla bajar!

¡Pura! Mira tu valle como lo está bordando
de su ligero azahar.
Tiene unos dulces dedos tan leves y sutiles
que rozan sin rozar.

¡Bella! ¿No te parece que sea el don magnífico
de un alto Donador?
Detrás de las estrellas su ancho peplo de seda
desgaja sin rumor.

Déjala que en tu frente te diluya su pluma
y te prenda su flor.
¡Quién sabe si no trae un mensaje a los hombres
de parte del Señor!

LA MARGARITA

El cielo de Diciembre es puro
y la fuente mana divina,
y la hierba llamó temblando
a hacer la ronda en la colina.

Las madres miran desde el valle,
y sobre la alta hierba fina,
ven una inmensa margarita,
que es nuestra ronda en la colina.

Ven una blanca margarita
que se levanta y que se inclina,
que se desata y que se anuda,
y que es la ronda en la colina.

En este día abrió una rosa
y perfumó la clavelina,
nació en el valle un corderillo
e hicimos ronda en la colina . . .

(« Rondas de niños »)

LOS SONETOS DE LA MUERTE

I

Del nicho helado en que los hombres te pusieron,
te bajaré a la tierra humilde y soleada.
Que he de dormirme en ella los hombres no supieron,
y que hemos de soñar sobre la misma almohada.

Te acostaré en la tierra soleada, con una
dulcedumbre de madre para el hijo dormido,
y la tierra ha de hacerse suavidades de cuna
al recibir tu cuerpo de niño dolorido.

Luego iré espolvoreando tierra y polvo de rosas,
y en la azulada y leve polvareda de luna,
los despojos livianos irán quedando presos.

Me alejaré cantando mis venganzas hermosas,
¡porque a ese hondor recóndito la mano de ninguna
bajará a disputarme tu puñado de huesos!

2

Este largo cansancio se hará mayor un día,
y el alma dirá al cuerpo que no quiere seguir
arrastrando su masa por la rosada vía,
por donde van los hombres, contentos de vivir.

Sentirás que a tu lado cavan briosamente,
que otra dormida llega a la quieta ciudad.
Esperaré que me hayan cubierto totalmente . . .
¡y después hablaremos por una eternidad!

Sólo entonces sabrás el porqué, no madura
para las hondas huesas tu carne todavía,
tuviste que bajar, sin fatiga, a dormir.

Se hará luz en la zona de los sinos, oscura;
sabrás que en nuestra alianza signo de astros había
y, roto el pacto enorme, tenías que morir . . .

3

Malas manos tomaron tu vida, desde el día
en que, a una señal de astros, dejara su plantel
nevado de azucenas. En gozo florecía.
Malas manos entraron trágicamente en él . . .

Y yo dije al Señor: «Por las sendas mortales
le llevan. ¡Sombra amada que no saben guiar!
Arráncalo, Señor, a esas manos fatales
o le hundes en el largo sueño que sabes dar!

« ¡No le puedo gritar, no le puedo seguir!
Su barca empuja un negro viento de tempestad.
Retórnalo a mis brazos o le siegas en flor. »

Se detuvo la barca rosa de su vivir . . .
¿Que no sé del amor, que no tuve piedad?
¡Tú, que vas a juzgarme, lo comprendes, Señor!

(De *Desolación*, 1922)

YO NO TENGO SOLEDAD

Es la noche desamparo
de las sierras hasta el mar.
Pero yo, la que te mece,
¡yo no tengo soledad!

Es el cielo desamparo
pues la luna cae al mar.
Pero yo, la que te estrecha,
¡yo no tengo soledad!

Es el mundo desamparo.
Toda carne triste va.
Pero yo, la que te oprime
¡yo no tengo soledad!

MECIENDO

El mar sus millares de olas
mece divino.
Oyendo a los mares amantes
mezo a mi niño.

El viento errabundo en la noche
mece los trigos.
Oyendo a los vientos amantes
mezo a mi niño.

Dios Padre sus miles de mundos
mece sin ruido.
Sintiendo su mano en la sombra
mezo a mi niño.

HALLAZGO

Me encontré este niño
cuando al campo iba:
dormido lo he hallado
sobre unas gavillas . . .

O tal vez ha sido
cruzando la viña:
al buscar un pámpano
toqué su mejilla . . .

Y por eso temo
al quedar dormida,
se evapore como
rocío en las viñas . . .

(De *Ternura*, 1924)

LA FLOR DEL AIRE

Yo la encontré por mi destino,
de pie a mitad de la pradera,
gobernadora del que pase,
del que le hable y que la vea.

Y ella me dijo: — « Sube al monte,
yo nunca dejo la pradera,
y me cortas las flores blancas
como nieves, duras y eternas. »

Me subí a la ácida montaña,
busqué las flores donde albean,
entre las rocas existiendo
medio-dormidas y despiertas.

Cuando bajé, con carga mía,
la hallé a mitad de la pradera,
y la fuí cubriendo frenética,
y le dí un río de azucenas.

Y sin mirarse la blancura,
ella me dijo: — « Tú acarrea
ahora sólo flores rojas.
Yo no puedo pasar la pradera. »

Trepé las peñas con el venado,
y busqué flores de demencia,
las que rojean y parecen
que de rojez vivan y mueran.

Cuando bajé se las fuí dando
con un temblor feliz de ofrenda,
y ella se puso como el agua
que en ciervo herido se ensangrienta.

Pero mirándome sonámbula,
me dijo: — « Sube y acarrea
las amarillas, las amarillas.
Yo nunca dejo la pradera. »

Subí derecha a la montaña
y me busqué las flores densas,
color de sol y de azafranes,
recién nacidas y ya eternas.

Al encontrarla, como siempre,
a la mitad de la pradera,
yo fuí cubriéndola, cubriéndola,
y la dejé como las eras.

Y todavía, loca de oro,
me dijo: — « Súbete, mi sierva,
y cortarás las sin color,
ni azafranadas ni bermejas;

las que yo amo por recuerdo
de la Leonora y la Ligeia,[1]
color del Sueño y de los sueños.
— Yo soy mujer de la pradera. »

Subí a la montaña profunda,
ahora negra como Medea,[2]
sin tajada de resplandores,
como una gruta vaga y cierta.

Ellas no estaban en las ramas,
ellas no abrían en las piedras
y las corté del aire dulce,
tijereteándolo ligera.

Me las corté como quien fuese
la cortadora que está ciega.
Corté de un aire y de otro aire,
tomando el aire por mi selva . . .

Cuando bajé de la montaña
y fuí buscándome a la reina,
ahora ella caminaba,
ya no era blanca ni violenta.

1. figuras femeninas que aparecen en la obra de Edgar Allan Poe. 2. el trágico personaje de Eurípides. 3. nombre indígena de Yucatán. 4. distrito del Estado de Michoacán, en México. 5. Rock o Ruc, ave fabulosa de enorme tamaño que caza elefantes para alimentar a sus polluelos. 6. divinidad de los antiguos peruanos, considerada como causa primera o creadora del mundo. 7. referencia a la Pirámide del Sol en Teotihuacán, México.

Ella se iba, la sonámbula,
abandonando la pradera,
y yo siguiéndola y siguiéndola
por el pastal y la alameda,

cargada así de tantas flores,
con espaldas y mano aéreas,
siempre cortándolas del aire
y con los aires como siega . . .

Ella delante va sin cara;
ella delante va sin huella,
y yo siguiéndola, siguiéndola,
entre los gajos de la niebla,

con estas flores sin color,
ni blanquecinas ni bermejas,
hasta mi entrega sobre el límite,
hasta que el Tiempo se disuelva . . .

« La Aventura », quise llamarla, mi aventura con la poesía . . . (nota de G. M. en « Tala »)

SOL DEL TRÓPICO

Sol de los Incas, sol de los Mayas,
maduro sol americano,
sol en que mayas y quichés
reconocieron y adoraron,
y del que quechuas y aimaráes
como el ámbar fueron quemados;
faisán rojo cuando levantas
y cuando medias, faisán blanco,
sol pintador y tatuador
de casta de hombre y de leopardo.
Sol de montañas y de valles,
de los abismos y los llanos,
Rafael de las marchas nuestras,
lebrel de oro de nuestros pasos,
por toda tierra y todo mar
santo y seña de mis hermanos.
Si nos perdemos que nos busquen
en unos limos abrasados,
donde existe el árbol del pan
y padece el árbol del bálsamo.

Sol del Cuzco, blanco en la puna,
sol de México, canto dorado,
canto rodado sobre el Mayab,[3]
maíz de fuego no comulgado,
por el que gimen las gargantas
levantadas a tu viático;
corriendo vas por los azules
estrictos o jesucristianos,
ciervo blanco o enrojecido,
siempre herido, nunca cazado . . .

Sol de los Andes, cifra nuestra,
veedor de hombres americanos,
pastor ardiendo de grey ardiendo
y tierra ardiendo en su milagro,
que ni se funde ni los funde,
que ni devora ni es devorado;
quetzal de fuego emblanquecido
que cría y nutre pueblos mágicos;
llama pasmado en rutas blancas
guiando llamas alucinados . . .

Raíz del cielo, curador
de los indios alanceados;
brazo santo cuando los salvas,
cuando los matas, amor santo.
Quetzalcóatl, padre de oficios
de la casta de ojo almendrado,
moledor de añiles y cañas
y tejedor de algodón cándido.
Los telares indios enhebras
con colibríes alocados
y das las grecas pintureadas
al mujerío de Tacámbaro.[4]
¡Pájaro Roc,[5] plumón que empolla
dos orientes desenfrenados!

Llegas piadoso y absoluto
según los dioses no llegaron,
bandadas de tórtolas blancas,
maná que baja sin doblarnos.
No sabemos qué es lo que hicimos
para vivir transfigurados.
En especies solares nuestros
Viracochas[6] se confesaron,
y sus cuerpos los recogimos
en sacramento calcinado.

A tu llama fié a los míos,
en parva de ascuas acostados;
con un tandal de salamandras
duermen y sueñan sus cuerpos santos.
O caminan contra el crepúsculo,
encendidos como retamos,
azafranes contra el poniente,
medio Adanes, medio topacios . . .

Desnuda mírame y reconóceme,
si no me viste en cuarenta años,
con la Pirámide[7] de tu nombre,
con la pitahaya y con el mango,

con los flamencos de la aurora
y los lagartos tornasolados.

¡Como el maguey, como la yuca,
como el cántaro del peruano,
como la jícara de Uruapán,[8]
como la quena de mil años,
a ti me vuelvo, a ti me entrego,
en ti me abro, en ti me baño!
Tómame como los tomaste,
el poro al poro, el gajo al gajo,
y ponme entre ellos a vivir,
pasmada dentro de tu pasmo.

Pisé los cuarzos extranjeros,
comí sus frutos mercenarios;
en mesa dura y vaso sordo
bebí hidromieles que eran lánguidos;
recé oraciones mortecinas
y me canté los himnos bárbaros,
y dormí donde son dragones
rotos y muertos los Zodíacos.

Te devuelvo por mis mayores
formas y bulto en que me alzaron.
Riégame con tu rojo riego
y ponme a hervir dentro tu caldo.
Emblanquéceme u oscuréceme
en tus lejías y tus cáusticos.
Quémame tú los torpes miedos,
sécame lodos, avienta engaños;
tuéstame hablas, árdeme ojos,
sollama boca, resuello y canto,
límpiame oídos, lávame vistas,
purifica manos y tactos!

Hazme las sangres, y las leches,
y los tuétanos, y los llantos.
Mis sudores y mis heridas
sécame en lomos y en costados,
y otra vez íntegra incorpórame
a los coros que te danzaron,
los coros mágicos, mecidos
sobre Palenque[9] y Tihuanaco.[10]

Gentes quechuas y gentes mayas
te juramos lo que jurábamos.
De ti rodamos hacia el Tiempo
y subiremos a tu regazo;
de ti caímos en grumos de oro,
en vellón de oro desgajado,
y a ti entraremos rectamente
según dijeron Incas Magos.

¡Como recimos de lagar
volveremos los que bajamos,
como el cardumen de oro sube
a flor de mar arrebatado
y van las grandes anacondas
subiendo al silbo del llamado!

(De *Tala*, 1938)

LA OTRA

Una en mí maté:
yo no la amaba.

Era la flor llameando
del cactus de montaña;
era aridez y fuego;
nunca se refrescaba.

Piedra y cielo tenía
a pies y a espaldas
y no bajaba nunca
a buscar « ojos de agua ».

Donde hacía su siesta
las hierbas se enroscaban
de aliento de su boca
y brasa de su cara.

En rápidas resinas
se endurecía su habla,
por no caer en linda
presa soltada.

Doblarse no sabía
la planta de montaña,
y al costado de ella,
yo me doblaba . . .

La dejé que muriese,
robándole mi entraña.
Se acabó como el águila
que no es alimentada.

Sosegó el aletazo,
se dobló, lacia,
y me cayó en la mano
su pavesa acabada . . .

8. distrito del Estado de Michoacán, en México, 9. departamento del Estado de Chiapas, en México, famoso por sus ruinas de la civilización maya. 10. o Tiaguanaco, ciudad del antiguo Perú, a la orilla del lago Titicaca, famosa también por sus ruinas.

Por ella todavía
me gimen sus hermanas,
y las gredas de fuego
al pasar me desgarran.

Cruzando yo les digo:
— Buscad por las quebradas
y haced con las arcillas
otra águila abrasada.

Si no podéis, entonces
¡ay! olvidadla.
Yo la maté. Vosotras
también matadla!

LA DESVELADA

— En cuanto engruesa la noche
y lo erguido se recuesta,
y se endereza lo rendido,
le oigo subir las escaleras.
Nada importa que no le oigan
y solamente yo lo sienta.
¡A qué había de escucharlo
el desvelo de otra sierva!

En un aliento mío sube
y yo padezco hasta que llega
— cascada loca que su destino
una vez baja y otras repecha
y loco espino calenturiento
castañeteando contra mi puerta —.

No me alzo, no abro los ojos,
y sigo su forma entera.
Un instante, como precitos,
bajo la noche tenemos tregua;
pero le oigo bajar de nuevo
como en una marea eterna.

Él va y viene toda la noche
dádiva absurda, dada y devuelta,
medusa en olas levantada
que ya se va, que ya se acerca.
Desde mi lecho yo lo ayudo
con el aliento que me queda,
por que no busque tanteando
y se haga daño en las tinieblas.

Los peldaños de sordo leño
como cristales me resuenan.
Yo sé en cuáles se descansa,
y se interroga, y se contesta.
Oigo donde los leños fieles,
igual que mi alma, se le quejan,
y sé el paso maduro y último
que iba a llegar y nunca llega . . .

Mi casa padece su cuerpo
como llama que la retuesta.
Siento el calor que da su cara
— ladrillo ardiendo — sobre mi puerta.
Pruebo una dicha que no sabía:
sufro de viva, muero de alerta,
¡y en este trance de agonía
se van mis fuerzas con sus fuerzas!

Al otro día repaso en vano
con mis mejillas y mi lengua,
rastreando la empañadura
en el espejo de la escalera.
Y unas horas sosiega mi alma
hasta que cae la noche ciega.

El vagabundo que lo cruza
como fábula me lo cuenta.
Apenas él lleva su carne,
apenas es de tanto que era,
y la mirada de sus ojos
una vez hiela y otras quema.

No le interrogue quien lo cruce;
sólo le digan que no vuelva,
que no repeche su memoria,
para que él duerma y que yo duerma.
Mate el nombre que como viento
en sus rutas turbillonea
¡y no vea la puerta mía,
recta y roja como una hoguera!

(De *Lagar*, 1954)

Uruguay. En Uruguay hay que detenerse en DELMIRA AGUSTINI (1886-1914). La vida de una mujer de sexo encendido, siempre anhelante de abrazos de hombre, no tendría importancia espiritual si se quedara en eso y sólo nos dijera, espontáneamente, lo que le pasa a su organismo. Pero ella trascendió su erotismo, y el deleite del cuerpo se convirtió en deleite estético. La belleza de sus deseos adquirió valor independiente, se hizo arte, con las palpitaciones de la vida biológica, sí, pero espiritualizadas en imágenes portentosas. Ninguna mujer se había atrevido, hasta entonces, a las confesiones de « Visión », « Otra estirpe », « El arroyo », y todos, en fin, los poemas de sus libros, desde *El libro blanco* (1907) hasta el póstumo *Los astros del abismo*. Pero esas confesiones valen, no por sus anécdotas vitales, sino por sus visiones transvitales, en que la voluptuosidad se sublima en poesía. Su osadía imaginativa es más asombrosa que su impudor. Y, viéndolo bien, ¿no tenía su impudor mucho de fantástico? Ella conocía el deseo: apenas su satisfacción carnal.

Delmira Agustini

LO INEFABLE

Yo muero extrañamente . . . No me mata la Vida,
no me mata la Muerte, no me mata el Amor;
muero de un pensamiento mudo como una herida . . .
¿No habéis sentido nunca el extraño dolor

de un pensamiento inmenso que se arraiga en la vida
devorando alma y carne, y no alcanza a dar flor?
¿Nunca llevasteis dentro una estrella dormida
que os abrasaba enteros y no daba un fulgor? . . .

¡Cumbre de los Martirios! . . . ¡Llevar eternamente,
desgarradora y árida, la trágica simiente
clavada en las entrañas como un diente feroz!

Pero arrancarla un día en una flor que abriera
milagrosa, inviolable . . . ¡Ah, más grande no fuera
tener entre las manos la cabeza de Dios!

LAS ALAS

Yo tenía . . .
¡dos alas! . . .
Dos alas,
que del Azur vivían como dos siderales
raíces . . .
Dos alas,
con todos los milagros de la vida, la Muerte
y la ilusión. Dos alas,
fulmíneas
como el velamen de una estrella en fuga;
dos alas,
como dos firmamentos
con tormentas, con calmas y con astros . . .
¿Te acuerdas de la gloria de mis alas? . . .

El áureo campaneo
del ritmo; el inefable
matiz atesorando
el Iris todo, mas un Iris nuevo
ofuscante y divino,
que adorarán las plenas pupilas del Futuro
(¡las pupilas maduras a toda luz!) . . . el vuelo.

El vuelo ardiente, devorante y único,
que largo tiempo atormentó los cielos,
despertó soles, bólidos, tormentas,
abrillantó los rayos y los astros;
y la amplitud: tenían
calor y sombra para todo el Mundo,
y hasta incubar un *más allá* pudieron.

Un día, raramente
desmayada a la tierra,
yo me adormí en las felpas profundas de este bosque.
¡Soñé divinas cosas! . . .
Una sonrisa tuya me despertó, paréceme . . .
¡Y no siento mis alas! . . .
¿Mis alas? . . .

— Yo las ví deshacerse entre mis brazos . . .
¡Era como un deshielo!

(*Cantos de la mañana*, 1910)

MIS AMORES

Hoy han vuelto.
Por todos los senderos de la noche han venido
a llorar en mi lecho.
¡Fueron tantos, son tantos!
Yo no sé cuáles viven, yo no sé cuál ha muerto.
Me lloraré a mí misma para llorarlos todos:
la noche bebe el llanto como un pañuelo negro.

Hay cabezas doradas al sol, como maduras . . .
Hay cabezas tocadas de sombra y de misterio,
cabezas coronadas de una espina invisible,
cabezas que sonrosa la rosa del ensueño,
cabezas que se doblan a cojines de abismo,
cabezas que quisieran descansar en el cielo,
algunas que no alcanzan a oler a primavera,
y muchas que trascienden a flores del invierno.

Todas esas cabezas me duelen como llagas . . .
Me duelen como muertos . . .
¡Ah! . . . y los ojos . . . los ojos me duelen más: ¡son dobles! . . .
Indefinidos, verdes, grises, azules, negros,
abrasan si fulguran;

son caricia, dolor, constelación, infierno.
Sobre toda su luz, sobre todas sus llamas,
se iluminó mi alma y se templó mi cuerpo.
Ellos me dieron sed de todas esas bocas . . .
De todas esas bocas que florecen mi lecho:
vasos rojos o pálidos de miel o de amargura,
con lises de armonía o rosas de silencio,
de todos esos vasos donde bebí la vida,
de todos esos vasos donde la muerte bebo . . .
El jardín de sus bocas venenoso, embriagante,
en donde respiraba sus almas y sus cuerpos,
humedecido en lágrimas
ha cercado mi lecho . . .

Y las manos, las manos colmadas de destinos
secretos y alhajadas de anillos de misterio . . .
Hay manos que nacieron con guantes de caricia,
manos que están colmadas de la flor del deseo,
manos en que se siente un puñal nunca visto,
manos en que se ve un intangible cetro;
pálidas o morenas, voluptuosas o fuertes,
en todas, todas ellas pude engarzar un sueño.

Con tristeza de almas,
se doblegan los cuerpos,
sin velos, santamente
vestidos de deseo.
Imanes de mis brazos, panales de mi entraña,
como a invisible abismo se inclinan a mi lecho . . .

¡Ah, entre todas las manos yo he buscado tus manos,
tu boca entre las bocas, tu cuerpo entre los cuerpos,
de todas las cabezas yo quiero tu cabeza,
de todos esos ojos, tus ojos solos quiero.
Tú eres el más triste, por ser el más querido,
tú has llegado el primero por venir de más lejos . . .

Ah, la cabeza oscura que no he tocado nunca
y las pupilas claras que miré tanto tiempo!
Las ojeras que ahondamos la tarde y yo inconscientes,
la palidez extraña que doblé sin saberlo,
ven a mí: mente a mente;
ven a mí: cuerpo a cuerpo.

Tú me dirás qué has hecho de mi primer suspiro,
tú me dirás qué has hecho del sueño de aquel beso . . .
Me dirás si lloraste cuando te dejé solo . . .
¡Y me dirás si has muerto!
Si has muerto,
mi pena enlutará la alcoba lentamente,
y estrecharé tu sombra hasta apagar mi cuerpo.

1. barquero de los infiernos, que pasaba en su barca, por la laguna Estigia, las almas de los muertos.

Y en el silencio ahondado de tiniebla,
y en la tiniebla ahondada de silencio,
nos velará llorando, llorando hasta morirse,
nuestro hijo: el recuerdo.

(*El rosario de Eros*, 1924, de *Poesías completas*, 1944)

Otra uruguaya: JUANA DE IBARBOUROU (1895). Por la pureza de su canto fué consagrada « Juana de América ». A quienes hablan de ella se les suben a la boca las palabras fruta, flor, mies, gacela, alondra . . . Es decir, imágenes de lo vegetal y lo animal en el goce de existir. De estas metáforas han salido otras. Por ejemplo: que su obra poética pasa por los ciclos orgánicos de nacimiento, juventud, madurez y vejez. A veces se los compara a las cuatro estaciones del año o a las cuatro horas del día. Y se dice que *Las lenguas de diamante* (1919) fué la iniciación de la vida en una mañana de primavera; *Raíz salvaje* (1920) la juventud en un mediodía estival; *La rosa de los vientos* (1930) la madurez en un atardecer de otoño; y *Oro y tormenta* (1956) la vejez en una noche invernal. Metáforas. Porque el autocontemplarse no es ni vegetal ni animal sino humano, y toda la poesía de Juana de Ibarbourou es un obstinado narcisismo. Narciso-mujer con las delicias de la coquetería y la femenina turbación ante el espejo del tiempo donde nos vemos afear y morir. Joven, mimosa, incitante, sentía en la carne el poder de su hermosura. Se sabía admirada y deseada por el hombre; y se describía a sí misma para ese hombre, desnuda, encendida y apremiada por la certidumbre de que ese supremo momento de belleza no se habría de repetir. Teme más envejecer que morir; pues al fin y al cabo la muerte puede fijarla en el último gesto estético. En el soneto « Rebelde » ve su desnudo triunfal. La alborozada coquetería de *Las lenguas de diamante*, su mejor libro, insiste en *Raíz salvaje* pero contenida por la preocupación de encontrar un nuevo quehacer. En *La rosa de los vientos* los versos ya no son fáciles, sencillos, claros, amables, musicales, sino que, soplados por las corrientes de vanguardia, se rompen en ritmos irregulares, se oscurecen con misterios y las imágenes aspiran a un superrealismo. Y aquel narcisismo jubiloso de antes se entristece y amarga. Se siente menos, se piensa más. En *Perdida* (1950) Juana de Ibarbourou sigue ante el espejo y hace sus cuentas, melancólica. « Tiempo » se llama, significativamente, su poema inicial.

Juana de Ibarbourou

REBELDE

Caronte:[1] yo seré un escándalo en tu barca.
Mientras las otras sombras recen, giman, o lloren,
y bajo tus miradas de siniestro patriarca
las tímidas y tristes, en bajo acento, oren,

yo iré como una alondra cantando por el río
y llevaré a tu barca mi perfume salvaje,
e irradiaré en las ondas del arroyo sombrío
como una azul linterna que alumbrará en el viaje.

Por más que tú no quieras, por más guiños siniestros
que me hagan tus dos ojos, en el terror maestros,
Caronte, yo en tu barca seré como un escándalo.

Y extenuada de sombra, de valor y de frío,
cuando quieras dejarme a la orilla del río
me bajarán tus brazos cual conquista de vándalo.

LA PEQUEÑA LLAMA

Yo siento por la luz un amor de salvaje.
Cada pequeña llama me encanta y sobrecoge.
¿No será cada lumbre un cáliz que recoge
el calor de las almas que pasan en su viaje?

Hay unas pequeñitas, azules, temblorosas,
lo mismo que las almas taciturnas y buenas.
Hay otras casi blancas: fulgores de azucenas.
Hay otras casi rojas: espíritus de rosas.

Yo respeto y adoro la luz como si fuera
una cosa que vive, que siente, que medita,
un ser que nos contempla transformado en hoguera.

Así, cuando yo muera he de ser a tu lado
una pequeña llama de dulzura infinita
para tus largas noches de amante desolado.

(De *Las lenguas de diamante,* 1919)

ESTÍO

Cantar del agua del río.
Cantar continuo y sonoro,
arriba bosque sombrío
y abajo arenas de oro.

Cantar . . .
de alondra escondida
en el oscuro pinar.

Cantar . . .
del viento en las ramas
floridas del retamar.

Cantar . . .
de abejas ante el repleto
tesoro del colmenar.

Cantar . . .
de la joven tahonera
que al río viene a lavar.

Y cantar, cantar, cantar
de mi alma embriagada y loca
bajo la lumbre solar.

(De *Raíz salvaje,* 1922)

2. en la región del Río de la Plata, fruto comestible, semejante a una guinda negra, y árbol que lo produce.

DÍA DE FELICIDAD SIN CAUSA

En la piragua roja del mediodía
he arribado a las islas de la Alegría sin Causa.
El pan tiene un sabor de pitangas[2] y han mezclado miel
a la frescura desconocida del agua.

Luego ¡oh sol!, remero indio,
me llevarás por los ríos en declive de la tarde
hasta la costa donde la noche
abre el ramaje de sus sauces finos.

Traspasa una de tus flechas en mi puño.
Yo la llevaré en alto como un brazalete flamígero
cuando veloz atraviese los bosques nocturnos.

En mi corazón se hará clarín de bronce resonante
un grito de triunfo y de plenitud.
Y llegaré a las colinas de la mañana nueva
con la sensación maravillada de haber dormido
apoyando la cabeza en las rodillas de la luz.

(De *La rosa de los vientos*, 1930)

TIEMPO

Me enfrento a ti, oh vida sin espigas,
desde la casa de mi soledad.
Detrás de mí anclado está aquel tiempo
en que tuve pasión y libertad,
garganta libre al amoroso grito,
y casta desnudez, y claridad.

Era una flor, oh vida, y en mí estaba
arrulladora, la eternidad.

Sombras ahora, sombras sobre el tallo,
y no sentir ya nada más
en la cegada clave de los pétalos
aquel ardor de alba, miel y sal.

Criatura perdida
en la maleza de la antigua mies.
Inútil es buscar lo que fué un día
lava de oro y furia de clavel.
En el nuevo nacer, frente inclinada;
sumiso, el que era antes ágil pie;
ya el pecho con escudo; ya pequeña
la custodiada sombra del laurel.

¿Quién viene ahora entre la espesa escarcha?
Duele la fría rosa de la faz
y ya no tienen los secretos ciervos,
para su dura sed, el manantial.

Ángel del aire que has velado el rostro:
crece tu niebla sobre mi pleamar.

(De *Perdida*, 1950)

Argentina. Un gran poeta se reveló después de Leopoldo Lugones: BALDOMERO FERNÁNDEZ MORENO (1886-1950). Cantó sin interrupciones, desde su primer libro *Las iniciales del misal* (1915) hasta *Penumbra: El libro de Marcela* (1951). Cantó también sin desfallecimientos. No conocemos otro caso, en su época, de vocación poética tan fervorosa y de invención poética tan lograda. Iba por la vida enamorado de las cosas más humildes; y las salvaba para la poesía con sólo mirarlas. Quienes creyeron que su poesía era trivial porque triviales eran sus temas — de la ciudad de Buenos Aires, de los pueblos de provincia, del campo, del hogar, de sus trabajos y ocios, de su tranquila intimidad — no supieron comprender la hondura de su imaginación. Sus versos son aparentemente elementales, pero siempre complejos. Sencillos pero no prosaicos. Fernández Moreno fué el poeta que se hinca en el lugar donde vive y abre los ojos a su alrededor, leal a lo que él es como hombre y a lo que las cosas son cuando se las ve esencialmente. No había para él objetos más poéticos que otros: todo, lo más vulgar, lo más insignificante, lo más pequeño y transitorio, era poetizable. Como buen impresionista fué un fragmentario. Pero leyendo sus libros uno admira la unidad de su arrobamiento ante el mundo.

Baldomero Fernández Moreno

HABLA LA MADRE CASTELLANA

Estos hijos — dice ella,
la madre dulce y santa—,
estos hijitos tan desobedientes
que a lo mejor contestan una mala palabra . . .—

En el regazo tiene
un montón de tiernísimas chauchas[1]
que va quebrando lentamente
y echando en una cacerola con agua.

— ¡Cómo os acordaréis
cuando yo esté enterrada! —
Tenemos en los ojos
y la ocultamos, una lágrima.

Silencio.
Al quebrarse las chauchas
hacen entre sus dedos
una detonación menudita y simpática.

[1915]

INVITACIÓN AL HOGAR

Estoy solo en mi casa,
ya lo sabes, y triste como siempre.
Me canso de leer y de escribir
y necesito verte.
Ayer pasaste con tus hermanitas
por mi puerta, tú seria, ellas alegres.
Irías a comprar alguna cosa . . .
Ganas tenía yo de detenerte,
tomarte despacito de la mano
y decirte después, muy suavemente:
La noche está muy fría,
corre un viento inclemente . . .
Sube las escaleras de mi casa
y quédate conmigo para siempre. —

Y quédate conmigo, simplemente,
compañeros, desde hoy, en la jornada.
Tendremos un hogar, dulce y sereno,
con flores en el patio y las ventanas,
bien cerrado al tumulto de la calle

1. vainilla tierna; habichuelas verdes. 2. en Arg., acera.

para que no interrumpas nuestras almas . . .
Tendrás un cuarto para tus labores,
¡oh, la tijera y el dedal de plata!
Tendré un cuartito para mi costumbre
inofensiva de hilvanar palabras . . .
Y así, al atardecer, cuando te encuentre,
sobre un bordado, la cabeza baja,
me llegaré hasta ti sin que lo adviertas,
me sentaré a tus plantas,
te leeré mis versos, bien seguro
de arrancarte una lágrima,
y tal vez acaricien mis cabellos
tus bondadosas manecitas blancas.

En tanto pone el sol sus luces últimas
en tu tijera y tu dedal de plata.

[1916]

POETA

Un hombre que camina por el campo,
y ve extendido entre dos troncos verdes
un hilillo de araña blanquecino
balanceándose un poco al aire leve.

Y levanta el bastón para romperlo,
y ya lo va a romper, y se detiene.

[1933]

DIME, AMOR . . .

— Dime, amor, ¿qué es lo que ves
más alto que las veredas?[2]
— Primero veo las torres,
en las torres las veletas,
después un piso de aire,
luego luceros y estrellas,
y más allá todavía
en una atmósfera perla,
alguna chispa de oro
y alguna plumita suelta.
— ¡Ay, amor, no subas tanto,
baja otra vez a la tierra!
Dime, amor, ¿qué es lo que ves
por debajo de las hierbas?
— Un tirabuzón de nácar,
una raíz que penetra
esquivando los gusanos,
los topos, las comadrejas,
atravesando la arcilla
y perforando la piedra
hasta un corazón de fuego
sonrosado que no quema.
— ¡Ay amor, no bajes tanto,
sube otra vez a la tierra!

[1936]

(De *Antología*, 1915-1950, Sexta edición, 1954)

AIRE AFORÍSTICO

A la madrugada los cajones de basura están llenos de fantasmas doblados y marchitos.

A las sirenas se les ha deslizado hacia abajo el traje de baile.

Ante la poesía, tanto da temblar como comprender.

A veces parece que las nubes saben con toda exactitud a dónde quieren ir.

Aquel reloj no daba las horas: se las arrancaba con un quejido.

Cada vez que el escritor se enoja con su mujer se pone a arreglar la biblioteca.

Colón se equivocó al calcular la cintura de la tierra. La creyó la de una doncella.

« Cortesía, tenerla con quien la tenga », decía Calderón de la Barca. Y con quien no la tenga, don Pedro, y con quien no la tenga.

Cuando una tripulación pone en alto los remos, éstos se acuerdan de que han sido árboles.

El arpa es un telar, el telar de la música.

El asno será muy asno, pero sus orejas son dos alas de golondrina.

El circo parece enorme, vacío, hasta que aparece el elefante.

El mejor pisapapeles es una manzana.

El pavo real está pensando, con la cola recogida: ¿la abro, no la abro?

El poeta sabe siempre qué hora es.

Entre lunitas, decía la niña, por decir entre paréntesis.

Habría que irse de la ciudad y no volver hasta que estuviera completamente terminada.

La mariposa es un librito que se ha quedado reducido a las tapas.

La sombra excava a nuestros pies el contorno de la propia sepultura.

Las noticias que se desmienten son siempre las interesantes.

Morir es esperar a los demás.

Muchos poetas aspiramos a la serenidad, es decir, a un poco de dinero.

Ya iba a estrellarse la golondrina contra el muro, cuando éste improvisó un agujerito, por el que se perdió.

(De *La mariposa y la viga*, 1955)

ALFONSINA STORNI (Argentina; 1892-1938). Con el rescoldo de su resentimiento contra el varón encendió su poesía, pero también la dañó dejándole elementos de impureza estética. Ella lo explicó así: « Soy superior al término medio de los hombres que me rodean, y físicamente, como mujer, soy su esclava, su molde, su arcilla. No puedo amarlo libremente: hay demasiado orgullo en mí para someterme. Me faltan medios físicos para someterlo. El dolor de mi drama es en mí superior al deseo de cantar . . . » Se sentía mujer humillada, vencida, torturada; y, no obstante, con una pagana necesidad de amor. Amor al hombre y al mismo tiempo desilusión y aun asco. Nota original, pues, en la poesía erótica femenina. Libros de esta primera manera: de *El dulce daño* (1918) a *Ocre* (1925). Al final, en esta lucha contra el varón, Alfonsina Storni triunfa; pero a costa de su sensibilidad. Abandonó su erotismo en *El mundo de siete pozos* (1934). Que la vida no merece ser vivida, parece decirnos. Había tenido fáciles éxitos literarios (porque había gentes que simpatizaban con sus luchas humanas). Pero ella, tan valiente en su vida de mujer libre, también fué valiente en su literatura: renunció a aquellos éxitos, renunció a sus admiradores y comenzó una poesía de nuevo tipo, torturada, intelectual, de ritmos duros, que la alejaron de su viejo público y no le ganaron un público nuevo. Ahora, en símbolos, con claves oscuras, estilizó experiencias no apasionadas: *Mascarilla y trébol* (1938). Se sabía gastada. Escribió un soneto — « Voy a dormir » — y se fué al mar, a suicidarse.

Alfonsina Storni

PESO ANCESTRAL

Tú me dijiste: no lloró mi padre;
tú me dijiste: no lloró mi abuelo;
no han llorado los hombres de mi raza,
eran de acero.

Así diciendo te brotó una lágrima
y me cayó en la boca . . .; más veneno
yo no he bebido nunca en otro vaso
así pequeño.

Débil mujer, pobre mujer que entiende,
dolor de siglos conocí al beberlo.
Oh, el alma mía soportar no puede
todo su peso.

HOMBRE PEQUEÑITO . . .

Hombre pequeñito, hombre pequeñito,
suelta a tu canario que quiere volar . . .
yo soy el canario, hombre pequeñito,
déjame saltar.

Estuve en tu jaula, hombre pequeñito,
hombre pequeñito que jaula me das.
Digo pequeñito porque no me entiendes,
ni me entenderás.

Tampoco te entiendo, pero mientras tanto
ábreme la jaula, que quiero escapar;
hombre pequeñito, te amé media hora,
no me pidas más.

(De *Irremediablemente*, 1919)

LA CARICIA PERDIDA

Se me va de los dedos la caricia sin causa,
se me va de los dedos . . . En el viento, al rodar,
la caricia que vaga sin destino ni objeto,
la caricia perdida, ¿quién la recogerá?

Pude amar esta noche con piedad infinita,
pude amar al primero que acertara a llegar.
Nadie llega. Están solos los floridos senderos.
La caricia perdida, rodará . . ., rodará . . .

Si en el viento te llaman esta noche, viajero,
si estremece las ramas un dulce suspirar,
si te oprime los dedos una mano pequeña
que te toma y te deja, que te logra y se va.

Si no ves esa mano, ni la boca que besa,
si es el aire quien teje la ilusión de llamar,
oh, viajero, que tienes como el cielo los ojos,
en el viento fundida, ¿me reconocerás?

(De *Languidez*, 1920)

UNA VOZ

Voz escuchada a mis espaldas,
en algún viaje a las afueras,
mientras caía de mis faldas
el libro abierto, ¿de quién eras?

Sonabas cálida y segura
como de alguno que domina
del hombre oscuro el alma oscura,
la clara carne femenina.

No me dí vuelta a ver el hombre
en el deseo que me fuera
un rostro anónimo, y pudiera
su voz ser música sin nombre.

¡Oh simpatía de la vida!
¡Oh comunión que me ha valido,
por el encanto de un sonido
ser, sin quererlo, poseída!

(De *Ocre*, 1925)

VOY A DORMIR

Dientes de flores, cofia de rocío,
manos de hierbas, tú, nodriza fina,
tenme prestas las sábanas terrosas
y el edredón de musgos escardados.

Voy a dormir, nodriza mía, acuéstame.
Ponme una lámpara a la cabecera;
una constelación, la que te guste;
todas son buenas, bájala un poquito.

Déjame sola: oyes romper los brotes . . .
te acuna un pie celeste desde arriba
y un pájaro te traza unos compases

para que olvides . . . Gracias . . Ah, un encargo:
si él llama nuevamente por teléfono
le dices que no insista, que he salido.

[24 de octubre de 1938]

Pasemos ahora al segundo grupo de poetas que mencionamos al principio: el de los aventureros, los raros, los extravagantes. Fueron más audaces, respondieron mejor al cambio de estéticas en todas las artes de Europa y, al juntarse con los jóvenes nacidos ya en el siglo XX, crearon lo que se ha llamado « literatura de posguerra » y también « literatura de vanguardia. »

La incubación de esta literatura fué más larga de lo que se supone. Y el efecto de la guerra sobre ella mucho menos decisivo de lo que se supone. La guerra fué una concomitancia, no una causa. Desde mucho antes de la guerra la literatura — y todas las artes — venían haciéndose cada vez más insolentes. No porque la pintura pueda explicar la literatura, sino porque es más fácil y rápido ver los cambios de estilo sobre las paredes de un museo que desentrañarlos de los estantes de una biblioteca, invitamos al lector a que recuerde lo que ocurrió en las artes plásticas desde 1900. « Fauvisme », « expresionismo », « cubismo », « futurismo » italiano, « orfismo » francés, « irradiantismo » ruso, « dadaísmo », « superrealismo », etc. Piénsese en la prodigiosa inquietud de Picasso, que llena toda esta historia de « ismos » pictóricos, y se tendrá una idea de lo que estaba pasando en las conciencias europeas aun antes de la primera guerra mundial. Desde el simbolismo los escritores se habían convencido de que la literatura era una revolución permanente. Se pidieron, pues, nuevos procesos revolucionarios. Por lo pronto, la liquidación del simbolismo. Tomaron de los simbolistas los preciosos collares de metáforas para romperles el hilo de sentido: que cada metáfora ruede por su lado, como una perla suelta. No sólo acabaron de liberar el llamado « verso libre » de los simbolistas, sino que llevaron el irracionalismo simbolista a su última consecuencia: negaron el principio lógico de identidad, negaron la categoría de causalidad, negaron las formas *a priori* del espacio y el tiempo. Antes de 1914 había, pues, una literatura disgregadora: en España el « greguerismo » de Ramón Gómez de la Serna. Pero la guerra mundial, de 1914 a 1918, exacerbó a todos. La inestabilidad de la civilización, el poder de la violencia política, el desprecio al hombre, el sentimiento del absurdo de la existencia y aun del mundo, el desengaño ante las pretensiones de seriedad del arte pasado produjeron una erupción de expresiones incoherentes. Los « ismos » de la historia de la pintura tenían su equivalente en literatura: expresionismo, cubismo, futurismo y, en los años de la guerra, dadaísmo, onomatopeya de la incoherencia. Tristan Tzara, Paul Eluard, André Breton, Louis Aragon, Paul Morand, Blaise Cendrars, Drieu La Rochelle, Valéry Larbaud, Max Jacob fueron más conocidos en Hispanoamérica que los escritores afines de otras literaturas. Los dadaístas descubrieron que el subconsciente era una fuente de placer estético: si la incoherencia verbal ilumina abismos del alma, decían, ¿para qué buscar la belleza? Mejor, dejar en libertad las fuerzas oscuras y espontáneas. Querían tocar las fuentes mismas de la creación artística, de ahí su atención al arte de pueblos primitivos. Al plantearse este problema los dadaístas prepararon la poesía « surrealista », poesía dictada por el subconsciente: André Breton, Philippe Soupault, Aragon. Disminuye la voluntad artística y aumenta el placer estético de la sorpresa ante los ensueños y los automatismos psíquicos. Muchos dadaístas fueron tragados por este no-arte. Los que sobrevivieron aprovecharon los descubrimientos oscuros a fin de construir obras lo bastante claras para significar algo: Cocteau, Morand, Salmon. El movimiento superrealista fué mas ordenado y fértil que el dadaísta, pero ambos coincidían en su antimaterialismo, en su aspiración a una realidad más absoluta que la percibida normalmente, en el rechazo de la inteligencia lógica, en el ansia de evasión, viaje, aventura, ensueño.

En Hispanoamérica esta literatura influyó en algunos de los escritores que vimos en el primer grupo. Ahora vamos a apartar a unos pocos de los más renovadores, que fueron el colombiano León de Greiff, el cubano Mariano Brull, los argentinos Oliverio Girondo y Ricardo Güiraldes, el chileno Vicente Huidobro, el uruguayo Julio J. Casal, el dominicano Domingo Moreno Jiménez y los peruanos César Vallejo, Juan Parra del Riego y Alberto Hidalgo.

En Cuba Mariano Brull (1891-1956) comenzó con un sereno lirismo, en *La casa del silencio* (1916). Atraído por ideales de poesía pura — librar al verso de todo lo que puede decirse en prosa, según la definición de Valéry — Brull se puso a la vanguardia con *Poemas en menguante* (1928). Eran los años en que los nuevos poetas, reunidos para celebrar el tercer centenario de Góngora, descubrieron que el gongorismo era un presente, no un pasado, y que a la luz de esa alta luna se podía escribir mejor que nunca una poesía de puras imágenes y de bellos temas. Después Brull publicó *Canto redondo* (1934), *Solo de rosa* (1941), *Tiempo en pena* (1950). No hay « evolución » en su obra, sin embargo: es monotonal (y aun monótona). Brull ayuda a que cada cosa — la rosa, el mar, la piedra, los ojos del niño — dé a luz una metáfora. Metáforas bellas, pero que dejan en ruinas las entrañas del mundo, de donde han salido. Un juego se consintió Brull: el de la libre invención de sonidos, como habían hecho los dadaístas. Castigo a ese creer que en poesía se puede hacer de todo con tal de no parecerse a los padres es que la ternura, imaginación, gracia y serenidad de Brull se recuerdan menos que la pura delicia auditiva de poemas como « Verdehalago. » De uno de sus juegos — « Filiflama alabe cundre / ala olalúnea alífera / alveolea jitanjáfora / liris salumba salífera » — sacó Alfonso Reyes la palabra « jitanjáfora » y la hizo famosa como referencia a esas sonoras hermanas de la metáfora que irrumpieron en la poesía deliberadamente infantil.

Mariano Brull

VERDEHALAGO

Por el verde, verde
verdería de verde mar
Rr con Rr.

Viernes, vírgula virgen
enano verde
verdularia, cantárida
Rr con Rr.

Verdor y verdín
verdumbre y verdura.
Verde, doble verde
de col y lechuga.

Rr con Rr
en mi verde limón
pájara verde.

Por el verde, verde
verdehalago húmedo
extiéndome. — Extiéndete.

Vengo de Mundodolido
y en Verdehalago me estoy.

(De *Poemas en menguante*, 1928)

EPITAFIO A LA ROSA

Rompo una rosa y no te encuentro.
Al viento, así, columnas deshojadas,
palacio de la rosa en ruinas.
Ahora — rosa imposible — empiezas:
por agujas de aire entretejida
al mar de la delicia intacta,
donde todas las rosas
— antes que rosa —
belleza son sin cárcel de belleza.

(De *Canto redondo*, 1934)

EL NIÑO Y LA LUNA

La luna y el niño juegan
un juego que nadie ve;
se ven sin mirarse, hablan
lengua de pura mudez.
¿Qué se dicen, qué se callan,
quién cuenta, una, dos y tres,
y quién, tres, y dos y uno
y vuelve a empezar después?
¿Quién se quedó en el espejo,
luna, para todo ver?
Está el niño alegre y solo:
la luna tiende a sus pies
nieve de la madrugada,
azul del amanecer;
en las dos caras del mundo
— la que oye y la que ve —
se parte en dos el silencio,
la luz se vuelve al revés,
y sin manos, van las manos
a buscar quién sabe qué,
y en el minuto de nadie
pasa lo que nunca fué . . .

El niño está solo y juega
un juego que nadie ve.

(De *Rien que . . .*, 1954)

CÉSAR VALLEJO (Perú; 1892-1938) partió en su primer viaje poético — *Los heraldos negros*, 1918 — de la estética modernista de Rubén Darío, Herrera y Reissig y el Lugones de *Lunario sentimental*. Después se alejó del cosmopolitismo hacia lo nacional, regional, popular e indigenista. La sangre parnasiana y simbolista circula por las arterias de los versos mezclada con la de un realismo peruano. Los temas son el amor, erótico u hogareño, la vida cotidiana en su tierra de cholos; y el humor es de tristeza, desilusión, amargura y sufrimiento. El hombre sufre, fatalmente, golpes inmerecidos: « Hay golpes en la vida, tan fuertes . . . Yo no sé / Golpes, como del odio de Dios. » Ha nacido sin quererlo; y mientras llegue la muerte, llora, y se compadece de los prójimos también dolientes, y cuando no cae sobre él un golpe se siente culpable porque sabe que lo ha recibido otro desventurado. Este impulso de solidaridad humana lo llevará más tarde a la rebelión política. Entretanto, el próximo libro es de pura rebelión poética: *Trilce* (1922). Fué un estallido. Volaron a pedazos las tradiciones literarias, y el poeta avanzó en busca de su libertad. Versos libres, para comenzar; pero libres no sólo en sus metros y ritmos, sino libertados de la sintaxis y de la lógica. ¿Cubismo? ¿Ultraísmo? Vallejo, que ya tiene treinta años, coincide, en efecto, con algunos rasgos de la vanguardia adolescente que surgió al terminar la primera guerra mundial. Nos referiremos más adelante a esa vanguardia. Pero la poesía de Vallejo no está deshumanizada. Su emoción, sus sombras subconscientes, sus experiencias de pobreza, orfandad y sufrimiento en la cárcel, su protesta ante la injusticia, su sentimiento de piadosa fraternidad con todos los oprimidos, se levantan entre las grietas de la versificación. Después de *Trilce* Vallejo se expatrió (no volverá al Perú nunca más) y se apartó de la poesía: escribió cuentos, novelas, dramas y mucho periodismo. Vivió en Francia, España, Rusia y otros países. Era ya comunista, e hizo literatura de propaganda marxista y revolucionaria. La guerra civil española de 1936 le arrancó sus *Poemas humanos*, que se publicaron póstumamente en 1939. La antigua piedad por los desdichados ahora se hace acción; la antigua desolación, combate esperanzado. Y el poeta, al cantar la beligerancia de las masas y la propia, llega, desnudo, libre, a lo más profundo de sí, que es su emoción incoherente.

César Vallejo

LOS HERALDOS NEGROS

Hay golpes en la vida, tan fuertes . . . ¡Yo no sé!
Golpes como del odio de Dios; como si ante ellos,
la resaca de todo lo sufrido
se empozara en el alma . . . ¡Yo no sé!

Son pocos; pero son . . . Abren zanjas oscuras
en el rostro más fiero y en el lomo más fuerte.
Serán tal vez los potros de bárbaros atilas;
o los heraldos negros que nos manda la Muerte.

Son las caídas hondas de los Cristos del alma,
de alguna fe adorable que el Destino blasfema.
Esos golpes sangrientos son las crepitaciones
de algún pan que en la puerta del horno se nos quema.

Y el hombre . . . ¡Pobre . . . pobre! Vuelve los ojos como
cuando por sobre el hombro nos llama una palmada;
vuelve los ojos locos, y todo lo vivido
se empoza, como un charco de culpa, en la mirada.

Hay golpes en la vida tan fuertes . . . ¡Yo no sé!

HECES

Esta tarde llueve como nunca; y no
tengo ganas de vivir, corazón.

Esta tarde es dulce. ¿Por qué no ha de ser?
Viste gracia y pena; viste de mujer.

Esta tarde en Lima llueve. Y yo recuerdo
las cavernas crueles de mi ingratitud;
ni bloque de hielo sobre su amapola,
más fuerte que su « ¡No seas así! »

Mis violentas flores negras; y la bárbara
y enorme pedrada; y el trecho glacial.
Y pondrá el silencio de su dignidad
con óleos quemantes el punto final.

Por eso esta tarde, como nunca, voy
con este buho, con este corazón.

Y otros pasan; y viéndome tan triste,
toman un poquito de ti
en la abrupta arruga de mi hondo dolor.

Esta tarde llueve, llueve mucho. ¡Y no
tengo ganas de vivir, corazón!

(De *Los heraldos negros*, 1918)

XV

En el rincón aquel, donde dormimos juntos
tantas noches, ahora me he sentado
a caminar. La cuja[1] de los novios difuntos
fué sacada, o tal vez qué habrá pasado.

Has venido temprano a otros asuntos
y ya no estás. Es el rincón
donde a tu lado, leí una noche,
entre tus tiernos puntos,
un cuento de Daudet. Es el rincón
amado. No lo equivoques.

Me he puesto a recordar los días
de veranos idos, tu entrar y salir,
poca y harta y pálida por los cuartos.

Esta noche pluviosa,
ya lejos de ambos dos, salto de pronto . . .
Son dos puertas abriéndose cerrándose,
dos puertas que al viento van y vienen
sombra a sombra.

LXI

Esta noche desciendo del caballo,
ante la puerta de la casa, donde
me despedí con el cantar del gallo.
Está cerrada y nadie responde.

El poyo en que mamá alumbró
al hermano mayor, para que ensille
lomos que había yo montado en pelo,
por rúas y por cercas, niño aldeano;
el poyo en que dejé que se amarille al sol
mi dolorida infancia . . . ¿Y este duelo
que enmarca la portada?

Dios en la paz foránea,
estornuda, cual llamando también, el bruto;
husmea, golpeando el empedrado. Luego duda
relincha,
orejea a viva oreja.

Ha de velar papá rezando, y quizás
pensará se me hizo tarde.
Las hermanas, canturreando sus ilusiones
sencillas, bullosas,
en la labor para la fiesta que se acerca,
y ya no falta casi nada.
Espero, espero, el corazón
un huevo en su momento, que se obstruye.

1. armadura de la cama.

Numerosa familia que dejamos
no ha mucho, hoy nadie en vela, y ni a una cera
puso en el ara para que volviéramos.

Llamo de nuevo, y nada.
Callamos y nos ponemos a sollozar, y el animal
relincha, relincha más todavía.

Todos están durmiendo para siempre,
y tan de lo más bien, que por fin
mi caballo acaba fatigado por cabecear
a su vez, y entre sueños, a cada venia, dice
que está bien, que todo está muy bien.

(De *Trilce*, 1922)

Hoy me gusta la vida un poco menos,
pero siempre me gusta vivir: ya lo decía.
Casi toqué la parte de mi todo y me contuve
con un tiro en la lengua detrás de mi palabra.

Hoy me palpo el mentón en retirada
y en estos momentáneos pantalones yo me digo:
Tanta vida y jamás!
Tantos años y siempre mis semanas! . . .
Mis padres enterrados con su piedra
y su triste estirón que no ha acabado;
de cuerpo entero hermanos, mis hermanos,
y, en fin, mi ser parado y en chaleco.

Me gusta la vida enormemente
pero, desde luego,
con mi muerte querida y mi café
y viendo los castaños frondosos de París
y diciendo:
Es un ojo éste, aquél; una frente ésta, aquélla . . . Y repitiendo:
Tanta vida y jamás me falta la tonada!
Tantos años y siempre, siempre, siempre!

Dije chaleco, dije
todo, parte, ansia, dije casi, por no llorar.
Que es verdad que sufrí en aquel hospital que queda al lado
y está bien y está mal haber mirado
de abajo para arriba mi organismo.

Me gustará vivir siempre, así fuese de barriga,
porque, como iba diciendo y lo repito,
tanta vida y jamás! Y tantos años
y siempre, mucho siempre, siempre, siempre!

Y si después de tantas palabras,
no sobrevive la palabra!
Si después de las alas de los pájaros,
no sobrevive el pájaro parado!
Más valdría, en verdad,
que se lo coman todo y acabemos!

Haber nacido para vivir de nuestra muerte!
Levantarse del cielo hacia la tierra
por sus propios desastres
y espiar el momento de apagar con su sombra su tiniebla!
Más valdría, francamente,
que se lo coman todo y qué más da . . .!

Y si después de tanta historia, sucumbimos,
no ya de eternidad,
sino de esas cosas sencillas, como estar
en la casa o ponerse a cavilar.
Y si luego encontramos,
de buenas a primeras, que vivimos,
a juzgar por la altura de los astros,
por el peine y las manchas del pañuelo!
Más valdría, en verdad,
que se lo coman todo, desde luego!

Se dirá que tenemos
en uno de los ojos mucha pena
y también en el otro, mucha pena
y en los dos, cuando miran, mucha pena . . .
Entonces . . .! Claro . . .! Entonces . . .! ni palabra!

(De *Poemas humanos*, 1923-1938)

PEQUEÑO RESPONSO A UN HÉROE DE LA REPÚBLICA

Un libro quedó al borde de su cintura muerta,
un libro retoñaba de su cadáver muerto.
Se llevaron al héroe,
y corpórea y aciaga entró su boca en nuestro aliento;
sudamos todos, el ombligo a cuestas;
caminantes las lunas nos seguían;
también sudaba de tristeza el muerto.

Y un libro, en la batalla de Toledo,
un libro, atrás un libro, arriba un libro, retoñaba del cadáver.

Poesía del pómulo morado, entre el decirlo
y el callarlo,
poesía en la carta moral que acompañara
a su corazón.
Quedóse el libro y nada más, que no hay
insectos en la tumba,
y quedó al borde de su manga el aire remojándose
y haciéndose gaseoso, infinito.

Todos sudamos, el ombligo a cuestas,
también sudaba de tristeza el muerto
y un libro, yo lo ví sentidamente,
un libro, atrás un libro, arriba un libro
retoñó del cadáver exabrupto.

10 de septiembre 1937

(De *España, aparta de mí este cáliz . . .*,
en *Poesías completas*, [1918-1938], 1949)

VICENTE HUIDOBRO (Chile; 1893-1948) ha reclamado para sí el honor no sólo de iniciar el « creacionismo » y de llevarlo a España, sino también el de haberlo inventado en Hispanoamérica antes que Pierre Réverdy en París. No todos le conceden tal honor. Comoquiera que sea, fué uno de los primeros poetas de nuestra lengua que procedieron como si no existiera el modernismo y saltaron a una literatura de vanguardia que quería estar más allá de todos los « ismos ». (Claro, lo que hicieron fué agregar a esa confusión de « ismos » uno nuevo: el « ultraísmo. ») Dejando de lado los poemas que escribió en francés, la gruesa de cohetes de Huidobro empezó a estallar con *Poemas árticos* y *Ecuatorial* (1918); y el gran estrépito ocurrió con *Altazor*. ¿Debemos creer al poeta cuando nos dice que escribió los poemas de este libro en 1919?: lo cierto es que la edición es de 1931. Huidobro llamó « creacionismo » a su programa poético; y lo explicó en *El espejo de agua* (1916), *Horizon carré* (1917), *Manifestes* (1925), *Vientos contrarios* (1926) y en otras partes. Algunas de sus fórmulas: « Hacer un poema como la naturaleza hace un árbol »; « El Poeta es un pequeño Dios »; « Os diré lo que entiendo por un poema creado. Es un poema en el que cada parte constitutiva y todo el conjunto presentan un hecho nuevo, independiente del mundo externo, desligado de toda otra realidad que él mismo . . .; este poema es algo que no puede existir en otra parte que en la cabeza del poeta . . . », etc. Es decir, que el poeta debía crear, inventar hechos nuevos. ¿Cómo? Despojando a las cosas de su ser real y fundándolas con otro ser, en medio de la imaginación. En el fondo fué una forma de metaforizar. Suprimía la comparación, el enlace lógico de la fantasía con la realidad y establecía como verdadero el hecho de que « pasan lentamente / las ciudades cautivas / cosidas una a una por hilos telefónicas. » Al mundo que nuestra inteligencia acepta y ordena, Huidobro oponía un mundo inventado. Es lo que siempre han hecho los poetas, pero Huidobro asombró con sus enumeraciones caóticas, sus neologismos, sus imágenes disparatadas, sus versos libres tipografiados caprichosamente, su culto a las letras sueltas sin significado (un verso: « ai a i ai a i i i i o ia »), sus balbuceos dadaístas, sus superrealistas automatismos subconscientes, sus burlas de la literatura. Escribió también novelas y piezas teatrales.

Vicente Huidobro

ARTE POÉTICA

Que el verso sea como una llave
que abra mil puertas.
Una hoja cae; algo pasa volando;
cuanto miren los ojos creado sea,
y el alma del oyente quede temblando.

Inventa mundos nuevos y cuida tu palabra;
el adjetivo, cuando no da vida, mata.

Estamos en el cielo de los nervios.
El músculo cuelga,
como recuerdo, en los museos;
mas no por eso tenemos menos fuerza:
El vigor verdadero
reside en la cabeza.

Por qué cantáis la rosa, ¡oh poetas!
hacedla florecer en el poema.

Sólo para nosotros
viven todas las cosas bajo el sol.

El poeta es un pequeño Dios.

(De *El espejo de agua*, 1916-1918)

MARINO

Aquel pájaro que vuela por primera vez
se aleja del nido mirando hacia atrás

Con el dedo en los labios
os he llamado

Yo inventé juegos de agua
en la cima de los árboles

Te hice la más bella de las mujeres
tan bella que enrojecías en las tardes
La luna se aleja de nosotros
y arroja una corona sobre el polo

Hice correr ríos
que nunca han existido

De un grito elevé una montaña
y en torno bailamos una nueva danza
Corté todas las rosas
de las nubes del Este

Y enseñé a cantar un pájaro de nieve
Marchemos sobre los meses desatados
Soy el viejo marino
que cose los horizontes cortados

(De *Poemas Árticos*, 1918)

ALTAZOR

(*fragmento*)

Basta señora arpa de las bellas imágenes
de los furtivos como iluminados
otra cosa otra cosa buscamos
sabemos posar un beso como una mirada
plantar miradas como árboles
enjaular árboles como pájaros
regar pájaros como heliotropos
tocar un heliotropo como una música
vaciar una música como un saco
degollar un saco como un pingüino
cultivar pingüinos como viñedos
ordeñar un viñedo como una vaca
desarbolar vacas como veleros
peinar un velero como un cometa
desembarcar cometas como turistas
embrujar turistas como serpientes
cosechar serpientes como almendras
desnudar una almendra como un atleta
leñar atletas como cipreses
iluminar cipreses como faroles
anidar faroles como alondras
exhalar alondras como suspiros
bordar suspiros como sedas
derramar sedas como ríos
tremolar un río como una bandera
desplumar una bandera como un gallo
apagar un gallo como un incendio
bogar en incendios como en mares
segar mares como trigales
repicar trigales como campanas
desangrar campanas como corderos
dibujar corderos como sonrisas
embotellar sonrisas como licores
engastar licores como alhajas
electrizar alhajas como crepúsculos

tripular crepúsculos como navíos
descalzar un navío como un rey
colgar reyes como auroras
crucificar auroras como profetas
etc. etc. etc.

Basta señor violín hundido en una ola ola
cotidiana ola de religión miseria
de sueño en sueño posesión de pedrerías

Después del corazón comiendo rosas
y de las noches del rubí perfecto
el nuevo atleta salta sobre la pista mágica
jugando con magnéticas palabras
caldeadas como la tierra cuando va a salir un volcán
lanzando sortilegios de sus frases pájaro [. . .]

Rosa al reves rosa otra vez y rosa y rosa
aunque no quiera el carcelero
río revuelto para la pesca milagrosa

Noche préstame tu mujer con pantorrillas de florero de amapolas jóvenes
mojadas de color como el asno pequeño desgraciado
la novia sin flores ni globos de pájaros [. . .]

No hay tiempo que perder
todo esto es triste como el niño que está quedándose huérfano
o como la letra que cae al medio del ojo
o como la muerte del perro de un ciego
o como el río que se estira en su lecho de agonizante
todo esto es hermoso como mirar el amor de los gorriones
tres horas después del atentado celeste
o como oír dos pájaros anónimos que cantan a la misma azucena
o como la cabeza de la serpiente donde sueña el opio
o como el rubí nacido de los deseos de una mujer
o como el mar que no se sabe si ríe o llora
y como los colores que caen del cerebro de las mariposas
y como la mina de oro de las abejas
las abejas satélites del nardo como las gaviotas del barco
las abejas que llevan la semilla en su interior
y van más perfumadas que pañuelos de narices
aunque no son pájaros
pues no dejan sus iniciales en el cielo
en la lejanía del cielo besada por los ojos
y al terminar su viaje vomitan el horizonte
y las golondrinas el verano

No hay tiempo que perder
ya viene la golondrina monotémpora
trae un acento antípoda de lejanías que se acercan
viene gondoleando la golondrina

Al horitaña del montazonte
la violondrina y el goloncelo

descolgada esta mañana de la lunala
se acerca a todo galope
ya viene la golondrina
ya viene la golonfina
ya viene la golontrina
ya viene la goloncima
viene la golonchina
viene la golonclima
ya viene la golonrima
ya viene la golonrisa
la golonniña
la golongira
la golonbrisa
la golonchilla
ya viene la golondía
y la noche encoge sus uñas como el leopardo
ya viene la golontrina
que tiene un nido en cada uno de los dos calores
como yo lo tengo en los cuatro horizontes
viene la golonrisa
y las olas se levantan en la punta de los pies
viene la golonniña
y siente un vahido la cabeza de la montaña
viene la golongira
y el viento se hace parábola de sílfides en orgía
se llenan de notas los hilos telefónicos
se duerme el ocaso con la cabeza escondida
y el árbol con el pulso afiebrado

Pero el cielo prefiere al rodoñol
su niño querido el rorreñol
su flor de alegría el romiñol
su piel de lágrima el rofañol
su garganta nocturna el rosolñol
el rolañol
el rosiñol

*

No hay tiempo que perder
los icebergs que flotan en los ojos de los muertos
conocen su camino
ciego sería el que llorara
las tinieblas del féretro sin límites
las esperanzas abolidas
los tormentos cambiados en inscripción de cementerio
aquí yace Carlota ojos marítimos
se le rompió un satélite
aquí yace Matías en su corazón dos escualos se batían
aquí yace Marcelo mar y cielo en el mismo violoncelo
aquí yace Susana cansada de pelear contra el olvido
aquí yace Teresa ésa es la tierra que araron sus ojos hoy
[ocupada por su cuerpo
aquí yace Angélica anclada en el puerto de sus brazos
aquí yace Rosario río de rosas hasta el infinito

aquí yace Raimundo raíces del mundo son sus venas
aquí yace Clarisa clara risa enclaustrada en la luz
aquí yace Alejandro antro alejado ala adentro
aquí yace Gabriela rotos los diques sube en las savias hasta
[el sueño esperando la resurrección
aquí yace Altazor azor fulminado por la altura
aquí yace Vicente antipoeta y mago

Ciego sería el que llorara
ciego como el cometa que va con su bastón
y su neblina de ánimas que lo siguen
obediente al instinto de sus sentidos
sin hacer caso de los meteoros que apedrean desde lejos
y viven en colonias según la temporada
el meteoro insolente que cruza por el cielo
el meteplata el metecobre
el metepiedras en el infinito
meteópalos en la mirada
cuidado aviador con las estrellas
cuidado con la aurora
que el aeronauta no sea el auricida
nunca un cielo tuvo tantos caminos como éste
ni fué tan peligroso
la estrella errante me trae el saludo de un amigo muerto hace diez años
darse prisa darse prisa
los planetas maduran en el planetal
mis ojos han visto la raíz de los pájaros
el más allá de los nenúfares
y el ante acá de las mariposas
¿Oyes el ruido que hacen las mandolinas al morir?
estoy perdido
no hay más que capitular
ante la guerra sin cuartel
y la emboscada nocturna de estos astros

La eternidad quiere vencer
y por lo tanto no hay tiempo que perder
entonces
Ah entonces
más allá del último horizonte
se verá lo que hay que ver [. . .]

(De *Altazor*, 1919, publicado en 1931),

INFANCIA DE LA MUERTE

Señora Tempestad he ahí vuestro demonio
él corre como un caballo
canta como el árbol donde maduran las aldeas
buenos días buenas tardes
él delira vestido como un príncipe

Cuidado con los pájaros que se anclan
cuidado con el imán del más allá que atrae nuestros pies
el mar nade de su propio discurso
cortad las alas al velero orgulloso
que muere porque la luna silba hacia las grandes lontananzas
y que hace al pasar un ruido más dulce que la arena muriente
él se mira desde el fondo de su edad
peina su larga cabellera como las serpientes del milagro
mira su pecho donde aun queda un sueño caliente de cuando era tierra
piensa en su mañana de esqueleto sin ojos
y tiembla como un vuelo de palomas

El horizonte esperado llegará esta noche
podemos ya agitar nuestros pañuelos
vestir nuestras estatuas de ojos tan tiernos
he ahí   he ahí
Colgad de las nubes los más hermosos cortinajes
he ahí   he ahí
la noche viene con todas sus ovejas
nos ha visto de lejos las lineas de la mano
se ha sentado y se mira en el arroyo
come nueces de angustia y habla al oído del viento

He ahí   he ahí
la luna silba el barco se detiene
la arena sigue su destino

(De *El ciudadano del olvido*, 1924-34, publicado en 1941)

EL CREACIONISMO

El creacionismo no es una escuela que yo haya querido imponer; el creacionismo es una teoría estética general que comencé a elaborar hacia 1912 y cuyos primeros tanteos y primeros pasos podrán encontrarse en mis libros y artículos mucho antes de mi primer viaje a París.

En el número 5 de la revista chilena « Musa Joven », escribí:

« El reinado de la literatura ha terminado. El siglo veinte verá nacer el reino de la poesía en el verdadero sentido de la palabra, o sea de creación, como la llamaron los griegos, aunque ellos no llegaron jamás a realizar su definición. »

Más tarde, hacia 1913 o 1914, repetí más o menos lo mismo en una entrevista aparecida en la revista « Ideales » que encabezó mis poemas. También en mi libro « Pasando y Pasando », aparecido en diciembre de 1913, decía, en la página 270, que lo único que debía interesar a los poetas es « el acto de creación », y a cada instante me refería a este acto de creación, contra los comentarios y contra la poesía hecha *alrededor de*. La cosa creada contra la cosa cantada.

En mi poema « Adán », que yo escribí durante las vacaciones de 1914 y que fué publicado en 1916, se podrán encontrar estas frases de Emerson en el prefacio a propósito de la constitución del poema:

« Un pensamiento tan vivo que, semejante al espíritu de una planta o de un animal, tiene una arquitectura propia, embellece la naturaleza con una cosa nueva. »

Pero donde la teoría fué plenamente expuesta fué en el Ateneo de Buenos Aires, en una conferencia que dicté en junio de 1916. Allí fué donde me bautizaron con el nombre de « creacionista » por haber dicho en mi conferencia que la primera condición de un poeta era crear, la segunda crear y la tercera crear.

Recuerdo que el profesor argentino José Ingenieros,[1] que asistió, me decía, en una comida a la que me invitó con algunos amigos después de la conferencia:

1. (1877-1925), filósofo y ensayista.

« Su sueño de una poesía inventada en todas sus piezas por los poetas me parece irrealizable, aunque usted la haya expuesto de una manera tan clara y aun científica. »

Corresponde más o menos a lo que han expresado otros filósofos en Alemania y demás países en donde he explicado mi teoría: « Es bello, pero irrealizable. »

¿Y por qué ha de ser irrealizable?

Respondo aquí con las mismas palabras con que terminé mi conferencia en el grupo de Estudios Filosóficos y Científicos del doctor Allendy, en París, en enero de 1922:

« Si el hombre ha sometido los tres reinos de la naturaleza, el mineral, el vegetal y el animal, ¿por qué razón le sería imposible agregar a los reinos del mundo, su propio reino, el reino de sus creaciones? »

Ya ha inventado, por lo demás, toda una fauna nueva que anda, vuela, nada, que llena la tierra, los aires y los mares con sus galopes desenfrenados, sus gritos y gemidos.

Lo que ha sido realizado en la mecánica también lo ha sido en la poesía. Os diré lo que entiendo por poema creado. Es un poema en el que cada parte constitutiva y todo el conjunto presentan un hecho nuevo, independiente del mundo externo, desligado de toda otra realidad que él mismo, pues toma lugar en el mundo como un fenómeno particular aparte y diferente de los otros fenómenos.

Este poema es algo que no puede existir en otra parte que en la cabeza del poeta; no es bello porque recuerde algo, no es bello porque evoque cosas que se han visto y que eran bellas, ni porque describa cosas bellas que tenemos la posibilidad de ver. Es bello en sí y no admite términos de comparación. No puede concebirse en otra parte que en el libro.

No tiene nada semejante a él en el mundo externo, hace real lo que no existe, es decir, se hace él mismo realidad. Crea lo maravilloso y le confiere una vida propia. Crea situaciones extraordinarias que nunca podrán existir en la realidad, y, a causa de esto, ellas deben existir en el poema, a fin de que existan en alguna parte.

Cuando yo escribo: « El pájaro anidado en el arco iris », os presento un fenómeno nuevo, una cosa que nunca habéis visto, que no veréis jamás y que, sin embargo, os gustaría ver.

Un poeta debe decir esas cosas que sin él jamás serían dichas.

Los poemas creados adquieren proporciones cosmogónicas; os proporcionan a cada momento el verdadero sublime, ese sublime del que los textos nos han presentado ejemplos tan poco convincentes. Y no es el sublime provocativo y grandioso, es un sublime sin pretensión, sin terror, sin querer abrumar o aplastar al lector; es un sublime de bolsillo.

El poema creacionista se compone de imágenes creadas, de situaciones creadas, de conceptos creados; no escatima ningún elemento de la poesía tradicional, sólo que, aquí, esos elementos son todos inventados sin ninguna preocupación por lo real o por la verdad anterior al acto de realización.

Así, cuando yo escribo: « El océano se deshace — Agitado por el viento de los pescadores que silban », presento una descripción creada; cuando digo: « Los lingotes de la tempestad », presento una imagen pura creada, y cuando digo: « Ella era tan bella que no podía hablar », o bien: « La noche con sombrero », os presento un concepto creado. [...]

(De *Manifestes*, Paris, 1925)

El tercer grupo fué el de los jóvenes — tenían menos de veinte años al terminar la guerra — que escandalizaron con un culto desaforado de la metáfora. Fué un movimiento simultáneo en Hispanoamérica y en España. Se le ha llamado « Ultraísmo », palabra que aludía al deseo de ir más allá de lo experimentado hasta entonces. Este movimiento se manifestó más en revistas que en libros, y los años de mayor exceso fueron los de 1919 a 1922. Después, los poetas que allí habían dado los primeros pasos — como Jorge Luis Borges — se orientaron hacia una obra más seria, personal y valiosa. Por eso nos encontraremos con ellos en el próximo capítulo. Entretanto, pasemos a los prosistas.

Principalmente prosa

El verso, la prosa son como dos pisos de la misma casa: los escritores que la habitan suelen subir y bajar las escaleras y tan pronto escriben un poema como una novela. No se extrañe el lector de que el nombre de un poeta figure aquí en una nómina de prosistas o viceversa. Pasemos, pues, a los prosistas, donde seguiremos encontrando poetas. Porque en esta generación, hija de la estética modernista, hubo deslumbrantes prosistas (Alfonso Reyes). Se siguieron escribiendo novelas y cuentos con los ideales de prosa lírica de la época de Darío (Pedro Prado). Y aun en las narraciones realistas quedó el recuerdo de la gran fiesta de prosa artística que había desfilado, con luces de bengala, bandas de música y gallardetes de colores, por las calles del 1900, enseñando a todos a escribir con decoro estético y técnicas impresionistas (Gallegos, Rivera, Güiraldes, Guzmán, Barrios). Pero, por supuesto, el realismo y el naturalismo continuaron su viejo rumbo, cada vez más seguros, más dueños de sí, más decididos a contar acciones que interesen a todo el mundo (Gálvez, Lynch, Azuela). También en el teatro el realismo de Florencio Sánchez fué enriquecido con nuevos aportes (Ernesto Herrera). La prosa ensayística de pensadores y humanistas fué importante (Pedro Henríquez Ureña, Martínez Estrada, Vasconcelos, Reyes).

A los escritores que, primordialmente, son prosistas, los distribuiremos según dos géneros: ficción y ensayo.

Ficción

Rafael Arévalo Martínez (Guatemala; 1884), también poeta, también novelista. Que la sencillez de algunas de sus poesías no nos distraiga: Arévalo Martínez no es poeta de alma sencilla, sino contorsionada en recovecos nerviosos y enfermizos. Más que en sus versos — *Las rosas de Engaddí*, 1927 — se reveló en sus cuentos y novelas. Sobre todo en *El hombre que parecía un caballo* (1915), que fué el cuento más original de su generación. Se dice que ese egoísta, fuerte, arrogante, blasfemo y amoral hombreequino fué la caricatura del poeta Barba Jacob. Pero una caricatura vale en relación a un modelo; y el cuento que comentamos, en cambio, vale en sí, como visión delirante. Tiene una atmósfera de pesadilla, de poesía, que la conocimos en Jean Lorrain y hoy la reconocemos en Franz Kafka. Escribió otros cuentos psicozoológicos, v. gr., *El trovador colombiano* (1914), cuyo personaje es un hombre-perro, manso, humilde, leal. Muchos años después Arévalo Martínez nos contó que una amiga espiritista recogió en uno de sus viajes al trasmundo dos relatos escritos por un testigo de acontecimientos que « se remontan a épocas pretéritas, hace milenios, cuando en la tierra existía un continente único, Atlán, que precedió a la Lemuria y a la Atlántida »: las dos utopías, *El mundo de los maharachías* (1938) y *Viaje a Ipanda* (1939), están entrelazadas.

En el cuento « La mentira » que hemos seleccionado, Arévalo Martínez muestra un sentimiento religioso que después de muchas dudas (véase su autobiografía intelectual *Concepción del Cosmos*) acaba por triunfar en la definitiva crisis íntima de 1954, cuando volvió a la fe católica.

Rafael Arévalo Martínez

LA MENTIRA

Andrés únicamente poseía, en el pueblecito de San José Riera, una pequeña casa compuesta de tres habitaciones y un sitio no más grande que las tres juntas, y en que habitaba con su mujer y tres hijos. El propietario de la gran casa vecina fué a visitarlo para proponerle que le vendiese su posesión, no lo encontró y le pidió a su mujer que le trasmitiese la oferta.

Al volver de su trabajo encontró a toda la familia engolosinada por la venta. Él pensó inmediatamente que su posición, ya precaria, empeoraría considerablemente si le faltaba un edificio propio en qué cobijar a su mujer y sus hijos: el dinero, rápidamente gastado, no los aliviaría mucho tiempo; y se negó rotundamente.

A los seis meses de haber recibido la negativa, el vecino aumentó la cantidad ofrecida. Andrés tornó a negarse. En sucesivos períodos fué aumentando la suma, hasta duplicarse la inicial, y siempre persistió el rechazo.

Consuelo — Consuelito — se llamaba la hija menor y preferida de Andrés, y una noche en que la tenía sobre sus rodillas, le rogó que accediese a vender la casa; parecía repetir argumentos de su madre: Podían alquilar otra casa por una pequeña cantidad; con el precio de la venta ella y sus hermanos recibirían educación conveniente; hacía meses que ni ella ni su mamá compraban nuevos trajes y los que vestían ya estaban deslucidos . . . En aquella plática, agotados los argumentos racionales — pues la cuestión se había discutido ya varias veces con los miembros de su hogar, sobre todo con su mujer — Andrés mintió por primera vez en su vida, no sin antes recomendar a su hija que le guardase el secreto.

— No — le dijo —; no puedo venderla poque, ¿sabes?, esta casa encierra un tesoro.

Consuelito abrió desmesuradamente los grandes ojos.

Y el padre, arrepentido en el acto de su mentira, no insistió en ella, temeroso de que Consuelito, a pesar de sus cortos años, se burlase de él; pero a los pocos días se convenció de que dudaba; y algunas semanas después, supo, con mezcla de pena y alivio — pues no había insistido en que la casa se vendiese — que Consuelito creía en el tesoro escondido. Y tuvo una vaga esperanza de que, como se lo había suplicado con encarecimiento, le guardase el secreto de la falsa riqueza.

La chica fué, en lo sucesivo, su aliada en cierta medida. Cuando la madre o los hermanos traían a cuento la penuria que los agobiaba, ella encontraba manera de guiñar un ojo de modo que sólo su padre la viera, en una especie de complicidad. Y cada vez que estaban a solas, inquiría noticias sobre los bienes escondidos.

— ¿Papá, por qué no los sacas, y nos remediamos, ya que nuestra posición es tan apurada? — le repitió en una ocasión.

Rápidamente el padre cohonestó su primer engaño con otro: — Porque he ofrecido no hacerlo hasta después de la muerte del que me confió el secreto del tesoro enterrado.

— ¿Faltará mucho?

— Es una persona ya muy entrada en años.

Entró a la cocina de la casa, días después, y Consuelito le hizo observar, maliciosa, que una parte de la pared sonaba a hueco. No le dió importancia a las palabras de la muchacha. Media semana más tarde, se sorprendió al pasar frente al poyo viendo un gran agujero, recién abierto, que explicaba aquel sonido, pues correspondía a un horno para cocer pan, clausurado. Después tuvo que hacer llegar a un albañil para reparar el desperfecto y, aunque no le costó una gran suma, en el estado de su haber le dolió la erogación: era una mala consecuencia de su error.

No mucho tiempo más tarde encontró a Consuelo en el patiecillo, frente a un hoyo, a cuyo borde había un rosal que dizque le había regalado una amiga para que lo trasplantase. El agujero no correspondía, por su magnitud, a las pequeñas raíces, y no tuvo que meditar para comprender el significado de aquella desproporción. La fogosa imaginación de la muchacha seguía bordando el tema del tesoro escondido, y quien sabe cuántos agujeros más lo esperaban en un futuro cercano.

Entonces llamó a la perforadora a su cuarto y, a solas con ella le explicó:

— Sabes dónde está el tesoro: aquí, precisamente bajo mis pies . .

Y al decir esto se hallaba sentado en la única silla cómoda de la casa, cabe lo que llamaban su escritorio, aunque no era más que una mesa pequeña, colocada frente al lecho conyugal; y pretendía con el embuste complementario, impedir que la chica siguiese abriendo hoyos a diestra y siniestra, pues le sería difícil abrirlos en su propia alcoba.

La chica en el acto le dijo, con gran sorpresa de los dos:

— Mira, papá, cómo todavía se ve el sitio en que cavaron para enterrar el tesoro; fíjate: los ladrillos aquí son de distinto color que el resto.

De conformidad con la petición de la niña Andrés volvió los ojos hacia los ladrillos que estaban bajo sus pies, y vió con susto que en realidad parecía como si sobre ellos hubiese estado mucho tiempo una alfombra o petate, que al ser quitado, los diferenciaba de los otros, pues a causa semejante atribuyó el diferente matiz, aunque no se acordaba de que nunca hubiese habido sobre ellos tales objetos.

Llegó con el mes de diciembre, para la familia de Andrés, la época de la visita anual a Santa Cecilia, poblado vecino donde radicaba un tío del protagonista, con bastante caudal. Aquella visita propiciaba al anciano señor y era imprescindible como un rito. La esposa le anunció, con unos días de anticipación, que aquel año ella no concurría a la celebración del cumpleaños del pariente, porque se sentía algo indispuesta y tenía mucho que hacer. Andrés tuvo que resignarse y cuando llegó la hora de partir supo que sólo Consuelo y el hermano menor lo acompañarían.

— Me quedo con Ramón — el primogénito — para que me acompañe, dijo la esposa.

El resto de la familia partió para la otra pequeña población.

Al regresar, tres días más tarde, Andrés, a pesar de haber hecho girar la llave de la puerta de calle no pudo abrirla: estaba cerrada además con un pasador interno. Aquello era desusado, y tocó, con un principio de inquietud, aumentada con los sordos pero para él inequívocos ruidos de un azadón o pico dando contra la tierra. Después de alguna espera, alargada por la zozobra, al fin acudió a la llamada su esposa:

— ¿Quién es? — preguntó tras la puerta, antes de abrir.

— Soy yo, tu marido — respondió el esposo, ofendido.

La puerta se abrió, y en vez de la amante acogida que esperaba, se encontró con el rostro de su mujer tan huraño e inquieto como estaba ya algunos días antes de partir.

Correspondió a su saludo fríamente y como ausente, y se apresuró a regresar a la alcoba, donde se reanudaron los sonidos de azadonazos o picazos. Andrés y sus hijos la siguieron. Al entrar un espectáculo que ya preveían todos, pero que no por eso dejó de producirles asombro, los esperaba.

En el extremo de la habitación, ahora vacía de muebles, donde antes se encontraba su escritorio, se abría una excavación, de varios pies de profundidad, y en su fondo, un chico, su propio hijo Ramón, seguía cavando febrilmente.

— ¿Quién te autorizó para hacer esto? — preguntó colérico a su esposa.

— ¡Calzonazos! — respondió ésta: nos malalimentas, nos tienes en la penuria, guardando avaramente un tesoro escondido, y todavía lo preguntas . . .

No pudo contestar nada. Detuvieron las palabras en su boca la consideración de que todo era el producto de su mentira, y la pena por el desengaño que pronto afligiría a los suyos; pero él no podía detener aquel trabajo inútil y nocivo, pues eso sería acusarse a sí mismo de farsante y perder el respeto de los que amaba. Había que soportar las consecuencias de sus actos y dejar hacer, hasta que se agotaran.

Interrumpió sus reflexiones temerosas una exclamación que tenía de pasmo y de triunfo a la vez, y que a pesar de su fuerza parecía ahogada en el instante de ser emitida. Y Ramón, alzando la mano sobre sí y dando vivas muestras de agitación les mostró un fragmento de loza que a pesar de la tierra adherida mostraba una superficie verdosa.

— ¡El tesoro! ¡El tesoro! — murmuraba sordamente. Y era, de verdad, un tesoro el que pronto acabó de desenterrar el muchacho, encerrado en botijas de barro cocido, que contenían monedas europeas de oro y plata y alhajas en gran número.

* * *

Varios días de febril actuación se sucedieron para Andrés. Durante ellos pudo, no sin grandes esfuerzos, obtener que sus familiares guardaran secreto el hallazgo, hasta que éste pudo ser convertido sin gran menoscabo, en valores de uso corriente, a la fecha. Y durante un breve intervalo de descanso, pues la riqueza iba a esclavizarlo mucho más de lo que lo había esclavizado la pobreza hasta entonces, pudo, al fin entregarse a las reflexiones que desde el encuentro del tesoro embargaban su ánimo, hasta el punto de hacerlo insensible al bienestar material y a la abundancia.

¿Por qué había acontecido aquel suceso inverosímil, más que cualquier cuento de hadas, de que se hiciese verdad su mentira?

Y lentamente, como la pepita descarnada del fruto de una verdad interior, fué apareciendo en su ánimo otra realización mística, muy parecida al hallazgo del tesoro material, pues era un tesoro espiritual que daba a aquél el valor de un símbolo.

Algo, o alguien — acaso el mismo ser oculto que lo había obligado a mentir a Consuelito — le decía ahora que todas esas creencias infantiles, que después había juzgado mentira vana, creada para adormecer a los hombres y permitirles subsistir, eran también una maravillosa y deslumbradora verdad; que era verdad el reino de Dios, el tesoro del evangelio oculto en un campo y por el que se podía dar cualquier otra posesión; que en realidad éramos hijos del Padre Celestial y herederos de su gloria, beatitud y poder. Que aquella mentira de toda su vida, la que la llenaba por completo, no era el anestésico de la filosofía, hecho a la medida de los hombres para salvarlos del suicidio, sino sencilla y evangélica verdad, tan cierta como es cierto que cada día aparece el sol en el horizonte.

(De *El hombre que parecía un caballo y otros cuentos*, 1951)

Nadie negará un lugar en nuestra historia, nada más porque parte de su carrera fué en España, a ALFONSO HERNÁNDEZ CATÁ (España-Cuba; 1885-1940). Es un cuentista consciente de la alta dignidad formal de su género, con riqueza de observación para el detalle exterior o para los pliegues psicológicos, con un sentido del « pathos » que lo lleva hacia el melodrama, pero lo bastante sobrio para detenerse a tiempo y quedarse en el buen lado de la frontera, en el lado trágico. En su primer libro, *Cuentos pasionales*, recordaba a Maupassant. Obras de madurez fueron *Los siete pecados*, *Piedras preciosas*, *Manicomio*. Domina una prosa viva, sensual, jugosa, cálida, opulenta, noble. Escribe bien; es decir, sabe cómo repujar y recamar una frase para que no se confunda con otras. Conoce los secretos del oficio de cuentista, como se ve en estos cuentos de antología: « El testigo », « La culpable », « La perla », « Los chinos », « La galleguita », « Noventa días », etc.

Hemos seleccionado « Noventa días » por el hábil tratamiento artístico de un tema de crónica policial. Se trata de un crimen pasional, pero la luz de la ironía comunica gracia aun a la truculencia de la escena final. Repárese en la alusión a un « detective » en la primera línea, que nos da la clave de la composición del cuento: Hernández Catá ha personificado la Primavera y la hace culpable del trágico amor de José y Lucy.

Alfonso Hernández Catá

NOVENTA DÍAS

Si alguien hubiese encargado a un detective la misión de seguirla, de seguro podría probarse hoy que durante aquellos meses en que cayeron hojas, ulularon cierzos y la nieve amortajó muchos días la ciudad, la Primavera había andado en malos pasos, sabe Dios dónde.

Por lo pronto llegó tarde, burlándose del calendario y faltando a todos sus deberes de suavidad, cual si viniese ebria. No hubo sitio, no hubo vida, que no sintieran su influjo violento. Ayer mismo era invierno duro, y hoy, de súbito, pareció volcarse sobre la población el oro de uno de esos vinos que son sol para la vista y fuego para las entrañas. Aire, cielo, plantas, seres vivos, trocaron la sonrisa convaleciente de otros años por un rictus audaz en el que pupilas y bocas tenían luces de reto. Y a media mañana empezaron a aparecer en la calles mujeres con los bustos envueltos en telas claras, que amenazaban o prometían abrirse a impulsos de eclosiones internas.

¡Ah, los malos modos que la Primavera fué a adquirir al otro lado del planeta no se habían visto hasta entonces entre nosotros! Si la estadística de aquellos tres meses se hubiese hecho, hasta los números más rígidos habríanse estremecido al testificar tanto desafuero. Ni un solo observatorio anunció la furia germinativa y el aire impúdico que empezaron a hinchar venas, tallos y almas. Un poeta presintió la virulencia de la epidemia sensual y previno contra ella; mas como lo hizo en verso nadie le hizo caso. Y las autoridades, tan extremosas otras veces, ninguna medida tomaron contra la Primavera.

Yo creo haber sido uno de los que mejor la resistió, y al anotar hoy lo sucedido en mi casa, doy la escala para medir la cuantía de sus maleficios en otras muchas partes. No me preguntéis cómo llegué a saber lo que voy a contar. Si dudáis de mí, recordad algunos estragos de esa Primavera facinerosa o echad a broma mi relato. No me enfadaré. Acaso las historias locas no deban tener lectores serios.

Aquella mañana el portero abrió la puerta antes de la hora, y los lecheros trajeron sus botellitas tambaleándose dentro de los armazones de alambre, cual si vinieran llenas de alcohol. Los dos matusalenes[1] de la casa, el tronco del castaño erguido ya casi como un poste en el patiezuelo, y el prestamista del segundo piso, experimentaron raros fenómenos: al primero le salió entre las negras y petrificadas arrugas de la corteza un grano verde, y el segundo, sin espiar previamente por la mirilla con sus ojos turbios de sospechas, corrió los pestillos de un golpe, abrió la puerta a la cieguecita vendedora de periódicos — que sonreía también extrañamente, ¡como si viera! — y le dió la vuelta de una moneda de plata, de regalo. El enfermo del cuarto centro[2] arrojó al suelo las medicinas amontonadas en la mesa de noche, abrió la ventana, se sentó en el lecho, y se puso a respirar despacio cual si quisiera aprender otra vez a vivir. El financiero del piso principal se encogió de hombros al leer las cotizaciones de bolsa, y estuvo canturreando en el baño mientras el agua de la ducha, irisándose en un rayo de luz, semejaba una fiesta. El gato de la rentista vió cruzar a lo lejos, en el pasillo, a un ratoncito, y en vez de saltar sobre él siguió desperezándose. Las dos viejas del piso tercero, beatas de Corazón de Jesús bajo el dintel, y de pechos desecados por la soltería y el egoísmo, hallaron de súbito que el San Luis Gonzaga desfalleciente entre lamparillas de aceite y flores de trapo, se « daba un aire » con cierto joven conocido veinte años atrás en una partida campestre. Y . . .

Pero lo más extraordinario le ocurrió al inquilino del piso abohardillado y a la sobrina de la costurera del sótano.

El vecino que vivía bajo las tejas era un hombre de ciencia, hecho a meditaciones, a cálculos, a teoremas de riguroso razonamiento, rico en escolios y corolarios hijos de un severo ingenio desnudo de sonrisa. La vecina que vivía bajo tierra con su tía la costurera, era casi una obra de arte; y fuera de la innata experiencia de seducción que toda mujer recoge, herencia social de su sexo, en el primer borde de la pubertad, no tenía otra sabiduría que la de realzar el brillo de sus ojos, aumentar la sedosidad de su piel y reírse con una risa explosiva, luminosa, blanquirroja, hecha toda de esmalte y fruta, que en vez de bajar del cerebro le subía de las entrañas.

Vivían en el mismo edificio y no se conocían. Tal vez se cruzaron en el invierno, envueltos en ropas y pensamientos oscuros; pero los seres no se conocen siempre la primera vez que se encuentran. Ella era rubia, él moreno. Ella tenía la gracia dispersa y como en peligro de algo que se derrama, él llevaba en la frente y en la boca la cifra centrípeta de la concentración. Ella tenía veintitrés años, él cuarenta y cinco. (Entre los dos, menos que la menor de las viejas a quien la Primavera estaba dando la broma cruel de consubstancializar a San Luis Gonzaga con un galán remoto). Ella se llamaba Lucía, él José. A ella los íntimos le decían Lucy; él, siempre solo en sus estudios, sin cariño, jamás tuvo a nadie que le dijera Pepe.

Y aquella mañana, cuando él acababa de bajar la escalera después de una meditación antimatemática, la mala hechicera que había venido prostituída de sabe Dios dónde a meterse

1. de Matusalén, el patriarca hebreo que vivió según la Biblia 969 años. Dícese para designar algo muy viejo. 2. piso cuarto, habitación central. 3. Pedro de Fermat (1601-1665), matemático francés. 4. Carlos Federico Gauss (1777-1855), astrónomo y matemático alemán. 5. Bernhard Riemann (1826-1866), matemático alemán. 6. Juan José Leverrier (1811-1887), astrónomo francés. 7. los gemelos, el tercer signo del Zodíaco.

entre el Invierno y el Estío, no contenta con el hálito que arrancaba de la tierra y con la tibieza que ponía en la luz, empleó un soplo de brisa traviesa para encadenarlos. A Lucía se le voló el pañuelo, José corrió tras él, y a cosa de cuarenta pasos lo recobró, y esperó para restituírselo a que ella, toda turgencias y sonrisas, se acercara.

— Le he hecho correr a usted. Dispense. Gracias.

— De nada . . . De nada, sí. Me alegro. Le juro que me alegro.

En esas frases vulgares quedó hecho todo. Inverosímil, ¿verdad? Pues fué así. Quienes recuerden otros procedimientos de aquella Primavera no se sorprenderán. Además, el Destino, cuando quiere manifestarse dramáticamente, no necesita de frases largas ni escogidas.

La meditación que había precedido aquel descenso y aquella carrera de José obedeció a la sensación de agotamiento y de esterilidad mental sentida casi todo el Invierno. ¿Exceso de faena? No. Otras veces había laborado con intensidad mayor. Sus trabajos sobre la teoría de los quanta, sus comentarios a la teoría de los números y sus intentos de demostración del teorema de Fermat[3] atestiguaban por igual de la fertilidad de su mente y de su ahinco. Y ahora, sin saber por qué, las fuentes de su cerebro mostrábanse exhaustas, laxo su tesón. En vano noche tras noche, bajo el sosiego recogedor de la pantalla, llamó a dos deidades propicias: el razonamiento y la fantasía. No, no podía ni subir peldaño a peldaño las escalas del raciocinio, ni saltar en el trampolín de las intuiciones. Se sentía enjuto, ácimo. Sin duda los surcos de su materia gris necesitaban abono. Y entonces recordó que hacía muchos años, al salir de la escuela, un compañero tuvo una pasión amorosa a favor de la cual su talento hasta entonces dormido, adquirió alas y brújula.

El recuerdo, saltándole de improviso, a impulso avieso de la Primavera, desde el fondo obscuro de la memoria a la superficie, adquirió categoría de revelación: Sí, su vida era monstruosa, urgía poner en torno al pabilo de su entendimiento cera virgen para que la llama fuese más alta y duradera. ¿Cómo no lo comprendió antes? ¡Ah, a veces mirando un rayo de sol donde viajan fúlgidas constelaciones de polvo, puede aprenderse más que en un libro de Gauss[4] o de Rieman![5] Leverrier[6], por ejemplo, ¿no concibió la idea de la transformación de la materia viendo coagularse la sangre en los bordes de la herida de un marinero, en mares del trópico? Pues él, toda proporción guardada, había hallado la clave de su decaimiento por vía de ocio contemplativo también. Y ahora la sabría aprovechar.

Así, lo mismo que quien se decide a tomar un tónico, José decidió enamorarse. Apenas si tenía clara idea de que enamorarse es, las más de las veces, obstinarse en sumar números heterogéneos, empecinarse en vivir en otro ser, agotarse en el esfuerzo de pastorear dos almas y dos cuerpos casi nunca nacidos bajo el signo de Géminis,[7] dar sentido a todos los gestos e intenciones, martirizarse en juegos de angustia, llamar placer a ciertos sufrimientos y tatuar invisiblemente en la piel de una mujer todo el sistema planetario . . . Había leído algo de esto en algunos libros que hasta entonces creyó baladíes, y quién sabe sin el influjo de aquel día saturado de quiméricas insolvencias no habría tenido la idea de enamorarse. Al fracasarle sus procedimientos habituales de lógica, se echó en brazos de lo maravilloso. Y una vez traspuesto su umbral, siguió sin titubeos ni dilaciones, a pasos rectos, cual si continuara moviéndose en el camino seguro de la ciencia.

Si había de enamorarse, si le hacía falta enamorarse, ¿para qué perder tiempo en búsquedas? Ya tenía allí, en la misma puerta de su casa, a una mujer; y joven, y bella, y radiante, y llena de hechizos. Su voz, al hablarse por segunda vez, tenía debajo de todas las inflexiones la autoridad de una secreta decisión.

— ¿A dónde va usted, señorita? La voy a acompañar.

— ¿Aunque vaya muy lejos, muy lejos?

— Tengo todo el día para ir a su lado, y quizás más. Meses, años . . la vida entera si nos llegamos a entender.

— Pues vamos a empezar y veremos. Me gustan los hombres decididos

— Y a mí las mujeres que no se asustan.

Miles de veces, millones de veces, comenzaron amores de un modo semejante; mas no bajo el signo de una primavera tan malvada. Media hora después ya José estaba enamorado con su ser íntegro e iba, por lo tanto, serio; mientras que Lucy seguía atrayendo a lo largo de la caminata miradas y deseos con su risa.

Esta fué la oposición de que se sirvió la fatalidad para cimentar el drama: Un rostro serio, un alma seria, frente a un rostro de continuo roto en gestos reidores por un alma frívola. Lucy encarnaba todas las transacciones de la relatividad y José la ansiedad rígida de lo absoluto. Sus almas quizás tuvieron en este primer choque un sobresalto de aviso y debieron separarse en seguida; pero la Primavera no los dejó seguir las buenas sendas opuestas, y un poco después José había pasado ya un brazo por el asa fragante de otro de Lucy. Este paseo fué la única suavidad que les otorgó el amor, las únicas sonrisas no contaminadas de rictus. En el doble proceso erótico que consiste primero en querer dar todo lo de sí al otro y luego en pretender rescatarlo, la segunda fase comenzó casi antes de empezar el tercer beso.

Y en el breve episodio que la muerte selló con su frío troquel, infinitamente más fuerte que los que la vida marca a fuego, ambos procedieron de buena fe en cada disparidad, en cada riña, en cada desengaño, en cada violencia. Lucy no podía comprender que amar fuera respirar con un solo pulmón, borrar el mundo y hacerse beso y caricia para ser transformada exclusivamente en teoremas. Su concepto legendario de la fidelidad convencíala de que éste no está en falla en tanto el sexo y sus centinelas materiales más avanzados — las manos y la boca — no se han juntado al enemigo. En el fondo de su cabecita maravillosa de microcéfala creía que la mujer sólo tiene un modo específico de ser mala; y « más honrada que ella no la había ». Él, en cambio, desde la primera hora se sintió inseguro, excitado en lugar de sosegado. ¡Qué diferente aquel hervor de dudas, aquel temor de todos los hombres que miraban a Lucy, del fluir cantarino y útil que soñó adquirir enamorándose! Problemas intrincadísimos, ecuaciones de muchas incógnitas habíanse clarificado cien veces ante la lente de su razón, y ahora éste, sobre el que ponía no sólo su entendimiento sino su instinto, sus sueños, sus fuerzas más obscuras, junto a las más claras, enfrentábasele irresoluble, irónico y cruel en su sencillez.

« Es buena, me quiere, nada concreto puedo reprocharle: pero, si me quiere y es buena, ¿por qué su alma se va con los automóviles que pasan? ¿Por qué se da al puñado de flores que huele, al canto estúpido que raya el silencio? ¿Por qué se me merma, se me despedaza, se me pulveriza en todo, y por qué sonríe de ese modo cuando yo estoy serio, casi con ganas de apretar los labios hasta sacarme sangre? ». Y al mismo tiempo que José se hacía estas preguntas, Lucy pensaba vagamente: « Lo quiero, claro: si no lo quisiera no lo aguantaría. Pero, ¿por qué no toma otra profesión menos aburrida y, sobre todo, por qué ha de empeñarse en que querer 'con todas las potencias', según dice, ha de ser como estar de luto? »

Fuera del círculo inalienable o ígneo que rodea cada amor, cualquiera habría podido responder a estas interrogaciones. Ellos no. Para ellos dos verdades y las soluciones simples eran puertas herméticas contra cuyos cerrojos debían estrellarse, presos para siempre. Si la primera vez que sintieron palpitar los gérmenes de la desavenencia se hubieran dicho adiós . . . ¡Qué difícil ciencia la de decir adiós bien a tiempo, con sencillez!

En vez de hacerlo, José fué al Juzgado a pedir sus papeles, a una joyería a comprar una pulsera y dos anillos, y a la parroquia del barrio a averiguar cuánto costaría recamar de luces y de flores el altar mayor, y echar sobre Lucy y sobre él, entre latines, esa marcha nupcial con que el alma semita de Mendelssohn, vengativa e irónica, hace ir rítmicamente parejas y parejas hacia el más quebradizo de los sacramentos católicos. Dos meses después eran ya marido y mujer y vivían en un ático donde sol, luna, aire y luz entraban con libertad maravillosa, y en el cual no había otras sombras que las que empezaron a producir sus almas.

« Iremos lejos si usted quiere », le había dicho él el primer día y fueron, sin duda en un sentido, ya que el matrimonio es una de las más lejanas metas a donde hombre y mujer pueden llegar juntos. Mas, sin embargo, no fueron tanto: hasta el límite de la Primavera nada más.

Cuando las sombras de sus almas empezaron a trascender, amigos oficiosos trataron de inmiscuirse y fué preciso que oyeran de uno y otro acibaradas confidencias tras de las cuales cabeceaban gravemente y murmuraban convencidos, lo mismo cuando hablaba él que ella:

— No cabe duda que tienes razón. De todos modos . . .

De todos modos el conflicto, de la mano aviesa de la Primavera, apenas salido de su principio desbocóse hacia su final.

No hay dramas más temibles en las relaciones humanas que aquellos en que los dos antagonistas tienen razón. Y en las relaciones de amor, sobre todo, donde los *por qué no* y los *por qué sí* imperan con tiranía omnímoda, tener razón es siempre haber dejado de tener pasión y ternura, soldaduras únicas capaces de unir los más lejanos polos. Llenos, saturados de razones, Lucy y José empezaron a vivir ese lado opuesto del amor que confina con el odio y que complace su ira con frases acerbas y con pensamientos de exterminio. A la hora de los besos y de los abrazos, los labios daban sus últimas dulzuras y los brazos no llegaban a adquirir presión hostil. Entonces ambos, sin confesarlo en alta voz, se reprochaban su intransigencia y se prometían enmendarse. Mas al impurificarse la atmósfera pasional lograda sólo a merced de las emanaciones físicas de sus cuerpos, las almas recobraban su elasticidad dura, y entonces bajo los labios los dientes brillaban con ímpetus de desgarrar, y refluía en los puños agarrotados la tensión de todos los músculos. « Por sus manías yo no voy a dejar de vivir. Tengo la consciencia tranquila y no le falto », refunfuñaba ella. Y él se decía torvo: « Por adorar a esa mocosa que cree que el mundo acaba y empieza en su palmito, no voy a estarme riendo siempre como un payaso y a abandonar los estudios de toda mi vida ». Un hijo, la esperanza de un hijo habría tal vez fertilizado, en ambos, zonas desde donde se proyectaran hasta las partes áridas de sus seres sombras balsámicas El amor no cuajó, y la violencia precipitó y envenenó su curso.

En otra estación cualquiera ella habría podido hallar un derivativo en amistades, y él aprovechar la sequedad de sus especulaciones para distraerse; pero en primavera, sobre todo en aquella terrible primavera, no. A ella la obligaba a reír, a moverse, a esponjarse con voluptuosidad y a él a recordar sensualmente sus curvas, aun cuando fueran ángulos rectos sobre los que estuviera especulando; y en los cálculos algebraicos, por juego maligno lo forzaba a trastocar las letras para formar con ellas su nombre: A más B, elevado a m, partido por pi, eran siempre Lucy, Lucy, Lucy . . . Así transcurrió mayo.

Una tarde un poco más tibia que las otras, el subconsciente les avisó la proximidad del desenlace y los dos quisieron detenerse en el borde del precipicio. Al llegar Lucy de la calle, José no le preguntó de dónde venía: dejó sus cálculos, sacó del fondo de su ser una sonrisa afable, cándida, no usada desde hacía ya mucho, y se puso a hablarle de futilezas y a proponerle salir aquella noche a dar un paseo. Ella, sorprendida, casi conmovida, le respondió que era mejor que se quedaran y que él trabajase mientras ella tejía a su lado.

— ¿De verdad que no quieres salir?

— ¿De veras que no prefieres quedarte con tus papelotes?

Y de súbito una duda mutua se puso entre ellos y crispó las dos sonrisas y heló las dos bondades. « No quiere salir porque llega ya cansada de donde viene », le sugirió a él. « Se ha fatigado con el trabajo de toda la tarde y ahora quiere venderme la lisonja de que lo deja para salir conmigo », le sugirió a ella. Aquella noche ni siquiera el amor físico los pudo juntar. Y hasta muy tarde, despiertos y hostiles, temiendo que un roce o una palabra imprudente hiciera estallar la electricidad acumulada en ellos, no consiguieron dormir.

Pasaron varios días más, inexorables. El 18 de junio, José no trabajó en toda la mañana ni a mediodía tampoco, y Lucy ni se asomó al balcón siquiera. ¿Para qué? Ya toda su vida y toda su muerte estaba en ellos nada más, y el influjo de la primavera que hasta en aquel su penúltimo encierro delataba su presencia en un ramo de geranios violento y en otro de taimados jazmines, cuyo perfume ponía en la habitación algo que en un jardín habría sido delicia y allí era ponzoña.

A eso de las cuatro de la tarde — según la apreciación del médico forense — José, asustado quizás de oír la hélice de sus pensamientos atornillarse en el vacío, dirigió su diestra a un estante de libros, y no sé si por deliberación de la voluntad o por una de esas casualidades en que el Destino muestra la obscura rectitud de sus designios, cogió el volumen que apareció luego abierto sobre la mesa: el *Otelo* de Shakespeare.

Puesto que allí estaba casi toda la raíz de su drama, de él había de tomar la norma técnica, debió decirse con esa lógica compatible a veces con las máximas exaltaciones de la locura. Entró Lucy, y quizás cambiaron entre ellos palabras de inmensa fatiga o de cólera inmensa. Y después las manos de José se agarrotaron en torno al cuello, hasta que la cabeza se mustió para siempre. Luego, de un tajo único, con la navajilla de afilar lápices, se seccionó las dos carótidas. La fuerza hubo de ser tal para obtener tan tremendo resultado con arma tan mínima, que, cuando descubrieron los cadáveres, en los dedos de la homicida diestra azuleaban aún las equimosis de la presión.

Cayeron casi juntos, y la sangre de José corrió hacia el cuerpo de Lucy y empapó sus vestidos, de modo que, al entrar, era preciso fijarse bien para saber a cuál de los dos pertenecía.

Yo ví los dos cuerpos sobre el mármol del Depósito Judicial. Los tapaba una sola tela encerada, sobre la cual, los dos rostros, levemente inclinados en dirección opuesta como si hasta en aquel instante quisieran rehuir la comunicación, ofrecían una diafanidad de cera y una expresión tan sosegada que parecía que de un instante a otro fueran a sonreír. Y pensé que las dos almas, ya desencarnadas y libres de todo influjo sensual, eran las que, unidas por primera vez por completo, imponían a las caras tan suave paz y aquella esperanza de sonrisa.

El entierro fué la tarde siguiente, 20 de junio; lo recuerdo. Conservo además el papelito del almanaque. Con unos pocos deudos seguí por entre las calles agobiadas de sopor los dos carros fúnebres. En la puerta estaba el portero caduco. En el patiezuelo el árbol que ya era casi mástil sin savia. En los balcones las dos viejas a quien San Luis Gonzaga enloquecía, el avaro de los ojos turbios, el enfermo incurable . . . Y todos se inclinaron hacia la Muerte, para agradecerle quizás el haberlos olvidado, mientras que ellos dos, Lucía y José, poco antes saturados de vida, iban rígidos, fríos, inertes . . .

En una avenida ancha, durante breve rato, los negros carruajes marcharon a la par, anticipando a los dos ataúdes el momento de juntarse dentro de la fosa, bajo las paletadas de tierra. Como no conocía a ninguno de los acompañantes, a nadie dí la mano al despedirse el duelo, y me quedé largo rato en el cementerio, leyendo lápidas. A la hora del crepúsculo, volví a hallarme sin saber por qué sobre la tumba recién cerrada, y siguiendo el hilo de un pensamiento obsesivo, cerré los puños y, amenazadoramente, los tremolé hacia el lugar en donde el día dejaba sobre unas montañas sus llamas últimas.

Lo raro de mi ademán atrajo a un sepulturero, que me preguntó:

— ¿Le pasa algo?

— No, nada.

— Entonces, ¿a quién amenaza usted?

Pensé decirle que a la Primavera que pretendía incendiar con la última hora de su último día la sierra casta; pero no me atreví. Ante mi evasivo encogimiento de hombros el hombre añadió:

— Bueno, vamos andando hacia la salida: es hora de cerrar. Y aquí, por la noche, nadie se queda por su gusto.

Lo seguí, aceptando por cosa natural que en el postrer episodio del drama cuya decisión había sido pautada en el *Otelo*, interviniera un enterrador que parecía provenir del *Hamlet*. Al otro día mi ciudad recobró su ritmo de cordura. Ya era verano.

(De *Sus mejores cuentos*, Santiago de Chile, 1936)

La educación de RÓMULO GALLEGOS (Venezuela; 1884) en la literatura modernista y, por otro lado, su percepción de la ruda realidad venezolana, aparecen contrastadas, tanto en los temas de sus novelas — pugna entre civilización y barbarie en villorrios, llanos, selvas, cafetales, río y lago —, como en la doble embestida de su estilo: el impresionismo artístico y el realismo descriptivo. Ya había publicado los cuentos de *Los aventureros* (1913) y las novelas *El último Solar* (1920) y *La trepadora* (1925) cuando Gallegos se consagró con *Doña Bárbara* (1929) como uno de los pocos novelistas nuestros que satisfacen la expectativa de un público internacional. *Doña Bárbara* funciona con los resortes tradicionales de la novela del siglo XIX. Sobre un fondo de naturaleza implacable la acción destaca, románticamente, casi melodramáticamente, el esfuerzo heroico. Los símbolos — exagerados hasta por el nombre de los personajes: la barbarie de Doña Bárbara; la santa luz, el santo ardor del civilizador Santos Luzardo, etc. — son demasiado evidentes. La composición con simetrías y antítesis (que a veces tienden a la alegoría) suele llevar de lo artístico a lo intelectual: la yegua y Marisela son amansadas en procesos paralelos y simultáneos; el hombre civilizado tiene toda la destreza del bárbaro; la « bella durmiente » es salvaje y hermosa al mismo tiempo; el idilio en contrapunto de voces; *Doña Bárbara* agoniza entre el bien y el mal; la carga de brujerías, agorerías y maldiciones acaba por ceder a un desenlace feliz . . . Las escenas son violentas y deliberadamente efectistas. El autor cambia de actitudes — lírica, costumbrista, psicológica, sociológica — a lo largo del relato y desde cada perspectiva logra páginas admirables. ¿Quién ha descrito mejor que Gallegos el paisaje de la llanura, una doma, la junta de ganado? La fuerza poética de la prosa de *Doña Bárbara* se intensificó en *Cantaclaro* (1934). Su estructura novelística es inferior, pero allí vive uno de los pocos caracteres que convencen en toda nuestra literatura: Cantaclaro, el trovador de los llanos venezolanos. En *Canaima* (1935) el arte del prosista y del narrador alcanzaron un alto punto de equilibrio. El escenario es la Guayana; el protagonista es el demonio mismo de la naturaleza, Canaima, frenético y maligno principio del mal, devastador de hombres. En la urdimbre novelesca los personajes se entrelazan con la gran persona de la selva, contrastando, así, este escenario con el de los llanos de *Doña Bárbara.* En sus últimas novelas — *Pobre negro,* 1937, y *Sobre la misma tierra* — Gallegos enriquece su galería de cuadros regionales: la primera, con sus problemas sociales no resueltos, en Barlovento; la segunda, con unos indios infelices y trashumantes en las márgenes de Coquivacoa. En *El forastero* (cuyos borradores son anteriores a *Doña Bárbara,* pero que se publicó mucho después) el tema político es el dominante. A diferencia de las otras novelas de Gallegos, aquí la naturaleza aparece disminuída en su acción sobre los personajes. Su última novela ya no transcurre en Venezuela sino en Cuba: *La brizna de paja en el viento.*

Rómulo Gallegos

EL PIANO VIEJO

Eran cinco hermanos: Luisiana, Carlos, Ramón, Ester, María. La vida los fué dispersando, llevándoselos por distintos caminos, alejándolos, maleándolos. Primero, Ester casada con un hombre rico y fastuoso; María después, unida a un joven de nombre sin brillo y de fama sin limpieza; en seguida Carlos, el aventurero, acometedor de toda suerte de locas empresas; finalmente Ramón, el misántropo que desde niño revelara su insana pasión por el dinero y su áspero amor a la soledad; todos se fueron con una diversa fortuna hacia un destino diferente.

Sólo permaneció en la casa paterna Luisiana, la hermana mayor, cuidando al padre que languidecía paralítico lamentándose de aquellos hijos en cuyos corazones no viera jamás ni un impulso bueno ni un sentimiento generoso. Y cuando el viejo moría, de su boca recogió Luisiana el consejo suplicante de conservar la casa de la familia dispersa, siempre abierta para todos, para lo cual se la adjudicaba en su testamento, junto con el resto de su fortuna, a título de dote.

Luisiana cumplió la promesa hecha al padre, y en la casa de todos, donde vivía sola, conservó a cada uno su habitación, tal como la había dejado, manteniendo siempre el agua fresca en la jarra de los aguamaniles, como si de un momento a otro sus hermanos vinieran a lavarse las manos, y en la mesa común, siempre aderezados los puestos de todos.

Tú serás la paz y la concordia, le había dicho el viejo, previendo el porvenir, y desde entonces ella sintió sobre su vida el dulce peso de una noble predestinación.

Menuda, feúcha, insignificante, era una de esas personas de quienes nadie se explica por qué ni para qué viven. Ella misma estaba acostumbrada a juzgarse como usurpadora de la vida, parecía hacer todo lo posible para pasar inadvertida: huía de la luz, refugiándose en la penumbra de su alcoba, austera como una celda, hablaba muy paso, como si temiera fatigar el aire con la carga de su voz desapacible y respiraba furtivamente el poquito de aliento que cabía en su pecho hundido, seco y duro como un yermo.

Desde pequeñita tuvo este humildoso concepto de sí misma: mientras sus hermanos jugaban al pleno sol de los patios o corrían por la casa alborotando y atropellando con todo, porque tomaban la vida como cosa propia, con esa confianza que da el sentimiento de ser fuertes, ella, refugiada en un rincón, ahogaba el dulce deseo de llorar, único de su niñez enfermiza, como si tampoco se creyera con derecho a este disfrute inofensivo y simple. Crecieron, sus hermanas se volvieron mujeres, y fueron celebradas y cortejadas, y amaron y tuvieron hijos; a ella, siempre preterida — que hasta su padre se olvidara de contarla entre sus hijos —, nadie le dijo nunca una palabra amable ni quiso saber cómo eran las ilusiones de su corazón. Se daba por sabido que no las poseía. Y fué así como adquirió el hábito de la renunciación sin dolor y sin virtud.

Ahora en la soledad de la casa, seguía discurriendo la vida simple de Luisiana, como agua sin rumor hacia un remanso subterráneo; pero ahora la confortaba un íntimo contentamiento: ¡Tú serás la paz! . . . Y estas palabras, las únicas lisonjeras que jamás escuchó, le habían revelado de pronto aquella razón de ser de su existencia, que, ni ella misma, ni nadie, encontrara nunca.

Ahora quería vivir, ya no pensaba que la luz del día se desdeñase de su insignificancia, y todas las mañanas, al correr las habitaciones desiertas, sacudiendo el polvo de los muebles, aclarando los espejos empañados y remudando el agua fresca en las jarras, y cada vez que aderezaba en la mesa los puestos de sus hermanos ausentes, convencida de que esta práctica mantenía y anudaba invisibles lazos entre las almas discordes de ellos, reconocía que estaba cumpliendo con un noble destino de amor, silencioso pero eficaz, y en místicos transportes, sin sombra de vanagloria, sentía que su humildad había sido buena y que su simpleza era ya santa.

Terminados sus quehaceres y anegada el alma en la dulce fruición de encontrarse buena, se entregaba a sus cadenetas; y a veces turbada por aquel silencio de la casa y por aquel claro sol de las mañanas que se rompía en los patios, se hilaba por las rendijas y se esparcía sin brillo por todas partes arrebañando la penumbra de los rincones; mareada por aquella paz que le producía suavísimos arrobos, se sentaba al piano, un viejo piano donde su madre hiciera sus primeras escalas y cuyas voces desafinadas tenían para ella el encanto de todo lo que fuera como ella, humilde y desprovisto de atractivos.

Tocaba a la sordina unos aires sencillos que fueron dulces. Muchas teclas no sonaban ya; una, rompiendo las armonías, daba su nota a destiempo, cuando la mano dejaba de hacer presión sobre ella; o no sonaba, quedándose hundida largo rato. Esta tecla hacía sonreír a Luisiana. Decía:

— Se parece a mí. No servimos sino para romper las armonías.

Precisamente por esto la quería, la amaba, como hubiera amado a un hijo suyo, y cuando, al cabo de un rato, después que había dejado de tocar, aquella tecla, subiendo inopinadamente, daba su nota en el silencio de la sala, Luisiana sonreía y se decía a sí misma:

— ¡Oigan a Luisiana! Ahora es cuando viene a sonar.

Una mañana Luisiana se quedó muerta sobre el piano, oprimiendo aquella tecla. Fué una muerte dulce que llegó furtiva y acariciadora, como la amante que se acerca al amado distraído y suavemente le cubre los ojos para que adivine quién es.

Vinieron sus hermanos; la amortajaron; la llevaron a enterrar. Ester y María la lloraron un poco; Carlos y Ramón corrieron la casa, registraron gavetas, revolviendo papeles. En la tarde se reunieron en la sala a tratar sobre la partición de los bienes de la muerta.

La vida y la contraria fortuna habían resentido el lazo fraternal y cada alma alimentaba o un secreto rencor o una envidia secreta. Carlos, el aventurero, había sido desgraciado: fracasó en una empresa quimérica, arrastrando en su bancarrota dinero del marido de Ester, el cual no se lo perdonó y quiso infamarlo, acusándolo de quiebra fraudulenta; María no le perdonaba a Ester que fuera rica y no partiera con ella su boato y la estimación social que disfrutaba: Ester se desdeñaba de aceptarla en su círculo, por la oscuridad del nombre que había adoptado; y todos despreciaban a Ramón que había adquirido fama de usurero y los avergonzaba con su sordidez.

Todas estas malas pasiones se habían mantenido hasta entonces agazapadas, sordas y latentes pero secretas; había algo que les impedía estallar una dulce violencia, que acallaba el rencor y desamargaba la envidia: Luisiana. Ella intercedió por Carlos y porque ella lo exigía, el marido de Ester no le lanzó a la vergüenza y a la ruina; ella intercedió siempre para que Ester invitase a María a sus fiestas; ella pidió al hermano avaro dinero para el hermano pobre, y a todos amor para el avaro; pero siempre de tal modo que el favorecido nunca supo que era a ella a quien le debía agradecer y hasta el mismo que otorgaba se quedaba convencido y complacido de su propia generosidad.

Ahora, reunidos para partirse los despojos de la muerta, cada uno comprendía que se había roto definitivamente el vínculo que hasta allí los uniera y que iban a decirse unos a otros la última palabra; y en la espectativa de la discordia tanto tiempo latente, que por fin iba a estallar, enmudecieron con ese recogimiento instintivo de los momentos en que se va a echar la suerte, y al mismo tiempo la idea de la hermana pasó por todos los pensamientos, como una última tentativa conciliadora a cumplir el encargo paterno: ¡Tu serás la paz y la concordia!

Entonces comprendieron a aquella hermana simple que había vivido como un ser insignificante e inútil y que sin embargo cumplía un noble destino de amor y de bondad, y fué así como vinieron a explicarse por qué ellos, inconscientemente, le habían profesado aquel respeto que los obligaba a esconder en su presencia las malas pasiones.

En un instante de honda vida interior, temerosos de lo que iba a suceder, sintieron que se les estremeció el fondo incontaminado del alma, y a un mismo tiempo se vieron las caras, asustándose de encontrarse solos.

Pero fué necesario hablar y la palabra « dinero » violó el recogimiento de las almas. Rebulleron en sus asientos, como si se apercibieran para la defensa, y cada cual comenzó a exponer la opinión que debía prevalecer sobre el modo de efectuar el reparto de los bienes de la hermana y a disputarse la mejor porción.

La disputa fué creciendo, convirtiéndose en querella, rayando en pelea y a poco se cruzaron los reproches, las invectivas, las injurias brutales, hasta que por fin los hombres, ciegos de ira y de codicia, saltaron de sus asientos, con el arma en la mano, desafiándose a muerte.

Las mujeres intercedían suplicantes, sin lograr aplacarlos, y entonces, en un súbito receso del clamor de aquellas voces descompuestas, todos oyeron indistintamente el sonido de una nota que salía del piano cerrado.

Volvieron a verse las caras y, sobrecogidos del temor a lo misterioso, guardaron las armas, así como antes escondían las torpes pasiones en presencia de Luisiana: todos sintieron que ella había vuelto, anunciándose con aquel suave sonido, dulce aunque destemplado, como su alma simple pero buena.

Era la nota de Luisiana, sobre cuya tecla se había quedado apoyado su dedo inerte, y que de pronto sonaba, como siempre a destiempo.

Y Ester dijo, con las mismas palabras que tanto le oyera a la hermana, cuando en el silencio de la sala gemía aquella nota solitaria:

— ¡Oigan a Luisiana!

(De *La rebelión y otros cuentos*, 1946)

Artista de la prosa es VENTURA GARCÍA CALDERÓN (Perú; 1886-1959), quien cumplió un buen servicio diplomático: mostrar a los europeos que nos creen pintorescos y nos piden sólo regionalismo, por mediocre y ramplón que sea, una excelentemente escrita literatura regional. *La venganza del cóndor* (1924) son cuentos peruanos de violencia, muerte, horror, superstición y pasiones desenfrenadas. La buena prosa pone toda esa realidad — cruda en otros narradores — como en un vidrio de colores, brillante y frío. Esa mente de civilizado parisién contando episodios bárbaros o describiendo paisajes espeluznantes sonríe a veces con refinada y casi imperceptible ironía, como en « Historias de caníbales. » Las almas pesadas, que necesitan de explicaciones, tesis, declamaciones, creyeron que García Calderón no había visto su tierra: sí la vió — y comprendió sus problemas — pero con mesura artística.

Ventura García Calderón

HISTORIAS DE CANÍBALES

— Cuando yo refería eso en Europa — nos dijo Víctor Landa —, las gentes se reían en mis barbas con una perfecta incredulidad. ¡Sin embargo, ello es tan simple! . . . Y es que se tienen ideas preconcebidas acerca de la civilización y la barbarie, como si en un tugurio de Londres no pudiésemos hallar salvajes auténticos . . . He frecuentado mucho a Lucien Vignon; Vignon — ¿no le conocen? —, el explorador que ha publicado tantos libros excelentes y de quien no se ha vuelto a hablar más después de la guerra. Pues bien; yo puedo contarles su aventura entre los indios *witotos* de mi tierra. Le conocí en la Legación del Perú en París. Era un francés nervioso, muy simpático, de perilla afilada, con ojos azules, límpidos; un « colonial » que había recorrido todas las selvas del mundo. ¡Cuando al francés, tan casero, le da por dar la vuelta al Atlas! . . . Amigo de Gauguin, Vignon fué el primero que exploró algunas islas oceánicas y el misterioso reino del Tibet. Un día se marchó al Perú, pero no quiso quedarse en Lima, por supuesto, sino se encaminó a la floresta virgen. El viaje a Iquitos, el vasto puerto del Amazonas, no era a la sazón una sinecura; por lo menos un mes, utilizando todos los medios de locomoción, en primer lugar el tren, que rampando montañas atraviesa infinitos picos nevados y está suspendido sobre abismos de torrentes. Después, a lomos de mula, a pie o en litera de hojas, entre la vegetación monstruosa de un Canaán venenoso, donde comienza la gran región de las lluvias torrenciales . . .

De allí los vertiginosos afluentes — los rápidos, como dicen en mi tierra — parten a alimentar el más amplio río del universo. Entonces es necesario dejarse atar en una como plataforma de madera, la *balsa* del país, que se desliza a ras del agua, con evidente peligro de no poder contar después la aventura si el río está revuelto. Tan a prisa como una buena flecha india, medio empapado por los remolinos que hacen virar la balsa, podéis enviar un adiós cordial a vuestros parientes, cerrando bien los ojos, pues esa caída a través de las estrellas os puede dar el vértigo. Sin duda al explorador Lucien Vignon no le pareció demasiado rudo tal deporte; apenas había llegado a Iquitos cuando quiso partir a la selva incógnita, muy lejos, más lejos que la « Montaña de Sal », en donde todas las tribus del Amazonas acuden a matarse buscando el precioso condimento.

Ya es suficiente Iquitos para el aficionado a exotismos: las boas, que os acarician las manos como gatos domésticos; las víboras pequeñas, que a veces halláis en vuestro lecho — ¡y no hablo en sentido figurado! —; los *outlaws* de veinte pueblos, escapados de la Cayena, los *outlaws* que el domingo, por simple diversión, porque el cielo está azul, se persiguen riendo a través de las lianas de la floresta. Sólo que han bebido y llevan encima los mejores revólveres de Europa . . .

Al gobernador de Loreto le fué muy simpático en seguida este francés enérgico y burlón, que no hallaba el país tan salvaje como podía suponerse. ¡Diantre! ¡Si venía en busca de sensaciones fuertes, que fuera a tierra de caníbales! No le chocaba esta afición de explorador; él había sentido, como tantos otros, la atracción funesta de la selva. Pocos días antes se había visto a míster Roberts, el inglés más correcto del mundo, el director de la « Iquitos Rubber Company », perderse en el Alto Paraná, vestido de salvaje *campa*, con plumas en la cabeza y el cuerpo desnudo embadurnado de colores chillones. « ¡Lo que me molesta un poco — confesaba a sus amigos antes de abandonar la vida civilizada — es la fama de la Gran Bretaña! » Acaso pudiera decirse que este inglés era un excéntrico; pero ¿y el sobrino de Garibaldi, Juan Cancio Garibaldi, que ha llegado a ser jefe de tribu y coronel de Lima, y sus dos hijas casadas con salvajes? . . . En fin, éstas son historias íntimas que la discreción nos veda comentar.

Puesto que Lucien Vignon era tan intrépido, podía partir al encuentro de los antropófagos, los más feroces indios de Loreto. El gobernador le prestó algunos indios civilizados y un *lenguaraz* (hablador o intérprete), que conocía una veintena de lenguas locales, por lo menos. Y helos allí durante un mes extraviados en el infierno magnífico, devorando monos y tortugas gigantes, resguardándose de los tigres y de los naturales, peores que los tigres; sus flechas, largas como lanzas, caen rectas del cielo y clavan a un hombre para siempre. Un día que los exploradores habían descubierto en un calvero una tribu pequeña, a la que persiguieron a tiros, los salvajes lograron escaparse, salvo una pobre vieja y su acompañante, una hermosa muchacha que mordió en el brazo a sus raptores. Fué necesario atarla como a una bestia, y Lucien Vignon la llevó en una hamaca peruana que la rodeaba como una malla. « Una sirenita », decía Vignon más tarde, riendo. De regreso a Iquitos, la vieja, mal repuesta de sus emociones, sentíase moribunda y parecía rogar a su nieta que la otorgase un servicio, un gran servicio. El lenguaraz se había enterado de que era una hechicera temible, la hechicera de la tribu, como bien lo indicaban los ojos disecados que llevaba en forma de collar. Murió al día siguiente, maldiciendo con magnificencia, profiriendo alaridos, con los brazos en alto y la boca espumante.

Cuando la vieja supo por el intérprete que la enterrarían después de su muerte, se echó a llorar desgarradoramente, invocando a todos sus dioses. No, no, ella quería que después de muerta se la comiera su nieta. Esta es la parte de mi relato más difícil de explicar en Europa, en donde se atribuye siempre a los caníbales hábitos de vil glotonería. Los hay que son materialistas y sólo piensan en el « trozo selecto »; pero os aseguro que los indios de mi tierra son espiritualistas a menudo. Aquella vieja hechicera procedía, en suma, como una dama católica que desea morir según sus ritos. Ella estaba segura de que la energía de la raza se conserva comiéndose los muertos y sólo así se transmiten las virtudes a través de los siglos. Pongamos que era una reaccionaria; pero admitamos, por Dios, que la idea de ser enterrada le parecía repugnante . . . Lucien Vignon no quiso permitir a la nieta que cumpliera con el deber filial de los *witotos*. La pequeña se mantuvo inconsolable durante ocho días, y sólo se calmó al convencerla de que la prohibición no había sido castigo.

Extraordinariamente vivaz era la indiecita. Orgullosa, como todas las de su raza, estaba decidida a no extrañarse de nada. Ante el primer espejo que hubo visto en su vida, se volvió con prudencia para contemplar la persona colocada detrás de la luna, y permaneció turbada un instante. Pero en el cinematógrafo — en Iquitos lo hay también — ni siquiera vaciló, como si no fuera aquello novedad. Muy de prisa aprendió algunas palabras en español, tres sobre todo que pronunciaba bien: *sucios*, *embusteros* y *ladrones*, las cuales resumían para ella la civilización. En realidad había pasado su juventud bañándose desnuda durante el santo día en las riberas; decía siempre la verdad, y el robo no existe en las costumbres de los salvajes de mi tierra. Lucien Vignon se divertía con la moza como con un animalito familiar. De tal modo se divirtió que seis meses después, ataviándola con un vestido blanco y un ramo de azahar, se casaba con ella en la iglesia de Iquitos. La ciudad había acudido a verles en son de burla; pero a fe mía que tenía una soberbia presencia esta pequeña endiablada, que había aprendido perfectamente — merced a las lecciones de un fraile misionero de Ocopa — a arrodillarse, a juntar las manos y a rogar al Dios exótico.

En fin, el explorador regresó a Europa, con su singular madama Vignon, y yo los ví en Paris sin asombro. Ante los extraños, ella permanecía silenciosa y crispada; pero en familia, y en su torpe lenguaje, alternando el francés con el español, decía cosas perfectamente cuerdas. La menuda antropófaga leía ya novelas y relatos de viaje. Un día me indicó sobre un mapa el lugar exacto de la selva donde la había hallado su marido . . .

* * *

Lucien Vignon quiso regresar al Perú a completar sus trabajos, enfermo acaso del mal de la floresta, que nadie puede curar y que da accesos, como el paludismo. Por prudencia dejó a su mujer en Francia. Meses más tarde nuestra Legación recibía un telegrama de Lima: « Lucien Vignon desaparecido en los alrededores de Iquitos. » En seguida supusimos que se había convertido en jefe de tribu, como el director de la Compañía inglesa de caucho, o el sobrino de Garibaldi . . . Pero no, era algo más grave aún: se lo había comido la tribu de su mujer.

Evidentemente, cuando yo explicaba esto en París, las mujeres hermosas me interrumpían siempre: « Sí, comido por su suegra. » Y era una carcajada general. ¡Estos franceses son incorregibles! Os aseguro que hablo en serio y refiero el epílogo tal como me lo contaron amigos de Loreto:

Los salvajes se visitan fácilmente en la floresta, y la historia de la menuda civilizada los había enfurecido. Apenas Lucien Vignon estuvo de regreso en Iquitos, meditaron matarle; qué digo, en cuanto pasó por Manaos, en el Brasil, la « Montaña » entera sabía por el telégrafo de los indios — un tronco vacío capaz de lanzar a muchas leguas a la redonda, con sonoridades de cañón, sonidos telegráficos — que el explorador llegaba al país. Bien pronto supieron atraerle. ¡Cuán simpáticos y lisonjeros son los indios cuando quieren serlo! El explorador no desconfiaba, porque le prometieron las mariposas de fuego más hermosas. Un día entero en la floresta, su guía, comprado con algunas libras de pólvora, se avino a extraviarle para que pudieran cogerle vivo en las trampas altas de los tigres: una especie de nido de hojarascas podridas, sólidamente rodeado de bejucos.

El jefe fué quien lo comió primero, en el transcurso de una fiesta suntuosa, una extraña y sin duda irónica ceremonia en una calva de la floresta. Se encontraron allí después los Evangelios abiertos y dos cirios regados de sangre, bajo las flechas en cruz. Antiguos alumnos de los Padres, escapados un día de Ocopa, habían dispuesto la fiesta para probar a estos civilizados que conocen bien sus libros de hechicerías y sus dioses ridículos. Descartad, os lo ruego, toda idea de glotonería, pues mis indios, lo repito, son idealistas. Comiéndose al francés que había devorado el cadáver de la vieja hechicera — de ello estaban persuadidos — la tribu recuperaba sus perdidas fuerzas espirituales y sus amados secretos de magia, adquiriendo además las potencias diabólicas de estos hombres de cabellos dorados y de ojos azules que manejan tan bien las armas de fuego. Todo quedaba en paz y la tribu de los conservadores no cabía en sí de gozo.

Pero ¿Madama Vignon?, se me preguntará. También volvió poco después, con sus vestidos de París, que lleva todavía en el fondo de la floresta virgen, no pudiendo habituarse a permanecer desnuda. Los indios de su tribu la desdeñan porque es una civilizada; es decir, que ha aprendido a mentir, que roba los maridos a las demás mujeres y que se niega a bañarse de la mañana a la noche, como sus compañeras, en los sagrados ríos de mi tierra . . .

(De *La venganza del cóndor*, 1924)

PEDRO PRADO (Chile; 1886-1952) fué primero poeta en verso, pero la prosa poemática fué su más ancho y largo cauce. Versos: *Flores de cardo* (1908). En 1949 se publicó una *Antología* (« Las estancias del amor ») y *Viejos poemas inéditos*. La poesía de Prado no denuncia esfuerzos de renovación formal. Prefiere técnicas tradicionales, el soneto. En lenguaje fiel a la gramática común pone en tensión al lector pero no lo lleva a mundos inexplorados. En « Las estancias del amor » el motivo dominante es el amoroso. El poeta ha recogido poesías de diferentes libros con los que, en los últimos años, inició una nueva fase: *Camino de las horas* (1934), *Otoño en las dunas* (1940), *Esta bella ciudad envenenada* (1945), *No más que una rosa* (1946). Prado es un espíritu reflexivo, meditabundo, con preocupaciones — y lecturas — filosóficas. Poetizó una filosofía de la vida en parábolas — *La casa abandonada*, 1912 — y aun en poemas en prosa — *Los pájaros errantes* —. El pensamiento adelgazado en tenues símbolos imbuye sus páginas líricas más puras. Su primera novela — *La reina de Rapa Nui*, 1914 — es una fantasía algo libresca, imaginada en una isla perdida. Siguió *Alsino* (1920), una de las mejores novelas poemáticas de nuestra literatura. Alsino es un chilenito que quiere volar. Cae de un árbol al suelo y queda corcovado. La corcova echa alas. Y Alsino vuela, embriagado de aire, de árboles, de pájaros, de libertad, dicha y canciones. *Un juez rural* (1924) relata desde abajo la vida popular de un barrio pobre, pero sus estampas no son realistas: el autor ha bajado al ras del suelo pero sus ojos traen de las alturas un ideal modo de mirar. Después de *Karez-I-Roshan* — mistificación literaria que hizo pasar como de un poeta persa algunos poemas en prosa de Prado —, publicó *Androvar* (1925), « tragedia en prosa » con una metafísica de la personalidad.

Pedro Prado

LA CASA ABANDONADA

Alta va la luna y las nubes volando en torno. De vez en vez cae una nube como una mariposa en las llamas de la luna y hay una pasajera oscuridad. Luego, el cuerpo consumido de la mariposa rueda por los rincones oscuros de la noche.

Viento del otoño alegre, ensaya un silbido agudo. Los árboles le hacen reverencias. Afanosas las arañas, zurcen los vidrios rotos de la casa abandonada, y continuos calofríos estremecen los yerbajos del patio.

— Mala la noche — dicen los grillos que cruzan por entre los escombros.

— Mala la noche — repiten los pájaros, que no pueden conciliar el sueño con el loco vaivén de las ramas.

— ¿Volverá? — preguntan los medrosos caracoles.

Bajo el bosque de ortiga y malvaloca, cruzan las ratas por vereditas que penetran a los cuartos vacíos. Los pisos de madera se pudren y se deshacen. Las paredes desconchadas, con grandes agujeros, evitan las revueltas inútiles.

Las cabezotas de los cardos que se yerguen al frente de las puertas, vaciaron sus enjambres en las piezas solitarias.

Cuando penetra una racha, bailan las plumillas la danza del viento.

Y la rata blanca, que anida en un escondrijo, se desespera con la fuga de los vilanos, porque son el abrigo de sus ratoncillos.

— ¿A dónde vais — chilla — locos, más que locos?

— No lo sabemos, señora. Preguntádselo al viento.

— ¿Os dejáis arrastrar por ese vagabundo?

— Hemos sido hechos para él. El polvo y las hojas y las aspas de los molinos están encargados de hacer visibles a las ráfagas que soplan vecinas a la tierra. Las nubes y los vilanos denunciamos a los vientos altos, que sólo en nosotros los perciben los ojos.

— Extraña ocupación.

— ¿Pequeña os parece? Hay muchos que sólo viven para indicar el paso de las cosas invisibles.

*

EL ESPEJO

Cada vez que me observaba en un espejo recibía una impresión extraña.

— Ahí te tienes, me decía.

— Pero ¿acaso soy tan sencillo como todo eso? me preguntaba.

Aquella imágen opaca, impenetrable, parecía tan ajena a mí mismo, como si fuese la figura de otro.

Por fin, una noche descubrí el verdadero espejo.

Sobre el jardín envuelto en sombras, bajaba el pálido fulgor de las estrellas.

En los cristales de la ventana veía reflejada la luz de la lámpara y mi actitud pensativa. Pero a través de mi imagen pude observar la arena de los senderos, los macizos de rosas que florecían en mitad de mi pecho, las estrellas lejanas que brillaban en mi cabeza.

Pensé haber encontrado un buen espejo.

Aquella mi sombra, atravesada por franjas de arena, por rosales florecidos, por astros distantes, hablaba, con extraordinaria claridad, del origen de nuestro cuerpo y de las tendencias que llenan el espíritu humano.

*

LA FISONOMÍA DE LAS COSAS

Un estudiante recorría un pueblo desconocido y reparó en que las casas, con los huecos de las puertas y de las ventanas, alcanzaban cierta semejanza con la fisonomía de los hombres. Una pequeña, con los postigos entornados, a la sombra de los árboles, parecía la faz lánguida de una mujer triste; otra ultrajada por el tiempo, le infundió repulsión por su mirar torvo y cínico. Había ventanas desvencijadas que sonreían; zaguanes oscuros, como bocas sin dientes; casitas iguales dispuestas en dos hileras, que se contemplaban como los colegiales cuando no comprenden lo que se les pregunta.

Preocupado con estas apariciones extravagantes, el joven viajero, entrada la noche, regresó a la posada. Después de comer, y una vez metido en su cuarto, se sentó en una ancha y baja silla de brazos que le hizo sonreír, pues le recordó a cierta mujer gorda y pequeña de su pueblo.

Por la ventana se veía la noche clara. Un lejano escuadrón de nubes le entretuvo como un juego de charadas: un león furioso, caballos desbocados, una virgen desmayada y un gigantesco oso blanco que amenazaba tragárselo todo.

— Vamos, se dijo el estudiante; ahora comprendo a los poetas: son los hombres que perciben las semejanzas.

Ya fatigado, se metió en el lecho y trató de atrapar el sueño, leyendo alguno de los dos libros que había traído consigo. Uno era un tratado de moral y otro de filosofía. Lleno aún de la nerviosidad que le produjera la fisonomía de las cosas, creyó ver que en el libro sobre moral los sentimientos humanos se aplicaban a las fuerzas desconocidas. Había bondad humana, alegría humana, recompensas y castigos humanos distribuídos por todas partes. El universo estaba lleno de nuestros sentimientos.

Su curiosidad más y más excitada, le hizo continuar con el libro de filosofía. En un comienzo no encontró nada de particular; pero luego sospechó que, de vez en cuando, los filósofos veían, en vez del mundo, a sus propias ideas, ni más ni menos que él veía fisonomías humanas en las fachadas de las casas.

Entonces, el estudiante escribió en su libreta de apuntes este pensamiento, que no comprendieron sus amigos:

« Los ojos de los hombres tiñen de hombre a las cosas que observan; los sentimientos de los hombres visten de sentimientos humanos a lo que es indiferente; las ideas de los hombres reducen el mundo a una cosa que se parece al hombre. »

*

LOS PESCADORES

Antes de salir el sol, fuí hacia el sitio elegido por los pescadores para echar la red. El aire era frío y limpio. El mar parecía estar lleno de aguas nuevas. Al beber el soplo de eternidad del aire y del mar, me sentí alegre y liviano como si yo también fuese ajeno a lo pasajero de la vida.

Un grupo de pescadores sacaba la red. Tres de un extremo, tres del otro, trepaban el blando declive de la playa.

Asomaron al ras de las aguas grandes peces que, en furiosas contorsiones, trataban de escapar. Corrieron apresurados los pescadores y les lanzaron lejos del alcance de las olas. Uno, dos, tres . . . contaban. Nueve docenas . ¡Fué una buena cosecha!

Atraído por la curiosidad, llegó otro grupo de pescadores. Los que venían en el bote echaron a su vez la red. Remaron, describieron una gran curva para desembarcar un poco más lejos. Tres de un extremo, tres del otro, la recogieron, enseguida, lentamente. Apareció, por fin, un pequeño montón brillante. Contaron a su vez: uno, dos, . . . cinco. Y sonaron cinco golpes sordos al caer los peces contra la arena. Entre los otros pescadores, entre los afortunados, había un anciano. Me acerqué a él y le dije:

— Buena suerte tienen ustedes, abuelo.

El viejo pescador me miró en silencio.

— Aquí, una gran pesca; allí, un resultado miserable — agregué.

— Los pescadores — me respondió — no tienen suerte. Los jóvenes, cuando principian a echar la red, creen en la buena o en la mala fortuna. Creen en ella, porque la han tentado un corto número de veces.

Hoy hemos tenido, es verdad, una buena pesca. Los vecinos la tuvieron mala. Mañana y todo el mes y todo el año, puede suceder igual cosa; pero ya llegarán los días de las buenas pescas para ellos y de las malas para nosotros. Llegarán antes de un año, antes de un mes; acaso mañana mismo. ¿Cuántas veces en la vida alcanza el pescador a echar la red? No lo sé. Pero todos los viejos sabemos que, al fin de ella, cada uno habrá sacado del mar tantos peces como su vecino. Usted es joven; sólo los jóvenes creen en la buena o en la mala suerte de los pescadores.

(De *La casa abandonada.* Parábolas y pequeños ensayos, 1919)

EDUARDO BARRIOS (Chile; 1884), es un novelista que está más interesado en los personajes que en las cosas; y, más que en las aventuras de los personajes, en sus almas. Ya en *El niño que enloqueció de amor* (1915) mostró su capacidad de análisis psicológico: es el diario de un hipersensitivo niño de diez años que, enamorado de una mujer, sufre, se enferma y termina por volverse loco. Más penetrante fué *Un perdido* (1917), donde novela la historia del desdichado Lucho, que de fracaso en fracaso va cayendo en la miseria y el vicio. En *El hermano asno* (1922) otra vez se ve, tenso, al autor de casos psicológicos raros; el de Fray Rufino en un convento franciscano. Tantas pruebas de amor y de abnegación da, que las gentes empiezan a venerarlo como a un santo. Molesta a Fray Rufino que se le atribuya santidad; cree no merecerla; duda de si no habrá en el fondo de sí un sentimiento de vanidad; y para humillarse y castigarse asalta a una muchacha, como si fuera a violarla. Quiere ser « el hermano asno », que así llama al cuerpo y a sus bajezas. En dos décadas Barrios no produjo gran cosa, hasta que en *Tamarugal* (1944) continuó su descripción de la vida chilena, en los desolados campos de nitrato del norte. *Gran señor y rajadiablos* (1948) cuenta la vida de un rico hacendado chileno (« gran señor », en el sentido feudal), audaz, alocado, tunante y simpático (« rajadiablos »). Aunque los episodios transcurren a fines del siglo pasado y tienen sus ribetes de historia y aun de política, el mayor logro está en la psicología del « héroe » Valverde. Tanto hemos usado a propósito de Barrios el concepto « psicológico » que conviene advertir que sus novelas, más que psicológicas, son subjetivas. Lo cierto es que Barrios usa convenciones narrativas no siempre verosímiles y a veces increíbles desde un punto de vista rigurosamente psicológico. El subjetivismo de Barrios en la creación de caracteres se da junto con su impresionismo en la creación de frases. Su última novela — *Los hombres del hombre*, 1950 — imagina la tortura interior de un marido que duda de su paternidad.

Eduardo Barrios

COMO HERMANAS

Eran las nueve de la noche.

Un húmedo olor de agua y vinagre aromático refrescaba la atmósfera tibia. El cuarto, a causa de los preparativos de Laura para el teatro, estaba más iluminado que de costumbre. La lámpara desprendía por sus cuatro bombillas un torrente de luz; sobre las paredes tapizadas en blanco, destacaban con firmeza los retorcidos contornos del amueblado Luis XV y los mil cuadritos y monerías que son frívolo y amable adorno en el dormitorio de una soltera.

Encima de la colcha rosa del lecho, un traje pintaba entre gasas un brochazo de azul pizarra; y al lado, Margarita, sentada en una butaca, esperaba que su amiga terminara su tocado. Entreteníase examinando un delicado abanico veneciano del siglo XVIII, con esa minuciosidad que exige el tiempo a quien ha de soportar una larga espera.

— ¡Qué preciosidad! ¡Qué primor de abanico! — exclamó de repente, entusiasmada —. ¡Y qué perfección en las pinturas!

— Sí, es una obra de arte — repuso Laura, sin volverse y mientras hundía, para esponjar el peinado, los dedos largos y pálidos en su grávida cabellera negra de criolla.

Luego añadió:

— No te lo ofrezco porque es de mamá; pero . . .

Margarita no la dejó concluir:

— ¡Qué ocurrencia, niña! — dijo —. Aunque fuese tuyo . . .

Cambiaron dos o tres frases más, de pura cortesía, y el silencio sólo fué entonces interrumpido por el sonido seco de los utensilios que Laura manejaba sobre el mármol del tocador, a medida que daba realce a sus encantos. Con un poco de carmín reforzó el garabatito de su boca, tornándolo ardiente y provocativo; luego limpióse los polvos de las pestañas, y los ojos resurgieron en su fulgor sombrío, mareantes y profundos como dos simas cuya oscuridad exigía admirar la tez pálida, de esa blancura desfalleciente y mate que da la vida entre tapices y cortinas.

De pronto llamaron a la puerta.

— ¿Quién?

— Yo, señorita. Una carta para usted — respondió la criada desde afuera.

— Margarita, hazme el favor; recíbela tú, que yo no estoy visible.

La amiga se levantó entonces y fué a recibir la carta.

— Es de Valparaíso — dijo, volviendo con ella.

— A ver . . . La letra es de Constancia Cabero . . . Déjala sobre la cómoda, para saborearla con calma cuando esté vestida.

— Constancia Cabero . . . — repitió Margarita, como escudriñando en su memoria —. ¡Ah! ¿Es aquella amiga que tenías cuando te conocí? ¿Aquélla que se paseaba contigo y ese joven alto en la Plaza?

— La misma. Una de las amigas que más quiero, una alhaja.

— Muy linda.

— Y de tanto corazón como hermosura.

— La verdad es que era preciosa — confirmó la otra con entusiasmo —. Y óyeme una cosa: cuando las veía yo a ustedes dos juntas con aquel joven, no acerté a explicarme nunca de cuál estaba él enamorado.

— Como que nosotras mismas no lo sabíamos. A las dos nos cortejaba. ¡Figúrate! . . . ¡Ay! No sé . . . Si no peleamos, fué por el cariño realmente grande, entrañable, que nos teníamos. Cuando me acuerdo . . .

— ¡Cómo! . . . ¿De manera que a las dos . . .?

— A las dos.

— ¡Qué divertido! Cuéntame, cuéntame eso ...

Sin interrumpir el pulido de las uñas, cedió Laura a la curiosidad de Margarita, y empezó a hilvanar recuerdos y acoplar detalles.

Evocó en primer término a Carlos Romero, que así se llamaba el galán. No era posible hallar tipo más seductor: alto, esbelto, de facciones correctísimas, elegante y distinguido; tanto, que ambas sentíanse igualmente atraídas por sus ojazos castaños y dormidos, de largas pestañas que dábanle una expresión acariciadora, avasallante, al mirar. Fino y oportuno en su atenciones, descubría al hombre avezado en las costumbres sociales. Como decía Laura, tenía un refinamiento natural de expresión, una confianza de sí mismo, un no sé qué de exquisito en sus galanteos, que les ocasionaba subidísimo, incomparable deleite y hacía titubear en ellas la educación, el recato y . . . casi el pudor. No ignoraban que era algo tunante, trasnochador y hasta que trataba ciertas amigas poco escrupulosas, y, no obstante, esto le rodeaba de un aura seductora que las envolvía y las fascinaba. Aquella vida adornada por aventuras, amoríos ilícitos y fiestas galantes producía en ellas, como en la mayoría de las muchachas solteras del « gran mundo », un encanto misterioso a la vez que mortificante. Cuando, en las noches, separábanse de él y pensaban en los goces que otras más libres que ellas le proporcionarían, quedábanse largo rato tristes y aun pesarosas de no haberle permitido, siquiera tal cual vez, alguna pequeña libertad de ésas que el estricto recato llega a vedar con exceso a las señoritas. . .

Tras de estos silencios meditabundos, solían buscarse, presas de invencible necesidad de expansión.

— A mí — decía entonces Laura, en un arranque de intimidad —, me entran unos deseos de ser libre, de acompañarlo a todas partes . . .

Constancia callaba unos momentos, y al fin añadía:

— Se me figura que esas mujeres deben ser muy interesantes, muy zalameras en su trato, en su . . . ¡quién sabe en qué! . . . para que trastornen de ese modo a los hombres. Créeme, a ratos, pensando en ellas, me siento muy insignificante, sin atractivos poderosos, demasiado severa, desabrida, fúnebre en mi conducta y . . . llego a renegar de . . . No, no. ¡Por Dios! ¡Lo que iba a decir! . . .

— No, no lo digas. No hay necesidad de que me lo digas. Otro tanto me pasa a mí. Y son los celos, niña, los celos, que la hacen a una disparatar.

— En mí no son los celos; es rabia, mira, una rabia atroz. Yo, a esas mujeres, las pulverizaría.

— ¿Por qué existirán? Debían prohibirse.

— Así es.

Siempre concluían de semejante manera estas confidencias; pero se repetían casi a diario. Los corazones de las dos muchachas se exaltaban, desfallecían, alternativamente sensatos y enloquecidos.

Cuando Laura, entre acomodos al corsé y retoques al peinado, hubo expuesto a Margarita, con cierto dejo nostálgico, aquellos amores, la curiosa amiga arguyó aún:

— Por lo visto, estaban ustedes muy enamoradas. Y, realmente, se me hace incomprensible que no hayan peleado nunca.

— ¡Ah! — dijo Laura con vehemencia —. Eso hubiera sido imposible entre nosotras, que nos queríamos tanto, que nos queríamos ya como dos hermanas.

— Pero también las hermanas pelean en tales casos.

— Pues nosotras, no. Por el contrario, habíamos convenido que cada una, por su parte, hiciera cuanto estuviese a su alcance para decidir a Carlos Romero en su favor, naturalmente que siempre que para soliviantarlo en sus inclinaciones, no usara de medios indignos.

— ¡Ah!

— Ya ves. Con este convenio no cabían disgustos. Además, te repito, nuestra amistad fué siempre demasiado firme para que un advenidizo la desbaratara.

Y Laura continuó así, recorriendo la gama de los elogios para ponderar aquella inquebrantable unión. ¿Reñir ellas, pues? No, ni pensar se podía en semejante absurdo.

— Aunque me lo hubiera ganado ella — concluyó —, mi cariño habría sido el mismo, como es hoy.

— Y al fin, ¿en qué pararon los amores? — preguntó intrigada Margarita, mientras pasaba a Laura el vestido, recogido como aro, por encima de la cabeza.

— ¡Pse! . . . en que nadie triunfó. Carlos fué llamado a Valparaíso por su padre, para hacerse cargo de sus negocios, y tuvo que abandonar a Santiago sin decidirse por ninguna de las dos.

— ¡Qué tontas! Lo más discreto hubiera sido que una de las dos renunciase.

— ¡Qué quieres! . . . No se pudo. Varias veces lo pensamos. Una vez llegamos a sortearnos: pero en seguida anulamos el juego, alegando trampas y jugarretas; aunque me parece que la verdadera causa era que ninguna podía sufrir indiferente el sacrificio de la otra. Nos queríamos tanto . . .

Pronto Laura terminó de vestirse y, cogiendo la carta, se acercó a la lámpara, a fin de leer mejor.

Su silueta robusta irradiaba en la luz, que se escurría por el descote fresco, afelpado y con marfileños reflejos. El vestido insinuaba las caderas de morena fogosa y caía en levísimos pliegues.

Con la esquelita entre los dedos, leía Laura en silencio, descubriendo a ratos, con una sonrisa, la línea brillante de los dientes. A su lado, Margarita, con mirada interrogadora, esperaba impaciente alguna noticia; sus ojos seguían el zig-zag que describían los de Laura sobre el papel. Aquel semblante de rubia vivaracha era un espejo de los gestos de su amiga; en él se repetían, con el poder del contagio, las muecas y las sonrisas.

De pronto, la sonrisa de Laura dejó de ser la flama producida por el goce de las nuevas agradables; trocóse primero en indecisa, luego en amarga, después en irónica, indefinible, mientras las pupilas ávidas se dilataban para releer un trozo de la carta. Por último, los brazos se descolgaron, a lo largo de los flancos. Laura quedó abismada. Su respiración se había hecho fatigosa, su pecho se agitaba en reprimidas ondulaciones, cual si en su interior una tempestad de ira despertase. La cólera llevó de repente una oleada oscura a los ojos, que chispearon. Los labios se entreabrieron como para decir algo . . . Pero la muchacha vaciló, cohibida, unos instantes.

Al fin, no pudo reprimirse. Su ira estalló, desbordante, incontenible ya.

— ¡Falsa, infame, ruin! — dijo, mordiendo las palabras —. No merecía mi cariño. ¡Desleal, mezquina, miserable!

— ¿Qué te pasa? ¿Qué hay? — preguntó alarmada Margarita.

— ¡Qué desengaños causan las amigas, hija! Imagínate que . . .

No prosiguió. La razón se sobreponía a la cólera. Limitóse a pronunciar, con tono desdeñoso y lágrimas en los ojos, estas palabras:

— Nada; falsías, que es mejor olvidar.

Estrujó la carta, la arrojó a un rincón y, sacudiendo altanera la cabeza para despejar de un rizo la frente, salió diciendo:

— Voy a ver si mamá está lista.

Margarita, alelada, no podía explicarse tan repentino cambio. ¿Por qué Laura, después de ponderar tanto las buenas cualidades de su amiga, de su *hermana*, como la había llamado, la insultaba ahora?

La curiosidad invencible de las mujeres la indujo a faltar a la buena educación.

Temblorosa, mirando a todos lados, recogió la bolita de papel, la estiró y leyo en uno de sus párrafos:

« Te llamará mucho la atención que nada te haya dicho hasta ahora de mis famosos *flirts*. Pues bien, Laura, se acabaron las tonterías Estoy de novia. Y ¿a que no adivinas con quién?. . . Con Carlos Romero. Ya estoy pedida y el primero de septiembre es el día convenido para el matrimonio. Todo ha sido muy rápido . . . »

Ricardo Güiraldes (Argentina; 1886-1927) mostró en 1915, con los versos de *El cencerro de cristal*, sus credenciales de lector de poesía francesa y de poeta atrevido: como lector prefirió a los simbolistas y, sobre todo, a Jules Laforgue; como poeta tentó mucho, acertó a veces y consiguió anticipos de lo que luego se ha de llamar « creacionismo » y « ultraísmo ». Los *Cuentos de muerte y de sangre*, también de 1915, eran en realidad « anécdotas oídas y escritas por cariño a las cosas nuestras ». Esos *Cuentos* no estaban bien construídos. Pero el « cariño a las cosas nuestras », al campo argentino y sus paisanos que allí se indicaba iba a inspirarle obras mejores. *Raucho* (1917), en cuyo protagonista vemos la misma formación de Güiraldes, hastiado de Buenos Aires, hastiado aun de París, con simpatías al campo, y *Rosaura* (1922), historia sentimental sencilla, melancólica de unos amores pueblerinos, fueron ya novelitas interesantes. Especialmente la segunda, donde la unidad constructiva y la unidad emocional son mucho más visibles que en todas sus obras restantes. Muy visible, también, la influencia de Laforgue en el lenguaje poético, metafórico, impresionista, irónico en la expresión de la ternura. Güiraldes apreciaba el poema en prosa y con prosa poemática publicó, en 1923, su libro más característico: *Xaimaca*. Característico de su doble y armónica aptitud de lírico y narrador. La novela *Xaimaca* — viaje de Buenos Aires a Jamaica, con una aventura de amor — fué olvidada por el éxito de *Don Segundo Sombra* (1926). Ésta es la novela de unos cinco años de aprendizaje gaucho en la vida de un huérfano. Don Segundo Sombra, su « padrino », es para él la encarnación de las virtudes del « resero » argentino. Un símbolo, un mito. El estilo es el de las memorias. Amalgamó la lengua tal como nace de la boca de los criollos y tal como se atavía en la boca de un criollista educado en las modas europeas del impresionismo, el expresionismo y el ultraísmo. Porque a pesar de sus diálogos realistas, de su folklore, de sus metáforas campesinas, de su dialecto rioplatense de peones y de dueños de estancia *Don Segundo Sombra* es novela artística.

Ricardo Güiraldes

TRENZADOR[1]

Núñez trenzó, como hizo música Bach; pintura, Goya; versos, el Dante.

Su organización de genio le encauzó en senda fija, y vivió con la única preocupación de su arte.

Sufrió la eterna tragedia del grande. Engendró y parió en el dolor según la orden divina. Dejó a sus discípulos, con el ejemplo, mil modos de realizarse, y se fué atesorando un secreto que sus más instruídos profetas no han sabido aclarar.

Fueron para el comienzo los botones tiocos[2] del viejo Nicasio, que escupía los tientos[3] hasta hacerlos escurridizos. Luego, otras: las enseñanzas de saber más complejo.

Núñez miraba, sin una pregunta, asimilando

1. hombre experto en hacer *trenzas* con lonjas de cuero. 2. insignificante, sin gracia, humilde. 3. tiras de cuero, por lo general sin curtir, que sirven para trenzas, amarras, botones, etc. 4. lazo que se echa al hocico de la caballería, con el mismo cabestro que tiene amarrado al cuello. 5. en Argentina y Paraguay, encaje hecho a mano, muy fino, que imita el tejido de la telaraña. 6. confusión, desorden, mezcla de personas, animales o cosas. El verbo « entreverar » significa confundir. 7. hilos trenzados en forma de nudos. 8. yegua de cierta casta, que tiene manchas muy extendidas y notables en el cuerpo.

con facilidad voraz los diferentes modos, mientras la Babel del innovador trepaba sobre sí misma, independientemente de lo enseñable.

Una vez adquirida la técnica necesaria, quiso hacer materia de su sueño. Para eso se encerró en los momentos ociosos y en el secreto del cuarto, mientras los otros sesteaban, comenzó un trabajo complicado de trenzas y botones que vencía con simplicidad.

Era un bozal[4] a su manera, dificultoso en su diafanidad de ñandutí.[5] A los motivos habituales de decoración uniría inspiraciones personales de árboles y animales varios.

Iba despacio, debido al tiempo que requería la preparación de los tientos, finos como cerda; a la escasez de los ratos libres; a las puyas de los compañeros, que trataba de eludir como espuela enconosa, llevadera a malos desenlaces.

¿Qué haría Núñez tan a menudo encerrado en su cuarto?

Esa curiosidad del peonaje llegó al patrón que quiso saber.

Entró de sorpresa, encontrando a Núñez tan absorbido en un entrevero[6] de lonjas, que pudo retirarse sin ser sentido.

Al concluir la siesta, mandóle llamar, encargándole irónicamente compusiera unas riendas en las cuales tenía que echar cuatro botones[7] sobre el modelo inimitable de un trenzador muerto.

Al día siguiente estaba la orden cumplida. La obra antigua parecía de aprendiz.

Fué un advenimiento.

Así como un pedazo de grasa se extiende sobre la sartén caldeada, corrió la fama de Núñez.

Los encargos se amontonaron. El hombre tuvo que dejar su trabajo para atender pedidos. Todos sus días, a partir de entonces, fueron atosigados de trabajo, no teniendo un momento para mirar hacia atrás y arrepentirse o alegrarse del cambio impuesto.

Meses más tarde, para responder a las exigencias de su clientela, mudóse al pueblo donde mantuvo una casa suficiente a sus necesidades de obrero.

Perfeccionábase, malgrado lo cual una sombra de tristeza parecía empañar su gloria.

Nunca fué nadie más admirado.

Decíanlo capaz de trenzarse un poncho tan fino, tan flexible y sobado como la más preciada vicuña. Remataba botones con perfección que hacía temer brujería; injería costuras invisibles. Le nombraban como rebenquero.

La maceta de sobar era parte de su puño; el cuchillo, prolongación de sus dedos hábiles. Entre el filo y el pulgar salían los tientos, que se enrulaban al separarse de la lonja.

Aleznas de diferentes tamaños y formas asentaban sus cabos en el hueco de la mano, como en nicho habitual.

Humedecía los tientos, haciéndolos patinar entre sus labios; después corríalos contra el lomo del cuchillo hasta dejarlos dúctiles e inquebrables.

Corre también que poseyó una curiosa yegua tobiana.[8] Cada año le daba un potrillo obscuro y otro palomo. Núñez los degollaba a los tres meses para lonjearlos, combinando luego, blancos y negros, en sabias e inconcluíbles variaciones, nunca repetidas.

Durante cuarenta años puso el suficiente talento para cumplir lo acordado con el cliente.

Hizo plata, mucha plata; lo mimaron los ricachos del partido, pero hubo siempre una cerrazón en su mirada.

Viejo ya, la vista le flaqueaba a ratos, y no alcanzó a trabajar más de cuatro horas al día. Cuando insistía sobre el cansancio, las trenzas salían desparejas.

Entonces fué cuando Núñez dejó el oficio.

El pobre casi decrépito, pudo al fin disponer libremente de su vida.

No quería para nada tocar una lonja y evitaba las conversaciones sobre su oficio, hasta que, de pronto, pareció recaer en niñez.

Le tomó ese mal un día que, por acomodar un ropero, dió con el bozal que empezara en sus mocedades. El viejo, desde ese momento, perdió la cabeza; abrazó las guascas enmohecidas y, olvidando su promesa de no trenzar más, recomenzó la obra abandonada cincuenta años antes, sin dejarla un minuto, en detrimento de sus ojos gastados y de su cuerpo, cuya postura encorvada le acalambraba.

Cada vez más doblado, en la atención fatal de aquel trabajo, murió don Crisanto Núñez.

Cuando lo encontraron duro y amontonado sobre sí mismo, como peludo, fué imposible arrancarle el bozal que atenazaba contra el pecho con garras de hueso. Con él tuvieron que acostarlo en el lecho de muerte.

Los amigos, la familia, los admiradores, cayeron al velorio y se comentó aquella actitud desesperada con que oprimía el trabajo inconcluso.

Alguien, asegurando que era su mejor obra, propuso cortarle al viejo los dedos para no enterrarle con aquella maravilla.

Todos le miraron con enojo: « Cortar los dedos a Núñez, los divinos dedos de Núñez ».

Un recuerdo curioso e indescifrable queda del gesto de zozobra con que el viejo oprimía lo que fué su primera y última obra. ¿Era por no dejar algo que consideraba malo?

¿Era por cariño?

¿O simplemente por un pudor de artista, que entierra con él la más personal de sus creaciones?

(De *Cuentos de muerte y de sangre*, 1915)

Sea que reaccionaran contra el modernismo, que lo ignoraran o que, respetándolo, no lo sintieran como viable para lo que tenían que decir, lo cierto es que hubo una familia de narradores de insobornables almas realistas. Unos observaron la vida en las ciudades pero en su mayoría trabajaron con materiales regionales y costumbristas. Y los más de ellos se beneficiaron con el interés que el lector tenía en esos temas: el lector solía ilusionarse. El desaliño literario le hacía creer que el autor era sincero; la morosa descripción de costumbres le hacía creer que lo que el autor decía tenía el valor de la realidad; palabras indígenas usadas profusamente le hacían creer que lo indio estaba bien visto. Al estudiar la novela y el cuento el crítico, acometido por un súbito mareo — son centenares de autores, millares de títulos —, busca un apoyo donde sujetarse y no caer. Uno de esos apoyos podría ser el ordenamiento temático: relatos de la ciudad, del campo, de la selva, de la montaña, de las costas; o del trabajo en la mina, en el obraje, en el trapiche; o del indio, del mestizo, del negro, del criollo, del gringo; o de la historia, la etnografía, la sociología, la política, el antiimperialismo, la psicología, etc. Recordemos que lo que vale en literatura no son los temas, sino el uso que los novelistas hacen de ellos.

La Revolución de 1910 en México — una de las pocas revoluciones hispanoamericanas que realmente cambiaron la estructura económica y social — suscitó todo un ciclo narrativo. Abrió el ciclo MARIANO AZUELA (1873-1952), con *Los de abajo* (1916), novela donde cuenta los episodios que van desde el asesinato de Madero hasta la derrota de los partidarios de Pancho Villa en la batalla de Celaya. De Azuela en adelante la literatura de la revolución mexicana ha crecido hasta formar un cuerpo imponente: JOSÉ RUBÉN ROMERO, FERNANDO ROBLES, JORGE FERRETIS, RAFAEL F. MUÑOZ, JOSÉ MANCISIDOR, GREGORIO LÓPEZ Y FUENTES, FRANCISCO ROJAS GONZÁLEZ, MAURICIO MAGDALENO son sólo unos pocos nombres. Hemos escogido, para representar esta literatura de tema revolucionario, a uno de los más brillantes: MARTÍN LUIS GUZMÁN (1887).

Ha publicado la biografía de *Mina el mozo, héroe de Navarra* (1932) y las imaginarias *Memorias de Pancho Villa*, iniciadas en 1938. Para entonces ya era famoso por *El Águila y la Serpiente* (1928) y *La sombra del caudillo* (1930). *El Águila y la Serpiente* no es novela sino un racimo de relatos, todos ellos brotados de las experiencias revolucionarias del autor. La prosa es vigorosa, y resiste con vigor las tentaciones, tan peligrosas, de ese tipo de literatura próxima a la crónica política. Vigor estilístico, pues, que es el único que cuenta en una historia de la literatura. El impresionismo, notable sobre todo en su técnica pictórica, no estorba la rapidez de la acción. Guzmán levanta su tema con los músculos de un estilo bien entrenado. *La sombra*

1. a fines de 1914 quedó Pancho Villa al frente de las tropas de la revolución mexicana que habían prometido reconocer la autoridad de la Convención, el congreso de caudillos revolucionarios reunido en Aguas Calientes en octubre de ese año. 2. Enrique C. Llorente, que, como el autor, sirvió en la revolución junto a Villa. Desempeñó varios puestos diplomáticos y consulares.

del caudillo aventaja a este libro por lo pronto en su mayor ambición literaria, en su organización como obra de arte. Pero, puesto que es una novela, y no un ensamble de crónicas — como *El Águila y la Serpiente* — uno exige más. Y a causa de esa exigencia artística — exigencia que suele quedar insatisfecha —, por momentos el gusto del lector vacila y no sabe cuál de los dos libros mide mejor el real talento del autor. En *La sombra del caudillo* el torbellino de la acción arrebata la prosa y acaba por hundirla en una crónica de infamias, traiciones, ignominias, crímenes, abusos, vicios que transcurren por lo menos después de 1923 (se habla de la muerte de Pancho Villa) en la ciudad de México y sus alrededores. La revolución mexicana aparece aquí en plena farsa electoral. Su último libro, *Muertes históricas*, 1958, son biografías parciales de Porfirio Díaz y Venustiano Carranza.

Martín Luis Guzmán

PANCHO VILLA EN LA CRUZ[1]

No se dispersaba aún la Convención, cuando ya la guerra había vuelto a encenderse. Es decir, que los intereses conciliadores fracasaban en el orden práctico antes que en el teórico. Y fracasaban, en fin de cuentas, porque eso era lo que en su mayor parte querían unos y otros. Si había ejércitos y se tenían a la mano, ¿cómo resistir la urgencia tentadora de ponerlos a pelear?

Maclovio Herrera, en Chihuahua, fué de los primeros en lanzarse de nuevo al campo, desconociendo la autoridad de Villa.

— Orejón jijo de tal—decía de él el jefe de la División del Norte—. Pero ¡si yo lo he hecho! ¡Si es mi hijo en las armas! ¿Cómo se atreve a abandonarme así este sordo traidor e ingrato?

Y fué tanta su ira, que a los pocos días de rebelarse Herrera ya estaban acosándolo las tropas que Villa mandaba a que lo atacasen.

Los encuentros eran encarnizados, terribles: de villistas contra villistas, de huracán contra huracán. Quien no mataba, moría.

*

Una de aquellas mañanas fuimos Llorente[2] y yo a visitar al guerrillero, y lo encontramos tan sombrío que de sólo mirarlo sentimos pánico. A mí el fulgor de sus ojos me reveló de pronto que los hombres no pertenecemos a una especie única, sino a muchas, y que de especie a especie hay, en el género humano, distancias infranqueables, mundos irreductibles a común término, capaces de producir, si desde uno de ellos se penetra dentro del que se le opone, el vértigo de *lo otro*. Fugaz como estremecimiento reflejo pasó esa mañana por mi espíritu, frente a frente de Villa, el marco del terror y del horror.

A nuestro « buenos días, general, » respondió él con tono lúgubre:

— Buenos no, amiguitos, porque están sobrando muchos sombreros.

Yo no entendí bien el sentido de la frase ni creo que Llorente tampoco. Pero mientras éste guardaba el silencio de la verdadera sabiduría, yo, con inoportunidad estúpida, casi incitadora del crimen, dije:

— ¿Están sobrando qué, general?

Él dió un paso hacia mí y me respondió con la lentitud contenida de quien domina apenas su rabia:

— Sobrando muchos sombreros, señor licenciado. ¿De cuándo acá no entiende usté el lenguaje de los hombres? ¿O es que no sabe que por culpa del Orejón (¡jijo de tal, donde yo lo agarre! . . .) mis muchachitos están matándose unos a otros? ¿Comprende ahora por qué sobran muchos sombreros? ¿Hablo claro?

Yo me callé en seco.

Villa se paseaba en el saloncito del vagón al ritmo interior de su ira. Cada tres pasos murmuraba entre dientes:

— Sordo jijo de tal . . . Sordo jijo de tal . . .

Varias veces nos miramos Llorente y yo, y luego, sin saber qué hacer ni qué decir, nos sentamos—nos sentamos cerca uno del otro. Afuera brillaba la mañana, sólo interrumpida en su perfecta unidad por los lejanos ruidos y voces del campamento. En el coche, aparte el tremar del alma de Villa, no se oía sino el tic-tiqui del telégrafo.

Inclinado sobre su mesa, frente por frente de nosotros, el telegrafista trabajaba, preciso en sus movimientos, inexpresivo de rostro como la forma de sus aparatos.

Así pasaron varios minutos. Al fin de éstos el telegrafista, ocupado antes en transmitir, dijo, volviéndose a su jefe:

— Parece que ya está aquí, mi general.

Y tomó el lápiz que tenía detrás de la oreja y se puso a escribir pausadamente.

Entonces Villa se acercó a la mesita de los aparatos, con aire a un tiempo agitado y glacial, impaciente y tranquilo, vengativo y desdeñoso.

Interpuesto entre el telegrafista y nosotros, yo lo veía de perfil, medio inclinado el busto hacia adelante. Le sobresalían de un lado, en la mancha oscura que hacía su silueta contra la luz de las ventanillas, las curvas enérgicas de la quijada y del brazo doblado sobre el pecho, y del lado de acá, al pie del ángulo poderoso que le bajaba desde el hombro, el trazo, corvo y dinámico, de la culata de la pistola Esa mañana no traía sombrero de ala ancha, sino salacot gris, de verdes reverberaciones en los bordes. Prenda semejante, inexplicable siempre en su cabeza, me pareció entonces más absurda que nunca. Cosa extraña: en lugar de quitarle volumen, parecía dárselo. Visto de cerca y contra la claridad del día, su estatura aumentaba enormemente; su cuerpo cerraba el paso a toda luz.

El telegrafista desprendió del bloque color de rosa la hoja en que había estado escribiendo y entregó a Villa el mensaje. Él lo tomó, pero devolviéndolo al punto, dijo:

— Léamelo usté, amigo; pero léamelo bien, porque ora sí creo que la cosa va de veras.

Temblaban en su voz dejos de sombría emoción, dejos tan hondos y terminantemente amenazadores que pasaron luego a reflejarse en la voz del telegrafista. Éste, separando con cuidado las palabras, escandiendo las sílabas, leyó al principio con voz queda:

« Hónrome en comunicar a usted . . . »

Y después fué elevando el tono conforme progresaba la lectura.

El mensaje, lacónico y sangriento, era el parte de la derrota que acababan de infligir a Maclovio Herrera las tropas que se le habían enfrentado.

Al oírlo Villa, su rostro pareció, por un instante, pasar de la sombra a la luz. Pero acto seguido, al escuchar las frases finales, le llamearon otra vez los ojos y se le encendió la frente en el fuego de su cólera máxima, de su ira arrolladora, descompuesta. Y era que el jefe de la columna, tras de enumerar su bajas en muertos y heridos, terminaba pidiendo instrucciones sobre lo que debía hacer con ciento sesenta soldados de Herrera que se le habían entregado « rindiendo las armas».

— ¡Que ¿qué hace con ellos?! — vociferaba Villa — . ¡Pues ¿qué ha de hacer sino fusilarlos?! ¡Vaya una pregunta! ¡Que se me afigura que todos se me están maleando, hasta los mejores, hasta los más leales y seguros! Y si no, ¿pa qué quiero yo estos generales que hacen boruca hasta con los traidores que caen en sus manos?

Todo lo cual decía sin dejar de ver al pobre telegrafista, a través de cuyas pupilas, y luego por los alambres del telégrafo, Villa sentía quizá que su enojo llegaba al propio campo de batalla donde los suyos yacían yertos.

Volviéndose hacia nosotros, continuó:

— ¿Qué les parece a ustedes, señores licenciados? ¡Preguntarme a mí lo que hace con los prisioneros!

Pero Llorente y yo, mirándolo apenas, desviamos de él los ojos y los pusimos, sin chistar, en la vaguedad del infinito.

Aquello era lo de menos para Villa. Tornando al telegrafista le ordenó por último:

— Ándele, amigo. Dígale pronto a ese tal por cual que no me ande gastando de oquis los telégrafos; que fusile a los ciento sesenta prisioneros inmediatamente, y que si dentro de una hora no me avisa que la orden está cumplida, voy allá yo mismo y lo fusilo para que aprenda a manejarse. ¿Me ha entendido bien?

— Sí, mi general.

Y el telegrafista se puso a escribir el mensaje para trasmitirlo. Villa lo interrumpió a la primera palabra:

— ¿Qué hace, pues, que no me obedece?

— Estoy redactando el mensaje, mi general.

— ¡Qué redactando ni qué redactando! Usté nomás comunique lo que yo le digo y sanseacabó. El tiempo no se hizo para perderlo en papeles.

Entonces el telegrafista colocó la mano derecha sobre el aparato trasmisor; empujó con el dedo meñique la palanca anexa, y se puso a llamar:

« Tic-tic, tiqui; tic-tic, tiqui . . . »

Entre un rimero de papeles y el brazo de Villa veía yo los nudillos superiores de la mano del telegrafista, pálidos y vibrantes bajo la contracción de los tendones al producir los suenecitos homicidas. Villa no apartaba los ojos del movimiento que estaba trasmitiendo sus órdenes doscientas leguas al norte, ni nosotros tampoco. Yo, no sé por qué necesidad — estúpida como las de los sueños —, trataba de adivinar el momento preciso en que las vibraciones de los dedos deletrearan las palabras « fusile usted inmediatamente. » Fué aquélla, durante cinco minutos, una terrible obsesión que barrió de mi conciencia toda otra realidad inmediata, toda otra noción de ser.

*

Cuando el telegrafista hubo acabado la trasmisión del mensaje, Villa, ya más tranquilo, se fué a sentar en el sillón próximo al escritorio.

Allí se mantuvo quieto por breve rato. Luego se echó el salacot hacia atrás. Luego hundió los dedos de la mano derecha entre los bermejos rizos de la frente y se rascó el cráneo, como con ansia de querer matar una comezón interna, cerebral — comezón del alma. Después volvió a quedarse quieto. Inmóviles nosotros, callados, lo veíamos.

Pasaron acaso diez minutos.

Súbitamente se volvió Villa hacia mí y me dijo:

— ¿Y a usté qué le parece todo esto, amigo?

Dominado por el temor, dije vacilante:

— ¿A mí, general?

— Sí, amiguito, a usté.

Entonces, acorralado, pero resuelto a usar el lenguaje de los hombres, respondí ambiguo:

— Pues que van a sobrar muchos sombreros, general.

— ¡Bah! ¡A quién se lo dice! Pero no es eso lo que le pregunto, sino las consecuencias. ¿Cree usté que esté bien, o mal, esto de la fusilada?

Llorente, más intrépido, se me adelantó:

— A mí, general — dijo —, si he de serle franco, no me parece bien la orden.

Yo cerré los ojos. Estaba seguro de que Villa, levantándose del asiento, o sin levantarse siquiera, iba a sacar la pistola para castigar tamaña reprobación de su conducta en algo que le llegaba tanto al alma. Pero pasaron varios segundos, y al cabo de ellos sólo oí que Villa, desde su sitio, preguntaba con voz cuya calma se oponía extrañamente a la tempestad de poco antes:

— A ver, a ver: dígame por qué no le parece bien mi orden.

Llorente estaba pálido hasta confundírsele la piel con la albura del cuello. Eso no obstante, respondió con firmeza:

— Porque el parte dice, general, que los ciento sesenta hombres se rindieron.

— Sí. ¿Y qué?

— Que cogidos así, no se les debe matar.

— Y ¿por qué?

— Por eso mismo, general: porque se han rendido.

— ¡Ah, qué amigo éste! ¡Pos sí que me cae en gracia! ¿Dónde le enseñaron esas cosas?

La vergüenza de mi silencio me abrumaba. No pude más. Intervine:

— Yo — dije — creo lo mismo, general. Me parece que Llorente tiene razón.

Villa nos abarcó a los dos en una sola mirada.

— Y ¿por qué le parece eso, amigo?

— Ya lo explicó Llorente: porque los hombres se rindieron.

— Y vuelvo a decirle: ¿eso qué?

El *qué* lo pronunciaba con acento de interrogación absoluta. Esta última vez, al decirlo, reveló ya cierta inquietud que le hizo abrir más los ojos para envolvernos mejor en su mirada desprovista de fijeza. De fuera a dentro sentía yo el peso de la mirada fría y cruel, y de dentro a fuera, el impulso inexplicable donde se clavaban, como acicates, las visiones de remotos fusilamientos en masa. Era urgente dar con una fórmula certera e inteligible. Intentándolo, expliqué:

— El que se rinde, general, perdona por ese hecho la vida de otro, o de otros, puesto que renuncia a morir matando. Y siendo así, el que acepta la rendición queda obligado a no condenar a muerte.

Villa se detuvo entonces a contemplarme de hito en hito: el iris de sus ojos dejó de recorrer la órbita de los párpados. Luego se puso en pie de un salto y le dijo al telegrafista, gritando casi:

— Oiga, amigo; llame otra vez, llame otra vez . . .

El telegrafista obedeció:

« Tic-tic, tiqui; tic-tic tiqui . . . »

Pasaron unos cuantos segundos. Villa, sin esperar, interrogó impaciente:

— ¿Le contestan?

— Estoy llamando, mi general.

Llorente y yo tampoco logramos ya contenernos y nos acercamos también a la mesa de los aparatos.

Volvió Villa a preguntar:

— ¿Le contestan?

— Todavía no, mi general.

— Llame más fuerte.

No podía el telegrafista llamar más fuerte ni más suave; pero se notó, en la contracción de los dedos, que procuraba hacer más fina, más clara, más exacta la fisonomía de las letras. Hubo un breve silencio, y a poco brotó de sobre la mesa, seco y lejanísimo, el tiquitiqui del aparato receptor.

— Ya están respondiendo — dijo el telegrafista.

— Bueno, amigo, bueno. Trasmita, pues, sin perder tiempo, lo que voy a decirle. Fíjese bien: « Suspenda fusilamiento prisioneros hasta nueva orden. El general Francisco Villa . . . »

«Tic, tiqui; tic, tiqui . . . »

— ¿Ya?

« Tic-tiqui, tiqui-tic . . . »

— . . . Ya, mi general.

— Ahora diga al telegrafista de allá que estoy aquí junto al aparato esperando la respuesta, y que lo hago responsable de la menor tardanza.

« Tiqui, tiqui, tic-tic, tiqui-tic, tic . . . »

— ¿Ya?

— . . . Ya, mi general.

El aparato receptor sonó:

« Tic, tiqui-tiqui, tic, tiqui . . . »

— . . . ¿Qué dice?

— . . . Que va él mismo a entregar el telegrama y a traer la respuesta . . .

Los tres nos quedamos en pie junto a la mesa del telégrafo: Villa extrañamente inquieto; Llorente y yo dominados, enervados por la ansiedad.

Pasaron diez minutos.

« Tic-tiqui, tic, tiqui-tic . . . »

— ¿Ya le responde?

— No es él, mi general. Llama otra oficina . . .

Villa sacó el reloj y preguntó:

— ¿Cuánto tiempo hace que telegrafiamos la primera orden?

— Unos veinticinco minutos, mi general.

Volviéndose entonces hacia mí, me dijo Villa, no sé por qué a mí precisamente.

— ¿Llegará a tiempo la contraorden? ¿Usted qué cree?

— Espero que sí, general.

« Tic-tiqui-tic, tic . . . »

— ¿Le responden, amigo?

— No, mi general, es otro.

Iba acentuándose por momentos, en la voz de Villa, una vibración que hasta entonces nunca le había oído: armónicos, velados por la emoción, más hondos cada vez que él preguntaba si los tiqui-tiquis eran respuesta a la contraorden. Tenía fijos los ojos en la barrita del aparato receptor, y, en cuanto éste iniciaba el menor movimiento, decía, como si obrara sobre él la electricidad de los alambres:

— ¿Es él?

— No, mi general: habla otro

Veinte minutos habían pasado desde el envío de la contraorden cuando el telegrafista contestó al fin:

— Ahora están llamando —. Y cogió el lápiz.

« Tic, tic, tiqui . . . »

Villa se inclinó más sobre la mesa. Llorente, al contrario, pareció erguirse. Yo fuí a situarme junto al telegrafista para ir leyendo para mí lo que éste escribía.

« Tiqui-tic-tiqui, tiqui-tiqui . . . »

A la tercera línea, Villa no pudo dominar su impaciencia y me preguntó:

— ¿Llegó a tiempo la contraorden?

Yo, sin apartar los ojos de lo que el telegrafista escribía, hice con la cabeza señales de que sí, lo cual confirmé en seguida de palabra.

Villa sacó su pañuelo y se lo pasó por la frente para enjugarse el sudor.

*

Esa tarde comimos con él; pero durante todo el tiempo que pasamos juntos no volvió a hablarse del suceso de la mañana. Sólo al despedirnos, ya bien entrada la noche, Villa nos dijo, sin entrar en explicaciones:

— Y muchas gracias, amigos, muchas gracias por lo del telegrama, por lo de los prisioneros . . .

Cuando, muy tardíamente, Costa Rica empezó a producir literatura, a fines del siglo XIX y a principios del XX, el estilo y el género predominantes fueron los de la narración realista. MANUEL GONZÁLEZ ZELEDÓN (1864-1936), más conocido con el seudónimo « Magón », JENARO CARDONA (1863-1930), RICARDO FERNÁNDEZ GUARDIA (1867-1950) y JOAQUÍN GARCÍA MONGE (1881-1958) describieron las

1. solitario, aislado. 2. moneda de diez centavos. 3. en Costa Rica, lazo de cuero. 4. trastos, cosas viejas. 5. en Centro América, temblón, trémulo. 6. decrépita. 7. manchada. 8. cohete, buscapiés. 9. pan de maíz, relleno de queso y azúcar.

costumbres y el habla del pueblo más humilde de Costa Rica. Pero quien se distinguió más por la observación directa de la realidad local y por el aprovechamiento del folklore fué María Isabel Carvajal (1888-1949), que firmaba sus libros con el nombre de Carmen Lyra. Fué maestra de escuela y militante en movimientos políticos en favor de las clases populares. Con amor a los niños y al pueblo escribió sus libros: *Las fantasías de Juan Silvestre* y *En una silla de ruedas*, ambos de 1918, y *Los cuentos de mi Tía Panchita*, de 1920. Este último es el libro que más fama le ha dado. Es una colección de cuentos tradicionales, tomados de fuentes escritas y orales y vertidos en la lengua popular costarricense.

Con la fórmula típica del cuento oral, « Uvieta » adapta un tema sobrenatural a la naturaleza centroamericana. Las « tres divinas personas, Jesús, María y José » aparecen descritas con color local, y tanto la situación como el diálogo se desarrollan con la gracia, la ternura y la ingenuidad de la imaginación popular.

Carmen Lyra

UVIETA

Pues señor, había una vez un viejito muy pobre que vivía solo íngrimo[1] en su casita y se llamaba Uvieta. Un día le entró el repente de irse a rodar tierras, y diciendo y haciendo, se fué a la panadería y compró en pan el único diez[2] que le bailaba en la bolsa. Entonces daban tamaños bollos a tres por diez y de un pan que no era una coyunda[3] como el de ahora, que hasta le duelen a uno las quijadas cuando lo come, sino tostadito por fuera y esponjado por dentro.

Volvió a su casa y se puso a acomodar sus tarantines,[4] cuando tun, tun, la puerta. Fué a ver quién era y se encontró con un viejito tembleque[5] y vuelto una calamidad. El viejito le pidió una limosna y él le dió uno de sus bollos.

Se afué a acomodar los otros dos bollos en sus alforjitas, cuando otra vez, tun, tun, la puerta. Abrió y era una viejita toda tolenca[6] y con cara de estar en ayunas. Le pidió una limosna y él le dió otro bollo.

Dió una vuelta por la casa, se echó las alforjas al hombro y ya iba para afuera, cuando otra vez, tun, tun, la puertâ.

Esta vez era un chiquito, con la cara chorreada,[7] sucio y con el vestido hecho tasajos, y flaco como una lombriz. No le quedó más remedio que darle el último bollo. — ¡Qué caray! A nadie le falta Dios.

Y ya sin bastimento, cogió el camino y se fué a rodar tierras.

Allá al mucho andar encontró una quebrada. El pobre Uvieta tenía una hambre que se la mandaba Dios Padre, pero como no llevaba qué comer, se fué a la quebrada a engañar a la tripa echándole agua. En eso se le apareció el viejito que le fué a pedir limosna y le dijo: — Uvieta, que manda decir Nuestro Señor, que qué querés; que le pidas cuánto se te antoje. Él está muy agradecido con vos porque nos socorriste; porque mirá, Uvieta, los que fuimos a pedirte limosna éramos las Tres Divinas Personas: Jesús, María y José. Yo soy José. ¡Con que decí vos! ¡Cómo estarán por allá con Uvieta! Si se pasan con que Uvieta arriba, Uvieta abajo, Uvieta por aquí y Uvieta por allá.

Uvieta se puso a pensar qué cosa pediría y al fin dijo: — Pues andá decile que me mande un saco donde vayan a parar las cosas que yo deseo.

San José salió como un cachiflín[8] para el Cielo y a poco estuvo de vuelta con el saco.

Uvieta se lo echó al hombro. En esto iba pasando una mujer con una batea llena de quesadillas[9] en la cabeza.

Uvieta dijo: — Vengan esas quesadillas a mi saco.

Y las quesadillas vinieron a parar al saco de Uvieta, quien se sentó junto a la cerca y se las zampó en un momento y todavía se quedó buscando.

Volvió a coger el camino y allá al mucho andar, se encontró con la viejita que le había pedido limosna. La viejita le dijo: — Uvieta, que manda decir Nuestro Señor, mi Hijo, que si se te ofrece algo, se lo pidás.

Uvieta no era nada ambicioso y contestó: — No, Mariquita, dígale que muchas gracias, con el saco tengo. Panza llena, corazón contento. ¿Qué más quiero?

La Virgen se puso a suplicarle: — ¡Jesús, Uvieta, no seas malagradecido! No me despreciés a mí. ¡Ajá, a José sí pudiste pedirle, y a mí que me muerda un burro!

Entonces a Uvieta le pareció muy feo despreciar a Nuestra Señora y le dijo: — Pues bueno: como yo me llamo Uvieta, que me siembre allá en casa un palito de uvas y que quien se suba a él no se pueda bajar sin mi permiso.

La Virgen le contestó que ya lo podía dar por hecho y se despidió de Uvieta.

Éste siguió su camino y encontró otra quebrada. Le dieron ganas de beber agua y se acercó. En la corriente vió pasar muchos pecesitos muy gordos. Como tenía hambre dijo: — Vengan estos peces ya compuesticos en salsa a mi saco. Y de veras el saco se llenó de pescados compuestos en una salsa tan rica, que era cosa de reventar comiéndolos.

Después siguió su camino y le salió un viejito que le dijo: — Uvieta, que manda a decir Nuestro Señor que si se te ofrece algo. Él no viene en persona porque no es conveniente, vos ves . . . ¡Al fin Él es Quien es! ¡Qué parecía que Él tuviera que repicar y andar la procesión!

— Yo no quiero nada — respondió Uvieta.

— ¡No seas sapance[10], hombre! Pedí, que en la Gloria andan con vos ten que ten. No te andés con que te da pena y pedí lo que se te antoje, que bien lo merecés.

— ¡Ay, qué santico este más pelotero! —[11] pensó Uvieta, y quería seguir su camino, pero el otro detrás con su necedad y por quitarse aquel sinapismo de encima, le dijo Uvieta: — Bueno es el culantro[12] pero no tanto. ¡Ave María! ¡Tantas aquellas por unos bollos de pan! Bueno, pues decile a Nuestro Señor que lo que deseo es que me deje morirme a la hora que a mí me dé la gana.

Pero no siguió adelante, porque quiso ir a ver si de veras le habían sembrado el palito de uva, y se devolvió.

Anda y anda hasta que llegó, y no era mentira: allí en el solarcito[13] estaba el palo de uva que daba gusto. Al verlo, Uvieta se puso que no cabía en los calzones de la contentera.

Buenos, pasaron los días y Uvieta vuelto turumba[14] con su palo de uvas. Y nadie le cachaba.[15] Ya todo el mundo sabía que el que se encaramaba en el palo de uva, no podía bajar sin permiso de Uvieta.

Un día pensó Nuestro Señor: — ¡Qué engreidito que está Uvieta con su palo de uva! Pues después de un gustazo, un trancazo. — Y Tatica Dios llamó a la Muerte y le dijo: Andá jálamele el mecate[16] a aquel cristiano, que ya no se acuerda de que hay Dios en los Cielos por estar pensando en su palo de uvas.

Y la Muerte, que es muy sácalas[17] con Tatica Dios, bajó en una estampida. Llegó donde Uvieta y tocó la puerta. Salió el otro y se va encontrando con mi señora. Pero no se dió por medio menos y como si la viera todos los días, le dijo:

— ¡Adiós trabajos! ¿Y eso que anda haciendo, comadrita?

— Pues que me manda Nuestro Señor por vos.

— ¿Idiay,[18] pues no quedamos en que yo me iría para el otro lado cuando a mí me diera la gana?

— No sé, no sé, — contestó la Muerte. — Donde manda capitán no manda marinero.

— ¡Ay! Como no se le vaya a volver la venada careta[19] a Nuestro Señor — pensó Uvieta.

— Bueno, comadrita, pase adelante y se sienta mientras voy a doblar los petates.[20]

La Muerte entró y Uvieta la sentó de modo que viera para el palo de uva que estaba que se venía abajo de uvas. — ¡Aviaos que no le fueran a dar ganas de probarlas! La Muerte al verlo no pudo menos que decir: — ¡Qué hermosura, Uvieta!

Y el confisgao[21] de Uvieta que se hacía el que se estaba doblando los petates, le respondió: — ¿Por qué no se sube, comadrita, y come hasta que no le quepan?

La otra no se hizo del rogar y se encaramó.

10. en Centro América, silvestre, con referencia al ganado.
11. halagador, o discutidor. 12. planta de simiente aromática y estomacal. 13. huertecito. 14. tarumba, atolondrado, loco. 15. hurtaba. 16. tirar de la cuerda, llevar, arrastrar. 17. en Centro América, adulador. 18. interjección. 19. no vaya a desdecirse, a cambiar de idea. 20. esterilla de palma; en sentido figurado, ropa de cama.
21. bribón, pícaro, travieso. 22. tontos, bobos. 23. nombre popular que se da al diablo. 24. meterse en negocios ajenos. 25. uno de los nombres del coatí. 26. miramientos. 27. convencer con palabras; conversación. 28. cuclillas. 29. artefacto.

Verla arriba Uvieta y comenzar a carcajearse como un descosido, fué uno.

— Lo que el sapo quería, comadrita, — le gritó. — A ver si se apea de allí hasta que a mí me dé mi regalada gana.

La Muerte quería bajar, pero no podía, y allí se estuvo y fueron pasando los años y nadie se moría. Ya la gente no cabía en la tierra, y los viejos caducando andaban dundos[22] por todas partes, y Nuestro Señor como agua para Uvieta, y recados van y recados vienen: hoy mandaba al gigantón de San Cristóbal, mañana a San Luis rey, pasado mañana a San Miguel Arcángel con así espada: — Que Uvieta, que manda a decir Nuestro Señor que dejés apearse a la Muerte del palo de uva, que si no vas a ver la que te va a pesar.

Y otro día: — Uvieta, que dice Nuestro Señor que por vidita tuya, dejés apearse a la Muerte del palo de uva.

Y otro día: — Uvieta, que dice Nuestro Señor que no te vas a quedar riendo, que vas a ver. — Pero a él por un oído le entraba y por otro le salía. Y Uvieta decía: — ¡Ah sí, por sapo que la dejo apearse!

Por fin Tatica Dios le mandó a decir que dejara bajar la Muerte y que le prometía que a él no se lo llevaría.

Entonces Uvieta dejó bajar a la Muerte, quien subió escupida a ponerse a las órdenes de Dios.

Pero nuestro Señor no había quedado nada cómodo con Uvieta y mandó al diablo por él.

Llegó el Diablo y tocó la puerta: — Upe, Uvieta.

Él preguntó de adentro: — ¿Quién es?

Y el otro por broma le contestó: — La vieja Inés con las patas al revés.

Pero a Uvieta le sonó muy feo aquella voz: era como si hablaran entre un barril y al mismo tiempo reventaran triquitraques. Se asomó por el hueco de la cerradura y al ver al diablo se quedó chiquitico.

— ¡Ni por la jurisca! ¡Si es el Malo! ¡Seguro que lo mandan por mí, por lo que le hice a la Muerte, ni más ni menos! ¿Ahora qué hago?

Pero en esto se le ocurrió una idea y corrió a su baúl, sacó su saco, abrió la puerta y sin dejar chistar al otro, dijo: — ¡Al saco el diablo!

Y cuando el pisuicas[23] se percató, estaba entre el saco de Uvieta.

— ¡Ahora sí, tío Coles — le gritó Uvieta — vas a ver la que vas a sacar por andar de cucharilla![24]

El demonio se puso a meterle una larga y otra corta, pero Uvieta le dijo: — ¡Ah sí! ¡Que te la crea pizote![25] — Y cogió un palo y le arrió sin misericordia, hasta que lo hizo polvo.

A los gritos tuvo que mandar Nuestro Señor a ver qué pasaba. Cuando lo supo, prometió a Uvieta que si dejaba de pegar al diablo, a él nada le pasaría. Uvieta dejó de dar y Nuestro Señor se vió a palitos para volver a hacer al diablo de aquel montón de polvo.

Y el Patas salió que se quebraba hasta el infierno.

Ya Nuestro Señor estaba a jarros con Uvieta y mandó otra vez a la Muerte: — que no se anduviera con contumerías,[26] ni se dejara meter conversona.[27] — Agarralo ojalá dormido, y me lo traes. Mirá que si otra vez te dejás engañar, quedás en los petates conmigo.

A la Muerte le entró vergüencilla y siguiendo los consejos de Nuestro Amo, bajó de noche y cuando Uvieta estaba bien privado, lo cogió de las mechas, arrió con él para el otro mundo y lo dejó en la puerta de la Gloria para que allí hicieran con él lo que les diera la gana.

Cuando San Pedro abrió la puerta por la mañana, se va encontrando con mi señor de clucas[28] cerca de la puerta y como con abejón en el buche.

San Pedro le preguntó quién era, y al oír que Uvieta, le hizo la cruz. Si no hubiera estado en aquel sagrado lugar, le hubiera dicho: ¡Te me vas de aquí, puñetero! — Pero como estaba, y además él es un santo muy comedido, le dijo: — ¡Te me vas de aquí, que bastante le has regado la bilis a Nuestro Señor!

— ¿Y para dónde cojo?

— ¿Para dónde? Pues para el infierno, pero es ya, con el ya.

Uvieta cogió el camino del infierno. El diablo se estaba paseando por el corredor. Ver a Uvieta y salir despavorido para adentro, fué uno. Además atrancó bien la puerta y llamó a todos los diablos para que trajeran cuanto chunche[29] encontraran y lo pusieran contra la puerta, porque allí estaba Uvieta el hombre que lo había hecho polvo.

Uvieta llegó y llamó como antes usaban llamar las gentes cuando llegaban a una casa: — ¡Ave María Purísima! ¡Ave María Purísima! — Por supuesto que al oír esto, los demonios se pusieron como si les mentaran la mama.

Y allí estuvo el otro como tres días, dándole a la puerta y — ¡Ave María Purísima! ¡Ave María Purísima!

Como no le abrían, se devolvió. Cuando iba pasando frente a la puerta del Cielo, le dijo San Pedro: — ¿Idiay, Uvieta, todavía andás pajareando?

— ¿Idiay, qué quiere que haga? Allí estoy hace tres días dándole a aquella puerta y no me abren.

— ¿Y eso qué será? ¿Cómo llamás vos?

— ¿Yo? Pues: ¡Ave María Purísima! ¡Ave María Purísima!

La Virgen estaba en el patio dando de comer a unas gallinitas que le habían regalado, con el pico y las patitas de oro y que ponían huevos de oro. Cuando oyó decir: ¡Ave María Purísima! ¡Ave María Purísima! se asomó creyendo que la llamaban.

Al ver a Uvieta se puso muy contenta.

— ¿Qué hace Dios de esa vida, Uvieta? Entre para dentro.

San Pedro no se atrevió a contradecir a María Santísima y Uvieta se metió muy orondo a la Gloria y yo me meto por un huequito y me salgo por otro para que ustedes me cuenten otro.

(De *Cuentos de mi tía Panchita*, 1936)

Las novelas y cuentos chilenos que, con modalidad realista, describieron la vida del campo, fueron los más abundantes, y hasta se ha hablado de una «escuela regionalista». MARIANO LATORRE (1886-1955) sería el maestro de esa escuela. Los otros dos grandes narradores que deben mencionarse en unión de Latorre son Rafael Maluenda y Fernando Santiván.

Latorre observa, enumera, documenta; pocas veces hace nacer en su literatura caracteres que tengan vitalidad de verdaderos hombres. Aunque ha escrito buenas novelas, como *Zurzulita*, idilio campesino que pinta el huaso de las cordilleras de la costa, sus colecciones de cuentos son más estimables. Es como si, en su larga serie de volúmenes, Latorre quisiera, infatigablemente, agotar la descripción del suelo de Chile, palmo a palmo.

El cuento que va a leerse — « La Desconocida » — es una trenza bien tejida de los tres tonos literarios característicos de Latorre: romanticismo, realismo y naturalismo. Romántico es el ambiente de misterio, aventura, amor y aun poesía; realista es la descripción de una escena de la vida campesina en un rincón chileno; naturalistas son los detalles de pobreza y sordidez más la fuerza animal de esa pareja que se ama en la oscuridad, sin verse las caras.

Mariano Latorre

LA DESCONOCIDA

El montañés, un hombrón tallado a filo de hacha en viejas maderas indígenas, desenreda la coyunta[1] de su carreta serrana sin responder a la pregunta que acaba de dirigirle el joven, de pie cerca de él. Es un muchacho flaco, mal vestido; sus ojos grises, inquietos y húmedos, siguen los movimientos del labriego que asegura ahora el yugo al asta de los bueyes. En su figura flaca hay algo de gastado; sus dedos sucios se retuercen como si repentinamente cobrasen una vida independiente de la voluntad. Teme, de seguro, que el carretero se marche sin responder a su pregunta, a la cual se aferra en ese momento todo su ser; por eso, cuando éste deja avanzar los bueyes algunos metros para cerciorarse de la seguridad de las amarras, el joven camina en la misma

1. *coyunda*, correa fuerte o soga de cáñamo, con que se uncen los bueyes al yugo. 2. en Chile y Argentina, árbol de mucha elevación y de madera semejante al roble. 3. *señor*. 4. *cuanto más*. 5. gramínea muy ramosa. Con sus tallos se hacen muebles, cercas, etc. 6. parte de atrás de la carretera. 7. chalets, casas de recreo.

dirección, creyendo que la carreta va a marcharse. Entonces repite su demanda con voz temblorosa:

— ¿Qué me dice, señor? ¿Me lleva hasta Recinto? Se lo pido por lo que más quiera, señor . . .

Esta vez el hombre levanta su cabezota áspera que rayan hondas arrugas como una vieja corteza de coigüe[2]. Responde, con cierto despego burlón:

— Es muy chicaza la carreta, iñor.[3] Contimás[4] que los bueyes no han comío en este pelaero.

En el triste cansancio de sus ojos lagrimean la impotencia y el miedo; sus manos pasan sin conciencia, histéricas, por sus ojos que la emoción congestiona. Se acerca aún más al labriego, y sin darse cuenta de la comicidad de su actitud, lo va siguiendo en todas sus evoluciones alrededor de los bueyes. Su voz es de un apremio humilde y pedigüeño de mendigo:

— Señor, no puedo darle más de diez pesos. Tengo sólo quince en el bolsillo. Los cinco, los dejo para tomar el tren en Recinto . . . Lo he perdido todo . . . No tengo más . . .

El carretero señala el cuadrilátero minúsculo de su carreta de toscas ruedas de un tablón, la sólida carreta tradicional, dominadora de las tierras altas. La armazón de colihue[5] que se le ha improvisado para el viaje, la cubren viejas colchas y mantas desteñidas; por la culata[6] se asoma el borde de un colchón.

— ¿No ve qu'es chicaza? Y va también la señora . . . Ud. no cabe . . .

El joven mira hacia el semicírculo obscuro donde nada se ve.

El razonamiento del carretero parece convencerle. Su mano temblona roza la frente perlada de sudor. Con voz débil hace la última tentativa:

— Puedo ir con Ud. adelante.

El carretero (se cree absolutamente dueño del momento) sonríe compasivo:

— En el pértigo apenas me afirmo yo . . .

Y generoso, añade un consejo como una limosna:

— Mañana se va la carreta de Don Bustamante, pa las Veguillas. Es más grande que ésta . . .

El joven contesta, vencido ya:

— Gracias, muchas gracias.

Hay en esta frase cortés un dejo de amargura, la resignación ante lo que no tiene remedio. El dorso de su mano derecha tiembla sobre su barbilla, en el ademán de ocultar una mueca de desesperación. Sin embargo, no se mueve. De espaldas al labriego, parece mirar hacia el volcán cuya pirámide obscura domina las cumbres, recortada con vigoroso relieve en la limpidez del cielo estival y el copo rosado, vaporoso, que expulsa el cráter en ese instante con un redoble lejano que se funde de pronto en el próximo murmullo del río, como el final de un prodigioso crescendo.

Una voz de mujer, de masculina aspereza, ordena desde adentro:

— Cachi, dile al caballero que puede ir en la carreta.

Y humildemente, el labriego repite la orden de la viajera:

— Se puede ir en la carreta, dice la señora.

El rostro del joven se ilumina. Se quita el sombrero sucio, con ademán respetuoso, aunque la dama de la carreta no sale de su covacha de mantas y colchas.

— Señora, Dios se lo pagará. No sabe cuánto se lo agradezco.

— De nada — se le contesta ásperamente —. Puede subir.

— No, señora, después de la cuesta . . . Puedo ir a pie un poco para que los bueyes descansen.

Y se sorprende del propio tono dulzón de su frase, en la que hay una humildad agradecida de paria.

Y nada más. El rostro de su bienhechora no se descubre. Apenas si logra ver la suela de un zapato puntiagudo que se recoge a un movimiento de acomodo en el interior del toldo; un viejo zapato de campo, de gruesa caña, que denuncia un grueso tobillo de aldeana.

Arranca luego la carreta con gran crujir de maderas cargadas, al grito del carretero que, con la picana enarbolada sobre su cabeza, azuza a la yunta:

— ¡Regalón! ¡Afeitado!

Y el joven tras ella. Por un momento tiene la idea de volver al rinconcito sucio donde ha vivido durante un mes. Allí hay un par de zapatos viejos, una gastada escobilla de dientes y un resto de jabón; pero no lo hace. Siente asco por aquel barracón de tablas donde se amontonaban en la noche hasta diez personas. No quiere ver de nuevo la nariz roja de Romualdo Soto, el brisquero, envuelto en pañuelos sanguinolentos que ocultan incurables lacras. Es repulsivo el mundo maleante con el que convivió en el campamento de carcomidos tablones, llenos de bichos, que el concesionario fabricó a la diabla en una arruga de la quebrada en declive para no quitar la vista a los blancos chalés[7] de las Termas. Allá, sin embargo, hormigueaba otra muchedumbre, impulsada por las mismas pasiones, carcomida por el mismo vicio. Entre los hampones que, junto a un candil humoso barajaban sus naipes y estos aristócratas que circundaban las mesas de juego, no había más diferencia que la cualidad del billete que absorbe la ruleta o la propina que mantiene doblado en forma degradante el espinazo de los mozos.

La tarde de febrero envuelve en su quietud rosada la muralla sinuosa de los cerros, de crispadas aristas y profundas torrenteras. En todo el áspero riscal domina el gris lustroso de la escoria, la opacidad porosa de las lavas solidificadas.

La carreta ha entrado al trumao[8] rojo del camino que partió en un hondo desfiladero el enorme cerro gredoso. El joven hunde sus pies con placer voluptuoso, ya olvidado de todo, en la blandura de la tierra. Siéntese más liviano, más puro, desprendido de sus ideas de antes. No lleva en su bolsillo sino quince pesos, pero el problema fundamental está resuelto. Ya puede llegar a Chillán, donde tiene amigos que han de ayudarlo.

Mira con cariño la pequeña carreta de los cerros, envuelta en una nube de polvo que el sol incendia de rojo. El tranquilo paso de los bueyes devoradores de leguas, va dejando su pezuña bifurcada entre las huellas paralelas de las ruedas. Le es agradable hasta el grito del carretero que parece ensañado con uno de los bueyecitos, ¡Afeitao! ¡Afeitao! Su espíritu mantiene un diálogo juguetón consigo mismo:

— ¿Por qué se llamará así el bueyecito mulato, desteñido como una vieja chaqueta de labriego?

Y se alegra al encontrar la razón del originalísimo mote campesino: Es porque las manchas blancas que tiene el buey en las quijadas semejan mejillas llenas de lavaza.[9]

Un cuarto de hora más tarde el rincón de montaña, con su edificación improvisada, las blancas casuchas de los baños, sobre las vertientes termales, y el chorro sucio del arroyo, se ocultaron tras los perfiles disparejos del antiguo nivel del cerro; pero ahora destacábase sola, en el ángulo inmenso de una garganta, la mole del volcán, semejante a una titánica pila de pedruscos brillantes, en cuya cúspide se abre al espacio la humeante boca del cráter.

Avanzaba la tarde. Su rosa vivo palidecía poco a poco, visible sobre todo en el penacho del volcán, que cada cierto tiempo aumentaba su volumen seguido del estruendo de marejada que repercutía en el valle, con lejano misterio. Las rudas cresterías y los ventisqueros relucientes como viejos esmaltes, suavizábanse en el aire liviano y líquido.

La luna, semejante a un globo de cristal esmerilado, dibujaba su contorno por encima de las cumbres.

La carreta penetraba a un bosque de coigües de aventajados follajes y torcidos troncos. Algún mástil desarraigado por las avalanchas descansaba sobre la horquilla de otro árbol en su abandono de muerte. Había en el viejo coigüedal un anquilosamiento doloroso, la trágica huella de los cataclismos primitivos: en el fondo, el volcán, con el rosicler de su humareda y su rumor de resaca era como un toqui[10] que tiene a su tribu amedrentada con la tiranía de su poder.

La carreta bajaba ahora la última espiral de la cuesta. Se detuvo antes de entrar en la espesura de la selva, al nivel del cajón. Los follajes de coigües y raulíes[11] ocultaban las cumbres; sobre la cima del bosque flotaba un vaho rojizo; el murmullo del río alejábase hacia el otro extremo del vallecito, al flanco de las sierras calvas.

El montañés reajustó las coyundas y enderezó, sobre las astas de los bueyes, las cogoteras de lingue;[12] lo invitó, en seguida, a subir a la carreta.

Indeciso, se acercó el viajero a la culata:

— ¿Señora, si Ud. lo permite?

Del interior salió un murmullo inarticulado que debió ser de aquiescencia. Poniéndose de rodillas sobre el borde, y con toda clase de precauciones para no desprender la manta, se introdujo en el agujero. Debió tenderse a lo largo y estirarse con cuidado para no molestar a su compañera. No había holgura posible bajo la armazón de colihues porque la mujer que iba a su lado era maciza y ocupaba gran parte del espacio; por fortuna, un blando colchón de campo cubría la cama de la carreta y su cabeza descansó en una almohada común como en un lecho matrimonial; sin embargo, semejante a una esposa herida, la mujer le había vuelto la espalda y no veía sino la curva obscura de sus caderas y el ángulo de su hombro. El carretero cerró el semicírculo de la entrada, amarrando una caja entre la

8. en Chile, tierra arenisca de rocas volcánicas. 9. agua sucia, en que se lava algo. 10. cacique, en araucano. 11. árboles de Chile. 12. árbol de gran altura, cuya madera se emplea en la construcción. 13. arbusto de fruto comestible. 14. campesina, trabajadora del campo, en Chile. 15. hombre encargado de la ruleta en los casinos de juego.

culata y las barandillas; no sin cierta angustia, comprendió que la noche entera debía pasarla en aquella caja rodante, de duros palos chilenos que, dando tumbos, avanzaba en el corazón de la sierra. Sólo un borde había quedado descubierto, en el que azuleaba el cielo de verano y donde la punta de una rama se agitó un segundo. Un zorzal, sobre su cabeza, lanzó dos notas dulces y llenas como dos granos de boldo.[13] Empezó luego a adormecerse. Sus recuerdos no se precisaban claramente. Dentro de la pequeña carreta era ahora un mundo nuevo e inmediato el que atraía todo su interés. Esta mujer misteriosa que se apelotonaba junto a las varillas de colihue del toldo; y que había tenido para él, sin explicárselo, un rasgo de generosidad poco común entre los labriegos; los golpes sordos y netos de las pesadas ruedas en los pedruscos y el vacío contra choque correspondiente en los hoyos del camino; el olor a ramas de bosque de la chaqueta del carretero, encaramado sobre el pértigo, a dos centímetros de su cabeza; y cuya voz interrumpía el silencio del crepúsculo a cada instante:

— ¡Afeitado, uaaa!

Era un grito primitivo que el joven se entretenía en interpretar; dirigíase al animal como a un camarada al que se le ha enseñado con paciencia un oficio; y que, por una negligencia imperdonable, se olvida del precepto más elemental del tiro de carreta: hacer la misma fuerza del compañero; por eso, en ese grito, había, al par que molestia, reconvención; y el bueyecito lo entendía seguramente, pues, a cada voz, las correas del yugo crujían sobre su poderosa frente cuadrada.

Dentro, el calor era asfixiante; persistía en la hondanada guardado entre los altos cerros; la franja de cielo que la manta mal prendida dejaba ver, empezó poco a poco a descolorarse y se hizo obscura. A veces la pupila de oro de una estrella daba la impresión de husmear al interior.

El vientecillo que nace de los ventisqueros y que refresca la tierra y los bosques, empezaba sus pláticas susurrantes. El globo cristalino de la luna, llenábase ahora de una luz dorada y espesa que destilaba sobre el bosque el misterio de su plácida nevada. La vida de la selva despertábase ante esta claridad, semejante a un alba prematura: el huac-huac de un zorro cazador resonó una vez entre las masas de sombra de los matorrales.

El joven ha cerrado los ojos. La penumbra del toldo lo invita a eso; pero un odio acre fermenta en él contra esa mujer que dormita a su lado y cuya fuerte respiración, para su irritabilidad, es de una ordinariez incalificable. ¿Quién será esa huasa?[14] ¿Una enferma contagiosa que se oculta para no avergonzarse? ¿Por qué no le dirige la palabra?

Es quizás una aldeana que no se baña sino por medicina; una de esas reumáticas que todos los años emigran a las termas desde los rincones del valle como a la fiesta de San Sebastián, en busca de milagroso alivio para esos males desconocidos y trágicos que suelen brotar en la soledad de la campiña o una pequeña terrateniente, de ésas que viven en caserones con corredores, en las tristes plazas lugareñas, esclavas de un abolengo heredado de mejores tiempos. ¿Lo despreciaría quizá, por su aspecto mendicante o por el tono de súplica de su demanda?

A un tumbo de la carreta estas ideas se funden y desaparecen como sorprendidas; pero el cerebro retorna a su sorda labor subconsciente; surgen con relieve vivísimo, las horas angustiosas de la tentación, junto a la ruleta que rodeaba constantemente una muchedumbre desconocida, cuyos ojos inmovilizados por extraño magnetismo, seguían con avidez el girar vertiginoso de las ruedecillas o los montoncitos multicolores de las fichas, sobre los barnizados tableros. Su traslado al barracón de Romualdo Soto cuando los últimos billetes fueron barridos por la pala del croupier,[15] y durante este minuto de angustia, en que la realidad se esfuma, las ruedecillas implacables vuelven a correr locamente sobre sus ejes de acero; más tarde, su humillación ante los carpeteros que se llevaron el resto de su capital. El despertar repentino de su conciencia como si volviera de una pesadilla; y el asco inmenso a sus zapatos entreabiertos, a su camisa inmunda y a sus uñas crecidas como las de un enfermo.

Ante el recuerdo de esas escenas en que estuvo a punto de naufragar, un sudor frío cosquillea su piel; y su corazón palpita con bruscas sacudidas; luego sus recuerdos se borran; un sopor inmenso lo adormece, pero la conciencia vigila aún y recoge retazos de sensaciones confusas: el áspero traqueteo de la carreta en los hoyos del camino; el ruido agudo, crispante, de los bueyes que vuelven a masticar las reservas de sus estómagos; a veces, el trueno sordo del volcán. De pronto, se despertó por completo. No sentía ruido alguno; envolvíalo una dulce inmovilidad. La carreta se había detenido.

Impensadamente advirtió la presencia de la mujer que iba a su lado La incomodidad de una fuerza contraria que se incubaba en la sombra.

La sintió removerse intranquila. Los estremecimientos de su cuerpo eran tan visibles que en el fondo de su ser oyó también esa voz ancestral que se despierta y ruge siempre que un hombre y una mujer están cerca el uno del otro; luego, cierto olor de piel limpia que trasuda; y esto lo exasperó hasta lo indecible; por lo demás, en los movimientos involuntarios del sueño, la mujer se había acercado mucho a su lado y una parte de sus muslos y de su espalda se adherían a sus rodillas y a su costado.

Le hizo sonreír una observación que se formuló en su interior:

— ¡Qué mal dormir tiene la huasa esta!

Y se sorprendió, al notar que parecía otra persona completamente distinta a él la que había articulado estas palabras que sonaron como dichas en alta voz.

Con grandes precauciones, ya completamente despabilado, para no despertar a la desconocida, alzó la manta que le interceptaba el campo y el airecillo del bosque, que atisbaba esa ínfima abertura para colarse con sus frescos olores, calmó el ardor de sus mejillas.

Fué sólo un segundo; luego volvió al silencio y al calor de su rincón.

— ¿Qué hay, Cachi?

— Na, que se cortó un corrión del yugo. Ya está . . .

La carreta siguió de nuevo su marcha. El carretero, enteramente despierto, balbuceaba con voz gangosa tonadas de risible monotonía. La noche tibia, dulcificada por balsámica suavidad, encendió quizá en su alma de esclavo una chispa de poesía. Poco a poco el canto se fué precisando; y el joven entendió jirones de estrofas, versos ingenuos que añoraban tiempos mejores. Los buenos tiempos patriarcales en que el carretero, sobre la cama de su tosco vehículo, azuzaba a la yunta, dominador de los solitarios caminos y de los perdidos senderos del bosque.

Ahora oía claro y distinto el comienzo del cantar:

Un hacendado tenía
bueyes de muchos colores

Los versos restantes perdíanse en notas gangosas e inseguras:

Y como en un j . . . flores
en ellos se . . . cía.

Algo imprevisto hizo que el joven no oyese más la voz desentonada del conductor. El cuerpo de la mujer que dormitaba a su lado iba acercándose paulatinamente al suyo. No era, no, ahora se daba cuenta exacta de ello, la presión sin malicia de un cuerpo acostumbrado a un espacio amplio y que en la inconsciencia del sueño se olvida que una persona duerme a su lado. Su corazón le indicaba, con precipitados latidos, que en aquella muda maniobra de la desconocida había algo más; luego sintió cerca un aliento cálido, abrasador; y unos labios que buscaban los suyos con esa ceguedad que sólo la muerte o la vida da a los movimientos de los hombres.

Y en aquella carreta que rodaba con su pesadez de reptil por la montaña, el mundo se detuvo un minuto en su eterno rodar por los espacios, sobre los labios de dos seres desconocidos hasta entonces.

El carretero, en su pértigo, bajo la luna, mascullaba aún sus versos añorantes:

Y como en un jardín de flores
En ellos se complacía.

* * *

El joven sintióse repentinamente aliviado. Fué como si su angustia se fundiese en la onda cálida de la sangre que volvía a estremecer sus venas con el rítmico compás de la salud. Silboteaba en voz baja algún aire que aparecía sin saber por qué en ese momento. Trató en seguida de entablar conversación con la mujer que tan inesperadamente se le había revelado; ensayó reconstruir sus facciones, el timbre masculino de su voz o su figura como si la tuviese de pie delante de él; y de los detalles que había podido coger o imaginarse, no sacaba nada concreto. Desprovista de sus atributos materiales tenía algo de general, de abstracto, que no lograba localizar. A veces, era el recuerdo de alguna mujer conocida anteriormente; otras, el de un retrato entrevisto en una vitrina de fotografías o en revistas. Procuraba recordar el sabor de aquellos besos frenéticos que, como una lluvia de fuego, habian caído sobre su boca; y sólo podía asegurar que era una mujer corpulenta, de carnes duras y de piel áspera, de formas abultadas y una cabellera espesa que supuso obscura, con ligero olor a humedad; luego recor-

16. pajarillos cantores de Chile, algo mayores que un jilguero. 17. En Chile, *frisa* es el pelo de algunas telas, como la felpa. Aquí puede ser *sin frisar*, es decir, sin flecos.

dó el zapato sucio que vió aquella tarde al salir de las termas; y sonrió: eran ahora imágenes de vida ordinaria, de campesinas envaradas en sus vestidos de percal y de mechas indómitas las que aparecían en su memoria. Sonrió con benevolencia; y se adormeció, sin recuerdos, sin angustia, en un sueño animal con esta pregunta en el umbral de la subconsciencia:

— ¿Quién será esta mujer?

* * *

Un rudo sacudón lo hizo despertar con sobresalto. El carretero había metido su mano por entre las colchas y removía a su huésped sin consideraciones.

— ¡Eh! ¿Qué hay?

— Arriba, patrón, ya estamos en Recinto.

Las preguntas se cruzaron desde el interior del carruaje al aire libre; las del carretero venían impregnadas del aire puro y gris del alba. Se deslizó por el colchón hacia afuera precavidamente para no despertar a su compañera. Una curiosa timidez lo cohibía. Se habría puesto a temblar si la mujer le hubiese dirigido la palabra o se hubiese mostrado súbitamente. Había como una vergüenza vaga por haber representado la parte femenina en la aventura; sin embargo, la inmovilidad indiferente de la desconocida volvía a producirle la misma irritación despechada que en la tarde. Sentíase herido en su amor propio de hombre, casi vejado en su orgullo varonil. Las preguntas despectivas del día anterior desfilaron otra vez por su cerebro. Decidió terminar.

Empezaba a amanecer. En unos coigües cercanos, adormitadas a la orilla de la carretera, unas diucas[16] rasgaban las gasas del alba con sus píos cortos y agrestes. Le habló al carretero con voz ronca:

— Aquí están los diez pesos.

El hombre iba a alargar la mano en la actitud respetuosa con que los huasos reciben siempre el dinero; pero la voz de la mujer que pronunció un ¡no! imperativo desde la carreta, cortó en seco su ademán.

El joven se encogió de hombros.

— Mejor — masculló.

A un grito del carretero, los buyes dieron un vigoroso tirón; y la carreta patinó silenciosamente sobre la tierra rojiza y esponjosa del camino.

El joven no se movió de en medio de la carretera, fijos los ojos en la carreta montañesa, pobre y sin gracia como un rancho, pero donde había vivido un minuto de su vida. Perdíase ya su silueta en la penumbra del amanecer. Volvía a lo desconocido de donde salió el día anterior y se llevaba consigo un secreto. En su memoria sólo quedaba el fuego de una boca ávida sobre sus labios y la punta deforme de un zapato de aldeana.

Esperó aún que una mano surgiera de entre los colihues, en un romántico gesto de adiós; pero en la manta desfrisada[17] que, a guisa de cortina cubría la entrada de la carreta, no se notó movimiento alguno.

El pequeño campamento de Recinto se dibujó en la hondonada, entre los árboles. En el alba blanca, clarineó un gallo. Una oleada de aire acercó repentinamente el murmullo del río.

El joven caminó hacia la estación.

(De *Catorce cuentos chilenos*, selección de Luis Enrique Delano, 1932)

Manuel Rojas (1896), aunque nació en Argentina, fué a Chile cuando todavía era adolescente y allí se hizo escritor. En esa época dominaba el costumbrismo de la generación de Santiván, pero Rojas se apartó del costumbrismo. Para él la misión del cuento o de la novela no era aplastar con el paisaje a hombres insignificantes, sino, al contrario, destacar lo que el hombre siente, piensa y es. La naturaleza entra en sus relatos solamente cuando está en relación viva con los personajes. Sin embargo, Rojas no se ha propuesto la creación de caracteres bien individualizados. Prefiere presentar a los hombres en grupo o en sus aspectos más comunes. Ha recibido la influencia de Hemingway y Faulkner; y, de los hispanoamericanos, el narrador que más admira es Horacio Quiroga. Hábil narrador en todos los escenarios — mar, campo, ciudad —, ha creado todo un pueblo de personajes en sus innumerables cuentos, coleccionados en varios libros que van de *Hombres del sur* (1927) a *El bonete maulino* (1943), y en varias novelas, desde *Lanchas en la bahía* (1932) hasta *Hijo de ladrón* (1951), considerada esta última como una de las mejores de toda América. *Hijo de ladrón* — en tono de memorias — es la primera novela de una trilogía.

De su colección de cuentos *El delincuente* reproducimos el cuento que va a leerse.

Manuel Rojas

UN MENDIGO

Fué un día de invierno, alumbrado por un sol transparente y seco, color tafetán, cuando Lucas Ramírez, después de franquear la puerta del hospital, se encontró en la calle.

Parpadeó, deslumbrado por la luz fuerte y libre que resplandecía en las paredes blanqueadas; luego, inmóvil en la orilla de la acera, reflexionó. No lo hizo mucho rato; ya en el último mes de su estada en el establecimiento había pensado bastante sobre el momento de su salida y sabía que su vida, al abandonar el hospital, estaría amarrada a dos hilos: la punta de uno de ellos remataba en el hospicio; la del otro en esa gran institución ambulante y pública que se llama mendicidad.

Pero nunca había imaginado la diferencia que había y hay entre el hecho de decir: « Cuando yo salga del hospital . . . » y el de encontrarse fuera realmente.

La calle, cuyo aspecto y movimiento casi tenía olvidados después de sus varios meses de enfermedad, desfilaba ante él caminando hacia los campos. Le pareció de pronto, vista desde su ángulo de inválido, una desolada e inmensa planicie, batida por un viento helado, cruzada de profundas quebradas y penosas pendientes, en la cual aquel cuyos pies no se asentaban bien en tierra, vacilaba, se perdía, caía y no se levantaba. La vida y el mundo estaban al final de esa imagen.

¡Ah, si él hubiera tenido en ese momento sus piernas, sus elásticas y firmes piernas de antes, con qué placer habría echado a andar, el alto pecho levantado, con la agilidad y decisión con que los hombres vigorosos caminan en las mañanas de invierno!

Miró hacia ambos lados de la calle, como eligiendo rumbo, aunque para él eran iguales todos, el del norte o el del sur, hacia levante o hacia poniente; para donde fuera y por mucho que caminara, aquellos dos hilos lo seguirían, sin soltarlo, desovillándose, alargándose mientras él marchaba y recogiéndose cuando retrocediera, tirando ambos de él hacia sus puntos de término.

Solamente un acontecimiento imprevisto, absurdo, podría cortar aquellas amarras invisibles.

En busca de él se decidió a marchar.

Eligió para irse la acera contraria a aquella en que se encontraba y que aparecía enlucida por una atmósfera brillante, dentro de la cual las personas se movían como envueltas en una gelatina dorada.

Antes de atravesar la calle miró hacia arriba y hacia abajo; no venía ningún vehículo. Avanzó un pie, luego otro y caminó, caminó con aquel andar que la enfermedad le había dado, horrible andar de muñeco que ha perdido su aserrín y que hacía volver la cabeza a los transeúntes.

Cuando avanzaba la pierna derecha, el hombro del mismo lado descendía hacia la cintura, mientras el pie izquierdo, rezagado, esperaba el tirón que le haría emparejarse al otro; después, el hombro derecho surgía, recobrando el cuerpo su posición de firme y reuniendo fuerzas para el otro paso. El bastón, torcido y lleno de nudos, marcaba con isócronos golpes los movimientos de aquella máquina, a la que la enfermedad había roto un resorte esencial.

Caminó así entre la multitud que llenaba las aceras. Parecía un extraviado, un hombre que ha perdido la orientación y la memoria y que marcha sin saber por dónde, procurando recordar la calle y el sitio en que está su casa, su hogar. Iba hacia todos lados y hacia ninguno.

Estaba solo. De sus años de infancia pasados en la capital, no tenía sino vagos recuerdos de personas y familias, todas ellas sin posición económica sólida y con las cuales no le ligaba sino esa amistad ocasional de la vecindad, que desaparece con una ausencia prolongada. Su familia, escasa y pobre, era del norte y residía allá.

Se detenía en las esquinas y miraba: hacia allá iba una calle, hacia acá otra, por allí una, por allí otra, y contemplábalas huir vertiginosamente, sin saber cuál era la suya, sin poder elegir una, pues todas eran iguales y ninguna le recordaba algo que lo llamara.

Así transcurrió la mañana y vino la tarde. Grandes nubes pardas y blancas, que el viento, desorientado como Lucas Ramírez, tan pronto había estado empujando hacia un lado como hacia otro, se reunieron por fin, cubriendo el trozo de cielo que correspondía a la ciudad y dando a la atmósfera un tono amarillo helado.

Descendió después el viento y sopló a lo largo de las calles. La gente marchó más de prisa. Los cafés, los bares y las confiterías arrojaban hacia las aceras su vaho oloroso y tibio, absorbiendo con él a los que marchaban distraídos.

Lucas Ramírez, golpeando con su bastón lamentable las baldosas húmedas, caminaba desesperanzado, casi abandonado, sintiendo que el hilo del hospicio se ponía cada vez más tenso.

Cayó la tarde, reemplazándola el crepúsculo, un crepúsculo breve y frío, salpicado por las luces que se encendían y se llamaban entre sí a través de los alambres y los cables.

Las vidrieras se llenaron de luz y los automóviles abrieron sus ojos deslumbrantes, agujereando las masas de sombra que caían del cielo.

El viento afinó su soplo, helándolo más, y empujó a los transeúntes, hacia el refugio de los hogares.

Se apagó el crepúsculo y las calles fueron perdiendo su animación comercial. Los españoles y los ingleses cerraron sus negocios y sólo de trecho en trecho algunas vitrinas arrojaban sus cuadrados luminosos sobre las aceras. Los ciegos, después de haber estado todo el día tocando sus instrumentos y exponiendo sus ojos como naturalezas muertas, regresaron a sus covachas, hablando de cosas que no habían visto.

De pronto, Lucas Ramírez se detuvo sorprendido. Un recuerdo, uno, había brotado en su mente, y era precisamente el que necesitaba. Desde que salió del hospital había buscado en su cerebro algo, una idea, un recuerdo, un recurso, una salida, sin encontrar nada, y he aquí que repentinamente surgía, como un hongo después de la lluvia, solitario e imprevisto, este recuerdo.

Meses atrás, un día de visita en el hospital, estando él acostado, pasó ante su cama un hombre cuyo rostro le pareció conocido, aunque olvidado. En la soledad en que se encontraba, un amigo o un conocido constituían un acontecimiento y lo miró sonriendo, invitándolo con la risa a detenerse y hablar. Se detuvo el que pasaba, mirándolo entre serio y sonriente, convencido al mismo tiempo que dudoso, hasta que se reconocieron.

— ¡Lucas Ramírez!

— ¡Esteban!

Era un antiguo amigo suyo, condiscípulo, a quien no veía desde mucho tiempo, desde antes de dejar la capital e irse con su padre a las tierras del norte, de donde él regresara, después de varios años, solo y enfermo.

Conversaron solamente breves instantes, pues el que pasaba iba a visitar a un amigo enfermo en una sala vecina. Se fué, prometiéndole volver a verlo y dejándole su dirección, por si alguna vez quería visitarlo, cuando se mejorara. No volvió más. Pero eso no importaba ahora, pues tenía su dirección, es decir, creía tenerla. Registró sus bolsillos y hurgó en su cartera, buscando la tarjeta en que estaba anotada la dirección de la casa en que vivía su amigo; no encontró nada. Acudió entonces a su memoria y no le fué difícil acordarse del nombre de la calle. Sí, quedaba cerca de donde se encontraba ahora, Pero, ¿y el número? El número . . . Era 64 o 164, no estaba bien seguro, pero era una cifra de dos números o de tres y terminaba en 64; tal vez en la primera o segunda cuadra. . . Pero de todos modos le sería fácil dar con él, pues además de los datos que recordaba, en la puerta de la casa en que vivía debía haber una plancha que indicara el nombre y la profesión de su amigo. Era dentista.

Echó a andar y parecióle que lo hacía con más soltura. ¡Había encontrado un amigo y seguramente él le proporcionaría lo que necesitaba y que tan poco era: un plato de sopa y un rincón! Sonreía alegremente y hasta le daban ganas de gritar para expresar su regocijo.

Llegó pronto a la calle buscada, desembocando en ella a la altura de la segunda cuadra. Habría podido empezar desde allí la búsqueda, pero no quiso; quería sentir la voluptuosidad de principiar desde la primera casa, paso a paso, número por número, saboreando su placer lentamente, hasta encontrar el número. Fué hasta donde empezaba la calle y parándose en la acera de los números pares comenzó a buscar, despacio, así como sin ganas, como quien tiene la firme seguridad de que lo que desea vendrá cuando él quiera.

Anduvo baldosa por baldosa, mirando los números de las casas y leyendo las planchas que relucían aquí y allá al costado de las puertas. No encontró el número 64. Llegó hasta el 80 y, creyendo no haber mirado bien, volvió sobre sus pasos y empezó a buscar de nuevo, esta vez con atención, asustado, como aquel a quien han dado a guardar una suma exacta de dinero y que a la hora de devolverla se encuentra con que le faltan cien pesos y vuelve a contarla nerviosamente. Cincuenta, cincuenta y dos, cincuenta y ocho, sesenta y ocho . . . Nada.

Se detuvo, contrariado. Estaba seguro de que no era un número impar, sino par, como 64. Sin embargo, miró hacia la otra acera; altas obscuras, severas las fachadas, cerradas las puertas, en ninguna de ellas se divisaba el reflejo bronceado de una plancha.

Se desanimó algo, pero en seguida se sobrepuso, pensando en que tal vez estaba equivocado y que la cifra sería de tres números, terminada en 64. Atravesó la bocacalle y empezó de nuevo la búsqueda, ya anhelante, mirando los números con mirada fija e inquisitiva.

En esa cuadra el número 164 caía en un almacén de pianos.

Esto lo desconcertó casi por completo y lo hizo dudar de su buena memoria. ¿Sería 64 el número? De eso estaba seguro. Hay veces en que al querer recordar un número o un nombre, recordamos uno y ese uno nos parece el auténtico y hasta creemos que es imposible que sea otro, y cuando la verdad nos viene a demostrar que estábamos equivocados, protestamos y afirmamos que el número o el nombre han sido cambiados y que el verdadero, el que se trataba de recordar, era el que nosotros decíamos.

Pero si ése era el número, ¿cómo no lo encontraba donde debía estar? ¿O no sería ésa la calle? Bien pudiera ser que se hubiera equivocado en la calle y no en el número. Pero equivocarse en la calle era perderlo todo: cincuenta calles corrían paralelas a aquélla en que se encontraba y cada una de ellas, igual que ésta, podía ser la que necesitaba. En recorrerlas todas, con su paso tardo y torpe, demoraría unos ocho días.

Esto acabó con su entusiasmo y su ánimo; sin embargo, se resistió a renunciar. Seguiría buscando. Ya que forzosamente tenía que caminar aprovecharía su marcha para seguir sus investigaciones.

***

Pero estaba cansado en extremo y su pobre cuerpo no correspondía a su resolución. Se había fatigado antes que él y negábase a avanzar; parecía que los hilos invisibles lo envolvían como en una red de araña cazadora, impidiéndole moverse con soltura.

Anduvo aún dos cuadras más. El número y la casa deseada no aparecieron. Se detuvo en una esquina, mirando hacia lo lejos, dejando correr su nublada pupila por la alta hilera de focos que parpadeaban en la noche. Sentía ganas de llorar, de dejarse caer al suelo, irreflexivamente, abandonándose.

Cerca de donde estaba había un restaurant con dos focos a la puerta y una gran vitrina iluminada, a través de la cual se veía, en medio de un resplandor rojizo, cómo los pollos se doraban a fuego lento, ensartados en un asador que giraba, chorreando gruesas gotas de dorada grasa.

Se abrió la puerta y un caballero alto, gordo, enfundado en grueso sobretodo, salió; se detuvo en la puerta mirando al cielo, subióse el cuello del sobretodo y echó a andar. En este momento lo vió Lucas Ramírez; no lo había visto salir del restaurant sino que se dió vuelta al sentir pasos en la acera. Se le ocurrió una idea. Preguntar a ese señor que venía tan de prisa, por lo que él buscaba. El transitar por ahí indicaba que vivía en la misma calle o en las inmediaciones y bien pudiera ser que conociera a su amigo.

Con un gesto sencillo, con el gesto que cualquiera hace al detener a una persona y preguntarle algo, lo detuvo. El caballero se paró en seco y le miró de arriba a abajo con mirada interrogadora, y lo vió tan miserable, tan vacilante, tan deshecho, que cuando Lucas Ramírez empezó a decirle:

— Señor, yo quisiera . . .

Sin dejarlo concluir la frase, contestóle:

— ¡Cómo no, amigo! . . .

Desabrochóse el sobretodo, por la abertura metió la mano en dirección al bolsillo derecho del chaleco, recogió todas las monedas que en él tenía y en la mano que Lucas Ramírez había extendido y abierto para detenerlo, las dejó caer voluptuosamente, diciendo:

— Tome, compañero.

Y se fué, abrochándose rápidamente el sobretodo.

Lucas Ramírez se quedó como si hubiera recibido una bofetada sin motivo alguno y estuvo un momento sin saber qué hacer, qué pensar ni qué decir. Después le dió rabia y volvióse como para llamar al caballero y devolverle sus monedas, pero el otro iba ya a media cuadra de distancia y si él lo hubiera llamado aquél no habría vuelto sino la cabeza, pensando:

— ¡Qué mendigo fastidioso! Le he dado todo el sencillo que llevaba y todavía me llama . . .

No podía correr detrás de él; si hubiera podido hacerlo, lo habría hecho, seguramente. Pensó entonces en tirar las monedas, pero con gran sorpresa de él mismo, aunque hizo el ademán de arrojarlas, la mano en que las tenía no se abrió para soltarlas. Aquello estaba fuera de su voluntad.

Se quedó allí parado y de pronto empezó a llorar suavemente, con pequeños gemidos, así como lloran esos perrillos, a altas horas de la noche, delante de una puerta que han cerrado sin acordarse de que ellos están afuera.

Se abrió nuevamente la puerta del restaurant y dos jóvenes salieron a la calle, hablando fuerte y riendo, tomando la misma dirección que tomara el que había salido antes. Cuando llegaron junto a él lo sintieron llorar y se detuvieron. La risa se les heló en la boca, como quemada por el aire frío. Se miraron, sin atreverse a hablarlo. El no los había sentido y sólo se vino a dar cuenta de su presencia cuando la mano de uno de ellos buscó la suya cariñosamente. Y como era la derecha la buscada y en ella tenía las monedas que le había dado el señor gordo, inconscientemente, sin darse cuenta de lo que hacía, dió media vuelta y presentó la mano izquierda . . . La dádiva fué más subida que la anterior y él debió dar las gracias, pero no supo hacerlo, no se le ocurrió. Y es que no se consideraba aún un mendigo; creía que lo que le pasaba era un accidente, una cosa pasajera.

Pero cuando cambió a la mano izquierda las monedas que tenía en la derecha y viendo que ya abultaban las metió al bolsillo, y cuando puso el oído alerta para escuchar los pasos de los que salían del restaurant, y a uno que le dió varias monedas le dijo: « Muchas gracias, señor . . . Dios se lo pague . . . », se tranquilizó tanto como si hubiera encontrado a su amigo, convencido ya de la ruta que debía seguir y sintiendo que uno de los hilos que lo sujetaban se cortaba vibrando en la noche.

* * *

A la otra noche y a las siguientes, las personas que comieron en ese restaurant encontraron a la salida a un hombre contrahecho, miserable, que les quería preguntar por algo que nunca supieron lo que era, pues jamás lo dejaron terminar su pregunta. Aquel hombre ejercía una atracción irresistible sobre el dinero sencillo que llevaban encima.

Lucas Ramírez, que se había dado cuenta de esto, y de que la gente es generosa cuando hace frío y ha comido bien, pensaba que era necesario aprovechar bien el invierno.

El ensayo. A lo largo de este capítulo nos hemos ocupado ya de escritores que, de paso, dieron al ensayo categoría literaria. Predominantemente ensayistas son los que ahora vamos a ver. El positivismo mexicano tuvo sólida consistencia doctrinaria y prevaleció desde 1860 hasta principios del siglo XX, que es cuando el Ateneo de la Juventud se abandera con William James, Boutroux, Bergson y le declara la guerra. En ese Ateneo se oían las voces de José Vasconcelos, Antonio Caso (1883-1946) y Pedro Henríquez Ureña.

Pedro Henríquez Ureña (Santo Domingo; 1884-1946) comenzó como crítico — *Ensayos críticos*, 1905, *Horas de estudio*, 1910 —, y ése es el sello más visible de su obra, tan mêdulosa en la investigación filológica, en la historia literaria, en la disquisición y en la síntesis de cuestiones generales, en antologías y bibliografías. Pero era también un escritor de imaginación y sensibilidad: versos de sabor modernista, prosas poemáticas, descripción de viajes, *El nacimiento de Dionisos* (1906), « ensayo de tragedia a la manera antigua », hermosos cuentos . . . No escribió en esta vena lo bastante para incorporarse a una historia puramente literaria. Sin embargo, su sentido de la forma artística se estampó en todo lo que escribió, aun en sus trabajos de rigor técnico. Tenía una prosa magistral en su economía, precisión y arquitectura. Fué un humanista formado en todas las literaturas, en todas las filosofías; y en su curiosidad por lo humano no descuidó ni siquiera las ciencias. Su obra escrita, con ser importante, apenas refleja el valor de su talento. Dió lo mejor a los amigos, en la conversación, en la enseñanza. Donde viviera, allí creó ambientes, familias intelectuales, discípulos.

Pedro Henríquez Ureña

LA AMÉRICA ESPAÑOLA Y SU ORIGINALIDAD

Al hablar de la participación de la América española en la cultura intelectual del Occidente es necesario partir de hechos geográficos, sociales y políticos.

Desde luego la situación geográfica: la América española está a gran distancia de Europa: a distancia mayor sólo se hallan, dentro de la civilización occidental, los dominios ingleses de Australia y Nueva Zelandia.

Las naciones de nuestra América, aun las superiores en población y territorio, no alcanzan todavía importancia política y económica suficiente para que el mundo se pregunte cuál es el espíritu que las anima, cuál es su personalidad real. Si a Europa le interesaron los Estados Unidos desde su origen como fenómeno político singular, como ensayo de democracia moderna, no le interesó su vida intelectual hasta mediados del siglo XIX; es entonces cuando Baudelaire descubre a Poe (1).

Finalmente, mientras los Estados Unidos fundaron su civilización sobre bases de población europea, porque allí no hubo mezcla con la indígena, ni tenía importancia numérica dominante la de origen africano, en la América española la población indígena ha sido siempre muy numerosa, la más numerosa durante tres siglos; sólo en el siglo XIX comienza el predominio cuantitativo de la población de origen europeo (2). Ninguna inferioridad del indígena ha sido estorbo a la difusión de la cultura de tipo occidental; sólo con grave ignorancia histórica se pretendería desdeñar al indio, creador de grandes civilizaciones, en nombre de la teoría de las diferencias de capacidad entre las razas humanas, teoría que por su falta de fundamento científico podríamos dejar desvanecerse como pueril supervivencia de las vanidades de tribu si no hubiera que combatirla como maligno pretexto de dominación. Baste recordar cómo Spengler, en 1930 tardío defensor de la derrotada mística de las razas, en 1918 contaba entre las grandes culturas de la historia, junto a la europea clásica

1. En Inglaterra se leía a escritores de los Estados Unidos desde antes; la comunidad del idioma lo explica, como explica que en España se hayan conocido siempre unos cuantos escritores de nuestra América. Pero ningún escritor norteamericano ejerció influencia sobre los ingleses hasta que Henry James se trasladó a vivir entre ellos; fuera de las vagas conexiones entre Poe y los prerrafaelistas, hasta el siglo XX no se encontrará en Inglaterra influjo de escritores norteamericanos residentes en los Estados Unidos. (*Nota del autor*. 2. Consúltese el estudio de Ángel Rosenblat *El desarrollo de la población indígena de América*, publicado en la revista « Tierra Firme », de Madrid, 1935, y reimpreso en volúmen. (*Nota del autor*). 3. Hay ejemplares eminentes, sin embargo, de indios puros con educación hispánica; así en México, Fernando de Alva Ixtlilxóchitl, « el Tito Livio del Anáhuac »; Miguel Cabrera, el gran pintor del siglo XVIII; Benito Juárez, el austero defensor de las instituciones democráticas; Ignacio Manuel Altamirano, novelista, poeta, maestro de generaciones. Los tipos étnicamente mezclados si forman parte, desde el principio, de los núcleos de cultura europea. Están representados en nuestra vida literaria y artística, sin interrupciones, desde el Inca Garcilaso en el siglo XVI, hasta Rubén Darío, en nuestra época. (*Nota del autor*). 4. De hombres y mujeres de América trasplantados a Europa son ejemplos la Condesa de Merlin, la escritora cubana que presidió uno de los « salones célebres » de París; Flora Tristán, la revolucionaria peruana; Théodore Chassériau, el pintor, nacido en Santo Domingo bajo el gobierno de España; José María de Heredia; Jules Laforgue; el Conde de Lautrémont; William Henry Hudson; Teresa Carreño; Reynaldo Hahn; Jules Supervielle.

Caso aparte, los trasplantados a España; como entre España y la población hispanizada de América sólo hay diferencias de matiz, el americano en España es muchas veces plenamente americano y plenamente español, sin conflicto interno ni externo. Así fueron Juan Ruiz de Alarcón, Pablo de Olavide, Manuel Eduardo de Gorostiza, Gertrudis Gómez de Avellaneda, Rafael María Baralt, Francisco A. de Icaza. (*Nota del autor*). 5. Valbuena no nació en América, como se ha creído, pero vino en la infancia. (*Nota del autor*).

y la europea moderna, junto a la china y la egipcia, la indígena de México y el Perú. No hay incapacidad; pero la conquista decapitó la cultura del indio, destruyendo sus formas superiores (ni siquiera se conservó el arte de leer y escribir los jeroglíficos aztecas), respetando sólo las formas populares y familiares. Como la población indígena, numerosa y diseminada en exceso, sólo en mínima porción pudo quedar íntegramente incorporada a la civilización de tipo europeo, nada llenó para el indio el lugar que ocupaban aquellas formas superiores de su cultura autóctona. (3).

El indígena que conserva su cultura arcaica produce extraordinaria variedad de cosas; en piedra, en barro, en madera, en frutos, en fibras, en lanas, en plumas. Y no sólo produce: crea. En los mercados humildes de México, de Guatemala, del Ecuador, del Perú, de Bolivia, pueden adquirirse a bajo precio obras maestras, equilibradas en su estructura, infalibles en la calidad y armonía de los colores. La creación indígena popular nace perfecta, porque brota del suelo fértil de la tradición y recibe aire vivificador del estímulo y la comprensión de todos, como en la Grecia antigua o en la Europa medieval.

En la zona de cultura europea de la América española falta riqueza de suelo y ambiente como la que nutre las creaciones arcaicas del indígena. Nuestra América se expresará plenamente en formas modernas cuando haya entre nosotros densidad de cultura moderna. Y cuando hayamos acertado a conservar la memoria de los esfuerzos del pasado, dándole solidez de tradición (4).

Venciendo la pobreza de los apoyos que da el medio, dominando el desaliento de la soledad, creándose ocios fugaces de contemplación dentro de nuestra vida de cargas y azares, nuestro esfuerzo ha alcanzado expresión en obras significativas: cuando se las conozca universalmente, porque haya ascendido la función de la América española en el mundo, se las contará como obras esenciales.

Ante todo, el maravilloso florecimiento de las artes plásticas en la época colonial, y particularmente de la arquitectura, que después de iniciarse en construcciones de tipo ojival bajo la dirección de maestros europeos adoptó sucesivamente todas las formas modernas y desarrolló caracteres propios, hasta culminar en grandes obras de estilo barroco. De las ocho obras maestras de la arquitectura barroca en el mundo, dice Sacheverell Sitwell el poeta arquitecto, cuatro están en México: el Sagrario Metropolitano, el templo conventual de Tepozotlán, la iglesia parroquial de Tasco, Santa Rosa de Querétaro. El barroco de América difiere del barroco de España en su sentido de la estructura, cuyas líneas fundamentales persisten dominadoras bajo la profusión ornamental: compárese el Sagrario de México con el Transparente de la Catedral de Toledo. Y el barroco de América no se limitó a su propio territorio nativo: en el siglo XVIII refluyó sobre España.

Ahora encontramos otro movimiento artístico que se desborda de nuestros límites territoriales: la restauración de la pintura mural, con los mexicanos Rivera y Orozco, acompañada de extensa producción de pintura al óleo, en que participan de modo sorprendente los niños. La fe religiosa dió aliento de vida perdurable a las artes coloniales: la fe en el bien social se lo da a este arte nuevo de México. Entretanto, la abundancia de pintura y escultura en el Río de la Plata está anunciando la madurez que ha de seguir a la inquietud; se definen personalidades y — signo interesante — entre las mujeres tanto como entre los hombres.

En la música y la danza se conoce el hecho, pero no su historia. América recibe los cantares y los bailes de España, pero los transforma, los convierte en cosa nueva, en cosa suya. ¿Cuándo? ¿Cómo? Se perdieron los eslabones. Sólo sabemos que desde fines del siglo XVI, como ahora en el XX, iban danzas de América a España: el cachupino, la gayumba, el retambo, el zambapalo, el zarandillo, la chacona, que se alza en forma clásica en Bach y en Rameau. Así modernamente, la habanera en Bizet, en Gade, en Ravel.

En las letras, desde el siglo XVI hay una corriente de creación auténtica dentro de la producción copiosa: en el Inca Garcilaso, gran pintor de la tierra del Perú y de su civilización, que los escépticos creyeron invención novelesca, narrador gravemente patético de la conquista y de las discordias entre los conquistadores, en Juan Ruiz de Alarcón, el eticista del teatro español, disidente fundador de la comedia moral en medio del lozano mundo de pura poesía dramática de Lope de Vega y Tirso de Molina (Francia lo conoce bien a través de Corneille); en Bernardo de Valbuena, poeta de luz y de pompa, que a los tipos de literatura barroca de nuestro idioma añade uno nuevo y deslumbrante, el barroco de América (5), Sor Juana Inés de la Cruz, alma indomable, insaciable en el saber y en la virtud activa, cuya calidad extraña se nos revela en unos cuantos rasgos de poesía y en su carta autobiográfica.

Todavía procede de los tiempos coloniales, inaugurando los nuevos, Andrés Bello, espíritu filosófico que renovó cuanto tocó, desde la gramática del idioma, en él por primera vez autónoma, hasta la historia de la epopeya y el romance en Castilla, donde dejó « aquella marca de genio que hasta en los trabajos de erudición cabe », según opinión de Menéndez Pelayo, y a la vez poeta que inicia, con nuestro Heredia hispánico, la conquista de nuestro paisaje (6).

Después, a lo largo de los últimos cien años, altas figuras sobre la pirámide de una multitud de escritores, Sarmiento, Montalvo, Hostos, Martí, Rodó, Darío.

Desde el momento de la independencia política, la América española aspira a la independencia espiritual, enuncia y repite el programa de generación en generación, desde Bello hasta la vanguardia de hoy. La larga época romántica, opulenta de esperanzas, realizó pocas: quedan el « *Facundo* », honda visión de nuestro drama político, los « *Recuerdos de provincia* », reconstrucción del pasado que se desvanece, los « *Viajes* » de Sarmiento, genial en todo, la poesía de asuntos criollos, desde los cuadros geórgicos de Gutiérrez González hasta las gestas ásperamente vigorosas de « *Martín Fierro* », las miniaturas coloniales de Ricardo Palma; páginas magníficas de Montalvo, de Hostos, de Varona, de Sierra, donde se pelea el duelo entre el pensamiento y la vida de América. La época de Martí y de Darío es rica en perfecciones, señaladamente en poesía, con Gutiérrez Nájera, Díaz Mirón, Othón, Nervo, Urbina, Casal, Silva, Deligne, Valencia, Chocano, Jaimes Freire, Magallanes Moure, Lugones, Herrera y Reissig.

La época nueva, el momento presente, se carga de interrogaciones sociales, se arroja al mar de todos nuestros problemas.

(Comunicación a la Séptima Conversación de la Organización de Cooperación Intelectual de la Sociedad de las Naciones que se realizó en Buenos Aires en 1936. De *Europa-América Latina*, Buenos Aires, 1937)

El interés por la filosofía se generalizó en Hispanoamérica gracias al Positivismo, movimiento importado de Europa pero bien asentado en las necesidades sociales de nuestros países. El Positivismo hizo respetar las ciencias, desligó la psicología de la metafísica, promovió la sociología, dió solidez experimental a los estudios, sistematizó las observaciones, aplaudió el razonamiento claro, afirmó una moral autónoma, practicó el liberalismo . . . Poco a poco surgieron en el campo de la filosofía reacciones espiritualistas contra el Positivismo: ALEJANDRO KORN, JOSÉ ENRIQUE RODÓ, ANTONIO CASO, JOSÉ VASCONCELOS. La figura de más talla, en la filosofía latinoamericana anti-positivista, es la de FRANCISCO ROMERO (Argentina; 1891). Su formación es rigurosamente alemana, con claras influencias de Max Scheler. La máxima preocupación de Romero es el problema de la vida espiritual como sumo grado de trascendencia hacia la verdad y el valor. Su antropología filosófica — *Teoría del hombre*, 1952 — es original. La elegancia de su prosa, que lo coloca en la línea de filósofos con buen estilo, como José Ortega y Gasset, prueba su educación literaria. Ha escrito, en efecto, ensayos literarios. Su admiración por Antonio Machado le ha inspirado las páginas que van a leerse. Machado había inventado un profesor apócrifo, Juan de Mairena. Ahora se verá con cuánta gracia Romero hace hablar a su modo a ese Juan de Mairena creado por Antonio Machado: « apócrifo del apócrifo. »

6. Estos apuntes sólo se refieren a artes y letras, pero el nombre de Bello evoca el de dos filólogos excepcionales: Rufino José Cuervo, maestro único en el dominio sobre la historia de nuestro léxico; y Manuel Orozco y Berra, que desde 1857 clasificó las lenguas indígenas de México, cuando todavía pocos investigadores se aventuraban a seguir los pasos de Bopp. (*Nota del autor*).

1. Juan de Mairena, que era muy modesto, enrojeció ligeramente al decir esto. (*Nota del autor*).

Francisco Romero

APÓCRIFO DEL APÓCRIFO

SOBRE METODOLOGÍA DE LA METAFÍSICA

En su *Metodología de la metafísica*, una de sus obras más importantes, que quedó sin escribir, pensaba desarrollar Juan de Mairena sus conocidas ideas sobre la copla como forma por excelencia para las últimas cuestiones de la filosofía.

El tema fué también el de uno de sus cursos libres en la Universidad Central, el de 1934. Consta que durante este curso faltó a todas las clases. Pero una tarde, después de la hora, se encontró con tres amigos que lo habían esperado inútilmente en la Facultad, y reunidos en un café conversaron de algunos sucesos de la actualidad. De paso habló uno de ellos del gran interés que despertaba el curso, estimulado sin duda porque la curiosidad se mantenía como cuando fué anunciado. Todos convinieron en que era uno de los cursos más notables del año, y que la misma ausencia del profesor contribuía a su fecundidad, porque las mentes juveniles trabajaban por su cuenta sin que las coartara la palabra magistral, dogmática siempre, aunque fuese con el mínimo de dogmatismo que acostumbraba Mairena.

Acaso la cálida adhesión que percibía en sus amigos llevó al maestro a referirse a algunos extremos de su curso, recomendándoles el secreto más absoluto.

— Insisto — explicó, entre otras cosas — en que la copla, el cantar popular de cuatro versos, es para la metafísica la expresión natural y necesaria. Las teorías científicas recogen y sistematizan hechos externos, verdades que nos son heterogéneas, y que por lo mismo hay que perseguir, almacenar, disponer en buen orden, recapitular en fórmulas complejas. Es obvio que todo esto requiere elaboraciones largas y exposiciones detalladas. La metafísica es género de saber muy diferente. Nuestra noción de lo que atañe al ser, o la hallamos en nosotros, o será inútil que la busquemos; porque todo supuesto ser que descubramos fuera de nosotros mismos será en realidad un aparecer, no un ser verdadero. Pero este ser que hemos de encontrar en nosotros se nos dará por revelación, no por meticulosa averiguación. La indagación consciente y « metódica » (metódica en sentido habitual) supone la superposición sucesiva de las categorías del conocer, y por lo mismo la desfiguración, la falsificación del ser. Contra este método, legítimo en cualquier otro tipo de conocimiento, el método metafísico es, tiene que ser ante todo la prevención contra aquel método, la garantía de que ninguna función categorial ha de funcionar. Tiene que ser, en suma, un método antimetódico, una inmunización contra la metodología. Por eso la copla, simple y directa, se adapta tan maravillosamente para lo metafísico. Enuncia en manera elemental, pero incisiva. Parece rozar, pero penetra. Se sirve de la imagen, que es capaz de proporcionar todo lo indispensable para que se realice la propia experiencia fundamental, sin imposición externa, sin prescribir un camino que puede no coincidir con el que debe seguir cada uno para llegar en sí a la presencia del ser. Con frecuencia, la copla se desenvuelve en varios planos, se entiende de varios modos, unos propios y otros figurados, y la misma verdad se expone en ella simultáneamente de modos diversos, lo que es inevitable a menudo para estas cuestiones. Un amigo mío alemán, adscripto al Instituto de Psicología de la Universidad de Würzburg, investigó durante un decenio la duración de la atención eficaz para proposiciones concernientes a las distintas especies de conocimientos, y pudo comprobar, siguiendo una sugestión mía,[1] que la atención plena para una enunciación metafísica no dura más allá de quince segundos; tuvo que interrumpir hace poco sus interesantes experiencias, porque el director del Instituto, aduciendo que el tema no era apropiado para estos tiempos, le aconsejó que eligiera para doctorarse una averiguación más en consonancia con las tendencias de la época: por ejemplo, la de cuántos disparos del cañón de 101 podía soportar el sirviente número 3 de la pieza antes de quedar imbécil, investigación sumamente engorrosa porque había que establecer el grado de imbecilidad previa de cada sujeto. Aunque mi amigo, ansioso de doctorarse, y acaso también deseoso de no ir a un campo de concentración, se atuvo a la indicación de su director, que era al mismo tiempo « Leiter » del *movimientonacionalsocialistaexperi-*

mentalpsicológico, los resultados que ya había obtenido me confirmaron en que la copla, también desde el punto de vista de la psicología experimental, es el único vehículo adecuado para las verdades metafísicas. Desgraciadamente, no pude comprobar por mí mismo los resultados de mi amigo. El mecanismo de relojería del aparato existente en el laboratorio de la Universidad Central, inactivo durante años, atrasaba, y en lugar de los quince segundos obtenidos por mi colega alemán, registraba para la misma experiencia tres horas con treinta y cinco minutos.

Como el curso va apenas promediado,[2] no quiero utilizar un ejemplo difícil. Examinemos éste, que es relativamente sencillo:

> Conoceré que eres hombre
> si te veo apetecer
> todas las mujeres, todas . . .
> y además, una mujer.

La copla va cargada aquí de una síntesis de intenciones; las desarrollaré brevemente para mostrárselas a ustedes. Pero entiendan que su función metafísica sólo la ejerce como copla, como un dardo lírico-metafísico que se clava y hiere. Explicada, es saber común; la disección muestra su mecanismo, o, mejor, su organismo, pone a luz sus órganos, pero suprime su vida, le resta toda eficacia metafísica. Apenas se analiza, la copla como tal ha muerto. Q. E. P. D.[3]

La palabra « hombre » se refiere a la doble índole humana, material y espiritual, empírica e ideal; vuelta por un costado hacia lo sensible y lo perecedero, y por otro hacia el valor y la intemporalidad. « Conoceré que eres hombre » equivale a: «Conoceré que en ti alienta esta duplicidad dramática y deliciosa, este conflicto de una tierra que aspira a ser cielo, conflicto que es también goce doble: de lo terreno y de lo celeste; conflicto que da dinamismo a la vida y posibilita la historia. El animal y el ángel son seres estáticos, residentes en la tierra o en el cielo. El hombre no «reside»; pasa, va, hace. Conoceré que eres este extraño caminante . . . » Los dos versos siguientes: « Si te veo apetecer — todas las mujeres, todas . . . », se refieren al sector empírico sensible, sin el cual no hay humanidad, sino espiritualidad desmayada, desvaída; no tampoco espiritualidad robusta y plena, porque la verdadera espiritualidad para el hombre no es posesión apacible, sino aspiración, conquista. Para una enérgica espiritualidad se requiere una índole enérgica, y ésta contiene por lo mismo una robusta sensualidad (de « sensus », en sentido amplio). El abandono sin desgarramiento del plano sensible acusa una naturaleza endeble, gelatinosa: recuerdo que algún contemporáneo llamó a Shelley algo así como « una mezcla de ángel y de babosa ». No opino ahora sobre Shelley; me limito a recoger el testimonio. En esos versos hay un sentido propio y uno figurado. El figurado personifica en « todas las mujeres » la diversidad corpórea, el mundo infinito de las formas sensibles, a las que tiende y debe tender nuestro ser sensible; el sentido directo se refiere a las mujeres mismas, que en significación primaria son para nosotros las cosas por excelencia, la vía que se nos ofrece para una íntima comunión con la materialidad cósmica. Y en seguida vemos otra duplicación del sentido: por una parte, la aspiración material-empírica del goce, por otra la aspiración material-metafísica de la identificación con la realidad corpórea, cósmica. El último verso apunta a la alta meta espiritual: « Y, además, una mujer »: esto es, la única, que deja en sombra y aniquila a todas las otras; el fondo metafísico, no por la vía corporal, sino por una fusión de lo corporal y lo anímico en la que lo corporal se transfigura al fuego de lo espiritual y el eros se torna eticidad pura. Evito desarrollar este último motivo, que me llevaría muy lejos.

Pero a la copla dicha, pronunciada, le falta algo. He de revelaros ahora que mis meditaciones recientes me han persuadido de que la copla metafísica debe ser recitada (no cantada, quede esto claro) con acompañamiento de guitarra. No hay instrumento que no cubra la voz y el sentido, salvo la guitarra. La guitarra es el único instrumento que verdaderamente da acompañamiento. Y lo proporciona en forma estupenda. Hace leves unas palabras, las inmaterializa; da densidad a otras. A unas las levanta; a otras las deja caer en profundidad. Unas las corta nítidas, como con un cuchillo; otras las prolonga en ecos que se van desflecando. Y hasta, en ocasiones, agrega por su cuenta una especie de comentario, que ni agrega ni quita al concepto, pero que lo aclara por especificación, esto es, mediante la justa « ubicación ». Recuérdese la imperfección del lenguaje escrito, por el cual nos llega ahora

2. Las clases anunciadas y "faltadas" hasta esa fecha eran unas diez o doce. (*Nota del autor*). 3. letras iniciales de « que en paz descanse ».

en su mayor parte el saber, que padece de inexpresividad por no poseer sino un tono, o, mejor dicho, por carecer de toda tonalidad: para salvar esta gravísima deficiencia alguna vez se ha propuesto algo así como una notación musical para la palabra escrita. capaz de reproducir, aunque sea parcialmente, la entonación de la palabra oral: clave grave, clave irónica, clave patética, etc., etc. La palabra hablada u oral posee múltiples entonaciones, sin duda, y habrá que volver sobre este tema de su reproducción en la escritura; pero la misma palabra hablada es pobre en expresividad. Schopenhauer dió al problema que esto plantea una solución extremista, al sentar que la música es la expresión directa de lo metafísico; pero no hay saber sino mediante el concepto. La solución justa es la mía. Desde que planeé el curso actual doy vueltas al propósito de hacer participar en las clases a cierto guitarrista amigo que siente muy bien estas cosas.

Así dijo, más o menos, Juan de Mairena, y quedó un rato en silencio. Comprendieron los amigos que el asunto se prolongaba largamente en sus meditaciones. Y comprendieron también por qué no se resolvía a dar las clases, aunque algunos adujeron una razón más sencilla y terminante de sus ausencias: que Juan de Mairena, según datos fehacientes, había fallecido en Casariego de Tapia en 1909, veinticinco años antes, por lo tanto, de la fecha del curso.

(En *Buenos Aires literaria*, Enero de 1953, núm. 4)

Argentina dió, en este período, ensayistas notables, como el ya mencionado Francisco Romero, y Victoria Ocampo. El más admirado por las nuevas generaciones es EZEQUIEL MARTÍNEZ ESTRADA (1895). Ha escrito narraciones y piezas teatrales, pero su prestigio descansa más bien en su obra de poeta y de ensayista. Sus libros de poesía — desde *Oro y piedra*, 1918, hasta *Humoresca* y *Títeres de pies ligeros*, ambos de 1929 — son de lo mejor que dió América en esos años. Acaso, después de Lugones, sea Martínez Estrada el más complejo poeta argentino. Poesía de sombrío humor pero capaz de humorismo, muy imaginativa pero con rigor filosófico. El reconocimiento público a su talento vino tarde, cuando ya había abandonado la poesía y sólo escribía ensayos. Su reputación es, pues, de ensayista, aunque su talento sea de poeta. En 1933 publicó *Radiografía de la Pampa*, interpretación de la realidad argentina tan profunda como la de *Facundo*, pero sin el optimismo de Sarmiento. Con una prosa magníficamente barroca, llena de metáforas e ingeniosidades que mantienen al lector en constante sobresalto, Martínez Estrada trazó el cuadro de las miserias del país. No hay nada en la Argentina que se salve. El pormenor y la rápida reflexión filosófica que le sigue como una sombra dan al libro una calidad poética extraordinaria. Libro de humor trágico, taciturno, severo, sin perdón. Ensayos desconectados entre sí, pero ligados por el tema único de la « microscopia de Buenos Aires », son los de *La cabeza de Goliath* (1940).

Ezequiel Martínez Estrada

LOS PUEBLOS

En viaje de un pueblo a otro, no hay nada en medio. A los lados del camino, osamentas pulimentadas, de huesos limpios y blancos. Es el esqueleto del cuadrúpedo — sobre el que se posa el pájaro — semejante a una jaula vacía. Sólo para el caballo que se encabrita y quiere disparar espantado, expresa algo el esqueleto que se conserva intacto como si durmiera libre, al fin, de la vida.

El camino no interesa como camino: es

espacio a recorrer y se trata de llegar lo antes posible. La soledad, para que sea normalmente compatible con la vida del hombre, tiene que estar llena de substancia humana. Llegar es el placer, y no andar; esta vez la posada es mejor que el camino, y lo anuncia a lo hondo del que marcha, la quietud de la pampa, el vuelo efímero y desolador del pájaro, la carroña supina.

La diferencia que hay entre el viajero y el viaje es infinita. Es muy difícil obtener cohesión en un país en que la población se parece mucho a pájaros asentados después de desbandarse. Porque dos terceras partes de la población está en las ciudades y la que resta en la campaña permanece confinada y sin contacto. El punto inmediato es la ciudad lejana. Se sale de un pueblo y se entra a otro borrando tras los pasos lo que se deja detrás. Se marcha sin recuerdos y es más fácil seguir adelante que regresar. El viajero nunca vuelve la mirada, si no es de temor, y lo que le atrae es algo que está más adelante del horizonte: el punto de llegada. Lo que recuerda: el punto de partida. Todo hombre de llanura es oriundo de otro lugar.

Tras mucho andar, el pueblo que primero se encuentra parece el último, como si después de ése no hubiera otro más. Nos invade un sentimiento de pena, y la alegría de la llegada se defrauda en un abatimiento de aldea chata, incolora, hecha a imagen y semejanza del campo. Las calles son anchas y de tierra, los frentes de las casas de ladrillo sin revocar, con terrenos baldíos entre unas viviendas y otras, separándolas. El crecimiento de esos pueblos es horizontal: un derrame por sus flancos. También hay ranchos de adobe o de chapa. Ese pueblo está envuelto por el campo; en la lucha que ha entablado contra la soledad, el vencido es él: está sitiado por el campo, enquistado y reducido a un curioso caso de mimetismo.

El campo entra por las calles y por los terrenos con los yuyos. Los yuyos son los heraldos con que el campo anuncia su lenta, infatigable invasión. Hay que estar cortándolos siempre y siempre crecen, hasta que por cualquier evento pueden invadir las habitaciones, que suelen ser de piso de tierra, o echar su ramita entre los ladrillos. El campo llega hasta el patio y el patio entra hasta la cama.

No es tanto que las casas sean pequeñas cuanto que parecen chatas por la inmensidad de la perspectiva. Su pequeñez es una ilusión de óptica; es la pampa que las achica. El transeúnte en las calles parece más pequeño de lo común, porque se lo relaciona con las cosas, que están relacionadas con la pampa.

Esos pueblos parecen aerolitos, pedazos de astros habitados caídos en el campo. Al llegar se diría que entramos otra vez al pueblo que hemos dejado, y que el viaje fué una ilusión. Cuando preguntamos por el nombre del pueblo nos sonríen, porque el interlocutor cree que ése es « el pueblo », las casas, en medio de un lugar que no tiene nombre. No hay diferencia entre el pueblo y el campo: el pueblo depende de él y eso es todo. Esta ahí, pero pudo estar más a la derecha o más a la izquierda, o no estar.

La noche es la hora adecuada de esos pueblos silenciosos, entredormidos, quietos, saturados de lujuria, codicia y rencor. Las luces de las casas y de los lejanos ranchos, brillan como estrellas, a distancias telescópicas. Más lejanos que esas luces, se oyen silbidos de animales inexistentes y misteriosos; sonidos finos y sutiles que embebe el tímpano como una droga soporífera. La llanura que de día pareció no existir, recobra de noche una vida lejana, atenuada, persuasiva. Se puebla y se enriquece y cuesta trabajo no creer en las almas en pena. Esas voces hipnóticas son las voces de la sombra y el sueño que invitan a dormir y a morir. Son los equivalentes de los crujidos nocturnos de los muebles, con que nos ponemos en contacto con fuerzas desconocidas del mundo; pero mucho más delicadas, infinitamente más penetrantes y que apenas dan miedo. Deleita escucharlas sin que se quiebren en el oído, recogiéndolas con toda la pureza con que las emite la soledad, que mediante ellas adquiere su sentido perfecto.

Ese miedo de la noche, queda pegado a las casas al amanecer. Lo que tienen de tristes y hostiles se comprende recordando que el día es un paréntesis de la noche, el descanso de la fecunda noche.

La casa del interior es plana, chata, terrosa y parece disimularse contra el suelo. Es una casa sin adornos exteriores ni interiores, la vivienda simple y esquemática. Nuestros pueblos son aplanados y extensos, es decir que ocupan más extensión de la debida según el número de habitantes y de edificios; y que tienen, como consecuencia, menos altura de la lógica. Un pueblo —cualquiera, de cualquier paraje— parece dislocado por terrenos que se desplazaran en un movimiento centrífugo. Están desmoronados; no tienen intimidad, quieren desbandarse. Las casas han ido construyéndose con ese espacio neutro que en toda propiedad se establece física o psicológicamente en los lindes. Esas familias parecen tener secretos pudores que las aíslan: temor de culpas, de deslices, de enfermedades contagiosas.

A las afueras están los ranchos, que son casas más pobres y aun más aisladas. Las mujeres y los chicos casi nunca llegan hasta el poblado. Vegetan más lejos, y tardan un rato antes de salir cuando el viajero se detiene en sulky frente a la tranquera. Salen los chicos y los perros. Las personas mayores espían primero, y se arreglan un poco. Cuando el viajero parte, vuelven a entrar al rancho. Las mujeres no miran al pueblo; no les importa. Esos ranchos están a mitad de camino entre el pueblo y el cementerio, cualquiera sea la orientación y la distancia. Los muchachos a veces ignoran el nombre de la estación o el del río próximo, aunque conozcan la dirección del camino como un nombre. El nombre de los pueblos que no se ven y hacia los cuales lleva el camino, es un nombre abstracto para ellos. Esas gentes de los ranchos no han podido siquiera llegar hasta el pueblo o han sido ya rechazadas por él. Otras han penetrado con sus ranchos, y son esas casas de material o de cinc que vemos a lo largo de las calles. Tienen la misma distribución de habitaciones, la misma sombría soledad dentro. Son células de un claustro destrozado, disperso, donde se engendran los hijos, donde se reside, se envejece y se muere.

Poco a poco se pierde el hábito de hacer visitas y las amistades jamás llegan a ser profundas. Hay fiestas que congregan a muchas familias, pero en esas fiestas cada familia parece conservar el mismo lugar que su casa en relación con el pueblo. La fiesta es el mismo pueblo que se reúne, el pueblo reducido a las personas, con las mismas distancias y baldíos alrededor. Si se baila, las parejas no hablan, atentas al compás. Y, sin embargo, algo se comunican, porque el amor no tiene otras oportunidades. Las mujeres ocupan un sector, en sillas alineadas; los hombres se agrupan aparte, beben y dicen picardías. La orquesta de violín, flauta y guitarra hace que los hombres vayan hacia las mujeres, y hombres y mujeres están juntos mientras lo quiere la música. Inmediatamente después de cesar, cada cual ocupa de nuevo su sitio; ellas a un lado y ellos a otro. Las pobres mujeres están acostumbradas a contentarse con muy poco y a ser resignadas. De ese contacto fugaz, superficial, corporal, nace a veces el amor fecundo en hijos. El noviazgo se inicia así, de manera que nadie lo advertiría, y es curioso cómo ellas pueden adivinar en esos hombres que se avergüenzan de la mujer, que se las desea.

(De *Radiografía de la Pampa*, 1939)

Uno de los más brillantes escritores de Hispanoamérica es ALFONSO REYES (México; 1889-1959). Como el azogue, se nos escapa entre los dedos. Se nos escapó del verso a la prosa; y dentro de la prosa se nos escapó de la narración. Al fin lo arrinconamos aquí, y con él cerramos este capítulo. Las páginas que hemos elegido lo presentan como poeta, narrador y ensayista.

Al igual que Prado, Güiraldes y Rivera, desbordó del verso a la prosa. Reyes es insigne tanto en el verso como en la prosa; sólo que no sería lícito partir su obra para estudiarla separadamente pues, como en ningún otro escritor, sus versos y sus prosas forman cristalina unidad. Gracias a la publicación de la monumental *Obras completas de Alfonso Reyes*, emprendida por el Fondo de Cultura Económica de México, es ahora evidente para todos, no sólo para la minoría que antes solía disfrutarlo en ediciones limitadas y de difícil acceso, que estamos frente a uno de los mayores escritores de la lengua. En Alfonso Reyes se integran, en haz de graciosa y leve luz, las virtudes de la inteligencia, la fantasía y la sensibilidad que, en otros escritores, se dan por separado. Es erudito en el campo filológico y chispeante en la ocurrencia divertida; escribe poemas y penetrantes glosas críticas; su prosa es atisbona y su verso va y viene del laboratorio donde maceraba los suyos Góngora a la llanura clara por donde transita el pueblo. Reyes, con ser uno de nuestros escritores más exquisitos, más originales, más sorprendentes, fundó su obra en la salud humana. Es un escritor clásico por la integridad de su vocación, por su serena fe en la inteligencia, en la caridad, en los valores eternos del alma. La pluralidad de vocaciones de Reyes — hombre del Renacimiento — no se mide tan sólo por el vasto repertorio de sus motivos, sino también por la riqueza estilística de cada giro. La inquietud de Reyes comunica a su estilo una marcha zigzagueante, saltarina, traviesa y sensual. Sus ensayos son siempre líricos, aun los de tema lógico o didáctico, pues la dirección con que ataca su objeto es personal, no pública. Sus cuentos renuncian a tramas complicadas para dejar en libertad el buen humor; y cuando tienen trama — como « La cena », que aquí reproducimos — sus hilos se entretejen misteriosamente con una realidad lírica, absurda o sobrenatural. « La cena », de 1912, comienza y termina con las nueve campanadas de un reloj público: en ese instante el protagonista Alfonso pasa por una experiencia extraña como un sueño: dentro de un sueño, extraña como un vago recuerdo o como un viaje en el tiempo, pero de la que sale trayendo del trasmundo cosas reales: sobre su cabeza, las hojas del jardín misterioso; en el ojal, una flor que él no cortó.

Alfonso Reyes

LA TONADA DE LA SIERVA ENEMIGA

Cancioncita sorda, triste,
desafinada canción;
canción trinada en sordina
y a hurtos de la labor,
a espaldas de la señora,
a paciencia del señor;
cancioncita sorda, triste,
canción de esclava, canción
de esclava niña que siente
que el recuerdo le es traidor;
canción de limar cadenas
debajo de su rumor;
canción de los desahogos
ahogados en temor;
canción de esclava que sabe
a fruto de prohibición:
— toda te me representas
en dos ojos y una voz.

Entre dientes, mal se oyen
palabras de rebelión:
« ¡Guerra a la ventura ajena,
guerra al ajeno dolor!
Bárreles la casa, viento,
que no he de barrerla yo.
Hílales el copo, araña,
que no he de hilarlo yo.
San Telmo encienda las velas,
San Pascual cuide el fogón.
Que hoy me ha pinchado la aguja
y el huso se me rompió.
Y es tanta la tiranía
de esta disimulación,
que aunque de raros anhelos
se me hincha el corazón,
tengo miradas de reto
y voz de resignación. »

Fieros tenía los ojos
y ronca y mansa la voz;
finas imaginaciones,
y plebeyo corazón.
Su madre, como sencilla,
no la supo casar, no.
Testigo de ajenas vidas,
el ánimo le es traidor.
Cancioncita sorda, triste,
canción de esclava, canción:
— toda te me representas
en dos ojos y una voz.

1. « sin embargo se mueve », palabras italianas atribuídas a Galileo, obligado a retractarse por haber proclamado después de Copérnico que la tierra giraba sobre sí misma, contrariamente a la letra de las Escrituras.

FANTASIA DEL VIAJE

Yo de la tierra huí de mis mayores
(¡ay casa mía grande, casa única!)
Cardos traje prendidos en la túnica
al entrar en el valle de las flores.

Llegué hasta el mar: ¡Qué música del puerto!
¡Qué feria de colores!
No lo creerán: ¡si me juzgaron muerto!
¡Ay, mi ciudad, mi campo aquel sin flores!

He visto el mar: ¡Qué asombro de los barcos!
¡Qué pasmo de las caras tan cobrizas!
Los ojos, viendo el mar, se tornan zarcos,
y la luz misma se desgarra en trizas.

¿Y el marinero aquel, hijo de Europa
(¡Ay ubres de la Loba, ay ubres!),
que ostentaba, acodándose en la popa,
los brazos recamados de mayúsculas azules?

Yo iré por mis natales caseríos
como una fatalidad:
¡Ay montañas, árboles, hombres míos:
he visto el mar!

Lo grabaría yo sobre la seca
madera de mis árboles nativos;
la gritaría en la casona hueca
para oír resonar sus ecos vivos:
— ¡He visto el mar!

Lo diría en la polvorosa calle
de mis aldehuelas, de aquellos pueblos
cálidos, donde el aire del ventalle
se lleva las palabras en sus vuelos.

¿Quién lo creería de los viejecitos
que cuentan nuestros años con los dedos?
Hablan: el aire de los abanicos
se lleva las palabras en sus vuelos.

Ninguno ha visto el mar. — Palmas. Un río
sesgo y apenas rumoroso corre.
Viven urracas negras en la torre,
oros vestida con el sol de estío.

Polvo en la villa, polvo en las afueras;
hornazas de metal, bocas de fragua.
Y, por invierno, un vaho en las vidrieras
que se va deshaciendo en gotas de agua.

GAVIOTAS

« — Pero si quieres volar
— me decían las gaviotas —
¿qué tanto puedes pesar?
Te llevamos entre todas. »

Yo me quité la camisa
como el que quiere nadar.
(Me sonaba en los oídos:

« ¿Qué tanto puedes pesar? »
expresión muy dialectal).

Unas muchachas desnudas
jugaban entre las olas,
y aun creí que me decían:
« Te llevamos entre todas. »

Al tenderme boca arriba,
como al que van a enterrar,
el cielo se me echó encima
con toda su inmensidad.

O yo resbalé hacia el aire
o el mundo se nos cayó,
pero que algo se movía
nadie me lo quita, no.

¡Eppur si muove![1] — exclamé
fingiendo serenidad.
Me decían las gaviotas:
« — ¡Pero si quieres volar! »

Allá abajo, los amigos
se empezaron a juntar:
¡mi ropa estaba en la arena,
y yo no estaba en el mar!

Yo les gritaba su nombre
para más tranquilidad:
¿quién había de escucharme,
si hoy nadie sabe escuchar?

Ellos alzaban los brazos,
ellas hacían igual.
Comprendí que estaba muerto
cuando los oí llorar.

SAUDADE

[*Romances del Río de Enero*]

¿Qué procuras, jardinero,
si cada plantel deshaces
y sólo siembras y arrancas
arbustos de voluntades?

¡Qué solo vas por la vida,
amigo de cien ciudades!
En todas criabas amores,
pero todas las dejaste.

Hasta el Cerro de la Silla,
al pie de la Sierra Madre,[2]
corre el hilo de tu cuna
como un invisible estambre.

Se enreda entre las memorias
de los años que pasaste,
la ciudad de los palacios
que tiene un cielo tan grande.

Si allá junto a Guadarrama[3]
dejó tu amistad señales,
junto a Santa Genoveva[4]
hay los recuerdos que sabes.

Fulva la onda del Plata[5]
— de arcilla y no de cristales —
propia urna de tus lágrimas,
tenga piedad de tus males.

Tenga cuita el Corcovado,[6]
donde hoy tu bandera plantes,
de tus talones heridos,
de tus manos implorantes.

Dicen que en la mar del trópico
anda una errabunda nave;
dicen que el sol la enamora,
dicen que la ayuda el aire.

Dicen que el grano de arena
se pierde entre sus iguales,
y se confunden las caras
de las hojas de los árboles. —

Aquí se ha perdido un hombre:
dígalo quien lo encontrare.
Entre los hombres bogaba,
ya no lo distingue nadie.

— Ironía del recuerdo
que entra por donde sale:
¡lloraba sus horas muertas
y las tenía cabales!

LA SEÑAL FUNESTA

I

Si te dicen que voy envejeciendo
porque me da fatiga la lectura
o me cansa la pluma, o tengo hartura
de las filosofías que no entiendo;

si otro juzga que cobro el dividendo
del tesoro invertido, y asegura
que vivo de mi propia sinecura
y sólo de mis hábitos dependo,

cítalos a la nueva primavera
que ha de traer retoños, de manera
que a los frutos de ayer pongan olvido;

pero si sabes que cerré los ojos
al desafío de unos labios rojos,
entonces puedes darme por perdido.

II

Sin olvidar un punto la paciencia
y la resignación del hortelano,
a cada hora doy la diligencia
que pide mi comercio cotidiano.

Como nunca sentí la diferencia
de lo que pierdo ni de lo que gano,
siembro sin flojedad ni vehemencia
en el surco trazado por mi mano.

Mientras llega la hora señalada,
el brote guardo, cuido del injerto,
el tallo alzo de la flor amada,

arranco la cizaña de mi huerto,
y cuando suelte el puño del azada
sin preguntarlo me daréis por muerto.

(De *Obra poética*, 1952)

2. nombre de la doble cordillera que recorre a México del SE al NE. 3. sierra entre Madrid y Segovia. 4. iglesia de París. 5. referencia al Río de la Plata, Buenos Aires. 6. cerro en Río de Janeiro. 7. Paul Claudel (1868-1955) literato francés, poeta, dramaturgo 8. (1873-1941), ensayista y profesor español. 9. (1882-1954), ensayista español. 10. ateniense que conspiró con su amigo Aristogitón contra los hijos de Pisístrato, Hiparco e Hipías (514 a. de J. C.)

JACOB O IDEA DE LA POESÍA

Y quedó Jacob solo; y luchó con él un varón hasta que el alba subía . . . « Has peleado con Dios y con los hombres, y has vencido. »

Génesis, *XXXII*, 24-28.

Hoy en día, vamos cabalgando una crisis que, sumariamente, se ha dado en calificar de lucha por la libertad artística. Por cuanto atañe a la poesía, de un lado campean los partidarios de la tradición prosódica, como dice Claudel:[7] metros, estrofas, combinaciones simétricas, rimas perfectas e imperfectas, y hasta el académico verso blanco que la rutina venía arrastrando a modo de tronco flamante. De otro lado las mil escuelas y los puñados de franco-tiradores. Éstos van desde el rigor espiritual más extremo, aunque no aparente en trabas formales, hasta la más desaseada negligencia. Y aun hay malos instantes en que la obra poética pretende arrogarse las funciones de la escritura mediumnímica o sonambúlica; en que el poema usurpa la categoría de documento psicoanalítico o confesión abierta sobre el chorro, a grifo suelto, de las asociaciones verbales, para uso de los curanderos del Subconsciente. Lo cual equivale a tomar el rábano por las hojas, o a plantar flores para obtener criaderos de lodo, puesto que el sentido del arte es el contrario, y va de la subconciencia a la conciencia.

Algo de confusión se desliza siempre en estas querellas. Las íes andan sin sus puntos correspondientes, que tanto las agracian.

Prescindir de la tradición prosódica es, artísticamente, tan legítimo como obligarse a ella. El arte opera siempre como un juego que se da a sí mismo sus leyes, se pone sus obstáculos, para después irlos venciendo. El candor imagina que, por prescindir de las formas prosódicas, hay ya derecho a prescindir de toda norma. Y al contrario: la provocación de estrofa y rima ayudan al poeta como las andaderas al niño y el soltar las andaderas significa haber alcanzado el paso adulto, seguro y exacto en su equilibrio; haber conquistado otra ley: la más imperiosa, la más difícil, ya que no se ve ni se palpa. El que abandona la tradición prosódica, la cual muchas veces hasta consiente ciertas libertades en cuanto a la estricta línea espiritual del poema, contrae compromisos todavía más severos y camina como por una vereda de aire abierta entre abismos. Va por la cuerda y sin balancín. A sus pies no hay red que lo recoja.

Para que se vea con cuánta finura hay que hilar en esta materia, voy a contar una conversación que hace muchos años escuché en Madrid, sin atribuirle por lo demás mayor trascendencia que la de un mero epigrama literario, ni a sus interlocutores mayor intención que la de una charla sin compromisos:

Gabriel Alomar,[8] en un rapto de impaciencia contra el exceso de preocupaciones formales, comenzó a decir:

— El terceto, cuya única justificación es Dante . . .

Y Eugenio d'Ors[9] vino a atajarle suavemente:

— Al contrario, querido Alomar: Dante, cuya justificación es el terceto . . .

En fin, que es legítimo emanciparse de cuanto procedimiento se ha convertido ya en rutina y, en vez de provocar por parte del artista una reacción fecunda, sólo es peso muerto y carga inútil, sin más justificación para seguir existiendo que el haber existido antes. Pero que esto en nada afecta a la idea de la libertad, porque el verdadero artista es el que se esclaviza a las más fuertes disciplinas, para dominarlas e ir sacando de la necesidad virtud. « Hacer de tripas corazón » parece que sólo significa hacer un magno esfuerzo para afrontar con valor algún peligro; pero también significa y describe exactemente la situación del poeta, cuya función consiste en transformar en nueva y positiva pulsación cuanto le ha sido dado en especie de constreñimiento y estorbo.

El artista llega a la libertad ciertamente; produce libertad (o mejor, liberación) como término de su obra, pero no opera en la libertad; hace corazón con las tripas: es un valiente. Y como en la Edad Media llamaban « cortesía » al gay saber, aquí podemos travesear con otra frase hecha, y declarar una vez más que, también para el caso del poeta, « lo cortés no quita lo valiente ». El ser poeta exige coraje para entrar por laberintos y matar monstruos. Y mucho más coraje para salir cantando por mitad de la calle sin dar explicaciones, en épocas como la nuestra en que la invasora preocupación política — muy justa en sí misma — hace que la palabra « libertad » sólo se entienda en un sentido muy limitado y muy poco libre. Soy un esclavo de mis propias cadenas — dice el poeta, mientras canta haciéndolas sonar. Ahora que, en cuanto es animal político, muy bien puede ser que, al mismo tiempo traiga su puñal de Harmodio[10] envuelto en flores: lo cortés no quita lo valiente.

Lo que al poeta importa es evitar que el

espíritu ceda a su declinación natural, a su pureza cósmica, la cual pronto lo llevaría a las vaguedades más nauseabundas y al vacío más insípido. El arte poético no es un juego de espuela y freno parecido a la equitación; sino que es un jugar todavía más sutil porque es un jugar con fuego. Y el fuego entregado a sí mismo, ya se sabe, sólo consume. En cambio, el fuego con espuela y freno es motor de civilizaciones. De igual modo, dicen los biólogos, las hormonas retardatarias — los frenos — determinan la homificación del hombre, impidiendo que su cráneo se desboque hasta desarrollarse en el hocico animal. Al poeta no puede serle por eso indiferente el elemento formal: en la religión, el rito; en la idea, la palabra; en el arte, la línea; en el alma, el cuerpo. Y los ortodoxos que tiemblan ante esta última proposición — en el alma, el cuerpo — tranquilícense recordando el dogma, muy olvidado, de la resurrección, noción que confiesa la necesidad de una reincorporación de las almas para poder decidir sobre sus destinos ulteriores. El poeta no debe confiarse demasiado en la poesía como estado de alma, y en cambio debe insistir mucho en la poesía como efecto de palabras. La primera se le da de presente: « los dioses se lo otorgan de balde », dice Valéry.[11] Lo segundo tiene que sacarlo de sí mismo. Hasta los perros sienten la necesidad de aullar a la luna llena, y eso no es poesía. En cambio, Verlaine,[12] hablando de los poetas, confiesa: « Nous . . . qui faisons des vers émus très froidement ».[13] Al pintor que quería hacer versos en sus ratos de ocio, porque ideas no le faltaban, Mallarmé[14] solía reprenderle: « Pero los versos, oh Degas,[15] no se hacen con ideas sino con palabras ». El poeta debe hacer de sus palabras « cuerpos gloriosos ». Toda imprecisión es un estado de ánimo anterior a la poética, lo mismo que a la matemática. Porque al fin vamos creyendo que el espíritu de finura y el espíritu de geometría se comunican por mil vasos subterráneos, lo que no soñaba la filosofía del grande Pascal.[16]

Me diréis que el poeta, a veces y aun las más de las veces, lo que necesita y lo que quiere es expresar emociones imprecisas. Como que la poesía misma nace del afán de sugerir lo que no tiene nombre hecho, puesto que el lenguaje es ante todo un producto de nuestras necesidades prácticas. Convenido; pero aun entonces, y entonces más que nunca, el poeta debe ser preciso en las expresiones de lo impreciso. Nada se puede dejar a la casualidad. El arte es una continua victoria de la conciencia sobre el caos de las realidades exteriores Lucha con lo inefable: « combate de Jacob con el ángel », lo hemos llamado.

[1933]

(De *La Experiencia literaria*, 1942)

LA CENA

La cena, que recrea y enamora.

San Juan de la Cruz.

Tuve que correr a través de calles desconocidas. El término de mi marcha parecía correr delante de mis pasos, y la hora de la cita palpitaba ya en los relojes públicos. Las calles estaban solas. Serpientes de focos eléctricos bailaban delante de mis ojos. A cada instante surgían glorietas circulares, sembrados arriates, cuya verdura, a la luz artificial de la noche, cobraba una elegancia irreal. Creo haber visto multitud de torres — no sé si en las casas, si en las glorietas — que ostentaban a los cuatro vientos, por una iluminación interior, cuatro redondas esferas de reloj.

Yo corría, azuzado por un sentimiento supersticioso de la hora. Si las nueve campanadas, me dije, me sorprenden sin tener la mano sobre la aldaba de la puerta, algo funesto acontecerá. Y corría frenéticamente, mientras recordaba haber corrido a igual hora por aquel sitio y con un anhelo semejante. ¿Cuándo?

Al fin los deleites de aquella falsa recordación me absorbieron de manera que volví a mi paso normal sin darme cuenta. De cuando en cuando, desde las intermitencias de mi meditación, veía que me hallaba en otro sitio, y que se desarrollaban ante mí nuevas perspectivas de focos, de placetas sembradas, de relojes iluminados. . . . No sé cuánto tiempo transcurrió, en tanto que yo dormía en el mareo de mi respiración agitada.

De pronto, nueve campanadas sonoras resbalaron con metálico frío sobre mi epidermis. Mis ojos, en la última esperanza, cayeron sobre la puerta más cercana: aquél era el término.

11. Paul Valéry, (1871-1945), prosista y poeta francés. 12. Paul Verlaine (1844-1896), poeta francés, jefe de la escuela simbolista. 13. nosotros, que hacemos versos emocionados muy fríamente . . . 14. Stéphane Mallarmé (1842-1898), poeta francés, uno de los iniciadores del simbolismo. 15. Edgar Degas (1834-1917), famoso pintor francés. 16. Blaise Pascal (1623-1662), matemático, físico y filósofo francés. 17. famosos vinos blancos de Borgoña.

Entonces, para disponer mi ánimo, retrocedí hacia los motivos de mi presencia en aquel lugar. Por la mañana, el correo me había llevado una esquela breve y sugestiva. En el ángulo del papel se leían, manuscritas, las señas de una casa. La fecha era del día anterior. La carta decía solamente:

« Doña Magdalena y su hija Amalia esperan a usted a cenar mañana, a las nueve de la noche. ¡Ah, si no faltara! . . . »

Ni una letra más.

Yo siempre consiento en las experiencias de lo imprevisto. El caso, además, ofrecía singular atractivo: el tono, familiar y respetuoso a la vez, con que el anónimo designaba a aquellas señoras desconocidas; la ponderación: « ¡Ah, si no faltara! . . . », tan vaga y tan sentimental, que parecía suspendida sobre un abismo de confesiones, todo contribuyó a decidirme. Y acudí, con el ansia de una emoción informulable. Cuando, a veces, en mis pesadillas, evoco aquella noche fantástica (cuya fantasía está hecha de cosas cotidianas y cuyo equívoco misterio crece sobre la humilde raíz de lo posible), paréceme jadear a través de avenidas de relojes y torreones, solemnes como esfinges en la calzada de algún templo egipcio.

La puerta se abrió. Yo estaba vuelto a la calle y ví, de súbito, caer sobre el suelo un cuadro de luz que arrojaba, junto a mi sombra, la sombra de una mujer desconocida.

Volvíme: con la luz por la espalda y sobre mis ojos deslumbrados, aquella mujer no era para mí más que una silueta, donde mi imaginación pudo pintar varios ensayos de fisonomía, sin que ninguno correspondiera al contorno, en tanto que balbuceaba yo algunos saludos y explicaciones.

— Pase usted, Alfonso.

Y pasé, asombrado de oírme llamar como en mi casa. Fué una decepción el vestíbulo. Sobre las palabras románticas de la esquela (a mí, al menos, me parecían románticas), había yo fundado la esperanza de encontrarme con una antigua casa, llena de tapices, de viejos retratos y de grandes sillones; una antigua casa sin estilo, pero llena de respetabilidad. A cambio de esto, me encontré con un vestíbulo diminuto y con una escalerilla frágil, sin elegancia; lo cual más bien prometía dimensiones modernas y estrechas en el resto de la casa. El piso era de madera encerada; los raros muebles tenían aquel lujo frío de las cosas de Nueva York, y en el muro, tapizado de verde claro, gesticulaban, como imperdonable signo de trivialidad, dos o tres máscaras japonesas. Hasta llegué a dudar. . . . Pero alcé la vista y quedé tranquilo: ante mí, vestida de negro, esbelta, digna, la mujer que acudió a introducirme me señalaba la puerta del salón. Su silueta se había colorado ya de facciones; su cara me habría resultado insignificante, a no ser por una expresión marcada de piedad; sus cabellos castaños, algo flojos en el peinado, acabaron de precipitar una extraña convicción en mi mente: todo aquel ser me pareció plegarse y formarse a las sugestiones de un nombre

— ¿Amalia? — pregunté.

— Sí. — Y me pareció que yo mismo me contestaba.

El salón, como lo había imaginado, era pequeño. Mas el decorado, respondiendo a mis anhelos, chocaba notoriamente con el del vestíbulo. Allí estaban los tapices y las grandes sillas respetables, la piel de oso al suelo, el espejo, la chimenea, los jarrones; el piano de candeleros lleno de fotografías y estatuillas — el piano en que nadie toca —, y, junto al estrado principal, el caballete con un retrato amplificado y manifiestamente alterado: el de un señor de barba partida y boca grosera.

Doña Magdalena, que ya me esperaba instalada en un sillón rojo, vestía también de negro y llevaba al pecho una de aquellas joyas gruesísimas de nuestros padres: una bola de vidrio con un retrato interior, ceñida por un anillo de oro. El misterio del parecido familiar se apoderó de mí. Mis ojos iban, inconscientemente, de doña Magdalena a Amalia, y del retrato a Amalia. Doña Magdalena, que lo notó, ayudó mis investigaciones con alguna exégesis oportuna.

Lo más adecuado hubiera sido sentirme incómodo, manifestarme sorprendido, provocar una explicación. Pero doña Magdalena y su hija Amalia me hipnotizaron, desde los primeros instantes, con sus miradas paralelas. Doña Magdalena era una mujer de sesenta años; así es que consintió en dejar a su hija los cuidados de la iniciación. Amalia charlaba; doña Magdalena me miraba; yo estaba entregado a mi ventura.

A la madre tocó — es de rigor — recordarnos que era ya tiempo de cenar. En el comedor la charla se hizo más general y corriente. Yo acabé por convencerme de que aquellas señoras no habían querido más que convidarme a cenar, y a la segunda copa de Chablis[17] me sentí sumido en un perfecto egoísmo del cuerpo lleno de generosidades espirituales. Charlé, reí y desarrollé todo mi ingenio, tratando interiormente de disimularme la irregularidad de mi situación. Hasta aquel instante las señoras habían procurado parecerme simpáticas; desde entonces sentí que había comenzado yo mismo a serles agradable.

El aire piadoso de la cara de Amalia se propagaba, por momentos, a la cara de la madre. La satisfacción, enteramente fisiológica, del rostro de doña Magdalena descendía, a veces, al de su hija. Parecía que estos dos motivos flotasen en el ambiente, volando de una cara a la otra.

Nunca sospeché los agrados de aquella conversación. Aunque ella sugería, vagamente, no sé qué evocaciones de Sudermann,[18] con frecuentes rondas al difícil campo de las responsabilidades domésticas y — como era natural en mujeres de espíritu fuerte — súbitos relámpagos ibsenianos,[19] yo me sentía tan a mi gusto como en casa de alguna tía viuda y junto a alguna prima, amiga de la infancia, que ha comenzado a ser solterona.

Al principio, la conversación giró toda sobre cuestiones comerciales, económicas, en que las dos mujeres parecían complacerse. No hay asunto mejor que éste cuando se nos invita a la mesa en alguna casa donde no somos de confianza.

Después, las cosas siguieron de otro modo. Todas las frases comenzaron a volar como en redor de alguna lejana petición. Todas tendían a un término que yo mismo no sospechaba. En el rostro de Amalia apareció, al fin, una sonrisa aguda, inquietante. Comenzó visiblemente a combatir contra alguna interna tentación. Su boca palpitaba, a veces, con el ansia de las palabras, y acababa siempre por suspirar. Sus ojos se dilataban de pronto, fijándose con tal expresión de espanto o abandono en la pared que quedaba a mis espaldas, que más de una vez, asombrado, volví el rostro yo mismo. Pero Amalia no parecía consciente del daño que me ocasionaba. Continuaba con sus sonrisas, sus asombros, y sus suspiros, en tanto que yo me estremecía cada vez que sus ojos miraban por sobre mi cabeza.

Al fin,se entabló, entre Amalia y doña Magdalena, un verdadero coloquio de suspiros. Yo estaba ya desazonado. Hacia el centro de la mesa, y, por cierto, tan baja que era una constante incomodidad, colgaba la lámpara de dos luces. Y sobre los muros se proyectaban las sombras desteñidas de las dos mujeres, en tal forma que no era posible fijar la correspondencia de las sombras con las personas. Me invadió una intensa depresión, y un principio de aburrimiento se fué apoderando de mí. De lo que vino a sacarme esta invitación insospechada:

— Vamos al jardín.

Esta nueva perspectiva me hizo recobrar mis espíritus. Condujéronme a través de un cuarto cuyo aseo y sobriedad hacía pensar en los hospitales En la oscuridad de la noche pude adivinar un jardincillo breve y artificial, como el de un camposanto.

Nos sentamos bajo el emparrado. Las señoras comenzaron a decirme los nombres de las flores que yo no veía, dándose el cruel deleite de interrogarme después sobre sus recientes enseñanzas. Mi imaginación, destemplada por una experiencia tan larga de excentricidades, no hallaba reposo. Apenas me dejaba escuchar y casi no me permitía contestar. Las señoras sonreían ya (yo lo adivinaba) con pleno conocimiento de mi estado. Comencé a confundir sus palabras con mi fantasía. Sus explicaciones botánicas, hoy que las recuerdo, me parecen monstruosas como un delirio: creo haberles oído hablar de flores que muerden y de flores que besan; de tallos que se arrancan a su raíz y os trepan, como serpientes, hasta el cuello.

La oscuridad, el cansancio, la cena, el Chablis, la conversación misteriosa sobre flores que yo no veía (y aun creo que no las había en aquel raquítico jardín), todo me fué convidando al sueño; y me quedé dormido sobre el banco, bajo el emparrado.

* * *

— ¡Pobre capitán! — oí decir cuando abrí los ojos —. Lleno de ilusiones marchó a Europa. Para él se apagó la luz.

En mi alrededor reinaba la misma oscuridad. Un vientecillo tibio hacía vibrar el emparrado. Doña Magdalena y Amalia conversaban junto a mí, resignadas a tolerar mi mutismo. Me pareció que habían trocado los asientos durante mi breve sueño; eso me pareció. . . .

— Era capitán de Artillería — me dijo Amalia —; joven y apuesto si los hay.

Su voz temblaba.

Y en aquel punto sucedió algo que en otras circunstancias me habría parecido natural, pero que entonces me sobresaltó y trajo a mis labios

18. Hermann Sudermann (1857-1928), dramaturgo alemán. 19. relativo a Enrique Ibsen (1828-1906), dramaturgo noruego. 20. Baltasar de Echave Orio (¿1548-1620?), famoso pintor de la Nueva España.

mi corazón. Las señoras, hasta entonces, sólo me habían sido perceptibles por el rumor de su charla y de su presencia. En aquel instante alguien abrió una ventana en la casa, y la luz vino a caer, inesperada, sobre los rostros de las mujeres. Y — ¡oh cielos! — los ví iluminarse de pronto, autonómicos, suspensos en el aire — perdidas las ropas negras en la oscuridad del jardín — y con la expresión de piedad grabada hasta la dureza en los rasgos. Eran como las caras iluminadas en los cuadros de Echave el Viejo,[20] astros enormes y fantásticos.

Salté sobre mis pies sin poder dominarme ya.

— Espere usted — gritó entonces doña Magdalena —; aún falta lo más terrible.

Y luego, dirigiéndose a Amalia:

— Hija mía, continúa; este caballero no puede dejarnos ahora y marcharse sin oírlo todo.

— Y bien — dijo Amalia —: el capitán se fué a Europa. Pasó de noche por París, por la mucha urgencia de llegar a Berlín. Pero todo su anhelo era conocer a París. En Alemania tenía que hacer no sé qué estudios en cierta fábrica de cañones . . . Al día siguiente de llegado, perdió la vista en la explosión de una caldera.

Yo estaba loco. Quise preguntar; ¿qué preguntaría? Quise hablar; ¿qué diría? ¿Qué había sucedido junto a mí? ¿Para qué me habían convidado?

La ventana volvió a cerrarse, y los rostros de las mujeres volvieron a desaparecer. La voz de la hija resonó:

— ¡Ay! Entonces, y sólo entonces, fué llevado a París. A París, ¡que había sido todo su anhelo! Figúrese usted que pasó bajo el Arco de la Estrella: pasó ciego bajo el Arco de la Estrella, adivinándolo todo a su alrededor . . . Pero usted le hablará de París, ¿verdad? Le hablará del París que él no pudo ver. ¡Le hará tanto bien! (« ¡Ah, si no faltara! » . . . « ¡Le hará tanto bien! »)

Y entonces me arrastraron a la sala, llevándome por los brazos como a un inválido. A mis pies se habían enredado las guías vegetales del jardín; había hojas sobre mi cabeza.

— Hélo aquí — me dijeron mostrándome un retrato. Era un militar. Llevaba un casco guerrero, una capa blanca, y los galones plateados en las mangas y en las presillas como tres toques de clarín. Sus hermosos ojos, bajo las alas perfectas de las cejas, tenían un imperio singular. Miré a las señoras: las dos sonreían como en el desahogo de la misión cumplida. Contemplé de nuevo el retrato; me ví yo mismo en el espejo; verifiqué la semejanza: yo era como una caricatura de aquel retrato. El retrato tenía una dedicatoria y una firma. La letra era la misma de la esquela anónima recibida por la mañana.

El retrato había caído de mis manos, y las dos señoras me miraban con una cómica piedad. Algo sonó en mis oídos como una araña de cristal que se estrellara contra el suelo.

Y corrí, a través de calles desconocidas. Bailaban los focos delante de mis ojos. Los relojes de los torreones me espiaban, congestionados de luz . . . ¡Oh, cielos! Cuando alcancé, jadeante, la tabla familiar de mi puerta, nueve sonoras campanadas estremecían la noche.

Sobre mi cabeza había hojas; en mi ojal, una florecilla modesta que yo no corté.

[1912]

(De *El Plano oblicuo,* 1920)

NOTICIA COMPLEMENTARIA

No caben en esta antología obras de teatro. Reparemos, sin embargo, que en estos años surgen comediógrafos y dramaturgos de nota, como los argentinos Samuel Eichelbaum (1894) y Conrado Nalé Roxlo (1889).

Otras figuras destacables: el uruguayo Ernesto Herrera (1886-1917), el chileno Armando Moock (1894-1943) y el cubano José Antonio Ramos (1885-1946).

XI
Desde 1925 hasta hoy

MARCO HISTÓRICO: *Consecuencias de la primera guerra mundial: por un lado, una mayor participación de las masas en el poder político, con propagandas comunistas y conspiraciones fascistas; y, por otro, « gobiernos fuertes » que defienden las oligarquías, sobre todo durante la crisis financiera que comienza en 1929. También afectan a la vida hispanoamericana la caída de la República Española y los triunfos del fascismo internacional. La segunda guerra mundial termina con la victoria de los países liberales, pero en Hispanoamérica continúan algunas dictaduras totalitarias. La « guerra fría » entre los Estados Unidos y Rusia obliga a nuevos alineamientos políticos. En general, tanto bajo las dictaduras como bajo los regímenes democráticos — que se alternan en sucesivas revoluciones — el fenómeno nuevo parece ser una evolución hacia las economías planificadas.*

TENDENCIAS CULTURALES: *Después de la primera guerra mundial aparecen « literaturas de vanguardia », con una « nueva sensibilidad. » Agotado el Modernismo, los estilos, ahora, son violentos y herméticos. Predomina en ellos la voluntad de romper con todas las normas literarias del pasado. El « Ultraísmo » y su disolución. Superrealismo. Existencialismo. Neo-Naturalismo. Literaturas comprometidas y literaturas gratuitas. Revalidación de las formas en poesía.*

Carlos Pellicer
José Gorostiza
Xavier Villaurrutia
Octavio Paz
Claudia Lars
José Coronel Urtecho
Nicolás Guillén
Luis Palés Matos
Manuel del Cabral
Jacinto Fombona Pachano
Jorge Rojas
Jorge Carrera Andrade
Emilio Adolfo Westphalen
Pablo Neruda
Herib Campos Cervera
Jorge Luis Borges
Jaime Torres Bodet
Miguel Ángel Asturias
Lino Novás Calvo
Juan Bosch
José de la Cuadra
Enrique Amorim
Eduardo Mallea
Arturo Uslar Pietri
Mariano Picón-Salas
Jorge Mañach
Germán Arciniegas
Andrés Iduarte

Se acaba de ver cómo algunos herederos del Modernismo, agotada la herencia, se pusieron a labrar nueva fortuna. Más jóvenes que ellos, y nacidos sin esa herencia, hubo otros poetas que se dedicaron a la nueva industria: la de la metáfora a toda ultranza, la de la metáfora ultraísta. Guillermo de Torre (España-Argentina; 1900) impuso la afortunada palabra « Ultraísmo » para calificar la literatura de vanguardia. En 1919 ya se llama « ultraístas » a todo un grupo, de españoles e hispanoamericanos. « Ultraísmo » alude a un más allá, juvenil y liberador, a un deseo de rebasar las metas. Los « ismos » que aparecieron — ultraísmo, creacionismo, vanguardismo, cubismo, postumismo, superrealismo, estridentismo, etc. — eran ecos de los de Europa. Pero esta vez los hispanoamericanos nacidos en los umbrales del 1900 produjeron casi simultáneamente a los europeos. Nunca antes habíamos estado tan cerca de sincronizar nuestros relojes con los de Europa. Es difícil estudiar esos « ismos » porque, al principio, se propusieron no existir como literatura. Debe estudiárselos en dos pasos. El primero es el de las revistas; el segundo es el de los libros. Entre las revistas de la literatura de vanguardia debemos mencionar las argentinas *Proa* (1924-1925) y *Martín Fierro* (1924-1927), la cubana *Revista de Avance* (1927-1930), la mexicana *Contemporáneos* (1928-1931), la uruguaya *Alfar*, que sobrevivió hasta 1954. Las revistas son interesantes para una historia no tanto de la literatura como de la vida literaria. A veces se dieron allí excesos, disparates, locuras, chacotas, nihilismos y escándalos. La poesía no podía andar así. Tuvo que aceptar la coherencia. Después de todo un poema, por irracional que sea, debe ofrecer un mínimo de sentido para que pueda ser genérico y comprensible. Algunos poetas, obstinados en sus desatinos, desaparecieron o se convirtieron en sombras o se quedaron golpeando las baterías del « jazz band ». Otros se salvaron con el libro, buscando una justa conciliación entre la fantasía y la lógica. A estos poetas que supieron salvarse son los que estudiaremos en este capítulo. Pero no sería justo menospreciar la negación del pasado literario, por loca que fuera, de los primeros vanguardistas. Al buscar la metáfora desnuda, eliminando las formas conocidas del verso, cumplieron una función necesaria. Lo malo de esos enardecidos metaforistas era que, sin advertirlo, cedían a una superstición: la de creer que las metáforas valían en sí, por virtudes más o menos mágicas. No digamos la crítica, pero aun la crónica de esta actividad literaria es difícil de hacer no sólo por su falta de seriedad, por su alocado desorden, por el corto tiempo que duró, sino porque había otras tendencias y todas se mezclaban. Ultraístas hasta la muerte, renegados del ultraísmo, enemigos del ultraísmo. Pero no se crea que el ultraísmo da la clave de estos años. Hubo excelentes poetas que crecieron como si el ultraísmo no existiera. Los prosistas complican aun más el panorama porque en cuentos y novelas se dan estilos con lindos afeites, estilos a la pata la llana y — como máxima novedad — estilos « feístas », es decir, de deliberada poetización de lo feo.

Después de 1930 empezaron a aparecer obras de un nuevo grupo de escritores. Los vanguardistas de la posguerra se habían jactado de una « nueva sensibilidad »: los que aparecieron después de 1930 se jactarán de una « novísima » sensibilidad. ¿Qué era esa sensibilidad? Nadie pudo diferenciarla, mucho menos definirla. Pero ya entonces Ortega y Gasset había impuesto su idea de « la sensibilidad vital de cada generación » y la consigna era pertenecer a toda costa a una generación. El prurito fué tal que desde entonces no se ha cesado de inventar generaciones: del 40, del 45, del 50, del 55. Más generaciones de las que humanamente pueden caber en lapso tan corto. Los escritores que aparecen en la década de 1930 no traían los consabidos « anti » con que toda generación suele presentarse a la palestra. No fueron antimodernistas porque Rubén Darío era ya un tema bibliográfico, muerto y enterrado en los programas de literatura de los colegios secundarios. El modernismo era un presente en las clases, es decir, un pasado clásico. Tampoco fueron antivanguardistas porque no tomaban en serio la orgía de « ismos » de posguerra. Esa literatura se había negado a sí misma: no era posible negarla más. Los ultraístas más serios estaban prometiendo enmendar sus primeras bromas con una obra firmemente construída: los jóvenes que empezaron a publicar desde 1930 no podían estar contra esas promesas. Sea, pues, porque el pasado se hubiera hecho inexpugnablemente clásico o porque se hubiera desintegrado solo hasta no ofrecer resistencias o porque hubiera pedido una moratoria, lo cierto es que en 1930 había que lanzarse a la literatura sin el trampolín de los « anti ». No hay que olvidar, si queremos explicar por qué a este grupo no se lo distinguió claramente, que de 1930 en adelante los tiempos no estaban para literatura. Los escritores que habían brotado después de la primera guerra mundial imitaron las muecas desilusionadas de los europeos, pero lo cierto es que no se sentían desilusionados. Desde 1930, en cambio, el cielo se fué cargando con nubes de tormenta. El primer signo fué la crisis económica que convulsionó al mundo entero. Y concomitante, la crisis del liberalismo. Los éxitos crecientes de Hitler, desde 1933, ponían los pelos de punta. La guerra civil en España y el fracaso de la República probaron que la causa de la libertad en el mundo estaba perdida y que comenzaba una nueva época de violencia, tiranía y estupidez. Luego, cuando estalló la guerra en 1939, las gentes no leían libros sino que buscaban las terribles noticias de los periódicos. Esta serie de golpes, en Europa y con resonancias nacionales en toda nuestra América, hizo difícil la creación literaria; una vez creada, la literatura tampoco conseguía hacerse oír. Tal era el estrépito del mundo.

Presentaremos, primero, a los escritores que se destacaron principalmente en verso, y después, a los que se destacaron principalmente en prosa, escalonándolos en el mapa de norte a sur.

PRINCIPALMENTE VERSO

México. En México los « ismos » de la posguerra prendieron como en todo el resto de América. Y hasta dieron un retoño, el « estridentismo »: MANUEL MAPLES ARCE (1898), ARQUELES VELA (1899), GERMÁN LIST ARZUBIDE (1898), LUIS QUINTANILLA (1900), SALVADOR GALLARDO. Fué una aventura pasajera que dejó por lo menos su propia crónica: *El movimiento estridentista* (1926) de List Arzubide, *El café de nadie* (1926) de Arqueles Vela, y revistas, manifiestos, antologías. Despreciaban la « conciencia burguesa » y en su desprecio negaron la razón y aun la literatura. En su posición negativa se parecían al dadaísmo de Tristan Tzara; y la aparente vitalidad de sus imágenes tenía mucho de mecanismo, como que su paisaje era el de los aparatos, máquinas, fábricas e invenciones industriales. De más vitalidad, en la intención y en el fruto, fueron los amigos que acabaron por agruparse en la revista *Contemporáneos* (1928-1931): CARLOS PELLICER, JOSÉ GOROSTIZA, XAVIER VILLAURRUTIA (los tres más importantes), BERNARDO ORTIZ DE MONTELLANO, ENRIQUE GONZÁLEZ ROJO, JAIME TORRES BODET, GILBERTO OWEN, SALVADOR NOVO, OCTAVIO G. BARREDA. Tenían mayor decoro artístico, más seguro instinto para apreciar los valores de la literatura europea y elegir los modelos. Más interesante que estudiar el movimiento de conjunto es señalar algunas trayectorias individuales, de las más brillantes en toda la literatura continental de este período.

El poeta que en valía vino después de López Velarde fué CARLOS PELLICER (1899). A pesar de que por la edad pertenecen a grupos diferentes, ambos hicieron conocer sus poesías sueltas por los mismos años. Los libros que Pellicer más estima, sin embargo, son los últimos: *Hora de Junio* (1937), *Recinto* (1941), *Subordinaciones* (1948), *Práctica de vuelo* (1956). Al leer a Pellicer uno tiene la impresión de que se estuviera esforzando en limitarse; su buena salud, su resonante voz, su sensibilidad, su tropicalismo suntuoso, su interés en el mundo y en los hombres se someten a un esforzado adelgazamiento. El poeta pone a dieta su lirismo porque admira la silueta deshumanizada — imposible para él — de otros de su generación (en « Deseos » suplica al trópico: « Déjame un solo instante / dejar de ser grito y color »). Describe con tal objetividad su percepción del paisaje que a veces parece que fueran descripciones fieles, no a sí mismo, sino a algo exterior a él. Goza ante la naturaleza como un ebrio agradecido, con buen humor. Alegría de estar vivo, alegría de vivir; y por encima de este amor a la luz y al aire que lo envuelven en el mundo natural, amor al cielo sobrenatural. La fe religiosa es otra de sus fuentes de alegría. En los sonetos religiosos de *Práctica de vuelo* la religión no es un mero tema, sino un batir de alas y un itinerario celeste, aunque muy pocas veces los ojos del poeta parecen enceguecerse en el éxtasis. Más que una unión mística con Dios, esta poesía nos da las imágenes del amor a Dios. Los ojos, no encandilados en el arrobo, sino abiertos y perceptivos, ven en la vida los rosados y los celestes de un Fra Angélico o las sombras de los tenebristas barrocos. La intensidad de la fe no lleva, pues, al silencio, como en los místicos, sino a la elocuencia: una elocuencia de lírico, sin conceptos, sin escolástica, pero activa en el deseo de gracia. Cada imagen es concreta y sorprendente, como detalles de una cartografía del alma.

Carlos Pellicer

ESTUDIO

El corazón nutrido de luceros
ha de escuchar un día
el signo musical y el ritmo eternos.

Y el ojo que endulzó lágrima pura
ha de mirar un día
el agua danzarina de la gracia desnuda.

Sobre el labio de orilla bulliciosa
ha de caer un día
la voz de una palabra portentosa.

El sinfónico oído de colores
ha de escuchar un día
la melodía de otros horizontes.

La mano que tocó todas las cosas
ha de tocar un día
proporciones sutiles, sombras de alas gozosas.

Y el brillo de la angustia sobre el alma
ha de tornarse un día
en mirada divina y en gozo sin palabras.

A LA POESÍA

Sabor de octubre en tus hombros,
de abril da tu mano olor.
Reflejo de cien espejos
tu cuerpo.
Noche en las flautas de mi voz.

Tus pasos fueron caminos
de música. La danzó
la espiral envuelta en hojas
de horas.
Desnuda liberación.

La cifra de tu estatura,
la de la ola que alzó
tu peso de tiempo intacto.
Mi brazo
sutilmente la ciñó.

En medio de las espigas
y a tu mirada estival,
afilé la hoz que alía
al día
la cosecha sideral.

Trigo esbelto a fondo azul
cae el brillo de la hoz.
Grano de oro a fondo negro
aviento
con un cósmico temblor.

Sembrar en el campo aéreo,
crecer alto a flor sutil.
Sudó la tierra y el paso
a ocaso
del rojo cedía al gris.

Niveló su ancha caricia
la mano sobre el trigal.
Todas e idénticas: una!
Desnuda
la voz libre dió a cantar.

Sabor de octubre en tus hombros,
de abril tu mano da olor.
Espejo de cien espejos
tu cuerpo,
anochecerá en tu voz.

(De *Camino*, 1929)

DOS SONETOS

Cuando a tu mesa voy y de rodillas
recibo el mismo pan que Tú partiste
tan luminosamente, un algo triste
suena en mi corazón mientras Tú brillas.

Y me doy a pensar en las orillas
del lago y en las cosas que dijiste . . .
¡Cómo el alma es tan dura que resiste
tu invitación al mar que andando humillas!

Y me retiro de tu mesa ciego
de verme junto a Ti. Raro sosiego
con la inquietud de regresar rodea

la gran ruina de sombras en que vivo.
¿Por qué estoy miserable y fugitivo
y una piedra al rodar me pisotea?

* * *

Y salgo a caminar entre dos cielos
y ya al anochecer vuelvo a mis ruinas.
Últimas nubes, ángelas divinas,
se bañan en desnudos arroyuelos.

La oscura sangre siente los flagelos
de un murciélago en ráfaga de espinas,
y aun en las limpias aguas campesinas
se pudren luminosos terciopelos.

La poderosa soledad se alegra
de ver las luces que su noche integra.
¡Un cielo enorme que alojarla puede!

Y un goce primitivo, una alegría
de Paraíso abierto se sucede.
Algo de Dios al mundo escalofría.

(De *Prática de vuelo*, 1956)

José Gorostiza (México; 1901) se exige tanto a sí mismo que apenas ha publicado dos libros: *Canciones para cantar en las barcas* (1925) y *Muerte sin fin* (1939). Pero su obra poética, a pesar de ser tan escasa, es suficiente para asegurarle un lugar de distinción en la poesía contemporánea. En sus versos claros y de esquemas rítmicos populares hay tal hondura y complejidad líricas que el lector, al tropezar más tarde con las dificultades de la mitad oscura de su poesía, sigue adelante, confiado en que no lo están engañando con falsas complicaciones — según era costumbre en los ultraístas — y en que, al cabo, llegará a una zona del espíritu, sutil y auténtica.

Su poema *Muerte sin fin* es uno de los más importantes en la poesía mexicana. El fragmento que reproducimos es sólo un momento de una larga agonía, en la que el poeta reflexiona sobre la insignificancia del vivir. Sufre su soledad, perdido en un mundo cuyo sentido se le escapa. Al contemplarse, « andando a tientas por el lodo », el poeta se reconoce a sí mismo en la imagen del agua; aunque esa agua adquiera forma en un vaso, esa forma tampoco le da ni saber ni consuelo. Al contrario, la vida, así envasada en la conciencia, es una muerte sin fin. Todo el universo se disgrega en este poema, que corre como un río, en oleadas de soledad y tiempo, libertad y muerte, vida e inteligencia, impulso y forma, Dios y caos.

José Gorostiza

QUIÉN ME COMPRA UNA NARANJA

¿Quién me compra una naranja
para mi consolación?
Una naranja madura
en forma de corazón.

La sal del mar en los labios
¡ay de mí!
la sal del mar en las venas
y en los labios recogí.

Nadie me diera los suyos
para besar.
La blanda espiga de un beso
yo no la puedo segar.

Nadie pidiera mi sangre
para beber.
Yo mismo no sé si corre
o si deja de correr.

Como se pierden las barcas
¡ay de mí!
como se pierden las nubes
y las barcas, me perdí.

Y pues nadie me lo pide,
ya no tengo corazón.
¿Quién me compra una naranja
para mi consolación?

DIBUJOS SOBRE UN PUERTO

1. *El alba*

El paisaje marino
en pesados colores se dibuja.
Duermen las cosas. Al salir, el alba
parece sobre el mar una burbuja.
Y la vida es apenas
un milagroso reposar de barcas
en la blanda quietud de las arenas.

2. *La tarde*

Ruedan las olas frágiles
de los atardeceres
como limpias canciones de mujeres.

3. *Nocturno*

El silencio por nadie se quebranta,
y nadie lo deplora.
Sólo se canta
a la puesta del sol, desde la aurora.
Mas la luna, con ser
de luz a nuestro simple parecer,
nos parece sonora
cuando derraman sus manos ligeras
las ágiles sombras de las palmeras.

4. *Elegía*

A veces me dan ganas de llorar.
pero las suple el mar.

5. *Cantarcillo*

Salen las barcas al amanecer.
No se dejan amar
pues suelen no volver
o sólo regresan a descansar.

6. *El faro*

Rubio pastor de barcas pescadoras.

7. *Oración*

La barca morena de un pescador
cansada de bogar
sobre la playa se puso a rezar:
¡Hazme, Señor,
un puerto en las orillas de este mar!

(De *Canciones para cantar en las barcas*, 1925)

De Muerte sin fin

(FRAGMENTO)

Iza la flor su enseña,
agua, en el prado.
¡Oh, qué mercadería
de olor alado!

¡Oh, qué mercadería
de tenue olor!
¡cómo inflama los aires
con su rubor!

¡Qué anegado de gritos
está el jardín!
« ¡Yo, el heliotropo, yo! »
« ¿Yo? El jazmín. »

Ay, pero el agua,
ay, si no huele a nada.

Tiene la noche un árbol
con frutos de ámbar;
tiene una tez la tierra,
ay, de esmeraldas.

El tesón de la sangre
anda de rojo;
anda de añil el sueño;
la dicha, de oro.

Tiene el amor feroces
galgos morados;
pero también sus mieses,
también sus pájaros.

Ay, pero el agua,
ay, si no luce a nada.

Sabe a luz, a luz fría,
sí, la manzana.
¡Qué amanecida fruta
tan de mañana!

¡Qué anochecido sabes,
tú, sinsabor!
¡cómo pica en la entraña
tu picaflor!

Sabe la muerte a tierra,
la angustia a hiel.
Este morir a gotas
me sabe a miel.

Ay, pero el agua,
ay, si no sabe a nada.

[Baile]

Pobrecilla del agua,
ay, que no tiene nada,
ay, amor, que se ahoga,
ay, en un vaso de agua.

(1939)

En versos, teatro, ensayos, XAVIER VILLAURRUTIA (México; 1903-1950) avanzó con gesto insinuante. Su literatura podría estar escrita por uno de esos sedientos seres de su « Nocturno de los Ángeles » que « han bajado a la tierra / por invisibles escalas. » Villaurrutia apartó la metáfora gastada, pero sin el « clownismo » de otros: sus invenciones tienen seriedad clásica. Comenzó con juegos de poesía. El juego de palabras se convirtió en juego de inteligencia; a tal punto que, en su mejor época, la inteligencia observa, elige y ordena las emociones que han de entrar en su poesía. En sus últimos años, sin embargo, las emociones no obedecieron más la brida y sencillamente se desbocaron. Este poeta, tan calculador y frío cuando se trataba de componer sus ideas y sus estrofas, estaba agitado por la presencia de la muerte. *Nostalgia de la muerte* (1939-1946) — significativo título — fué quizá su mejor libro. En su teatro no hay pasión sino emoción; y la emoción, vista por ese lado en que limita con la inteligencia.

Xavier Villaurrutia

NOCTURNO ETERNO

Cuando los hombres alzan los hombros y pasan
o cuando dejan caer sus nombres
hasta que la sombra se asombra

cuando un polvo más fino aún que el humo
se adhiere a los cristales de la voz
y a la piel de los rostros y las cosas

cuando los ojos cierran sus ventanas
al rayo del sol pródigo y prefieren
la ceguera al perdón y el silencio al sollozo

cuando la vida o lo que así llamanos [inútilmente
y que no llega sino con un nombre innombrable
se desnuda para saltar al lecho
y ahogarse en el alcohol o quemarse en la nieve

cuando la ví cuando la vid cuando la vida
quiere entregarse cobardemente y a oscuras
sin decirnos siquiera el precio de su nombre

cuando en la soledad de un cielo muerto
brillan unas estrellas olvidadas
y es tan grande el silencio del silencio
que de pronto quisiéramos que hablara

o cuando de una boca que no existe
sale un grito inaudito
que nos echa a la cara su luz viva
y se apaga y nos deja una ciega sordera

o cuando todo ha muerto
tan dura y lentamente que da miedo
alzar la voz y preguntar « quién vive »

dudo si responder
a la muda pregunta con un grito
por temor de saber que ya no existo

porque acaso la voz tampoco vive
sino como un recuerdo en la garganta
y no es la noche sino la ceguera
lo que llena de sombra nuestros ojos

y porque acaso el grito es la presencia
de una palabra antigua
opaca y muda que de pronto grita

porque vida silencio piel y boca
y soledad recuerdo cielo y humo
nada son sino sombras de palabras
que nos salen al paso de la noche

(De *Nocturnos*, 1933)

Después de la generación de *Contemporáneos* — de la que hemos presentado a tres poetas mayores: Pellicer, Gorostiza y Villaurrutia — vino la generación de *Taller* (1938-1941), en la que se destacó Octavio Paz (México; 1914).

Se inició, adolescente, con *Luna silvestre* (1933), y maduró de pronto durante la guerra civil en España, con *¡No pasarán!* (1936). Los libros que siguieron son definitivos, desde *Raíz del hombre* (1937), hasta *La estación violenta* (1958). La imaginación de Paz — y no todo es imaginación: hay una inteligencia ejercitada en pensar temas metafísicos — tiene una profunda seriedad. Siente que su existencia emerge del

Ser; pero del Ser no puede saber nada. Es el anverso, el cero. Su existencia es la única parte iluminada del Ser. Entre el Ser y la Existencia, un inmenso espejo, última pared de la conciencia, donde tropezamos y nos desesperamos. Pero esta desesperada soledad de nuestra existencia es puro Tiempo; y a los instantes de nuestra existencia podemos objetivarlos y eternizarlos en Poesía. El mismo Paz ha revelado el secreto de su obra: un afán de resolver tesis y antítesis en una síntesis que restablezca la perdida unidad del hombre. Entre la soledad y la comunión, Paz canta líricamente a su instante personal, pero se preocupa por lo social, es introvertido y extrovertido, desesperado y esperanzado, con blasfemos impulsos de destrucción y fe salvadora. Su voluntad de trascender hacia otras vidas suele asumir intensidades eróticas. Ha pasado por las experiencias intelectuales de nuestro tiempo: el marxismo, el superrealismo, el descubrimiento de Oriente. Pero su pensamiento busca nuevos caminos. Este pensamiento se despliega en penetrantes ensayos: por ejemplo, *El arco y la lira* (1956).

Octavio Paz

LA POESÍA

¿Por qué tocas mi pecho nuevamente?
Llegas, silenciosa, secreta, armada,
tal los guerreros a una ciudad dormida;
quemas mi lengua con tus labios, pulpo,
y despiertas los furores, los goces,
y esta angustia sin fin
que enciende lo que toca
y engendra en cada cosa
una avidez sombría.

El mundo cede y se desploma
como metal al fuego.
Entre mis ruinas me levanto
y quedo frente a ti,
solo, desnudo, despojado,
sobre la roca inmensa del silencio,
como un solitario combatiente
contra invisibles huestes.

Verdad abrasadora,
¿a qué me empujas?
No quiero tu verdad,
tu insensata pregunta.
¿A qué esta lucha estéril?
No es el hombre criatura capaz de contenerte,
avidez que sólo en la sed se sacia,
llama que todos los labios consume,
espíritu que no vive en ninguna forma,
mas hace arder todas las formas
con un secreto fuego indestructible.

Pero insistes, lágrima escarnecida,
y alzas en mí tu imperio desolado.

Subes desde lo más hondo de mí,
desde el centro innombrable de mi ser,
ejército, marea.
Creces, tu sed me ahoga,
expulsando, tiránica,
aquello que no cede
a tu espada frenética.
Ya sólo tú me habitas,
tú, sin nombre, furiosa substancia,
avidez subterránea, delirante.

Golpean mi pecho tus fantasmas,
despiertas a mi tacto,
hielas mi frente
y haces proféticos mis ojos.
Percibo el mundo y te toco,
substancia intocable,
unidad de mi alma y de mi cuerpo,
y contemplo el combate que combato
y mis bodas de tierra.

Nublan mis ojos imágenes opuestas,
y a las mismas imágenes
otras, más profundas, las niegan,
tal un ardiente balbuceo,
aguas que anega un agua más oculta y densa.

La oscura ola
que nos arranca de la primer ceguera,
nace del mismo mar oscuro
en que nace, sombría,
la ola que nos lleva a la tierra:
sus aguas se confunden
y en su tiniebla
quietud y movimiento son lo mismo.

Insiste, vencedora,
porque tan sólo existo porque existes,
y mi boca y mi lengua se formaron
para decir tan sólo tu existencia
y tus secretas sílabas, palabra
impalpable y despótica,
substancia de mi alma.

Eres tan sólo un sueño,
pero en ti sueña el mundo
y su mudez habla con tus palabras.
Rozo al tocar tu pecho
la eléctrica frontera de la vida,
la tiniebla de sangre
donde pacta la boca cruel y enamorada,
ávida aún de destruir lo que ama
y revivir lo que destruye,
con el mundo, impasible
y siempre idéntico a sí mismo,
porque no se detiene en ninguna forma,
ni se demora sobre lo que engendra.

Llévame, solitaria,
llévame entre los sueños,
llévame, madre mía,
despiértame del todo,
hazme soñar tu sueño,
unta mis ojos con tu aceite,
para que al conocerte, me conozca.

(De *A la orilla del mundo*, México, 1942)

Centroamérica. De los poetas centroamericanos hemos escogido dos: Claudia Lars y José Coronel Urtecho.

CLAUDIA LARS (seudónimo de Carmen Brannon; El Salvador; 1899) se inició con los poemas de *Estrellas en el pozo* (1934), a los que siguieron otros libros.

Se advirtió por un tiempo la influencia de García Lorca — por ejemplo, en los *Romances de Norte y Sur*, 1946 — pero desde *Donde llegan los pasos* (1953) su originalidad canta con voz propia: la inteligencia, con insinuaciones, afina la puntería, y la metáfora da en el blanco lírico.

Claudia Lars

ÁRBOL

El árbol yergue, en el silencio,
sueño de lo profundo,
y toca, al fin, las orlas blancas
de las nubes de junio.

El árbol copia los colores
de las luces del mundo,
y los repite y los regala
en hojas y capullos.

El árbol mece — niño eterno —
sus fragantes columpios,
y ensaya voces y silbidos
en perfecto conjunto.

Viste su fuerza con la suave
pelusilla del musgo.
Guarda la música a sordina
de los nidos ocultos.

Alza corolas mañaneras
en la rama de orgullo.
Filtra en el gajo las virtudes
de savias y de zumos.

Rompe la niebla del invierno
con sus dedos agudos.
Detiene el soplo azul del aire
y lo vuelve más puro.

Comba el follaje rumoroso
— alero de refugio —
y abre sus puertas al viajero
en sol y plenilunio.

Prende en sus grietas el zumbido
de los panales rubios.
Deja que roben su riqueza
los insectos obscuros.

Señala el sitio que no encuentran
pájaros vagabundos.
Sostiene el ansia de la brizna
en el vuelo confuso.

Clavado allí — ¡recta alegría,
canción de lo profundo! —
anuda el sueño de infinito
a la entraña del mundo.

(De *La casa de vidrio*, 1942)

NIÑO DE AYER

Eras niño de niebla,
casi en la nada;
nombre de mi sonrisa,
detrás del alma.

Y era un barco dichoso
de tanto viaje,
y un ángel marinero
bajo mi sangre.

Subías como el lirio,
como las algas;
en tu peso crecía
la madrugada.

Y alzando el aire joven
sus ademanes,
ya marcaba tu fuerza
de vivos mástiles.

¡Prado de nieve limpia!
¡Bosque de llamas!
Y tú, semilla dulce,
bien enterrada.

Escondido en mi pulso,
sin entregarte;
pulsando los temores
de mi quién sabe.

Buscabas en mi pecho
bulto y palabra;
entre mis muertos ibas
buscando cara.

Salías de la torre
de las edades
y en las lunas futuras
dabas señales.

No creas que te cuento
cosas de fábula:
para que me comprendas
coge esta lágrima.

(De *Escuela de pájaros*, 1955)

Nicaragua es la patria de Rubén Darío. Después de 1927, sin embargo, apareció en Nicaragua un grupo juvenil que ya no sentía reverencia por Rubén Darío. « Nuestro amado enemigo », lo llamaban. Presidió el grupo JOSÉ CORONEL URTECHO (1906), y lo acompañaron en sus campañas de vanguardia PABLO ANTONIO CUADRA y JOAQUÍN PASOS.

Coronel Urtecho es uno de los temperamentos poéticos más versátiles de Hispanoamérica. Bien informado de las últimas tendencias en todas las literaturas, y decidido a escandalizar los gustos consagrados, comenzó saludando burlonamente a Rubén Darío:

En fin, Rubén,
paisano inevitable, te saludo
con mi bombín
que se comieron los ratones en
1920 *y cin-*
co. Amén.

La poesía de Coronel Urtecho es desconcertante por su incesante renovación y cambio de direcciones. Lo único permanente es su fe católica: en lo demás es un experimentador de todas las formas y modalidades. Cultivó el folklore y adoptó ritmos y asuntos de canciones y cuentos tradicionales. En el poema que va a leerse, basado en un cuento infantil, el Tío Coyote es un animal que roba frutos de los huertos. Cuando le dicen que la luna, reflejada en el agua, es un queso, va a comerla y se ahoga. Sobre este bastidor folklórico Coronel Urtecho borda una figura cómico-lírica: Tío Coyote será un ilusionado, como Don Quijote, como el poeta chino Li-Tai-Po.

José Coronel Urtecho

PEQUEÑA ODA A TÍO COYOTE

¡Salud a tío Coyote,
el animal Quijote!

Porque era inofensivo, lejos de la manada,
perro de soledad, fiel al secreto
inquieto
de su vida engañada,
sufrió el palo, la burla y la patada.

Fué el más humilde peregrino
en los caminos de los cuentos de camino.

Como amaba las frutas sazonas,
las sandías, los melones, las anonas,
no conoció huerta con puerta,
infranqueable alacena,
ni propiedad ajena,
y husmeando el buen olor de las cocinas
cayó en la trampa que le tendieron las vecinas
de todas las aldeas mezquinas
y se quedó enredado en las consejas
urdidas por las viejas
campesinas.

Y así lo engendró la leyenda
como el Quijote de la Merienda.

Pero su historia es dulce y meritoria.

Y el animal diente-quebrado,
culo-quemado,
se ahogó en la laguna
buscando el queso de la luna.

¡Y allí comienza su gloria
donde su pena termina!

También así murió
Li-Tai-Po,
poeta de la China.

(En *Nueva poesía nicaragüense*, 1949)

Antillas. En las Antillas lo más diferente fué la poesía negra, mulata. El folklore es riquísimo en viejos ritmos y temas afroantillanos, pero sólo de 1925 en adelante todo eso adquirió valiosa significación estética. El estímulo vino de Europa. Las investigaciones afrológicas de Leo Frobenius; la negrofilia de París en la pintura de los « fauves », expresionistas y dadaístas, en la literatura, en el ballet; algunos ejemplos de arte negrista en los Estados Unidos; el uso de lo gitano, lo afro, lo folklórico, que en España hicieron García Lorca y otros, indican que el tema negro era una moda en los años del ultraísmo. La realidad racial y culturalmente negra de las Antillas favoreció la moda. Más aún: en las Antillas fué menos una moda que un autodescubrimiento. Pero que el estímulo viniera de la literatura europea explica la sorprendente calidad poética de NICOLÁS GUILLÉN, PALÉS MATOS, RAMÓN GUIRAO, EMILIO BALLAGAS, para sólo mencionar los maestros de una escuela cada vez más concurrida. A pesar de su atención a los pobres y humillados, a pesar de su afanosa acogida al folklore, a pesar de sus temas de la vida cotidiana y elemental, del ritmo de canto popular y de sus mensajes políticos, NICOLÁS GUILLÉN (Cuba; 1902) es poeta aristocrático por la fina postura de perfil con que su lirismo corta el aire. Poeta mulato porque voluntariamente dió expresión al modo de ser de los negros cubanos, de los que se sentía hermano; pero su imaginación tiene todos los brillantes colores del mejor lenguaje poético de su generación. Sus « jitanjáforas » suenan a voces negras: son, sin embargo, de la familia dadaísta. En 1948 ofreció *El son entero*, donde puede verse, en su gran conjunto, la obra de un extraordinario poeta que ya desde su primer libro *Motivos de son* (1930) se reveló como vocero de su raza, y en broma o en serio en sus demás libros, *Sóngoro consongo* (1931), *West Indies Ltd.* (1934), *España* (1937), *Cantos para soldados y sones para turistas* (1937) ha logrado dar expresión a sus preocupaciones sociales, raciales, humanas. La intensidad de algunos poemas folklóricos de Guillén, como el titulado « Sensemayá », que incluimos en esta selección, se hace aún más evidente en otros posteriores, (« Rosa tú, melancólica . . . ») en los que el poeta llega a un noble acento depurado.

Nicolás Guillén

BÚCATE PLATA

Búcate plata,
búcate plata,
porque no doy un paso má:
etoy a arró con galleta
na má.

Yo bien sé cómo etá to,
pero viejo, hay que comer:
búcate plata,
búcate plata,
porque me voy a correr.

Depué dirán que soy mala,
y no me querrán tratar,
pero amor con hambre, viejo,
¡qué va!
Con tanto zapato nuevo,
¡qué va!
Con tanto reló, compadre,
¡qué va!
Con tanto lujo, mi negro,
¡qué va!

(De *Motivos de son*, 1930)

SENSEMAYÁ

(Canto para matar a una culebra)

¡Mayombe-bombe-mayombé!
¡Mayombe-bombe-mayombé!
¡Mayombe-bombe-mayombé!

La culebra tiene los ojos de vidrio;
la culebra viene, y se enreda en un palo;
con sus ojos de vidrio en un palo,
con sus ojos de vidrio.
La culebra camina sin patas;
la culebra se esconde en la yerba;
caminando se esconde en la yerba,
caminando sin patas!

¡Mayombe-bombe-mayombé!
¡Mayombe-bombe-mayombé!
¡Mayombe-bombe-mayombé!

Tú le das con el hacha, y se muere:
¡dale ya!
¡No le des con el pie, que te muerde,
no le des con el pie, que se va!

Sensemayá, la culebra,
sensemayá.
Sensemayá, con sus ojos,
sensemayá.
Sensemayá con su lengua,
sensemayá.
Sensemayá con su boca,
sensemayá!

La culebra muerta no puede comer;
la culebra muerta no puede silbar:
no puede caminar,
no puede correr!
La culebra muerta no puede mirar;
la culebra muerta no puede beber,
no puede respirar,
no puede morder!

¡Mayombe-bombe-mayombé!
Sensemayá, la culebra . . .
¡Mayombe-bombe-mayombé!
Sensemayá, no se mueve . . .
¡Mayombe-bombe-mayombé!
Sensemayá, la culebra . . .
¡Mayombe-bombe-mayombé!
¡Sensemayá, se murió!

EL ABUELO

Esta mujer angélica de ojos septentrionales,
que vive atenta al ritmo de su sangre europea,
ignora que en lo hondo de ese ritmo golpea
un negro el parche duro de roncos atabales.

Bajo la línea escueta de su nariz aguda,
la boca, en fino trazo, traza una raya breve;
y no hay cuervo que manche la geografía de nieve
de su carne, que fulge temblorosa y desnuda.

¡Ah, mi señora! Mírate las venas misteriosas;
boga en el agua viva que allá dentro te fluye,
y ve pasando lirios, nelumbios, lotos, rosas;

que ya verás, inquieta, junto a la fresca orilla,
la dulce sombra oscura del abuelo que huye,
el que rizó por siempre tu cabeza amarilla.

(De *Sóngoro cosongo,* La Habana, 1931)

IBA YO POR UN CAMINO . . .

Iba yo por un camino
cuando con la Muerte dí.
— ¡Amigo! — gritó la Muerte,
pero no le respondí,
pero no le respondí:
miré no más a la Muerte,
pero no le respondí.

Llevaba yo un lirio blanco
cuando con la Muerte dí;
me pidió el lirio la Muerte,
pero no le respondí,
pero no le respondí;
miré no más a la Muerte,
pero no le respondí.

Ay Muerte,
si otra vez volviera a verte,
iba a platicar contigo
como un amigo;
mi lirio sobre tu pecho,
como un amigo;
mi beso sobre tu mano,
como un amigo;
yo, detenido y sonriente,
como un amigo.

ROSA TÚ, MELANCÓLICA . . .

El alma vuela y vuela
buscándote a lo lejos,
Rosa tú, melancólica
rosa de mi recuerdo.
Cuando la madrugada
va el campo humedeciendo,
y el día es como un niño
que despierta en el cielo,
Rosa tú, melancólica,
ojos de sombra llenos,
desde mi estrecha sábana
toco tu firme cuerpo.
Cuando ya el alto sol
ardió con su alto fuego,
cuando la tarde cae
del ocaso deshecho,
yo en mi lejana mesa
tu oscuro pan contemplo.

1. ciudad del Sahara meridional, en la colonia del Sudán francés. 2. isla en la costa occidental de África, en el golfo de Guinea, perteneciente a España. 3. junjunes, gongos, instrumentos musicales de percusión. 4. jefes indígenas de cada uno de los pueblos en que viven agrupados los naturales de Fernando Póo.

Y en la noche cargada
de ardoroso silencio,
Rosa tú, melancólica,
rosa de mi recuerdo,
dorada, viva y húmeda,
bajando vas del techo,
tomas mi mano fría
y te me quedas viendo.

Cierro entonces los ojos,
pero siempre te veo,
clavada allí, clavando
tu mirada en mi pecho,
larga mirada fija,
como un puñal de sueño.

(De *El son entero*, 1947)

LUIS PALÉS MATOS (Puerto Rico; 1898-1959) es uno de los poetas más originales de esta época. Comenzó escribiendo poesías modernistas — *Azaleas*, 1915 —, pero buscó su propio camino y, desde 1926, empezó a publicar con modalidades que lo pusieron inmediatamente en la vanguardia de la literatura hispanoamericana. Eran poesías de tema negro, anteriores o, en todo caso, independientes de las que florecían en Cuba. Su primer libro de poesía negroide fué *Tuntún de pasa y grifería* (1937) y bastó para su consagración definitiva. En su gran orquesta se oye un contracanto irónico; porque Palés Matos no es negro, sino blanco, y se sonríe ante los contrastes de ambas culturas, en ninguna de las cuales cree. En esta nota de ironía, escepticismo y refinada melancolía de hombre culto se diferencia, precisamente, de otros cultores del mismo género de poesía. No copia una realidad popular tal como existe en tal o cual país, sino que interpreta lo negro desde su posición de poeta imaginativo, con todo el artificio de un lejano discípulo de los barrocos. Los poemas que se inspiran en el negro de las Antillas, aunque son los que le han valido más fama, constituyen sólo un aspecto de su obra total. La lectura de su libro *Poesía*, 1915-1956 — publicado en 1957 — muestra al lector un Palés Matos completo que no se queda en la superficie del tema negro, sino que se hunde en una poesía más esencial, profunda, compleja y perdurable. Entonces se comprende que aquellos poemas negros (v. gr. « Danza negra ») son meros episodios en la expresión de un triste vistazo a la vida elemental y a la dispersión en la nada (v. gr. « El llamado »).

Luis Palés Matos

DANZA NEGRA

Calabó y bambú.
Bambú y calabó.
El Gran Cocoroco dice: tu-cu-tú.
La Gran Cocoroca dice: to-co-tó.
Es el sol de hierro que arde en Tombuctú.[1]
Es la danza negra de Fernando Póo.[2]
El cerdo en el fango gruñe: pru-pru-prú.
El sapo en la charca sueña: cro-cro-cró.
Calabó y bambú.
Bambú y calabó.

Rompen los junjunes en furiosa ú.
Los gongos[3] trepidan con profunda ó.
Es la raza negra que ondulando va
en el ritmo gordo del mariyandá.
Llegan los botucos[4] a la fiesta ya.
Danza que te danza la negra se da.

Calabó y bambú.
Bambú y calabó.
El Gran Cocoroco dice: tu-cu-tú.
La Gran Cocoroca dice: to-co-tó.

Pasan tierras rojas, islas de betún:
Haití, Martinica, Congo, Camerún;[5]
las papiamentosas[6] antillas del ron
y las patualesas[7] islas del volcán,
que en el grave son
del canto se dan.

Calabó y bambú.
Bambú y calabó.
Es el sol de hierro que arde en Tombuctú.
Es la danza negra de Fernando Póo.
El alma africana que vibrando está
en el ritmo gordo del mariyandá.

Calabó y bambú.
Bambú y calabó.
El Gran Cocoroco dice: tu-cu-tú.
La Gran Cocoroca dice: to-co-tó.

(De *Tuntún de pasa y grifería. Poemas afroantillanos*, 1937. Publicada por primera vez en 1926)

EL LLAMADO

Me llaman desde allá . . .
larga voz de hoja seca,
mano fugaz de nube
que en el aire de otoño se dispersa.
Por arriba el llamado
tira de mí con tenue hilo de estrella,
abajo, el agua en tránsito,
con sollozo de espuma entre la niebla.
Ha tiempo oigo las voces
y descubro las señas.

Hoy recuerdo: es un día venturoso
de cielo despejado y clara tierra;
golondrinas erráticas
el calmo azul puntean.
Estoy frente a la mar y en lontananza
se va perdiendo el ala de una vela;
va yéndose, esfumándose,
y yo también me voy borrando en ella.
Y cuando al fin retorno
por un leve resquicio de conciencia
¡cuán lejos ya me encuentro de mí mismo!
¡qué mundo tan extraño me rodea!

Ahora, dormida junto a mí, reposa
mi amor sobre la hierba.
El seno palpitante
sube y baja tranquilo en la marea
del ímpetu calmado que diluye
espectrales añiles en su ojera.
Miro esa dulce fábrica rendida,
cuerpo de trampa y presa
cuyo ritmo esencial como jugando
manufactura la caricia aérea,
el arrullo narcótico y el beso
— víspera ardiente de gozosa queja —
y me digo: Ya todo ha terminado . . .
Mas de pronto, despierta,
y allá en el negro hondón de sus pupilas
que son un despedirse y una ausencia,
algo me invita a su remota margen
y dulcemente, sin querer, me lleva.

Me llaman desde allá . . .
Mi nave aparejada está dispuesta.
A su redor, en grumos de silencio,
sordamente coagula la tiniebla.
Un mar hueco, sin peces,
agua vacía y negra
sin vena de fulgor que la penetre
ni pisada de brisa que la mueva.
Fondo inmóvil de sombra,
límite gris de piedra . . .
¡Oh soledad, que a fuerza de andar sola
se siente de sí misma compañera!

*

Emisario solícito que vienes
con oculto mensaje hasta mi puerta,
sé lo que te propones
y no me engaña tu misión secreta;
me llaman desde allá,
pero el amor dormido aquí en la hierba
es bello todavía
y un júbilo de sol baña la tierra.
¡Déjeme tu implacable poderío
una hora, un minuto más con ella!

(De *Poesía* [1915-1956], 1957)

5. Congo, Camerún, regiones del África. 6. referencia a *papiamento*, habla criolla de las Antillas holandesas. 7. referencia a *patois* (patuá), que se habla en las Antillas francesas.
Las demás palabras que aparecen en « Danza negra » son voces onomatopéyicas.

MANUEL DEL CABRAL (Santo Domingo; 1907) ha viajado por toda América y publicado sus libros en diferentes países. Su presencia es, pues, continental. Canta, sin embargo, con inconfundible voz antillana: *Trópico negro* (1942), *Sangre mayor* (1945), *De este lado del mar* (1948), *Los huéspedes secretos* (1951). Uno de sus libros más famosos es *Compadre Mon* (1943), poema épico-lírico en el que crea el mito de un héroe popular. Sus dos antologías — *Antología tierra*, 1949, y *Antología clave*, 1957 — revelan una vasta gama de temas y tonos.

Manuel del Cabral ha cultivado también la prosa poética: *Chinchina busca el tiempo* (1945) y *30 parábolas* (1956).

Manuel del Cabral

HUÉSPED EN TRANCE

Todo aquí tiene su sitio. Pero las cosas, cuando yo las toco,
¿se parecen a ellas?
Yo vengo ahora de un móvil pero fijo
territorio sin fecha. Puede el árbol nombrarme,
darme estatura el viento. Puedo decir también
que todas las cosas me esperaban.
Mi trato es el del río con el del día que lo besa.
Un pájaro que vuela comprende mi llegada.
El barquero
que espera los viajeros para llenarles los ojos
de otra ribera sabe perfectamente
por qué he venido desde remotas tinieblas
a esperar a los hombres.

Quizá junto a los ojos que se van hacia dentro
para mirar las cosas de los ciegos; quizá junto al latido
del material que tiembla y habla sólo temblando;
quizá junto a la herida que se llena de hormigas
como si con la muerte fabricaran la vida;
quizá junto al soldado que se va por el agua
que no tiene regreso y abrió la puñalada; quizá junto al soldado
que en vez de ver su herida se pone a ver la noche con estrellas,
como si por las altas rendijas de los astros
ve que hay algo más grande que está herido, y sonríe.
La muerte, su muerte, levanta la mañana.

(De *Antalogía clave*, 1957)

MON DICE COSAS

1

El juez, mientras descansa,
limpia sus anteojos.
¿Y para qué los limpia,
si el sucio está en el ojo?

2

La del río, qué blanda,
pero qué dura es ésta:
la que cae de los párpados
es un agua que piensa.

Enséñame, viejo puente,
a dejar pasar el río.

3

Sólo el silencio es amigo,
pero también
no es amigo . . . si lo mudo
se oye bien . . .

¿Quién mide el aire y lo pone
cuadrado como pared?
¿Quién lo pone tan pequeño
que cabe en el puño . . .
quién?

El mapa se está llenando
de dientes como el menú.
Pero no importa:
el horno de mi guitarra
da caliente pan azul.

4

En una esquina está el aire
de rodillas . . .
Dos sables analfabetos
lo vigilan.

Pero yo sé que es el pueblo
mi voz desarrodillada.
Pone a hablar muertos sin cruces
mi guitarra.

Pedro se llaman los huesos
de aquel que cruz no le hicieron.
Pero ya toda la tierra
se llama Pedro.

Aquí está el aire en su sitio
y está entero . . .
Aquí . . .
Madera de carne alta,
tierra suelta:
mi guitarra.

5

Hoy está el pueblo en mi cuerpo.
¿A quién viene a ver usted?
Usted no ve que esta herida
es como un ojo de juez . . .

6

¿Quién ha matado este hombre
que su voz no está enterrada?
Hay muertos que van subiendo
cuanto más su ataúd baja . . .
Este sudor . . . ¿por quién muere?
¿por qué cosa muere un pobre?
¿Quién ha matado estas manos?
¡No cabe en la muerte un hombre!
Hay muertos que van subiendo
Cuanto más su ataúd baja . . .
¿Quién acostó su estatura
que su voz está parada?
Hay muertos como raíces
que hundidas . . . dan fruto al ala.
¿Quién ha matado estas manos,
este sudor, esta cara?
Hay muertos que van subiendo
cuanto más su ataúd baja . . . [. . .]

(De *Cuatro grandes poetas de América*, 1959)

Venezuela en estos años, junto con la importante producción de sus novelistas y ensayistas según veremos más adelante, ofrece también un notable grupo de poetas, algunos de ellos pertenecientes al llamado grupo « Viernes », fundado en 1936, como son Pablo Rojas Guardia, Manuel F. Rugeles, José Ramón Heredia. Uno de ellos, Jacinto Fombona Pachano (1901-1951) publicó su primer libro importante, *Virajes*, en 1932, notable por su frescura y lirismo y por su tono francamente criollista. Años después, y durante su estancia en Washington como miembro del servicio diplomático de su país, compuso su obra de mayor aliento, *Las torres desprevenidas* (1940) en la que refleja las inquietudes y problemas de una humanidad atormentada por la guerra que no se sufre directamente, pero que se siente alrededor. El poema que incluimos es característico de esa actitud.

Jacinto Fombona Pachano

MUERTE EN EL AIRE

Quiero un poema, quiero
una canción polaca,
un valse de París, pero las bombas,
las tenemos en casa.

Sí,
las tenemos en casa.
Apagad ese radio
para que pueda ser feliz América,
cortad el ala a esos aviones,
que ya hasta el rascacielo se siente roto y lívido,
que el miedo ya les amputó los ojos
a los pobres negros del Sur.

Ay, la Marina y el Ejército.
Qué hacía la langosta con estos verdes campos,
con tanto pensamiento
como nos vino por el mar . . .

Ay, la Marina y el Ejército.
La mandíbula y la tenaza.
Silenciad ese aire
de los vientres hendidos,
de las piernas cortadas,
de los rostros sin piel.
Quemad esa película
donde se mata a un mismo niño
más de un millón de veces.

Me está doliendo el mundo en el bolsillo,
en el limón para la cena,
en el dije del brazalete.
No hay salvación, no hay puesto para todos.

Busco un tango argentino,
un joropo de Venezuela,
un jazz de Norteamérica,
pero las bombas.

Un poniente de siglos se abrió las venas.
Y el aire está, señores,
en toda latitud lloviendo sangre.

Apagad ese radio
donde agonizan las colmenas
porque ha llegado el reino de las plagas,
donde se oyen caer heridas,
cazadas en su fuga, las campanas.

No quiero respirar brazos de nadie,
ojos saltados de palomas,
corazones aullantes de mujeres,
dedos, uñas, cabellos de los niños.

Quiero puro este aire,
aire libre de América,
para escribir la nueva ley.

Pero,
me despiertan las bombas.

(De *Las torres desprevenidas*, 1940)

En *Colombia*, al grupo de « Los Nuevos » sucedió el de los « piedracelistas », así llamados por sus cuadernillos de poesía « Piedra y cielo ». Que tomaran el título de ese libro de poesía de Juan Ramón Jiménez fué ya una definición. Sin embargo, no hay sólo juanrramonismo, sino también nerudismo; y, sobre todo, hubo acentos singulares. Promotor de « Piedra y cielo » fué EDUARDO CARRANZA. El grupo estaba formado, además, por ARTURO CAMACHO RAMÍREZ, DARÍO SAMPER, TOMÁS VARGAS OSORIO, GERARDO VALENCIA, CARLOS MARTÍN y otros. Todos estos piedracelistas hacían poesía un poco como intelectuales: es decir, informándose inteligentemente sobre la poesía que hacían otros (los españoles Juan Ramón Jiménez, Salinas, Diego, Alberti, García Lorca y los americanos Huidobro y Neruda). Impusieron así un arte de sutilezas verbales y experiencias estéticas que hasta entonces había sido resistido por el público. Su función renovadora fué, pues, importante.

Como muestra del grupo piedracelista hemos seleccionado poesías de uno de los poetas de obra más duradera: JORGE ROJAS (1911). Su primer libro reveló, ya en el título, su adhesión a Juan Ramón Jiménez: *La forma de la huída*. Después fué sutilizando aun más su encanto verbal en *La ciudad sumergida* y *Rosa de agua* (1941).

Jorge Rojas

EN TIEMPOS DE CRISTAL

En tiempos de cristal que no te lleven,
serás como escultura de la fuga
— río sólo de orillas —.
Tendrás vuelo absoluto que no avanza:
ruta, partida y meta, confundidas,
serás omnipresente a las distancias.
Precederás al tiempo.
Donde vives,
llegarán las ofrendas de los días
con instantes marchitos,
— que eres playa eterna donde muere
el último oleaje del minuto
en las delgadas aguas de las horas —.
Serás como un escollo en los linderos
de lo creado y lo eterno.
Lo más alto y más puro y luminoso
del mundo de mentira
— este de abajo
que en su eclipse de vida
sólo calca el sendero de la muerte —
en el límite externo de tu esencia,
donde termina todo en tu principio,
se detendrá siquiera sin rozarte.
Sólo por ti o por mí, al borde mismo
de ti se abren los cielos.
Y en músicas de ti,
tú misma de ángel,
en presentes de siempre como espejos
será verdad la salvación del alma.

(De *La forma de su huída*, 1939)

SUBMAR

¿Será como el dolor ante los ojos
de enorme el mar? ¿Me quedaré suspenso
ante el rumor de sus profundas aguas
y extenderé en sus playas mi silencio?

¿Cómo serán los puertos? ¿Habrá velas
ensayando verónicas al viento,
redes al sol, y mudas agonías
de pescados sin mar en los anzuelos?

¿Tendrán los besos yodo y el abrazo
será también enredador y lento
como trampa de lianas en lo oscuro
de algún oscuro cabaret del puerto?

¿Habrá un enorme medio-sol al fondo
y gaviotas de espuma?, o el recuerdo
que tengo de las cosas nunca vistas
¿será mejor que el mar y que los puertos?

(De *Soledades*, 1948)

En *Ecuador* se oye la voz de JORGE CARRERA ANDRADE (1902). Nacido lejos de las rutas importantes del mundo, Carrera Andrade dejó su rincón y recorrió el mundo entero: escribió la poesía del viaje y, claro, la poesía del regreso a su tierra. Educado en un pueblo campesino y primitivo, buscó libros difíciles y se disciplinó con la literatura francesa: Hugo, Baudelaire, Francis Jammes, Jules Renard.

Románticos, simbolistas fueron sus maestros. No cedió al superrealismo de Breton o Eluard. Le interesaba la realidad inmediata, la de la conciencia y la de las cosas. Y, en efecto, su poesía es clara. Experimenta, cambia, se remoza, pero el hombre permanece claramente sentimental y así se lo ve en las distintas etapas recogidas en *Edades poéticas*, antología de 1922 a 1956 de donde se tomaron los poemas siguientes.

Jorge Carrera Andrade

EDICIÓN DE LA TARDE

La tarde lanza su primera edición de golondrinas
anunciando la nueva política del tiempo,
la escasez de las espigas de la luz,
los navíos que salen a flote en el astillero del cielo,
el almacén de sombras del poniente,
los motines y desórdenes del viento,
el cambio de domicilio de los pájaros,
la hora de apertura de los luceros.

La súbita defunción de las cosas
en la marea de la noche ahogadas,
los débiles gritos de auxilio de los astros
desde su prisión de infinito y de distancia,
la marcha incesante de los ejércitos del sueño
contra la insurrección de los fantasmas
y, al filo de las bayonetas de la luz, el orden nuevo
implantado en el mundo por el alba.

DICTADO POR EL AGUA

I

Aire de soledad, dios transparente
que en secreto edificas tu morada
¿en pilares de vidrio de qué flores?
¿sobre la galería iluminada
de qué río, qué fuente?
Tu santuario es la gruta de colores.
Lengua de resplandores
hablas, dios escondido,
al ojo y al oído.
Sólo en la planta, el agua, el polvo asomas
con tu vestido de alas de palomas
despertando el frescor y el movimiento.
En tu caballo azul van los aromas,
soledad convertida en elemento.

II

Fortuna de cristal, cielo en monedas,
agua, con tu memoria de la altura,
por los bosques y prados
viajas con tus alforjas de frescura
que guardan por igual las arboledas
y las hierbas, las nubes y ganados.
Con tus pasos mojados
y tu piel de inocencia
señalas tu presencia
hecha toda de lágrimas iguales,
agua de soledades celestiales.
Tus peces son tus ángeles menores
que custodian tesoros eternales
en tus frías bodegas interiores.

III

Doncel de soledad, oh lirio armado
por azules espadas defendido,
gran señor con tu vara de fragancia,
a los cuentos del aire das oído.
A tu fiesta de nieve convidado
el insecto aturdido de distancia
licor de cielo escancia,
maestro de embriagueces
solitarias a veces.
Mayúscula inicial de la blancura:
de retazos de nube y agua pura
está urdido tu cándido atavío
donde esplenden, nacidos de la altura,
huevecillos celestes del rocío.

IV

Sueñas, magnolia casta, en ser paloma
o nubecilla enana, suspendida
sobre las hojas, luna fragmentada.
Solitaria inocencia recogida
en un nimbo de aroma.
Santa de la blancura inmaculada.
Soledad congelada
hasta ser alabastro
tumbal, lámpara o astro.
Tu oronda frente que la luz ampara
es del calor del mundo la alquitara
donde esencia secreta extrae el cielo.
En nido de hojas que el verdor prepara
esperas resignada el don del vuelo.

V

Flor de amor, flor de ángel, flor de abeja,
cuerpecillos medrosos, virginales
con pies de sombra, amortajados vivos,
ángeles en pañales.
El rostro de la dalia tras su reja,
los nardos que arden en su albura, altivos,
los jacintos cautivos
en su torre delgada
de aromas fabricada,
girasoles, del oro buscadores:
lenguas de soledad, todas las flores
niegan o asienten según habla el viento
y en la alquimia fugaz de los olores
preparan su fragante acabamiento.

VI

¡De murallas que viste el agua pura
y de cúpula de aves coronado
mundo de alas, prisión de transparencia
donde vivo encerrado!
Quiere entrar la verdura
por la ventana a pasos de paciencia,
y anuncias tu presencia
con tu cesta de frutas, lejanía.
Mas, cumplo cada día,
Capitán del color, antiguo amigo
de la tierra, mi límpido castigo.
Soy a la vez cautivo y carcelero
de esta celda de cal que anda conmigo,
de la que, oh muerte, guardas el llavero.

(De *Edades poéticas*, 1958)

En el Perú, después de la gran figura de César Vallejo, aparecieron varias tendencias juveniles: poetas puros (CARLOS OQUENDO DE AMAT, MARTÍN ADÁN, XAVIER ABRIL, ENRIQUE PEÑA BARRENECHEA), poetas peruanistas, con el tema de la reivindicación del indio (ALEJANDRO PERALTA, LUIS FABIO XAMMAR), poetas políticos (MAGDA PORTAL).

Emilio Adolfo Westphalen

Uno de los nombres más notables, en el superrealismo peruano, es EMILIO ADOLFO WESTPHALEN (1911), autor de *Las ínsulas extrañas* (1933) y *Abolición de la muerte* (1935). Sus poemas rompen la estructura tradicional del verso y aun la estructura gramatical. Es como un polvo de palabras arrastrado por un oscuro soplo de emoción. El poeta, preocupado por el tiempo, la existencia, la muerte y el más allá, se expresa dejando en libertad las imágenes que le vienen, espontáneamente. En su primer libro la técnica superrealista es la del automatismo de la subconsciencia. En el segundo libro, sin abandonar el superrealismo, Westphalen ordena el flujo psíquico con más claridad.

HE DEJADO DESCANSAR . . .

He dejado descansar tristemente mi cabeza
en esta sombra que cae del ruido de tus pasos
vuelta a la otra margen
grandiosa como la noche para negarte
he dejado mis albas y los árboles arraigados a mi garganta
he dejado hasta la estrella que corría entre mis huesos
he abandonado mi cuerpo
como el náufrago abandona las barcas
o como la memoria al bajar la marea
algunos ojos extraños sobre las playas
he abandonado mi cuerpo
como un guante para dejar la mano libre
si hay que estrechar la gozosa púrpura de una estrella
no me oyes más leve que las hojas
porque me he librado de todas las ramas
y ni el aire me encadena
ni las aguas pueden contra mi sino
no me oyes venir más fuerte que la noche
y las puertas que se resisten a mi soplo
y las ciudades que callan para que no las aperciba
y el bosque que se abre como una mañana
que quiere estrechar el mundo entre sus brazos
bella ave que has de caer en el paraíso
ya los telones han caído sobre tu huída
ya mis brazos han cerrado las murallas
y las ramas inclinado para cerrarte el paso
corza frágil teme la tierra
teme el ruido de tus pasos sobre mi pecho
ya los cercos están enlazados
ya tu frente ha de caer bajo el pecho de mi ansia
ya tus ojos han de cerrarse sobre los míos
y tu dulzura brotarte como cuernos nuevos
y tu bondad extenderse como la sombra que me rodea
mi cabeza ha dejado rodar
mi corazón ha dejado caer
ya nada me queda para estar más seguro de alcanzarte
porque llevas prisa y tiemblas como la noche
la otra margen acaso no he de alcanzar
ya que no tengo manos que se cojan
de lo que está acordado para el perecimiento
ni pies que pesen sobre tanto olvido
de huesos muertos y flores muertas
la otra margen acaso no he de alcanzar
si ya hemos leído la última hoja
y la música ha empezado a trenzar la luz en que has de caer
y los ríos te cierran el camino
y las flores te llaman con mi voz
rosa grande ya es hora de detenerte
el estío suena como un deshielo por los corazones
y las alboradas tiemblan como los árboles al despertarse
las salidas están guardadas
rosa grande ¿no has de caer?

(De *Abolición de la muerte*, 1935)

Chile. PABLO NERUDA, cuyo verdadero nombre es Neftalí Ricardo Reyes (1904), ha marcado los pasos de su poesía. El primero es el de *La canción de la fiesta* (1921) y *Crepusculario* (1923). El segundo es el de *Veinte poemas de amor y una canción desesperada* (1924) y *Tentativa del hombre infinito* (1925). El tercero es el de *El hondero entusiasta* (1933), su *Residencia en la tierra* (t. I, poesías de 1925 a 1931; t. II, poesías de 1931 a 1935), *Las furias y las penas* (escrito en 1934 pero publicado en 1939). El cuarto es el de la *Tercera Residencia* (1947), *Canto general* (1950), *Odas elementales* (1954) y *Estravagario* (1958); el cuarto tomo de odas, *Navegaciones y regresos*, es de 1959. Intentemos una caracterización. 1) El tono es todavía modernista. Lenguaje convencional, formas tradicionales. En *Crepusculario* se asoma el Neruda original, pero todavía canta afinando la voz a otras voces del coro literario que prefiere; más aún, a veces calla y otras voces — la de su admirado Sabat Ercasty, sobre todo — son las que cantan en sus versos. En « Final » confiesa que « se mezclaron voces ajenas a las mías ». 2) Los *Veinte poemas* continúan en muchos modos a *Crepusculario;* parecen anteriores a *El hondero.* Versos más regulares, sencillos, contemplativos; imágenes no en erupción sino enlazadas en estructuras de sentido lógico; el ímpetu, contenido por el respeto al gusto literario tradicional. Es el primer libro personal de Neruda: menos literatura, más sinceridad en sus confidencias de enamorado. *Tentativa del hombre infinito* acusa voluntad de romper con el pasado. Verso, sintaxis, ortografía libres; comienza el caos de las palabras. 3) Ahora estamos frente al Neruda cabal. Nos mete en su volcán imaginativo. Poesía oscura porque el poeta no acaba de configurar sus intuiciones. Embriones, larvas, chispazos, gérmenes, conatos, amagos de expresión poética. En *Residencia* se enfrenta a su existencia y deja que su emoción quede hermética. No objetiva, no exterioriza sus sentimientos en una estructura comprensible para todos. Su tono se corre de la tristeza a la angustia; y su angustia arranca de una visión desolada del mundo y de la vida: muerte, derrumbe, fracaso, caos, sinsentido, ceniza, pulverización, ruina incesante, disgregación infinita. Como superrealista Neruda quería atrapar la vida profunda, mostrar su fluidez espontánea, sacar a luz los movimientos irreprimidos del subconsciente. El acto de poetizar le daba más placer que el contemplar un poema logrado. Leer a Neruda es deslizarse dentro del proceso creador de un poeta. 4) El espectáculo de la muerte y la injusticia en el aplastamiento militar de la república española despertó la conciencia política de Neruda: con *España en el corazón* (1937) comenzó a oírse su voz, cada vez menos hermética, cada vez más didáctica. De la *Tercera Residencia* al *Canto general* aumenta en la poesía de Neruda el espacio de la oratoria y disminuye la carga de imágenes líricas. Porque el poeta se exalta políticamente su verso se tranquiliza metafóricamente. Hay menos sorpresas porque ahora las metáforas surgen hiladas por conceptos y sentimientos universales. Neruda se convierte en militante comunista. Sin embargo, en « Alturas de Macchu Picchu », en « Canto general de Chile », se ve cómo el poderoso poeta que es Neruda, aun sacrificando su lirismo a la política, logra intensos poemas. En *Odas elementales* y *Nuevas odas elementales* es definitivo el rechazo de Neruda a su propio pasado. Su angustiosa visión de un mundo hundido en arenas movedizas, su trágica soledad, su altivo superrealismo quedan atrás: ahora el poeta quiere llegar, sencillamente, a los hombres sencillos.

Pablo Neruda

POEMA 20

Puedo escribir los versos más tristes esta noche.

Escribir, por ejemplo: « La noche está estrellada,
y tiritan, azules, los astros, a lo lejos. »

El viento de la noche gira en el cielo y canta.

Puedo escribir los versos más tristes esta noche.
Yo la quise, y a veces ella también me quiso.

En las noches como ésta la tuve entre mis brazos.
La besé tantas veces bajo el cielo infinito.

Ella me quiso, a veces yo también la quería.
¡Cómo no haber amado sus grandes ojos fijos!

Puedo escribir los versos más tristes esta noche.
Pensar que no la tengo. Sentir que la he perdido.

Oír la noche inmensa, más inmensa sin ella.
Y el verso cae al alma como al pasto el rocío.

¡Qué importa que mi amor no pudiera guardarla!
La noche está estrellada y ella no está conmigo.

Eso es todo. A lo lejos alguien canta. A lo lejos.
Mi alma no se contenta con haberla perdido.

Como para acercarla mi mirada la busca.
Mi corazón la busca, y ella no está conmigo.

La misma noche que hace blanquear los mismos árboles.
Nosotros, los de entonces, ya no somos los mismos.

Ya no la quiero, es cierto, pero cuánto la quise.
Mi voz buscaba al viento para tocar su oído.

De otro. Será de otro. Como antes de mis besos.
Su voz, su cuerpo claro. Sus ojos infinitos.

Ya no la quiero, es cierto, pero tal vez la quiero.
Es tan corto el amor, y es tan largo el olvido.

Porque en noches como ésta la tuve entre mis brazos,
mi alma no se contenta con haberla perdido.

Aunque éste sea el último dolor que ella me causa,
y éstos sean los últimos versos que yo le escribo.

(De *Veinte poemas de amor y una canción desesperada*, 1924)

BARCAROLA

Si solamente me tocaras el corazón,
si solamente pusieras tu boca en mi corazón,
tu fina boca, tus dientes,
si pusieras tu lengua como una flecha roja
allí donde mi corazón polvoriento golpea,
si soplaras en mi corazón, cerca del mar, llorando,
sonaría con un ruido oscuro; con sonido de ruedas de tren con sueño,
como aguas vacilantes,
como el otoño en hojas,
como sangre,
con un ruido de llamas húmedas quemando el cielo,
sonando como sueños o ramas o lluvias,
o bocinas de puerto triste;
si tú soplaras en mi corazón, cerca del mar,
como un fantasma blanco,
al borde de la espuma,
en mitad del viento,
como un fantasma desencadenado, a la orilla del mar, llorando.
Como ausencia extendida, como campana súbita,
el mar reparte el sonido del corazón,
lloviendo, atardeciendo, en una costa sola,
la noche cae sin duda,
y su lúgubre azul de estandarte en naufragio
se puebla de planetas de plata enronquecida.

Y suena el corazón como un caracol agrio,
llama, oh mar, oh lamento, oh derretido espanto
esparcido en desgracias y olas desvencijadas:
de lo sonoro el mar acusa
sus sombras recostadas, sus amapolas verdes.

Si existieras de pronto, en una costa lúgubre,
rodeada por el día muerto,
frente a una nueva noche,
llena de olas,
y soplaras en mi corazón de miedo frío,
soplaras en su movimiento de paloma con llamas,
sonarían sus negras sílabas de sangre,
crecerían sus incesantes aguas rojas,
y sonaría, sonaría a sombras,
sonaría como la muerte,
llamaría como un tubo lleno de viento o llanto
o una botella echando espanto a borbotones.

Así es, y los relámpagos cubrirían tus trenzas
y la lluvia entraría por tus ojos abiertos
a preparar el llanto que sordamente encierras,
y las alas negras del mar girarían en torno
de ti, con grandes garras, y graznidos, y vuelos.

¿Quieres ser fantasma que sople, solitario,
cerca del mar su estéril, triste instrumento?

Si solamente llamaras,
su prolongado son, su maléfico pito,
su orden de olas heridas,
alguien vendría acaso,
alguien vendría,
desde las cimas de las islas, desde el fondo rojo
del mar,
alguien vendría, alguien vendría.

Alguien vendría, sopla con furia,
que suene como sirena de barco roto,
como lamento,
como un relincho en medio de la espuma y la sangre,
como un agua feroz mordiéndose y sonando.

En la estación marina
su caracol de sombra circula como un grito,
los pájaros del mar lo desestiman y huyen,
sus listas de sonido, sus lúgubres barrotes
se levantan a orillas del océano solo.

(De *Residencia en la tierra*, 2, [1931-1935])

TENTATIVA DEL HOMBRE INFINITO

(*Fragmento*)

No sé hacer el canto de los días
sin querer suelto el canto la alabanza de las noches
pasó el viento latigándome la espalda alegre saliendo de su huevo
descienden las estrellas a beber al océano
tuercen sus velas verdes grandes buques de brasa
para qué decir eso tan pequeño que escondes canta pequeño
los planetas dan vuelta como husos entusiastas giran
el corazón del mundo se repliega y estira
con voluntad de columna y fría furia de plumas
oh los silencios campesinos claveteados de estrellas
recuerdo los ojos caían en ese pozo inverso
hacia donde ascendía la soledad de todo los ruidos espantados
el descuido de las bestias durmiendo sus duros lirios
preñé entonces la altura de mariposas negras mariposa medusa
aparecían estrépitos humedad nieblas
y vuelto a la pared escribí
oh noche huracán muerto resbala tu oscura lava
mis alegrías muerden tus tintas
mi alegre canto de hombre chupa tus duras mamas
mi corazón de hombre se trepa por tus alambres
exasperado contento mi corazón que danza
danza en los vientos que limpian tu color
bailador asombrado en las grandes mareas que hacen surgir el alba.

(De *Tentativa del hombre infinito*, 1926)

ALTURAS DE MACCHU PICCHU[1]

(*Fragmento*)

VI

Entonces en la escala de la tierra he subido
entre la atroz maraña de las selvas perdidas
hasta ti, Macchu Picchu.

Alta ciudad de piedras escalares,
por fin morada del que lo terrestre
no escondió en las dormidas vestiduras.
En ti, como dos líneas paralelas,
la cuna del relámpago y del hombre
se mecían en un viento de espinas.

Madre de piedra, espuma de los cóndores.

Alto arrecife de la aurora humana.

Pala perdida en la primera arena.

Ésta fué la morada, éste es el sitio:
aquí los anchos granos del maíz ascendieron
y bajaron de nuevo como granizo rojo.

Aquí la hebra dorada salió de la vicuña
a vestir los amores, los túmulos, las madres,
el rey, las oraciones, los guerreros.

Aquí los pies del hombre descansaron de noche
junto a los pies del águila, en las altas guaridas
carniceras, y en la aurora
pisaron con los pies del trueno la niebla enrarecida,
y tocaron las tierras y las piedras
hasta reconocerlas en la noche o la muerte.

Miro las vestiduras y las manos,
el vestigio del agua en la oquedad sonora,
la pared suavizada por el tacto de un rostro
que miró con mis ojos las lámparas terrestres,
que aceitó con mis manos las desaparecidas
maderas: porque todo, ropaje, piel, vasijas,
palabras, vino, panes,
se fué, cayó a la tierra.

Y el aire entró con dedos
de azahar sobre todos los dormidos;
mil años de aire, meses, semanas de aire,
de viento azul, de cordillera férrea,
que fueron como suaves huracanes de pasos
lustrando el solitario recinto de la piedra.

(De *Canto general*, 1950)

1. ciudad-fortaleza de los antiguos incas en el Perú, situada en una roca entre dos montañas de la cordillara andina.
2. montaña en la península del mismo nombre en la Arabia, donde, según la Biblia, Moisés recibió de Dios la Tablas de la Ley.

ODA AL DICCIONARIO

Lomo de buey, pesado
cargador, sistemático
libro espeso:
de joven
te ignoré, me vistió
la suficiencia
y me creí repleto,
y orondo como un
melancólico sapo
dictaminé: « Recibo
las palabras
directamente
del Sinaí[2] bramante.
Reduciré
las formas a la alquimia.
Soy mago. »

El gran mago callaba.

El Diccionario,
viejo y pesado, con su chaquetón
de pellejo gastado,
se quedó silencioso
sin mostrar sus probetas.

Pero un día,
después de haberlo usado
y desusado,
después
de declararlo
inútil y anacrónico camello,
cuando por largos meses, sin protesta,
me sirvió de sillón
y de almohada,
se rebeló y plantándose
en mi puerta
creció, movió sus hojas
y sus nidos,
movió la elevación de su follaje:
árbol
era,
natural,
generoso
manzano, *manzanar* o *manzanero*,
y las palabras
brillaban en su copa inagotable,
opacas o sonoras,
fecundas en la fronda del lenguaje,
cargadas de verdad y de sonido.

Aparto una
sola de
sus
páginas:
Caporal,
Capuchón
qué maravilla
pronunciar estas sílabas
con aire,
y más abajo
Cápsula
hueca, esperando aceite o ambrosía,
y junto a ellas
Captura Capucete Capuchina
Caprario Captatorio
palabras
que se deslizan como suaves uvas
o que a la luz estallan
como gérmenes ciegos que esperaron
en las bodegas del vocabulario
y viven otra vez y dan la vida:
una vez más el corazón las quema.

Diccionario, no eres
tumba, sepulcro, féretro,
túmulo, mausoleo,
sino preservación,
fuego escondido,
plantación de rubíes,
perpetuidad viviente
de la esencia,
granero del idioma.
Y es hermoso
recoger en tus filas
la palabra
de estirpe,
la severa
y olvidada
sentencia,
hija de España,
endurecida
como reja de arado,
fija en su límite
de anticuada herramienta,
preservada
con su hermosura exacta
y su dureza de medalla.
O la otra palabra
que allí vimos perdida
entre renglones
y que de pronto
se hizo sabrosa y lisa en nuestra boca.

Diccionario, una mano
de tus mil manos, una
de tus mil esmeraldas,
una
sola
gota
de tus vertientes virginales,
un grano
de
tus
magnánimos graneros
en el momento
justo
a mis labios conduce,
al hilo de mi pluma,
a mi tintero.
De tu espesa y sonora
profundidad de selva,
dame,
cuando lo necesite,
un solo trino, el lujo
de una abeja,
un fragmento caído
de tu antigua madera perfumada
por una eternidad de jazmineros,
una
sílaba,
un temblor, un sonido,
una semilla:
de tierra soy y con palabras canto.

(De *Nuevas odas elementales*, 1955)

ODA A UNAS FLORES AMARILLAS

Contra el azul moviendo sus azules,
el mar, y contra el cielo,
unas flores amarillas.

Octubre llega.

Y aunque sea
tan importante el mar desarrollando
su mito, su misión, su levadura,
estalla
sobre la arena el oro
de una sola
planta amarilla
y se amarran
tus ojos
a la tierra,
huyen del magno mar y sus latidos.

Polvo somos, seremos.

Ni aire, ni fuego, ni agua
sino
tierra,
sólo tierra
seremos
y tal vez
unas flores amarillas.

(De *Libro tercero de las odas*, 1957)

En *Paraguay* HERIB CAMPOS CERVERA (1908-1953) dejó un solo libro: *Ceniza redimida* (1950). Llegó tarde, y por eso algunas de sus imágenes superrealistas no alcanzaron a sorprender a lectores no paraguayos; pero, dentro del Paraguay, CAMPOS CERVERA inicia un movimiento que será continuado por AUGUSTO ROA BASTOS, ELVIO ROMERO y otros. Es poeta sin alegrías. Estremecido por presentimientos de muerte y herido por los dolores del mundo, Campos Cervera vaciló entre una poesía de íntimo valor confesional y otra al servicio social. Escribió desterrado de su patria, desgarrado de sus amigos; y sus mejores composiciones no fueron las que se inspiraron en episodios de la guerra, la política, el trabajo, la vida colectiva o en temas eróticos, sino la que expresó, líricamente, su nostalgia (« Un puñado de tierra ») y su recuerdo de un amigo perdido (« Pequeña letanía en voz baja »).

Herib Campos Cervera

UN PUÑADO DE TIERRA

I

Un puñado de tierra
de tu profunda latitud;
de tu nivel de soledad perenne;
de tu frente de greda
cargada de sollozos germinales.

Un puñado de tierra,
con el cariño simple de sus sales
y su desamparada dulzura de raíces.

Un puñado de tierra que lleve entre sus labios
la sonrisa y la sangre de tus muertos.

Un puñado de tierra
para arrimar a su encendido número
todo el frío que viene del tiempo de morir.

Y algún resto de sombra de tu lenta arboleda
para que me custodie los párpados de sueño.

Quise de Ti tu noche de azahares;
quise tu meridiano caliente y forestal;
quise los alimentos minerales que pueblan
los duros litorales de tu cuerpo enterrado,
y quise la madera de tu pecho.

Eso quise de Ti
— Patria de mi alegría y de mi duelo;
eso quise de Ti.

II

Ahora estoy de nuevo desnudo.
Desnudo y desolado
sobre un acantilado de recuerdos;
perdido entre recodos de tinieblas.
Desnudo y desolado;
lejos del firme símbolo de tu sangre.
Lejos.

No tengo ya el remoto jazmín de tus estrellas,
ni el asedio nocturno de tus selvas.
Nada: ni tus días de guitarra y cuchillos,
ni la desmemoriada claridad de tu cielo.

Solo como una piedra o como un grito
te nombro y, cuando busco
volver a la estatura de tu nombre,
sé que la Piedra es piedra y que el Agua del río
huye de tu abrumada cintura y que los pájaros
usan el alto amparo del árbol humillado
como un derrumbadero de su canto y sus alas.

III

Pero así, caminando, bajo nubes distintas;
sobre los fabricados perfiles de otros pueblos,
de golpe, te recobro.

Por entre soledades invencibles,
o por ciegos caminos de música y trigales,
descubro que te extiendes largamente a mi lado,
con tu martirizada corona y con tu limpio
recuerdo de guaranias y naranjos.

Estás en mí: caminas con mis pasos,
hablas por mi garganta; te yergues en mi cal
y mueres, cuando muero, cada noche.

Estás en mí con todas tus banderas;
con tus honestas manos labradoras
y tu pequeña luna irremediable.

Inevitablemente
— con la puntual constancia de las constelaciones —
vienen a mí, presentes y telúricas:
tu cabellera torrencial de lluvias;
tu nostalgia marítima y tu inmensa
pesadumbre de llanuras sedientas.

Me habitas y te habito:
sumergido en tus llagas,
yo vigilo tu frente que muriendo, amanece.

Estoy en paz contigo;
ni los cuervos ni el odio
me pueden cercenar de tu cintura:
yo sé que estoy llevando tu Raíz y tu Suma
sobre la cordillera de mis hombros.

Y eso tengo de Ti.
Un puñado de tierra:
eso quise de ti.

PEQUEÑA LETANÍA EN VOZ BAJA

Elegiré una Piedra.
Y un Árbol.
Y una Nube.
Y gritaré tu nombre
hasta que el aire ciego que te lleva
me escuche.
(En voz baja.)

Golpearé la pequeña ventana del rocío;
extenderé un cordaje de cáñamo y resinas;
levantaré tu lino marinero
hasta el Viento Primero de tu Signo,
para que el Mar te nombre.
(En voz baja.)

Te lloran: cuatro pájaros;
un agobio de niños y de títeres;
los jazmines nocturnos de un patio paraguayo.
Y una guitarra coplera.
(En voz baja.)

Te llaman:
todo lo que es humilde bajo el cielo;
la inocencia de un pedazo de pan;
el puñado de sal que se derrama
sobre el mantel de un pobre;
la mirada sumisa de un caballo,
y un perro abandonado.
Y una carta.
(En voz baja.)

Yo también te he llamado,
en mi noche de altura y de azahares.
(En voz baja.)

Sólo tu soledad de ahora y siempre
te llamará, en la noche y en el día.
En voz alta.

ENVÍO

Hermano:
te buscaré detrás de las esquinas.
Y no estarás.

Te buscaré en la nube de los pájaros.
Y no estarás.

Te buscaré en la mano de un mendigo.
Y no estarás.

Te buscaré también
en la Inicial Dorada de un Libro de Oraciones.
Y no estarás.

Te buscaré en la noche de los gnomos.
Y no estarás.

Te buscaré en el aire de una caja de músicas.
Y no estarás.

(Te buscaré en los ojos de los Niños.
Y allí estarás).

(De *Ceniza redimida*, 1950)

Jorge Luis Borges

Argentina. En la literatura argentina de estos años el primer nombre, por su calidad, por su influencia, debe ser el de JORGE LUIS BORGES (1899). Había vivido en Suiza (y también en España) en los años de la guerra: regresó a Buenos Aires en 1921. Su cultura literaria era asombrosa. Más asombrosa aún su lucidez. Con los años esa cultura, esa lucidez se han enriquecido tanto que a veces, más que asombrarnos, nos perturban como el espectáculo de una locura nueva. Comenzó con dos ritos: el responso al « rubendarismo », el bautismo al « ultraísmo ». Cuando más maduro decidió enterrar también al ultraísmo no quiso recurrir a ningún otro rito: simplemente lo dejó caer en un hoyo, lo cubrió con la mejor literatura de que fué capaz — y fué el más capaz de toda esta generación — y allí cultivó su huerto de extraños frutos. Cuando en 1932 habló de « el ultraísta muerto cuyo fantasma sigue habitándome » ya no supimos cuándo se le había muerto. Sí sabemos que se arrepintió de haber elaborado « áridos poemas de la secta, de la equivocación ultraísta ». « Reducción de la lírica a su elemento primordial: la metáfora » había sido su primera fórmula. Afortunadamente no la obedeció en sus poemarios *Fervor de Buenos Aires* (1923), *Luna de enfrente* (1925), *Cuaderno San Martín* (1929), recogidos junto con « otras composiciones » en su volumen *Poemas* (1954). Metáforas, sí, y cada una con « su visión inédita de algún fragmento de la vida », para decirlo con palabras del Borges ultraísta. Pero estas metáforas no fueron ni primordiales ni reducidoras de su lirismo. Hay algo más que meras metáforas en su canto ante la íntima belleza que descubría en la vida argentina, en las casas, patios y calles de Buenos Aires, en los lances de la historia, en las caminatas por el suburbio, en la pampa entrevista por la ciudad, en un almacén sonrosado o en un zaguán. La imaginación de Borges vive cada impresión de sus sentidos hasta prolongarla en tramas fabulosas y alegóricas. Su inteligencia va y viene sin perderse por los laberintos de la sofística. La cultura de Borges, alimentada con lo que reconoce como valioso en todos los pueblos y épocas, hace más notable el criollismo de su poesía. Sin embargo, aun sus poesías de tema humildemente criollo están armadas por dentro con esquemas intelectuales de la filosofía universal. Lo dijo en *El fervor de Buenos Aires:* su lírica estaba « hecha de aventuras espirituales ». En « El truco » (de ese poemario) está, por ejemplo, la idea, tan favorita de Borges, de que los hombres son un solo hombre. En Borges la metafísica y la lírica son una misma cosa. Sus ensayos, ricos en inquisiciones — *Inquisiciones*, *Otras inquisiciones* — y, sobre todo, sus cuentos, le aseguran el más alto lugar en la literatura contemporánea: *Historia universal de la infamia* (1935), *Ficciones* (1944), *El Aleph* (1949). (La edición de sus « obras completas » agrega cuentos nuevos.) Quien se lo propusiera podría señalar la constelación de narradores a que pertenece Borges. Ideas, situaciones, desenlaces, arte de engañar al lector, sí, todo tiene un aire de familia: Chesterton, Kafka y diez más. Pero Borges, en esa constelación, es estrella de primera magnitud. Ha escrito por lo menos dos o tres cuentos que no tienen parangón en nuestra literatura: « Tlön, Uqbar, Orbis Tertius », « Funes el memorioso », « Las ruinas circulares ». Su pasión por el juego nos poetiza problemas de crítica, de lógica, de gnoseología y metafísica. Por ejemplo, en « Las ruinas circulares » Borges lleva a sus últimas consecuencias la hipótesis del idealismo (Berkeley *et al*), según la cual la conciencia es la que crea la realidad. Aquí un hombre, con la materia de sus sueños, inventa a otro hombre, para descubrir al final que él, a su vez, tampoco es real: una conciencia más poderosa lo está soñando. El universo es un laberinto multiplicándose en el infinito, y los hombres andamos perdidos, complicando el caos con nuestros propios laberintos mentales.

UN PATIO

Con la tarde
se cansaron los dos o tres colores del patio.
La gran franqueza de la luna llena
ya no entusiasma su habitual firmamento.
Patio, cielo encauzado.
El patio es el declive

1. cementerio del Norte, en Buenos Aires. 2. la iglesia del Socorro. 3. casas de vecindad. 4. ejecuciones en tiempo del tirano Rosas (1829-1852).

por el cual se derrama el cielo en la casa.
Serena
la eternidad espera en la encrucijada de estrellas.
Lindo es vivir en la amistad oscura
de un zaguán, de una parra y de un aljibe.

(De *Fervor de Buenos Aires*, 1923)

AMOROSA ANTICIPACIÓN

Ni la intimidad de tu frente clara como un fiesta
ni la privanza de tu cuerpo, aún misterioso y tácito y de niña,
ni la sucesión de tu vida situándose en palabras o acallamiento
serán favor tan persuasivo de ideas
como el mirar tu sueño implicado
en la vigilia de mis ávidos brazos.
Virgen milagrosamente otra vez por la virtud absolutoria del sueño,
quieta y resplandeciente como una dicha en la selección del recuerdo,
me darás esa orilla de tu vida que tú misma no tienes.
Arrojado a quietud,
divisaré ese playa última de tu ser
y te veré por primera vez quizás,
como Dios ha de verte,
desbaratada la ficción del Tiempo,
sin el amor, sin mí.

(De *Luna de enfrente*, 1925)

LA RECOLETA[1]

Aquí es pundonorosa la muerte,
aquí es la recatada muerte porteña,
la consanguínea de la duradera luz venturosa
del atrio del Socorro[2]
y de la ceniza minuciosa de los braseros
y del fino dulce de leche de los cumpleaños
y de las hondas dinastías de patios.
Se acuerdan bien con ella
esas viejas dulzuras y también los viejos rigores.

Tu frente es el pórtico valeroso
y la generosidad del viejo árbol
y la dicción de pájaros que aluden, sin saberlo, a la muerte
y el redoble, endiosador de pechos, de los tambores
en los entierros militares;
tu espalda, los tácitos conventillos[3] del norte
y el paredón de las ejecuciones rosistas.[4]

Crece en disolución bajo los sufragios de mármol
la nación irrepresentable de muertos
que se deshumanizaron en tu niebla
desde que María de los Dolores Maciel, niña del Uruguay
— simiente de tu jardín para el cielo —
se durmió, tan poca cosa, en tu descampado.

Pero yo quiero demorarme en el pensamiento
de las livianas flores que son tu comentario piadoso
— suelo amarillo bajo las acacias de tu costado,
flores izadas a conmemoración en tus mausoleos —
y en el porqué de tu vivir gracioso y dormido
junto a las terribles reliquias de los que amamos.

Dije el problema y diré también su palabra:
Siempre las flores vigilaron la muerte,
porque siempre los hombres incomprensiblemente supimos
que su existir dorado y gracioso
es el que mejor puede acompañar a los que murieron
sin ofenderlos con soberbia de vida,
sin ser más vida que ellos.

(De *Muertes de Buenos Aires*, en *Poemas* [1922-1943], 1943)

LAS RUINAS CIRCULARES

And if he left off dreaming about you . . .

Through the Looking-Glass, VI[5]

Nadie lo vió desembarcar en la unánime noche, nadie vió la canoa de bambú sumiéndose en el fango sagrado, pero a los pocos días nadie ignoraba que el hombre taciturno venía del Sur y que su patria era una de las infinitas aldeas que están aguas arriba, en el flanco violento de la montaña, donde el idioma zend[6] no está contaminado de griego y donde es infrecuente la lepra. Lo cierto es que el hombre gris besó el fango, repechó la ribera sin apartar (probablemente sin sentir) las cortaderas que le dilaceraban las carnes y se arrastró, mareado y ensangrentado, hasta el recinto circular que corona un tigre o caballo de piedra, que tuvo alguna vez el color del fuego y ahora el de la ceniza. Ese redondel es un templo que devoraron los incendios antiguos, que la selva palúdica ha profanado y cuyo dios no recibe honor de los hombres. El forastero se tendió bajo el pedestal. Lo despertó el sol alto. Comprobó sin asombro que las heridas habían cicatrizado; cerró los ojos pálidos y durmió, no por flaqueza de la carne sino por determinación de la voluntad. Sabía que ese templo era el lugar que requería su invencible propósito; sabía que los árboles incesantes no habían logrado estrangular, río abajo, las ruinas de otro templo propicio, también de dioses incendiados y muertos; sabía que su inmediata obligación era el sueño. Hacia la medianoche lo despertó el grito inconsolable de un pájaro. Rastros de pies descalzos, unos higos y un cántaro le advirtieron que los hombres de la región habían espiado con respeto su sueño y solicitaban su amparo o temían su magia. Sintió el frío del miedo y buscó en la muralla dilapidada un nicho sepulcral y se tapó con hojas desconocidas.

El propósito que lo guiaba no era imposible, aunque sí sobrenatural. Quería soñar un hombre:

5. *A través del espejo*, la obra de Lewis Carroll (1832-1898), autor de *Alicia en el país de las Maravillas*. 6. zendo, idioma usado antiguamente en ciertas provincias de Persia. 7. el gnosticismo es un sistema filosófico, cuyos partidarios pretendían poseer un conocimiento completo y trascendental de la naturaleza y atributos de Dios. 8. según los gnósticos, alma universal, principio activo del mundo, mediador ante lo infinito y lo finito.

quería soñarlo con integridad minuciosa e imponerlo a la realidad. Ese proyecto mágico había agotado el espacio entero de su alma; si alguien le hubiera preguntado su propio nombre o cualquier rasgo de su vida anterior, no habría acertado a responder. Le convenía el templo inhabitado y despedazado, porque era un mínimo de mundo visible; la cercanía de los labradores también, porque éstos se encargaban de subvenir a sus necesidades frugales. El arroz y las frutas de su tributo eran pábulo suficiente para su cuerpo, consagrado a la única tarea de dormir y soñar.

Al principio, los sueños eran caóticos; poco después fueron de naturaleza dialéctica. El forastero se soñaba en el centro de un anfiteatro circular que era de algún modo el templo incendiado: nubes de alumnos taciturnos fatigaban las gradas; las caras de los últimos pendían a muchos siglos de distancia y a una altura estelar, pero eran del todo precisas. El hombre les dictaba lecciones de anatomía, de cosmografía, de magia: los rostros escuchaban con ansiedad y procuraban responder con entendimiento, como si adivinaran la importancia de aquel examen, que redimiría a uno de ellos de su condición de vana apariencia y lo interpolaría en el mundo real. El hombre, en el sueño y en la vigilia, consideraba las respuestas de sus fantasmas, no se dejaba embaucar por los impostores, adivinaba en ciertas perplejidades una inteligencia creciente. Buscaba un alma que mereciera participar en el universo.

A las nueve o diez noches comprendió con alguna amargura que nada podía esperar de aquellos alumnos que aceptaban con pasividad su doctrina y sí de aquellos que arriesgaban, a veces, una contradicción razonable. Los primeros, aunque dignos de amor y de buen afecto, no podían ascender a individuos; los últimos preexistían un poco más. Una tarde (ahora también las tardes eran tributarias del sueño, ahora no velaba sino un par de horas en el amanecer) licenció para siempre el vasto colegio ilusorio y se quedó con un solo alumno. Era un muchacho taciturno, cetrino, díscolo a veces, de rasgos afilados que repetían los de su soñador. No lo desconcertó por mucho tiempo la brusca eliminación de sus condiscípulos; su progreso, al cabo de unas pocas lecciones particulares, pudo maravillar al maestro. Sin embargo, la catástrofe sobrevino. El hombre, un día, emergió del sueño como de un desierto viscoso, miró la vana luz de la tarde que al pronto confundió con la aurora y comprendió que no había soñado. Toda esa noche y todo el día, la intolerable lucidez del insomnio se abatió contra él. Quiso explorar la selva, extenuarse; apenas alcanzó entre la cicuta unas rachas de sueño débil, veteadas fugazmente de visiones de tipo rudimental: inservibles. Quiso congregar el colegio y apenas hubo articulado unas breves palabras de exhortación, éste se deformó, se borró. En la casi perpetua vigilia, lágrimas de ira le quemaban los viejos ojos.

Comprendió que el empeño de modelar la materia incoherente y vertiginosa de que se componen los sueños es el más arduo que puede acometer un varón, aunque penetre todos los enigmas del orden superior y del inferior: mucho más arduo que tejer una cuerda de arena o que amonedar el viento sin cara. Comprendió que un fracaso inicial era inevitable. Juró olvidar la enorme alucinación que lo había desviado al principio y buscó otro método de trabajo. Antes de ejercitarlo, dedicó un mes a la reposición de las fuerzas que había malgastado el delirio. Abandonó toda premeditación de soñar y casi acto continuo logró dormir un trecho razonable del día. Las raras veces que soñó durante ese período, no reparó en los sueños. Para reanudar la tarea, esperó que el disco de la luna fuera perfecto. Luego, en la tarde, se purificó en las aguas del río, adoró los dioses planetarios, pronunció las sílabas lícitas de un nombre poderoso y durmió. Casi inmediatamente, soñó con un corazón que latía.

Lo soñó activo, caluroso, secreto, del grandor de un puño cerrado, color granate en la penumbra de un cuerpo humano aun sin cara ni sexo; con minucioso amor lo soñó, durante catorce lúcidas noches. Cada noche lo percibía con mayor evidencia. No lo tocaba; se limitada a atestiguarlo, a observarlo, tal vez a corregirlo con la mirada. Lo percibía, lo vivía, desde muchas distancias y muchos ángulos. La noche catorcera rozó la arteria pulmonar con el índice y luego todo el corazón, desde afuera y adentro. El examen lo satisfizo. Deliberadamente no soñó durante una noche: luego retomó el corazón, invocó el nombre de un planeta y emprendió la visión de otro de los órganos principales. Antes de un año llegó al esqueleto, a los párpados. El pelo innumerable fué tal vez la tarea más difícil. Soñó un hombre íntegro, un mancebo, pero éste no se incorporaba ni hablaba ni podía abrir los ojos. Noche tras noche, el hombre lo soñaba dormido.

En las cosmogonías gnósticas,[7] los demiurgos[8] amasan un rojo Adán que no logra ponerse de pie; tan inhábil y rudo y elemental como ese Adán de polvo era el Adán de sueño que las noches del mago habían fabricado. Una tarde, el hombre casi destruyó toda su obra, pero se arrepintió. (Más le hubiera valido destruirla). Agotados los votos a los númenes de la tierra y del río, se arrojó a los pies de la efigie que tal vez era un tigre y tal vez un potro, e imploró su desconocido socorro. Ese crepúsculo, soñó con la estatua. La soñó viva, trémula: no era un atroz bastardo de tigre y potro, sino a la vez esas dos criaturas vehementes y también un toro, una rosa, una tempestad. Ese múltiple dios le reveló que su nombre terrenal era Fuego, que en ese templo circular (y en otros iguales) le habían rendido sacrificios y culto y que mágicamente animaría al fantasma soñado, de suerte que todas las criaturas, excepto el Fuego mismo y el soñador, lo pensaran un hombre de carne y hueso. Le ordenó que una vez instruído en los ritos, lo enviara al otro templo despedazado cuyas pirámides persisten aguas abajo, para que alguna voz lo glorificara en aquel edificio desierto. En el sueño del hombre que soñaba, el soñado se despertó.

El mago ejecutó esas órdenes. Consagró un plazo (que finalmente abarcó dos años) a descubrirle los arcanos del universo y del culto del fuego. Íntimamente, le dolía apartarse de él. Con el pretexto de la necesidad pedagógica, dilataba cada día las horas dedicadas al sueño. También rehizo el hombro derecho, acaso deficiente. A veces, lo inquietaba una impresión de que ya todo eso había acontecido . . . En general, sus días eran felices; al cerrar los ojos pensaba: *Ahora estaré con mi hijo.* O, más raramente: *El hijo que he engendrado me espera y no existirá si no voy.*

Gradualmente, lo fué acostumbrando a la realidad. Una vez le ordenó que embanderara una cumbre lejana. Al otro día, flameaba la bandera en la cumbre. Ensayó otros experimentos análogos, cada vez más audaces. Comprendió con cierta amargura que su hijo estaba listo para nacer — y tal vez impaciente. Esa noche lo besó por primera vez y lo envió al otro templo cuyos despojos blanquean río abajo, a muchas leguas de inextricable selva y de ciénaga. Antes (para que no supiera nunca que era un fantasma, para que se creyera un hombre como los otros) le infundió el olvido total de sus años de aprendizaje.

Su victoria y su paz quedaron empañadas de hastío. En los crepúsculos de la tarde y del alba, se prosternaba ante la figura de piedra, tal vez imaginando que su hijo irreal ejecutaba idénticos ritos, en otras ruinas circulares, aguas abajo; de noche no soñaba, o soñaba como lo hacen los demás hombres. Percibía con cierta palidez los sonidos y formas del universo: el hijo ausente se nutría de esas disminuciones de su alma. El propósito de su vida estaba colmado; el hombre persistió en una suerte de éxtasis. Al cabo de un tiempo que ciertos narradores de su historia prefieren computar en años y otros en lustros, lo despertaron dos remeros a medianoche: no pudo ver sus caras, pero le hablaron de un hombre mágico en un templo del Norte, capaz de hollar el fuego y de no quemarse. El mago recordó bruscamente las palabras del dios. Recordó que de todas las criaturas que componen el orbe, el fuego era la única que sabía que su hijo era un fantasma. Ese recuerdo, apaciguador al principio, acabó por atormentarlo. Temió que su hijo meditara en ese privilegio anormal y descubriera de algún modo su condición de mero simulacro. No ser un hombre, ser la proyección del sueño de otro hombre (qué humillación incomparable, qué vértigo). A todo padre le interesan los hijos que ha procreado (que ha permitido) en una mera confusión o felicidad; es natural que el mago temiera por el porvenir de aquel hijo, pensado entraña por entraña y rasgo por rasgo, en mil y una noches secretas.

El término de sus cavilaciones fué brusco, pero lo prometieron algunos signos. Primero (al cabo de una larga sequía) una remota nube en un cerro, liviana como un pájaro; luego, hacia el Sur, el cielo que tenía el color rosado de la encía de los leopardos; luego las humaredas que herrumbraron el metal de las noches; después la fuga pánica de las bestias. Porque se repitió lo acontecido hace muchos siglos. Las ruinas del santuario del dios del fuego fueron destruídas por el fuego. En un alba sin pájaros el mago vió cernirse contra los muros el incendio concéntrico. Por un instante, pensó refugiarse en las aguas, pero luego comprendió que la muerte venía a coronar su vejez y a absolverlo de sus trabajos. Caminó contra los jirones de fuego. Éstos no mordieron su carne, éstos lo acariciaron y lo inundaron sin calor y sin combustión. Con alivio, con humillación, con terror, comprendió que él también era una apariencia, que otro estaba soñándolo.

(De *Ficciones*, 1956)

PRINCIPALMENTE PROSA

Nuestro propósito en las primeras páginas de este capítulo fué compendiar la producción en verso. Claro que tuvimos que dar relación de las obras en prosa que también escribieron los poetas mentados. De aquí en adelante nos proponemos compendiar la producción en prosa y, naturalmente, tendremos que dar relación de los versos escritos por cuentistas, novelistas y comediógrafos. Muchas novelas salieron tranquilamente, con factura ochocentista; y si la modificaban era con gentileza tal que la modificación pasaba inadvertida. El realismo francés y el realismo ruso retenían todavía su clientela. Pero más o menos hacia 1930 empezaron a tener efectos sobre Hispanoamérica los cambios de la novelística europea. Francia siguió siendo el centro exportador del nuevo arte de novelar, de Rusia la figura que siguió creciendo era la de Dostoievsky, pero ahora se agregan Alemania e Inglaterra (los Estados Unidos — Faulkner, Hemingway — influirán unos pocos años más tarde; Italia, después de la segunda guerra mundial; España — Benjamín Jarnés y sus coetáneos — no ofrecía nada que pudiera influir). La novela francesa parecía una brújula borracha. Proust, Gide, Mauriac, Duhamel, Romains, Thérive, Giraudoux, Cocteau, Green, Jaloux, Fournier, Martin du Gard, Montherlant invitaban a la aventura señalando simultáneamente a todos los puntos de un horizonte circular . . . Alemania había sido, de 1910 a 1920, el laboratorio de la novela expresionista. En vez del impresionismo, que había querido anotar los golpes de la realidad exterior sobre los sentidos del escritor, ahora se fomentó la energía creadora del escritor, que hacía retroceder la naturaleza a golpes de imaginación, inteligencia, voluntad, emociones e instintos. Y ese escritor se rebelaba contra la sociedad de su tiempo, la juzgaba, la condenaba y ponía en crisis las tradiciones, no sólo las viejas, como las religiosas, sino también las recientes, como la del liberalismo del siglo XIX. El radicalismo ni era sólo político ni se quedaba en la desintegración social: se ahondaba en ideas sobre el destino del hombre, su culpa y su redención, su trágica condición, sus fracasos y renovadas embestidas. Se parecía al naturalismo en la brutalidad y arrojo con que se ponía en contacto con las cosas más torvas, pero lo que primaba era la simbolización de la naturaleza, no su fotografía. En los años treinta y tantos se leían en Hispanoamérica relatos de Franz Werfel, Arnold Zweig, Leonhard Frank, Franz Kafka (y se veían en el teatro obras de Franz Wedekind, Ernst Toller, Georg Kaiser). Hemos citado autores de lengua alemana porque de Alemania partió el Expresionismo; pero ya dijimos que esa convulsión artística era universal, y a América llegó de todas partes. La novela inglesa empezó en algunos círculos de lectores a sustituir la francesa: D. H. Lawrence con su instintivo desafío a la civilización; Aldous Huxley el super-intelectual; la evanescente y monologante Virginia Woolf con sus morosos desplazamientos en el tiempo; y sobre todo James Joyce, el más revolucionario en la técnica de la novela, con su Dublín interiorizado en puro flujo psíquico. Los hispano-americanos de estos años, pues, escribieron novelas cuando el consenso general era que la novela se había deshecho. Se había roto su arquitectura. Los planos se derrumbaban. No había orden en los episodios. No había identidad en los personajes. No había a veces nada que contar. La preocupación por el tiempo convertía el espacio en que transcurría la novela en una pura metáfora; o hacía renunciar a la cronología de los hechos para presentar simultáneamente vidas distintas o momentos distintos de la misma vida. El punto de vista era móvil, imprevisible, microscópico y telescópico, localizado y ubicuo. La lengua se hacía imperial, y ni un vocablo, ni el más soez, ni el más culto, ni el más neologístico, le fué ajeno. En Hispanoamérica ningún novelista presentó un cuadro completo de estos experimentos técnicos, pero en muchos se reconocen experimentos sueltos: Yáñez, Labrador Ruiz, Novás Calvo, Torres Bodet, Marechal, Mallea, Uslar Pietri, Carpentier . . .

Jaime Torres Bodet

JAIME TORRES BODET (México; 1902) entró en la literatura con un libro de versos: *Fervor*, 1918, prologado por González Martínez. Sus gustos eran todavía convencionales, respetuosos del simbolismo francés y del modernismo hispánico. Poco a poco, en diálogo con los « contemporáneos », y hojeando la *Revista de Occidente* y *La Nouvelle Revue Française*, fué entendiendo la algarabía de su tiempo: Gide, Proust, Joyce, Antonio Machado, Dostoiewsky, Cocteau, Juan Ramón Jiménez, Giraudoux, Ortega y Gasset, Morand, Soupault, Girard, Lacretelle, Jouhandeau, Jarnés . . . De 1922 a 1925 había publicado siete volúmenes de versos: de ellos seleccionó los mejores en *Poesías* (1926). De pronto, sin abandonar el verso, se entusiasmó por la prosa. Escribió ensayos (*Contemporáneos*, 1928), pero a sus pasajes de empeño los encontramos en forma de narración: *Margarita de Niebla* (1927), en la que un mínimo de argumento sostenía juegos de sensibilidad y fantasía entre dos muchachas y un joven profesor, que es quien cuenta; *Proserpina rescatada* (1931), también « arte deshumanizado », donde los personajes andan como bengalas y arden en frases chisporroteantes; y *Nacimiento de Venus y otros relatos* (entre 1928 y 1931, pero publicados en 1941), cuyas primeras páginas — sobre la náufraga Lidia — tienen la fría y bella luz de una vidriera en una elegante tienda, en la avenida más lujosa de la ciudad. Después Torres Bodet ha viajado por todo el mundo, con importantes cargos oficiales y ha seguido escribiendo libros de versos (*Sin tregua*, 1957), de ensayos (*Tres inventores de realidad*, 1955), de memorias (*Tiempo de arena*, 1955). Pero sus mejores momentos fueron aquellos humorísticamente frívolos, irónicamente líricos, referidos a estados muy agudos del espíritu. Era una literatura de tono menor, más europea que mexicana, sin contaminaciones de la política o la moral. La escena del naufragio de Lidia, en el cuento que va a leerse, está inmovilizada: no es acción humana lo que ha de encontrarse, sino un despliegue, en abanico, de frases muy cultas e imaginativas que hay que saber gustar, una por una.

1. isla de Grecia, célebre por la victoria de Temístocles contra los persas en 480 antes de J. C. 2. Demóstenes, el famoso orador griego, se curó de su tartamudez declamando largos trozos con la boca llena de piedrecillas, frente al mar. 3. Teseo, rey de Atenas, entró en el laberinto de Creta y guiado por el hilo de Ariadna, mató al Minotauro, monstruo que se alimentaba de carne humana. 4. el sobrino de César, que con Octavio y Lépido, formó el segundo triunvirato, tuvo amores con Cleopatra reina de Egipto y fué vencido por Octavio en el año 31. Vivió de 83 a 30 antes de J.C. 5. rey de Persia de 485 a 465 antes de J. C., vencido en Salamina por Temístocles. 6. ninfa, reina de la isla de Ogigia en el mar Jonio, que acogió a Ulises naufragado y le retuvo varios años en su isla. 7. mujer de Ulises que durante la ausencia de su esposo rechazó a todos sus pretendientes bajo el ardid de que elegiría a uno cuando hubiera acabado un lienzo que estaba bordando; pero deshacía por la noche el trabajo del día, para no tener que ser infiel a aquél.

NACIMIENTO DE VENUS

En el torbellino de las acciones, en el oleaje de la vida, ondulo subiendo y bajando, me agito de un lado para otro. Nacimiento y muerte, océanos. Actividad cambiante, vida: así trabajo yo tejiendo, sobre el telar del tiempo, el ropaje de mis dioses.
Goethe, *Fausto*

I

Una ola tiránica, civilizadora, elocuente. Otra ola concisa, psicológica, cerebral.

Una ola del Mediterráneo, pesada como una túnica; teatral y sonante como un coturno. Una ola con coraza, para llevar a Cartago la noticia de una derrota de Aníbal o devolver a Corinto el recuerdo de una crueldad de Nerón. Sin miedo y sin largueza. Avara y valiente. Supersticiosa e incrédula. Una ola para guerreros, para latifundistas . . . Un pedazo de espuma absolutamente romano.

Pero, en seguida, ese rizo de agua de ritmo claro y alegre. Esa ola desnuda, que acompasó con los remos el canto de Salamina.[1] La que no se olvidó de incrustar en la playa, sobre la arena, a la hora justa, esa guija inocente, lisa y redonda, en que se pulía la tartamudez de Demóstenes.[2] Sin sangre, sin lágrimas, sin epítetos . . . Esa ola griega.

¿Paralelo de historia antigua? ¿Tema para el examen de algún bachillerato brillante? Sin metáforas, de una extremidad a otra de la antítesis, la cabellera rubia de Lidia se despeinaba. Un poco, aquí, sobre la ola de Grecia. Otro poco, allí, sobre la ola de Roma. De sus guedejas pendían, no sin desorden, como de la red en que tiembla una pesca magnífica, la media luna de la frente perfecta, las oblicuas almendras de los ojos cerrados, el dulce balbuceo de una boca todavía implorante, el hoyuelo de la barba sin mácula, y, con los pechos desnudos, los hombros, los brazos, el vientre: toda la nieve indispensable para el naufragio de una mujer.

Porque aquella estatua había sido narcotizada para el naufragio por los doctores de una clínica milagrosa. Se advertía, desde luego, el millón de litros de espuma que debieron usar para cerrarle los párpados, para descubrirle el pecho, para interrumpirle la blanda respiración . . . ¿El grito de qué marinos frente a la muerte había quedado ululando en esas orejas? El Mediterráneo se aproximó a escuchar aquella alarma del hombre con el mismo recelo, con la misma devota actitud con que oyen los niños, en las volutas de las caracolas, el gemido de las mareas encarceladas. Asombrado a su vez de la angustia en que podía sumergir a los seres, el mar histórico no sabía de qué ola valerse para llevar a la orilla ese cuerpo desnudo. Todas las que, de pronto, le subían a la cabeza se hallaban contaminadas por cierta gloria, por cierta hazaña, por cierta inútil, amarga, pero ya inevitable, celebridad. Dorada, fresca, alazana con riendas de música, esta misma había conducido a Teseo hasta el Minotauro.[3] No le servía. Aquélla, en la adolescencia, se había dejado violar por la galera de Marco Antonio.[4] ¿Cómo cargarla, ahora, con un fardo tan leve?

¡Infelicidad de llamarse Neptuno! Toda una bella guirnalda de rosas latinas se le enredaba aún a los brazos. Sólo que, con los siglos, las que fueron flores fragantes habían tenido que endurecerse, que reducirse: resultaban simples gotas de púrpura, sobre una lisa rama de coral.

Olas azotadas por Jerjes,[5] acariciadas por Calipso,[6] tejidas o destejidas por Penélope,[7] ninguna convenía al tamaño y a la blancura reales de Lidia. Demasiados héroes, demasiadas diosas, demasiados poetas las habitaban. Por más que pretendiese ahondar en sí mismo, el Mediterráneo no conseguía sino promover esa ola conocida, verdadera joya de cultura, que lame en las alegorías marinas de los museos la firma de Rubens, el sol de Tiziano, el nombre del Veronés. ¿A cuál no le sobraba un endecasílabo, una proa, un tridente, la servidumbre y el símbolo de una divinidad? Bellini había ya uncido a aquélla para la estela de su « Venecia, Emperadora del Mundo ». A ésta, Horacio la había hecho caber, con cólera y perlas, en la breve copa metálica de una Oda. Otras, menos augustas, se conformaban con haber ofrecido un modelo a los cinceles de Canova, un matiz a la paleta del Greco, una inspiración melancólica a los lápices castos de Lamartine.

Por eso, entre dos civilizaciones, el cuerpo entero de Lidia oscilaba, como un pelele. Los pies sobre Atenas. La cabeza hacia Roma. Una gaviota sin patria, sin religión, sin enigmas — una gaviota que no tenía, en las alas, una sola pluma de mármol — vino a posarse sobre su pecho. Llevaba en cada pata una estrella. Le sorprendió, de improviso, el latido de una sangre invisible. Era el cuerpo de Lidia . . .

La escultura no estaba muerta. Orgullosa de

perder un cadáver — de ganar una virgen —, la gaviota abrió alegremente las alas. Se echó otra vez a volar.

II

El viejo azul rumoroso llevaba con infinitas precauciones a Lidia, como si la creyera en verdad una barca de lujo. Súbitamente, los líquidos brazos que la enlazaran se hicieron sólidos. Cada poro del agua se convirtió en grano de arena. Cada burbuja en concha. La gran frescura del mar la abandonó por completo. De su hermoso viaje de náufraga no le quedaban, de pronto, sino esa sandalia de espuma en el pie derecho y, en los hombros, esa blanda fatiga, ese tierno deseo: el deseo y la fatiga que dejan, en el cuerpo de ciertas mujeres, los sueños demasiado profundos.

Abrió los ojos. ¡Con qué millones de manos la estaba palpando la Tierra! Ni un árbol, ni un pájaro, ni un candelabro de límpidos lirios había olvidado la cita. ¿Qué playa era esa, profusa, que por todas partes la reclamaba? Sí, no podía negarlo: era el aire. Un abanico de plumas imponderables le repartió la luz, las sombras, sobre los valles y las colinas del cuerpo. ¿De qué país venía ese temblor luminoso? Lidia lo ignoraba, recién nacida de dieciocho años esbeltos; dueña de esa dentadura jovial de treinta y seis iguales diamantes; propietaria de dos manos de albastro, de veinte garras de ónix, de un par de pies felices y distintos: el izquierdo, un poco menos rojo en la planta; el derecho, con una sandalia de espuma anudada al talón.

Como después de una guerra — como bajo una ducha —, lo primero que hizo fué su inventario. Estaba completa. Rápidamente, se acarició las rodillas, los brazos, la nuca, la cabellera. Llegada a tal extremo de sí misma, se interrumpió. En efecto, por grande y frutada que una náufraga se imagine, la cabellera es siempre el punto de la mujer en que principia la música. Cabellos. Ondas. Celajes . . . Temerosa de volver a perderse por aquel lado, Lidia dejó de pulsarse los rizos. Más que la contemplación de su cuerpo, aquel horror a salir de sí misma la traicionaba. ¡Qué delicia, volver a sentirse los límites! Cuando creía ya ser de goma, de agua, de algo tan flexible, elástico y vagabundo como el pensamiento, la tierra la insertaba de nuevo en un marco preciso, indudable, susceptible de comprobación.

Debían ser, apenas, las once de la mañana. El hundimiento del *Urania* había ocurrido a las seis. Su aventura con el mar duró sólo cinco horas. De ellas, no recordaba sino los primeros minutos: el rostro colérico del capitán Reynolds, inmovilizado por la tormenta como por un ataque de apoplejía; la voz de aquella intérprete — mistress Maidens — que afirmaba a todos, en cuatro idiomas distintos, la misma violenta y monótona incapacidad de morir.

III

Órdenes. Gritos. Sollozos. Imprecaciones. Blasfemias.

Lo último que había oído sonar de humano en aquel tumulto no era la campana de a bordo llamando a rebato, frente al océano, para sofocar el incendio; ni el gemido de la sirena en la bruma; ni el compacto chasquido de la ola sobre las escotillas; ni siquiera ese altavoz anacrónico de la radio que, en plena tormenta, se había puesto a transmitir un minué.

El último en apagarse de todos los ruidos de aquella noche, en los oídos de Lidia, fué el tic-tac de su reloj de pulsera, corazón del tiempo tranquilo, extraviado en la alarma de todas las cosas, en el prólogo de todas las violencias; breve disco de plata en cuya órbita las horas bien alineadas — como las categorías sociales representadas en los escaños de un Parlamento monárquico, frente al golpe de Estado que va a proclamar la República —, no se enlazaban sino al recuerdo de una dicha burguesa, al servicio de una costumbre, al compromiso y al ocio de una comodidad. ¿Qué sabían ellas, en su gloria perenne de cifras, del escandaloso accidente de cóleras que vendría a desquiciar el futuro? Acostumbradas a acompañar a Lidia en los juegos, en los olvidos y en las ausencias de una joven millonaria, ¿cómo podían prever aquel desenlace? Estaban, sin embargo, allí, signos aparentemente inmóviles — las cuatro, las cinco, las siete, las once, las doce —, ordenadas sobre la esfera del reloj, como los violines, las arpas, las flautas de una orquesta todavía sin músicos. A través de aquellos instrumentos de Conservatorio, puntuales y modestos, no se habían expresado hasta entonces sino el caudal de una sinfonía aristocrática, la intención de un concierto doméstico. ¡Qué otros se anunciaban en la voluntad y en el ritmo, los nuevos compases! Lidia se hacía cargo del sentido implacable de aquella transposición. Y, como el director de orquesta que, antes de atacar la obertura magnífica de la *Heroica*, refuerza el flanco de los trombones y de los címbalos, trataba ella de conceder a los números de aquellas « seis menos cuarto » todos los ecos posibles, todas las resonancias, todas las armas de música indispensables a matizar, en su compleja armonía, la majestad del peligro.

¡Las seis menos cuarto! ¿Por qué razón los más grandes acontecimientos nos asaltan, siempre, a la hora en que nos encontramos menos dispuestos para vencerlos? ¡Si, al menos, el *Urania* hubiera podido prolongar su agonía de máquina delirante hasta las nueve menos veinticinco, hasta las doce en punto o hasta las tres y media de la tarde! Porque las nueve menos veinticinco, las doce en punto y las tres y media de la tarde eran horas grabadas ya por la angustia para la fantasía de Lidia, pues a las tres y media de una tarde de junio había visto morir a su madre en un Sanatorio de Yaling, y a las nueve menos veinticinco de una mañana de agosto le había sido entregado, en Stanford, su diploma de *Master of Arts*. Todo cuanto le aconteciese en lo sucesivo a aquellas horas — el matrimonio, la muerte — le parecería natural y justificado. Es cierto que, a las doce en punto, nada grave le había aún ocurrido. Mas, al criterio de sus sentidos particularmente astronómicos, las doce en punto resultaban, en realidad, el centro palpable del tiempo, la almendra del día, el rincón de los meses, las horas y los minutos en que todo cambio de régimen puede mostrarse: lo mismo para los planetas que para los hombres. Revoluciones, eclipses, enfermedades, naufragios ¿cómo cerrar a lo imprevisto esas puertas tan fáciles de las doce? Lidia se había educado en la idea de no temer sino al fruto de aquellas horas solemnes, marcadas de antemano por el destino. Pero, burlando todas sus confianzas, allí estaba de nuevo la angustia. ¡Y cómo llamaba a su alma, en la hora menos temida! A las seis menos cuarto.

Las agujas de su pequeño cronómetro se lo indicaban, con un ángulo recto, sobre la esfera. Quince minutos. Noventa grados. Matemáticos trozos de un arco ideal en que todas las zozobras eran posibles y en que aquélla — la de la muerte — no parecía ya ni más cuantiosa ni más modesta que otras; igual en su pequeñez o en su enormidad relativas a otro punto cualquiera del círculo: imperceptible salto de aguja sobre la trayectoria del tiempo . . .

IV

¡Qué abismos, qué omisiones inexplicables contiene la pedagogía! Se nos enseña a ser justos, benévolos, corteses, a no confundir las Cruzadas con las Guerras Púnicas, a no comer el pescado con el tenedor de las carnes, a extraer la raíz cuadrada de un número primo, a medir el paralaje de un astro, a leer en latín a Virgilio, en italiano a Leopardi, a Pascal en francés. Pero ¿quién se interesa por enseñarnos el gesto y el ademán elegantes que pudieran hacernos felices en el instante de un naufragio?

Viendo en torno suyo la agitación de esos seres que bajaban y subían las escaleras, abrían y cerraban los camarotes, lloraban y reían sin pausa, Lidia reflexionó en la necesidad de establecer una cátedra nueva en los Institutos. ¿Cómo llamarla? Los profesores, en ella, no estarían obligados sino a proporcionar a los alumnos ciertas reglas precisas para morir con donaire. El título de un ensayo de Montaigne vino a encantarle el oído: filosofar, aprender a morir . . . ¡Cuánto estoicismo cabe, a veces, en la ironía de un epicúreo! Si hubiera tenido a mano algún cuaderno de notas, habría apuntado allí mismo esa idea. Pero la lucidez de su entendimiento no se lograba imponer todavía en sus músculos. Mientras ya la razón la instalaba en el ambiente de las abstracciones escépticas, a un paso nada más del inmoralismo, el temor de morir le ataba a los pies y a las manos menudos grilletes irónicos: los mismos que la muerte ataría a los pies y a las manos de la más ignorante de las sirvientas.

Un talonario de cheques. Un broche de rubíes. Un espejo. ¿De qué habrían de servirle esas baratijas fuera de los límites de la propia existencia? El martillo más duro — el crisol más ardiente — no podrían extraer un solo glóbulo rojo, una sola gota de sangre humana, de la sangre inhumana de los rubíes. En cuanto al espejo, ¿cómo recobrar en él todos los perdidos rasgos del rostro, una vez que el agua del océano lo oxidase en los ojos, en los dientes, en los cabellos, en todas las huellas miserables del animal?

Sin embargo, impelida por la fiebre de resumirse — de llevarse a sí propia, completa, en distintos objetos —, Lidia comenzó a acomodar en la maletilla las cosas más dispares. El peine de carey que le había regalado el médico de a bordo. El frasco de perfume adquirido a una vendedora morisca en el « Palacio africano » de una Exposición Internacional. Ese libro de horas, porque no era religiosa y le encantaban los relieves sensuales de las iniciales miniadas. Aquel collar de ámbar, porque Gerardo le había dicho que le sentaba bien a los nervios, como si cada una de sus cuentas, efectivamente, fuese una cápsula de bromuro. El calzador, porque no llevaría zapatillas. Aquel vestido de baile porque, como no le oprimía los senos, le permitiría nadar con mayor libertad. Destino de las enciclopedias: cuando lo tuvo todo reunido, la maletilla le pareció inutilizable. La escondió bajo la litera. Una vez más se cumplía esa ley por cuyos preceptos las camas constituyen, en todas partes, el cementerio de las pasiones, el relicario de las culturas.

Un golpe inmenso. Un disparo en las sienes. Un crujido de toda la cala estallante. Aquello, seguramente, era el naufragio. Juntó las manos. Cerró la boca. Apretó con heroísmo las piernas. Donde otras mujeres no hubiesen podido evitar una postura declamatoria, una confidencia de miedo o un esguince de danza, Lidia elegía con primor aquel continente exiguo, sin soluciones de continuidad entre músculo y músculo, compacto el cuerpo y difícil a la inmersión como el granito coherente de una escultura. *Je hais le mouvement qui déplace les lignes*,[8] repitió varias veces, en voz baja, con arrebato en que el clasicismo resultaba casi romántico. Todo para ella se convertía, frente a la muerte, en cuestión de elegancia. Morir. ¿Quién no lo hará, por lo menos, una vez en la vida? Pero el problema no reside en morir. Lo esencial está en pasar con fluidez de una realidad a otra.

Sentada en el sillón de su camarote cerrado, Lidia dejaba que la muerte llamase a la puerta suavemente, sin irritarse, con la pasividad respetuosa de una doncella.

V

Naufragar, en otros tiempos, debió ser oficio para inocentes. Lidia no lo poseía.

Durante los primeros minutos, una fuerza desconcertante, inicua, una atracción espesa del mar la había llamado hacia el fondo. Oscura solicitud de todas las células, abdicación de los músculos, tranquilo otoño del cuerpo lacio que se deshoja . . En los oídos, silbante, una orquesta de agua. Un acuario en los ojos. En los tobillos unidos, el peso de una cascada invisible, de una cadena de bronce. Al postrer eslabón, el mundo. Pequeño y rápido, como una burbuja. Pesado y rápido, como una bala.

Pero el mar no quiso vencerla. Acostumbrado a las diosas, le inspiraban miedo las vírgenes. De joven, es cierto, las había perseguido con astucias, con fiebre, con sensual optimismo de fauno. Ahora, cuando — por circunstancias incomprensibles — alguna llegaba a perderse en sus ondas, prefería respetarla, devolverla a la orilla.

El primer pensamiento de Lidia, frente al espectáculo de sus sentidos recuperados, fué de extrañeza. Alguien, a partir de esa hora — dios o elemento —, podría con justicia enorgullecerse de desdeñarla. Cerró los ojos. El mar le había adelgazado los párpados. La luz penetró hasta su alma, como una espina, atravesando pantallas de niebla.

Tenía frío, hambre, pereza, deseo de variar posturas. Se llevó la mano derecha a las sienes. Apoyó la izquierda en las rodillas. ¿Sería aquélla la posición que un pintor del Renacimiento hubiese elegido para Afrodita en el cuadro de su nacimiento?[9] No lo creía. Faltaban los tritones. Por primera vez no imitaba su movimiento el modelo de alguna estatua, de alguna tela famosa. Por primera vez, desde una fecha que no sabía precisarse, su cuerpo advertía en sí mismo una vida profunda, espontánea, capaz de expresarse a sí propia en formas originales.

¿Qué hacer, entonces, con ese mundo de poesía que se entregaba tan dulcemente a su antojo? ¿Cómo distribuir esos árboles, ese sol, esos trinos, esa naturaleza magnánima que la erigía por todas partes reina? Las nubes, las selvas, los pájaros, todo cuanto encierra una voz, un color o un volumen, le pertenecía. Con sólo abrir la mano podía inventar una forma. Con sólo aquietar el oído, cerrar los ojos, podía prolongar una música. El perfume del lirio, la canción de los vientos, el oro aterciopelado y caliente del litoral, eran suyos. Suya esa gaviota, que ni siquiera veía, pero del reposo de cuyas alas inmóviles conservaba aún, en el cuello, un lunado reflejo de nácar. Suyos los caminos ruidosos que llevan a las grandes ciudades. Y los senderos que buscan a tientas, entre bosques, la huella de los pequeños poblados. Y las veredas, acaso todavía más lentas, más íntimas, que no conducen ya a ninguna parte. Suya la aldea de rojos techos, en que no existe sino una vaca y la

8. « detesto el movimiento que desplaza las líneas », verso de un poema de Charles Baudelaire, « La Beauté », incluído en « *Les fleurs du mal* » (1857). 9. el « Nacimiento de Venus » de Botticelli (1447-1510).

joyería de cristales crueles en que viven, con vida inimitable, cien mil linajes distintos de perlas o de topacios. El canto del grillo en la madrugada. La bocina del automóvil que transporta un millón de claveles a la perfumería. Y la monotonía de los trigos. Y el grito de la amapola que nace sin saber cómo, en el campo, del fondo de una vieja lata de sardinas abandonada. Suyo. Suya. Suyos.

Cobrada así de golpe, la vida resultaba demasiado opulenta. ¿Qué hacer con tantos tesoros? ¿En qué labor invertirlos? Sí, lo reconocía: nacer es una dicha menos completa aún que salvarse; pero mucho menos incómoda . . .

Lebrel enjuto, dócil, de fina lengua doméstica, el sueño de la tierra reconocida comenzaba a lamerle las manos.

(De *Nacimiento de Venus y otros relatos,* 1941)

Miguel Ángel Asturias

Centroamérica. Poeta y novelista es Miguel Ángel Asturias (Guatemala; 1899). Publicó su propia antología *Poesía. Sien de alondra* (1949). Allí se ven sus cambios estéticos: poesías bucólicas, aldeanas, de emoción viajera, de retorno a lo vernáculo, populares. Pero sus novelas le han dado más fama. *El señor Presidente* (1941) describe la vida enferma — moralmente enferma — de un país hispanoamericano. No lo menciona, y el lector no tiene derecho a suponer que es Guatemala puesto que toda nuestra América sufre de las mismas lacras. Novela amarguísima, no sólo porque el autor la escribe con amargura, sino también porque el lector la lee amargado por ese espantoso cuadro de miserias. La novela, sin embargo, no es realista, sino esperpéntica, para usar una palabra que aplicaríamos también al *Tirano Banderas* de Valle Inclán. Asturias describe por acumulación de rasgos, metáforas. Como Quevedo, no desdeña ningún lado de la lengua. Se complace en multiplicar palabras. A veces, recursos deliberadamente feos. *Hombres de maíz* (1949) son relatos de los que se puede extraer un tema social: la lucha entre los indios guatemaltecos, que siembran el maíz sólo para alimento, y los criollos que lo siembran para negocio, empobreciendo las tierras con su codicia. En la trilogía de sus últimas novelas hay un predominio de lo sociológico sobre lo novelesco puro: *Viento fuerte* (1950), *El Papa Verde* (1954) y *Los ojos de los enterrados.* Novela de franca intención política es *Week-end en Guatemala* (1957). A pesar de su acento de protesta contra la injusticia, Asturias envuelve siempre sus narraciones con un hálito de poesía. El vigor de su imaginación, la audacia con que complica la estructura interior del relato, el lirismo violento o enternecido con que evoca las tierras de América han asegurado a Asturias una posición de privilegio en las letras hispanoamericanas.

Las páginas de Asturias que reproducimos a continuación pertenecen a la primera etapa de su carrera literaria, cuando en París, bajo la dirección de Georges Raynaud —el traductor del *Popol Vuh*—, se especializaba en estudios antropológicos sobre la civilización de los Mayas. Elaborando con imágenes propias esa mágica visión de la realidad, publicó en 1930 las *Leyendas de Guatemala.*

LEYENDA DE LA TATUANA[1]

Ronda por casa Mata la Tatuana . . .

El Maestro Almendro tiene la barba rosada, fué uno de los sacerdotes que los hombres blancos tocaron creyéndolos de oro, tanta riqueza vestían, y sabe el secreto de las plantas que lo curan todo, el vocabulario de la obsidiana — piedra que habla — y leer los jeroglíficos de las constelaciones.

Es el árbol que amaneció un día en el bosque donde está plantado, sin que ninguno lo sembrara, como si lo hubieran llevado los fantasmas. El árbol que anda[2] . . . El árbol que cuenta los años de cuatrocientos días por las lunas que ha visto, que ha visto muchas lunas, como todos los árboles, y que vino ya viejo del Lugar de la Abundancia.[3]

Al llenar la luna del Buho-Pescador (nombre de uno de los veinte meses del año de cuatrocientos días), el Maestro Almendro repartió el alma entre los caminos. Cuatro eran los caminos y se marcharon por opuestas direcciones hacia las cuatro extremidades del cielo. La negra extremidad: Noche sortílega. La verde extremidad: Tormenta primaveral. La roja extremidad: Guacamayo o éxtasis de trópico. La blanca extremidad: Promesa de tierras nuevas. Cuatro eran los caminos.

— ¡Caminín! ¡Caminito! . . . — dijo al Camino Blanco una paloma blanca, pero el Caminito Blanco no la oyó. Quería que le diera el alma del Maestro, que cura de sueños. Las palomas y los niños padecen de ese mal.

— ¡Caminín! ¡Caminito! . . . — dijo al Camino Rojo un corazón rojo; pero el Camino Rojo no lo oyó. Quería distraerlo para que olvidara el alma del Maestro. Los corazones, como los ladrones, no devuelven las cosas olvidadas.

— ¡Caminín! ¡Caminito! . . . — dijo al Camino Verde un emparrado verde, pero el Camino Verde no lo oyó. Quería que con el alma del Maestro le desquitase algo de su deuda de hojas y de sombra.

¿Cuántas lunas pasaron andando los caminos?
¿Cuántas lunas pasaron andando los caminos?

El más veloz, el Camino Negro,[4] el camino al que ninguno habló en el camino, se detuvo en la ciudad, atravesó la plaza y en el barrio de los mercaderes, por un ratito de descanso, dió el alma del Maestro al Mercader de Joyas sin precio.

Era la hora de los gatos blancos. Iban de un lado a otro. ¡Admiración de los rosales! Las nubes parecían ropas en los tenderos del cielo.

Al saber el Maestro lo que el Camino Negro había hecho, tomó naturaleza humana nuevamente, desnudándose de la forma vegetal en un riachuelo que nacía bajo la luna, ruboroso como una flor de almendro, y encaminóse a la ciudad.

Llegó al valle después de una jornada, en el primer dibujo de la tarde, a la hora en que volvían los rebaños, conversando a los pastores, que contestaban monosilábicamente a sus preguntas, extrañados, como ante una aparición, de su túnica verde y su barba rosada.

En la ciudad se dirigió a Poniente. Hombres y mujeres rodeaban las pilas públicas. El agua sonaba a besos al ir llenando los cántaros. Y guiado por las sombras, en el barrio de los mercaderes encontró la parte de su alma vendida por el Camino Negro al Mercader de Joyas sin precio. La guardaba en el fondo de una caja de cristal con cerradores de oro.

Sin perder tiempo se acercó al Mercader, que en un rincón fumaba, a ofrecerle por ella cien arrobas de perlas.

El Mercader sonrió de la locura del Maestro.

1. O, como debe haber sido primitivamente, de la Tatuada, por tratarse de un tatuaje que tiene la virtud mágica de hacer invisible a la persona, y, por tanto, de ayudar a los presos a evadirse de las más guardadas cárceles. En el fondo, creo que se trata de la repetición de la leyenda de Chimalmat, la diosa que en la mitología quiché se torna invisible por encantamiento. 2. En el Popol Vuh (biblia quiché) se habla de árboles que crecen (« y crecen de tal modo que no se puede descender de ellos, algunos hasta trasportan así al cielo a quienes llegaron a su cima »). El maestro Almendro es un « árbol que anda », y la recta interpretación de esta manera de hablar puede ser de un movimiento hacia el cielo, hacia las nubles. Un árbol anda creciendo y engrosando. 3. uno de los sitios edénicos de la América media, por otro nombre conocido con el de Tulan o Tul-lan. 4. Antes de llegar a Xibalbá, lugar de la desaparición, del desvanecimiento, de la muerte, se cruzaban cuatro caminos, a saber: el camino rojo, el camino verde, el camino blanco y el camino negro, que, efectivamente, de los cuatro, era el de Xibalbá el que halagaba el orgullo de los viajeros para atraérselos, diciéndoles que era el camino del rey, que era el camino del jefe. 5. venado. 6. camisa sin mangas de las indias. Es una prenda femenina de mucho colorido. Sobre la tela tosca, el bordado en sedas de matices vivos, estiliza los motivos primitivos ornamentales más graciosos: pájaros, venados, conejos, etc. (Güipil o huipil, indistintamente). (*Notas del autor.*)

¿Cien arrobas de perlas? ¡No, sus joyas no tenían precio!

El Maestro aumentó la oferta. Los mercaderes se niegan hasta llenar su tanto. Le daría esmeraldas, grandes como maíces, de cien en cien almudes, hasta formar un lago de esmeraldas.

El Mercader sonrió de la locura del Maestro. ¿Un lago de esmeraldas? ¡No, sus joyas no tenían precio!

Le daría amuletos, ojos de namik[5] para llamar el agua, plumas contra la tempestad, mariguana para su tabaco . . .

El Mercader se negó.

¡Le daría piedras preciosas para construir, a medio lago de esmeraldas, un palacio de cuento!

El Mercader se negó. Sus joyas no tenían precio, y, además ¿a qué seguir hablando? —, ese pedacito de alma lo quería para cambiarlo, en un mercado de esclavas, por la esclava más bella.

Y todo fué inútil, inútil que el Maestro ofreciera y dijera, tanto como lo dijo, su deseo de recobrar el alma. Los mercaderes no tienen corazón.

Una hebra de humo de tabaco separaba la realidad del sueño, los gatos negros de los gatos blancos y al Mercader del extraño comprador, que al salir sacudió sus sandalias en el quicio de la puerta. El polvo tiene maldición.

Después de un año de cuatrocientos días — sigue la leyenda — cruzaba los caminos de la cordillera el Mercader. Volvía de países lejanos, acompañado de la esclava comprada con el alma del Maestro, del pájaro flor, cuyo pico trocaba en jacintos las gotitas de miel, y de un séquito de treinta servidores montados.

— ¡No sabes — decía el Mercader a la esclava, arrendando su caballería — cómo vas a vivir en la ciudad! ¡Tu casa será un palacio y a tus órdenes estarán todos mis criados, yo el último, si así lo mandas tú!

— Allá — continuaba con la cara a mitad bañada por el sol — todo será tuyo. ¡Eres una joya, y yo soy el Mercader de Joyas sin precio! ¡Vales un pedacito de alma que no cambié por un lago de esmeraldas! . . . En una hamaca juntos veremos caer el sol y levantarse el día, sin hacer nada, oyendo los cuentos de una vieja mañosa que sabe mi destino. Mi destino, dice, está en los dedos de una mano gigante, y sabrá el tuyo, si así lo pides tú.

La esclava se volvía al paisaje de colores diluídos en azules que la distancia iba diluyendo a la vez. Los árboles tejían a los lados del camino una caprichosa decoración de güipil.[6] Las aves daban la impresión de volar dormidas, sin alas, en la tranquilidad del cielo, y en el silencio de granito, el jadeo de las bestias, cuesta arriba, cobraba acento humano.

La esclava iba desnuda. Sobre sus senos, hasta sus piernas, rodaba su cabellera negra envuelta en un solo manojo, como una serpiente. El Mercader iba vestido de oro, abrigadas las espaldas con una manta de lana de chivo. Palúdico y enamorado, al frío de su enfermedad se unía el temblor de su corazón. Y los treinta servidores montados llegaban a la retina como las figuras de un sueño.

Repentinamente, aislados goterones rociaron el camino, percibiéndose muy lejos, en los abajaderos, el grito de los pastores que recogían los ganados, temerosos de la tempestad. Las cabalgaduras apuraron el paso para ganar un refugio, pero no tuvieron tiempo: tras los goterones, el viento azotó las nubes, violentando selvas hasta llegar al valle, que a la carrera se echaba encima las mantas mojadas de la bruma, y los primeros relámpagos iluminaron el paisaje, como los fogonazos de un fotógrafo loco que tomase instantáneas de tormenta.

Entre las caballerías que huían como asombros, rotas las riendas, ágiles las piernas, grifa la crin al viento y las orejas vueltas hacia atrás, un tropezón del caballo hizo rodar al Mercader al pie de un árbol, que, fulminado por el rayo en ese instante, le tomó con las raíces como una mano que recoge una piedra, y le arrojó al abismo.

En tanto, el Maestro Almendro, que se había quedado en la ciudad perdido, deambulaba como loco por las calles, asustando a los niños, recogiendo basuras y dirigiéndose de palabra a los asnos, a los bueyes y a los perros sin dueño, que para él formaban con el hombre la colección de bestias de mirada triste.

— ¿Cuántas lunas pasaron andando los caminos? . . . — preguntaba de puerta en puerta a las gentes, que cerraban sin responderle, extrañadas, como ante una aparición, de su túnica verde y su barba rosada.

Y pasado mucho tiempo, interrogando a todos, se detuvo a la puerta del Mercader de Joyas sin precio a preguntar a la esclava, única sobreviviente de aquella tempestad.

— ¿Cuántas lunas pasaron andando los caminos? . . .

El sol, que iba sacando la cabeza de la camisa blanca del día, borraba en la puerta, claveteada de oro y plata, la espalda del Maestro y la cara morena de la que era un pedacito de su alma, joya que no compró con un lago de esmeraldas.

— ¿Cuántas lunas pasaron andando los caminos? . . .

Entre los labios de la esclava se acurrucó la respuesta y endureció como sus dientes. El Maestro callaba con insistencia de piedra misteriosa. Llenaba la luna del Buho-Pescador. En silencio se lavaron la cara con los ojos, al mismo tiempo, como dos amantes que han estado ausentes y se encuentran de pronto.

La escena fué turbada por ruidos insolentes. Venían a prenderles en nombre de Dios y el Rey, por brujo a él y por endemoniada a ella. Entre cruces y espadas bajaron a la cárcel, el Maestro con la barba rosada y la túnica verde, y la esclava luciendo las carnes que de tan firmes parecían de oro.

Siete meses después se les condenó a morir quemados en la Plaza Mayor. La víspera de la ejecución, el Maestro acercóse a la esclava y con la uña le tatuó un barquito en el brazo, diciéndola:

— Por virtud de este tatuaje, Tatuana, vas a huir siempre que te halles en peligro, como vas a huir hoy. Mi voluntad es que seas libre como mi pensamiento; traza este barquito en el muro, en el suelo, en el aire, donde quieras, cierra los ojos, entra en él y vete . . .

¡Vete, pues mi pensamiento es más fuerte que ídolo de barro amasado con cebollín![7]

¡Pues mi pensamiento es más dulce que la miel de las abejas que liban la flor del suquinay![8]

Sin perder un segundo la Tatuana hizo lo que el Maestro dijo: trazó el barquito, cerró los ojos y entrando en él — el barquito se puso en movimiento, escapó de la prisión y de la muerte.

Y a la mañana siguiente, la mañana de la ejecución, los alguaciles encontraron en la cárcel un árbol seco que tenía entre las ramas dos o tres florecitas de almendro, rosadas todavía.

(De *Leyendas de Guatemala*, 1948)

Lino Novás Calvo

LINO NOVÁS CALVO (España-Cuba; 1905) no parece agregar galas imaginativas a la realidad, sino, al contrario, se diría que la reduce a esquemas elementales. Pero no se podría llamarlo realista porque el lento desplazamiento de sus figuras, el poder sugeridor de gestos, palabras y aun silencios, la descomposición del relato en planos sobresaltan al lector y lo obligan a intervenir imaginativamente en lo que lee. Ha escrito *Pedro Blanco, el negrero* (1933), *La luna nona y otros cuentos* (1942), *No sé quién soy* (1945), *Cayo Canas* (1946), *En los traspatios* (1946). « Tengo a Faulkner en la sangre », ha dicho. Es un testigo hundido en las sinrazones de la vida y de la sociedad. No explica lo que ocurre en sus relatos: como si fuera el ojo de una cámara cinematográfica, se limita a sugerir atmósferas y estados de ánimo haciendo desfilar las imágenes. Y el movimiento aparentemente lento de estas imágenes da al lector la ilusión de estar presenciando, no la acción de seres humanos, sino la acción del tiempo mismo.

7. hierba parecida a la lechuga, aunque cardosa y llena de espinas, que exprimida se utilizaba el jugo para amasar un barro durable. 8. Bulbostylis cavanillensi. En la *Recordación Florida* de Fuentes y Guzmán se lee que las abejas que liban las flores de esta planta dan una miel dulcísima.

1. terreno bajo. 2. llanura dilatada y sin árboles. 3. cabaña o casa de campo hecha de madera y hojas de palma, principalmente. 4. de *pisa* y *corre*, automóvil pequeño y ligero. 5. pedazos de tronco de árbol. 6. en Cuba, finca rústica pequeña. 7. el habitante de la sabana. 8. llena de *baches*, hoyos formados en el camino por los carruajes. 9. heridos por el machete. 10. en Cuba, penca de la palma.

NO LE SÉ DESIL

Pasado el riel de caña, cubierto de hierba, el ramal se bifurcaba: Uno corría recto al encuentro de la carretera, el otro se iba disolviendo en camino real, cruzaba los sitios, el bajío,[1] la vega, para ascender luego serpeando hasta la sabana,[2] a cuyos primeros bohíos[3] había llegado ya, en su estreno, la ambulancia. El Dr. Gobea dijo:

— Ya sabe el camino.

Pero de eso hacía tiempo. Había sido a principios de abril cuando el Dr. Gobea se presentó en el pueblo con su pisicorre[4] reformado, vestido de blanco, convertido en ambulancia. Desde entonces había transcurrido cerca de un mes, había caído el primer chaparrón sobre el campo. Durante ese período la ambulancia había permanecido quieta, montada sobre tocones[5] en el traspatio de la casa de socorro recién abierta.

Gobea la paseó primero por los sitios;[6] la imagen blanca pasó casi silenciosamente, como un fucilazo blanco, sobre los caminos duros, dejando tras sí una estela de terror.

Los guajiros vieron en ella, más bien, un carro de muertos. Los enfermos o accidentados prefirieron quedarse en el bohío, o ir desangrándose a caballo hasta el pueblo o el ingenio. Ninguno más pidió la ambulancia desde que *aquel* sabanero[7] llegó muerto a la casa de socorro.

Inesperadamente, una tarde, llegaron a trote dos mujeres casi iguales. Venían desde el último sitio, casi al borde de la sabana. Atravesaron el pueblo a la par, sus caballos batiendo a compás el empedrado con las herraduras, se descolgaron a la vez frente a la clínica.

El doctor Gobea entendió solamente el mensaje, pronunciado a la vez (no en voces agitadas, sino sólo confusas, cruzadas) por las dos mujeres. Dos hombres (sus hombres) se estaban desangrando en la sabana a una distancia imprecisa.

La ambulancia bajó de sus tocones, cruzó la plaza, comenzó a gatear resoplando y fallando calle arriba. Coronada la loma, entró en la estrecha y bachosa[8] carretera. Las mujeres, otra vez en los jamelgos, le seguían, a distancia, una a cada lado, como montadas guardias de honor. En ese momento el sol descendía a un escalonado banco de nubes, ya inclinado hacia el horizonte. El Dr. Gobea, al timón, frenó de golpe, miró al cielo; luego gritó a un lado y a otro, a las mujeres:

— Agarren por ahí. Tenemos que darnos prisa. La tronada . . .

Miró de nuevo a las nubes. Las dos mujeres se apearon a la vez, ataron las riendas al arzón y echaron los caballos solos hacia casa. Luego se apretaron en el pescante junto al doctor. Éste hizo un gesto hacia el interior de la ambulancia, pero lo suspendió por la mitad, comprendiendo que, sin duda, las mujeres no querrían ir en el « ataúd ». Ellas comprendieron también. El doctor creyó notar en ellas un estremecimiento contenido.

Por primera vez también se fijó Gobea en sus rostros secos y pálidos, en sus ojos negros, quietos y encendidos por una sofocada pasión. Miró un instante a los cuatro ojos fijos y ardientes, a los delgados y pálidos labios apretados, a los vientres pareados e hinchados por los partos. Ya en marcha, preguntó:

— ¿Son ustedes hermanas?

— Sí, señor. Y vesinaj.

Las dos contestaron y callaron casi a la vez. Algo más adelante, aprovechando un tramo menos malo de camino, Gobea continuó:

— ¿Cómo fué lo de los heridos?

Esta vez las dos se consultaron con la vista antes de responder. Habló la que iba pegada al médico:

— No le sé desil. Un muchacho loj encontró macheteados.[9] Parece que se peliaron.

Otra vez callaron todos. El doctor preguntó más adelante:

— ¿Parientes suyos?

— Sí, señol, maríos — contestó la misma —. Salieron juntos a bucal junco a la sabana. El muchacho ise que están a tre legua el sitio po lo meno. Y no hay poblado por allí.

Llegaron a la bifurcación, la ambulancia pasó zumbando por las sitierías. Ya al borde del bajío apareció un jinete en medio del camino, agitando el guano.[10] Identificado como el muchacho que diera la noticia, partió delante a galope, como guía.

Poco antes de la puesta del sol pasaron junto al último bohío. Desde allí el camino duro se curvaba al pie de un lometón,[11] entre la maleza. Gobea miró al oeste, como queriendo sujetar la luz que se iba por allí; luego, con alarma, al norte cargado de nubes; y apretó el acelerador. El jinete se había adelantado, volvió atrás, hizo un gesto con el brazo y gritó apurándolo:

— Viene el agua. Entoavía faltan al menos cuatro leguas.

Luego, como para dar ejemplo, taloneó el caballo, rompió a galope. Por un buen tramo el camino, aunque desigual, era duro. El Ford saltaba de un camellón a otro. Las dos mujeres, rígidas, calladas, se sujetaban una a otra. Pasado el lometón venía un buen tramo antes de descender el camino. Gobea dijo en este remanso:

— ¿En qué estado dijo el muchacho que estaban?

— No le sé desil — dijo la mujer —. Desangrándose, dijo. Muy mal heridos por el pecho y la cabeza. Los doj en el suelo, y loj caballo juyendo.

Casi de golpe, la luz empezó a apagarse visiblemente. La lluvia estaba cayendo dos cordeles[12] más allá, espesa y calladamente.

Entraron en ella como un bote que navegara al encuentro de una cascada silenciosa, a la puesta del sol. Inmediatamente el camino empezó a ablandarse. Estaban ya en pleno bajío, y el peso tenía relejes[13] profundos. Gobea sentía a veces que el cigüeñal[14] pasaba rozándolos. Otras el auto pasaba sin tocar tierra, de una protuberancia a otra. La lluvia caía blanda y silenciosa, sobre el techo, emborronaba el parabrisas. Era difícil distinguir el camino del resto del campo. Percantándose, el jinete moderó el trote, a fin de que el chófer se guiase por él. El doctor Gobea aceleró.

— Agárrense — dijo. — Vamos a salir de esto cuanto antes —. Y se volvió a la que tenía al lado. — ¿Cuánto falta para la sabana?

— No le sé desil — contestó la que hablaba —. Quizás legua y media. Dispuej el camino es bueno.

Gobea pisó más fuerte. Poco después la lluvia se tornó más rala, parecía estar escampando. Por un buen tramo el camino, aunque fangoso, fué bastante parejo, y el jinete tuvo que pasar al galope, para no ser alcanzado. La turbonada[15] quedaba atrás.

Aliviado, el doctor dejó ir suavemente el carro detrás del jinete. Aún quedaba luz para llegar a la sabana, y una vez allí (asomaba ya su media cara) vendría a alumbrarles la luna. El camino mismo parecía empezar a endurecerse, en anticipación de la parte en que estaría seco del todo. Entraron en una curva sin ver al jinete, salían de ella cuando lo vieron volver galopando, agitando furiosamente el sombrero. La señal (el sombrero cogido por la copa y proyectado hacia adelante como un escudo) mandaba parar, pero ya era tarde.

Justamente entonces el auto pasó arando en un hondo fangal, salió gateando por un relieve, volvió a caer en otro fangal. Cuando quiso salir de él, el impulso se había agotado, las ruedas delanteras se agarraron fieramente al piso firme, pero el eje quedó aprisionado en él y las ruedas traseras girando frenéticamente, silbando, moliendo el fango y arrojándolo al aire como agua de una turbina. Cuando el doctor puso la marcha atrás, las ruedas no hicieron sino arrojar el fango en sentido opuesto.

Por un minuto chófer y jinete (que había frenado su caballo delante) se miraron espantados e interrogativamente a la luz del crepúsculo.

— Venía a avisáselo — dijo el muchacho —. Me dí cuenta más adelante que quisá no pasara. — Miró a las mujeres hieráticas —. Ahora habrá que ir a buscar loj bueyeh, ¿no?

— Apéate — dijo el médico —. Vamos a ver si lo calzamos.

Las dos mujeres siguieron calladas, sin moverse, en el pescante. El médico, con su bata blanca, saltó en medio del fango, al tiempo que el muchacho se tiraba también del caballo.

Comenzaron a juntar piedras y arrojarlas bajo las ruedas. El muchacho consiguió rodar un peñasco, pero cuando las ruedas volvieron a girar el pedrusco fué movido bajo el fango, se escurrió, resbalando, se perdió en lo hondo. Luego, los dos (cada uno arrimado a una rueda, metidos en el fango) se miraron.

— ¿Tú viste los heridos? ¿Podrán esperar? — preguntó Gobea.

— No le sé desil, dijo el muchacho —. Ni siquiera los ví bien. Cuando les dimos vista, mi hermano y yo (que veníamos de la costa) estaban entoavía a caballo, levantando loj machetes. Cuando llegamos estaban en el suelo, arrastrándose uno hacia el otro, sin soltar los machetes, los

11. loma o colina de poca elevación. 12. en Cuba, medida de superficie. 13. rodadas o carriladas. 14. o *cigoñal*, pieza importante del motor de los automóviles. 15. fuerte chubasco acompañado generalmente de truenos. 16. en Cuba se llama así al originario de las Islas Canarias. 17. en Cuba, mosquito que vive en enjambres en los lugares húmedos y sombríos, o pantanosos.

caballos juyendo. Sangraban por todas partes. Les quitamos los machetes y yo vine a galope a avisar a sus mujeres. Mi hermano se quedó con ellos.

Intentaron de nuevo calzar las ruedas. Esta vez juntaron abundancia de piedras, las apisonaron, trataron de alzar las ruedas. Antes de arrancar, el doctor dió la vuelta junto a las mujeres, tuvo la boca entreabierta para decirles que se bajaran, que ayudaran al muchacho a empujar. Pero la cerró en seguida. Las dos estaban allí, con los bustos levantados, apretadas una contra otra, mirando callada y alucinadamente hacia adelante. Ni aun preguntaron si ya estaba.

Gobea aceleró, enganchó la primera, soltó de golpe el embrague. El carro se estremeció como un buque pequeño alcanzado por un torpedo, las ruedas rechinaron, las piedras (todas pequeñas) salieron disparadas en un doble y violento surtidor, turbinadas hacia el cielo. Pero el carro no mudó de sitio. Cuando le puso la marcha atrás, volvió a estremecerse con la misma sacudida, pero tampoco se movió.

Gobea echó una ojeada a las mujeres antes de apearse de nuevo, pero ninguna le miró a él. Ninguna se había movido. Cuando volvió junto al muchacho, su rostro no era reconocible, por el fango, y la luz se iba rápidamente. Los dos se consultaron con la vista sin hablarse.

— ¿No hay bueyes a menos de dos leguas? — dijo el doctor.

— No, señor. El bohío del isleño[16] es el más cercano.

— Eso tardaría dos horas.

— Por lo menos.

El médico había tomado la decisión (« no habrá otro remedio ») cuando preguntó:

— ¿Crees tú que habrá tiempo, que llegaremos a tiempo dentro de tres horas?

— No le sé desil.

— De todos modos . . . ¡Bien pudieron venir a machetearse más cerca!

Se habían puesto de nuevo a rellenar. El médico preguntó:

— ¿Y por qué fué eso?

— No le sé desil.

— Por algo sería.

— No le sé desil. Parecían llevarse bien. Los dos tienen muchachos, y sus mujeres son hermanas.

Tácitamente habían desistido una vez más de los bueyes. Empezaron a allegar piedras, trozos de ramas, en un último esfuerzo. El tiempo calmó con la venida de la noche; aclaró el cielo y apareció la luna. Cuando el doctor dió la vuelta, para pisar de nuevo el arranque, vió a las caras de las hermanas, fijas, como dos íconos fríos, mirando a aquella luna. Ninguna de ellas pareció moverse, al sentir al doctor. Miraban, por encima del caballo, hacia el horizonte, por donde se levantaba la luna, y estaba la sabana. El carro se estremeció, chirriando las ruedas, se sintió un estallido en alguna parte, como de ballesta que se rompe; pero el auto no se movió de sitio; simplemente se ladeó un poco, apuntando al ribazo de la derecha. Con la sacudida, una inmensa nube de guasasa[17] se levantó al aire.

Gobea saltó irritado, del pescante. Gritó al muchacho:

— Corre. Ve por la yunta. No hay otra salida.

Luego, mientras el muchacho partía al galope, giró otra vez en torno al carro, examinándolo. Fué a detenerse frente a las hermanas.

— Si hubieran traído los caballos . . . Podían adelantarse, e irlos curando, mientras llegábamos. ¡La culpa fué mía!

Hizo un gesto de impotencia. Y, sin que ellas se hubieran movido, ni hablado, giró irritadamente, como en un tras-acuerdo, contra ellas.

— ¿Cómo es que no fueron primero adonde están los heridos? ¿Por qué no mandaron el muchacho a buscarme y se fueron ustedes a prestarles los primeros auxilios? ¿Cómo es que no se les ocurrió . . .?

Su voz aguda paró en un suspenso frente a ellas. Las dos se miraron callada e interrogativamente.

— ¿No dicen nada? Les avisan que sus maridos están heridos y en vez de acudir adonde se hallan, van en dirección opuesta, a buscar la ambulancia, las dos juntas . . . — Se les acercó más, alzó la voz —. ¿Por qué han hecho eso?

— No le sé desil . . .

La voz salió de ambas a la vez: plana, abatida, neutra, sin sentido. El médico quedó aguardando aún algo más. La guasasa volvió a posarse, y el médico vió cómo las mujeres se pasaban las manos por las caras, barriéndola lentamente.

— No pensamos en eso — explicó al fin una —. Creímos que la ambulancia llegaría pronto; como aquel día la vimos correr tanto . . .

El médico volvió a trabajar, sin fe, calzando las ruedas. Otra vez se puso a allegar cuerpos duros, trabajando despacio, alargando la tarea. Por momentos se detenía y escuchaba, pero el mundo estaba tan callado como encerrado en un envase de cristal. Al venir otra vez hacia el timón, el doctor alzó la vista, sorprendido, ante las hermanas, como si las hubiera olvidado, y se estremeció. Dió un paso atrás como ante una aparición, pero ellas no se habían movido; sólo de vez en cuando aquel gesto automático barriendo la guasasa de las caras.

El nuevo intento fué tan inútil como el primero, aunque el carro volvió a nivelarse en el sentido del camino. Gobea pisó repetida y furiosamente el arranque hasta que éste despidió un débil quejido de impotencia y se disipó a sí mismo en un suspiro. Después de esto, enmudeció, la vida pareció apagarse dentro del vehículo.

Fatigado, el médico se dobló sobre el timón. Por unos instantes tuvo conciencia del roce quieto de una de las hermanas contra su flanco. Luego lo perdió por un impreciso período de tiempo. Un grito agudo le puso de sobresalto. Al abrir los ojos vió venir al trote la siluete de un jinete, con la luna a la espalda. El jinete se detuvo frente a la ambulancia en el momento mismo en que, por el lado opuesto, venía ya el muchacho agilando la yunta. Gobea se levantó detrás del timón, para oír gritar al jinete:

— Eh . . . ¿Es ésta la ambulancia?

El médico saltó a recibirle. Con su cuerpo ocultaba a las hermanas de la vista del jinete. Éste, viendo ahora que el auto estaba atascado, bajó la voz:

— No se ocupe, dotor. Ya los hombres no tienen prisa. Por eso vine a desíselo, pa que no se apuren. Po aquí no hay carairas . . .[18]

(De *Cayo Canas*, 1944)

Juan Bosch nació en Santo Domingo en 1909 y desde 1937 se estableció en Cuba en donde vivió varios años. Después ha residido en Chile y en Venezuela. Ha escrito novela (*La mañosa*, 1936), pero sus mayores méritos son de cuentista: *Camino real* (1933), *Indios* (1935), *Dos pesos de agua* (1941), *Ocho cuentos* (1947) y *La muchacha de La Guaira* (1955). Narra con preferencia la vida sencilla del campesino antillano. Recoge con veracidad el lenguaje popular, pero interpreta sus temas con la ternura y el humor irónico de un observador que se ha puesto a distancia de la realidad para poder verla con ojos de artista. En el cuento que reproducimos, « La bella alma de Don Damián », Bosch sale del realismo y, con ironía, cultiva la nota fantástica. El alma de Damián se desprende del cuerpo, asiste a las mentiras de sus familiares, se mira en el espejo — fea, como un monstruo con tentáculos — y vuelve a meterse en el cuerpo, sabiendo ahora qué es lo que piensan los demás.

Juan Bosch

LA BELLA ALMA DE DON DAMIÁN

Don Damián entró en la inconsciencia rápidamente, a compás que la fiebre iba subiendo por encima de treinta y nueve grados. Su alma se sentía muy incómoda, casi a punto de calcinarse, razón por la cual comenzó a irse recogiendo en el corazón. El alma tenía infinita cantidad de tentáculos, como un pulpo de innúmeros pies, cada uno metido en una vena y algunos sumamente delgados metidos en vasos. Poco a poco fué retirando esos pies, y a medida que eso iba haciendo Don Damián perdía calor y empalidecía. Se le enfriaron primero las manos, luego las piernas y los brazos; la cara comenzó a ponerse atrozmente pálida, cosa que observaron las personas que rodeaban el lujoso lecho. La propia enfermera se asustó y dijo que era tiempo de

18. ave de rapiña que come carne fresca y animales muertos aunque no en estado avanzado de descomposición.

llamar al médico. El alma oyó esas palabras y pensó: « Hay que apresurarse, o viene ese señor y me obliga a quedarme aquí hasta que me queme la fiebre. »

Empezaba a clarear. Por los cristales de las ventanas entraba una luz lívida, que anunciaba el próximo nacimiento del día. Asomándose a la boca de Don Damián — que se conservaba semiabierta para dar paso a un poco de aire — el alma notó la claridad y se dijo que si no actuaba pronto no podría hacerlo más tarde, debido a que la gente la vería salir y le impediría abandonar el cuerpo de su dueño. El alma de Don Damián era ignorante en ciertas cosas; por ejemplo, no sabía que una vez libre resultaba totalmente invisible.

Hubo un prolongado revuelo de faldas alrededor de la soberbia cama donde yacía el enfermo, y se dijeron frases atropelladas que el alma no atinó a oír, ocupada como estaba en escapar de su prisión. La enfermera entró con una jeringa hipodérmica en la mano.

— ¡Ay, Dios mío, Dios mío, que no sea tarde! — clamó la voz de la vieja criada.

Pero era tarde. A un mismo tiempo la aguja penetraba en un antebrazo de Don Damián y el alma sacaba de la boca del moribundo sus últimos tentáculos. El alma pensó que la inyección había sido un gasto inútil. En un instante se oyeron gritos diversos y pasos apresurados, y mientras alguien — de seguro la criada, porque era imposible que se tratara de la suegra o de la mujer de Don Damián — se tiraba aullando sobre el lecho, el alma se lanzaba al espacio, directamente hacia la lujosa lámpara de cristal de Bohemia que pendía del centro del techo. Allí se agarró con suprema fuerza y miró hacia abajo: Don Damián era ya un despojo amarillo, de facciones casi transparentes y duras como el cristal; los huesos del rostro parecían haberle crecido y la piel tenía un brillo repelente. Junto a él se movían la suegra, la señora y la enfermera; con la cabeza hundida en el lecho sollozaba la anciana criada. El alma sabía a ciencia cierta lo que estaba sintiendo y pensando cada una, pero no quiso perder tiempo en observarlas. La luz crecía muy de prisa y ella temía ser vista allí donde se hallaba, trepada en la lámpara, agarrándose con indescriptible miedo. De pronto vió a la suegra de Don Damián tomar a su hija de un brazo y llevarla al pasillo; allí le habló, con acento muy bajo. Y he aquí las palabras que oyó el alma:

— No vayas a comportarte ahora como una desvergonzada. Tienes que demostrar dolor.

— Cuando llegue gente, mamá — susurró la hija.

— No, desde ahora. Acuérdate que la enfermera puede contar luego.

En el acto la flamante viuda corrió hacia la cama como una loca diciendo:

— ¡Damián, Damián mío; ay mi Damián! ¿Cómo podré yo vivir sin ti, Damián de mi vida?

Otra alma con menos mundo se hubiera asombrado, pero la de Don Damián, trepada en su lámpara, admiró la buena ejecución del papel. El propio Don Damián procedía así en ciertas ocasiones, sobre todo cuando le tocaba actuar en lo que él llamaba « la defensa de mis intereses ». La mujer estaba ahora « defendiendo sus intereses ». Era bastante joven y agraciada; en cambio Don Damián pasaba de los sesenta. Ella tenía novio cuando él la conoció, y el alma había sufrido ratos muy desagradables a causa de los celos de su ex dueño. El alma recordaba cierta escena, hacía por cierto pocos meses, en la que la mujer dijo:

— ¡No puedes prohibirme que le hable! ¡Tú sabes que me casé contigo por tu dinero!

A lo que Don Damián había contestado que con ese dinero él había comprado el derecho a no ser puesto en ridículo. La escena fué muy desagradable, con intervención de la suegra y amenazas de divorcio. En suma, un mal momento, empeorado por la circunstancia de que la discusión fué cortada en seco debido a la llegada de unos muy distinguidos visitantes a quienes marido y mujer atendieron con encantadoras sonrisas y maneras tan finas que sólo ella, el alma de Don Damián, apreciaba en todo su real valor.

Estaba el alma allá arriba, en la lámpara, recordando tales cosas, cuando llegó a toda prisa un sacerdote. Nadie sabía por qué se presentaba tan a tiempo, puesto que todavía no acababa de salir el sol del todo y el sacerdote había sido visita durante la noche.

— Vine porque tenía el presentimiento; vine porque temía que Don Damián diera su alma sin confesar — trató de explicar.

A lo que la suegra del difunto, llena de desconfianza, preguntó:

— ¿Pero no confesó anoche, padre?

Aludía a que durante cerca de una hora el ministro del Señor había estado encerrado a solas con Don Damián, y todos creían que el enfermo había confesado. Pero no había sucedido eso. Trepada en su lámpara, el alma sabía que no; y sabía también por qué había llegado el cura. Aquella larga entrevista solitaria había tenido un tema más bien árido; pues el sacerdote proponía a Don Damián que testara dejando una importante suma para el nuevo templo que se construía en la ciudad, y Don Damián quería dejar más dinero del que se le solicitaba, pero destinado a un hospital. No se entendieron, y al llegar a su casa el padre notó que no llevaba consigo su reloj. Era prodigioso lo que le sucedía al alma, una vez libre, eso de poder saber cosas que no habían ocurrido en su presencia, así como adivinar lo que la gente pensaba e iba a hacer. El alma sabía que el cura se había dicho: « Recuerdo haber sacado el reloj en casa de Don Damián para ver qué hora era; seguramente lo he dejado allá. » De manera que esa visita a hora tan extraordinaria nada tenía que ver con el reino de Dios.

— No, no confesó — explicó el sacerdote mirando fijamente a la suegra de Don Damián—. No llegó a confesar anoche, y quedamos en que vendría hoy a primera hora para confesar y tal vez comulgar. He llegado tarde, y es gran lástima — dijo mientras movía el rostro hacia los rincones y las doradas mesillas, sin duda con la esperanza de ver el reloj en una de ellas.

La vieja criada, que tenía más de cuarenta años atendiendo a Don Damián, levantó la cabeza y mostró dos ojos enrojecidos por el llanto.

— Después de todo no le hacía falta — aseguró —, y que Dios me perdone. No necesitaba confesar porque tenía una bella alma, una alma muy bella tenía Don Damián.

¡Diablos, eso sí era interesante! Jamás había pensado el alma de Don Damián que fuera bella. Su amo hacía ciertas cosas raras, y como era un hermoso ejemplar de hombre rico y vestía a la perfección y manejaba con notable oportunidad su libreta de banco, el alma no había tenido tiempo de pensar en algunos aspectos que podían relacionarse con su propia belleza o con su posible fealdad. Por ejemplo, recordaba que su amo le ordenaba sentirse bien cuando tras laboriosas entrevistas con el abogado Don Damián hallaba la manera de quedarse con la casa de algún deudor — y a menudo ese deudor no tenía dónde ir a vivir después — o cuando a fuerza de piedras preciosas y de ayuda en metálico — para estudios, o para la salud de la madre enferma — una linda joven de los barrios obreros accedía a visitar cierto lujoso departamento que tenía Don Damián. ¿Pero era ella bella o era fea?

Desde que logró desasirse de las venas de su amo hasta que fué objeto de esa alusión por parte de la criada, había pasado, según cálculo del alma, muy corto tiempo; y probablemente era mucho menos todavía de lo que ella pensaba. Todo sucedió muy de prisa y además de manera muy confusa. Ella sintió que se cocinaba dentro del cuerpo del enfermo y comprendió que la fiebre seguiría subiendo. Antes de retirarse, mucho más allá de la medianoche, el médico lo había anunciado. Había dicho:

— Puede ser que la fiebre suba al amancer; en ese caso hay que tener cuidado. Si ocurre algo, llámenme.

¿Iba ella a permitir que se le horneara? Se hallaba con lo que podría denominarse su centro vital muy cerca de los intestinos de Don Damián, y esos intestinos despedían fuego. Perecería como los animales horneados, lo cual no era de su agrado. Pero en realidad, ¿cuánto tiempo había transcurrido desde que dejó el cuerpo de Don Damián? Muy poco, puesto que todavía no se sentía libre del calor a pesar del ligero fresco que el día naciente esparcía y lanzaba sobre los cristales de Bohemia de que se hallaba sujeta. Pensaba que no había sido violento el cambio de clima entre las entrañas de su ex dueño y la cristalería de la lámpara, gracias a lo cual no se había resfriado. Pero con o sin cambio violento, ¿qué había de las palabras de la criada? « Bella », había dicho la anciana servidora. La vieja sirvienta era una mujer veraz, que quería a su amo porque lo quería, no por su distinguida estampa ni porque él le hiciera regalos. Al alma no le pareció tan sincero lo que oyó a continuación:

— ¡Claro que era una bella alma la suya! — corroboraba el cura.

— Bella era poco, señor — aseguró la suegra.

El alma se volvió a mirarla y vió cómo, mientras hablaba, la señora se dirigía a su hija con los ojos. En tales ojos había a la vez una orden y una imprecación. Parecían decir: « Rompe a llorar ahora mismo, idiota, no vaya a ser que el señor cura se dé cuenta de que te ha alegrado la muerte de este miserable. » La hija comprendió en el acto el mudo y colérico lenguaje, pues a seguidas prorrumpió en dolorosas lamentaciones:

— ¡Jamás, jamás hubo alma más bella que la suya! ¡Ay, Damián mío, Damián mío, luz de mi vida!

El alma no pudo más; estaba sacudida por la curiosidad y por el asco; quería asegurarse sin perder un segundo de que era bella y quería alejarse de un lugar donde cada quien trataba de engañar a los demás. Curiosa y asqueada, pues, se lanzó desde la lámpara en dirección hacia el baño, cuyas paredes estaban cubiertas por grandes espejos. Calculó bien la distancia para caer sobre la alfombra, a fin de no hacer ruido. Además de ignorar que la gente no podía verla, el alma ignoraba que ella no tenía peso. Sintió gran alivio cuando advirtió que pasaba inadvertida, y corrió, desalada, a colocarse frente a los espejos.

¿Pero qué estaba sucediendo, gran Dios? En primer lugar, ella se había acostumbrado durante más de sesenta años a mirar a través de los ojos de Don Damián; y esos ojos estaban altos, a casi un metro y setenta centímetros sobre el suelo; estaba acostumbrada, además, al rostro vivaz de su amo, a sus ojos claros, a su pelo brillante de tonos grises, a la arrogancia con que alzaba el pecho y levantaba la cabeza, a las costosas telas con que se vestía. Y lo que veía ahora ante sí no era nada de eso, sino una extraña figura de acaso un pie de altura, blanduzca, parda, sin contornos definidos. En primer lugar, no se parecía a nada conocido. Pues lo que debían ser dos pies y dos piernas, según fué siempre cuando se hallaba en el cuerpo de Don Damián, era un monstruoso y, sin embargo, pequeño racimo de tentáculos, como los de pulpo, pero sin regularidad, unos más cortos que otros, unos más delgados que los demás, y todos ellos como hechos de humo sucio, de un indescriptible lodo impalpable, como si fueran transparentes y no lo fueran, sin fuerza, rastreros, que se doblaban con repugnante fealdad. El alma de Don Damián se sintió perdida. Sin embargo sacó coraje para mirar más hacia arriba. No tenía cintura. En realidad, no tenía cuerpo ni cuello ni nada, sino que de donde se reunían los tentáculos salía por un lado una especie de oreja caída, algo así como una corteza rugosa y purulenta, y del otro un montón de pelos sin color, ásperos, unos retorcidos, otros derechos. Pero no era eso lo peor, y ni siquiera la extraña luz grisácea y amarillenta que la envolvía, sino que su boca era un agujero informe, a la vez como de ratón y de hoyo irregular en una fruta podrida, algo horrible, nauseabundo, verdaderamente asqueroso, ¡y en el fondo de ese hoyo brillaba un ojo, su único ojo, con reflejos oscuros y expresión de terror y perfidia! ¿Cómo explicarse que todavía siguieran esas mujeres y el cura asegurando allí, en la habitación de al lado, junto al lecho donde yacía Don Damián, que la suya había sido una alma bella?

— ¿Salir, salir a la calle yo así, con este aspecto, para que me vea la gente? — se preguntaba en lo que ella creía toda su voz, ignorante aún de que era invisible e inaudible, perdida en un negro túnel de confusión.

¿Qué haría, qué destino tomaría? Sonó el timbre. A seguidas la enfermera dijo:

— Es el médico, señora. Voy a abrirle.

A tales palabras la esposa de Don Damián comenzó a aullar de nuevo, invocando a su muerto marido y quejándose de la soledad en que la dejaba.

Paralizada ante su propia imagen el alma comprendió que estaba perdida. Se había acostumbrado a su refugio, al alto cuerpo de Don Damián; se había acostumbrado incluso al insufrible olor de sus intestinos, al ardor de su estómago, a las molestias de sus resfriados. Entonces oyó el saludo del médico y la voz de la suegra, que declamaba:

— ¡Ay, doctor, qué desgracia, doctor, qué desgracia!

— Cálmese, señora, cálmese — respondía el médico.

El alma se asomó a la habitación del difunto. Allí, alrededor de la cama, se amontonaban las mujeres; de pie en el extremo opuesto a la cabecera, con un libro abierto, el cura comenzaba a rezar. El alma midió la distancia y saltó. Saltó con facilidad que ella misma no creía, como si hubiera sido de aire o un extraño animal capaz de moverse sin hacer ruido y sin ser visto. Don Damián conservaba todavía la boca ligeramente abierta. La boca estaba como hielo, pero no importaba. Por ella entró raudamente el alma y a seguidas se coló laringe abajo y comenzó a meter sus tentáculos en el cuerpo, atravesando las paredes interiores sin dificultad alguna. Estaba acomodándose cuando oyó hablar al médico.

— Un momento, señora, por favor — dijo.

El alma podía ver al doctor, aunque de manera muy imprecisa. El médico se acercó al cuerpo de Don Damián, le tomó una muñeca, pareció azorarse, pegó el rostro al pecho y lo dejó descansar ahí un momento. Después, despaciosamente, abrió su maletín y sacó un estetoscopio: con todo cuidado se lo colocó en ambas orejas y luego pegó el extremo suelto sobre el lugar donde debía estar el corazón. Volvió a poner expresión azorada; removió el maletín y extrajo de él una jeringa hipodérmica. Con aspecto de prestidigitador que prepara un número sensacional, dijo a la enfermera que llenara la jeringa mientras él iba amarrando un pequeño tubo de goma sobre el codo de Don Damián. Al parecer, tantos preparativos alarmaron a la vieja criada.

— ¿Pero para qué va a hacerle eso, si ya está muerto el pobre? — preguntó.

El médico la miró de hito en hito con aire de gran señor; y he aquí lo que dijo, si bien no para que le oyera ella, sino para que le oyeran sobre todo la esposa y la suegra de Don Damián:

— Señora, la ciencia es la ciencia, y mi deber es hacer cuanto esté a mi alcance para volver a la vida a Don Damián. Almas tan bellas como la suya no se ven a diario, y no es posible dejarle morir sin probar hasta la última posibilidad.

Este breve discurso, dicho con noble calma, alarmó a la esposa. Fué fácil notar en sus ojos un brillo duro, y en su voz cierto extraño temblor.

— ¿Pero no está muerto? — preguntó.

El alma estaba ya metida del todo y sólo tres tentáculos buscaban todavía, al tacto, las antiguas venas en que habían estado años y años. La atención que ponía en situar esos tentáculos donde debían estar no le impidió, sin embargo, advertir el acento de intriga con que la mujer hizo la pregunta

El médico no respondió. Tomó el antebrazo de Don Damián y comenzó a pasar una mano por él. A ese tiempo el alma iba sintiendo que el calor de la vida iba rodeándola, penetrándola, llenando las viejas arterias que ella había abandonado para no calcinarse. Entonces, casi simultáneamente con el nacimiento de ese calor, el médico metió la aguja en la vena del brazo, soltó el ligamento de encima del codo y comenzó a empujar el émbolo de la jeringuilla. Poco a poco, en diminutas oleadas, el calor de la vida fué ascendiendo a la piel de Don Damián.

— ¡Milagro, Señor, milagro! — barbotó el cura.

Súbitamente, presenciando aquella resurrección, el sacerdote palideció y dió rienda suelta a su imaginación. La contribución para el templo estaba segura, ¿pues cómo podría Don Damián negarle su ayuda una vez que él le refiriera, en los días de convalecencia, cómo le había visto volver a la vida segundos después de haber rogado pidiendo por ese milagro? « El Señor atendió a mis ruegos y lo sacó de la tumba, Don Damián, » diría él.

Súbitamente también la esposa sintió que su cerebro quedaba en blanco. Miraba con ansiedad el rostro de su marido y se volvía hacia la madre. Una y otra se hallaban desconcertadas, mudas, casi aterradas.

Pero el médico sonreía. Se hallaba muy satisfecho, aunque trataba de no dejarlo ver.

— ¡Ay, si se ha salvado, gracias a Dios y a usted! — gritó de pronto la criada, cargada de lágrimas de emoción, tomando las manos del médico —. ¡Se ha salvado, está resucitando! ¡Ay, Don Damián no va a tener con qué pagarle, señor! — aseguraba.

Y cabalmente, en eso estaba pensando el médico, en que Don Damián tenía de sobra con qué pagarle. Pero dijo otra cosa. Dijo:

— Aunque no tuviera con qué pagarme lo hubiera hecho, porque era mi deber salvar para la sociedad un alma tan bella como la suya.

Estaba contestándole a la criada, pero en realidad hablaba para que le oyeran los demás; sobre todo, para que le repitieran esas palabras al enfermo, unos días más tarde, cuando estuviera en condiciones de firmar.

Cansada de oír tantas mentiras el alma de Don Damián resolvió dormir. Un segundo después Don Damián se quejó, aunque muy débilmente, y movió la cabeza en la almohada.

— Ahora dormirá varias horas — explicó el médico — y nadie debe molestarlo.

Diciendo lo cual dió el ejemplo, y salió de la habitación en puntillas.

(De *La muchacha de La Guaira*, 1955)

En *Ecuador* el género narrativo fué cultivado casi exclusivamente por escritores realistas y naturalistas que en su mayoría eran militantes del socialismo. Escribían para denunciar las condiciones de vida del pueblo y protestar contra las injusticias del sistema social. Lenguaje crudo, exageración de lo sombrío y lo sórdido, valentía en la exhibición de vergüenzas nacionales, sinceridad en el propósito combativo dan a esta literatura más valor moral que artístico. De la realidad del Ecuador apartaban ciertos temas que consideraban burgueses, elegían otros que consideraban vigorosos y componían novelas y cuentos con indios sufrientes, con latifundios abominables, con miserables peones de la costa o de la sierra, con ciudades sucias, con bestias dañinas, endemias y desastres: Demetrio Aguilera Malta, Jorge Icaza, Alfredo Pareja Díez-Canseco, Adalberto Ortiz, etc.

El mejor cuentista de este grupo, por la calidad de su prosa y por la fina observación de la realidad, es José de la Cuadra (1904-1941): *El amor que dormía* (1930), *Repisas* (1931), *Horno* (1932), *Guasinton* (1938) y *Los Sangurimas* (1934). Era un espíritu comprensivo, flexible, moderado y a veces irónico. Sus temas estaban tomados de la pobreza, la injusticia, el sufrimiento, la animalidad humana y la naturaleza hostil, pero no fué monótono. Los cuentos de *Guasinton* son muy diversos en tema, humor y perspectiva. El que hemos elegido — « Se ha perdido una niña » — es uno de los pocos cuentos poéticos de la producción ecuatoriana.

José de la Cuadra

SE HA PERDIDO UNA NIÑA

Cuento al estilo viejo, al margen de los libros románticos

Mi primo Claudio

La narración que ahora reproduzco, y a la cual su autor calificó de poemática, la escribió mi primo Claudio poco antes de morir. Estaba entre sus papeles íntimos que heredé, por voluntad de nuestra tía Sagrario, junto con una caña de Malaca, veinte novelas de Felipe Trigo, un par de tiradores Presidente y varias corbatas a vivos rojos. Mi primo Claudio gustaba mucho de los vivos rojos en las corbatas, en los pañuelos y en los calcetines. También gustaba del ron aferrante y de la cerveza helada. En sus frecuentes madrugadas bohemias prefería trasegar vasos de leche-tigra: esto es, leche con puro de 21°. Claudio murió a los dieciocho años, en flor de juventud y en olor de beodez, cierta noche plenilunar de mayo.

Lo mataron a tiros, en el cabaret grande de la calle Machala, tres gringos del « Santa Clara », vapor que estaba al ancla en la rada, cumpliendo su escala. Los gringos habían ido a bailar al cabaret, llevando consigo una rubia muy pintarrajeada.

Entre las debilidades de mi primo se contaba la de creerse bello como Antonio y atrayente como Don Juan; así, emprendió de inmediato la conquista de la mujerzuela.

Utilizaba como armas su sonrisa, que reputaba irresistible, y su detestable inglés escolar. Los gringos estaban tan borrachos como él, y parece que se ofendieron por los galanteos a la hembra. Hay quienes creen que mi primo, cuyo inglés era intuitivo y según mejor calculaba, se equivocó en un vocablo, que resultó injurioso como él lo pronunciaba. Lo cierto fué que los gringos sacaron sus pistolas, y en menos de un minuto convirtieron el cuerpo de mi pariente en un arnerillo sangrante. Al verlo así, la mujer dijo, en un castellano de erres difíciles, que ése era el tercer hombre en el mundo que moría en honor de ella. Mi primo Claudio, tumbado de bruces sobre una mesita de kaolín, ya no podía decir absolutamente nada. Con su definitivo silencio, la poesía ecuatoriana perdió un poeta de posibles valores antológicos, y las cantinas del puerto, un cliente asiduo y constante, que demoraba el pago de las cuentas a crédito pero que las pagaba a la larga.

El anuncio

Hoy de mañana leí en el diario, confundido en el fárrago de avisos económicos, este reclamo breve: « Se ha perdido una niña. » Y a continuación se daban las indicaciones y señas de la bebé huidiza. A lo que parece, la criatura decía ya, con su lengua enredada, torpecilla, ñoñamente musical; « papá » y « mamá »; quizás alguna otra palabra más.

Es de suponer que se reía anchamente, enseñando la gracia leve de los dientecillos de ratón. Acaso sabría guiñar, con anticipada malicia femenil, los negros ojitos, y mesarse con ambas manos, peinándola, como una diminuta y morena Loreley, la mata ensortijada de los cabellos color castaño oscuro. Y toda esta inocente alegría de dos años ralos, se agitaba dentro de una batita blanca de holanda, sobre unos zapatitos forrados de raso crema y bajo un enorme pompón de cintas en tono pétalo de rosa.

Había tal morosa delectación en describir a la muñeca y tal maña ingenua en ofrecer el cebo de la recompensa a quien la hallare y volviere, que era facilmente comprensible que sólo una madre podía así describir a su hija, o un amante a su amante.

Este aviso intrascendente, que leí hoy de mañana, todavía en el lecho, mientras se inundaba mi cuarto en la gloria del sol naciente, me ha hecho recordar una historia que ocurrió cuando era muchacho.

También se perdió una niña en la historia que voy a contar. O, mejor, a cantar.

El primer escenario

Samborondón es la bien guarnida. Desde el Septentrión vigílanla sus perros. Al Meridión, el río se enrevesa en curvas que la ocultan: quiere dejarla como al fondo de un caracol de agua corriente, defendida y secreta. Y la aldea sonríe, agradecida. Antes, no ha mucho, precisamente cuando esta historia comienza, Samborondón estaba en francos y leales amores con el río. Ahora, no. El Guayas riñó con ella por achares y de ella se va apartando, día por día, dejándola tierra adentro, poniendo entre ambos una faja de playas limosas. El Guayas tiene costumbres arcaicas y se parece a los antepasados. No se corrige aún y es difícil que se corrija jamás. Odia lo moderno y se engríe remembrando lo que fué.

Los abuelos dizque colocaban una tabla, dividiendo el lecho conyugal cuando se peleaban. Algo como eso es la faja de playa samborondeña. El Guayas ha procedido igual que los antecesores.

Por detrás de Samborondón se extienden, hasta la raya del horizonte, los tembladerales[1] verdosos, donde habitan los lagartos hambrientos. Los tembladerales comienzan en la misma tapia trasera del cementerio, que queda al final del pueblo, y estrechan a Samborondón en un prieto abrazo. De eso estaba celoso el río. Fué un viejo pleito que ha durado siglos y que el Guayas perdió. Hay que suponer que Samborondón coqueteaba con sus dos amantes, y éstos no lograron avenirse. El pueblo es pequeño, si bien hay quienes aseguran que es muy grande. Nadie lo ha medido. Allá se es supersticioso. Corre una abusión[2] popular: cuando se mide a alguna persona, ésta muere a poco. Es como si la midieran para su ataúd. Puede ser que la abusión se aplique a las poblaciones, y por eso nadie ha medido a Samborondón. Sólo vale decir que va de estero a estero y del filo de los tembladerales al filo de la playa fluvial.

La aldea es tan linda como una muchacha montuvia[3] aún no desdoncellada. Las casuchas se agrupan en torno de la iglesia y se desbandan luego a lo largo de las callejuelas que nacen en la plaza del parque.

Las mujeres son guapas, fornidas y recias: tienen ojos bonitos, boca chiquita y acorazonada, pechos altos, muslos duros y esbeltos y ancas poderosas. Con la forzosa excepción de las familiares de los señores feudales, casi todas las mujeres se dedican a cocer, tallar y pulir el barro. Fabrican ollas anchurosas, torneadas cantarillas y jarrones de finas formas. Es una manufactura nativa, prestigiada de tiempo. Una suerte de oficio noble, del que se enorgullecen.

Los hombres labran el campo, ejercen la rabulería o roban ganado. Aquellos que no hacen ninguna de estas tres cosas, anudan corrillos en los portales o vagabundean por las calles yerbosas. Visten pantalones de dril, cotonas de zaraza[4] abotonadas hasta el cuello, y sombreros ligeros de paja. Algunos portan al cinto el machete filudo y pequeñín como una daga, o un yatagán de ejército. Son grandes « jugadores de fierro ». Y su consumada maestría es indiscutible. Valientes de veras, comprometen su vida por una insignificancia cualquiera. Aman la pinta, las lidias de gallos y el aguardiente de caña. Les place jinetear potros indómitos y adoran la emoción de la sabana que va corriendo bajo el galopar de las bestias.

Las muchachas, en los amplios patios soleados, junto al mismo horno donde se cuece el barro, hacen rosquillas de maíz, empanadas y dulces de tipo monjil. Venden los muchachos las obras salidas de manos de las muchachas. Arman agudos griteríos en las balsas, ofreciendo los artículos a los pasajeros de las lanchas y vapores.

Viejos y viejas forman el beaterío, y entre sus filas se recluta el grueso de la feligresía parroquial. El sol calienta como en todas partes; y, cuando la luna sale, consagra la aldea de exotería.[5] Entonces, Samborondón se propicia como escenario adecuado para un bonito cuento de amor.

1. pantanos con plantas que se hunden en el cieno y tiemblan al menor movimiento. 2. superstición, agüero. 3. campesina de la zona de la costa regada por los grandes ríos. 4. tela de algodón. 5. afición a lo exótico. 6. pajarillo que en otras partes del Ecuador se llama *putilla*. 7. trastos, trebejos.

La muchacha montuvia

Eras tú, Catalina, flor de esa tierra samborondeña. Tú, júbilo de mis años niños, buen recuerdo de los días fugados, adorable salvajilla, naciste en las marcas parroquiales, hija de quién sabe quién en el vientre hospitalario de la bruja ña Maclovia, nuestra antigua servidora. Referíanse de tu origen cosas extrañas. Serías, según las gentes paisanas, engendro sacrílego de un cura párroco, que lo fué del pueblo; y juraban los vecinos que tenías una cruz en el paladar y un copón de cáliz bajo la lengua. Por eso de tu padre eclesiástico, decían que ña Maclovia se convertía cada noche en una mula briosa e iba a dar coces contra la puerta mayor de la iglesuca. Otros decían que eras el fruto de los amores de tu madre con un mercachifle griego que andaba por los caminos reales con el hato del negocio sobre las espaldas inclinadas. No faltaba quien te atribuyera como progenitor al cacique fallecido, a quien ahora reemplazaba sin ventaja un nuevo cacique cualquiera. Lo único que decía ña Maclovia respecto de tus orígenes era que « le lloraste en la barriga », acaso — pienso yo — acobardada de su anchura y de su tenebrosidad, en la que te agitarías tú, pobrecita cosa pequeña, como un chagüis[6] en un nido de ollero. Aquello de tu llanto de nonata te valió fama de adivina. Dirías el futuro. Prevendrías lo que iba a ser. ¡Sibila infeliz! No conseguiste jamás adivinar cuándo mi vieja tía Sagrario estaba de mal humor, y siempre te acercaste a ella, mimosa y zalamera, precisamente en las peores oportunidades. Te tocaban más azotes que a mí en el cuotidiano reparto, aun cuando ahora pienso si no harías todo lo posible para librarme a mí. Porque eras buena de hueso y me querías de adentro, como por allá se dice ¡oh, tú, júbilo de mis años niños, recuerdo amable de los días fugados!

Maestra de vida

He aprendido de ti tanto y tanto que puedo decir que me enseñaste a vivir. Todas mis habilidades de muchacho se remontan hasta ti, mi humilde maestra. Por ti sé cómo se flota sobre las aguas mansas y cómo se atraviesan a brazo luchador las vaciantes y los rápidos. Por ti sé cómo se trepa a los árboles de troncos nudosos, en cuyas ramas altas cuelgan las frutas. Por ti sé cómo se monta a pelo, sobre el lomo liso de los caballos. Por ti sé el ardid de coger sin riesgo casas de avispas y palacios de hormigas, y el ardid de escapar de los perros furiosos, y el ardid de torear las reses alzadas. Por ti sé el significado de los medrosos ruidos del monte. Por ti sé interpretar la voz de los elementos desatados, y sé que cada cosa aparentemente muda y silenciosa de la naturaleza está hablando siempre, siempre, y sufre y goza al igual que los animales y los hombres. Toda mi ciencia campesina viene de ti, como de una fuente. Y conozco también por ti el sabor de un beso puro. Tus labios, púberes apenas, acariciaban sin mancilla mi orfandad de un lustro, siempre llorosa y tímida, sujeta al férreo yugo de mi tía Sagrario.

El viaje

Cuando estuve en edad de entrar a la escuela, mi tía Sagrario quiso que nos estableciéramos en Guayaquil. La buena señora necesita pretextos para sus futuras cuentas de curadora. La estada en el puerto abría camino al derroche de mi escasa herencia paterna, confiada a sus manos. Mi presunta educación iba a pagar los lujos de mi tía: sus mantas de seda, sus zapatos de charol, la batista de su ropa interior, sus misas a las ánimas y sus novenarios. Tú y yo lloramos al separarnos del pueblo. A mí me ilusionaba un tanto la novedad del viaje. A ti, no. Te veo en mi memoria, como estabas en ese trance de la embarcada: sostenías con una mano el lío de tus corotos,[7] y con la otra, la jaula del perico hablantín. Te corrían las lágrimas por el rostro y tus ojos estaban abotagados. Al verte así, mi tía te trató de imbécil y te haló de la oreja hasta que pediste perdón. Durante todo el viaje no cruzamos palabra.

El segundo escenario, los personajes, las escenas

En Guayaquil sufrimos hasta lo inconcebible. Fué nuestro viacrucis y nuestro calvario. Muy tarde ha sido, para cada uno, nuestro monte Tabor. Tía Sagrario se extremó en torturarnos. A ratos parecía como si se hubiese vuelto loca. Nos flagelaba con un largo látigo. Nos privaba de la merienda. Nos hacía rezar oraciones, hincados sobre las piedrecillas menudas. Impedía que nos acostáramos en la cama, obligándonos a permanecer sentados, vencidos de hambre y de sueño. Nos mantenía de pie durante largas horas, meciendo su hamaca, mientras ella desgranaba el rosario o leía novelones. Su cólera subía de punto cuando no venía el señor Fernández. Este señor Fernández se había hecho amigo de mi tía a poco de nuestra llegada a Guayaquil y la visitaba con frecuencia. Después he comprendido que era su amante y que la explotaba. El señor Fernández era un cuarentón regordete y bajo de estatura, con bigotes a lo kaiser Guillermo II. Hablaba con voz aflautada y olía a suciedad y a agua Florida. A mí me odiaba descaradamente; me llamaba « animalejo estúpido » y me propinaba coscorrones. Sin duda veía en mí un obstáculo para su futuro reposado, al lado de mi tía, disfrutando los dinerillos de mi padre. Estoy convencido de su deseo de que me aplastara un automóvil o me apestara de bubónica. En cambio a ti, Catalina, el señor Fernández te devoraba con los ojos. Por distintos caminos, la conducta del señor Fernández nos irrogaba daño. Por solidarizarse con él, tía Sagrario arreciaba su odio contra mí. Presintiendo en ti una rival de sus amores, tía Sagrario te odiaba más. Y nuestros cuerpecillos pagaban las consecuencias. Tía Sagrario se indignaba contra tus senos erectos de virgen, que inocentemente anunciaban su pezón bajo la blusa, temblorosos y frágiles.

— Esta mujer anda provocando a los hombres con esas dos cosas puntonas ¡so indecente! — decía. Y te hacía fajar el busto como a un mamoncillo.

Luego luchó contra tus caderas saltarinas y redondas, que se sacudían cuando andabas con ese paso tuyo ligero, de animalillo joven. Cosió para ti holgados trajes de sempiterno azul, semejantes a esas batas que usaban para el baño las mujeres del pasado siglo. Pero era inútil empeño tratar de esconder la alegría de tus encantos recientes, la gloria de tus gracias de crepúsculo matutino. Saltaban por ahí, por donde se esperaba menos: ora era un rizo caedizo, ora tu mirar adormilado, ora una risa o un ademán. Hay que compadecer un poco a la tía Sagrario. Debe haber sufrido mucho al no poder vencerte.

La escena máxima

Lo terrible ocurrió la vez que tía Sagrario sorprendió al señor Fernández abrazándote en una esquina del salón, mientras tú forcejeabas por desasirte. No se enojó con él. En cambio, desfogó sus iras contigo.

— ¡Corrompida! ¡Ah, eres una corrompida! ¡Y una ingrata! ¿Es que no me agradeces el bien que te he hecho al recogerte para que no fueses una perdularia cualquiera?

¡Ah, cuánta maldad, Dios mío; cuánta maldad! Si entonces yo hubiera sido capaz de comprender habría sentido lástima del furioso dolor de aquella vieja celosa. Pero todavía mis ojos no habían mirado para la honda sima donde se debaten las pasiones humanas, y no comprendí. Rodaste, a golpes, por el suelo. Tumbada de espaldas, parecías una pequeña muertecita, y yo lloré, creyéndote perdida para siempre. Tía Sagrario se recluyó en su alcoba. Al poco rato oí que ella también lloraba, con unos profundos sollozos que la ahogaban.

La despedida

Seguramente en esa ocasión fué cuando resolviste escaparte. Cierta noche — alta noche sería — me desperté, sintiéndote próxima a mí. Te habías sentado al borde de mi cuna y me besabas.

— ¿Me extrañarías, Claudio, si me fuese? — inquiriste —.

Pero no dejaste que respondiera. En seguida hablaste de nuestro pueblo. Trajiste a la memoria todas las cosas bonitas que vimos juntos. Y terminaste por repetir alguna de esas historias montuvias que me contabas allá, al anochecer, en la cocina de nuestra casa samborondeña, mientras lavabas los trastes y yo me mecía en la hamaquita de jerga,[8] que colgaba en la puerta de la azotea. Creo que esa noche me narraste la historia de la india encantada. Esta india, que entre los suyos fué princesa, mora en una cueva en la cumbre del cerro grande de Samborondón. En los plenilunios sale a bañarse, desnuda, con rayos del astro, que recoge en un mate de oro. Escuchando esa historia me dormí.

La fuga. La muerte

Y al día siguiente ya no estabas en la casa. Se te buscó por todas partes, pero no se logró dar con tu paradero. No he vuelto a verte más. Sin embargo conozco tu breve novela. Primero, un cuartucho de hotel, luego un zaquizamí[9] de arrabal; al cabo, el prostíbulo. Primero, un hombre; luego, muchos hombres, todos los hombres, Después del prostíbulo, el hospital; y más tarde, la morgue y la tumba. Uno que sin duda te amaba hurtó tu cuerpecillo a la fosa común. Compró una sepultura para tu cadáver, en la colina del Carmen, y además una cruz de

8. pieza de paño. 9. especie de taberna. 10. avecita de plumaje negro y pecho amarillo.

madera con tu nombre. Alguna ocasión, borracho, he pasado por frente al cementerio de los pobres y se me ha ocurrido ir a tu tumba a visitarte. Mis amigos lo han impedido. Estando sin alcohol, no he ido jamás, ignoro por qué. Mas estoy seguro de que abrigo por ti, o mejor dicho, por tu recuerdo, un sentimiento que tiene poco de compasivo y que se parece mucho al de aquel desconocido a quien debes los seis metros de profundidad que te ocultan para siempre.

El gesto del muchacho

Es para reírse. Me río yo mismo. Pero yo era así de muchacho. Hay que considerar que me crié en la orfandad, que no tuve mimos y que nadie me engrió. Me agarraba a cualquier emoción desesperadamente. Y era sentimental y romántico sin saberlo. La vecina pulpera perdió una vez su gato, y puso un aviso en la puerta de su tienda: « Se ha perdido un gato romano, con un ojo amarillo y el otro verde. Se llama Juan. Le regalaré cuatro reales a quien lo traiga ». Yo imité a la vecina. Recatado de los ojos de mi tía pegué un papelito en un rincón del zaguán. Decía allí que te habías perdido, daba tu nombre y te describía a mi modo. Ofrecía a quien te volviera mi mejor juguete: una caja de soldados pomeranianos, regalo de mi padrino Pero nadie te tornó a mí. Los pomeranianos, encerrados en su cuartel de cartón, perdieron sus colores metálicos y se enmohecieron. El papelito amarilleció y acabó por caerse. Una tarde se iría, barrido a escoba, en el carretón de la basura. Y nada más.

El reclamo

Sin duda no daba bien tus señales cuando no te volvieron a mí. No sería por lo horro de la recompensa. Estoy seguro de que el hombre es bueno. Cualquiera que hubiera leído el reclamo te habría traído a mi lado. Sí; el hombre es bueno. Ahora podría describirte mejor. Diría:

— Se ha perdido una niña. Es flor de la tierra samborondeña. Su carne es del mismo color del barro cocido, del barro con que las hembras paisanas fabrican las ollas anchurosas, las torneadas cantarillas y los jarros de finas formas. Su pelo es renegrido y zambo; pero, en cambio, su boca es chiquita y acorazonada. Sus senos son altos; sus muslos, duros y esbeltos; y sus ancas, poderosas. Su risa semeja el relincho de una yegua de vientre, suelta en la sabana. Su llanto parece el arrullar de las pintadas colembas[10] en los porotillos orilleros. Ama los caramelos de limón y el silencio; mas, de estar alegre, charla como un periquito hablantín. Mira siempre tímidamente, como un chagüiz apresado. Cuando anda, todo su cuerpo salta en un zangoloteo inocentemente lascivo: brincan sus senos, cimbran sus caderas, su carne tiembla y se estremece. Toda ella es un maravilloso juego de complicado resortaje. Sólo los potros indómitos, corriendo por las pampas, pueden comparársele.

Invocación final

— ¿La has visto tú, mujer de la calle? ¿La has visto tú, hombre de la calle?

(De *Guasinton*, Quito, 1938)

Uruguay. ENRIQUE AMORIM (Uruguay; 1900) obtuvo sus mayores éxitos con su serie de novelas rurales: *La Carreta* (1929), *El paisano Aguilar* (1934), *El caballo y su sombra* (1941). Pero no se ha quedado en el tema campesino, como lo prueban sus novelas de ambiente urbano, atentas a problemas sociales, políticos, psicológicos y aun a puras aventuras policiales. Infatigablemente Amorim va levantando su torre de novelas, desde las que observa el mundo sudamericano. Otros títulos son *La edad despareja* (1938), *La luna se hizo con agua* (1944), *El asesino desvelado* (1946), *Nueve lunas sobre Neuquén* (1946), *La victoria no viene sola* (1953), *Corral abierto* (1956), *Todo puede suceder* (1956), *Los montaraces* (1957), *La desembocadura* (1958). Amorim es un observador inteligente, mesurado pero inquieto por la desorientación espiritual de nuestro tiempo. A veces la militancia política lo lleva a esbozar situaciones o personajes demasiado abstractos, pero en general acierta en la descripción precisa de una realidad concretísima. Ha escrito también teatro, versos y varios libros de cuentos. De su colección de cuentos *Después del temporal* (1953) reproducimos « La fotografía », que el mismo autor ha señalado como uno de sus preferidos. En estas páginas prueba Amorim su habilidad de narrador. Con detalles cuidadosamente elegidos presenta la soledad de una francesa en un pequeño pueblo uruguayo. Madame Dupont — mujer de mala vida, dedicada a su triste profesión entre « los horribles muros » de « su casa vergonzosa en los arrabales del pueblo » — quiere sacarse una fotografía junto con cualquier mujer decente, para engañar piadosamente a su madre, allá en Francia. La relación entre la profesional del amor y la maestra solterona apenas está insinuada, pero la atmósfera del cuento es densa, dramática y conmovedora.

Enrique Amorim

LA FOTOGRAFÍA

El fotógrafo del pueblo se mostró muy complaciente. Le enseñó varios telones pintados. Fondos grises, secos, deslucidos. Uno, con árboles de inmemorable frondosidad, desusada naturaleza. Otro, con sendas columnas truncas que — según el hombre — hacían juego con una mesa de hierro fundido que simulaba una herradura sostenida por tres fustas de caza.

El fotógrafo deseaba conformarla. Madame Dupont era muy simpática a pesar del agresivo color de su cabello, de los polvos de la cara pegados a la piel y de alguna joya, dañina para los ojos cándidos del vecindario. Con otro perfume, quizás sin ninguna fragancia, habría conquistado un sitio decoroso en la atmósfera pueblerina. Pero aquella señora no sabía renunciar a su extraña intimidad.

— Salvo que la señora prefiera sacarse una instantánea en la plaza. Pero no creo que tenga ese mal gusto — dijo el fotógrafo. Y rió, festejándose su observación —. Me parece más propio que obtengamos una fotografía como si usted se hallase en un lindo jardín, tomando el té . . . ¿He interpretado sus deseos?

Y juntó una polvorienta balaustrada y la mesa de hierro fundido al decorado de columnas. Dos sillas fueron corridas convenientemente, y el fotógrafo se alejó en busca del ángulo más favorable. Desapareció unos segundos bajo el paño negro y volvió a la conversación como quien regresa después de hacer un sensacional descubrimiento:

— ¡Magnífico, magnífico! . . . —. El paño fué a parar a un rincón —. Acabo de ver perfectamente lo que usted me ha pedido . . .

La mujer miraba el escenario con cierta incredulidad. La pobre no sabía nada de esas cosas. Se había fotografiado dos veces en su vida. Al embarcarse en Marsella, para obtener el pasaporte. Y un retrato en América, con un marinero, en un parque de diversiones. Por supuesto, no había podido remitir esa fotografía a su madre. ¿Qué iba a decir su madre al verla con un marinero, tan luego su madre que odiaba el mar y la gente de mar?

Volvió a explicarle al fotógrafo sus intenciones:

— Quiero un retrato para mi madre. Tiene que dar la impresión de que me lo han sacado en una casa de verdad. En mi casa.

El hombre ya sabía de memoria las explicaciones. Pretendía un retrato elocuente que hablase por ella. Conocía la dedicatoria que llevaría al pie: « A mi inolvidable madre querida, en el patio de mi casa, con mi mejor amiga. »

Era fácil simular la casa. Los telones quedarían admirablemente. Faltaba la compañera, la amiga.

— Eso es cosa suya, señora. Yo no se la puedo facilitar. Venga usted con ella y le garantizo un grupo perfecto.

Madame Dupont volvió tres o cuatro veces. El fotógrafo se mostraba complaciente, ani moso.

— Ayer saqué a dos señoras contra ese mismo telón. ¡Fantástico! Ya está probado. El grupo sale perfecto. Vea la muestra. Parece el jardín de una casa rica.

La clienta sonrió ante la muestra. Tenía razón el fotógrafo. Un retrato verdaderamente hermoso. Dos señoras, en su pequeño jardín, tomando el té.

Y volvió alegremente hasta las puertas de su casa vergonzosa, en los arrabales del pueblo.

A unos cien metros de su oscuro rincón vivía la maestra, la única vecina que respondía a su tímido saludo:

— Buenas tardes.

— Buenas . . .

A la pobre señora del pelo oxigenado le temblaban las piernas. El saludo se le desarticulaba en los labios. Y seguía pegada a los muros, sin levantar la vista.

Tal vez algún día consiguiese valor para detener el paso y hablarla. La maestra parecía marchita, apoyada en el balcón de mármol con aire melancólico y fracasado. El balcón era semejante al de utilería. Bien podría ella prestarle un favor. ¿Por qué no atreverse? No se negaría ante una solicitud tan insignificante.

Al fin, una tarde se detuvo. Una tarde sin gente, con perros vagabundos. Pasaba un carro de pasto verde, de esos a los que se les pide una gracia. Y la otorgan . . .

Se detuvo repentinamente. Claro, no la esperaban. Y le explicó el caso, lo mejor que pudo. Sí, era nada más que para sacarse un retrato destinado a su madre. Un retrato de ella con alguien, así como la señorita, respetable . . . Sonrió, segura de ayudarse con un gesto. Se retratarían las dos y ella le pondría una dedicatoria. La madre, una viejita ya en sus últimos años, comprendería que su hija habitaba una casa decente y tenía amigas, buenas amigas a su alrededor. La escena ya estaba preparada desde días atrás. ¿Sería ella tan amable de complacerla? Las relaciones de Madame Dupont son muy escasas y no se prestan para cosas así. No sirven. Además, no la entienden. ¿La podía esperar en casa del fotógrafo? Sí, la esperaría a la salida de clase. Mañana. Cuando los niños volviesen a sus hogares. « Merci, merci . . . »

Madame Dupont no recordaba si había monologado, simplemente. Si la maestrita había dicho que sí o que no . . . Pero recordaba una frase desvanecida en su memoria, no escuchada desde tiempo atrás: « Con mucho gusto ».

Y dió las gracias con palabras de su madre. Y antes de dormirse besó el retrato de su madre, poniéndolo nuevamente en su sitio, entre una pila de sábanas, amortajado.

Al fin, alguien del otro lado del mundo se había dignado tenderle la mano para que ella pudiese dar un salto. Pensaba, mientras se dirigía a la casa del fotógrafo, que tal vez fuese el comienzo de una nueva etapa en su vida. La maestra le había contestado con naturalidad, como si prometiese sin mayor esfuerzo. Aquel detalle la tranquilizaba.

No acababan de acomodar las sillas, de situar la mesa, de dar golpes de plumero al polvoriento balcón de « papier mâché ».

El fotógrafo, cansado de rectificar el cuadro, se asomó a la puerta de calle a ver pasar la gente. Cuando los niños salieron de la escuela, entró a enterar a su clienta. La maestra ya estaría en camino.

— Dentro de un momento llegará — aseguró la mujer —. Ha de estar arreglándose.

Al cuarto de hora los alumnos habían colgado sus delantales blancos y se les veía otra vez vagabundear por la calle, sucios, gritones, comiendo bananas, cuyas cáscaras arrojaban en los zaguanes con crueles intenciones, a la expectativa del porrazo. Los días que se sentían malos, sin saber por qué.

— Ya debería estar aquí. Lamento comunicarle — dijo el hombre — que dentro de poco no tendremos luz suficiente para una buena placa.

La mujer aguardaba, disfrutando del apacible rincón, feliz en su espera. Nunca había permanecido tanto tiempo en un sitio tan amable y familiar. Se colmó de una dicha honrada, sencilla, desconocida.

Con las primeras sombras, Madame Dupont abandonó el local. Se alejó envuelta en una disimulada tristeza. Dijo que volvería al día siguiente. La maestra, sin duda, había olvidado la cita.

Al doblar la esquina de su calle la vió huir del balcón. Oyó el estrépito de la celosía como una bofetada. Después lo sintió en sus mejillas, ardiendo.

No es fácil olvidar un trance semejante. Y menos aún si se vive una vida tan igual, tan lentamente igual. Porque Madame Dupont acostumbraba a salir una vez a la semana y ahora ha reducido sus paseos por el pueblo. Suele pasar meses sin abandonar los horribles muros de su casa.

No ha vuelto a ver a la maestra marchitarse en el balcón de mármol, a la espera del amor, de la ventura.

El fotógrafo archivó el decorado, la tela pintada con aquel árbol de fronda irreal. Sobre la balaustrada cae un polvillo sutil, que es el alma del pueblo, la huella de sus horas apacibles.

Los niños siguen arrojando cáscaras de fruta en los zaguanes con perversas intenciones. Sobre todo cuando sopla el viento norte. Y se oyen gritos de madres irritadas, de padres coléricos.

A veces, no está de más decirlo, hay que encoger los hombros y seguir viviendo.

(De *Sur*, Buenos Aires, 1942, num. 91)

El existencialismo o, por lo menos, ese angustioso meditar que asociamos al existencialismo de Kierkegaard — meditar sobre la criatura humana, concreta, singular, atormentada por el sentido de su responsabilidad — inspiró cuentos, novelas. No fué ni literatura idealista ni realista; precisamente su originalidad estuvo en que se negó a separar la conciencia por un lado y el mundo exterior por otro. Le interesaba comprender la existencia humana como un « estar », como un « ser » en el mundo. Un gran novelista dió nuestra América en esta dirección: EDUARDO MALLEA (Argentina; 1903). Empezó juguetonamente con los *Cuentos para una inglesa desesperada* (1926) pero después de diez años de silencio reapareció con una tremenda seriedad. *Nocturno europeo* (1934) fué una confesión en tercera persona; en esa persona — Adrián — Mallea comenzó a ahondar en su angustiada concepción de la vida. En *Historia de una pasión argentina* (1935) mostró a su angustia en su circunstancia nacional. Libro autobiográfico, vibrante, cálido. Imprecación contra los figurones de la oligarquía, contra las clases poderosas que asfixian la vida auténtica del pueblo. Ternura para las voces profundas de la nación trabajadora y leal. En los relatos de *La ciudad junto al río inmóvil* (1936) Mallea intentó descubrir el secreto de Buenos Aires: personajes conscientes de su soledad y desesperación, con las raíces morales en el aire. Desde *Fiesta en noviembre* (1938) Mallea, que hasta entonces se expresaba con monólogos, empezó a construir sus novelas con diálogos en contrapunto, con múltiples personajes cada cual con su perspectiva. Pero en todas las novelas que siguieron, desde *La bahía de silencio* (1940), por variados que sean los personajes y sus actitudes ante la vida siempre están habitados por Mallea, que desde cada alma creada persigue su propia indagación de qué es ser hombre, ser mujer, en una situación vital argentina. Mallea tiene el pudor de contar. Cada vez que llega a una situación propicia para hacer galopar el relato, se desvía hacia lentos análisis psicológicos o reflexiones más o menos filosóficas. Su tono de preocupación, de tristeza y a veces de congoja por las condiciones de la vida domina toda su vasta obra novelística. Puesto que, de acuerdo a nuestro plan, no podemos incluir aquí pasajes de sus novelas, vamos a reproducir unas páginas en las que Mallea echa un vistazo a su propia actividad de narrador. De esta manera ligamos esta sección con la que sigue, que versará sobre el Ensayo.

1. la famosa batalla naval contra los turcos (1571) en la que perdió Cervantes el uso de la mano izquierda.

Eduardo Mallea

TRÍPTICO PERSONAL
1940-1949

I

No sé lo que es la ambición literaria; en puridad no sé lo que es. Puedo imaginármela, puedo hacerme a la idea de que es algo así como una convención de naturaleza retórica según la cual un señor dado se propone obtener de un dado público ciertas calificaciones presuntas. Pero la palabra no me gusta. Implica, *prima facie*, cierto trueque; y en este cambio es a veces más ilegítimo lo que se da que legítimo lo que se obtiene. A la palabra ambición prefiero la voz proyecto: me parece más próxima de la artesanía problemática y menos garantizada de costosas complacencias. Por lo demás escribo en virtud de un proceso cuya calificación no es tan simple. Elijamos una palabra: catártico. Catártico en lo personal; pero ¿qué tiene que ver lo personal con la función real de escribir? El esteta puede ajustarse a un ejercicio de tal modo suntuario, privado, fortuito, presuntuoso; pero nadie más. Escribir, en el sentido decente del término, entraña otros contratos. Por lo pronto, una necesidad de estructura, o de relaciones proporcionadas, entre el objeto producido y el medio en que se produce. No es menester siempre que la literatura refleje su tiempo; es a veces menester — es a veces forzoso — que la literatura refleje lo que está en su tiempo *sin ser visto*, o lo que su tiempo reclama por conductos tácitos que sólo por la creación producida se hacen (y a veces sólo a largo plazo) explícitos.

Un escritor refleja de su tiempo lo que su tiempo no encuentra. Por eso cuando la política prevalece atacando la libre expresión creadora de la criatura humana, la literatura recoge su tiempo en sus trojes. Una literatura llamada a perdurar es generalmente profética; en raros casos apologética; menos aún de propaganda. Cuando la literatura no es de anunciación, de suscitación, se vuelve mostrenca, subordinada, subalterna. Como los cleros, la literatura necesita para ser grande engrandecerse en la privación y nacer de un prolijo y noble tormento. Dostoiewsky está bien en el tiempo de Dostoiewsky. Su concepción de su tiempo llevaba ventaja sobre el tiempo. Pero los países totalitarios han matado su literatura; por eso solo, por mucho que blandan otros estandartes, han renunciado ya a la mitad de su genio. Cervantes es tan importante como Lepanto,[1] en muchos sentidos, más: porque lo que una batalla tiene de eterno es su leyenda, pero lo que un genio nacional tiene de eterno es su permanente actualidad.

No sólo persiste el escritor según su verdadera ley en hallar lo que su tiempo no encuentra, sino lo que él, en tanto que hombre dotado de medios expresivos, halla, en su medio, inexpresivo. De ahí que algunos no nos hayamos dado la paciencia de limitarnos y estemos todavía dando manotadas acumulativas, tocando a veces temas que no elegiríamos y empleando a veces registros que sin causa decisiva no utilizaríamos y extendiendo nuestro abarcar en vez de ajustar nuestro apretar. ¡Cuánto tiempo hace que yo, por ejemplo, no me doy el gusto de escribir un libro a mi gusto! Estoy escribiendo, por mi parte, sobre lo que creo que no puede pasar sin ser recogido, articulado, aunque no sea más que para acusar el tema y dejarlo fuera del limbo, fuera de la región de lo inexpresado. Y de este modo yo mismo considero varios de mis libros sin calor, como voluminosas aproximaciones. Pues no quiero dejar — ni a trueque de darme un gusto a mí mismo — de acercarme y enfrentarme con materias que no podemos dejar imprevistas, que no podemos dejar inéditas, que no podemos dejar ocultas en la masa indiferenciada. Y sucede después como en los edificios: si uno llega a techar los bastimentos la obra se salva y si no, no. Así pues a lo que tiendo es a ir figurándome los libros que podrán servir de techos. Si los obtengo, las voluminosas aproximaciones obtendrán mecánicamente su sentido parcial y su justificación general; y si no, quedarán como eso, como meras masas aproximativas, semejantes a las paredes y al techo de una arquitectura substantiva que nunca del todo se consumó. Pero mientras tanto, nuestro quehacer es una labor ímproba, una labor a la que no le importa más que poseer un fin y estar desarrollando un ejercicio, un ejercicio hacia ese fin. Libro escrito es libro al que ya somos extraños: nuestra atención está de nuevo reclamada por otros objetivos y por otros ritmos.

¿Quién puede favorecer o contrariar el destino de un libro ya lanzado? No hay injusticias en materia de arte, no hay botellas al mar. Por eso son tan pocas las obras totalmente ignoradas que las posteridades descubren. Hay libros que se reactualizan, pero casi nunca, prácticamente nunca, libros que se descubren *in totum*, que se traen a la vida de la muerte. El libro que no halla vida que practicar es el que nace muerto. Los que llegan a la vida con vida pueden conocer vicisitudes, pero no óbito. ¿De qué vale que nos empeñemos en matar, o en ayudar, a un ente que nace muerto, o a uno que va a vivir? ¿Qué tiene que ver eso con nosotros? ¿Amigo, crítico? No hay otra ayuda más que la natural, que sale del organismo proyectada porque sí, porque tiene que ser así y no puede ser de otra manera.

2.

He nacido en una ciudad del Atlántico, doce horas de tren al sur de Buenos Aires, el 14 de agosto de 1903. La ciudad donde nací se llama Bahía Blanca. Es una ciudad relativamente grande, de mucho movimiento comercial: tres puertos ofrece al mar, posee una base marina, silos, elevadores de granos y un tenue labio gris donde faenan los pescadores; más adentro de ese labio gris se recoge la ciudad propiamente dicha.

Mi padre era un médico cirujano, hombre de gran cultura social y humanística, de dúctil y extraordinario encanto en el trato; tenía en verdad una de esas dulces sabidurías medulares en las que, por su viviente proporción, me parece definirse la naturaleza americana, húmeda la inteligencia de alma, y lista la conciencia para ofrecer y ayudar; mi padre tenía aficiones literarias y políticas, fué un *pioneer* y llevó su avanzada personal de ciencia y cultura a las regiones todavía bravías del sur de nuestra provincia de Buenos Aires, donde era duro luchar y vivir; en aquellas regiones aluvionales vivió como el señor que era, con ponderación y sin riqueza, fácil a la renuncia y difícil al rencor; era tierno y altivo: como el roble de fuerte y como el roble de tierno. Al lado de él y de mi madre crecí con dos hermanos — una mayor y otro menor — en la ciudad azotada por los vientos y la arena de los médanos del sur. Yo era muy aficionado a leer y rumiar, y en aquella casa tranquila se tejieron los sueños — los primeros y tal vez los definitivos — de una infancia meditativa. En 1914 llegaron hasta mi casa los ecos de la guerra de Europa y en el consultorio de mi padre yo hojeaba las revistas francesas callado ante las estampas vandálicas de mutilación y de fusilamiento. Dos años después mi padre vino a instalarse en la capital, a fin de ocuparse exclusivamente de la educación de los hijos.

Yo siempre fuí un estudiante desordenado y abandoné mi carrera de derecho cuando comencé a publicar los primeros trabajos. No sé cuándo comenzó mi vocación literaria; creo que si no escribiera no viviría. De temperamento difícil a la palabra, concentrado, tuve siempre una necesidad profunda de marcar cuanto iba viviendo con una expresión más fuerte de la que hubiera sido capaz de imprimirle con la voz o con los actos. En 1926 apareció mi primer libro, una serie de cuentos poemáticos.

En el alma radican ojos mucho más netos y profundos que en la razón racional: todo consiste en el milagro de tenerlos abiertos cuando todo en el mundo los invita a entrecerrarse. Estuve de nuevo — había viajado dos veces, antes — en Francia y en Italia, y en esos países y desde esos países ví mi América, y mi país en esa América, como una entidad diferente, verdaderamente nueva en su ritmo, grande en sus dimensiones, rica en sus yacimientos, próvida en su naturaleza, secreta en su proceso, admirable en la calidad y singularidad de su destino. De esas comprobaciones, clarificaciones y evidencias surgieron diez libros.[2] Equivalen, para mí, a diez fracasos generales. Están llenos de precipitación y de necesidad; todos fueron escritos sin ajuste a métodos estrictos, como obra de artista improvisador, y merecerían la desaprobación de un discípulo de Leonardo porque su obstinación carece de rigor. Sus motivaciones están desprovistas de disciplinas rectoras. Y si algo justifica (probadas tales carencias) que esos libros anden todavía por el mundo es tal vez el ser su necesidad una necesidad argentina, esto es, americana, y su desigualdad parecida a la desigualdad de nuestro paso, que varía de ritmo y de medida según el imperio y estilo de nuestras grandes distancias. El paso europeo

2. « Escrito en 1940. » (*Nota de Mallea*). 3. novela del escritor inglés, George Meredith (1828-1909). 4. « Escrito en 1949 para la antología *World's Best*, editada por Whit Burnett en los Estados Unidos, que comprendía ciertos escritores universales, a cada uno de los que se le había pedido que dijese algo sobre sí mismo o sobre su obra para anteceder al trozo seleccionado. (*Nota de Mallea*). 5. villa de Portugal, cerca de Oporto, donde nació Eça de Queiroz (1843-1900).

no conoce más que las distancias cortas y el orden es por definición cosa de límites.

He vivido; he escrito; he combatido. En mis libros nada vale excepto, creo, *una índole de aspiración*, en el sujeto y en el objeto, aspiración que yo distinguiría, espiritualmente, como una voluntad individual y común *de ser más* en lo que se refiere a empresa y proyecto del hombre argentino. Esa aspiración, contada como he podido, a veces inorgánicamente, a veces cándida o ilógicamente, ya mediante generalizaciones, ya mediante personajes de novela, constituye, en fin, la médula de cuanto he hecho. A veces creo que tendría que hacerlo todo de nuevo; muchas veces envidio a los hombres que veo en nuestro campo naturalmente aplicados a su conversación seria y profunda con la tierra. Ésa me parece la mejor entre todas las conversaciones. Otras veces pienso que el sacrificio de nosotros mismos realizado por la palabra escrita es el deber más considerable que tenemos los hombres de letras para con la comunidad, el sacrificio de modos de vida menos crueles que la creación, larga de nacer y corta de morir. No tengo gran cosa que agregar sobre mí. Vivo bastante solitario y me gusta dar largas caminatas por la ciudad, pensando que ya es hora de que escriba mi primer verdadero libro. A veces me siento fatigado y me parece que han pasado años y años desde los días en que soñaba con hacer algo bueno de lo que mis amigos pudieran enorgullecerse. Entonces siento un gran desencanto de mí, y quisiera ir a explicar a cada uno de esos amigos las razones de mi fracaso y la tristeza de mi mediocridad. Pero la vida no se detiene y atrás dejamos lo que amamos. Creo que llegaré a viejo prefiriendo la lectura de *Beauchamp's Career*[3] a la lectura de Aristóteles, lo cual debe ser un pésimo síntoma. No conozco mayor alegría que la de vivir entre la gente que quiero, y ver el mundo — el mundo simplísimo y pequeñísimo — en su compañía. Y después de veinte años de consagración a las letras, de entregarles lo mejor de mí, noche y día, estaría dispuesto a creer que he trabajado demasiado poco si no estuviera ahí el ramo de invectivas para demostrarme lo contrario.

3.

Tengo cuarenta y seis años.[4] He escrito diecisiete libros. He destruído tres. He tenido que recomenzar cada día mi aprendizaje literario. He recibido más bondad que la que juzgué merecer y he obtenido el relativo éxito a que podía aspirar un escritor que escribe en español y ha nacido en una bahía del Atlántico austral, lejos de los grandes centros cotizadores de la literatura. He aprendido cosas con dolor y las he olvidado con facilidad. He sacrificado muchas comodidades a la labor literaria. He escrito siempre con sufrimiento. He padecido mucho de no haber alcanzado aún la suma de eficacia y anchura que deseé para mi producción. No me gusta hablar de literatura con mis amigos y tuve siempre una simpatía secreta por aquel escritor portugués llamado Eça de Queiroz que vivió muchos años en Inglaterra y cuyos amigos, a quienes trató siempre con una humana y exquisita cortesía, sólo se enteraron después de su muerte de que aquel hombre cordial y normal era además de eso un escritor, uno de los más grandes que Portugal había conocido. Y en su país, cuando lo buscaban para elogiarlo, decía, con la dulce elegancia de un alma bien educada: « Yo no soy más que un pobre hombre de Povoa de Varzim. »[5]

Quizás desearía yo no haber encontrado en mi vida el destino duro y terrible de crear. Pero ya que me ha sido dado, lo he tomado con voluntad y hasta con entusiasmo. Muchas veces me dejé llevar por la ilusión de que toda auténtica idea poética es un estímulo para el corazón humano; y de que, escribiendo, podía yo, siendo tan poca cosa, hacer algo en favor de los hombres, aunque mis lectores fueran pocos y mi mensaje tan defectuoso y tan insuficiente.

He escrito mucho sobre los hombres de mi país y sobre sus tierras, sus ilusiones y sus sueños. He viajado por otros países y por otras literaturas. Y de ese modo mi deuda se fué haciendo tan grande, que pensé no descansar hasta no concluir, en los capítulos de la vasta carta de mis libros, una especie de ferviente epístola o largo cuento contado a todos los amigos del mundo, sin levantar mucho la voz, al costado de un fuego o al arrimo de un río, en que estuviera recogida la historia de unas almas cuyo destino me pareció admirable o cuyos sueños compartí o cuyas tragedias me hicieron pensar o cuyos insomnios o cuyos dramas encerraron para mí una significación misteriosa y extraña. Estoy a bordo de esa larga narración. Y espero contarla hasta que ya no tenga fuerzas y los personajes aparezcan alejándose, como el espíritu de los héroes muertos, en la antigua tragedia.

(De *Notas de un novelista*, 1954)

ENSAYO

Aunque los escritores que siguen se distinguen también como narradores, aquí los presentaremos por su labor de ensayistas, en la que son excelentes.

Las primeras informaciones sobre el cubismo, el ultraísmo y el superrealismo llegaron a Venezuela con rezago, en comparación a otros países. Cuando llegaron, un grupo de cuentistas y novelistas venezolanos, encabezados por ARTURO USLAR PIETRI (1905), no pudiendo negar la realidad ni queriendo copiarla, acertaron en el arte de apuntar a lo poético que está enredado en las cosas.

Uslar Pietri dió el ejemplo con una prosa rica en impresiones sensoriales, en metáforas líricas, en símbolos que sugieren una nueva interpretación de la realidad americana. Sus primeras narraciones fueron de 1928: *Barrabás y otros relatos*. En los otros dos libros de cuentos que siguieron se advierte una evolución desde el culto de la frase muy imaginativa hacia un arte más atento a la descripción de las cosas vernáculas: *Red* (1936), *Treinta hombres y sus sombras* (1949). Ha escrito, además, una excelente novela histórica sobre la guerra de la independencia en Venezuela: *Las lanzas coloradas* (1931). Aquí nos presenta movimientos de muchedumbres, no de héroes. Esta perspectiva que deliberadamente lo confunde todo en manchas desordenadas y sueltas es la del impresionismo. Uslar Pietri ha puesto al servicio de un tema bárbaro una sabia técnica de novelista. En *El camino de El Dorado* (1948) nos dió la biografía novelada del diabólico conquistador Lope de Aguirre.

La labor de Uslar Pietri como ensayista es asimismo muy estimable: *Las visiones del camino* (1945), *Letras y hombres de Venezuela* (1948), *Las Nubes* (1956). Éste es el aspecto de Uslar Pietri que vamos a ofrecer en nuestra antología. Las páginas que siguen, « Lo criollo en la literatura », son reflexiones sobre los aportes originales de la cultura hispanoamericana. Por ser, no sólo un estudioso de nuestro pasado literario, sino también uno de los creadores más talentosos en el presente, pocos ensayistas tienen tanta autoridad como Uslar Pietri para desarrollar su tema.

Arturo Uslar Pietri

LO CRIOLLO EN LA LITERATURA

América fué, en casi todos los aspectos, un hecho nuevo para los europeos que la descubrieron. No se parecía a nada de lo que conocían. Todo estaba fuera de la proporción en que se había desarrollado históricamente la vida del hombre occidental. El monte era más que un monte, el río era más que un río, la llanura era más que una llanura La fauna y la flora eran distintas. Los ruiseñores que oía Colón no eran ruiseñores. No hallaban nombre apropiado para los árboles. Lo que más espontáneamente les recordaba era el paisaje fabuloso de los libros de caballerías. Era en realidad otro orbe, un nuevo mundo.

También hubo de formarse pronto una sociedad nueva. El español, el indio y el negro la van a componer en tentativa y tono mestizo. Una sociedad que desde el primer momento comienza a ser distinta de la europea que le da las formas culturales superiores y los ideales, y que tampoco es continuación de las viejas sociedades indígenas. Los españoles que abiertamente reconocieron siempre la diferencia del hecho físico americano, fueron más cautelosos en reconocer la diferencia del hecho social. Hubiera sido como reconocer la diferencia de destino. Sin embargo, la diferencia existía y se manifestaba. Criollos y españoles se distinguieron entre sí de inmediato. No eran lo mismo. Había una diferencia de tono, de actitud, de concepción del mundo. Para el peninsular el criollo parecía un español degenerado. Muchas patrañas tuvieron curso. Se decía que les amanecía más pronto el entendimiento, pero que también se les apagaba más pronto. Que era raro el criollo de más de cuarenta años que no chochease. Que eran débiles e incapaces de razón. Por su parte, el criollo veía al peninsular como torpe y sin refinamiento. Todo esto lo dicen los documentos de la época y está latente en palabras tan llenas de historia viva como « gachupín », « indiano », « chapetón », « perulero » La misma voz « criollo » es un compendio de desdenes, afirmaciones y resentimientos.

Esa sociedad en formación, nueva en gran medida, colocada en un medio geográfico extraordinariamente activo y original, pronto comenzó a expresarse o a querer expresarse. Hubo desde temprano manifestaciones literarias de indianos y de criollos. No se confundían exactamente con los modelos de la literatura española de la época. Los peninsulares parecían pensar que todo aquello que era diferente en la expresión literaria americana era simplemente impotencia para la imitación, balbuceo o retraso colonial. Algún día superarían esas desventajas y sus obras podrían confundirse enteramente con las de los castellanos.

Esas diferencias literarias existieron desde el primer momento Empezaron a aparecer aún antes de que hubiera criollos. Surgen ya en la expresión literaria de los primeros españoles que llegan a América y la describen. La sola presencia del medio nuevo los había tocado y provocado en ellos modificaciones perceptibles. Esos españoles que venían de una literatura en la que la naturaleza apenas comparece, van de inmediato y por necesidad a escribir las más prolijas y amorosas descripciones del mundo natural que hubiera conocido Europa hasta entonces. Ya es la aparición de un tema nuevo y de una actitud nueva. Hay también una como ruptura de la continuidad literaria. Cuando van a narrar los hechos históricos de que son testigos, lo hacen resucitando antiguas formas ya en desuso. Van a escribir crónicas.

Se manifiesta también una como resistencia del nuevo medio cultural al trasplante de las formas europeas. A algunas las admite, a las más las modifica, pero a otras las rechaza. Los dos géneros literarios en que florece el genio español en la hora de la colonización, la comedia y la novela realista, no logran pasar a América. Cuando viene un gran novelista como Mateo Alemán, calla o escribe una Gramática. No hay en Indias quien imite a Lope de Vega, a pesar de que hubo tiempo en que todo el que podía sostener pluma de poeta lo imitaba en España. En cambio se cultiva con intensidad y extensión extraordinaria el poema histórico narrativo, que en España no llega a arraigar y tiene una vida efímera y postiza.

Esos rasgos y caracteres diferenciales no hicieron sino acentuarse con el tiempo, dándole cada vez más ser a la realidad de una literatura hispanoamericana que, fuera de la lengua, no tenía mucho en común con la literatura española.

Tardos fueron los españoles en admitir este hecho. Todavía a fines del siglo XIX Menéndez y Pelayo habla de la literatura hispanoamericana como parte de la literatura española y se propone, en la antología que la Academia le encomienda, darle « entrada oficial en el tesoro de la literatura española » a la « poesía castellana del otro lado de los mares ». Con todo, Menéndez y Pelayo no puede menos que atisbar algunas de esas diferencias tan visibles. Para él la contemplación de las maravillas naturales, la modificación de la raza por el medio ambiente y la vida enérgica de las conquistas y revueltas sirven de fundamento a la originalidad de la literatura de la América hispana. Originalidad que para él se manifiesta en la poesía descriptiva y en la poesía política.

También hubo de notar las diferencias Juan Valera. Para él provenían del menor arraigo de los criollos, de la menor savia española. Esto les parecía inclinarlos al cosmopolitismo. No eran éstos rasgos que podían merecer su alabanza. Y tampoco se cuidaba de rastrearlos en el medio colonial para ver si tenían algo de consustancial con el espíritu del criollo.

Esta parca y un poco desdeñosa admisión de la diferencia llega sin modificarse casi hasta nuestros días. Reaccionan contra ella algunos pocos: Miguel de Unamuno, en parte, y Federico de Onís, de un modo tenaz y penetrante. Pero todavía cuando Enrique Díez Canedo se recibe en la Academia Española, Díez Canedo, que amaba y quería entender a América, habla de la « unidad profunda » de las letras hispánicas, y, concediendo una mínima parte a la diferencia, afirma que Garcilaso « el Inca », Alarcón, Sor Juana y la Avellaneda, « españoles son y muy españoles han de seguir siendo ».

Y, sin embargo, las diferencias existen, han existido siempre, se han venido afirmando a través del proceso histórico de la formación cultural de Hispanoamérica, están presentes en todas las obras importantes de su literatura desde el siglo XVI, lejos de debilitarse se han venido afirmando con el tiempo, y son mayores y más características que las semejanzas que la acercan al caudal y al curso de la literatura española.

No hay manera más clara de percibir toda la verdad de esta aserción que la que consiste en aplicar a cualquiera de las obras capitales de la literatura criolla los rasgos que se han venido a considerar como los más característicos y persistentes de la literatura castellana. La incompatibilidad brota al instante para decirnos que, precisamente en lo más fundamental, han sido siempre y son hoy cosas distintas.

Don Ramón Menéndez Pidal,[1] autoridad legítima en todo lo que se relaciona con la lengua y literatura castellanas, ha señalado como los caracteres fundamentales de la literatura española los siguientes: la tendencia a lo más espontáneo y popular; la preferencia por las formas de verso menos artificiosas; la persistencia secular de los temas; la austeridad moral; la sobriedad psicológica; la escasez de lo maravilloso y de lo sobrenatural; el realismo y el popularismo.

Es obvio que estos caracteres que Menéndez Pidal considera « de los más típicos y diferenciales » de la literatura española no convienen a la literatura hispanoamericana. No son los de ninguna de sus épocas ni se reflejan en ninguna de sus obras más caracterizadas y valiosas. No se hallan en la obra del Inca Garcilaso; es casi lo contrario lo que representa Sor Juana Inés de la Cruz; no aparecen en los libros del Padre Velasco, de Rodríguez Freyle, de Peralta Barnuevo; no están en Concolorcorvo, y ni la sombra de ellos asoma en Sarmiento o en Martí, en Darío o en Horacio Quiroga. Aun las formas más populares de la poesía hispanoamericana, como Martín Fierro, se apartan visiblemente de ese esquema.

No hay duda de que son otros los rasgos que identifican a la literatura hispanoamericana. No sólo llegaron más atenuados a ella los rasgos castellanos, que se impusieron a toda la Península, sino que desde el comienzo se afirmó en ella la necesidad de una expresión distinta. Lo castizo no halló sino un eco superficial en su ámbito.

Examinada en conjunto, en la perspectiva de sus cuatro siglos, la literatura hispanoamericana presenta una sorprendente individualidad original. Desde el comienzo se manifiestan en ella caracteres propios que se van acentuando a lo largo de su evolución y que la distinguen de un modo claro de la literatura española y de todas las otras literaturas occidentales. Esos caracteres aparecen temprano, se van intensificando con el transcurso del tiempo y están en todas sus obras fundamentales. El mundo nuevo hallado en el Océano y la sociedad original formada en su historia llevaron el eco de sus peculiaridades a su expresión literaria.

No es difícil señalar algunos de esos rasgos característicos. Son los más persistentes y los más extendidos. Asoman en las más antiguas obras de la época colonial y continúan indelebles en las más recientes de las últimas generaciones. En grado variable se advierte igualmente su presencia en todos los géneros. Desde la historia a la poesía, al ensayo y a la novela.

El primero de esos rasgos propios es, sin duda, la presencia de la naturaleza. La naturaleza deja de ser un telón de fondo o el objeto de una poesía didáctica para convertirse en héroe literario. El héroe por excelencia de la literatura hispanoamericana es la naturaleza. Domina al hombre y muestra su avasalladora presencia en todas partes. A la árida literatura castellana llevan los primeros cronistas de Indias, más que la noticia del descubrimiento de costas y reinos, un vaho de selvas y un rumor de aguas. Los ríos, las sierras, las selvas son los personajes principales de esas crónicas deslumbradoras para el castellano que las lee desde la soledad de su parda meseta. Es con bosques, con crecientes, con leguas con lo que luchan Cabeza de Vaca, o Gonzalo Pizarro, u Orellana.

Aun cuando llegan las épocas más clásicas e imitativas, el jesuíta expulsado hará su poema neolatino sobre la naturaleza salvaje de América, la *Rusticatio Mexicana* de Landívar. Cuando Bello invita a la poesía neoclásica a venir a América, la primera nota de americanidad que le ofrece es el canto a las plantas de la zona tórrida.

1. *Bulletin Hispanique*, 1918. Vol. XX.

Pero ese dominante sentimiento de la naturaleza en la literatura criolla no es meramente contemplativo, es trágico. El criollo siente la naturaleza como una desmesurada fuerza oscura y destructora. Una naturaleza que no está hecha a la medida del hombre.

Cuando Sarmiento considera la vida política y social argentina para escribir a *Facundo*, el medio natural se convierte fatalmente en el personaje de su obra. No es de Rosas, ni siquiera de Quiroga, de quien va a hablarnos: es de la pampa. Él la siente, criollamente, como un ser vivo, como una fiera monstruosa que amenaza la vida argentina.

Podría parecer baladí señalar la presencia de la naturaleza en los románticos, porque en ellos podría ser simple imitación de sus maestros europeos. Pero, en cambio, cuando la novela hispanoamericana comienza a alcanzar dimensiones universales, se afirma como su rasgo más saliente el de la presencia trágica de la naturaleza como héroe central. En ninguna otra novela contemporánea tiene la naturaleza semejante importancia.

El rasgo que más parece seguir a éste en importancia y permanencia es el que podríamos llamar del mestizaje. O de la aptitud y vocación de la literatura, como de la vida criolla, para el mestizaje. La literatura hispanoamericana nace mezclada e impura, e impura y mezclada alcanza sus más altas expresiones. No hay en su historia nada que se parezca a la ordenada sucesión de escuelas; las tendencias y las épocas que caracterizan, por ejemplo, a la literatura francesa. En ella nada termina y nada está separado. Todo tiende a superponerse y a fundirse. Lo clásico, lo romántico, lo antiguo con lo moderno, lo popular con lo refinado, lo tradicional con lo mágico, lo tradicional con lo exótico. Su curso es como el de un río, que acumula y arrastra aguas, troncos, cuerpos y hojas de infinitas procedencias. Es aluvial.

Nada es más difícil que clasificar a un escritor hispanoamericano de acuerdo con características de estilos y escuelas. Tiende a extravasarse, a mezclar, a ser mestizo.

Este rasgo tan característico de lo criollo se presenta también en las artes plásticas. En un sagaz ensayo (« Lo mexicano en las artes plásticas ») José Moreno Villa habla del « fenómeno muy colonial del mestizaje », que hace que en los conventos del XVI encontremos esa extraña mezcla de estilos pertenecientes a tres épocas: románica, gótica y renacimiento. Esa tendencia al mestizaje le parece a Moreno Villa lo que fundamentalmente diferencia al arte mexicano del europeo, del que parece proceder, y sus interesantes observaciones las resume en la siguiente forma, que viene a ilustrar de un modo muy útil nuestra tesis: « El siglo XVI se distingue por su anacronismo (mezcla de románico, gótico y renacimiento); el siglo XVIII se distingue por su mestizaje inconsciente, y el siglo XX se distingue por la conciencia del mestizaje. »

Muchos son los ejemplos de este fecundo y típico mestizaje que ofrece la literatura criolla en todas sus épocas.

Garcilaso el Inca, buen símbolo temprano, es más mestizo en lo literario y en lo cultural que en la sangre. Elementos clásicos y barrocos siguen vivos en nuestro romanticismo. *Facundo* es un libro caótico imposible de clasificar.

Ese mestizaje nunca se mostró más pleno y más rico que en el momento del modernismo. Todas las épocas y todas las influencias literarias concurren a formarlo. Es eso precisamente lo que tiene de más raigalmente hispanoamericano, y que era lo que Valera juzgaba simplemente como cosmopolitismo transitorio. El modernismo surge por eso en América, y en España no tiene sino un eco momentáneo y limitado. Los hombres del 98 aprenden la lección modernista, pero en su mayor parte reaccionan hacia lo castizo.

Esa vocación de mestizaje, esa tendencia a lo heterogéneo y a lo impuro vuelven a aparecer en nuestros días en la novela hispanoamericana. En ella se mezclan lo mítico con lo realista, lo épico con lo psicológico, lo poético con lo social. Tan impura y tan criolla como ella es la nueva poesía. A nada del pasado renuncia, incorporando aluvialmente todo lo que le viene del mundo. No renuncia al clasicismo, ni al barroco, ni al romanticismo, ni al modernismo. Sobre ellos incorpora los nuevos elementos que florecen en la extraordinaria poesía caótica de un Pablo Neruda.

Frente a la tendencia de la literatura española « a lo más espontáneo » y « a las formas de verso menos artificiosas » la literatura hispanoamericana alza su antigua devoción por las formas más artísticas.

El gusto hispanoamericano por las formas más elaboradas y difíciles, por las formas de expresión más cultas y artísticas, no sólo se manifiesta en su literatura y en su arte, sino que se refleja en la vida ordinaria y hasta en el arte popular. Barroca, ergotista y amiga de lo conceptual y de lo críptico es su poesía popular. El cantor popular compone frecuentemente en formas tan elaboradas como la de la décima.

Ya el español Juan de Cárdenas, entre otros, señalaba en el siglo XVI el gusto del criollo por el primor del discurso y la ventaja que en esto llevaba al peninsular. Lope de Vega, por su parte, en el gran archivo de su teatro, señala como característica del indiano la afectación del lenguaje: « Gran jugador del vocablo. » Y Suárez de Figueroa, en *El Pasajero*, dice de ellos: « ¡Qué redundantes, qué ampulosos de palabras! »

La larga permanencia del barroco y la profunda compenetración del alma criolla con ese estilo, es un fenómeno harto revelador en este sentido. Es el estilo que más se naturaliza y se arraiga en América. En cierto modo adquiere en ella un nuevo carácter propio. Sació el amor del criollo por lo oscuro, lo difícil, lo elaborado. Es hecho muy lleno de significación que a fines del siglo XVI, en el aislamiento de una villa de la Nueva España, Bernardo de Balbuena, un seminarista crecido y formado allí, concibiera el más complejo y rico de los poemas barrocos de la lengua castellana: el *Bernardo*.

El gusto del hispanoamericano por las formas más artísticas y arduas no se pierde. Sobrevive a todas las influencias y a todas las modas. Lo lleva a todos los géneros literarios, desde la novela al periodismo. Lo que primero le importa es la belleza de expresión. Eso que llaman estilo. Y que hace que la mayor aspiración de un escritor consista en ser considerado como un estilista.

El barroco y el modernismo son tan hispanoamericanos porque satisfacen ampliamente esa sed de las formas más artísticas. No le parece al hispanoamericano que se puede ser gran novelista sin escribir en una hermosa prosa. Ni se puede ser pensador sin una expresión artística. El prestigio de Rodó no venía de sus ideas, sino de su forma. Los novelistas más estimados en Hispanoamérica son los que emplean un lenguaje más armonioso y poético. Jorge Isaacs antes que Blest Gana. Y Ricardo Güiraldes antes que Manuel Gálvez.

El hispanoamericano no concibe la literatura sino como arte de la palabra, y la medida de ese arte es la forma.

Junto a este rasgo, y sólo en aparente contradicción con él, me parece ver surgir de inmediato el del primitivismo de la literatura criolla.

El mismo gusto de la forma y de la elaborada composición la lleva a una deformación de los datos inmediatos de lo objetivo, que a lo que se parece es a la estilización de los primitivos. Hay en la literatura hispanoamericana cierta forma de realismo que no es sino realismo de primitivo. Una realidad reelaborada por el estilo y por la concepción general del sujeto. Una como perspectiva de primitivo que hace que el pájaro del árbol del fondo resulte tan grande como la cabeza del personaje del primer plano.

Esta estilización primitiva de lo natural y de lo subjetivo rechaza la mera copia de la realidad y es un aspecto del sometimiento del criollo a una forma rígidamente concebida y elaborada.

Hay una perspectiva de primitivo en aquel tapiz de mil flores que es la Silva de Bello, y el *Facundo*, de Sarmiento, y en la poesía de Darío, y en la selva de Rivera, y en casi toda la combinación de paisaje, personaje y acción de la novela.

No sólo sabe a primitivo la literatura criolla por la estilización rígida, sino también por la abundante presencia de elementos mágicos, por la tendencia a lo mítico y lo simbólico y el predominio de la intuición.

Lo más de ella está concebido como epopeya primitiva, en la que el héroe lucha contra la naturaleza, contra la fatalidad, contra el mal. Es una literatura de símbolos y de arquetipos. El mal y el bien luchan con fórmulas mágicas.

Valor mágico tienen las más de las fórmulas y de los conceptos de los pensadores, de los poetas y de los novelistas. Expresan antítesis insolubles, en actitud pasional y devocional. El poeta lanza su conjuro contra el poder maléfico. El novelista describe la epopeya de la lucha contra el mal, que es la naturaleza enemiga, o la herejía, o la barbarie. El héroe moral representa la civilización y lucha contra la barbarie, que, a veces, no es sino la avasalladora naturaleza.

Es, por eso, una literatura de la intuición, la emoción y el sentimiento. Sentidor más que pensador, dirá Unamuno de Martí, que es uno de los más representativos. Las novelas de Azuela, Gallegos, Güiraldes, Alegría, son míticas y mágicas. La misma actitud mágica e intuitiva que caracteriza la poesía de Neruda define lo más valioso del moderno cuento hispanoamericano, y es la esencia de lo que debía ser el pensamiento de los más influyentes pensadores. Qué otra cosa que una fórmula mágica es el conjuro de Vasconcelos: « Por mi raza hablará el espíritu ».

Tampoco son la austeridad moral y la sobriedad psicológica rasgos de la literatura criolla. Lo son, por el contrario, la truculencia moral y la anormalidad psicológica. Es como otro aspecto de su inclinación por las formas complicadas y artificiosas.

Es literatura pasional expresada en tono alto y patético. Sus héroes son trágicos. La pasión y la fatalidad dirigen su marcha hacia la inexorable tragedia. Más que el amor, es su tema la muerte. Sobre todo la muerte violenta en sobrecogedor aparato.

Este gusto por el horror, por la crueldad y por lo emocional llevado a su máxima intensidad, da a la literatura hispanoamericana un tono de angustia. Lo cual la hace, a veces, una literatura pesimista y casi siempre una literatura trágica.

Sonríe poco. El buen humor le es extraño. No hay nada en ella que recuerde la humana simpatía del *Quijote*, o la risueña miseria del *Lazarillo*. Torvos, estilizados y absolutos principios contrarios del bien y del mal se afrontan en sangrientos conflictos. Patéticamente claman, batallan y triunfan o sucumben. La vida no está concebida como relación mudable, variada y equilibrada, sino como fatalidad absorbente y trágica.

Podría hacerse el censo de los héroes de la novela hispanoamericana. Asombraría la abundancia de neuróticos, de criminales, de fanáticos, de abúlicos, es decir, de anormales. Gentes de psicología compleja, atormentada y mórbida. Fanáticos de la creación o de la destrucción.

Estos rasgos no dejan de reflejarse en la poesía, en el ensayo y en el periodismo. Su tono es conmovido y exaltado. Hay como un acento apocalíptico consustancial con el espíritu criollo. La vida concebida como cruzada y como catástrofe.

La Araucana es un poema épico que termina con la trágica inmolación de los héroes. El espeluznante suplicio de Caupolicán no tiene antecedentes en la literatura castellana. Lo horrible y lo excepcional humano pueblan las crónicas de la conquista. Los *Comentarios Reales* están llenos de truculencia psicológica. Y Bernal Díaz. Y lo están también Fernández de Lizardi y Mármol. « Sombra terrible de Facundo, voy a invocarte », anuncia sobriamente Sarmiento.

Ni siquiera el realismo escapa a esta condición. Se busca en él la morbosa complejidad psicológica. Piénsese en el desasosiego moral, en el patetismo religioso, en la fatalidad trágica de los héroes de la novela realista hispanoamericana. Recuérdese, en dos extremos, a Rafael Delgado y a Eugenio Cambaceres. El *Laucha*, de Payró, se diferencia de sus antecesores picarescos, tan simples hijos del azar, del hambre y de la libertad, precisamente en el complejo desasosiego del ser, en la truculencia psicológica.

Toda la novela de la revolución mexicana está dentro de ese signo. Desde *Los de Abajo*, pasando por *Pito Pérez*, hasta la sombría y presagiosa fatalidad del Pancho Villa de Guzmán. Toda la novela indigenista andina. Toda la novela social con sus atormentados sufridores. Anormales, complicados, trágicos, excesivos sin sobriedad ni en el actuar ni en el sentir son los personajes de Eduardo Barrios, los de Rufino Blanco-Fombona, los más de Gallegos, los de *La Vorágine*, los que pueblan los apesadillados cuentos de Horacio Quiroga.

El alma criolla está como en tensión trágica en su literatura. Esto es lo que a muchos ha parecido rezagada permanencia del romanticismo. A los que no saben ver en los fenómenos más americanos sino imitación de escuelas europeas. No es imitación, es rasgo del alma histórica y del ser individual reflejado en una literatura propia.

Los rasgos enumerados hasta aquí parecen convenir a todas las obras características de la literatura criolla. Están presentes en las más típicas de ellas y vienen a ser lo que en realidad las distingue y personaliza ante otras literaturas. Esos rasgos típicos aparecen como los más extendidos y los más constantes. Se les encuentra en todas las épocas y en todas las zonas de la literatura hispanoamericana. Otros hay transitorios o locales que no convienen con tal persistencia a toda la generalidad de su complejo ser de cuatro centurias. Pero aun habría que señalar otro rasgo tenaz, que es uno de los más vivos reflejos de la vida y de la psicología hispanoamericanas. Y es que la literatura está predominantemente concebida como instrumento. Lleva generalmente un propósito que va más allá de lo literario. Está determinada por una causa dirigida a un objeto que está fuera del campo literario. Causa y objeto que pertenecen al mundo de la acción.

Cuando Sarmiento se pone a escribir a *Facundo* no lleva en mientes ningún propósito literario. Sus motivaciones y sus objetivos no pertenecían a la literatura. Escribe improvisadamente para defender su causa, para justificar su posición, para atacar a Rosas. No se sitúa frente a problemas de arte literario, sino ante cuestiones de lucha política y de destino histórico colectivo. Su libro está dentro de una lucha. Es una forma de llegar a la acción. Si luego resulta una de las más grandes creaciones de la literatura criolla no será su autor el menos sorprendido.

El ilustre caso de *Facundo* es típico de la concepción hispanoamericana de la literatura como instrumento de lucha. Por eso también casi toda ella es literatura improvisada, llena de intenciones deformantes, lanzada como proyectil antes de madurar como fruto. No le debe a otras preocupaciones la hora mayor de los Proscriptos la literatura argentina. Ni a otras tampoco su florecimiento literario la revolución mexicana.

La pluma del anciano Bernal Díaz se mueve al servicio de una querella política, la causa del soldado del común contra la estatua clásica del glorioso capitán. Es obra de protesta. Y la sorda querella del indio contra el español es la que mueve al Inca Garcilaso. Es obra de denuncia. En los años de la Independencia su libro dará a luz todo su poder subversivo. Y *La Araucana* y el *Arauco Domado* son alegato de partido, como no deja de serlo, en lo mejor y más vivo, la larga crónica pintoresca de Castellanos, o las indiscreciones de Rodríguez Freyle.

Toda la literatura de los jesuítas desterrados es de combate y de reivindicación. Sin excluir a Clavigero y a Landívar. Bello, Olmedo y Heredia están en las filas de la lucha cívica. Toda la literatura del siglo XIX está teñida de partidarismo. Es de conservadores o de liberales. De postulantes o de protestantes. Es periodismo político bajo otras formas. Que es lo que Lizardi hace con *El Periquillo*. Y lo que hace Juan Vicente González con la historia. Y lo que hacen los románticos con la poesía.

Si algo caracteriza a la literatura criolla hasta hoy es que con mayor persistencia y en un grado no igualado por ninguna otra está condicionada y determinada por la política. Es literatura de defensa o de ataque de los intereses de la plaza pública. Es literatura que no se conforma con ser literatura, que quiere influir en lo político y obrar sobre lo social. Es literatura reformista. Lo objetivo le es extraño y está ausente de sus obras verdaderamente típicas.

Bastaría para demostrarlo pasar rápida revista a la novela. Desde *Amalia* hasta *El mundo es ancho y ajeno*. Toda ella es instrumento de lucha política y prédica reformista.

La poesía también manifiesta este carácter, desde los gauchescos hasta Pablo Neruda. Es poesía un poco oratoria puesta al servicio de la lucha. Este carácter político de la poesía, que no escapó a Menéndez y Pelayo, está presente en todos sus mayores momentos. Ni siquiera durante el modernismo ese rasgo desaparece. Se atenúa y modifica, pero no se borra. La poesía modernista está dentro de una concepción política y muchas veces abiertamente al servicio de ella como se ve en el Rubén Darío de la *Salutación del optimista*, de la *Oda a Roosevelt* y del *Canto a la Argentina*.

Todo el ensayo hispanoamericano tiene ese carácter. Está hecho como para servir a propósitos reformistas inmediatos. Le interesan las ideas por sus posibilidades de aplicación práctica a lo social. Es en este sentido un pensamiento eminentemente pragmático volcado hacia lo político y lo social. Ese rasgo lo han advertido todos los que han estudiado el pensamiento hispanoamericano. En 1906 Francisco García Calderón señalaba en los criollos la preferencia por la filosofía con « aspecto social ». « Su inteligencia — decía — es pragmática; apasionan los problemas de la acción. » Y cuarenta años más tarde José Gaos, al analizar las características del pensamiento hispanoamericano, destaca la temática política y el aspecto pedagógico, informativo y docente. Lo llama un « pensamiento de educadores de sus pueblos ».

Estos rasgos son sin duda los que más individualidad y carácter le dan a la literatura criolla. Los que precisamente le dan el carácter criollo. Las obras que carecen de ellos saben a cosa ajena o imitada de lo ajeno. A inerte ejercicio retórico. Las más grandes los tienen en grado eminente, y es su presencia lo que da el tono y el matiz diferencial a lo criollo.

Del claroscuro de la historia literaria viva surge con estos rasgos el rostro de la literatura criolla. Rasgos que son verdaderos y no ficticios porque también lo son del alma, de la vida y de la circunstancia criollas. Sobre ellos se ha ido alzando con sus poderosas peculiaridades lo que ya podemos llamar una literatura hispanoamericana propia. Ellos han sido su condición y su destino. Sobre ellos ha crecido vigorosa y distinta. Sobre ellos está hoy y sobre ellos partirá hacia el porvenir.

Son esos rasgos los que la literatura hispanoamericana ha recibido de la tierra y de las gentes

1. se refiere a la Conferencia que con el título general de « La libertad responsable en las Américas » se reunió en Nueva York los días 25 a 30 de octubre de 1954, como parte de la celebración del bicentenario de la Universidad de Columbia, y a la que asistieron con Picón-Salas, muchos otros hombres de letras de nuestro continente.

de su mundo, los que la identifican con él y los que, por ello mismo, en su última instancia le dan personalidad y validez universal.

No sólo están presentes en las obras capitales de la literatura criolla, sino que es su presencia lo que hasta hoy define, más que ningún otro factor, lo criollo en literatura.

Son caracteres distintivos y propios de una literatura fuertemente caracterizada que, en lo esencial, se diferencia de la española, la más próxima, y más aún de las otras literaturas de Occidente. Ellos afirman la necesidad de considerar la literatura criolla en su ser, en su circunstancia, en su condición con un destino tan propio y tan caracterizado como el del mundo americano que expresa. Literatura original de un nuevo mundo.

(De *Las nubes*, 1956)

Mariano Picón-Salas (Venezuela; 1901) apareció con Uslar Pietri en el grupo de vanguardia de las letras venezolanas, poco después de la primera guerra mundial. Como Uslar Pietri, fué narrador: su novela *Los tratos de la noche* es de 1955. Pero sus narraciones, muy intelectuales, ocupan un sitio menor dentro de su vasta labor de historiador, crítico y ensayista. Sus historias de la cultura son excelentes, como *De la conquista a la independencia* (1944) y *Formación y proceso de la literatura venezolana* (1940). Ha cultivado también la biografía novelada: *Pedro Claver, el santo de los esclavos* (1950). Y sus colecciones de ensayos revelan una de las inteligencias más alertas del continente. Sus temas son diversos, pero generalmente se inspiran en la realidad hispanoamericana, a la que conoce como pocos gracias a sus viajes y estudios especializados. Entre los principales libros de ensayos recordemos: *Europa-América. Preguntas a la Esfinge de la Cultura* (1947) y *Crisis, cambio, tradición* (1956). Picón-Salas pertenece a la familia de espíritus constructivos. Sus críticas a los defectos de nuestra civilización son penetrantes y certeras, pero siempre acaban por ofrecer a los hombres un mensaje de fe en los valores de la libertad y el progreso moral.

Mariano Picón-Salas

ARTE Y LIBERTAD CREADORA

Un próximo coloquio de la Universidad de Columbia[1] en el otoño del presente año versará, entre otras cosas, sobre la libertad del artista creador en los perplejos días que presenciamos. Es obvio el hecho de que a partir de la segunda década del presente siglo con el implantamiento en la que fuera democrática Europa de regímenes totalitarios, la divinización del Estado omnipotente por los partidos únicos que lograron controlarlo, impuso su presión e influencia a las más libres y personales zonas del espíritu como la de la creación artística. Parodiando a Mussolini se pudo decir: « todo en el Estado y dentro del Estado, aun el alma caviladora del artista. » No tuvo una pretensión mayor la Edad Media al incluir dentro de lo teológico todo el orbe de la Cultura, aunque lo que entonces fué impulso y fe espontánea, ahora quería establecerse por presión y decreto. Si en la lucha por la modernidad, a partir del siglo XVI, el Estado se fué configurando como fuerza estrictamente profana, ahora ansiaba asumir una nueva estructura sagrada; se erigía como intérprete y depositario de la verdad única en curioso y absurdo contraste con el relativismo del conocimiento científico y la pluralidad de formas culturales de nuestra opulenta civilización. Pretendió rebajarse el Arte a una especie de propaganda, buena para exaltar las fuerzas y virtudes del pueblo alemán (a la manera como lo consideraba Hitler), para servir al proletariado en su combate con la burguesía o para cualquier otro mito racial o político de los que estaban nutriendo las ideologías estatales. Quiso imponerse una fe oficial, tan ceñida y limitada como la que el concilio de Nicea, al fin de la antigüedad, estableció sobre las anarquizadas iglesias del Oriente cristiano. Con la diferencia de que aquélla versaba sobre una concepción trascendente del mundo, sobre el lejano más allá, mientras la de nuestro siglo pretendió condicionar las formas más habituales e inmanentes de la vida humana como el amor, la economía, la diaria conducta de los hombres. En Alemania, por ejemplo, hubo cánones sobre la « belleza germana » que debía diferenciarse de la de los judíos, los eslavos, los latinos y — para qué decirlo — de las degeneradas naciones mestizas. La cultura de tan gran pueblo que desde el siglo XVIII se fijó conscientemente una meta de universalidad, se encerraba en un nacionalismo resentido y xenófobo; negaba su propia grandeza. Por ello, lo más semejante a las imprecaciones de Hitler eran los coléricos apóstrofes de los más agresivos profetas del Antiguo Testamento y su vieja mística, superada por el Cristianismo, del único pueblo elegido. El Nazismo era, así, como un semitismo radical, de antes de la redención.

En emocionada romería marchaban las juventudes nazis a contemplar las estatuas románicas de la Catedral de Naumburg, porque en éstas — a pesar de llamarse « románicas » — querían ejemplarizar los arquetipos del perfecto Apolo o la perfecta Walkiria nórdica. Cuando en la Historia de la Cultura tropezaban con un demasiado manifiesto milagro artístico como el del Renacimiento italiano, era preciso demostrar o creer que en los grandes florentinos de los siglos XV y XVI prevaleció una misteriosa corriente de sangre germánica. A la pinacoteca de Dresden acudía cada día de fiesta el oficial y disciplinado cortejo de jóvenes nazis, presidido por su respectivo « führer », para rendir homenaje y admiración aprendida a la « Madona », de Rafael. Pero del mismo Museo, por considerarlo Arte degenerado, arrojaban simultáneamente las más deleitosas obras del impresionismo, constructivismo o expresionismo moderno y las grandes esculturas — ¡tan germánicas! —, de Barlach.[2]

Como conciliación de hermanos enemigos en el mismo propósito estatista, fiscalizador y destructor de la conciencia creadora, por la primera y joven fuerza que tuvieron algunas novelas de Fedin, Pilniak o Leonov[3] en el alba de la revolución rusa, la Literatura soviética caía en una mojigatería de cartilla monótona de obligaciones y virtudes del trabajador socialista. Tan rígidos como los alemanes, de la más rastrera y estática fidelidad fotográfica, eran aquellos cuadros rusos que se exhibieron en el Pabellón Soviético durante la Feria mundial de Nueva York en 1939. No hay arte sin deformación o trasmutación de la realidad, sin aquella vivencia personal, teñida de su propia alma, espejo complicado de su integridad, que el artista impone al espectáculo del mundo. Y este factor de entrañable individualización, la lucha del artista con su propio « demonio », era lo que querían eliminar, oficiosa y asépticamente, los reglamentos, ideologías y controles de los Estados totalitarios. Y frente a los atletas nazis de la envenenada Alemania de los años 30, con su innecesario alarde de colosalismo y brutalidad, seguíamos prefiriendo los más viejos Policletos, Lisipos o Donatellos, los « burgueses de Calais »[4] o los torsos de Maillol.[5] Del mismo modo quizás nos seguían ofreciendo mayor emoción popular y hasta socialista los Courbet[6] o Daumier del siglo XIX. Esto, sin tomar en cuenta que los « realismos » totalitarios prácticamente querían suprimir de la Historia del Arte todo proceso dialéctico y eludir el cambio, crítica y exploración de las formas y pesquisa de nuevas vivencias en que se estaba afanando el espíritu europeo desde el tiempo de los impresionistas.

Pero no se crea que es privativo de los países totalitarios en los que el Estado pretende asumir funciones de « Eclesia » integradora, la lucha que el artista contemporáneo mantiene por la libertad de su obra y por ser el intérprete autónomo de los bellos fantasmas de su imaginación. Mucho habría que decir sobre los obstáculos que encuentra la libertad y autenticidad artística en los países supercapitalistas, donde ciertas formas de Plástica, Música, Drama y Ficción se trocaron en negocio próspero con el auxilio o abuso que pueden prestarles otras técnicas complementarias como el Cine, la Radio, la Televisión. etc. Nunca como en nuestros días al artista se le ofreció el trágico dilema de elegir

2. Ernst Barlach (1870-1938), escultor expresionista alemán.
3. Konstantin A. Fedin (1892), Boris Pilniak (1894-h. 1937), Leonid M. Leonov (1899), escritores rusos contemporáneos.
4. la famosa obra escultórica de Auguste Rodin (1840-1917).
5. Aristide Maillol (1861-1944), escultor francés. 6. Gustave Courbet (1819-1878), pintor francés. 7. Honoré Daumier (1808-1879), pintor y grabador francés. 8. Julien Benda (1867-1956), filósofo y escritor francés.

entre la pureza — frecuentemente mal comprendida o valorada de su obra — y el fácil halago y ventajas económicas que puede prestarle el arte convencional, servido o deformado de acuerdo con las apetencias del comercio. Al multiplicar la técnica la difusión mecánica y multitudinaria de las obras de arte; al trocarse el libro en argumento de cine y la música en masa de discos, la industria artística inició una producción « en cadena » que a veces — como en los Estados Unidos — se extiende desde el escritorio del editor hasta los magnates cinematográficos de California. Se le quiere imponer al Arte que ya no sea producto singular y exquisito, sino tan usual, colecticio y rápidamente comerciable, como la Aspirina o las hojillas para rasurarse. En nombre del consumidor, que a veces se supone anormalmente tonto, se llega a fijar y a dosificar — como los componentes de una droga — la parte de sexo, excitación o aventura que debe contener determinada novela o película. La « racionalización » con fines económicos del trabajo artístico, llega a ser, así, tan peligrosa para la libertad del arte como el control totalitario. El libro o la partitura se convierte en el primer producto de una complicada y encadenada manipulación. Casi la misma diferencia que entre una antigua obra artesanal y otra masivamente mecanizada, podría ya fijarse entre el trabajo de una editorial francesa del siglo XIX que al publicar a Baudelaire o Mallarmé no hacía otro negocio que la venta misma del libro, y el de una editorial de Nueva York que cuando lanza una novela de éxito calcula ya en millón de dólares, la tentadora adaptación al cinematógrafo. A esta otra técnica posible o complementaria y a los requerimientos económicos, a veces se subordina la producción artística. Y esta nueva forma de producción no sería peligrosa, si para la masa a quien quiere servirse no se prefiriese, frecuentemente, lo más fácil y convencional. El « happy end » de las películas de Hollywood se trueca de este modo, en el símbolo más azucarado de la banalidad artística. Si es todavía comercial reconocer el mérito de un gran escritor ya formado y al que se acostumbró el público, acaso se pongan trabas a los temas y estilos de un gran escritor que comienza. Y el libro casi se fabricará de encargo según lo condicione la moda que cambia con las noticias de los periódicos, las guerras y colisiones en el exterior, el ánimo eufórico o depresivo de las masas. Ya en muchas editoriales de los Estados Unidos, equipos asalariados de redactores transforman el argumento o desarrollo de una novela, para que según la empresa que la lanza, agrade más al público. Y un limitado concepto del Arte como mera recreación o « información cultural », hace que se condensen en sus respectivos « plots » las obras de Shakespeare o de Dickens para ahorrar la obligación de leerlas. Al dar al producto artístico un prevaleciente valor industrial como el de la coca cola o el bicarbonato, un tema (psicoanálisis, aventura, ficción histórica) se desarrollará y ofrecerá casi en serie, con recetas establecidas, hasta que el público se canse y sea preciso ofrecerle otros excitantes y motivos.

Sería, pues, farisaico loar la gran libertad espiritual de los países capitalistas frente a los otros, mientras la obra artística no pueda rescatarse de la presión y deformación que frecuentemente le impone nuestra hipertrofia económica. Si en el siglo XVIII, en la todavía sosegada época de las imprentas de mano, la opinión pública podía formarse leyendo los escritos de Locke o de Voltaire, ahora es la gran empresa quien de acuerdo con sus intereses y prejuicios forjará los lemas y consignas del día. Nuestra imagen puramente numérica de la democracia no hace siempre posible la libre expresión de las minorías intelectuales o disidentes, y éstas son cada día más subalternas y « patronizadas » como los escribas egipcios. El « clerc », a la manera francesa, el intelectual a quien Julien Benda[8] asignaba tan responsable sitio de vigilancia en la sociedad, se ha trocado más bien en un « clerk », un asalariado, de acuerdo con la palabra anglosajona. Y la libertad de los poderosos que disponen de grandes y absorbentes empresas para difundir sus periódicos, libros, películas, propagandas, no se equilibra con la que también necesitan los inconformes o heterodoxos. El drama espiritual de la época es la colisión entre un producto tan fino, unívoco y personalizado como la Cultura, y las fuerzas de Economía y Poder que quieren deformarla a la medida de sus intereses y sus mitos. Y qué va a hacer el hombre con su libertad de creación, derecho tan impretermitible y necesario como cualquiera otro derecho político, derecho que todavía no se planteaba a los Padres de Filadelfia y a los asambleístas franceses de 1789 porque creían asegurado el llamado « progreso de las luces », es lo que ya tiene que estudiar la época.

Si el control por el Estado de los productos de la Cultura lleva al más inerte y opresor totalitarismo, la sola entrega al comercio y a las grandes empresas de la difusión del arte, pervierte también la obra y sacrifica al interés numérico un fundamental requisito de diferencia y de calidad. Siempre fué una minoría la que produjo la Cultura, la que se aventuró en el azar y riesgo de cambiar formas y crear obras inusitadas. Cuando el dirigente de la comunidad se llama Pericles la obra elegida resiste los embates del tiempo y trasmite su lección de belleza perenne, pero como sería utópico pensar en la emergencia de siempre renovados Pericles, cabe prever otros recursos que protejan la libertad del intelectual o del artista creador. Es una libertad que va más allá de lo que comunmente se llama Política. La Política vive de lo transitorio, el Arte — mucho menos bullicioso — pretende lo intemporal. Y quizás porque las empresas que manejan el gusto y la opinión se hicieron tan poderosas, no será atentar contra su propia libertad imponerles que también respeten lo que se considera distinto o heterodoxo. Por otra parte, la Política tan pretenciosamente configuradora y apremiante en nuestra época, pretende llevar al campo del Arte y de la Cultura su fragor de secta e ideología. Por la doble presión del Estado y de las empresas económicas, el Arte y la Cultura de nuestro tiempo parecen vivir en situación de guerra civil. Y los núcleos culturales que todavía no están invadidos de totalitarismo o perversión económica, deben preocuparse de formar aquellos espíritus universales, comprensivos y serenos que conserven la paz del ánimo entre las sombras del actual laberinto.

A los tres poderes públicos en que quería dividir y equilibrar Montesquieu las funciones de un Estado ecuánime, habría que agregar y legalizar la otra fuerza que forman en cada país sus grandes escritores, sus grandes filósofos, sus grandes artistas, trocada en Alta Corte del Espíritu. Si en la sociedad moderna se da tan absorbente representación al financiero, al comerciante, al político profesional, ¿por qué no ha de otorgársela también al intelectual y al artista?

¿Y no han representado mucho mejor que los magnates del acero o la dinamita, la conciencia de nuestra civilización hombres como Whitehead, John Dewey, Benedetto Croce, Bertrand Russell, Miguel de Unamuno, Thomas Mann, Arnold Toynbee o Albert Schweitzer?

(De *Crisis, cambio, tradición*, 1956)

La « Revista de Avance » que apareció en Cuba, en 1927, fué el órgano de una nueva generación literaria. Eran jóvenes que ejercitaban su rebeldía en todos los frentes: protestaban contra la injusticia política, bostezaban ante los lugares comunes de la cátedra y el periodismo, se apartaban por igual de la grosería de las novelas naturalistas y de las finuras de los versos modernistas. En fin, querían renovar el ambiente poniéndose a tono con las corrientes literarias de vanguardia. Los ensayistas de ese movimiento fueron JORGE MAÑACH, JUAN MARINELLO, FRANCISCO ICHASO y FÉLIX LIZASO.

JORGE MAÑACH (1898) es uno de los escritores de más sólida formación humanística en toda Hispanoamérica. Su libro *Martí el apóstol* (1933) revela el brillo y también el calor de su pensamiento. Con notable agilidad y elocuencia Mañach ha escrito varias colecciones de ensayos sobre filosofía, arte, literatura y problemas sociales.

Las páginas que reproducimos — « El estilo de la Revolución » — tienen un triple mérito: revelan al hombre Mañach, explican un episodio de la vida cubana y juzgan las características de la literatura de vanguardia con palabras que podrían aplicarse a todos los países hispanoamericanos.

1. la época revolucionaria en Cuba que logró la caída del presidente y dictador Gerardo Machado en 1933.

Jorge Mañach

EL ESTILO DE LA REVOLUCIÓN[1]

Desde hace por lo menos un año, casi todos estamos en Cuba fuera de nuestro eje vital, fuera de nuestras casillas. La mutación de la vida pública, con ser hasta ahora una mutación muy somera, a todos nos ha alcanzado un poco, y a algunos nos ha movilizado por derroteros bien apartados de nuestro camino vocacional. Nos ha hecho políticos, políticos accidentales del anhelo revolucionario.

No tenemos más remedio — y hasta podríamos decir que hoy por hoy no tenemos más deber — que aceptar con fervor esta responsabilidad que los tiempos nos han echado encima. Nadie fué antaño más tolerante que yo hacia el hombre de artes o de letras que se mantenía pudorosamente al margen de las faenas públicas. Porque estas faenas tenían entonces la índole y los propósitos que ustedes saben: la carrera política era un ejercicio de aprovechamientos, una carrera en que los obstáculos sólo los ponía la conciencia, de manera que, prescindiendo de ésta, solía llegarse a la meta sin mayores dificultades Así se fué segregando, al margen de la vida pública, una muchedumbre de gentes sensitivas, que no se avenían a dejarse el pudor empeñado en las primeras requisas del comité de barrio. Y, naturalmente, sucedió que la cosa pública se fué quedando, cada vez más exclusivamente, en manos de aquellos que se sentían capaces de echarse el mundo a la espalda, y que generalmente se lo echaban.

Pero aquella abstinencia de los decorosos, de los sensitivos, les iba cerrando más y más el horizonte. Creíamos que se podría mantener la vida pública cubana dividida en dos zonas: la zona de la cultura y la zona de la devastación. Y creíamos que, ampliando poco a poco, por el esfuerzo educador, la primera de esas parcelas — con artículos, conferencias, libros y versos — acabaríamos algún día por hacer del monte orégano. Lo cierto era lo contrario. Lo cierto era que la política rapaz iba esparciendo cada vez más sus yerbajos por el terreno espiritual de la Nación, nos iba haciendo todo el suelo infecundo, todo el ambiente irrespirable, todos los caminos selváticos.

Y un buen día, los cubanos nos levantamos con ganas de poda y chapeo. Nos decidimos a asumir la ofensiva contra el yerbazal venenoso. No se trataba ya sólo de defender los destinos políticos de Cuba, sino sus mismos destinos de pueblo civilizado, su vocación misma a la cultura. En esta tarea estamos todavía, y digo que no nos podemos sustraer a ella, si no queremos volver a las andadas.

En los momentos dramáticos que vivimos, urgidos a la defensa de la primera gran oportunidad que Cuba tiene de renovarse enteramente, no acabo de hallar en mí, ni de comprender en los demás, la aptitud para acomodarse otra vez a la pura contemplación. Todo lo que hoy se contempla parece deforme en sus perfiles y sin ningún contenido verdadero. Estamos habitando un pequeño mundo vertiginoso, frenético de impaciencias, y necesitamos sosegarlo, sosegarlo noblemente en una postura de gracia histórica, antes de retornar a las imágenes y a las perspectivas, es decir a los goces del pensamiento, de la poesía y del arte puros.

Porque, en rigor, esta pureza no existe. Lo digo con el rubor heroico de quien confiesa una retractación. Por arte o pensamiento puro entendimos nosotros hace años — en los años del yerbazal — ejercicios de belleza o de reflexión totalmente desligados de la inmediata realidad humana, social. Defendimos mucho aquella supuesta pureza. Eran los días — ustedes se acordarán — del llamado « vanguardismo », que para el gran público se traducía en una jerigonza de minúsculas, de dibujos patológicos y de versos ininteligibles No se permitía ninguna referencia directa a la comedia o a la tragedia humanas: eso era « anécdota », y nosotros postulábamos un arte y un pensamiento de categorías, de planos astrales.

La gente se indignaba, y ahora yo comprendo que tenían y no tenían razón. La tenían, porque el arte y la manifestación del pensamiento y la poesía misma no son otra cosa que modos de comunicación entre los humanos. Y no hay derecho a sentar como normas de expresión aquellas formas que no sean francamente inteligibles. Ni tampoco lo hay de un modo absoluto a excluir de la expresión las experiencias inmediatas, cotidianas, que constituyen el dolor o el consuelo de los hombres, su preocupación o su esperanza.

Visto a esta distancia, el vanguardismo fué, en ese aspecto, una especie de fuga, una sublimación inconsciente de aquella actitud marginal en que creíamos deber y poder mantenernos para salvar la cultura. Lo que nos rodeaba en la vida era tan sórdido, tan mediocre y, al parecer, tan irremediable, que buscábamos nuestra redención espiritual elevándonos a planos ideales, o complicándonos el lenguaje que de todas maneras nadie nos iba a escuchar. Diego Rivera, el gran mexicano, que hacía en su tierra una pintura mural fuerte, militante y cargada de odios sociales, nos parecía un gran talento descarrilado. Pedíamos los vanguardistas un arte ausente del mundo casi inhabitable. Y así nos salía aquel arte sin color y casi sin sustancia, un arte adormecedor y excitante a la vez, un arte etílico, que se volatizaba al menor contacto con la atmósfera humana.

Recuerdo que, por entonces, el gran Varona[2] escribió, refiriéndose a nosotros, una frase que nos pareció de una venerable insolencia: « Están por las nubes. Ya caerán. »

Y, efectivamente, caímos. Caímos tan pronto como la tiranía quiso reducirnos, del nivel de la opresión, al nivel de la abyección. Se suspendió la *Revista de Avance* y se fugaron los sueños. La realidad era ya una pesadilla inexorable.

Y sin embargo, aquello del vanguardismo no fué en rigor una sumisión, ni una cosa inútil. Fué también una forma de protesta contra el mundo caduco que nos rodeaba. Y preparó, a mi juicio, el instrumento de expresión mediante el cual han de encontrar su voz y su imagen los tiempos nuevos.

Aquella rebelión contra la retórica, contra la oratoria, contra la vulgaridad, contra la cursilería, contra las mayúsculas y a veces contra la sintaxis, era el primer ademán de una sensibilidad nueva, que ya se movilizaba para todas las insurgencias. Lo que nosotros negábamos en el arte, en la poesía y en el pensamiento era lo que había servido para expresar un mundo vacío ya de sustancias, vacío de dignidad y de nobleza. Negábamos el sentimentalismo plañidero, el civismo hipócrita, los discursos sin médula social o política, el popularismo plebeyo y regalón: en fin, todo lo que constituía aquel simulacro de república, aquella ilusión de nacionalidad en un pueblo colonializado y humillado. Nos emperrábamos contra las mayúsculas porque no nos era posible suprimir a los caudillos, que eran las mayúsculas de la política. Le tomábamos el pelo a Byrne,[3] porque contribuía a la ilusión de que con la bandera bastaba para estar orgullosos. Deformábamos las imágenes en los dibujos, porque lo contrario de esa deformación era el arte académico, y las academias eran baluartes de lo oficial, del favoritismo y la rutina y la mediocridad de lo oficial. Alentábamos lo afro-criollo, porque veíamos en ello una insurgencia sorda, un intento por romper la costra de nuestra sociedad petrificada. Cultivábamos el disparate, para que no lograran entendernos las gentes plácidamente discretas, con quienes no queríamos comunicación. Hacíamos, en fin, lo que llamábamos un arte « aséptico », como una reacción contra la mugre periodística y la fauna microbiana que lo invadía todo en derredor.

Pero, entretanto, fijaos bien: se iba templando un instrumento nuevo. Un instrumento de precisión.

El estilo de escribir, de pintar, de pensar, se iba haciendo cada vez más ágil y flexible, más apto para ceñirse a las formas esquivas de la idea o de la emoción. Más capaz de brincar grandes trechos de lógica sin perder la gravedad. Más dispuesto para transfigurar imaginativamente las cosas. Esto ya en sí estimulaba el ansia de una realidad nueva. Nadie puede calcular lo que supone cultivar esas destrezas. La calistenia y la gimnasia son buenas porque, al capacitar al hombre para las emergencias físicas difíciles, le ponen en el cuerpo la tentación de provocarlas. Así, la capacidad de insurgencia y de innovación del espíritu se aumenta con esos ejercicios de expresión. Todas las grandes transformaciones sociales se han anunciado con un cambio en el estilo de pensar y de expresar. Lo primero fué siempre el verbo.

Sinceramente creo, pues, que el vanguardismo fué, en la vertiente cultural, el primer síntoma de la revolución. No digo, claro está, que fuesen los vanguardistas quienes hicieron lo que hasta ahora se ha hecho: digo que ellos contribuyeron mucho a sembrar el ambiente de audacias, de faltas necesarias de respeto, de inquina contra los viejos formalismos estériles. Los esbirros de Machado no andaban muy desacertados cuando recogían y denunciaban, por el simple aspecto de sus

2. Enrique José Varona. Véase el capítulo VIII de esta obra. 3. Bonifacio Byrne (1861-1936), poeta cubano, autor de un conocido poema sobre la bandera de su patria, escrito en 1899, durante la ocupación de Cuba por los Estados Unidos.

carátulas, las revistas osadas de aquella época. Aquel dibujar hipertrófico, aquella negación de la simetría, aquella repugnancia a las mayúsculas, eran ya, para su olfato de sabuesos, otros tantos atentados contra el régimen. Y cuando la mutación política vino, emergieron en los periódicos, en los micrófonos y hasta en los muros de la ciudad gentes que manejaban, en crudo, un nuevo estilo, una sintaxis y a veces un gusto insurgente de las minúsculas. Se cumplía así la prehistoria del estilo revolucionario.

La Revolución verdadera, la que sí lleva mayúscula y está todavía por hacer, utilizará como instrumento constructivo, en el orden de la cultura, esos modos nuevos de expresión que antaño nos parecieron simplemente arbitrarios y desertores.

Porque la revolución integral de Cuba tendrá que incluir, desde luego, una intensificación de la actitud creadora del espíritu, y en tanto en cuanto esa actividad sea susceptible de módulos nuevos, la Revolución los impondrá. No se concebiría un suceso político y social semejante sin un arte nuevo, una literatura nueva, un nuevo ritmo y rumbo del pensamiento.

El contenido de esa expresión revolucionaria cubana será emoción jubilosa o ardida ante las imágenes de un medio social más altivamente cubano y más justo: de una patria enérgica y unánime, liberada de todo lo que hasta ahora la unió o la dividió contra sí misma: la politiquería rapaz, la incultura, la ausencia de jerarquías, la lucha feroz de las clases.

Y para expresar esa imagen de la Cuba armónica, se recurrirá sin duda a un lenguaje literario y artístico que en nada se parezca al de la época sumisa. No el lenguaje insurgente del vanguardismo, que fué sólo un experimento previo de minoría; pero sí el que pasó por aquella prueba críptica y sacó en limpio una agilidad, una gracia, una energía y una precisión totalmente desconocidas para las academias del viejo tiempo. En suma, un lenguaje de avance, puesto al servicio de una patria ya moderna.

Con la renovación integral de Cuba se producirá así la síntesis entre aquel estilo desasido de antaño y las nuevas formas de vida. En el molde vacío que el vanguardismo dejó, se echarán las sustancias de la Cuba Nueva.

(De *Historia y estilo*, 1934)

Germán Arciniegas

GERMÁN ARCINIEGAS (Colombia; 1900) es un ágil y brillante ensayista, con puntos de vista siempre imprevistos. Ha intentado escribir novela (*En medio del camino de la vida*, 1949), pero es evidente que sólo se siente cómodo cuando toma la palabra y da opiniones. Periodista de garra, sus opiniones suelen aparecer en forma de artículos breves. Luego los reúne, y así van apareciendo sus colecciones de ensayos sueltos, como las admirables de *El estudiante de la mesa redonda* (1932), *América, tierra firme* (1937) y *En el país del rascacielos y las zanahorias* (1945). Otras veces, sus páginas persiguen un tema central, y se organizan en libros unitarios, como *Los Comuneros* (1938), *Los alemanes en la conquista de América* (1941), *Este pueblo de América* (1945), *Biografía del Caribe* (1945), etc. Cualquiera que sea la forma exterior de sus escritos, la obra de Arciniegas revela una profunda unidad: la de una mente lúcida, original, preocupada por nuestra América. Con simpatía por el indio y por el pueblo humilde, con viva sensibilidad para el pasado histórico y sus figuras heroicas, con una militante fe en las buenas causas de la democracia, la cultura y el progreso, ha ido escribiendo una versátil enciclopedia americana. Sólo que, en Arciniegas, el saber no es mera erudición: se da junto con una visión rica en buen humor, en lirismo y en anécdotas significativas.

LA AMÉRICA DEL PACÍFICO

La América del Atlántico es una América de puertos. Sus grandes ciudades miran al mar. Su vida está cruzada por todos los idiomas. En Buenos Aires, el grado de educación de una persona lo da el número de lenguas que posee. Las calles de esta ciudad, como las de Nueva York o las de Río Janeiro, son escaparates de un comercio universal. Así debieron serlo — en el mundo más apretado de otro tiempo —, las de Venecia, Pisa, Génova. La América del Pacífico, no. La América del Pacífico está en la montaña. Sus ciudades no sólo no están al nivel del mar, sino que a veces se resguardan en alturas inverosímiles: México a 2300 metros, Bogotá a 2600, Quito a 3000, La Paz a 3500. A esas ciudades no llega la marea de inmigrantes: cada familia hace doscientos, trescientos, cuatrocientos años que se ha establecido en el país. La Babel de los idiomas no estremece las torres parroquiales. Allá, cualquiera puede decir que en su casa han hablado castellano diez generaciones. ¡Hasta en el comercio se ven más nombres de mercaderes lugareños que de forasteros! Es lo último que puede decirse.

¿Por qué somos así? Por el mar Pacífico. Porque el Pacífico es el único océano que queda, el único mar de verdad. Quienes vivimos en el occidente americano nos encontramos delante de esas aguas profundas, sin límites, que nadie cruza. Se dice que del otro lado, en una remota orilla fantástica viven pueblos extraños: los japoneses, los chinos, que ya son para nosotros, como para cualquiera, razas fabulosas, incomprensibles, con unos ojillos que parecen como dos puñaladas hechas en un cuero. Su idioma, su escritura, sus lindos dibujos que se esfuman en un fondo gris de perlas orientales, nos hablan de un país de leyenda. Si alguna persona dice que ha ido al Japón, nos parece un Marco Polo, y nos le acercamos curiosos para que nos diga cómo es aquello. Hay la versión de que de esas tierras vinieron hace muchos siglos algunos navegantes a poblar ciertas regiones americanas. Venían en juncos, dicen los sabios. Y entonces nos parece que los sabios están componiendo un cuento maravilloso, como todos los cuentos en que aparece un navegante que se pasa meses y meses cruzando las llanuras del mar montado en un caballito de mimbre.

Tan ancho y definitivo es el Pacífico que las compañías de navegación no se apartan de la costa, y sus barcos buscan el estrecho de Magallanes o la rajadura abierta por los americanos en el istmo de Panamá para restituirse al Atlántico, al mar doméstico — Mare Nostrum, como dirían los latinos —, en donde otra vez respiran los mareantes y se sienten acompañados y tranquilos. El Pacifico no es mar que invite a la partida. Así como en las naciones del oriente americano el pueblo todo se apretuja en el litoral para ver llegar los barcos, para ver salir los barcos, en el occidente se queda en las montañas; ni siquiera desciende al puerto, por curiosidad, para conocer agua salada. Hay allí millones de gentes, y aun de gentes cultas y ricas, que no han visto el mar. Uno de los poemas más bellos que se han escrito en Colombia en este siglo lo hizo León de Greiff: es la « Balada del mar no visto. » Del mar que él no ha visto, ni han visto millares de sus conterráneos que viven en los repliegues de los Andes. Es la voz del Pacífico que mantiene al hombre a distancia como diciéndole: mis aguas no son para vistas; son para soñadas; permanecen aún en el mundo de la fábula.

*

A la América del Pacífico se la encuentra muy castellana. Desde California hasta Chile. En California se siguen construyendo casas a la española y las ciudades se llaman San Francisco, Santa Bárbara, Monterrey, Nuestra Señora de los Angeles. Cuando me hallaba en California, detrás de mi casa corría un camino que se llamaba La Alameda del Rancho de las Pulgas, y al frente un riachuelo denominado San Francisquito. Yo vivía en Palo Alto. Esa California, naturalmente, está mucho más cerca de México — o de Bolivia — que de Nueva York. Como Nueva York está más cerca de Buenos Aires que de California. Por eso hay una América del Atlántico y hay una América del Pacífico. Pero no hay que entrar en digresiones. A la América del Pacífico se la encuentra un acento castellano.

« Cómo hablan de bien ustedes el castellano », es lo primero que se nos dice en Buenos Aires a quienes venimos del Pacífico, de los Andes.

Quizá no se haya reflexionado lo suficiente sobre este nuestro acento castellano, que ni siquiera es andaluz, ni gallego, sino castellano. El asunto va más allá del idioma. Hay una cuestión de espíritu. El hombre del Pacífico, en América, ha vivido como el de Castilla en España: pegado a la tierra, quieto dentro de su paisaje que, muchas veces, también, es paisaje de mesetas. Los Andes han sido Pirineos gigantescos que mantienen aislados a nuestros pueblos. Se han sucedido siglos en que nosotros hemos visto pasar, al igual que los castellanos, la corriente europea, como algo ajeno a nuestra vida, como algo lejano de que sólo oímos el rumor.

Cuando se vive en una ciudad puerto, siempre que se echa a andar por una calle se sabe que al final se encontrará al hombre de la boina vasca que se bambolea en un bote pescador, o a la vela remendada y el bosquecillo de mástiles. Las calles se tiran al mar y las últimas casas se reflejan, como peces, en el agua. ¡Qué distintas son las ciudades de los Andes! Las calles desembocan en el monte: hay siempre una colina, a veces la montaña misma, que le hace a cada una su telón de fondo de riquísimo verde vegetal. Por eso allá, el hombre tiene una alma que se mueve entre paisaje de árboles. Sigue siendo rural. Mientras por acá los niños han jugado en la playa, allá no hay quien de joven no haya participado en las faenas del campo, y haya ido por leña al monte, por agua a la quebrada.

El agua, allá, es agua dulce de la montaña. He dicho que las calles terminan siempre en una colina o en una montaña, y debo rectificar: también pueden caer al fondo del valle, por donde corre la quebrada. O mejor dicho: tienen una punta que da al cerro y otra que cae al río. Del lado del Pacífico no hay grandes ciudades, no hay estas enormes concentraciones universales en donde los hombres se cuentan por millones. Años, siglos atrás, los fundadores — andariegos que de pronto hacían un alto en su camino —, se detenían donde la montaña hacía una pequeña llanada, o donde cantaba mejor el agua, y fundaban una aldea. Lo que ellos llamaban una ciudad. De ahí nacieron muchedumbres de brevísimas ciudades que aun parecen nidos que cuelgan de los árboles, mitad de tapia y teja, mitad de monte y quebrada.

*

Lo que en el oriente de América son anchurosas llanuras que se extienden ante un mar lleno del alegre vocerío de los mercaderes y que respira por la chimenea de los transatlánticos, al occidente son montañas — la cordillera de los Andes, la cornisa de rocas — frente al mar silencioso, al « mar Pacífico. » Aquí, del lado levantino, puertos abigarrados, fenicios, por donde entran a codazos y a millones los inmigrantes; allá, puertos de pescadores, de fuerte colorido regional. Del lado Atlántico el litoral es sonoro y atrás queda la pampa profunda y silenciosa; del lado Pacífico el litoral es tranquilo, y adentro la montaña está llena de voces que se multiplican en los valles y en las plazas o mercados de las aldeas. Por el costado izquierdo, desde California hasta Chile, América está llena de notas regionales, de vestidos típicos, de viejas músicas autóctonas; por el costado derecho, desde Nueva York hasta Buenos Aires, todavía resuenan en América acentos europeos, se respira un ambiente universal, se vive como en el « hall » de un hotel internacional.

Oriente y occidente en América son como cara y cruz, como sol y luna, como agua y tierra. Acá, por el Atlántico, los inmigrantes han llegado en rebaños de buques y se han derramado en las orillas como la espuma de las olas. Allá, al Pacífico, también llegaron en otro tiempo, en muchedumbre, inmigrantes. Pero eran gentes de tierra y no de mar En la América del Norte, a través de generaciones, la frontera se fué moviendo de Oriente a Occidente, hasta que la avalancha humana se descolgó sobre las campiñas de California. Esa gente, antes, había cruzado el mar, pero cuando llegó a California ya no venía tirando remos, sino empuñando hachas, se habían extinguido en su lengua las canciones marinas, y sólo se oía el golpe seco del hierro, rajando bosques. En las almas no resonaba el cristal de las aguas, sino el paso de los vientos por la garganta de las rocas, por el arpa de los pinos. Y así han sido por allá todas las migraciones del hombre: desde los tiempos en que las naciones indígenas se iban corriendo en masa, en México, de Norte a Sur; desde que el aymará trepó en Bolivia los flancos de la cordillera o el pueblo de los Incas se extendió de Cuzco hasta Colombia; desde que los chibchas trotaban por los montes extendiendo los brazos de su estrella que partía de un corazón de esmeralda: la sabana de Bogotá.

*

Mirando sobre la línea del ecuador, en un mapamundi, la anchura del Atlántico y la del Pacífico, se ve cómo éste es tres veces más grande. En su vasto dominio cabría cuatro o cinco veces un continente como el africano. En los mapas de navegación las líneas del Atlántico se multiplican y cruzan como las de la palma de la mano. El Pacífico sigue terso y solitario. Los dos mares han modelado dos espíritus en América. No por un simple capricho llegan a Buenos Aires millares de italianos, de esos italianos que parecen estar siempre viendo saltar ante sus ojos los caballos azules del Mediterráneo. Italia ha tenido la virtud de ofrecer al mundo el ejemplo más brillante de una cultura porteña en su historia del Renacimiento. La península era entonces un palomar de veleros. En nuestras ciudades andinas, coronas de viejos virreinatos, echaron raíces españoles de tierra adentro, soldados de tierra firme, que eran como las piedras y los árboles que pueden verse en cualquier rincón de Castilla.

(De *La Nación*, Buenos Aires, 26 de octubre de 1941)

En esta generación de ensayistas y críticos se destacan también LUIS ALBERTO SÁNCHEZ (Perú; 1900), HECTOR VELARDE (Perú; 1898), JORGE ZALAMEA (Colombia; 1898), BENJAMÍN CARRIÓN (Ecuador; 1898), TOMÁS BLANCO (Puerto Rico; 1900) y LUIS CARDOZA Y ARAGÓN (Guatemala; 1904). Al grupo mexicano corresponde ANDRÉS IDUARTE (México; 1907) cuya vida en su país natal, en España y ahora en los Estados Unidos le ha permitido ver nuestra expresión literaria de un modo muy personal y siempre justo. Aparte de sus artículos publicados en revistas y periódicos, Iduarte es autor de un libro esencial sobre Martí, *Martí, escritor* (1944); de un encantador libro de memorias *Un niño en la Revolución mexicana* (1951) que ha de continuarse próximamente; y de un volumen de ensayos, *Pláticas hispanoamericanas* (1951), en el que se refleja su punto de vista en cuanto al pasado y el presente de nuestra cultura, centrado en sus nombres más prestigiosos. El ensayo que reproducimos — no publicado en libro aún — es un elogio al idioma en que está escrita nuestra literatura, y por lo tanto, nos parece oportuno ofrecerlo.

Andrés Iduarte

DE LA LENGUA Y SU DÍA

Era 1933 y vivíamos, como estudiantes de leyes y de letras, en el Madrid anterior a la tremenda guerra. Se acercaba el 12 de octubre y los hispanoamericanos nos preparábamos, en la Federación Universitaria y en el Ateneo, para celebrar el Día de la Raza.

¿Cuál raza?, nos preguntábamos. Porque de aquélla a que aludíamos había, en nuestro grupo estudiantil, muchachos blancos, rubios nórdicos del Alvarado veracruzano, del Táchira de Venezuela, de Montevideo; castaños de Coahuila y Tabasco, de Bogotá y de Antioquia, de Valparaíso y de Buenos Aires; trigueños de La Habana, de Huatusco, de San José de Costa Rica; mestizos con fuerte o leve porcentaje indígena — frentes breves de Yucatán, narices aguileñas de Cajamarca, fuertes mandíbulas del Anáhuac, cuadrados torsos de los llanos de Venezuela, achinados ojos de Arequipa, menudos pies femeninos de Filipinas —; mulatos de blanquísimos dientes y crespo pelo de Santo Domingo y de Nicaragua, verdes ojos en canela piel de mujer colombiana, y aun indios puros o casi puros de fuertes hombros y fina mano de Tehuantepec, o de mongólica estampa del páramo boliviano; y retintos negros, relucientes de limpios, del Callao, de Panamá. ¿Cuál raza?...

En la alegre calle madrileña veíamos iberos enjutos y enteros, fenicios activos y emprendedores, hebreos de nariz inconfundible, bereberes de fuerte barba, árabes de ojos soñadores, visigodos rubios y rojos celtas « de roble » y, en mujer, toda la gama de la belleza que viene del desierto y va hasta las cumbres alpinas. Eran los duros tiempos del avance nazista y la palabra raza sonaba con peor sonido que nunca: a señores y esclavos, a privilegiados y proscritos, a metrópoli y colonias, a linaje y plebe. ¿Cuál raza? ¿Cuál era el punto de contacto, el denominador común, el nexo de todos aquellos colores, de facciones tan diferentes, de líneas tan diversas, sino la lengua y la cultura?

Todos los hispanoamericanos habíamos crecido en la celebración del 12 de octubre, del Día de Colón y sus carabelas. En el escudo de la Universidad de México habíamos aprendido, hasta el corazón, el lema que le inscribió don José Vasconcelos, « por mi raza hablará el espíritu. » Lo sentíamos, pero sin entenderlo cabalmente. Años más tarde, en París, nuestro latinoamericanismo se hizo hispanoamericanismo, tomó camino del meridiano de Madrid. Y en la casa de Gabriela Mistral, de Bédarrides de Vaucluse, de la Provenza, aprovechando el no merecido privilegio de su hospitalidad, oímos a diario su exaltación del verbo y su condenación de prerrogativas antropológicas. Y finalmente, tiempo después, con don Miguel de Unamuno bajo el brazo, y en la prensa y en el parlamento, fructificó la lenta pero segura marcha hacia lo bueno y lo justo. ¿Cuál raza? . . . Desde entonces, aun siendo el 12 de octubre, en lo que nosotros pensamos fué en el 23 de abril.

Ésa, ésa era la raza. La lengua era la raza. Mexicanos de nuestra altiplanicie de *eses* sibilantes y vocales cerradas, cuidadosa dicción y mil vocablos indígenas ya dentro del español común, o todavía fuera de él, palpable prueba del mundo rico y vario del que procedían, y de la devoción ética y estética por la otra ancha mitad de la naranja; arequipeños, bogotanos, quiteños y bolivianos también de tierras de águilas y cóndores, de charla también en sordina, de fonética y ritmo preciosos y aun preciosistas, como los de mis compatriotas de las alturas; mexicanos, como yo, de las costas del Golfo, de aspiradas *eses*, de plurales iguales y angulares, de abiertas *eses*, de mucha y sonora conversación, junto con venezolanos de La Guaira y Margarita, puertorriqueños de San Juan y de Ponce, colombianos de Cartagena o Barranquilla, cubanos de La Habana y Camaguey y Santiago, todos hijos del mismo arco linguístico del Golfo y el Caribe; chilenos de finísima articulación labial, en la punta de la lengua; argentinos y uruguayos de rodadas *yes* y pintorescas palabras forasteras; colombianos académicos, siempre con su Rufino José Cuervo alerta y avisado; limeños de un delicioso sabor virreinal en la gustosa plática; paraguayos con menos suerte que nosotros los mexicanos en la batalla por incorporar sus términos indígenas . . .

Todos nos entendíamos sin esfuerzo alguno, no sólo por el sonido de las palabras, sino en su esencia. Y al hablar de los temas eternos y raizales — del amor y la amistad, de la vida y la muerte, de la dignidad y el decoro, de la patria y los padres y los hijos, del bien y del mal, de Dios y la fe, de la verdad y la justicia — coincidíamos, o chocábamos y batallábamos, y peleando en español nos entendíamos. Pero lo extraordinario era que la lección la recibíamos y la fraguábamos, juntos, en España, y que los españoles también la fraguaban y la recibían con nosotros.

No estaba la diferencia entre España y América, aquélla de un lado y ésta del otro, como suponían los ignorantes, los negadores y los mutiladores. La *ese* apical de Castilla o de Asturias aparecía, para sorpresa y condena de los imperiales y de los coloniales, en los labios de un ecuatoriano, recogida desde su infancia, traída desde su lugar; la *elle*, que en general no pronunciábamos los hispanoamericanos, tampoco era común en los madrileños, salvo en los empeñados en aprenderla y, en cambio, aparecía en un peruano de Arequipa o en un mexicano de Orizaba; la aspiración de la *ese* la compartían antillanos y costeños de muchas partes de América, y andaluces y extremeños; un arcaísmo de Chile era también palabra viva en los campos de Salamanca, y otro de Cuba en Asturias; y un criticado neologismo de los habaneros resonaba, de pronto, en la boca de aquel compañero de Teruel . . . En el mar del idioma, hecho de cosa tan tenue y movible como es el espíritu, había de todo, y ese todo estaba distribuído igualmente en diversos rincones de América y España. Corrientes impetuosas se movían, con aparente capricho, en el inmenso caudal, y hacia todas las direcciones. Era un todo, un todo diverso y múltiple, el arco iris — hay que decirlo mil veces — que girando en círculo da el blanco general y único. Los que creían que todo era rojo o azul, mataban la riqueza de los demás colores; o, mejor dicho, la perdían para su espíritu pequeño y parroquiano.

No había, pues, lengua de vencedores y vencidos, de dueños y arrendatarios, de regaladores y beneficiados. Los imperiales de la metrópoli que creían lo contrario — los había entre nosotros —, enarbolando como mejor derecho su nacimiento físico en Castilla, no sabían cómo era, ni de qué era, ni cuál era el arma que enarbolaban. Y otro tanto los regionalistas rebeldes de América — también los había — que daban carácter de superior e inapelable a una divergencia, a una variedad, a una particularidad local. Todos habían nacido en el mismo sitio, pero no lo sabían: en el muy amplio y único, uno, que es el de la misma lengua. Su regazo no es sólo el solar castellano, ni la montaña cantábrica — aunque aquél merezca la reverencia de que fué el punto de partida —: su regazo está en Berceo, en el Arcipreste, en Fernando de Rojas, en Garcilaso, en Cervantes, en Santa Teresa, en Fray Luis, en Lope, en Quevedo, como en el Inca y Alarcón y Sor Juana, y en Bello y Darío y Martí. Los españoles de hoy son tan hijos de esa lengua como los hispanoamericanos que nacieron lejos de Alcalá y de Ávila, no más; y los santiagueros, santiagueses y santiaguinos de Cuba, de Santo Domingo y de Chile lo son igualmente, no menos. Los cobija a todos. A través de siglos, de cambios, de pausas, de aludes, de aciertos, de errores, ha llegado a unos y a otros, y todos trabajan en ella y para ella. « En lengua todos tenemos qué perdonar y qué pedir perdón », dice, en frase que no podemos cansarnos de citar, el mexicano, mi compatriota, Alfonso Reyes. Todos la hacemos y la deshacemos. Es bien común.

En aquel mundo de fe y de verdad de la juventud, junto a la gallarda y poderosa lengua de Castilla, de los castellanos de hoy, vivía el habla cordial y rápida de los cubanos, la lenta canturría de los mexicanos de la altiplanicie, el suave bisbiseo de los quiteños, al lado de la palabra de vascos, catalanes, gallegos, aragoneses y asturianos con fuertes huellas de sus acentos nativos.

Era lógico, pues, que allí celebráramos el 12 de octubre pensando en el 23 de abril, aniversario de la muerte física de Cervantes, del máximo símbolo de nuestra lengua. Su legado es, en suma, la fiesta de la lengua, la fiesta del único concepto limpio y legítimo de raza.

(Leído en la Universidad de Oriente, Santiago de Cuba, 23 de abril 1955. Publicado en *Excelsior*, México, 5 mayo 1955)

NOTICIA COMPLEMENTARIA

Lamentamos que, por falta de espacio, no hayamos podido recoger poesías de los argentinos Francisco Luis Bernárdez, Ricardo Molinari, Eduardo González Lanuza y Vicente Barbieri; de los uruguayos Sara de Ibáñez, Esther de Cáceres, Dora Isella Russell o Juvenal Ortiz Saralegui; de los chilenos Juvencio Valle, Humberto Díaz Casanueva, Rosamel del Valle; de los peruanos Martín Adán y Xavier Abril; de los colombianos León de Greiff, Rafael Maya, Germán Pardo García y Eduardo Carranza; de los cubanos Dulce María Loynaz y Emilio Ballagas, entre otros.

Tampoco hemos podido traer a nuestra antología a los narradores venezolanos Antonio Arráiz, Miguel Otero Silva y Ramón Díaz Sánchez; a los cubanos Enrique Labrador Ruiz, Félix Pita Rodríguez, Alejo Carpentier; a los mexicanos Agustín Yáñez, Rafael F. Muñoz y Francisco Rojas González; a los ecuatorianos Jorge Icaza, Demetrio Aguilera Malta y Adalberto Ortiz; a los argentinos Roberto Arlt, Manuel Mujica Láinez, Adolfo Bioy Casares y Silvina Ocampo; a las chilenas María Luisa Bombal y Marta Brunet; al uruguayo Juan Carlos Onetti; al centroamericano Salarrué; al puertorriqueño Enrique Laguerre; a los colombianos Eduardo Zalamea Borda y Adel López Gómez; al peruano Ciro Alegría y al boliviano Fernando Díaz de Medina.

En la producción teatral se destacan los mexicanos Celestino Gorostiza y Rodolfo Usigli y el argentino Conrado Nalé Roxlo.

LAS ÚLTIMAS PROMOCIONES

Nuestra antología termina con los escritores nacidos antes de 1915. Pero queremos dar algunas noticias — muy someras — sobre las últimas promociones literarias. Los que nacieron después de 1915 tuvieron que hacerse escritores en medio del horror. La segunda guerra mundial tuvo sobre ellos un efecto contrario al que la primera guerra mundial de 1914 había tenido en los ultraístas. Los de la posguerra del 14 aparecieron con gestos de acróbatas y payasos. Se burlaban de la literatura. La querían deshumanizar. Cultivaban lo absurdo. Despojaban el verso de toda regularidad. Después se arrepintieron y trataron de justificar su nihilismo. Descubrieron que en el fondo de su desafío a todas las convenciones literarias había un sentimiento patético: nada menos que el descontento del mundo. Los jóvenes nacidos alrededor de 1920 no conocieron esa primera etapa de frivolidad: aparecieron con patetismo. Hasta tomaron a la tremenda las contorsiones acrobáticas y clownescas de sus hermanos mayores. La poesía, por oscura que sea, aspira ahora a dar un mensaje. Antes la poesía había sido absurda; ahora, sin dejar de ser absurda, tiene un propósito: demostrar que la existencia misma es absurda. Un acento casi trágico se oye en la nueva literatura: los jóvenes viven preocupados por problemas morales, por lo mismo que, al abrir los ojos, vieron que los valores estaban por el suelo. El superrealismo, al que los ultraístas llegaron sólo después de ponerse graves, fué el punto de partida de los jóvenes. Es que los rescoldos del superrealismo acababan de reanimarse y de echar nuevas llamas en Francia y en todos los países. Pero ese superrealismo se combinó en los jóvenes con filosofías existencialistas. En español teníamos nuestro propio existencialismo, el de Unamuno, Antonio Machado y Ortega y Gasset. Pero fueron Heidegger, Sartre *et al* quienes tiñeron el pensamiento juvenil. El estilo quería ser « ónticamente lírico », quería expresar « la verdad del ser. » Además, hubo estilizaciones de lo popular (como las de García Lorca en la generación anterior). Entre el personalismo y el popularismo surgieron tendencias neo-románticas, neo-naturalistas. Se hizo « literatura gratuita » y « literatura comprometida », con espiritualismos y materialismos, con bellezas y fealdades, con angustias desesperanzadas e iracundias revolucionarias . . . Años babélicos. ¿No ha sido siempre así la vida literaria? Sí. El historiador sabe muy bien que, al pegar el oído a cada época, lo que oye es una confusión babélica de lenguas literarias. Sin embargo, estos años que aquí resumimos han sido más babélicos que nunca. La literatura vino a complicarse ahora con nuevos fenómenos. La mayor densidad demográfica de la república de las letras — nunca tantas personas han escrito tanto como ahora en nuestra América — dió representación a todos los gustos. Fué como un terremoto que desenterrara todas las capas geológicas y las yuxtapusiera. Sin perspectiva, ya no sabemos qué es lo superior. Además, la cultura del mundo ha sido re-estructurada con violentos cambios en los prestigios nacionales, con simultaneidad de varios centros creadores de valores reñidos entre sí. Las técnicas de información ofrecen cada día un completo panorama universal. La literatura no vive ya de París, ni siquiera de Londres, de Madrid, de Moscú o de Roma: es planetaria. El resultado es que en el menor círculo literario se da un microcosmo donde hay de todo. Ni siquiera es posible excluir la literatura « mal escrita » porque escribir mal — el feísmo, el « qué me importa », el chorro abierto por donde sale aun la inmundicia — viene a dar expresión al alma desesperada de nuestra época. En las tres direcciones de la literatura contemporánea — una literatura comprometida con realidades no literarias, una literatura dirigida desde fuera de la literatura y una literatura regulada por leyes puramente literarias — se dan todas las posturas estilísticas.

Poesía. Los poetas que aparecen en estos años tienen, por lo general, un tono melancólico, elegíaco, grave, pesimista, introspectivo. Podría llamárseles neorrománticos, a condición de que agregáramos en seguida que sus poetas favoritos no eran románticos, sino superrealistas como Neruda, simbolistas como Rilke, concentrados como T. S. Eliot, fabuladores como Saint-John Perse, y, si miraban hacia el pasado, era más bien para admirar las formas de los poetas españoles del Renacimiento. Esas influencias anotadas — ya de por sí contradictorias — son todavía más complejas si las observamos de cerca. El superrealismo, por ejemplo, se transforma en un existencialismo; en otros — por el camino social y político de Neruda y Vallejo — se transforma en comunismo más o menos lírico; en otros, en un catolicismo que, por el lado del culto a la tradición, lleva hacia el culto a la patria.

Respetuosos de las innovaciones del vanguardismo, prefirieron — dijimos — continuarlas con seriedad. Por eso admiraban al Neruda de la última época, desde *Tercera Residencia* en adelante, el Neruda que afirmaba la existencia de cosas reales, que no intentaba crearlas. Es una vuelta a la realidad, pero no directamente, sino por los suburbios de la metafísica. El resultado es que muchos de los que decían afirmar lo humano, lo nacional, lo vital, se perdieron en el camino y no llegaron nunca a la realidad. En vez de metáforas creacionistas, mencionaban las cosas mismas aunque es evidente que tales menciones eran, en el fondo, también metáforas. Metáfora, por ejemplo, es afirmar que « la poesía no crea », sino que « descubre y recupera lo que está naufragando en la oscuridad de nuestro ser. » Los poetas católicos, por su parte, afirmaban la vida en actitud de atención y aun de amor al hombre y todos sus bienes. Las cosas reales se les ofrecían para que las celebraran haciéndolas entrar en el canto. Pero al fundar así la realidad, reconocían lo sobrenatural, el lazo con el misterio. Juzgar esta poesía es imposible en una obra como ésta, en la que sólo deberemos anotar algunos nombres, entre los que más se han destacado en los últimos años. En Argentina, JUAN RODOLFO WILCOCK, ALBERTO GIRRI, CÉSAR FERNÁNDEZ MORENO y MARÍA ELENA WALSH; en Uruguay, IDEA VILARIÑO y SARANDY CABRERA; en Chile, LUIS OYARZÚN; en el Perú, SEBASTIÁN SALAZAR BONDY; en Colombia, FERNANDO CHARRY LARA; en Venezuela, JUAN LISCANO e IDA GRAMCKO; en Cuba, SAMUEL FEIJÓO, CINTIO VITIER y todo el brillante grupo de la revista « Orígenes », con su director JOSÉ M. LEZAMA LIMA;

en Puerto Rico, FRANCISCO MATOS PAOLI; en Santo Domingo, ARTURO FERNÁNDEZ SPENCER; en Centroamérica, ERNESTO MEJÍA SÁNCHEZ y ALFREDO CARDONA PEÑA; en México, ALÍ CHUMACERO y MARGARITA MICHELENA, entre otros muchos.

Novela. Aparece un nuevo realismo, un nuevo naturalismo. Se recordará que ya hablamos de la disolución de la novela; de la novela tal como se la había practicado hasta 1910. Kafka, Proust, Faulkner, Joyce, Woolf, Huxley, etc. rompieron sus marcos. Y en Hispanoamérica surgieron novelas que parecían proponerse solamente el llevarle la contra a la realidad. Pero ahora, después de esos experimentos, se quiso asir, una vez más, la realidad. Sólo que ya no se podía volver al naturalismo del siglo XIX. Zola y sus seguidores describían con la voluntad de probar una doctrina más o menos científica. Pero los jóvenes novelistas de 1940 a 1950 ya no leían a Zola. En todo caso, a los neo-naturalistas italianos, franceses y norteamericanos. En vez de describir quisieron presentar objetivamente la realidad. Presentarla como algo vivo, desordenado, en bruto, algo que está ocurriendo entre el novelista y el lector. O sea, que el novelista ya no aspira a dirigir al lector. Desaparece el narrador como testigo omnisciente, como obrero que desde dentro arregla las cosas para que las entendamos mejor, como dueño y empresario de un espectáculo al que se nos invita para divertirnos. La novela hierve, pues, como la vida misma. Los personajes están apenas entrevistos, puesto que no hay quien los vea por completo. Y como los personajes se entrevén unos a otros, y no nos aclaran desde qué móviles situaciones están entreviéndose, el orden cronológico y el orden espacial se confunden. Así es la realidad: absurda. Aunque este realismo no se parece al del siglo XIX, es realismo. Más: naturalismo, atrevido, crudo, agresivo, chocante. Pero las cosas no están narradas ni descritas por un autor que siente la forma estética de la novela, sino más bien presentadas por un autor que siente la informe fealdad anti-novelesca de la vida de todos los días. Se presenta y se oculta al mismo tiempo: se presenta una realidad pero se ocultan los nexos artísticos.

Unos pocos nombres, en la producción novelística de los últimos años: en Argentina, JULIO CORTÁZAR y H. A. MURENA; en Uruguay, MARIO BENEDETTI; en Paraguay, AUGUSTO ROA BASTOS; en Bolivia, RAÚL BOTELHO GOSÁLVEZ; en Chile, FERNANDO ALEGRÍA; en Ecuador, ADALBERTO ORTIZ; en Puerto Rico, RENÉ MARQUÉS; en México, JUAN JOSÉ ARREOLA y JUAN RULFO.

COLOFÓN

Los autores de esta antología pertenecen también a la literatura hispanoamericana por su obra creadora. EUGENIO FLORIT (España-Cuba; 1903) poeta; ENRIQUE ANDERSON IMBERT (Argentina; 1910) narrador. Una antología, por didáctica que sea, por objetiva que aspire a ser, es también una obra personal. Como toda obra personal, debe llevar la firma de sus autores. Que nuestras firmas sean, pues, un poema, un cuento.

Eugenio Florit

LA NOCHE

Ya, Señor, sé lo que dicen
las estrellas de tu cielo;
que sus puntos de diamante
me lo vienen escribiendo.

Ya, por páginas del aire,
las letras caen.
Yo atiendo,
ojos altos, muda boca
y callado pensamiento.

Y qué clara la escritura
dentro de la noche, dentro
del corazón anheloso
de recibir este fuego

que baja de tus abismos,
va iluminando mi sueño
y mata la carne y deja
al alma en su puro hueso.

Lo que dicen las estrellas
me tiene, Señor, despierto
a más altas claridades,
a más disparados vuelos,

a un no sé de cauteloso,
a un sí sé de goce trémulo
(alas de una mariposa
agitadas por el suelo).

Y en el suelo desangrándose
se pierde la voz del cielo
hasta que se llega al alma
por la puerta del deseo.

Paloma de las estrellas,
ala en aire, flecha, hierro
en el blanco de la fragua
de tu amor.

En el desvelo
de tantas luces agudas
todo va lejos, huyendo.
Todo, menos Tú, Señor.
Que ya sé cómo me hablas
por las estrellas del cielo.
1952.

(De *Asonante final y otros poemas*, 1955)

Enrique Anderson Imbert

EL LEVE PEDRO

Durante dos meses se asomó a la muerte. El médico refunfuñaba que la enfermedad de Pedro era nueva, que no había modo de tratarla y que él no sabía qué hacer . . . Por suerte el enfermo, solito, se fué curando. No había perdido su buen humor, su oronda calma provinciana. Demasiado flaco y eso era todo. Pero al levantarse después de varias semanas de convalecencia se sintió sin peso.

— Oye — dijo a su mujer — me siento bien pero ¡no sé! el cuerpo me parece . . . ausente. Estoy como si mis envolturas fueran a desprenderse dejándome el alma desnuda.

— Languideces — le respondió su mujer.

— Tal vez.

Siguió recobrándose. Ya paseaba por el caserón, atendía el hambre de las gallinas y de los cerdos, dió una mano de pintura verde a la pajarera bulliciosa y aun se animó a hachar la leña y llevarla en carretilla hasta el galpón. Pero según pasaban los días las carnes de Pedro perdían densidad. Algo muy raro le iba minando, socavando, vaciando el cuerpo. Se sentía con una ingravidez portentosa. Era la ingravidez de la chispa y de la burbuja, del globo y de la pelota. Le costaba muy poco saltar limpiamente la verja, trepar las escaleras de cinco en cinco, coger de un brinco la manzana alta.

— Te has mejorado tanto — observaba su mujer — que pareces un chiquillo acróbata.

Una mañana Pedro se asustó. Hasta entonces su agilidad le había preocupado, pero todo ocurría como Dios manda. Era extraordinario que, sin proponérselo, convirtiera la marcha de los humanos en una triunfal carrera en volandas sobre la quinta. Era extraordinario pero no milagroso. Lo milagroso apareció esa mañana.

Muy temprano fué al potrero. Caminaba con pasos contenidos porque ya sabía que en cuanto taconeara iría dando botes por el corral. Arremangó la camisa, acomodó un tronco, cogió el hacha y asestó el primer golpe. Y entonces, rechazado por el impulso de su propio hachazo, Pedro levantó vuelo. Prendido todavía del hacha, quedó un instante en suspensión, levitando allá, a la altura de los techos; y luego bajó lentamente, bajó como un tenue vilano de cardo.

Acudió su mujer cuando Pedro ya había descendido y, con una palidez de muerte, temblaba agarrado a un rollizo tronco.

— ¡Hebe! ¡Casi me caigo al cielo!

— Tonterías. No puedes caerte al cielo. Nadie se cae al cielo. ¿Qué te ha pasado?

Pedro explicó la cosa a su mujer y ésta, sin asombro, le reconvino:

— Te sucede por hacerte el acróbata. Ya te lo he prevenido. El día menos pensado te desnucarás en una de tus piruetas.

— ¡No, no! — insistió Pedro —. Ahora es diferente. Me resbalé. El cielo es un precipicio, Hebe.

Pedro soltó el tronco que lo anclaba pero se asió fuertemente a su mujer. Así abrazados volvieron a la casa.

— ¡Hombre! — le dijo Hebe, que sentía el cuerpo de su marido pegado al suyo como el de un animal extrañamente joven y salvaje, con ansias de huir en vertiginoso galope —. ¡Hombre, déjate de hacer fuerza, que me arrastras! Das unas zancadas como si quisieras echarte a volar.

— ¿Has visto, has visto? Algo horrible me está amenazando, Hebe. Un esguince, y ya empieza la ascensión.

Esa tarde Pedro, que estaba apoltronado en el patio leyendo las historietas del periódico, se rió convulsivamente. Y con la propulsión de ese motor alegre fué elevándose como un ludión, como un buzo que se quitara las suelas. La risa se trocó en terror y Hebe acudió otra vez a las voces de su marido. Alcanzó a cogerlo de los pantalones y lo atrajo a la tierra. Ya no había duda. Hebe le llenó los bolsillos con grandes tuercas, caños de plomo y piedras; y estos pesos por el momento dieron a su cuerpo la solidez necesaria para tranquear por la galería y empinarse por la escalera de su cuarto. Lo difícil fué desvestirlo. Cuando Hebe le quitó los hierros y el plomo, Pedro, fluctuante sobre las sábanas, se entrelazó a los barrotes de la cama y le advirtió:

— ¡Cuidado, Hebe! Vamos a hacerlo despacio porque no quiero dormir en el techo.

— Mañana mismo llamaremos al médico.

— Si consigo estarme quieto no me ocurrirá nada. Solamente cuando me agito me hago aeronauta.

Con mil precauciones pudo acostarse y se sintió seguro.

— ¿Tienes ganas de subir?

— No. Estoy bien.

Se dieron las buenas noches y Hebe apagó la luz.

Al otro día cuando Hebe despegó los ojos vió a Pedro durmiendo como un bendito, con la cara pegada al techo. Parecía un globo escapado de las manos de un niño.

— ¡Pedro, Pedro! — gritó aterrorizada.

Al fin Pedro despertó, dolorido por el estrujón de varias horas contra el cielo raso. ¡Qué espanto! Trató de saltar al revés, de caer para arriba, de subir para abajo. Pero el techo lo succionaba como succionaba el suelo a Hebe.

— Tendrás que atarme de una pierna y amarrarme al ropero hasta que llames al doctor y vea qué es lo que pasa.

Hebe buscó una cuerda y una escalera, ató un pie a su marido y se puso a tirar con todo el ánimo. El cuerpo adosado al techo se removió como un lento dirigible. Aterrizaba.

En eso se coló por la puerta un correntón de aire que ladeó la leve corporeidad de Pedro y, como a una pluma, la sopló por la ventana abierta. Ocurrió en un segundo. Hebe lanzó un grito y la cuerda se le escapó de las manos. Cuando corrió a la ventana ya su marido, desvanecido, subía por el aire inocente de la mañana, subía en suave contoneo como un globo de color fugitivo en un día de fiesta, perdido para siempre, en viaje al infinito. Se hizo un punto y luego nada.

(De *Las pruebas del caos*, 1946)

LECTURAS COMPLEMENTARIAS

Forzosamente hemos tenido que excluir de nuestra antología la novela y el teatro. A fin de que el lector pueda completar por su cuenta el panorama de la literatura hispanoamericana, ofrecemos a continuación dos listas, también antológicas, de novelas y obras teatrales, agrupadas por el orden alfabético de los países en que se originaron.

Novela

Argentina

Vicente Fidel López (1815-1903), *La novia del hereje*
José Mármol (1817-1871), *Amalia*
Miguel Cané (1851-1905), *Juvenilia*
Eugenio Cambacérès (1843-1888), *Sin rumbo*
Roberto J. Payró (1867-1928), *Divertidas aventuras del nieto de Juan Moreira, El casamiento de Laucha*
José Miró (1867-1896), *La Bolsa*
Enrique Larreta (1873), *La gloria de Don Ramiro*
Manuel Gálvez (1882), *Nacha Regules*
Ricardo Güiraldes (1886-1927), *Don Segundo Sombra*
Benito Lynch (1885-1952), *El inglés de los güesos*
Carlos B. Quiroga (1890), *La raza sufrida*
Roberto Arlt (1900-1942), *Los siete locos*
Eduardo Mallea (1903), *Todo verdor perecerá*
Manuel Mujica Láinez (1910), *Los ídolos*
Ernesto Sábato (1911), *El túnel*

Bolivia

Nataniel Aguirre (1843-1888), *Juan de la Rosa*
Alcides Arguedas (1879-1946), *Raza de bronce*
Armando Chirveches (1881-1926), *La candidatura de Rojas*
Augusto Céspedes (1904), *El Metal del Diablo*
Oscar Cerruto (1912), *Aluvión de fuego*

Colombia

Eugenio Díaz (1804-1865), *Manuela*
José Manuel Marroquín (1827-1908), *El Moro*
Eustaquio Palacios (1830-1898), *El Alférez Real*
Jorge Isaacs (1837-1895), *María*
Tomás Carrasquilla (1858-1940), *La marquesa de Yolombó*
José Eustasio Rivera (1888-1928), *La vorágine*

Eduardo Zalamea Borda (1907), *Cuatro años a bordo de mí mismo*
José A. Osorio Lizarazo (1900), *Garabato*
Eduardo Caballero Calderón (1910), *El Cristo de espaldas*

Costa Rica

José Marín Cañas (1904), *El infierno verde*
Carlos Luis Fallas (1910), *Mamita Yunai*
Joaquín Gutiérrez (1918), *Manglar*

Cuba

Cirilo Villaverde (1812-1894), *Cecilia Valdés*
Jesús Castellanos (1879-1912), *La Conjura*
Carlos Loveira (1882-1928), *Los Ciegos*, *Juan Criollo*
Luis Felipe Rodríguez (1888-1947), *Ciénaga*
Enrique Serpa (1899), *Contrabando*
Enrique Labrador Ruiz (1902), *La sangre hambrienta*
Alejo Carpentier (1904), *Los pasos perdidos*, *El acoso*

Chile

Alberto Blest Gana (1830-1920), *El loco Estero*, *Martín Rivas*
Luis Orrego Luco (1866-1949), *Casa Grande*
Augusto D'Halmar (1880-1950), *Pasión y muerte del cura Deusto*
Eduardo Barrios (1884), *El Hermano Asno*, *Gran señor y rajadiablos*
Joaquín Edwards Bello (1886), *El roto*
Fernando Santiván (1886), *La Hechizada*
Pedro Prado (1886-1952), *Un juez rural*, *Alsino*
Jenaro Prieto (1889-1946), *El Socio*
Manuel Rojas (1896), *Hijo de ladrón*
Marta Brunet (1901), *Humo hacia el sur*
Maria Luisa Bombal (1910). *La Amortajada*
Juan Godoy (1910), *Angurrientos*

Ecuador

Juan León Mera (1832-1894), *Cumandá*
Demetrio Aguilera Malta (1905), *Canal Zone*
Jorge Icaza (1906), *Huasipungo*
Alfredo Pareja Díez-Canseco (1908), *El Muelle*
Enrique Gil-Gilbert (1912), *Nuestro pan*
Adalberto Ortiz (1914), *Juyungo*

El Salvador

Napoleón Rodríguez Ruíz (1910), *Jaraguá*

Guatemala

Rafael Arévalo Martínez (1884), *El hombre que parecía un caballo*
Miguel Ángel Asturias (1899), *El señor Presidente*
Mario Monforte Toledo (1911), *Entre la piedra y la cruz*

Honduras

Marcos Carías Reyes (1905-1949), *Trópico*

México

José Joaquín Fernández de Lizardi (1760-1827), *El Periquillo sarniento*, *Don Catrín de la Fachenda*
Manuel Payno (1810-1894), *Los bandidos de Río Frío*
Vicente Riva Palacio (1832-1896), *Martín Garatuza*
Ignacio Manuel Altamirano (1834-1893), *El Zarco*
José López Portillo y Rojas (1850-1923), *La parcela*
Rafael Delgado (1853-1914), *Angelina*
Emilio Rabasa (1856-1930), *La bola*
Federico Gamboa (1864-1939), *Santa*
Mariano Azuela (1873-1952), *Los de abajo*, *La Luciérnaga*
José Rubén Romero (1890-1952), *La vida inútil de Pito Pérez*, *Mi caballo, mi perro y mi rifle*
Ermilo Abreu Gómez (1894), *Naufragio de indios*
Gregorio López y Fuentes (1897), *El indio*
Agustín Yáñez (1904), *Al filo del agua*
José Revueltas (1914), *El luto humano*

Nicaragua

Hernán Robleto (1895), *Sangre en el trópico*

Panamá

Rogelio Sinán (1904), *Todo un conflicto de sangre*

Paraguay

Gabriel Casaccia (1907), *La babosa*

Perú

Clorinda Matto de Turner (1854-1909), *Aves sin nido*
Clemente Palma (1872), *La nieta del oidor*
José Díez-Canseco (1905-1949), *El Duque*
Ciro Alegría (1909), *La serpiente de oro*, *El mundo es ancho y ajeno*

Puerto Rico

Manuel Zeno Gandía (1855-1930), *La charca*
Enrique A. Laguerre (1906), *La llamarada*

República Dominicana

Manuel de Jesús Galván (1834-1910), *Enriquillo*
Tulio Manuel Cestero (1877-1954), *La sangre: una vida bajo la tiranía*
Ramón Marrero Aristy (1913), *Gver*

Uruguay

Eduardo Acevedo Díaz (1851-1921), *Ismael*
Carlos Reyles (1868-1938), *El gaucho Florido*
Enrique Amorim (1900), *El paisano Aguilar*
Francisco Espínola (1901), *Sombras sobre la tierra*
Juan Carlos Onetti (1909), *La vida breve*

Venezuela

Manuel Vicente Romero García (1865-1917), *Peonía*
Gonzalo Picón-Febres (1860-1918), *El sargento Felipe*
Manuel Díaz Rodríguez (1868-1927), *Sangre patricia*
Rufino Blanco Fombona (1874-1944), *El hombre de hierro*
Rómulo Gallegos (1884), *Doña Bárbara, Canaima, Cantaclaro*
José Rafael Pocaterra (1889-1955), *El doctor Bebé*
Teresa de la Parra (1891-1936), *Las memorias de Mamá Blanca*
Antonio Arráiz (1903), *Puros hombres*
Ramón Díaz Sánchez (1903), *Cumboto*
Arturo Uslar Pietri (1905), *Las lanzas coloradas*
Miguel Otero Silva (1908), *Casas muertas*

TEATRO

Al confeccionar la presente lista de obras teatrales nos hemos limitado a los autores contemporáneos, prescindiendo de otros anteriores. Pero no hay que olvidar uno por lo menos de los dramaturgos de la Colonia, aunque su obra también pertenezca a la literatura española del Siglo de Oro. De lectura obligada para todo estudiante deben ser *La verdad sospechosa* y *Las paredes oyen*, de Juan Ruiz de Alarcón (1580-1639)

Argentina

Samuel Eichelbaum (1894), *Un guapo del 900*
Conrado Nalé Roxlo (1898), *La cola de la sirena*

Bolivia

Antonio Díaz Villamil (1897-1948), *La hoguera*
Guillermo Francovich (1901), *Un puñal en la noche*

Colombia

Antonio Álvarez Lleras (1892), *El zarpazo*
Luis Enrique Osorio (1896), *El Doctor Manzanillo*

Costa Rica

José Fabio Garnier (1884), *A la sombra del amor*
Eduardo Calsamiglia (1918), *Bronces de antaño*

Cuba

Ramón Sánchez Varona (1883), *La sombra*
José Antonio Ramos (1885-1946), *Tembladera*
Luis A. Baralt (1892), *La luna en el pantano*

Chile

Victor Domingo Silva (1882), *Nuestras víctimas*
Antonio Acevedo Hernández (1886), *Almas perdidas*
Armando Moock (1894-1942), *La Serpiente*

Ecuador

Jorge Icaza (1902), *Cómo ellos quieren*
Demetrio Aguilera Malta (1905), *Lázaro*
Luis A. Moscoso Vega (1909), *Conscripción*

El Salvador

Raúl Contreras (1896), *La princesa está triste*

Guatemala

Manuel Galich (1912), *Papá Natas*

México

Xavier Villaurrutia (1904-1951), *Autos profanos*
Celestino Gorostiza (1904), *El color de nuestra piel*
Rodolfo Usigli (1905), *El Gesticulador, Corona de sombra*
Federico Inclán (1910), *Espaldas mojadas cruzan el Bravo*

Nicaragua

Hernán Robleto (1893), *El vendaval*
Pablo Antonio Cuadra (1912), *Por los caminos van los campesinos*

Paraguay

José Arturo Alsina (1897), *La marca de fuego*
Josefina Pla (1907), *Una novia para José el feo*

Perú

Leonidas Yerovi (1881-1912), *La casa de tantos*
José Chioino (1900), *Retorno*

Puerto Rico

Emilio S. Belaval (1903), *La Muerte*
Francisco Arriví (1915), *Vejigantes*

Uruguay

Gregorio Laferrere (1867-1913), *Las de Barranco*
Florencio Sánchez (1875-1910), *Barranca abajo*, *M'hijo el dotor*
Ernesto Herrera (1886-1917), *El león ciego*

Venezuela

Julián Padrón (1910-1954), *La vela del alma*
Aquiles Certad (1914), *El hombre que no tuvo tiempo para morir*

GLOSARIO

de términos de métrica y retórica que se usan con mayor frecuencia *

ACENTO: la mayor intensidad con que se pronuncia determinada sílaba de una palabra o en un verso. Es ley general del verso castellano que lleve un *acento* en la penúltima sílaba. Según esto, las últimas palabras de los versos se alteran al contar las sílabas cuando no son graves; las esdrújulas son consideradas como si tuvieran una sílaba menos, y en las agudas, la última sílaba se prolonga en dos.

ACONSONANTADOS: se dice de los versos que tienen iguales sonidos — vocales y consonantes — a partir de la última vocal acentuada, o tónica.

AFÉRESIS: licencia usada a veces en poesía, que consiste en suprimir una o más letras al principio de un vocablo.

ALEJANDRINO: el verso de catorce sílabas, dividido generalmente en dos hemistiquios de siete. El *alejandrino* francés consta de doce sílabas.

ALITERACIÓN: repetición en una cláusula de la misma letra, o grupos de sonidos.

ANAPESTO: pie de la poesía clásica formado por dos sílabas breves y una larga. El endecasílabo dactílico o *anapéstico* es aquel en que el acento recarga sobre las sílabas primera, cuarta y séptima, además del acento necesario en la décima.

ANISOSÍLABOS: versos desiguales entre sí.

ANTÍTESIS: figura que consiste en contraponer una frase o una palabra a otra de contraria significación.

ARTE MAYOR: los versos de más de ocho sílabas.

ARTE MENOR: los versos de ocho o menos sílabas.

ASONANCIA: rima entre dos palabras cuyas *vocales* son iguales a contar desde la última acentuada. Se la llama también *rima imperfecta.*

AUTO: acto, composición dramática en que por lo general intervienen personajes bíblicos o alegóricos. *Auto sacramental:* el escrito en loor de la Eucaristía. *Auto de Navidad:* el de asunto relacionado con dicha fiesta religiosa.

BUCÓLICA (poesía): la que canta las bellezas de la naturaleza y los encantos de la vida campestre.

CADENCIA: distribución y combinación de los acentos, pausas y melodía.

* Algunas de las definiciones usadas en este glosario han sido tomadas del libro de Tomás Navarro, *Métrica española*; de *Vox*; del *Diccionario de Literatura española* publicado por la « Revista de Occidente », de Madrid; y del *Diccionario de la Real Academia de la Lengua.*

CANCIÓN: composición poética derivada de la « canzone » italiana, y generalmente de tema amoroso. En su aspecto popular, la *canción* está relacionada con la música, es de métrica diversa y de tono sencillo y natural.

CANTIDAD: duración de los sonidos o de las sílabas y relaciones de tiempo entre ellas, de importancia para la rítmica del verso.

CANTO: cada una de las partes en que se divide un poema, especialmente los del género épico.

CESURA: pequeña pausa que se hace en un lugar determinado del verso.

COLOQUIO: género de composición literaria en forma de diálogo. Puede ser en prosa o en verso.

CONSONANCIA: igualdad de los últimos sonidos, tanto vocales como consonantes, en dos palabras, a partir de la última vocal acentuada. Llamada *rima perfecta* en poesía.

COPLA: breve composición lírica, especialmente la que sirve de letra en las canciones populares. Por extensión, cualquier clase de estrofa.

CUARTETA: estrofa de cuatro versos octosílabos de rima *abab*. Cualquier otra combinación de cuatro versos de arte menor.

CUARTETO: estrofa de cuatro versos endecasílabos de rima *abba*. Combinación métrica de versos de arte mayor.

DÉCIMA: conjunto de diez octosílabos dispuestos en el orden de dos redondillas y dos versos de enlace, *abba; ac; cddc*. (Navarro) Llámase también « espinela ».

DIÉRESIS: licencia poética que consiste en separar en dos sílabas las dos vocales de un diptongo.

DODECASÍLABO: el verso de doce sílabas, compuesto de 6 más 6. Cuando la cesura va después de la séptima sílaba, se suele llamar « de seguidilla », y fué muy empleado por los poetas modernistas.

ÉGLOGA: poema bucólico lírico, de forma dialogada.

ELEGÍA: en su origen, composición fúnebre. Es con frecuencia una lamentación por cualquier motivo que produce tristeza en el ánimo del poeta.

ENCABALGAMIENTO: se dice que hay *encabalgamiento* cuando la unidad rítmica del verso no coincide con una unidad de significación y, por lo tanto, el final de un verso, para completar su sentido, tiene que enlazarse con el verso siguiente.

ENDECASÍLABO: el verso de once sílabas.

ENEASÍLABO: el verso de nueve sílabas.

EPIGRAMA: composición poética que expresa un pensamiento por lo general festivo o satírico.

EPÍTETO: palabra o frase que se une al nombre para especificarlo o caracterizarlo.

ESTRIBILLO: cláusula en verso con que empiezan algunos poemas líricos y que se repite después en cada estrofa.

ESTROFA: grupo de versos sujetos a un orden metódico. (Navarro) Cualquiera de las partes o grupos de versos de que constan algunos poemas, aunque no estén ajustadas a exacta simetría.

FÁBULA: poema alegórico que contiene una enseñanza moral, y en el que intervienen cosas o animales.

GLOSA: composición poética con una estrofa inicial, de la que se repiten uno o más versos al final de cada una de las siguientes.

HEMISTIQUIO: la mitad de un verso, separada de la otra mitad por una cesura. Puede designar también cada una de dos partes desiguales de un mismo verso.

HEPTASÍLABO: el verso de siete sílabas.

HERNANDINA: estrofa usada por José Hernández en su poema « Martín Fierro », y que consiste en una décima a la que se le suprimen los cuatro primeros versos.

HEXADECASÍLABO: el verso de diez y seis sílabas.

HEXÁMETRO: verso de la medida clásica, que consta de seis pies de cuatro tiempos.

HEXASÍLABO: el verso de seis sílabas.

HIATO: efecto de la pronunciación separada de dos vocales que van juntas. Si las vocales forman un diptongo, su pronunciación separada se llama *diéresis*.

HIPÉRBATON: figura que consiste en alterar el orden que las palabras deben tener en el discurso con arreglo a las leyes de la sintaxis llamada regular.

HIPÉRBOLE: exageración de las cualidades de un ser, realzándolas o rebajándolas.

IMÁGEN: representación de una cosa determinada con detalles fieles y evocativos. No es necesario que sea metafórica o visual; puede tener carácter sensual, y también dar lugar a interpretaciones simbólicas.

ISOSÍLABOS: versos de igual número de sílabas.

LETRILLA: poema de origen popular, cada una de cuyas estrofas termina con uno o más versos que forman el *estribillo*.

LIRA: combinación métrica o estrofa de cinco versos, endecasílabos el segundo y quinto, y heptasílabos los otros tres, de rima consonante *ababb*. Puede formarse también con seis versos de diferente medida.

MADRIGAL: poema breve, de tono delicado, generalmente amoroso.

MEDIDA: número y clase de sílabas que ha de tener un verso.

METÁFORA (o traslación): trasposición del significado primero de un nombre;

traslación del sentido recto de las voces en otro figurado, en virtud de una comparación tácita.

MÉTRICA: ciencia y arte que trata de los versos.

METRO: la medida aplicada a cierto número de palabras para formar un verso. También se llama así al verso con relación a la medida que le corresponde según su clase.

MONORRIMO: el uso de varios versos de un solo consonante o asonante.

OCTAVA (*de Oña*): combinación inventada por este poeta chileno, compuesta de ocho endecasílabos aconsonantados que riman *abbaabcc*. Octava *italiana:* aquella en que el primero y quinto versos son libres, y los demás riman: segundo y tercero, sexto y séptimo, y cuarto y octavo. Octava *real:* la formada por ocho endecasílabos con rima consonante de *abababcc*. Llamada también *octava rima.*

OCTAVILLA: la combinación de arte menor formada como la octava italiana, pero con los versos cuarto y octavo agudos.

ODA: composición del género lírico, generalmente dividida en estrofas o partes iguales. Suele ser un canto de entusiasmo ante un suceso grandioso o notable.

ONOMATOPEYA: imitación del sonido de una cosa en el vocablo que se forma para significarla. (Academia)

OVILLEJO: suma de diez versos en que figuran tres pareados, cada uno formado por un octosílabo y un quebrado a manera de eco, a los cuales sigue una redondilla que continúa la rima del último pareado y termina reuniendo los tres breves quebrados en el verso final. (Navarro)

PARADOJA: figura consistente en el empleo de expresiones o frases que envuelven contradicción.

PARÁFRASIS: interpretación o libre traducción de un texto literario.

PAREADO: combinación de dos versos unidos y aconsonantados.

PENTASÍLABO: el verso de cinco sílabas.

PERÍFRASIS (o circunlocución): figura retórica consistente en expresar una idea por medio de un rodeo de palabras.

PIE: antiguamente se designaba con este nombre a las unidades métricas de formación elemental. Es la duración comprendida entre dos tiempos marcados sucesivos, separados por intervalos isócronos.

PIE QUEBRADO: combinación de versos octosílabos con versos de cuatro sílabas. También, otras combinaciones de versos cortos y largos.

POEMA ÉPICO: narración en verso de un suceso de importancia, hecha en tono elocuente y entusiasta y, por lo general, asociado a la historia de un pueblo o nación.

POEMA HEROICO: aquel en que, como en el anterior, se narran o cantan hazañas gloriosas o hechos memorables, pero de importancia menos general.

POLIMETRÍA: variedad de metros en una misma composición poética.

PROSOPOPEYA: atribución de cualidades o actos de persona a otros seres.

QUINTILLA: combinación de cinco versos octosílabos aconsonantados; no han de ir tres consonates seguidos, ni terminar con un pareado.

REDONDILLA: estrofa de cuatro octosílabos de rima consonante *abba.*

RETRUÉCANO: inversión de los términos de una cláusula en otra subsiguiente para que el sentido de esta última contraste con el de la anterior. (Academia)

RIMA: semejanza o igualdad entre los sonidos finales de verso, a contar desde la última vocal acentuada. Composición poética breve, de género lírico.

ROMANCE: combinación métrica formada por una serie indefinida de versos octosílabos, asonantados en los pares y sin rima en los impares. *Heroico:* el formado por versos endecasílabos.

ROMANCILLO: el compuesto por versos de menos de ocho sílabas.

RONDEL: breve composición amorosa, generalmente en redondillas octosílabas, en que se repiten armoniosamente conceptos y rimas. (Navarro) Algunos poetas usan endecasílabos de diversos tipos.

SEGUIDILLA: composición poética que puede constar de cuatro o de siete versos, y en que se combinan heptasílabos y pentasílabos. Es de carácter popular.

SERVENTESIO: estrofa formada por cuatro versos endecasílabos de rima alterna. Era un género de composición de la lírica provenzal, de asunto moral, político o satírico.

SEXTINA: estrofa de seis versos endecasílabos. *Sextina modernista:* combinación de seis versos de cualquier medida, con rima consonante de *aabccb.*

SILVA: composición formada por endecasílabos solos o combinados con heptasílabos, sin sujeción a orden alguno de rimas ni estrofas. (Navarro). Poema en silvas.

SÍMIL: figura que consiste en comparar expresamente una cosa con otra, para dar idea viva y eficaz de una de ellas. (Academia)

SINALEFA: pronunciación en una sola sílaba de la última vocal de una palabra y la primera de la palabra siguiente.

SONETO: composición poética de catorce versos distribuídos en dos cuartetos y dos tercetos, generalmente endecasílabos. Modernamente se escriben sonetos con otras clases de versos.

SONETILLO: combinación de arte menor en forma de soneto.

TERCIA RIMA: los tercetos.

TERCERILLA: el terceto que emplea el verso octosílabo en vez del endecasílabo. *Tercerilla modernista:* estrofa compuesta de tres versos de una misma rima consonante.

TERCETO: tres versos endecasílabos, que riman el primero con el tercero. Cuando son varios, el segundo verso de cada uno de los grupos consuena con el primero y tercero del siguiente, y se termina con un cuarteto. Llamado también *tercia rima.*

TETRASÍLABO: el verso de cuatro sílabas.

TRIOLET: nombre provenzal de una composición poética usada por Manuel González Prada, que no es otra que el antiguo *zéjel*, según Navarro.

TRISÍLABO: el verso de tres sílabas.

TROPO: empleo de las palabras en sentido distinto al que propiamente les corresponde, pero que tiene con éste alguna conexión, correspondencia o semejanza. (Academia)

VERSIFICACIÓN: arte de versificar, de hacer versos. *Versificación rímica:* se basa en el número de sílabas, en acento y, aunque no siempre, en la rima. Es cualitativa y está subordinada al número. *Versificación rítmica:* se basa en la cantidad silábica; es cuantitativa y se subordina al tiempo.

VERSO: período rítmico constante cuya unidad representan los acentos. Palabra o conjunto de palabras sujetas a medida y cadencia, según ciertas reglas. *Verso blanco*, o *verso libre*, o *suelto:* el verso sin rima.

VERSOLIBRISMO: expresión pura de la conciencia poética, sin trabas de medidas, consonantes ni acentos. (Navarro)

VILLANCICO: composición poética popular con estribillo, y especialmente de asunto religioso.

ZÉJEL: estrofa antigua española compuesta de un estribillo inicial, un terceto monorrimo que constituía la mudanza, cuyo consonante cambiaba en cada estrofa, y de un verso final llamado *vuelta.* (Navarro)

ÍNDICE ALFABÉTICO

ÍNDICE ALFABÉTICO

AME
RICA
SEPTENTRIO
MAR
DEL
Tropicus Cancri
CIRCULUS ÆQUINOCTIALIS
OCEAN
ZU
Tropicus Capricorni
PERU
MARE
PAC
CUM
TERRA INCOGNITA
TERRA
AUSTRALIS
INCOG NITA
MAR DI INDIA
AMERICA PARS
Islandia
Frislant
Groenlandia
NOVA GRA
Tontonteac